COMENTÁRIO AO EVANGELHO SEGUNDO JOÃO

Volume 2 (13-21)
Introdução, Tradução e Notas

Editores responsáveis
Rico Silva
Prof. Dr. Paulo Cappelletti
Prof. Dr. Waldecir Gonzaga (PUC-Rio, Brasil)

CONSELHO EDITORIAL

Prof. Dr. Abimar Oliveira de Moraes (PUC-Rio, Brasil)
Prof. Dr. Adelson Araújo dos Santos (Gregoriana, Roma, Itália)
Profa. Dra. Andreia Serrato (PUC-PR, Brasil)
Profa. Dra. Aparecida Maria de Vasconcelos (FAJE, Brasil)
Prof. Dr. Carlos Ignacio Man Ging Villanueva (PUCE, Equador)
Profa. Dra. Edith Gonzáles Bernal (PU Javeriana, Bogotá, Colômbia)
Profa. Dra. Eileen Fit Gerald (UC de Cochabamba, Bolívia)
Prof. Dr. Erico João Hammes (PUC-RS, Brasil)
Prof. Dr. Fernando Soler (PUC-Chile, Santiago)
Profa. Dra. Francilaide Queiroz de Ronsi (PUC-Rio, Brasil)
Prof. Dr. Francisco Nieto Rentería (UP, México)
Prof. Dr. Gabino Uríbarri (UP Comillas, Espanha)
Prof. Dr. Gilles Routhier (U. Laval, Quebéc, Canadá)
Profa. Dra. Gizela Isolde Waechter Streck (EST, Brasil)
Dr. Júlio Paulo Tavares Zabatiero (FTSA, Brasil)
Profa. Dra. Maria Isabel Pereira Varanda (UCP, Portugal)
Profa. Dra. Maria Teresa de Freitas Cardoso (PUC-Rio, Brasil)
Profa. Dra. Sandra Duarte de Souza (UMESP, Brasil)
Prof. Dr. Valmor da Silva (PUC-GO, Brasil)
Profa. Dra. Vilma Stegall de Tommaso (PUC-SP, Brasil)
Prof. Dr. Waldecir Gonzaga (PUC-Rio, Brasil)
Profa. Dra. Gleyds Silva Domingues (FABAPAR)

RAYMOND E. BROWN, S.S.

COMENTÁRIO AO EVANGELHO SEGUNDO JOÃO

Volume 2 (13-21)

Introdução, Tradução e Notas

Tradutor:
Valter Graciano Martins

São Paulo - SP
2022

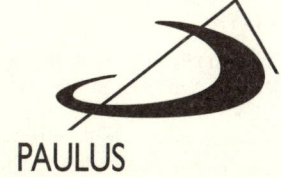

© by Yale University as assignee from Doubleday, a division of Randon House, Inc.
© by Editora Academia Cristã

Título do original inglês: The Gospel According to John (XIII-XXI)

Supervisão editorial:
Rico Silva
Dr. Paulo Cappelletti

Diagramação:
Cicero Silva

Revisão:
Pe. Mizael A. Silva
Rogerio de Lima Campos

Capa:
James Valdana

Dados Internacionais de Catalogação na Publicação (CIP)
Angélica Ilacqua CRB-8/7057

Brown, Raymond Edward, 1928-1998.
   Comentário ao evangelho segundo João Volume 2 (13-21): introdução, tradução e notas / Raymond Edward Brown, S.S.; tradução de Valter Graciano Martins. – Santo André: Academia Cristã; São Paulo: Paulus, 2020.

Bibliografia
ISBN 978-65-5562-097-9
Título original: The Gospel According to John (XIII-XXI)

1. Bíblia N.T.-João-Comentários. I. Título. II. Martins, Valter Graciano

20-3499

CDD 226.5077
CDU 226.5

Índices para catálogo sistemático:

1. Evangelho segundo João – Comentário

ACADEMIA
CRISTÃ

Rua José do Passo Bruques, 181 - Jardim Avelino
03227-070 - São Paulo, SP - Brasil
(11) 3297-5730
editorial@editoraacademiacrista.com.br
www.editoraacademiacrista.com.br

PAULUS
Paulus Editora
Rua Francisco Cruz, 229
04117-091 - São Paulo - SP
(11) 5087-3700
editorial@paulus.com.br
www.paulus.com.br

*Este comentário completo é dedicado
a meu pai em seus setenta anos*

*Um pequeno gesto de gratidão
por uma vida de generosidade*

Sumário

Prefácio à edição brasileira XI
Principais abreviaturas XV

III. O LIVRO DA GLÓRIA

O LIVRO DA GLÓRIA

PRIMEIRA PARTE: A ÚLTIMA CEIA 899

Esboço da primeira parte 900
46. A ceia: – O lava-pés (13,1-20) 903
47. A ceia: – Predição da traição (13,21-30) 934
48. O último discurso: Observações gerais 944
49. O último discurso: – Primeira seção (introdução) (13,31-38) 974
50. O último discurso: – Primeira seção (primeira unidade)
(14,1-14) 989
51. O último discurso: – Primeira seção (segunda unidade)
(14,15-24) 1014
52. O último discurso: – Primeira seção (terceira unidade)
(14,25-31) 1030
53. O último discurso: – Segunda seção (primeira subdivisão)
(15,1-17) 1041
54. O último discurso: – Segunda seção (segunda subdivisão)
(15,18 – 16,4a) 1075
55. O último discurso: – Segunda seção (terceira subdivisão)
primeira unidade (16,4b-15) 1098

56. O último discurso: – Segunda seção (terceira subdivisão) segunda unidade (16,16-33) 1116
57. O último discurso: – Terceira seção (primeira unidade) (17,1-8) 1142
58. O último discurso: – Terceira seção (segunda unidade) (17,9-19) 1165
59. O último discurso: – Terceira seção (terceira unidade) (17,20-26) 1178

SEGUNDA PARTE: A NARRATIVA DA PAIXÃO 1199

Esboço da segunda parte 1200
60. A narrativa da paixão: Observações gerais 1202
61. A narrativa da paixão: – Primeira seção (primeira unidade) (18,1-12) 1225
62. A narrativa da paixão: – Primeira seção (segunda unidade) (18,13-27) 1243
63. A narrativa da paixão: – Segunda seção (episódios 1-3) (18,28-40) 1273
64. A narrativa da paixão: – Segunda seção (episódios 4-7) (19,1-16a) 1312
65. A narrativa da paixão: – Terceira seção (introdução; episódios 1-4) (19,16b-30) 1343
66. A narrativa da paixão: – Terceira seção (episódio 5; conclusão) (19,31-42) 1388

TERCEIRA PARTE: A RESSUREIÇÃO DE JESUS 1429

Esboço da terceira parte 1430
67. A ressurreição: Observações gerais 1431
68. A ressurreição de Jesus: – Primeira cena (20,1-18) 1447
69. A ressurreição de Jesus: – Segunda cena (20,19-29) 1497

CONCLUSÃO: DECLARAÇÃO DO PROPÓSITO DO AUTOR (20,30-31) 1543

70. Declaração do propósito do autor (20,30-31) 1544

IV. EPÍLOGO

Esboço (cap. 21) 1554
71. O Jesus ressurreto aparece aos discípulos junto ao Mar de
Tiberíades (21,1-14) 1555
72. O Jesus ressurreto fala a Pedro (21,15-23) 1600
73. A (segunda) conclusão (21,24-25) 1628

APÊNDICE

Apêndice V: O paráclito 1641

ÍNDICES

ÍNDICE DOS PRINCIPAIS AUTORES CITADOS 1656

ÍNDICE DE CITAÇÕES BÍBLICAS 1665

OUTRAS FONTES CITADAS 1697

Prefácio à edição brasileira

Com dupla alegria é que aceitei e me proponho a fazer este prefácio à edição brasileira da obra do Prof. RAYMOND EDWARD BROWN, renomado biblista, com grande destaque sobremaneira no *corpus joanino*: a primeira foi a de receber a notícia da tradução e publicação para o português do Brasil desta obra monumental, em dois volumes realmente densos e completos em todos os sentidos; e a segunda foi ter sido convidado para prefaciar esta obra, que já tanto usamos em nossos cursos de literatura joanina, na Graduação e na Pós-graduação em todo o território deste imenso Brasil, de norte a sul, de leste a oeste.

Esta obra foi escrita por BROWN, com seu original em inglês. Aliás, o primeiro volume, *The Gospel According to John, I-XII. A new translation with introduction and commentary,* The Anchor Yale Bible Commentaries Series, Vol. 29. Hardcover: Yale University Press, 1966, 538 pp., e o segundo volume, sempre no inglês: *The Gospel According to John, XIII-XXI. A new translation with introduction and commentary*, The Anchor Yale Bible Commentaries Series, Vol. 29, Part A. Hardcover: Yale University Press, 1970, 688 pp. Depois essa belíssima obra foi traduzida para vários idiomas, o que a tornou ainda mais acessível. A língua portuguesa é mais um ganho na difusão desta obra de superlativa grandeza e de valor incomensurável para os estudos joaninos e bíblicos em geral, sendo muito apreciada pelas várias tradições cristãs.

O Prof. RAYMOND EDWARD BROWN, nascido em 1928 e falecido em 1998, atravessou o século XX sendo realmente um dos maiores biblistas e renomados professores de Sagrada Escritura, especialmente do Novo Testamento, com sede na *Union Theological Seminary* (UTS), de New York, EUA. Como grande especialista em Literatura Joanina – além de outros temas e textos do Novo Testamento –, a fim de que realmente tenhamos uma maior ideia da grande envergadura das capacidades deste querido biblista joanino, eu gostaria aqui de recordar algumas de suas obras, inclusive traduzidas para o português e muito usadas em nossos cursos de teologia pelo vasto território nacional. Vou procurar citar apenas algumas de suas obras, mantendo sua ordem cronológica de tradução e publicação no Brasil: *Evangelho de João e Epístolas* (1975), *As Recentes Descobertas e o Mundo Bíblico* (1986), *As Igrejas dos Apóstolos* (1986), *A comunidade do discípulo amado* (1999), *Entendendo o Antigo Testamento* (2004), *O Nascimento do Messias* (2011), *A Morte do Messias: Vol. 1* (2011), *A Morte do Messias: Vol. 2* (2011), *Introdução ao Novo Testamento* (2012), *Novo Comentário Bíblico São Jerônimo – Antigo Testamento* (2007) e *Novo Comentário Bíblico São Jerônimo – Novo Testamento* (2011), sendo essas duas últimas obras uma coedição entre RAYMOND E. BROWN/JOSEPH A. FITZMYER/E. ROLAND.

Por isso, e por tudo mais que BROWN representa no mundo da literatura bíblica, ver agora o seu *Comentário ao Evangelho segundo João*, esta obra monumental, de superlativa qualidade e seriedade acadêmica – como já o sabemos –, sendo traduzida e publicada no Brasil, disponível em nossas mãos, a fim de facilitar ainda mais nossos estudos, é algo que nos enche de alegria e renova nosso ânimo acadêmico. Desde que o Vol. 1 foi publicado originalmente, em 1966, e o Vol. 2, em 1970, a obra continua sendo muito atual e indispensável para os estudos referentes ao Quarto Evangelho, sendo cada vez mais traduzida e publicada em novas línguas, como está sendo agora para o português. Por isso, continua sendo muito empregada nos estudos teológico-bíblicos, como uma obra referencial. De fato, poucos textos têm sido usados no mundo com tão ampla difusão e tradução para vários idiomas como esta obra. Sendo já volumosa no original inglês, com seus dois amplos volumes, ela é traduzida respeitando a mesma divisão, até mesmo porque são 1.698 páginas contando os dois volumes, na edição brasileira.

Não me cansarei de afirmar e não tenho dúvidas de que, como dito acima, tendo em vista o amplo uso que já é feito desta obra no meio acadêmico nos cursos de Teologia no Brasil – tanto em nível de graduação como de Pós-Graduação –, a tradução desse livro / dessa coletânea para o português e sua publicação no Brasil constitui um ganho incalculável, visto que abrirá inúmeras possibilidades para os estudos futuros, proporcionando um maior acesso, em todos os sentidos, e não apenas linguístico.

Nestes dois volumes dedicados ao Evangelho de João, BROWN reúne todos os seus anos de magistérios, lecionando sobre a literatura joanina, bem como recolhendo os frutos de seus antecessores neste mesmo campo das Sagradas Escrituras. Nesse sentido, podemos considerar que Brown faz e nos apresenta uma grande síntese de todas as colaborações anteriores a ele e lança luzes sobre as produções posteriores a esta obra, como podemos conferir pelo seu amplo uso. Ele, mais que ninguém de sua época, soube meditar e refletir sobre a riqueza da literatura joanina e, em especial, sobre o IV Evangelho e tudo aquilo que ele representa em paralelo aos três outros Evangelhos no Novo Testamento, da literatura Sinótica, trazendo/dando/conferindo outra tonalidade e riqueza de detalhes sobre a vida e a obra do Mestre.

Nos últimos séculos foram realizadas grandes descobertas bíblicas que trouxeram luzes para os estudos bíblicos, os quais avançaram e muito em suas pesquisas e investigações. Sobremaneira recordamos: a) Guenizá do Cairo (Egito: 1896); Nag Hammadi (Egito: 1945) e Qumran (Israel: 1947). Porém, alguns falam também do valor dos 70 livros de metal com bíblicos, encontrados na caverna da Jordânia (2011). Mas em nada todas essas descobertas afetaram os textos bíblicos. Pelo contrário, toda a literatura encontrada até então tem ajudado ainda mais os sérios trabalhos realizados nos estudos bíblicos, com muitas dissertações e teses que são produzidas dentro de nossas inúmeras Universidades espalhadas pelos cinco continentes do orbe terrestre.

Se os sinóticos (Mateus, Marcos e Lucas) produziram a sua teologia própria, como, aliás, todos os autores bíblicos – com maior aproximação de temas, linguagem, fatos da vida de Cristo –, o autor do Evangelho de João seguiu um caminho diverso, com temas, vocabulário e narrativas próprias, diferenciando dos sinóticos, com igual ou superior riqueza de dados e teologia, mas não entrando em contradição e sim completando ainda mais os dados da revelação que o Verbo Encarnado veio nos trazer. A riqueza teológica de João completa a grandeza dos dados sobre a vida do Mestre e da Igreja nascente, sem a qual não teríamos o mesmo acesso a tão fina teologia sobre Jesus Cristo, como o IV Evangelho nos apresenta.

No que diz respeito ao Vol. 2: RAYMOND EDWARD BROWN. *Comentário ao Evangelho segundo João*. Volume 2: Introdução, Tradução e Notas (13-21). Santo André: Academia Cristã / São Paulo: Paulus, 2020, a obra apresenta *introdução, tradução e notas* aos cap. 13-21, contendo o comentário ao *Livro da Glória* e ao *Epílogo*, sendo dividida entre Primeira Parte: A última Ceia (13,1 a 17,26); Segunda Parte: A narrativa da Paixão (18,1 a 19,42); Terceira Parte: O Jesus Ressurreto

(20,1 a 20,31); em seguida, a obra apresenta o comentário ao Epílogo (21,1-25) e vasta bibliografia para ulteriores aprofundamentos.

Brown pretende, com isso, apresentar-nos toda a riqueza do Quarto Evangelho. Sua tradução procura manter a riqueza linguística, inclusive em seus detalhes, respeitando as nuances e o contexto de cada narrativa; suas notas e seus comentários intentam traduzir a riqueza e a beleza que a literatura joanina comporta, trazendo sempre luzes para, inclusive, aproximar-se dos sinóticos com maior gosto e desejo de crescer nas pesquisas e nos estudos bíblicos. É óbvio que ao fazer a passagem do grego, língua original do Novo Testamento, para uma outra língua, como o inglês ou o português, não é algo tão fácil de se conseguir com isenção e maestria como consegue o nosso autor. Mais ainda quando se trata de traduzir esta obra escrita originalmente em inglês e agora versada para o português. Mas a tradução realmente foi feita com esmero e coloca em nossas mãos esta obra-prima, com todas as suas riquezas e detalhes.

Enfim, se não bastasse toda a riqueza da obra em si, com todos os seus comentários e notas, ao longo dos dois volumes, Brown vai nos presenteando com uma rica e vasta bibliografia, que muito ajuda a todos os interessados em aprofundar ainda mais o tema, além de que nos proporciona ter ciência das fontes em que o autor bebeu para tecer sua obra. Mais ainda, esta obra também apresenta os índices remissivos dos autores e das passagens bíblicas citadas, separadas por Antigo Testamento e Novo Testamento, inclusive do Evangelho de João, bem como dos deuterocanônicos e de apócrifos.

Prof. Dr. Waldecir Gonzaga
Waldecir Gonzaga, Doutor em Teologia Bíblica pela Pontifícia Universidade Gregoriana (Roma) e Pós-Doutorado pela FAJE (Belo Horizonte). Diretor e Professor de Teologia Bíblica do Departamento de Teologia da PUC-Rio: graduação e pós-graduação.
Rio de Janeiro / RJ – Brasil / E-mail: waldecir@puc-rio.br

Principais Abreviaturas

Além das abreviações padrão de livros da Bíblia usadas na série:

Livros Deuterocanônicos do AT:
Tob	Tobias
Jt	Judite
I & II Mac	I & II Macabeus
Sir	Sirácida ou Eclesiástico
Sab. Sal.	Sabedoria de Salomão
Bar	Baruque

Livros Apócrifos relacionados com o AT:
Jub	Jubileu
1 En	1 Enoque
II Bar	II Baruque
I & II Esd	I & II Esdras
Sal. Sal.	Salmos de Salomão

1. Publicações

AASOR	Annual of the American Schools of Oriental Research
AER	American Ecclesiastical Review
APCh	*Apocrypha and Pseudepigrapha of the Old Testament in English* por R. H. Charles (2 vols.; Oxford: Clarendon, 1913)
ATR	Anglican Theological Review
BA	The Biblical Archaeologist

BAG	W. Bauer (como traduzido por W. F. Arndt e F. W. Gingrich), A *Greek-English Lexicon of the New Testament* (University of Chicago, 1957)
BASOR	Bulletin of the American Schools of Oriental Research
BCCT	*The Bible in Current Catholic Thought*, ed. J. L. McKenzie, em honra de M. Gruenthaner (Nova York: Herder & Herder, 1962)
BDF	F. Blass and A. Debrunner (como traduzido por R. W. Funk), A *Greek Grammar of the New Testament and Other Early Christian Literature* (University of Chicago, 1961). Referências a Seções
Bib	Biblica
BibOr	Bibbia e Oriente
BJERL	Bulletin of the John Rylands Library (Manchester)
BNTE	*The Background of the New Testament and Its Eschatology*, eds. W. D. Davies and D. Daube, em honra de C. H. Dodd (Cambridge, 1956)
BVC	Bible et Vie Chrétienne
BZ	Biblische Zeitschrift
CBQ	Catholic Biblical Quarterly
CDC	Cairo Genizah Document of the Damascus Covenanters (the Zadokite Documents)
CINTI	*Current Issues in New Testament Interpretation*, eds. W. Klassen e G. F. Snyder, em honra de O. A. Piper (Nova York: Harper, 1962)
CSCO	Corpus Scriptorum Christianorum Orientalium (Louvain)
CSEL	Corpus Scriptorum Ecclesiasticorum Latinorum (Vienna)
DB	H. Denzinger e C. Bannwart, *Enchiridion Symbolorum*, rev. por A. Schönmetzer, 32 ed. (Freiburg: Herder, 1963). Referências a seções
DBS	Dictionnaire de la Bible – Supplément
ECW	Early Christian Worship by Oscar Cullmann (ver General Selected Bibliography)
EstBib	Estudios Bíblicos (Madri)
ET	Expository Times
ETL	Ephemerides Theologicae Lovanienses

EvJean	*L'Evangile de Jean* by M.-E. Boismard *et al.* (Recherches Bibliques, III; Louvain: Desclée de Brouwer, 1958)
EvTh	Evangelische Theologie (Munique)
GCS	Die Griechischen Christlichen Schriftsteller (Berlim)
HTR	Harvard Theological Review
IEJ	Israel Exploration Journal
IMEL	*In Memoriam Ernst Lohmeyer*, ed. W. Schmauch (Stuttgart: Evangelisches Verlag, 1951)
Interp	Interpretation (Richmond, Virginia)
JBL	Journal of Biblical Literature
JeanThéol	*Jean le Théologien* by F.-M. Braun
JG	Johannine Grammar by E. A. Abbott (Londres: Black, 1906). Referências a seções
JJS	Journal of Jewish Studies
JNES	Journal of Near Eastern Studies
JohSt	*Johannine Studies* by A. Feuillet (Nova York: Alba, 1964)
JPOS	Journal of the Palestine Oriental Society
JTS	Journal of Theological Studies
LumVie	Lumiére et Vie
MD	La Maison-Dieu
NovT	Novum Testamentum
NRT	Nouvelle Revue Théologique
NTA	New Testament Abstracts
NTAuf	*Neutestamentliche Aufsätze*, eds. J. Blinzler, O. Kuss, e F. Mussner, em honra de J. Schmid (Regensburg: Pustet, 1963)
NTE	*New Testament Essays* by Raymond E. Brown (Milwaukee: Bruce, 1965; reimpresso em Nova York: Doubleday Image, 1968)
NTPat	*Neotestamentica et Patristica*, em honra de O. Cullmann (SNT, VI)
NTS	New Testament Studies (Cambridge)
PG	Patrologia Graeca-Latina (Migne)
PL	Patrologia Latina (Migne)
1QH	Hinos de Ação de Graças
1QpHab	pēšer sobre Habacuque

1QM	Qumran War Scroll [A Regra para a Guerra]
1QS	Qumran Manual of Discipline [Manual de Disciplina]
RB	Revue Biblique
RecLC	*Recueil Lucien Cerfaux* (3 vols.; Gembloux, 1954-62)
RHPR	Revue d'histoire et de philosophie religieuses
RivBib	Rivista Biblica (Brescia)
RSPT	Revue des sciences philosophiques et théologiques
RSR	Recherches de science religieuse
RThom	Revue Thomiste
SacPag	*Sacra Pagina*, eds. J. Coppens, A. Descamps, E. Massaux (Louvain, 1959)
SBT	Studies in Biblical Theology (Londres: SCM)
SC	Sources Chrétiennes (Paris: Cerf)
ScEccl	Sciences Ecclésiastiques (Montreal)
SFG	*Studies in the Fourth Gospel*, ed. F. L. Cross (Londres: Mowbray, 1957)
SNT	Supplements to Novum Testamentum (Leiden: Brill)
StB	H. L. Strack e P. Billerbeck, *Kommentar zum Neuen Testament aus Talmud und Midrasch* (5 vols.; Munique: Beck, 1922-55)
StEv	*Studia Evangelica* (Papers from the Oxford International Congresses of NT Studies; published at Berlin, Akademie-Verlag)
TalBab	The Babylonian Talmud, English ed. by I. Epstein (Londres: Soncino, 1961)
TalJer	The Jerusalem Talmud
TD	Theology Digest
ThR	Theologische Rundschau (Tübingen)
TLZ	Theologische Literaturzeitung
TNTS	*Twelve New Testament Studies* by John A. T. Robinson (SBT, No. 34; Londres: SCM, 1962).
TS	Theological Studies
TWNT	*Theologisches Wörterbuch zum Neuen Testament*, ed. G. Kittel (Stuttgart: Kohlhammer, 1933–)
TWNTE	Same work translated into English by G. W. Bromiley (Grand Rapids: Eerdmans, 1964–)
TZ	Theologische Zeitschrift (Basel)
VD	Verbum Domini

VigChr	Vigiliae Christianae
VT	Vetus Testamentum
ZDPV	Zeitschrift des Deutschen Palästina-Vereins
ZGB	M. Zerwick, Graecitas Biblica (4 eds.; Roma: Pontifical Biblical Institute, 1960). Referências são a seções; estas são as mesmas na tradução inglesa da 4ª ed. por J. Smith (Roma: 1963)
ZKT	Zeitschrift für katholische Theologie
ZNW	Zeitschrift für die neutestamentliche Wissenschaft und die Kunde der älteren Kirche
ZTK	Zeitschrift für Theologie und Kirche

2. Versões

BJ	Bíblia de Jerusalém
KJ	The Authorized Version of 1611, ou a King James Bible
LXX	The Septuagint
TM	Masoretic Text [Texto Massorético]
NEB	The New English Bible (New Testament, 1961)
RSV	The Revised Standard Version, 1946, 1952
SB	La Sainte Bible – "Bible de Jérusalem" – traduite en français (Paris: Cerf). D. Mollat, *L'Evangile de Saint Jean* (2 ed. 1960)
Vulg.	Vulgata

3. Outras Abreviações

NT	Novo Testamento
AT	Antigo Testamento
Aram.	Aramaico
Boh.	Bohairic (Cópta)
Et	Etíope
Gr.	Grego
Heb.	Hebreu
OL	[Latim antigo]
OS	[Siríaco antigo] (OS^{cur}; OS^{sin} denote the Curetonian and Sinaiticus mss. Respectivamente)
Sah.	Sahidic (Cópta)

App.	Apêndices no final do livro
P	Papyrus
par.	Ver paralelo(s)
*	O asterisco depois de um manuscrito indica a mão do copista original, como distinta da dos últimos revisores.
[ ]	Colchetes na tradução indica uma palavra ou passagem textualmente dúbia.

III
O LIVRO DA GLÓRIA

"A hora" de Jesus na qual ele é elevado ao Pai e glorificado a fim de dar o Espírito aos que creem nele e, assim, gerá-los como filhos de Deus.

> "Mas todos quantos o aceitaram receberam
> o poder de serem filhos de Deus".

No vol. 1, pp. 159, explicamos as razões existentes para dividir o Quarto Evangelho em "O Livro dos Sinais" (1,19-12,50) e "O Livro da Glória" (13,1-20,31). Há notáveis diferenças entre os Livros. Primeiro, durante o ministério público, como descrito no Livro dos Sinais, as palavras e obras de Jesus foram dirigidas a um amplo auditório, provocando uma crise de fé: alguns creram e outros se recusaram a crer. O Livro da Glória, todavia, é dirigido ao auditório restrito daqueles que creram. Segundo, os sinais do primeiro Livro anteciparam o que Jesus faria pelos homens quando fosse glorificado. O segundo Livro descreve a glorificação, i.e., "a hora" da paixão, crucifixão, ressurreição e ascensão quando Jesus é elevado ao Pai para desfrutar outra vez a glória que tivera com o Pai antes que o mundo existisse (17,5). Estas diferenças se manifestam no primeiro versículo do Livro da Glória: "Ora, antes da festa da páscoa, sabendo Jesus que já era chegada *sua hora de passar* deste mundo para o Pai, tendo amado *os seus* que estavam no mundo, amou-os até o fim" (13,1).

A vida do Jesus joanino tem sido comparada ao arco de um pêndulo, que oscila de um ponto alto até um ponto baixo, e então sobe outra vez às alturas. Certamente, alguém pode verificar isto no hino que denominamos de Prólogo. Ele começa no céu: "A Palavra estava na presença de Deus" (1,1); então vem a crise do ministério: "Ele estava no mundo... todavia o mundo não o reconheceu" (1,10) e "vimos sua glória, a glória de um Filho unigênito vindo da parte do Pai" (1,14); finalmente, o olhar se ergue outra vez ao céu: "é Deus, o Filho unigênito, sempre ao lado do Pai" (1,18). O mesmo arco do pêndulo se encontra no próprio evangelho. O Filho é aquele que desceu do céu (3,13), mas é rejeitado por muitos que preferem as trevas à luz (3,19); e seu ministério atinge seu ápice quando é rejeitado por seu próprio povo: "Muito embora Jesus realizasse tantos sinais diante deles, se recusaram a crer nele" (12,37). O Livro dos Sinais descreveu esta primeira parte do pêndulo, a saber, a trajetória descendente [do pêndulo];

III • O Livro da Glória

O Livro da Glória é a descrição da trajetória ascendente. A "elevação" do Filho do Homem que atrairá todos os homens a ele (predito em 12,32) começa na cruz onde Jesus é fisicamente elevado da terra. Para outros homens, a crucifixão teria sido uma humilhação; mas porque Jesus entrega sua vida com o poder de reassumi-la (10,18), há um elemento de triunfo no conceito joanino de crucifixão. É uma morte que produz a glorificação, e o Jesus crucificado é proclamado como rei nos principais idiomas do mundo (19,19-20). A elevação de Jesus prossegue na ressurreição que é interpretada como parte da ascensão de Jesus ao Pai (20,17). Todavia, João não conclui o relato evangélico quando o pêndulo haja concluído seu giro para cima e Jesus está com o Pai. Se Jesus é o Filho de Deus, ele é o Filho consagrado a ampliar a família de Deus e a ter outros homens partilhando do amor de Deus assim como ele partilha dele. E então a primeira ação do Jesus glorificado é dar aos discípulos o Espírito Santo (20,22), o qual os gera do alto (3,3.5), de modo que Deus se torna seu Pai e Jesus, seu irmão (20,17).

Já dissemos que a "elevação" começa com a crucifixão e termina com a ressurreição e ascensão. Então, por que incluímos no Livro da Glória os capítulos 13-17, os quais descrevem a última ceia de Jesus com seus discípulos e o extenso último discurso? No Livro dos Sinais, vimos o fenômeno em que os discursos de Jesus, vindo após os sinais, serviram para interpretar os sinais. No Livro da Glória, a última ceia e o discurso que precede a ação da glorificação servem para interpretar aquela ação. O lava-pés no cap. 13 expõe nitidamente o significado da morte de Jesus – é uma morte que purifica os discípulos e lhes dá uma herança com ele. O majestoso Discurso Final reassegura aos discípulos que a morte de Jesus não é o fim. É sua partida para o Pai; porém vezes e mais vezes Jesus promete que voltará (na ressurreição, ao habitar neles, no Paráclito, na parousia), e sua volta será marcada pela paz e alegria. Seu retorno capacitará os discípulos a permanecerem em união com ele (15,1-17), uma união similar à sua própria união com o Pai (17,12).

A solenidade do pensamento e estilo joaninos está nitidamente em evidência no Livro da Glória, e certamente esta apresentação de Jesus em suas últimas horas é uma das mais belas composições na literatura religiosa da humanidade. O redator joanino afirmará que nenhum livro ou livros podem captar integralmente a figura de Jesus de Nazaré (21,25), mas o Livro da Glória faz jus com toda dignidade à reivindicação do testemunho a favor de Jesus pelo discípulo a quem ele amou de maneira especial e que teve bem junto de seu coração (19,35; 21,24; 13,23.25).

Trataremos o Livro da Glória como que consistindo de três partes e uma conclusão:

    PRIMEIRA PARTE: A última ceia (13-17);
    SEGUNDA PARTE: A narrativa da paixão (18-19);
    TERCEIRA PARTE: O Jesus ressurreto (20,1-29);
    CONCLUSÃO (20,30-31).

Esboços detalhados serão exibidos com cada parte.

O LIVRO DA GLÓRIA

Primeira Parte: A última ceia

ESBOÇO

PRIMEIRA PARTE: A última ceia
(caps. 13-17)

A. 13,1-30: A ceia. (§§ 46-47)
    (1-20) O lava-pés. (§ 46)
        1: Introdução ao Livro da Glória.
        2-11: O lava-pés, interpretado como símbolo da morte de Jesus, com uma referência secundária ao batismo.
            2-3: Introdução.
            4-5: Lava-pés.
            6-10a: Interpretação do lava-pés (um diálogo).
            10b-11: Referência a Judas.
        12-20: Outra interpretação do lava-pés, como um exemplo de um serviço humilde.
            12-15.17: Interpretação mediante discurso.
            16 e 20: Ditos isolados com paralelos mateanos.
            18-19: Referência a Judas.
    (21-30) Predição da traição. (§ 47)

B. 13,31 – 17,26: O último discurso. (§§ 48-59)
    (13,31-14,31) *Primeira seção*: A partida de Jesus e o futuro dos discípulos. (§§ 49-52)
        13,31-38: *Introdução*: O tema da partida de Jesus e o mandamento do amor. Negação de Pedro. (§ 49)
        14,1-14: *Primeira unidade*: Jesus é o caminho para o Pai para todos os que creem nele. (§ 50)
            1-4: Partida e retorno de Jesus.
            5: Pergunta de transição.
            6-11: Jesus como o caminho.
            12-14: Poder da fé em Jesus (transição ao que segue).
        15-24: *Segunda unidade*: O Paráclito, Jesus e o Pai virão para os que amam a Jesus. (§ 51)
            15-17: A vinda do Paráclito (mas não ao mundo).
            18-21: O retorno de Jesus.
            22: Pergunta de transição.
            23-24: A vinda do Pai (com Jesus).

25-31: *Terceira unidade*: Pensamentos finais de Jesus antes da partida. (§ 52)
    25-26: O envio do Paracleto como mestre.
    27ab: O dom da paz como despedida.
    27c-29: A partida de Jesus.
    30-31: A luta contra o Príncipe deste mundo.

(15-16) *Segunda seção*: A vida dos discípulos e seu encontro com o mundo depois da partida de Jesus. (§§ 53-56)
  15,1-17: *Primeira subdivisão*: A videira e os ramos. (§ 53)
    1-6: O *mashal*.
    7-17: Desenvolvimento parenético sobre o amor.
      7-10: Permanecer em Jesus e em seu amor.
      11: Referência transitória à alegria.
      12-17: O mandamento do amor mútuo.
  15,18 – 16,4a: *Segunda subdivisão*: O ódio do mundo para com Jesus e seus discípulos. (§ 54)
    15,18-21: O mundo odeia e persegue os discípulos.
    22-25: O pecado do mundo.
    26-27: O testemunho do Paracleto.
    16,1-4a: A perseguição aos discípulos.
  16,4b-33: *Terceira subdivisão*: Duplicata da Primeira seção. (§§ 55-56)
    4b-15: *Primeira unidade*: A partida de Jesus e a vinda do Paracleto. (§ 55)
      4b: Transição.
      5-7: A partida de Jesus e a tristeza dos discípulos.
      8-11: O Paracleto contra o mundo.
      12-15: O Paracleto como guia dos discípulos.
    16-33: *Segunda unidade*: O retorno de Jesus trará alegria e conhecimento aos discípulos. (§ 56)
      16,23a: Os discípulos verão Jesus outra vez e se alegrarão.
      23b-33: Terão seus pedidos concedidos e compreenderão Jesus claramente.

(17) *Terceira seção*: A oração final de Jesus. (§§ 57-59)
  1-8: *Primeira unidade*: Jesus, tendo concluído sua obra, pede para ser glorificado. (§ 57)
    1-5: Jesus pede para ser glorificado.
    6-8: A obra de revelação de Jesus entre os discípulos.

9-19: *Segunda unidade*: Jesus ora por aqueles que o Pai lhes confiou. (§ 58)
    9-16: Os discípulos e o mundo.
    17-19: A consagração dos discípulos e de Jesus.

20-26: *Terceira unidade*: Jesus ora pelos que creem nele pela palavra dos discípulos. (§ 59)
    20-23: A unidade dos que creem em Jesus.
    24-26: Jesus deseja que os crentes permaneçam unidos a ele.

46. A CEIA: – O LAVA-PÉS
(13,1-20)

13 ¹Ora, um pouco antes da festa da Páscoa, estando Jesus ciente de que lhe havia chegado a hora de passar deste mundo para o Pai, tendo amado os seus que estavam neste mundo, amou-os até o fim.

²Estavam ceiando, o diabo já havia induzido Judas, filho de Simão, o Iscariotes, a trair Jesus. E então, durante a ceia, ³sabendo que o Pai tudo colocara em suas mãos, e que tinha saído de Deus e estava indo para Deus, ⁴Jesus levantou-se da mesa e tirou sua túnica. Ele tomou uma toalha e se cingiu com ela. ⁵Então derramou água numa vasilha e começou a lavar os pés de seus discípulos e enxugá-los com a toalha com que se cingira.
⁶Então chegou em Simão Pedro, o qual lhe disse: "Acaso vais lavar meus pés, Senhor?" ⁷Jesus respondeu: "Não podes compreender agora o que estou para fazer, mais depois o compreenderás". ⁸Pedro replicou: "Não lavarás meus pés – jamais!" "Se eu não te lavar", respondeu Jesus, "não terás herança comigo". ⁹"Senhor", disse-lhe Simão Pedro, "então não só meus pés, mas também minhas mãos e o rosto". ¹⁰Jesus lhe disse: "O homem que já se banhou não necessita de lavar [exceto seus pés]; tudo mais está limpo. E agora vós, homens, estais limpos, muito embora nem todos". (¹¹A razão por que ele disse "Nem todos vós estais limpos", foi porque ele conhecia seu traidor).
¹²Depois de ter lavado seus pés, Jesus vestiu sua túnica e retornou ao seu lugar. Então, ele lhes disse:

> "Compreendeis o que eu tenho feito por vós?
> ¹³Vós me tratais como 'Mestre' e 'Senhor',
> e com certeza é assim, pois é isso que eu sou.

¹⁴Ora, se eu vos lavei os pés,
  ainda sendo eu Senhor e Mestre,
  também deveis lavar os pés uns aos outros.
¹⁵Pois eu lhes estou dando um exemplo:
  que façais exatamente como eu vos fiz.
¹⁶Na verdade, na verdade eu vos asseguro:
  o servo não é maior que seu senhor;
  nem o enviado maior do que quem o enviou.
¹⁷Ora, uma vez entendais isto,
  felizes sois se o puserdes em prática.
¹⁸O que eu digo não se reporta a todos vós:
  eu sei o tipo de homens que escolhi.
  Mas o propósito é para que se cumpra a Escritura:
  'Aquele que se farta de pão comigo
  levantou seu calcanhar contra mim.'
¹⁹Eu vos digo isto agora antes que aconteça,
  para que, quando acontecer, creiais
  que EU SOU.
²⁰Na verdade, na verdade eu vos asseguro:
  Todo o que recebe aquele a quem eu enviar,
  a mim me recebe;
  e todo o que me recebe,
  recebe Àquele que me enviou".

NOTAS

13.1. *um pouco antes da festa da Páscoa*. Esta é uma tradução livre. Literalmente, há uma frase proposicional seguida de dois particípios e um verbo principal: "antes da festa da Páscoa, Jesus, sabendo..., tendo amado..., demonstrou agora seu amor". BULTMANN, p. 352, seguindo W. BAUER e alguns dos Padres gregos, argumenta que a frase cronológica modificaria o primeiro particípio (= Jesus sabia antes da Páscoa), porque ninguém pode afixar uma data para o amor de Jesus. JEREMIAS, EWJ, p. 80, crendo que a última ceia foi uma refeição pascal, admite por que ele não quer que esta frase seja usada para datar a última ceia em um período pré-pascal. Não obstante, GROSSOUW, p. 128, pensa que, gramaticalmente, a frase deve ser construída com o verbo principal, e que, o que é datado antes da Páscoa, não é o sentimento do amor, e sim uma expressão concreta de amor, i.e., a morte de Jesus (incluindo o lava-pés como ação simbólica dessa morte). Talvez não devamos tentar ser exatos demais, visto que a frase provavelmente modifique a ambos, conhecimento e o ato de amor. Ela é inserida para dar, igualmente, um cenário teológico e um cronológico para toda a paixão de Jesus, e não apenas à ceia. João passou a construir isto com referências à próxima Páscoa em 11,55 e, especialmente, em 12,1 ("seis dias antes da Páscoa" – para as atividades dos dias intermédios, ver 12,12.36). A tarde desta refeição e o dia seguinte, quando Jesus morrerá, constituem a véspera da Páscoa; ver comentário.

passar. *Metalambanein* é usado em 5,24 e em 1Jo 3,14 para passar da morte para a vida. Beda o venerável via aqui um jogo de palavras com o nome da festa da Páscoa (também os nestorianos; conforme A. PHILLIPS e J. R. HARRIS, ET 38 [1926-27], 233), e alguns estudiosos modernos os têm seguido. Não há, porém, nenhuma indicação do uso na LXX, ou em JOSEFO, de que este verbo estivera relacionado com a ideia de "passar sobre". Antes, 13,1 parece simplesmente ser uma redistribuição das palavras de Jesus em 16,28: "Agora estou deixando o mundo e estou voltando para o Pai".

deste mundo. O "mundo", às vezes no sentido da esfera do mal, aparecerá frequentemente nestes últimos capítulos. O mundo tem os seus próprios a quem ama (15,19), assim como Jesus tem os seus a quem ama. Aqui, todavia, o contraste entre o mundo e o Pai não é tanto o contraste entre o bem e o mal, quanto o contraste entre o que é aqui de baixo e o que é lá de cima (3,31).

Tendo amado. O particípio é um aoristo composto que abarca todo o ministério público.

que estavam neste mundo. Isto antecipa 17,15: "Não estou te pedindo que os tires do mundo".

amou-os. Literalmente, "amou"; o aoristo indica um ato definido. Este versículo tem sido estudado por C. SPICQ, RB 65 (1958), 360-62.

até o fim. A frase *eis telos* tem um duplo significado: "totalmente, completamente", e "até o fim da vida", i.e., até a morte. A morte voluntária é apresentada em 15,13 como a expressão suprema do amor. O verbo relacionado, *telein*, aparece nos lábios de Jesus no momento da morte: "Está consumado" (19,30). No vol. 1, pp. 782, 788-92, vimos as semelhanças entre o relato joanino do final do ministério público de Jesus e a parte final de Deuteronômio. Hoje muitos evocam Dt 31,24: "Quando Moisés terminou de escrever todas as palavras desta lei em um livro, fez isso até o fim [LXX: *eis telos*]...".

2. *já.* Mc 14,10-11 e par. retratam a traição de Jesus da parte de Judas, para os principais sacerdotes, como tendo acontecido antes da última ceia. É possível que João concordasse, embora este versículo signifique apenas que Judas tinha atingido o que estava tramando com seus planos.

Estavam ceiando. Na verdade, esta frase vem antes do restante do v. 2 numa construção de dois genitivos consecutivos absolutos: "E a ceia estando em processo, o diabo tendo posto..., 3 Jesus plenamente cônscio...". Há forte atestação para uma redação alternativa: "quando a ceia foi servida"; contudo, o v. 26 indica que ainda há talheres na mesa. João não usa o artigo antes de "ceia", e se poder esperar o artigo se ele estivesse se referindo à refeição pascal. Os sinóticos não fazem referência à refeição como uma ceia, mas Paulo, em 1Cor 11,20, fala da refeição eucarística comemorativa como "a ceia do Senhor". João nada informa sobre o local em que a refeição foi consumida. Presumivelmente, foi em Jerusalém por causa de 18,1. Nada é dito de um cenáculo (Mc 14,14-15).

induzido Judas. Há duas redações: (a) O diabo já havia posto (*ballein*) no coração que Judas o traísse. (b) O diabo já havia posto no coração de Judas que o traísse. BULTMANN, p. 353[4], sugere que (*b*) era original, e que foi mudado pelos copistas para o mais ambíguo (*a*), porque parecia contradizer o v. 27. Entretanto, (*a*) é mais bem atestado (P[66], Vaticanus, Sinaiticus) e deve ser preferido como a redação mais difícil; (*b*) provavelmente represente uma tentativa de copista para dar maior clareza. Mas, se aceitarmos (*a*) o coração de quem está envolvido? BARRETT, p. 365, pensa que é o coração do próprio diabo (= o diabo se decidiu); no entanto, o fato de o verbo estar na voz ativa se torna difícil. Outros sugerem que o que está implícito é o coração de Judas: o diabo pusera no coração (de Judas) que Judas traísse Jesus. A construção é estranha, mas W. BAUER pensa que a menção do nome de Judas foi deixada até o fim da sentença para acentuar o efeito dramático. Há pouca importância na diferença entre as duas interpretações de (a).

Judas, filho de Simão, o Iscariotes. Os mss. estão divididos quanto a se "Iscariotes" modifica Judas ou Simão; temos assumido a primeira possibilidade, seguindo P[66], Vaticanus e Sinaiticus. Ver nota sobre 6,71.

trair Jesus. Literalmente, "entregá-lo"; ver nota sobre 6,64.

3. *colocara.* Literalmente, "deu em suas mãos"; a mesma expressão se encontra em 3,35.

tinha saído de Deus e estava indo para Deus. INÁCIO, *Magnesians* VII 2, parece ecoar isto: "... Jesus Cristo que saiu do Pai único, o único com quem ele está e o único para quem ele voltou". Ver segunda nota sobre 5,19.

4. *tirou*. Literalmente, "pôs [abaixo]"; este é o mesmo verbo (*tithenai*) usado em 10,11.15.18 para a entrega da vida. Um paralelismo deliberado não está fora de questão, já que a ação correspondente de *tirar* (respectivamente, a túnica e a vida) é também expressa por um verbo (*lambanein*) em 13,12; 3,10.17.18. Tudo isto serve para relacionar o lava-pés e a morte do Senhor.

túnica. Teríamos esperado o singular *himation*, visto que, obviamente, está implícito a túnica externa; João, porém, tem o plural, "vestes", aqui e igualmente no v. 12.

cingiu. Jesus se cinge como um servo (Lc 12,37; 17,8).

5. *uma vasilha*. Literalmente, o artigo mostra que a vasilha é um utensílio habitual nas refeições. JEREMIAS, EWJ, p. 100[5], vê o uso do artigo como um dos numerosos semitismos nestes versículos. Fora desta passagem, a palavra *niptēr* ocorre somente numa inscrição chipriota da época romana; visto, porém, que *niptein* significa "lavar", este é um utensílio para lavagem (o sufixo -*tēr* é agencial ou instrumental). No antigo Oriente Próximo, a lavagem normalmente não era feita numa vasilha já com água, e sim derramando água sobre as partes do corpo (2Rs 3,11).

discípulos. Quem estava na última ceia? Ao menos, dez pessoas tinham de estar, necessariamente, para uma refeição pascal. Mc 14,17 e Mt 26,20 mencionam os Doze (Lc 22,14, "os apóstolos"). JEREMIAS, EWJ, p. 46, salienta que isto não exclui necessariamente a presença das mulheres que tinham seguido Jesus desde a Galileia (Mc 15,40-41). João não menciona os Doze, mas uma comparação de 13,18 ("os homens que escolhi") com 6,70 ("Não vos escolhi a vós os Doze?") torna plausível que o evangelista estava pensando nos Doze. Os mencionados nominalmente no relato joanino da ceia estão nas listas sinóticas dos Doze: Judas Iscariotes, Pedro, Tomé, Filipe, o outro Judas (lista lucana) e até mesmo o discípulo amado, caso seja ele o João de Zebedeu (vol. 1, p. 103-04).

pés. Os discípulos parecem estar nos divãs, reclinando-se do lado esquerdo. Cada um usaria seu braço esquerdo para apoiar sua cabeça e sua direita para alcançar os alimentos que estavam numa mesa que estava colocada no centro dos divãs (ver nota sobre v. 23). Jesus teria circulado a parte externa dos divãs para lavar os pés dos discípulos que estavam estendidos atrás deles. Reclinar não era a posição normal nas refeições em casa, mas era costumeiro na Páscoa (JEREMIAS, EWJ, pp. 48-49).

6. *chegou em Simão Pedro*. Que Pedro era o primeiro (AGOSTINHO) é menos provável que fosse o último (ORÍGENES). A evidência é insuficiente; mas,

depois de discutir com Pedro, Jesus diz: "E agora vós, homens, estais limpos". Ver também nota sobre v. 23.

meus pés. A posição incomum do possessivo no grego pode indicar ênfase: "*meus* pés"; assim BERNARD, porém BDF, § 473[1] discorda.

7. *agora*. Falta no OS[sin] e em algumas cópias da OL; P[66] parece confuso.

mais tarde. Literalmente, "depois destas coisas [*tauta*]". Em si a frase é vaga (ver nota sobre 2,12), mas, provavelmente, o significado seja o mesmo como em 12,16: "A princípio os discípulos não compreenderam *estas coisa*s; mas, *quando Jesus foi glorificado*, então lembraram que foram precisamente *estas coisas* que foram escritas sobre ele e *estas coisas* lhes foram feitas".

8. *jamais*. Aqui, o *ou mē* tem a força de um juramento (JEREMIAS, EWJ, pp. 209-10).

não terás. Literalmente, tempo presente; seu uso como futuro é considerado por P. JOÜON um aramaísmo, RSR 17 (1927), 214.

9. *Simão Pedro*. As testemunhas textuais variam sobre a forma do nome; talvez o nome seja um esclarecimento de escriba de um "ele" original.

rosto. Literalmente, "cabeça".

10. *se banhou*. Até este momento, a conversação tem girado em torno de "lavarse" (*niptein*); aqui se introduz o tema de "banhar" (*louein*). O primeiro verbo tende a ser usado para a limpeza de uma parte do corpo; o segundo, para todo o corpo. *Niptein* foi usado em 9,7.11 onde é provável que o cego lavou somente seus olhos ou rosto.

lavar [exceto seus pés]. M.-E. BOISMARD, RB 60 (1953), 353-56, favorece o possível texto mais curto, omitindo todas estas palavras, como fez o minúsculo ms. grego 579, TERTULIANO e algumas testemunhas OL. É mais comum questionar somente as palavras entre colchetes, cuja omissão é endossada pelo Codex Sinaiticus, algumas testemunhas na Vulgata e importantes Padres da Igreja. De fato, os Padres latinos não revelam conhecimento da frase entre colchetes antes do tempo de AMBRÓSIO no final do século IV, quando essa redação entrou no Ocidente, vinda do Oriente (ver HÄRING, *art. cit.*). Uma ampliação peculiar se encontra no Codex Bezae e algumas testemunhas OL: "lavar a cabeça, mas somente os pés".

vós homens estais limpos, muito embora nem todos. T. H. WEIR, ET 24 (1912-13), 476, sugere a possibilidade de um duplo significado semita na entrelinha, refletindo a ambiguidade do heb. *kōl* e do aram. *g^{e}mīr*, significando "todo, totalidade, inteiro". Os discípulos poderiam ter entendido Jesus no sentido de que estavam limpos, porém não inteiramente (seus pés estavam empoeirados), enquanto o que ele realmente tinha em mente era que nem todos eles estavam limpos, pois um deles era pecador.

11. (*A razão...*). Para este versículo, o Codex Bezae simplesmente diz: "Pois ele conhecia seu traidor".

   traidor. Literalmente, "aquele que estava para entregá-lo", um particípio presente pressupondo que a traição já estava em processo (ver primeira nota sobre v. 2). Contudo, Jeremias, EWJ, p. 179[2], pensa haver aqui um aramaísmo, a saber, um presente usado com valor de futuro.

12. *retornou ao seu lugar*. Literalmente, "reclinou-se outra vez".

   compreendeis? Isto poderia ser interpretado como um imperativo: "Entendais o que eu vos fiz". Já pusemos o que segue em forma poética (vol. 1, p. 149), mas não é certo que todos os versículos entre 12 e 20 estejam num estilo de discurso solene. SB põe somente 16, 19 e 20 em forma poética.

13. *'Mestre' e 'Senhor'*. Ambos os títulos (*rab*, *mār*) eram dados aos rabinos por seus discípulos (StB, II, 558). A ordem em que os dois títulos são mencionados pode refletir o desenvolvimento da compreensão dos discípulos, pois "Mestre" é mais comum nos primeiros capítulos do evangelho e "Senhor", nos últimos capítulos.

14. *Se eu... também deveis*. Este tipo de argumento, *a minori ad maius*, era usado com frequência pelos rabinos (Barrett, p. 369).

   Senhor e Mestre. Pode ser significativo que Jesus mude a ordem dos títulos, pois aqui a questão é do que ele é realmente. Em contrapartida, a mudança na ordem pode ser simplesmente uma variação em favor do estilo.

16. *servo e senhor*. Ou "escravos" e "senhor". Na comparação parabólica de base, usa-se *kyrios* no sentido de proprietário ou dono, mas provavelmente haja um jogo de palavras em *kyrios* como "Senhor", usado nos versículos anteriores.

   enviado. A palavra *apostolos* tem o significado de emissário na comparação parabólica de base, mas não é impossível que João esteja pensando nos discípulos como "apóstolos", i.e., os enviados a pregar a ressurreição. Ver nota sobre 2,2.

17. *uma vez entendais isto*. Literalmente, "se", com uma referência à realidade presente (BDF, § 372[1a]): agora entendem; no futuro o porão em prática.

   felizes. O gr. *makarios* costuma ser traduzido por "bendito", mas isso leva à confusão; pois dois jogos de palavras (e ideias) devem ser mantidos distintos, um a que podemos chamar "participial", e o outro, "adjetival".
   Particípio passivo: heb. *bārūk*, gr. *eulogētos*, lat. *benedictus*.
   Adjetivo: Heb. *ʾašrē*, gr. *makarios*, lat. *beatus*, port. *felizes* (ou como um adjetivo "abençoado", mas não há como manter isto distinto do particípio). Em seu sentido próprio como um particípio passivo, *bārūk* é usado somente em relação a Deus. "Bendito seja o Senhor" (Sl 28,6) significa: que o Senhor seja bendito pelos homens; que Ele seja adorado e cultuado.

Quando este particípio se estende aos homens, ele invoca sobre eles a benevolência de Deus e de outros homens. Assim, uma "benção" é uma invocação pedindo que alguém seja abençoado ou repleto de favores. Em contrapartida, o conjunto adjetival de palavras representadas por *ʾašrē* não é parte de um desejo e nem invoca uma benção. Antes, elas reconhecem um estado existente de felicidade ou boa fortuna. No AT, as palavras adjetivais são usadas somente em relação aos homens, embora no NT *makarios* seja usado duas vezes em relação a Deus (1Tm 1,11; 6,15). O reconhecimento de boa fortuna dos homens frequentemente é implicitamente do ponto de vista de Deus; ocasionalmente, a felicidade é uma alegria futura que será recebida no juízo, mas para com a qual alguém está no bom caminho e da qual alguém tem posse incipiente. Consequentemente, um macarismo ou beatitude é propriamente uma proclamação aprobatória de fato, invocando um juízo valorativo. No NT, o macarismo reflete o juízo que um estado escatológico veio a ser possível pela anunciação do reino. Mateus e Lucas têm muitos dos macarismos de Jesus; João contém apenas dois (aqui e em 20,29); Apocalipse tem sete.

18. *escolhi*. Aparentemente, a ideia é que Jesus escolheu Judas muito embora soubesse o tipo de homem que ele era, e assim o Jesus joanino não se equivocou. BARRETT, p. 370, salienta outra possibilidade gramatical: Jesus conhecia a quem realmente escolheu, e não escolheu Judas. Entretanto, compare 6,70: "Não escolhi a vós os doze? E um de vós é um diabo". (Recordemos bem, 6,70 se relaciona com a passagem eucarística em 6,51-58, uma passagem que poderia ter estado no contexto da última ceia; ver vol. 1, p. 528).

o propósito é. Literalmente uma cláusula subordinada com *hina*, esta frase tem sido também interpretada como um imperativo na terceira pessoa: "Que se cumpra a Escritura" (BDF, § 387[3]). No entanto, na compreensão usual de João, é em termos de propósito: o evento ocorre a fim de cumprir-se o AT (ver nota sobre 12,38).

a Escritura. Marcos tem dezessete citações do AT em sua narrativa da paixão; João tem nove; esta é uma das quatro que eles têm em comum. Nem Mateus nem Lucas a citam. (Ver DODD, *Tradition*, pp. 31-33). Os rabinos entendiam esta passagem no Sl 41,10(9) como uma referência à conspiração de Aitofel e Absalão contra Davi (2Sm 15,12).

se cumpra. O uso do aoristo passivo de *plēroun* em referência ao cumprimento das palavras sagradas previamente enunciadas é comum em Mateus (doze vezes) e em João (oito vezes); é usado somente uma vez em Marcos (14,49, pois é possível que 15,28 não seja genuína) e em Lucas (24,44; cf. 4,21; 21,22). Este tipo de fórmula de cumprimento não se encontra em Qumran (J. A. FITZMYER, NTS 7 [1960-61], 303). Na maioria dos casos da fórmula nos evangelhos, a referência é ao cumprimento do AT, a saber, "O que foi dito pelo Senhor", ou "O que foi dito através dos profetas", ou simplesmente "a Escritura". Todavia, notemos que Mt 2,22 registra o cumprimento de um texto profético indefinido, enquanto Jo 18,9 e 32 se referem ao cumprimento das palavras do próprio Jesus. Em Mateus, o evangelista salienta o cumprimento (porém, cf. 26,56), e o cumprimento nos textos de Mateus está disperso por todo o evangelho. Em três dos exemplos joaninos (aqui, 15,25 e 17,12), como nos exemplos singulares em Marcos e Lucas, é o próprio Jesus quem nota o cumprimento. Os textos joaninos de cumprimento estão todos no contexto de "a hora", i.e., da paixão – isto procede mesmo em 12,38, o único texto de cumprimento no Livro dos Sinais. Ver J. O'ROURKE, "John's Fulfillment Texts", ScEccl 19 (1967), 433-43; C. F. D. MOULE, "Fulfillment-Words in the New Testament: Use and Abuse", NTS 14 (1967-68), 293-320.

se farta de pão comigo. A maioria das testemunhas textuais favorece esta redação. Com a exceção do Codex Vaticanus tem "meu pão", mas isto pode se tratar de uma harmonização dos escribas com a passagem do salmo ("meu pão" em ambos na LXX e no TM do Sl 41,10[9] – se, como de costume, o sufixo no hebraico *laḥmī* for entendido como um genitivo; atualmente, pode ser lido como um dativo, "comigo"). Em contrapartida, "comigo" em João pode ser causado por escribas que fizeram uso de Mc 14,8. A forma da citação em João difere do salmo na LXX no uso de "fartar" (*trōgein*) em vez de "comer" (*esthiein*) e no uso do substantivo singular para "pão" (assim também o TM) em vez do plural. Ambos, o TM e a LXX, leem "exaltou" em vez de "levantou" em João.

levantou contra mim seu calcanhar. No Oriente Próximo, mostrar a sola do pé para alguém é sinal de desprezo; ver E. F. BISHOP, ET 70 (1958-59), 331-32. Tal ação era especialmente grave da parte de um amigo que partilhava da mesa de alguém. Porque a refeição supõe a luta entre Jesus e o diabo (13,2.27), há quem veja aqui uma reminiscência de Gn 3,15: "Tu ferirás [LXX, 'aceches'] seu calcanhar"; mas isto parece forçado demais.

19. *Eu vos digo isto... antes que aconteça.* O mesmo tema aparece em 14,29; 16,4; também Mt 24,25. É um eco do AT: "Antes que aconteça, eu to anunciei" (Is 48,5).

agora. Literalmente, "desde agora" (*ap' arti*); todavia, o significado parece ser simplesmente "neste tempo"; em 14,29, se usa um ambíguo *nyn*.

However, BDF, § 12³, pensa que significa "seguramente" (= *amém*) e o compara com o uso em Mt 26,29.64.

para que creiais. Há melhor evidência para o aoristo subjuntivo (indicando uma única ação: a chegada à fé plena) do que para o presente (indicando uma confiança contínua). A paixão, morte, ressurreição e ascensão, concebidas como um todo, levarão os discípulos a um ato de fé completa em Jesus.

que EU SOU. Alguns são partidários de suprir um predicado implícito, "o Messias", por causa da compreensão rabínica do Sl 41, que se acaba de mencionar. Todavia, a conexão do salmo com o Messias davídico não é conjeturado por João, e provavelmente devamos interpretar isto como *egō eimi* absoluto (vol. 1, p. 841) na analogia de outras passagens como Jo 8,58, onde nada há que pressuponha "Messias" como predicado.

COMENTÁRIO: GERAL

Data e natureza da última ceia

Segundo os sinóticos (Mc 14,12 e par.), Jesus comeu uma refeição pascal com seus discípulos na noite anterior à sua morte; Jeremias EWJ, pp. 41ss., tem mostrado isto detalhadamente. A legislação veterotestamentária (Lv 23,5) prescreveu o comer da ceia pascal na noite que terminava em 14 de Nisan e começava em 15 de Nisan (no calendário lunar, o início de um novo dia era computado a partir do pôr do sol). Assim, para os evangelhos sinóticos, a noite em que a última ceia foi consumida, juntamente com a próxima manhã e a tarde em que Jesus foi crucificado, constituía 15 de Nisan, a festa da Páscoa. Quanto ao dia da semana, Mc 15,42 especifica que a tarde da crucifixão precedeu o sábado; então 15 de Nisan transcorria do ocaso de quinta-feira ao ocaso de sexta-feira.

João fornece um quadro diferente. A última ceia é estabelecida em um tempo *anterior* à Páscoa (nota sobre v. 1), e a condenação e crucifixão de Jesus são datadas claramente na véspera da Páscoa, 14 de Nisan (18,28; 19,14). Só depois de o corpo de Jesus ser posto no túmulo e que marcou a abertura da festa, então a ceia pascal pôde ser consumida. A despeito da diferença das datas do calendário, Jo 19,31 concorda com Marcos que o dia da semana envolvido era quinta-feira até a noitinha de sexta-feira.

Qual visão é a correta? O dia mais importante na vida de Jesus era 15 de Nisan (Páscoa) ou 14 de Nisan (véspera da Páscoa)? Correspondentemente, a última ceia foi ou não a ceia pascal? Talvez esta seja a questão de calendário mais discutida no NT e uma que não podemos esperar solucionar na breve discussão abaixo. Como preliminar, mencionamos uma recente teoria que foi proposta com base no calendário solar conhecido como tendo sido usado pelos essênios de Qumran. Neste calendário a Páscoa, 15 de Nisan sempre caía em uma noite de terça-feira para quarta-feira. Por conseguinte, tem havido uma tentativa de mostrar que Jesus celebrou a última ceia na noite de uma terça-feira, que foi preso na mesma noite, que os vários julgamentos ocorreram nos poucos dias seguintes, e que, finalmente, ele foi entregue à morte na sexta-feira, o 14 de Nisan oficial. Esta teoria tem sido fortemente defendida por A. JAUBERT, *The Date of the Last Supper* (Staten Island, N.Y.: Alba, 1965; ver também NTS 7 [1960-61], 1-30) e por E. RUCKSTUHL, *Chronology of the Last Supper* (Nova York: Desclée, 1965). Entretanto, juntamente com BENOIT, GAECHTER, JEREMIAS e BLINZLER, este autor não encontra dados bíblicos suficientes para essa elaborada reconstrução e considera como muitíssimo improvável que Jesus, que não era essênio, tivesse seguido um calendário essênio (pois a aceitação de um calendário era uma questão religiosa). Ver R. E. BROWN, *"The Date of the Last Supper"*, BiTod 11 (1964), 727-33; também em NTE, pp. 160-67 ou 207-17.

JEREMIAS, EWJ, pp. 75-79, que segue a cronologia sinótica, tem feito uma heróica tentativa de mostrar que todas as ações individuais que os evangelhos registram sobre a sexta-feira (julgamentos, flagelação, levar a cruz, homens que regressam do campo, crucifixão, compra de especiarias, preparação de um túmulo e sepultamento) poderiam ter ocorrido na Páscoa sem violação da lei judaica. Contudo, tanta atividade durante uma festa permanece difícil; e parece mais provável aceitar a cronologia de João em que tal atividade ocorresse em um dia ordinário, não em um dia santo. A verdadeira razão para a posição de JEREMIAS é sua convicção de que a última ceia foi uma ceia pascal. É inegável que haja características pascais na ceia, inclusive em João; ver também P. BENOIT, *"The Holy Eucharist"*, Scripture 8 (1956), 97-108. Todavia, este fato não resolve a questão cronológica. Jesus antecipou a ceia pascal porque teria conhecimento da trama de Judas para traí-lo e entregá-lo à morte antes da Páscoa? Jesus estava seguindo outro calendário além do oficial, de modo que para ele a noite de quinta-feira era 15 de Nisan, enquanto o calendário oficial era o dia 14? (LAGRANGE sugeriu uma diferença entre a computação galileia e hierosolimitana de dias; e BILLERBECK sugeriu uma diferença entre uma computação farisaica e saduceia. Todavia, a evidência corroborante é muito fraca).

Portanto, sugerimos que, por razões desconhecidas, a noite de quinta-feira, 14 de Nisan pelo calendário oficial, o dia anterior à Páscoa, Jesus celebrou com seus discípulos uma ceia que tinha características pascais. Os sinóticos, ou sua tradição, influenciados pelas características pascais, aceitaram rapidamente a alegação de que o dia realmente era a Páscoa; João, em contrapartida, preservou a informação cronológica correta. Naturalmente, tanto as tradições sinóticas como as joaninas tinham interesse nas possibilidades teológicas oriundas do contexto pascal em que Jesus morreu. Se o quarto evangelista não identifica aquele dia como a Páscoa, contudo apresenta a condenação de Jesus à morte ocorrida logo após a véspera da Páscoa (19,14), a mesma hora em que os sacerdotes começavam matar os cordeiros pascais na área do templo. As referências ao hissopo, em 19,29, e aos ossos quebrados, em 19,36, podem ser outras alusões à Páscoa. (Sobre a relação entre a cronologia pascal de João e a posterior controvérsia quartodecimana na Igreja, ver K. A. STAND, JBL 84 [1965], 251-58).

Comparação dos relatos joanino e sinótico da ceia

O relato que João faz da última ceia difere dos relatos sinóticos mais do que em cronologia. Para falar das omissões, falta em João a narrativa da preparação para a ceia (Mc 14,12-16 e par.) e as palavras eucarísticas de Jesus sobre o pão e o vinho (Mc 14,23-25 e par. – ver, porém, vol. 1, p. 528). Para falar de materiais peculiares, João registra o lava-pés (13,1-20) e um extenso discurso Final (13,31-17,26), nenhum dos quais se encontra nos evangelhos sinóticos.

No entanto, há alguns detalhes interessantes sobre o que aconteceu *na ceia* que as duas tradições têm em comum:

Detalhes comuns a João e aos três evangelhos sinóticos:

1. Uma advertência sobre a traição (da parte de Judas): João 13,18-19, 21-30; ocorrendo antes da Eucaristia em Lc 22,22-23. O tema de que o traidor é um dos que celebravam com Jesus

ocorre de diferentes maneiras em Mc 14,18 e Jo 13,18. A afirmação "um de vós me trairá" se encontra em Marcos, Mateus e João. A referência a molhar o bocado no prato se encontra em Mc 14,20, Mt 26,23 e Jo 13,26-27; mas o relato joanino é mais dramático. Em contrapartida, a embaraçosa reação sobre o que Jesus tem em vista é mais dramática: em Mc 14,19 e par. ou em Jo 13,22.
2. A predição da negação de Pedro: feita durante a ceia em Jo 13,38 e Lc 22,31-34; depois de deixarem a sala da ceia como se deu no Monte das Oliveiras em Mc 14,29-31 e Mt 26,33.
3. Uma referência ao fruto da videira: Jo 15,1-6; Mc 14,25 e par., mas o tratamento é bem diferente.
4. Um tema da aliança está implícito nas referências de João a um (novo) mandamento (13,34; 15,12.17 – ver p. 985ss.) e explícito na descrição sinótica do sangue da (nova) aliança em Mc 14,24 e par.

Detalhes comuns a João e a Marcos/Mateus:

5. Uma predição da dispersão dos discípulos: durante a ceia em Jo 16,32; depois de deixarem a sala da ceia em Mc 14,27 e Mt 26,31.

Detalhes comuns a João e a Lucas:

6. Uma lição aos discípulos sobre a humildade: Jo 13,12-17; Lc 22,24-27. O vocabulário é muito diferente, mas Lc 22,27 descreve algo que se assemelha ao que Jesus relata em João sobre o lava-pés (p. 927).
7. Uma referência ao futuro dos discípulos no reino ou casa do Pai: Jo 14,2-3; Lc 22,30. Reiterando, o vocabulário é muito diferente.

As similaridades mais próximas estão em 1, 2 e 5; e mesmo nesses casos há diferenças significativas entre João e os sinóticos. Embora haja interessantes similaridades partilhadas por João e Lucas, João não se aproxima tanto de Lucas no relato da última ceia como no caso no relato da paixão. Assim, João não parece ser dependente dos relatos sinóticos da ceia, mas parece tem uma tradição independente.

O significado do Lava-pés

À primeira vista pareceria que não possa haver dificuldade sobre o significado da cena com que João abre o relato da última ceia. Os vs. 14,17 declaram explicitamente que o que Jesus fez ao lavar os pés dos discípulos foi um exemplo de humildade abnegada que devia ser imitado por eles. Umas poucas e pequenas seitas cristãs têm entendido esta imitação em sentido literal e têm praticado o lava-pés como algo obrigatório; outros grupos o têm praticado como um costume laudatório; por exemplo, como parte da liturgia da Quinta-Feira Santa ou, no caso do monasticismo beneditino, como parte da hospitalidade devida a hóspedes. Mas a maioria dos cristãos desde o princípio parece ter sentido que o que Jesus estava ordenando em 14-17 era uma imitação do espírito do lava-pés. E assim, mesmo onde o lava-pés tem sido parte da liturgia, geralmente tem sido entendido como um sacramental mais do que um sacramento, ou seja, como um rito sagrado de menor importância.

Muitos comentaristas do Evangelho de João se contentam com o simbolismo de humildade pressuposto pela própria narrativa e não veem outro significado. Na antiguidade, esse foi o ponto de vista de Crisóstomo e de Teodóro de Mopsuéstia; nos tempos modernos, esse tem sido o ponto de vista de Lagrange, Bernard, Fiebig e Van den Bussche, só para mencionar uns poucos. J. Michl, *art. cit.*, tem defendido vigorosamente esta posição. Todavia, há dificuldades. Os vs. 6-10 indicam que o que Jesus fez no lava-pés é essencial se os discípulos estão para compartilhar uma herança com ele (v. 8) e, aparentemente, esta ação os purifica do pecado (10). Parece estar envolvido algo mais que um exemplo de humildade. Além do mais, há carência de harmonia na narrativa: o v. 7 declara que a compreensão só virá mais tarde, i.e., aparentemente, depois da ressurreição (ver nota); mas os vs. 12 e 17 implicam que a compreensão já é possível, como teria sido se estivesse envolvido um mero exemplo de humildade.

Estas dificuldades têm levado os estudiosos a buscar outro simbolismo no lava-pés além do de humildade. Isto não seria estranho, já que João tem vários exemplos de simbolismo duplo; por exemplo, do pão da vida. Orígenes relacionou o lava-pés com a preparação para se pregar o evangelho. Bultmann vê nos vs. 6-11 uma ação parabólica simbolizando a purificação dos discípulos através da palavra de Jesus (15,3). SCHWANK, *"Exemplum"*, inclui um exemplo de humildade num símbolo de união através do amor e vê nela profundas implicações eclesiológicas. HOSKYNS e RICHTER consideram o lava-pés como um símbolo da morte de Jesus. Outros estudiosos têm explorado as possibilidades sacramentais do simbolismo. O uso de água naturalmente pressupõe o batismo e discutiremos abaixo o apoio patrístico para uma interpretação batismal do lava-pés. Alguns autores modernos (GOGUEL, MACGREGOR) têm visto uma referência à Eucaristia, porque em João o lava-pés (um ato de amor) substitui a ação de Jesus sobre o pão e o vinho (uma ação que também envolve amor recíproco – ver 1Cor 11,20-22). CULLMANN tem revivido a teoria de LOISY e W. BAUER de que o lava-pés se refere, respectivamente, ao Batismo e à Eucaristia. Influenciados por AGOSTINHO, escritores latinos a partir do séc. IV e os autores católicos modernos têm visto no v. 10 uma referência à penitência: "... não tem necessidade de lavar *senão os pés*", pois a Penitência purifica os pecados cometidos após a lavagem batismal (ver GRELOT, *art. cit.*). LOHMEYER tem visto no lava-pés uma espécie de ordenação apostólica (ver nota sobre v. 16).

Não podemos discutir todas essas teorias. Dos pressupostos sacramentais, somente uma referência ao batismo é possível corresponder ao critério que temos sugerido para o sacramentalismo joanino (vol. 1, pp. 103-106). Por exemplo, uma possível referência à Eucaristia não cumpre o critério externo do reconhecimento primitivo e amplamente difundido na antiguidade (HUGO DE ST. VICTOR na Idade Média é um dos proponentes mais antigos); nem há uma indicação interna de que o autor tinha em vista uma referência à Eucaristia, já que não há menção de pão, vinho ou de beber. Discutiremos abaixo uma referência ao batismo, mas, ao fazermos isso, de modo algum estamos sugerindo que no lava-pés Jesus batizava seus discípulos. Não sugerimos necessariamente que Jesus tivesse em vista com o lava-pés um símbolo para o batismo; estamos apenas discutindo as intenções do autor. Em outro lugar em João, o simbolismo sacramental esteve num nível secundário, reinterpretando feitos e palavras de Jesus que tinham um significado primário mais pertinente ao próprio ministério. Portanto, se o lava-pés é um símbolo para o batismo, antes de tudo poderia ter sido um símbolo para a morte de Jesus; e devemos discutir também esta possibilidade.

A unidade da cena

Estreitamente relacionado ao problema de um ou mais significados simbólicos para o lava-pés é o problema de se os vs. 1-20 constituem uma unidade original. Se o único significado do lava-pés é um exemplo de humildade, então a cena pode representar uma combinação joanina incomum de ação (1-11) e subsequente interpretação por meio de um discurso (12-30). HIRSCH e LOHMEYER estão entre os que insistem na unidade, e esta posição foi recentemente defendida por WEISER, *art. cit.* Mas se os vs. 6-11 constituem outra interpretação do lava-pés, então é improvável que ambas as interpretações, uma por meio do diálogo (6-11) e a outra por meio do discurso (12-20), formaram desde sempre parte da cena. Outro argumento contra a unidade é o da indicação conflitiva supramencionada sobre se o lava-pés será entendido só no futuro (7) ou pode ser entendido já (vv. 12,17) os partidários de que trata-se de uma cena composta oferecem explicações conforme as diversas teorias da composição deste evangelho (vol. 1, pp. 8ss). Vejamos como BULTMANN e BOISMARD aplicam suas teorias a esta cena (cf. vol. 1, pp. 253-54).

BULTMANN, pp. 351-54, pensa que o relato do lava-pés representa uma fonte escrita especial que passou por processo redacional. Nesta fonte, os vs. 4-5 originalmente eram unidos aos vs. 12,20, enquanto os vs. 7-11 foram anexados pelo evangelista aos vs. 12-20. Nos versículos introdutórios (1-3) em que há certa quantidade de repetição, somente parte do v. 1 e a totalidade do v. 3 eram originais; o restante do v. 1 era uma introdução à oração do capítulo 17, e o v. 2 era uma glosa redacional. Para uma crítica desta discussão de 1-3, ver GROSSOUW, *art. cit.*

BOISMARD, *art. cit.*, pensa que não se trata de uma redação secundária de um relato original, mas de dois relatos completos que foram combinados. "Moralizante" e "sacramental" são os títulos que ele dá a dois relatos caso o lava-pés fosse interpretado como um símbolo de humildade ou do batismo. Cada relato tinha uma introdução, uma descrição do lava-pés, e uma interpretação; cada um foi seguido de uma predição da traição.

	Relato Moralizante	*Relato Sacramental*
Introdução	1-2	3
Lava-pés	4-5	4-5
Interpretação	12-15.17	6-10(11)
Anúncio da traição	18-19	21-30

[Os vs. 16 e 20 são considerados como redacionais.]

Na opinião de BOISMARD, a interpretação "moralizante" do lava-pés era a mais original; nisto ele concorda com BULTMANN, MERX, WELLHAUSEN, W. BAUER e muitos outros, enquanto SPITTA e RICHTER tratam a interpretação ("sacramental") nos vs. 6-10 como a mais original.

Pessoalmente, opino que a reconstrução que BOISMARD faz de dois relatos é demasiada e rigorosamente sistemática. Por exemplo, os vs. 21-30 parecem ser material tradicional sobre a última ceia com paralelos na tradição sinótica; para incluí-lo como uma parte integral de um relato *do lava-pés* parece artificial, especialmente por que não há razão convincente para relacioná-lo com o relato "sacramental". GROSSOUW, *art. cit.*, tem criticado persuasivamente a tentativa de achar as introduções aos dois relatos nos vs. 1-3. Admitimos que há uma duplicação entre os vs. 1 e 3; mas se o v. 1 constitui uma introdução distinta do v. 3, podemos considerá-lo plausivelmente como uma introdução a todo o Livro da Glória. O supremo ato de amor ao qual o v. 1 alude é, como indica a referência a "a hora", o ato da paixão, morte, ressurreição e ascensão. (O v. 1 não se relaciona tão estreitamente a 12-20, como BOISMARD mantém, pois estes versículos se ocupam de um exemplo de humildade, e não menciona o amor especificamente). O v. 1 faz parte do tema "os seus", no Prólogo, com o evangelho; e precisamente como o Prólogo é a introdução a todo o evangelho e ao Livro dos Sinais, em particular, o redator poderia ter adicionado este versículo para recordar o Prólogo e introduzir o Livro da Glória. Neste caso, os vs. 2-3 constituiriam a verdadeira introdução ao lava-pés.

O único ponto na teoria de BOISMARD para o qual há bastante evidência é a sugestão de *interpretações* duplicatas do lava-pés. A seguinte modificação da teoria de BOISMARD salienta o paralelismo de 6-11 e 12-20 como duas interpretações:

6-11		12-20
7	*compreendendo* o lava-pés	12
8	importância do que Jesus tem feito: transmite uma herança ou é um exemplo a ser imitado	15
10a	efeito salvífico sobre os discípulos: é a própria purificação ou a bem aventurança dos que imitam seu espírito	17
10b	mas não afeta todos os discípulos	18a
11	a exceção é o traidor	18b-19

(Colocamos entre colchetes as duas últimas linhas para o reconhecimento da possibilidade desta tese proposta por RICHTER, p. 309, de que 10b-11 não eram originais, mas foram introduzidos como uma imitação redacional de 18-19). Se duas interpretações completas do lava-pés agora estão lado a lado na cena joanina, qual delas pertence à redação original do evangelho? (Isto não é necessariamente o mesmo que perguntar qual delas é a mais antiga; no vol. 1, p. 19s, sugerimos que às vezes o redator acrescentava ao evangelho material genuinamente antigo). Somente o formato sugeriria que a primeira interpretação (6-11) é a mais original. Já vimos que, quando no curso da redação ou redigir outra unidade, o material joanino foi adicionado ao evangelho, houve uma tendência de anexar isto no final de uma seção em vez de quebrar a unidade já existente (cf. 3,31-36; 6,51-58; 12,44-50; também 15-16 abaixo). No caso que discutimos os vs. 6-11 vão ligados estreitamente à ação do lava-pés do que os vs. 12-20, que poderia facilmente ter sido acrescentados. O diálogo em 6-10 não tem outra possível referência senão o lava-pés, enquanto alguns dos ditos em 12-20 são de caráter geral e apropriados a outros momentos da vida de Jesus. Que os vs. 12-20, em alguma extensão, é uma coleção de materiais diversos, é reconhecido por BOISMARD e outros, os quais tratam 16 e 20 como adições redacionais, já que são estreitamente paralelos aos ditos em Mt 10 (ver pp. 939-42 abaixo). RICHTER, *art. cit.*, fez um estudo muito interessante da relação de 12-20 com ditos nos capítulos 15-16. (Podemos comparar 13,16 com 15,15.20 sobre o tema do servo e o senhor; 13,18 com 15,16 sobre o tema da escolha que Jesus faz dos discípulos. Se Jo 13,16.20 se relaciona com Mt 10, o mesmo ocorre com Jo 15,18-16,2 [p. 990 abaixo]). Mais adiante sugeriremos (pp. 950-51 abaixo) que os capítulos 15-16 não formavam parte do último discurso, na primeira redação do evangelho, e assim o paralelismo com eles poderiam indicar que 13,12-20 não foi a primeira explicação do lava-pés. Na mesma linha de raciocínio, o verbo *trōgein*, em 18, pode relacionar 13,12-20 com a interpretação *secundária* do pão da vida em 6,51-58, o outro único lugar em João onde *trōgein* ocorre (quatro vezes).

A razão por que BOISMARD pensa que os vs. 12-17 representam uma interpretação do lava-pés anterior a 6-10, em parte se deve ao fato de que ele explica os vs. 6-10 sacramentalmente. Em geral, já vimos que as referências sacramentais em João representam um estrato secundário de seu simbolismo. Neste caso, sugerimos que a referência ao Batismo, em 6-10, é uma alusão secundária, similar à alusão secundária à Eucaristia, em 6,35-50 (ver vol. 1, p. 513), e que a referência primária nos vs. 6-10 está para o lava-pés como uma ação profética simbólica da paixão e morte de Jesus (assim Hoskyns, p. 437; Richter, *art. cit.*). Ao dignar-se para lavar os pés dos discípulos, Jesus está representando antecipadamente sua humilhação e morte, assim como Maria representou antecipadamente a unção de seu corpo para o sepultamento (12,1-8). O lava-pés é uma ação de serviço prestado a outros, símbolo do serviço que ele prestará ao render sua vida em prol de outros (ver nota sobre v. 4); eis por que Jesus pode alegar que o lava-pés é necessário se os discípulos desejam partilhar de sua herança (8) e que isto tornará os discípulos limpos (10). Naturalmente, os discípulos não entenderam este simbolismo até que chegasse "a hora". Tal compreensão de 6-10, como primariamente cristológica e só secundariamente sacramental é mais uma razão para considerar estes versículos como mais originais que 12-20, pois certamente a ênfase cristológica se aproximaria mais do propósito deste evangelho (20,31) do que a ênfase moral.

Podemos resumir nossa abordagem de 1-20 como segue:

v. 1 é uma introdução ao Livro da Glória.
vs. 2-11 formam uma unidade que consiste de uma introdução, o relato do lava-pés e uma interpretação. O lava-pés é apresentado como uma ação profética simbolizando a morte de Jesus, em sua humilhação para a salvação de outros. Um simbolismo batismal secundário foi também entretecido no texto. Os vs. 2-10a apareceram em uma redação primitiva do evangelho; os vs. 10b-11 podem ser uma adição equiparando 18-19, inseridos no tempo em que 12-20 foram apensos.
vs. 12-20 contêm outra interpretação do lava-pés corrente nos círculos joaninos nos quais eram considerados um exemplo moral de humildade a ser imitado por outros. A esta interpretação, agregou-se material variado (16,20). Esta seção foi anexada a 2-10a provavelmente na mesma época em que os vs. 15-16 foram anexados ao v. 14 na formação do último discurso.

COMENTÁRIO: DETALHADO

Versículo 1: Introdução ao Livro da Glória

"A hora" que é o tema do Livro da Glória (p. 896 acima) verá a morte de Jesus; este versículo deixa claro que na concepção joanina Jesus abordou sua morte como um ato de amor para com aqueles que creram nele (ver nota sobre "até o fim"). Deixa claro ainda que sua morte foi uma vitória, porque era uma volta para seu Pai. (Funcionalmente, Jo 13,1 tem alguma similaridade com Lc 9,51: "Aconteceu que, completando-se os dias para sua assunção, manifestou o firme propósito de ir a Jerusalém". Em Lucas, isto marca o término do ministério galileu e o início do movimento rumo à morte que faria Jesus subir ao céu; e é seguido por extensos discursos de Jesus dirigidos aos seus discípulos de caminho para Jerusalém). Ele está deixando para trás estas duas ideias de amor para com os discípulos e do retorno ao Pai entrelaçadas para formar o motivo condutor do Livro da Glória. Desde o versículo inicial, João enfatiza a consciência de Jesus de tudo o que lhe aconteceria, tema este reiterado no v. 3 e em 18,4 e 19,28. Isto concorda com o que Jesus disse em 10,18: ninguém ma tira de mim, mas eu de mim mesmo a dou. Sobre a possibilidade de que 13,1 em algum momento seguiu a 10,42, ver vol. 1, p. 696-97.

Versículos 2-3: Introdução ao Lava-pés

Se interpretarmos o lava-pés como uma ação profética simbolizando a morte de Jesus, introduzindo a morte de Jesus, o v. 1 também se reporta ao lava-pés; todavia, uma preparação mais imediata para o lava-pés é suprida por 2-3. A traição é mencionada no v. 2 precisamente para que o leitor vincule o lava-pés e a morte de Jesus. Jesus mesmo realiza esta ação simbólica de sua morte somente depois que as forças foram postas em ação e assim o levassem à crucifixão. Existe certa duplicação entre os vs. 2 e 27, descrevendo o controle que o diabo exerce sobre Judas: o v. 2 diz que o diabo lhe pôs no coração (ver nota) que Judas traísse Jesus, enquanto o v. 27 diz que Satanás entrou em Judas. Por ter duas referências a Judas, uma no início da ceia e a outra no final, João não está sendo contrário à tradição; cf. Mc 14,10-11, antes da ceia, e Mc 14,17-21, durante a ceia. Mas existe alguma progressão nas duas referências joaninas como existe em Marcos? Pode-se argumentar que o v. 2 se refere ao estágio dos planos, enquanto no v. 27 Satanás assume momentaneamente o controle sobre Judas e a traição é imediatamente consumada. Boismard, não obstante, pensa que os dois versículos são duplicatas e os destina, respectivamente, a seus dois diferentes relatos. Não podemos decidir, mas devemos salientar que, ao falar de "Satanás", em vez de "o diabo", o v. 27 poderia estar usando um vocabulário mais antigo (ver nota sobre 6,70). Lc 22,3, "Entrou, porém, Satanás em Judas", é mais estreito com 27 no vocabulário, porém concorda mais com o v. 2 no cenário (antes da ceia). Ver vol. 1, p. 743, para o valor relativo das duas explicações joaninas da deslealdade de Judas: vítima da avareza ou instrumento de Satanás.

O v. 3 menciona que o Pai entregara a Jesus todas as coisas. Visto que isto foi mencionado também durante o ministério (3,35; 6,39; 10,29), não podemos pensar que aqui seja um poder especial devido a Jesus porque ele já havia sido glorificado em "a hora". Boismard usa este versículo para argumentar em prol da significação batismal do lava-pés; ele evoca Mt 28,18-19: "Toda a autoridade me foi dada no céu e na terra... batizando-os no nome do Pai...". Contudo, em João a entrega de todas as coisas a Jesus não é tanto uma questão de autoridade universal quanto de missão salvífica. O lava-pés como uma ação simbólica da morte de Jesus é realizado porque ele sabe que tem o poder de salvar outros e o poder de dar sua própria vida para este propósito.

O v. 3 também afirma que Jesus agiu como agiu porque sabia que viera de Deus e estava indo para Deus. Este é outra sugestão de que o lava-pés está relacionado com a morte de Jesus. "Que ele saíra de Deus" fosse mencionado para enfatizar que era o *Filho de Deus* que se sujeitara à morte e, assim, adquire mais força o elemento de humilhação visível no lava-pés e na morte que ele simboliza. A ênfase sobre o conhecimento de Jesus no v. 3 nos lembra a ênfase similar no v. 1. Se estivermos certos em nossa explicação que o v. 1 foi composto pelo redator como uma introdução ao Livro da Glória, ele poderia ter tomado do v. 3 (assim como tomou do Prólogo e de 15,13).

Versículos 4-5: O Lava-pés

Visto que os pés eram calçados somente com sandálias, eles eram cobertos pelo pó das estradas sem pavimento, era costumeiro que o anfitrião providenciasse água para o hóspede lavar seus próprios pés. Mas, como a *Midrásh Mekilta*, sobre Ex 21,2, nos informa, não se podia requerer de um escravo judeu a lavagem dos pés de um senhor. No entanto, como sinal de devoção, ocasionalmente os discípulos prestariam este serviço ao seu mestre ou rabi; e nos vs. 13-14 parece que Jesus alude a este costume. Assim, no lava-pés, Jesus se humilha e assume a forma de um servo. É quase como se ele estivesse representando as palavras de Lc 12,37: "Bem-aventurados aqueles servos, os quais, quando o senhor vier, achar vigiando! Em verdade vos digo que se cingirá, e os fará assentar à mesa e, chegando-se, os servirá". É possível que, além de ser visto como um ato de humilde devoção, o lava-pés fosse entendido como um ato de amor. SCHWANK, *"Exemplum"*, aponta para o capítulo 20 de *José e Asenate*, uma obra judaica alexandrina provavelmente composta entre 100 a.C e 100 d.C. Quando Asenate, destinada a ser a esposa de José, se oferece para lavar seus pés, José protesta que uma serva poderia fazer isso; mas Asenate exclama cheia de devoção: "Teus pés são meus pés... outra não lavará teus pés" (20,1-5).

Nada existe no ritual para a ceia pascal que se compare ao lava-pés. Ele era feito quando alguém entrava na casa, não durante o curso da refeição. O ritual pascal prescrevia uma lavagem das mãos após o segundo cálice, mas não há evidência de que a ação de Jesus fosse uma variante de tal costume.

Versículos 6-11: Interpretação do Lava-pés (um diálogo)

A chave para o simbolismo do lava-pés está na conversação entre Jesus e Pedro. É difícil ter certeza se ao expressar sua objeção Pedro é o porta-voz dos demais discípulos (como em 6,68) ou está agindo impetuosamente de modo próprio (como em 18,10; 21,7). Embora a conversação tenha suas implicações simbólicas, nada há de implausível na implicação básica, a saber, que Pedro ficou embaraçado ante o gesto de seu mestre. A primeira das implicações aparece no v. 7. Jesus está fazendo mais do que ministrar uma lição de humildade para que os discípulos pudessem entender facilmente; o que está envolvido tem implicações teológicas que só podem ser entendidas depois que chegar "a hora" (cf. 2,22; 12,16). MICHL, p. 706, argumenta que o v. 7 significa simplesmente que Pedro entendera em toda sua profundidade a humildade e amor de Jesus, exibidos no lava-pés, depois que ele viu a morte de Jesus. Contudo, para ser exato, o v. 7 fala da compreensão posterior do próprio lava-pés, não do espírito do lava-pés.

O v. 8 tem outra implicação de significado mais profundo: o lava-pés é tão importante, que sem ele o discípulo perde sua herança com Jesus. MICHL nos informa que aqui Jesus está falando sobre a importância do amor; porém, uma vez mais, o texto não se refere à necessidade do espírito demonstrado no lava-pés, e sim da necessidade da própria lavagem. Além do mais, Jesus não diz a Pedro: "Se não permitires ser lavado" (uma expressão que daria primazia à participação de Pedro), e sim "Se *eu* não te lavar" – está envolvida uma ação salvífica de Jesus, não simplesmente um exemplo a ser imitado. Em contraste o v. 17, que põe o peso da ação sobre os discípulos, se o lava-pés deva ter seu efeito.

A palavra "herança", no v. 8, é significativa. A expressão grega *echein meros* pode significar simplesmente "participar; ter parte com", e este parece ser o sentido subentendido por MICHL. Mas *meros* significa mais que amizade; pois *meros* (também *meris*), na LXX, é usado para traduzir o heb. *ḥēleq*, a palavra que descreve a herança dada por Deus a Israel. (Ver P. DREYFUS, *"Le thème de l'héritage dans l'Ancien Testament"*, RSPT 42 [1958], 3-49). Cada uma das tribos, exceto Levi, haveria de ter sua "parte" na Terra Prometida, e esta era sua herança da parte de Deus (Nm 18,20; Dt 12,12; 14,27). Quando as esperanças de Israel se converteram em um pós-vida, a "participação" ou "herança" do povo de Deus foi descrita em termos celestiais. O uso escatológico de *meros* para o galardão eterno é encontrado em outro lugar nos escritos de João (Ap 20,6; 21,8; 22,19). Esta interpretação de *meros*, no v. 8, é reforçada pelo fato de que Jesus fala de uma herança "comigo". O tema da união dos discípulos com Jesus no céu aparece no último discurso (14,3; 17,24). À maneira de uma semelhança distante, é interessante que no relato lucano da última ceia foi suscitada a questão da posição dos discípulos no reino futuro: "Para que comais e bebais à minha mesa em meu reino" (Lc 22,30). Recordamos ainda de Lc 23,43: "hoje estarás *comigo* no paraíso".

Portanto, é óbvio que o lava-pés é algo que torna possível aos discípulos ter vida eterna com Jesus. Essa ênfase é inteligível se entendermos o lava-pés como símbolo da morte salvífica de Jesus. GROSSOUW, p. 131, compara a repulsa de Pedro no lava-pés com a reação negativa na primeira predição do sofrimento do Filho do Homem (Mc 8,31-33).

Podemos ter aqui a maneira de João enfatizar a necessidade de aceitação do escândalo da cruz. Como argumento em prol de um simbolismo batismal secundário para o lava-pés, podemos notar que a ideia de herança (*klēronomia*, não *meros*) é mencionada no NT em um contexto batismal (1Pd 1,3-4; Tt 3,7).

A narrativa prossegue no v. 9 com um mal entendido joanino clássico (vol. 1, p. 153), mas é interessante ver como o autor combina esta técnica literária com um elemento da impetuosidade característica de Pedro. Ele foi ao extremo oposto: se o lava-pés traz herança com Jesus, então, quanto mais lavar, melhor. Esta incompreensão leva Jesus a indicar que o fator salvífico não é a lavagem física em si, mas aquela que esta simboliza (v. 10a). Mas deixando de lado, por um momento, a frase entre colchetes em 10a, podemos discutir o significado da afirmação de Jesus: "Aquele que está lavado não necessita de lavar senão os pés". Se o "lavado" (ver nota) se refere ao lava-pés, então Jesus está dizendo a Pedro que ele está compreendendo mal em pensar que o número ou extensão do lavatório aumentará sua herança com Jesus. O lava-pés só é importante porque ele simboliza a morte de Jesus. Muitos autores pensam que Jesus estava ansioso para impedir que os discípulos interpretassem sua ação como uma ordem para abluções rituais do tipo encontradas no judaísmo, e assim vissem aqui um tipo de polêmica contra as repetidas abluções ordenadas pelos fariseus (W. BAUER, LOHMEYER – ver Mc 7,1-5), ou contra as abluções essênias (SCHLATTER), ou contra as que praticavam os discípulos de João Batista (BALDENSPERGER, DODD, SCHNACKENBURG).

O uso do verbo "banhar" para o lava-pés é a principal evidência para uma interpretação batismal (secundária) do lava-pés. O verbo "banhar", *louein*, e seus cognatos são o vocabulário habitual do NT para o Batismo. Em At 22,16, Ananias diz a Saulo: "Levanta-te, e batiza-te, e lava [*apolouein*] os teus pecados, invocando o nome do Senhor". Tt 3,5 proclama: "nos salvou pela lavagem [*loutron*] da regeneração e renovação no Espírito Santo". Ver também 1Cor 6,11; Ef 5,26; Hb 10,22; e a variante em Ap 1,5. RICHTER, *art. cit.*, p. 17, e *op. cit.*, pp. 296-98, argumenta contra uma referência batismal, mantendo que no pensamento joanino o Batismo não é descrito em termos de purificação; antes, é o sangue de Jesus que purifica (1Jo 1,7; Ap 7,14). Contudo, a purificação pelo Batismo e pelo sangue de Jesus não são mutuamente excludentes (cf. Hb 9,22 com 10,22; Tt 2,14 com 3,5).

O fato de que João não mencione explicitamente o aspecto purificatório do Batismo não significa necessariamente que este aspecto fosse desconhecido à comunidade joanina. Aliás a purificação do pecado era tanto uma parte da expectativa judaica com respeito ao banho escatológico que dificilmente poderia estar ausente de qualquer compreensão cristã do Batismo.

Que apoio externo existe para a interpretação batismal do lava-pés? HÄRING, *art. cit.*, documenta a forte adesão patrística a uma referência batismal, especialmente no Ocidente; mas RICHTER, *op. cit.*, 1-36, argumenta que devemos avaliar com toda prudência esta adesão. A maioria dos Padres latinos que veem uma referência ao Batismo em "O homem que se banhou não necessita de *lavar-se* [exceto seus pés]" faz isso porque distingue entre o lavar (um batismo dos discípulos que se deu inicialmente, por exemplo, pelo Batista) e o *lava-pés* (um perdão dos pecados subsequentes). Uma interpretação do lava-pés como símbolo da purificação batismal se encontra entre os primeiros Pais em TERTULIANO, CIPRIANO, AFRAATES e CIRILO de Alexandria; e mesmo esta evidência não é isenta de ambiguidade. Por exemplo, TERTULIANO, *Treatise on Baptism* 12,3; SC 35:83, evidentemente pensa no lavar-se de Jo 13,10a como um batismo prévio e assim implicitamente não interpretaria o lava-pés em termos batismais. No entanto, na mesma obra, 9,4; SC 35:79, TERTULIANO cita entre os tipos neotestamentários de batismo o fato de que Cristo "administrou água aos seus discípulos" – mais provavelmente, uma referência ao lava-pés (13,14) que o Mestre realizou em seus discípulos (embora uma referência a 4,14 não possa ser excluída). Assim, há algum apoio externo antigo em prol do lava-pés como símbolo do Batismo, mas é mínimo.

Ao discutirmos a evidência patrística, deparamos com a sugestão de que o lavar em 13,10a não é o mesmo que o lava-pés. Esse ponto de vista é defendido também por alguns estudiosos modernos. JEREMIAS, EWJ, p. 49, pensa que Jesus estava se referindo ao banho ritual ordenado para antes da Páscoa pelas leis de pureza levítica (Nm 19,19). Outros, como FRIDRICHSEN, *art. cit.*, pensam que o banho se refere ao mesmo tipo de ação espiritual; por exemplo, a purificação pela palavra de Jesus (15,3) e que isto torna desnecessárias qualquer outro lavatório, incluindo o lava-pés. GROSSOUW, *art. cit.*, salienta que não nos é dito que os pés de Pedro foram lavados; todavia, ele é declarado limpo juntamente com os outros. Entretanto, tal interpretação parece reduzir a conversação sobre o lava-pés em 6-8 a algo sem sentido: se o lava-pés (como uma ação simbólica da morte de Jesus) não é um banho que purifica, por que Jesus insiste que sem ele Pedro não pode ter herança com ele?

A inclusão da frase "exceto os pés" em algumas testemunhas textuais do v. 10a provavelmente se relacione com este problema. A explicação mais plausível é que um copista, confrontado com a afirmação, "aquele que já se banhou não necessita de lavar-se", e não reconhecendo o banho como o lava-pés, pensou que havia inserido uma frase de exceção para mostrar que Jesus não pretendia excluir o lava-pés, quando disse que não havia necessidade de lavar-se. Ao fazer isso, com relutância proveu os teólogos posteriores uma doutrina sacramental mais rica, pois a frase poderia ser interpretada como uma referência à necessidade de penitência após o banho batismal. W. Knox, *art. cit.*, toma a frase "exceto os pés" como autêntica (pertinente ao evangelho, porém não à tradição mais antiga) e sugere que João está admitindo uma lavagem para os cristãos que basicamente estão limpos, porém caíram em pecados que não lhes usurpam de sua pureza batismal (diferente de Judas que realmente não está limpo). Knox evoca a distinção em 1Jo 5,16 entre pecados para a morte e pecados não para a morte. Enquanto tal teoria concorda com a última interpretação de que a frase se refere à penitência, pensamos que a adição da frase feita por um copista é mais facilmente postulada do que a omissão do copista.

Portanto, a explicação mais simples do lava-pés permanece que Jesus realizou esta tarefa servil para anunciar simbolicamente que ele estava para ser humilhado na morte. O questionamento de Pedro provocado pela ação capacitou Jesus a explicar a necessidade salvífica de sua morte: ela levaria homens a serem herdeiros com ele e os purificaria do pecado. Uma dúvida poderia ter ocorrido ao leitor se tal ação altamente simbólica realmente foi realizada por Jesus, especialmente visto que não temos nenhuma corroboração nos sinóticos. Barrett, p. 363, juntamente com Strauss antes dele, tem sugerido que o lava-pés é uma ilustração imaginária e fictícia do dito registrado no relato que Lucas (22,27) faz da última ceia: "Pois qual é maior: quem está à mesa, ou quem serve? Porventura não é quem está à mesa? Eu, porém, entre vós sou como aquele que serve". Contudo, pode-se salientar que em outro lugar no Evangelho de João já vimos que a genealidade do evangelista está mais em explicar a significação teológica do que lhe vem da tradição do que em inventar ilustrações. E se duas interpretações diferentes do lava-pés surgiu nos círculos joaninos, a tradição do lava-pés seria antiga. Enquanto tal ação profética possa parecer implausível aos olhos modernos, alguém poderia apontar para ações muito mais estranhas, com Jeremias e Ezequiel predizendo a queda de Jerusalém. Que Jesus insistisse na ação profética é parte também da tradição sinótica, como vemos no relato da maldição lançada sobre a figueira.

Os vs. 10b e 11 deixam claro que Judas não foi transformado pelo lava-pés. Pedro protestou à ação de Jesus, mas rapidamente aceitou o lava-pés quando Jesus lhe adverte sobre a finalidade salvífica daquela ação. Mas o coração de Judas (v. 2) já estava cheio de má intenção, e não se abrira ao amor que Jesus lhe estava estendendo. Muitos comentaristas têm sugerido que 10b-11 são redacionais e não, como 2-10a, parte da narrativa original.

Versículos 12-20: Interpretação do Lava-pés (um discurso)

A segunda interpretação do lava-pés é que Jesus representou a seus discípulos um exemplo que estivessem preparados a imitar. O rabi prestou a seus discípulos um serviço que ocasionalmente discípulos generosos podiam fazer pelo rabi; os discípulos deveriam estar prontos a praticar atos similares de serviço uns pelos outros. Que a prática fosse levada a sério é atestado em 1Tm 5,10, onde uma das qualificações para uma mulher ser arrolada como viúva era que praticasse a hospitalidade e "lavasse os pés dos santos". J. A. ROBINSON, p. 145, tem salientado semelhanças com a cena em Mc 10,32-45. Ali, depois de Jesus haver predito sua morte, Tiago e João pediram que participassem de sua glória. Jesus insistiu que antes de tudo participassem de seu destino e fossem batizados com seu batismo; e ele afirmou que o maior fosse como o servo, e que seu próprio serviço consistia em dar sua vida. Assim, há na cena marcana elementos de ambas as interpretações do lava-pés. É interessante que Lc 22,24-26, paralelo a Mc 10,42-45, é parte da cena da última ceia. (Anteriormente, chamamos a atenção para Lc 22,27 como similar ao tema do lava-pés, e para Lc 22,28-29 como similar ao tema da herança em Jo 13,8). A forma que Lucas dá à passagem não é tão claramente orientada para a morte de Jesus como é em Marcos, mas está relacionada com a traição de Jesus. Talvez Lc 22,24-29 represente um misto da tradição sinótica, com seu mandamento, e de uma tradição similar àquela que encontramos em João.

Mesmo tomado simplesmente como um exemplo de humildade, o lava-pés não perde sua associação com a morte de Jesus; o contexto geral indicaria isto. Portanto, 15,12-13, com seu mandamento de levar o amor ao ponto de entregar sua própria vida em prol de outros, é um excelente comentário sobre o que Jesus quer dizer em 13,15, quando declara: "Que façais exatamente como eu vos fiz".

Façamos uma breve pausa para considerar o v. 16. Embora ele se relacione com o tema de 12-15, provavelmente não fosse originalmente parte da interpretação do lava-pés. Podemos compará-lo com paralelos na tradição sinótica:

Jo 13,16:	"o servo não é maior que o seu senhor; nem o enviado [*apostolos*] maior do que quem o enviou".
Mt 10,24-25:	"o discípulo não é mais que o mestre, [nem o servo mais do que o seu senhor;] é suficiente que o discípulo seja como seu mestre, pois o servo deve ser como seu senhor".
Lc 6,40:	"Nenhum discípulo é maior que seu mestre; mas todo o que, quando plenamente instruído, será como seu mestre".

Obviamente, João se aproxima mais de Mateus. (Em Mateus, a linha entre colchetes foi perdida no OL e OS^{sin}. Teria havido uma omissão de copista para harmonizar-se com Lucas, ou uma adição redacional para formar uma quadra onde a segunda linha se igualasse à quarta?) Enquanto João não tem a comparação discípulo/mestre de Mateus, a questão do mestre é suscitada no v. 13; aliás, 13 menciona "Mestre" e "Senhor" [*kyrios* = senhor], os dois papéis que aparecem na passagem mateana. O v. 16 contém o único uso de *apostolos* (mensageiro, enviado) em João, enquanto o único uso de *apostolos* em Mateus ocorre no contexto da comparação que estivemos comparando (Mt 10,2; também *apostellein* em 10,5.16.40). Com base nestas similaridades, SPARKS, *art. cit.*, tem argumentado que o quarto evangelista conhecia o Evangelho de Mateus. Num estudo mais recente, DODD, *art. cit.*, mostra que, se realmente João estava copiando Mateus, não há explicação lógica para as omissões, já que a comparação discípulo/mestre teria sido mais útil em relação ao lava-pés e ao v. 13. Antes, o dito original de Jesus provavelmente circulava em várias versões, e estas foram registradas independentemente pelos diferentes evangelistas. Entretanto, devemos notar que João tem diversos paralelos com o material em Mt 10:

Jo 12,25	= Mt 10,39	(ver vol. 1, pp. 769-71)
Jo 12,26	= Mt 10,38	(ver vol. 1, p. 771)
Jo 12,44	= Mt 10,40	(ver vol. 1, p. 788-89)
Jo 13,16	= Mt 10,24-25	
Jo 13,20	= Mt 10,40	(ver abaixo)
Jo 15,18-16,4a	= Mt 10,17-25	(ver p. 1087)

Ambos os evangelhos partem de uma coleção comum de material que cada um usa de seu próprio modo.

O v. 17 é a última referência ao lava-pés, cuja explicação começou no v. 2. Ambos os versículos insistem em que os discípulos já podem compreender o lava-pés como exemplo de humildade (em contraste com o v. 7). A bem-aventurança joanina do v. 17 (cf. nota) pode ser comparada, enquanto ao tema, com as bem-aventuranças reunidas em Lc 11,28: "Bem-aventurados os que ouvem a palavra de Deus e a guardam". (Cf. Jo 12,47) e Mt 24,46 "Bem-aventurado aquele servo que o senhor quando vier, achar servindo assim". Cf. também Mt 7,24. No v. 17, "o" (plural *tauta*) é provavelmente uma referência geral ao lava-pés e a lição que encerra. Entretanto, supondo que o relato joanino da última ceia conteve alguma vez uma instituição da eucaristia (talvez conservada parcialmente em 6,51-58; cf. vol. 1, p. 530 então o *tauta* e o *poiein* (colocar em prática, fazer) do v. 7 poderia comparar-se com o mandamento eucarístico de Lc. "Fazei isto (*touto poieite*) em memória de mim (22,19)".

Ambas as interpretações do lava-pés, 6-10 e 12-17, terminam com uma referência à única exceção entre os discípulos que não foi afetada pelo que Jesus fizera. (Não obstante, além de servir como conclusão à cena do lava-pés, os vs. 18-19 também servem como transição para 21-30, a próxima seção que tratará mais diretamente da traição de Judas. RICHTER, *op. cit.*, pp. 308-9, argumenta fortemente que a conexão entre 18-19 e 17 não é original; que 18-19 numa época seguiram 10a, e que seu deslocamento para o atual lugar deu ocasião à inserção redacional de 10b-11). Em ambos os versículos, 11 e 18, João deixa claro que Jesus estava perfeitamente cônscio de que Judas se voltara contra ele irrevogavelmente. Todavia, em 18 somos informados por que Jesus aceitou esta traição: para que se cumprisse a Escritura. A mesma explicação foi oferecida em 12,38ss. para a recusa do povo hebreu para aceitar Jesus.

O recurso ao Sl 41,10(9) pode ter caráter tradicional da parte dos primeiros cristãos, pois ele é citado implicitamente em Mc 14,18: "Eu vos asseguro que um de vós me trairá, *um que está comendo* [*esthiein*] *comigo*". (Que Marcos tinha ciência de um pano de fundo escriturístico para o que estava acontecendo, pode-se deduzir de 14,21: "O Filho do Homem segue seu caminho *como está escrito a seu respeito*"). A citação implícita de Marcos faz eco da redação do salmo como está na LXX; a citação explícita de João se aproxima mais do TM do que da LXX (ver nota sobre "o que come do pão comigo"). Concordamos com Dodd, *Tradition*, pp. 36-37 (contra Freed, OTQ, p. 92), que o uso que João faz do salmo é independente de Marcos. Em particular, notamos o uso que João faz do verbo *trōgein* ("comer"), também usado em 6,51-58. Esta seria outra indicação de que 6,51-58 uma vez esteve no mesmo contexto que 13,12-20? Caso se aceitasse a forma breve da instituição lucana da Eucaristia, o dito "Isto é o meu corpo" seria seguido imediatamente de "a mão daquele que me trai está comigo sobre a mesa" (Lc 22,19a e 21). Ver também a estreita relação entre traição e Eucaristia em 1Cor 11,23. Não seria ilógico, pois, associar a referência de João à traição, "Aquele que se come pão comigo levantou contra mim seu calcanhar", com uma seção eucarística tal como 6,51: "O pão que eu darei é minha própria carne". Em qualquer caso, 13,18 é a única passagem no relato joanino da última ceia que menciona que o pão foi comido.

O salmo prossegue com o versículo seguinte: "Mas tu, Senhor, tem piedade de mim, e *levanta-me*". Em João, o próximo versículo fala de vir ao crente em Jesus como aquele que diz: "EU SOU"; e tal convicção só é possível depois da crucifixão e ressurreição: "Quando *levantardes* o Filho do Homem, então compreendereis que EU SOU" (8,28 – sobre "levantar", ver vol. 1, p. 353). A predição da traição da parte de Judas que é a ação que inicia o processo de morte e ressurreição, ajudará a levar os discípulos a crer no Jesus que foi elevado para seu Pai.

No tema da predição do v. 19, João se aproxima mais das reivindicações de Deus proclamadas em Ez 24,24: "quando isso suceder, sabereis que eu sou o Senhor Deus"; e em Is 43,10: "Vós sois minhas testemunhas, diz o Senhor, e meu servo, a quem escolhi; para que o saibais e me creiais, e entendais que EU SOU [*egō eimi*]".

Nesta sequência sobre Judas, o v. 20 parece estranhamente fora de lugar. RICHTER, *art. cit.*, p. 26, sugere com muita imaginação que a traição de Judas poderia ter levado o povo a suspeitar que os apóstolos fossem enviados por Jesus, e assim o desígnio do v. 20 era assegurar aceitação para os apóstolos. São também forçadas as tentativas de relacionar o v. 20 com o contexto geral do lava-pés; por exemplo, a sugestão de que se mantém o tema de serviço aos demais por amor. Uma tese mais plausível é que o v. 20, que tem um paralelo em Mt 10,40, tinha anteriormente uma relação mais direta com o v. 16, o qual tem um paralelo em Mt 10,24-25; e que, quando 16 foi introduzido em seu presente contexto, assim se deu com 20. Se isto é procedente, então o v. 16 se tornou mais apropriado à sequência sobre o lava-pés, enquanto o v. 20 foi livremente anexado ao final. Notamos que ambos, 16 e 20, começam com "Na verdade, na verdade [Amém, amém] eu vos asseguro", e ambos tratam do envio. O paralelo mateano com o 20 é como segue:

Jo 13,20: "Todo o que recebe aquele a quem eu enviar, a mim me recebe;
e todo o que me recebe, recebe Aquele que me enviou [*pempein*]".

Mt 10,40: "Todo o que vos recebe, a mim me recebe;
e todo o que me recebe, recebe Aquele que me enviou [*apostellein*]".

DODD, *art. cit.*, está certo quando insiste que o mesmo *logion* está envolvido, porém que é independentemente registrado nos dois evangelhos; em Mc 9,37 (= Lc 10,48) e Lc 10,16 parece haver outras variantes e combinações.

[A Bibliografia para esta seção está inclusa na Bibliografia no final do § 47].

47. A CEIA: – PREDIÇÃO DA TRAIÇÃO
(13,21-30)

13 ²¹Após estas palavras, Jesus perturbou-se interiormente. Então declarou: "Eu firmemente vos asseguro: um de vós me trairá". ²²Os discípulos olharam uns para os outros, confusos quanto a quem ele poderia significar. ²³Um deles, o discípulo a quem Jesus amava, estava à mesa bem junto a Jesus; ²⁴então Simão Pedro lhe fez sinal que indagasse de Jesus de quem ele falava. ²⁵[Desde sua posição] ele se inclinou sobre o peito de Jesus e lhe disse: "Senhor, quem é?" ²⁶Jesus respondeu: "É aquele a quem eu der o bocado de pão que estou para imergir no prato". E imergiu o bocado [e o tirou] e o deu a Judas, filho de Simão o Iscariotes. ²⁷Naquele momento, após o bocado de alimento, Satanás entrou nele. Então Jesus lhe disse: "Age logo, e faze o que estás para fazer". (²⁸Naturalmente, nenhum dos que estavam à mesa entendeu por que lhe disse isto; ²⁹pois alguns tinha a ideia de que, já que Judas tinha a bolsa, Jesus estava lhe dizendo para comprar o que era necessário para a festa ou dar algo aos pobres). ³⁰E então, assim que ele tomou o bocado, Judas saiu. Era noite.

24: *fez sinal*; 25: *disse*; 26: *respondeu*, [*tomou*], *deu*; 27: *disse*. No tempo presente histórico.

NOTAS

13.21. *Após estas palavras*. Isto pode ser simplesmente uma conexão redacional. Não há nada, no que segue, que se relacione, necessariamente, com o lava-pés ou sua(s) interpretação(s).
perturbou-se interiormente. Tarassein. Ver nota sobre 11,33.

declarou. Literalmente, "ele testificou e disse"; MTGS, p. 156, aponta para esta parataxis (em João mais usualmente, "respondeu e disse") como um semitismo. Há nesta seção diversos semitismos possíveis: um pronome resumindo a um relativo em 26 (ZGB, § 201); também a sentença "e o tirou" em 26 – ver a respectiva nota. Wilcox, *art. cit.*, estuda os semitismos amplamente.

23. *discípulo a quem Jesus amava*. O Discípulo Amado aparece em seis passagens, todas no Livro da Glória; ver Vol. 1, pp. 98ss).

à mesa bem junto a Jesus. Literalmente, "estava reclinado sobre o peito de Jesus". Como João visualizava a posição dos que se reclinavam (ver nota sobre "pés" no v. 5) na última ceia? F. Prat, RSR 15 (1525), 512-22, tem estudado os arranjos da mesa e lugares de honra entre os judeus contemporâneos de Jesus. Ele sugere que a disposição da mesa, nesta ceia, era a do *triclinium* romano, isto é, três divãs num formato de ferradura, dispostos em torno de uma mesa central. Se os Doze estavam presentes com Jesus, poderia ter cinco discípulos em cada lado de dois divãs e dois discípulos com Jesus no meio (lugar de honra) no topo do divã ou *lectus medius*. Embora pudéssemos esperar que o segundo lugar de honra fosse à direita de Jesus (cf. Sl 110,1), Prat, p. 519, assegura que em tal arranjo ele ficava à esquerda de Jesus. Ora, à luz da evidência que faz o evangelho é óbvio que o Discípulo Amado é descrito à direita de Jesus, de modo que, quando ele inclinou sua cabeça para trás, apoiou no peito de Jesus. (Em vista da tese de que o Discípulo Amado era João, podemos recordar Mc 10,37, onde Tiago e *João* reivindicaram assentar-se à direita e à esquerda de Jesus em sua glória). Pode ser que Judas esteja sendo apresentado à esquerda de Jesus, pois assim Jesus poderia passar-lhe o bocado de pão. Como o tesoureiro (12,6), pode ser que tivesse a autorização de ocupar um (ou inclusive *o*) lugar de honra entre os discípulos. Se o v. 24 for lido no sentido de que Pedro fez sinal ao Discípulo Amado sem falar com ele (ver abaixo), então é possível que Pedro estivesse a certa distância de Jesus; e isto estaria em harmonia com o fato de que Pedro não falou por si mesmo. Visto que ele era visível ao Discípulo Amado, provavelmente fosse descrito no divã, à direita, talvez no extremo, se foi o último a ter seus pés lavados (ver nota sobre v.6). Curiosamente, Prat põe Pedro à esquerda de Jesus e o tem inclinado sobre o corpo de Jesus a cochichar ao Discípulo Amado! Têm havido elaboradas tentativas de designar lugares aos outros discípulos, mas isto é mera imaginação – mesmo a reconstrução acima é altamente especulativa.

24. *Pedro lhe fez sinal*. Literalmente, "acenou". K. G. Kuhn, *"The Lord's Supper and the Communal Meal at Qumran"*, in The Scroll and the New Testament, ed. K. Stendahl (Nova York: Harper, 1957), p. 69, salienta que

nas refeições essênias e os sectários de Qumran (JOSEFO, *War* 2.8.5; 132; e 1QS 6.10) alguém só podia falar na devida ordem. Sobre esta analogia, ele conclui que o Discípulo Amado teria estado em um lugar mais elevado que Pedro e tinha o direito de falar antes de Pedro. No entanto, a ação de Pedro pode ser entendida mais simplesmente se ele estava a certa distância e não queria expressar em voz alta a indagação. Pensando que o Quarto Evangelho é dependente e modificador do relato sinótico no qual os discípulos em geral expressam a dúvida sobre a quem Jesus se referia, LOISY, p. 395, mantém que João "individualizou" a cena, levando Pedro a formular a pergunta sozinho. Mas, se tudo isto é o produto de imaginação inventiva, por que o evangelista não se contentou a deixar o Discípulo Amado formular a pergunta, em vez de complicar o quadro, introduzindo Pedro também? É muito mais sensato pensar que o evangelista estava tratando de uma reminiscência venerada que chegou a ele através da tradição.

indagasse de Jesus de quem ele falava. Há muitas variantes textuais, mas basicamente as redações podem ser classificadas em duas: (a) "pergunta de quem ele estava falando", endossada por P^{66}, Bezae, Alexandrinus, versões copta e siríaca; (b) "e lhe disse: Dize-lhe de quem ele está falando", endossada pelo Vaticanus, a versão latina e ORÍGENES. A segunda redação pressupõe que Pedro estava bem mais próximo do Discípulo Amado e podia lhe falar (então, por que o sinal?) e que o Discípulo Amado sabia e podia informar a Pedro de quem Jesus estava falando (então, por que o Discípulo perguntou a Jesus?). A segunda redação quase certamente representa mal-entendido do copista. BOISMARD, RB 60 (1953), 357-59, analisou todas as variantes. Ele sugere que o original diz simplesmente: "Simão Pedro fez-lhe sinal" (assim CRISÓSTOMO). Copistas expandiram isto de duas maneiras diferentes adicionando ou (a) "pergunta de quem ele estava falando" ou (b) "e disse-lhe: "Dize quem é". Para BOISMARD, as numerosas redações de mss. representam combinações destas expansões mais antigas.

25. [*Desde sua posição*]. Literalmente, o advérbio *houtōs* é "tal como estava" ou "confortavelmente" (depois do sinal de Pedro) ou "sem mais cerimônia" – ver nota sobre "assentado" em 4,6. É omitido em importantes testemunhas.

inclinou para trás. Há alguma evidência de ms. para uma forma mais forte da mesma raiz verbal, significando "caiu para trás".

26. *bocado de pão*. Na cristandade grega, *psōmion* tem sido usado para anfitrião eucarístico, e por isso alguns estudiosos sugerem que Jesus estava dando a Judas a Eucaristia. LOISY e W. BAUER usam 1Cor 11,29, que fala

da condenação dos que comem o corpo do Senhor sem discernir, para explicar por que Satanás entrou em Judas depois de comer o bocado (eucarístico). Mas o escritor esperaria que seus leitores entendessem que o bocado era a Eucaristia, quando não descreveu a instituição? Isso seria temível somente na dúbia hipótese de que ele estava observando a *disciplina arcani*, ocultando a instituição aos de fora que porventura lessem o evangelho.

imergiu o bocado. A mesma ação é descrita em Mc 14,20 e Mt 26,23, mas o vocabulário é diferente; e o relato de João parece ser independente. A referência marcana e mateana à imersão no prato precede a descrição da instituição da Eucaristia, mas a referência lucana ao traidor (22,21-23 – Lucas não menciona a imersão) segue a instituição.

[*e o tirou*]. Omitido numa combinação distinta de testemunhas, isto pode ser uma harmonização com uma frase similar no relato sinótico da instituição da Eucaristia ("havendo tomado" em Mt 26,26-27). Todavia, ZGB, § 367, aponta para isto como um possível exemplo de uma construção redundante com o verbo coordenado, frequente no uso semita.

Simão o Iscariotes. Assim leem aqui as testemunhas mais seguras; contraste 13,2.

27. *Satanás entrou nele*. O mesmo vocabulário para o "entrar em" de espíritos maus se encontra em Mc 5,12 e Lc 8,30. Esta é a única vez que ocorre "Satanás" em João.

Então Jesus lhe disse. A implicação é que Jesus sabia que Judas está decidido. Sobre o conhecimento que Jesus tinha dos corações dos homens, ver 2,23-25.

Age logo. Isto traduz um advérbio no comparativo. Ou o comparativo tem o sentido enfraquecido de um simples positivo ou é elevado ao máximo ("o mais rápido possível"): BDF, § 244[1].

o que estás para fazer. Literalmente, "o que fazes"; provavelmente há uma inflexão conativa no tempo presente usado aqui (MTGS, p. 63). Esta ordem se assemelha às palavras ditas por Jesus a Judas no Getsêmani segundo uma variante de Mt 26,50: "Amigo, faze [ou se faça] o que vieste fazer". Ver W. Eltester, NTPat, pp. 70-91.

28. *nenhum dos que estavam à mesa entendeu*. À luz do v. 26, talvez o Discípulo Amado e Pedro devam ser excetuados. Nos relatos sinóticos, os discípulos não são especificamente informados sobre quem é o traidor, além da descrição geral de que ele é um dos que retiraram o alimento do mesmo prato usado por Jesus. (A informação de Mt 26,25 de que Jesus respondeu afirmativamente quando Judas perguntou "Sou eu?" certamente é secundária; em qualquer caso, Mateus não indica que os outros ouviram). Que os discípulos não sabiam que Jesus tinha em mente Judas é

confirmado por sua aparente ignorância do propósito de Judas, quando se aproximou de Jesus no jardim.
29. *tinha a bolsa*. Ver nota sobre 12,6.
comprar o que era necessário para a festa. Alguns estudiosos, p. ex., Loisy, têm usado isto para provar que a última ceia joanina na noite de quinta-feira não era a refeição pascal, pois o que era necessário para a festa pascal ainda não fora comprado (contrastar Mc 14,12-16); e assim, presumivelmente, a refeição pascal tinha de ser comida na noite de sexta-feira. Mas então, por que Judas seria enviado a fazer as compras na *noite* de quinta-feira, quando o dia inteiro de sexta-feira era reservado para fazê-la? Jeremias, EWJ, p. 53, argumenta que esta afirmação se ajusta bem à cronologia sinótica, em que a noite de quinta e de sexta constituía a Páscoa. Ele sugere que as tendas "comércio" estariam abertas na noite de quinta, mesmo que a Páscoa tivesse começado; mas não seriam abertas na sexta (o dia da festa) nem no sábado. Portanto, pensava-se que Judas estava sendo enviado a fazer compras antes que as "tendas" se fechassem para a "semana santa".
dar algo aos pobres. Jeremias, EWJ, p. 54, salienta que era costume fazer doações aos pobres na noite da Páscoa.
30. *noite*. A principal refeição normalmente era consumida no final da tarde, mas a refeição pascal era sempre de noite (Jeremias, EWJ, pp. 44-46). Que a última ceia foi consumida de noite parece ser confirmado por 1Cor 11,23: "O Senhor Jesus, na noite em que foi entregue, tomou o pão...". A menção de "noite" e de "ceia" (nota sobre v. 2), partilhada por 1Cor 11 e Jo 13, porém não pelos sinóticos, é usada por Wilcox, pp. 144, 155, para sugerir que Paulo e João (também Jo 6) poderiam estar refletindo uma antiga tradição eucarística não preservada em Marcos.

COMENTÁRIO

Havendo realizado uma ação profética no lava-pés, agora Jesus enuncia uma profecia sobre seu traidor. Esta profecia é também registrada pelos sinóticos, mas não há evidência real de que João seja dependente em suas narrativas. Ambos, Bultmann, p. 366, e Dodd, *Tradition*, pp. 52-54, mantêm que o relato joanino tem por base uma tradição independente. Wilcox, pp. 155-56, encontra três estratos de tradição combinados nos vs. 21-30, um deles se aproxima de Paulo (ver nota sobre 30) e outro parecido com a tradição marcana. O terceiro estrato, o material peculiar a João, é mais óbvio em 23-25 e 28-29. É digno de nota que, se estes versículos forem removidos, permanece aí uma história consecutiva na qual semitismos são comuns (ver nota sobre "declarado" em 21). Contudo, Wilcox pensa que há também alguns sinais de uma data primitiva no estrato peculiarmente joanino. Os detalhes na cena de João que não podem se verificar nos sinóticos são de caráter dramático, mas plausíveis.

O v. 21 menciona que Jesus sentiu-se perturbado. Em João, a perturbação de Jesus se relaciona com a presença de Satanás na morte, como vimos em nossa discussão de Jesus sentindo-se perturbado ante a morte de Lázaro (vol. 1, p. 721). Uma passagem que tem muito em comum com 13,21 é 12,27, onde Jesus se perturba com a chegada da hora. No vol. 1, p. 772, salientamos que 12,27 tem um paralelo na cena sinótica da agonia no Getsêmani, onde Jesus se entristece enquanto aguarda a chegada de Judas para ser entregue a seus inimigos. Ambos, Jo 12,27 e a cena sinótica do jardim, parecem citar o Sl 42,6(5): "Por que estás abatida, ó minha alma [= cena sinótica, Mc 14,34], e por que te perturbas em mim [= Jo 12,27]?" É digno de nota que aqui em 13,21 João parece citar o próximo versículo do mesmo salmo: "Minha alma se sente perturbada". (Por causa disto, Boismard supõe que Jo 12,23.27-29 originalmente pertencia ao contexto que ora estamos considerando, e que os versículos foram removidos para o capítulo 12 quando 11-12 foram introduzidos no plano do evangelho – ver vol. 1, p. 696) Em qualquer caso, se 12,27 partilha da cena sinótica da agonia, a perturbação de Jesus com a chegada da hora, em 13,21, como na cena sinótica da agonia, a lúgubre sombra da traição de Judas toma conta da alma de Jesus e o enche de tristeza.

A afirmação de Jesus em 21, "Eu firmemente vos asseguro [= Amém, amém], um de vós me trairá", se encontra (só com um "amém") em Mt 26,21 e Mc 14,18, embora Marcos adicione as palavras "aquele que come comigo", as quais, como vimos, têm seu paralelo em Jo 13,18. Mas, no que se segue, os paralelos com os sinóticos não são tão estreitos. Todos os sinóticos concordam que os discípulos suscitaram a questão quanto ao que Jesus tinha em mente, mas o questionamento está registrado de formas diferentes em Jo 13,22, Lc 22,23 e Mc 14,19 (= Mt 26,22). Marcos relata que o primeiro pensamento de cada discípulo era que ele mesmo poderia ser o traidor; em Lucas e João, os discípulos indagam em geral quem é o traidor. Em Marcos, apresentam sua pergunta diretamente a Jesus; em Lucas, perguntam uns aos outros; João tem elementos de ambos (22 e 24).

Os incidentes descritos em 23-24 são peculiares a João. Isto não surpreende, já que dizem respeito ao Discípulo Amado, e este evangelho reivindica preservar o testemunho desse Discípulo (19,35; 21,24). Esta primeira descrição do Discípulo Amado é típica em sua ênfase sobre sua afinidade com Jesus e sobre sua amizade com Pedro. Ele está repousando no seio de Jesus, assim como em 1,18 Jesus é descrito como no seio do Pai. Em outras palavras, o Discípulo é tão íntimo com Jesus como Jesus é com o Pai. Aqui se pode ver por que estudiosos sugerem que ele é o símbolo joanino para o cristão, visto que em 17,23 Jesus orará a seu Pai que os cristãos desfrutem também dessa intimidade: "Eu neles e Tu em mim". (Todavia, não há evidência real aqui de que ele é um símbolo para o cristão *gentílico*, como BULTMANN, p. 369, sugere). Talvez a razão de não termos ouvido dele antes (mas veja a nota sobre os "dois discípulos" em 1,35) seja que o evangelista desejasse introduzi-lo como uma antítese de Judas, mostrando os bons e maus extremos no espectro do discipulado. João, porém, não apresenta o Discípulo como um mero símbolo sem realidade histórica. Nada há de simbólico no sinal que Pedro lhe faz para indagar de Jesus sobre o traidor. Para a teoria de que ele é João, filho de Zebedeu, ver vol. 1, p. 105.

Em Mc 14,20 (Mt 26,23), em resposta à pergunta dos discípulos, Jesus identifica o traidor como um dos que ali estão ou mergulhou o alimento com ele no prato comum. A imagem é de alguém estendendo a mão para pegar um pedaço de um prato que está no centro. A palavra *psōmion*, "bocado", geralmente se refere ao pão, porém não necessariamente. Os interessados no aspecto da refeição pascal têm sugerido que João está descrevendo o mergulho de ervas no *ḥaroseth* de molho, ação que ocorria mais cedo na ceia pascal antes do prato principal com seu ato de abençoar o pão e o terceiro cálice de vinho (geralmente, as bênçãos associadas com a Eucaristia – JEREMIAS, EWJ, pp. 86-87). Obviamente, isto não pode ser provado. O que João descreve é um gesto elementar de hospitalidade oriental, como é possível ver em Rt 2,14. Aliás, Jesus poderia estar estendendo a Judas um ato especial de estima pelo qual um anfitrião toma um hóspede a quem deseja honrar e separa para ele do prato comum um pedaço escolhido de alimento. Mas este sinal da afeição de Jesus, como o ato de amor que o trouxe ao mundo, leva Judas ao momento decisivo de julgamento (ver 3,16.21). Sua aceitação do bocado sem qualquer mudança em seu plano perverso de trair Jesus significa que ele decidira por Satanás em vez de Jesus.

Notamos que somente em João ouvimos que o bocado foi dado a Judas, embora neste ponto da narrativa Mateus (como João, mas diferente de Marcos e Lucas) identifique Judas como o traidor. Jo 13,27 concorda verbalmente com Lc 22,3, onde também ouvimos que Satanás entrou em Judas; mas, como já mencionamos, a passagem lucana é a que se aproxima mais de Jo 13,2 em detectar uma influência diabólica sobre Judas ainda antes do início da ceia. Temos notado a possibilidade de que Jo 13,2 e 27 sejam duplicatas. Alguns têm pensado nos vs. 27-29 como uma adição redacional a interromper a sequência de 26 e 30; mas um exame mais detido sugere que somente os vs. 28-29 constituem uma adição e que o v. 27 deva ser reconhecido como essencial à narrativa (BULTMANN, p. 366).

Depois de comer o bocado, lemos que Judas (v. 30) saiu. Costuma-se pressupor que ele se dirigiu às autoridades para trair Jesus, pois na próxima vez que aparece (13,2-5) ele já vem com a guarda da parte dos sacerdotes e dos fariseus com o intuito de prender Jesus. Na tradição sinótica houve contato entre Judas e as autoridades antes da última ceia (Mc 14,10-11), e é provável que Jo 13,2 esteja em harmonia com isso. Tendo Judas se apartado da ceia somente depois que Jesus lhe disse que partisse, João enfatiza o controle de Jesus sobre seu destino; ninguém pode tirar de Jesus sua vida, a menos que ele o consinta (10,18). Aliás, tendo reconhecido o aspecto irrevogável da malícia de Judas, Jesus o apressa. Pode-se evocar Lc 12,50: "Eu tenho um batismo com o qual estou para ser batizado, e sinto-me angustiado até que ele se concretize".

Como já vimos nas respectivas notas, J. JEREMIAS usa os dados dos vs. 28-30 para substanciar sua tese de que não só a última ceia joanina tem característicos pascais (o que admitimos), mas também que ela foi consumida durante a festa da Páscoa, i.e., a noite que iniciava o dia 15 de Nisan (mesmo quando João deixe claro que a sexta-feira pascal ainda não havia começado: 18,28; 19,14). Tal prova não é destituída de dificuldade. Se os vs. 28-29 constituem uma explicação redacional, não fica claro se contêm tradição autêncica ou uma suposição redacional. Embora a afirmação "era noite" possa também ter importância cronológica, não pode haver dúvida de que o evangelista a incluiu em virtude de sua implicação teológica dramática. Assim, não estamos certos se esses dados podem contribuir para o problema histórico.

Com a permissão de Jesus dada a Judas e a solene aparição de Satanás no drama, a hora das trevas (noite) chegou. Nos dias finais de seu ministério, Jesus advertira: "a noite vem" (9,4); "se alguém andar de noite, tropeça, porque não tem luz em si" (11,10). Judas é um dos que "têm preferido as trevas à luz, porque suas obras eram más" (3,19). "Era noite" em João é o equivalente das palavras de Jesus no Getsêmani, registradas por Lc 22,53: "mas esta é vossa hora e o poder das trevas". Todavia, mesmo neste momento trágico na vida de Jesus, quando as trevas o envolvem, há a certeza do Prólogo: "A luz brilha nas trevas, pois as trevas não prevaleceram contra ela" (1,5). Se esta nota de otimismo era certa na situação causada pelo primeiro pecado no mundo, foi também certa na noite da paixão de Jesus. A longa noite que ora descia sobre a terra teve sua aurora quando "na manhã do primeiro dia da semana, enquanto ainda era escuro, Maria Madalena foi sozinha ao túmulo" (20,1).

BIBLIOGRAFIA
(13,1-30)

BOISMARD, M.-E., *"Le lavement des pieds (Jn, XIII, 1-17)"*, RB 71 (1964), 5-24.

BRAUN, F.-M., *"Le lavement des pieds et la réponse de Jésus à saint Pierre (Jean, XIII, 4-10)"*, RB 44 (1935), 22-33.

DODD, C. H., *"Some Johannine 'Herrnworte' with Parallels in the Synoptic Gospels"*, NTS 2 (1955-56), especialmente pp. 75-78 sobre 13,16 e pp. 81-85 sobre 13,20. Reimpresso em *Tradition*, pp. 335-38, 343-47.

FRIDRICHSEN, A., *"Bemerkungen zur Fusswaschung Joh 13"*, ZNW 38 (1939), 94-96.

GRELOT, P., *"L'interprétation pénitentielle du lavement des pieds"*, in *L'homme devant Dieu* (Mélanges H. de Lubac; Paris: Aubier, 1963), I, 75-91.

GROSSOUW, W. K., *"A Note on John xii 1-3"*, NovT 8 (1966), 124-31.

HARING, N. M., *"Historical Notes on the Interpretation of John 13:10"*, CBQ 13 (1951), 355-80.

KNOX, W. L., *"John 13. 1-30"*, HTR 43 (1950), 161-63.

LAZURE, N., *"Le lavement des pieds"*, *Assemblées du Seigneur* 38 (1967), 40-51.

LOHMEYER, E., *"Die Fusswaschung"*, ZNW 38 (1939), 74-94.

MICHL, J., "Der Sinn der Fusswaschung", Biblica 40 (1959), 697-708.

RICHTER, G., "Die Fusswaschung Joh 13, 1-20", MüTZ 16 (1965), 13-26. English Summary in TD 14 (1966), 200-5.

_____ Die Fusswaschung im Johannesevangelium (Regensburg: Pustet, 1967).

ROBINSON, J. A. T., "The Significance of the Foot-washing", NTPat, pp. 144-47.

SCHWAQNK, B., "Exemplum dedi vobis. Die Fusswaschung (13, 1-17)", SeinSend 28 (1963), 4-17.

_____ "'Einer Von euch wird mich verraten' (13, 18-30)", SeinSend 28 (1963), 52-66.

SPARKS, H. F. D., "St. John's Knowledge of Mattew: The Evidence of Jo. 13, 16 and 15, 20", JTS N.S. 3 (1952), 58-61.

VON CAMPENHAUSEN, H., "Zur Auslegung von Joh 13, 6-10", ZNW 33 (1934), 259-71.

WISER, A., "Joh 13, 12-20 – Zufüng eines späteren Herausgebers?" BZ 12 (1968), 252-57.

WILCOX, M., "The Composition of John 13:21-30", Neotestamentica et Semitica, in honor of M. Black, eds. E. E. Ellis, M. Wilcox (Edinburgh: Clark, 1969), pp. 143-56.

48. O ÚLTIMO DISCURSO:
OBSERVAÇÕES GERAIS

Em geral, a questão de como dividir as partes do Livro da Glória (cf. p. 896 supra) não é tão difícil como a questão da divisão do Livro dos Sinais. Esta diferença é exemplificada em um artigo de D. Deeks, NTS 15 (1968-69), 107-29, sobre a estrutura de João: enquanto a análise que Deeks faz da estrutura de Jo 1-12 difere, em muitos detalhes, daquela que demos no vol. 1, pp. 158-159 (que ele parece desconhecer), uma análise quase idêntica é proposta de Jo 13-20. O único problema de maior vulto na estrutura do Livro da Glória é a divisão do longo discurso que corre, com breves interrupções ocasionais, de 13,31 a 17,26. A origem, composição e divisão deste último discurso requerem uma discussão mais extensa.

No Livro dos Sinais, notamos a tendência de João de narrar primeiramente o sinal de Jesus e seguir isto com um discurso que interpretasse o sinal; por exemplo, caps. 5, 6 e 9. No Livro da Glória, o esquema é invertido. O último discurso explica a significação e implicações da maior de todas as obras de Jesus, a saber, seu retorno para seu Pai; mas neste caso o discurso precede ao que trata de explicar. A razão para esta mudança de esquema é fácil de entender: seria estranho interromper a ação da paixão, morte e ressurreição; e seria anticlimático colocar tão longo discurso depois da ressurreição. Além do mais, na psicologia que rege a apresentação do evangelista, visto que os discípulos seriam afetados pela paixão e morte de Jesus, tinham de estar preparados para isto através da explicação e consolação de Jesus. (Mencionaremos abaixo a possibilidade de que o evangelista foi orientado por uma tradição mais antiga de um discurso pronunciado por Jesus na última ceia).

Todavia, o último discurso não é simplesmente mais um discurso interpretando um sinal. A morte e ressurreição de Jesus irrompem da categoria de sinal para a esfera da glória; agora ele faz presente e disponível aos homens as realidades celestiais significadas nos milagres do ministério. Correspondentemente, o último discurso participa da glória de "a hora" e suplanta em nobreza e majestade até mesmo os mais solenes discursos do ministério. Estes às vezes eram dirigidos aos auditórios hostis ("os judeus" e eram pronunciados contra um pano de fundo de rejeição pelo mundo. Mas, no último discurso, Jesus fala aos "seus" (13,1) em prol de quem ele se dispôs a render sua vida, tão intenso é seu amor (15,13). O Jesus que fala aqui transcende tempo e espaço; ele é um Jesus que já está a caminho para o Pai, e sua preocupação é não deixar só os que creem nele, mas que hão de permanecer no mundo (14,18; 17,11). Embora ele fale na última ceia, na realidade ele está falando do céu; embora os que o ouvem sejam seus discípulos, suas palavras são dirigidas aos cristãos de todos os tempos. O último discurso é o último testamento de Jesus: significa que só seria lido depois que ele deixasse a terra. Mas não é como outros últimos testamentos que são as palavras registradas de homens que morrem e não podem mais falar; pois tudo quanto haja de *ipsissima verba* de Jesus no último discurso foi transformado à luz da ressurreição, e através da vinda do Paráclito, em um discurso vivo pronunciado, não por um homem morto, mas por aquele que possui a vida (6,57), a todos quantos leiam o evangelho.

Em razão disto tudo, tem-se dito, com razão, que o último discurso é mais bem entendido quando ele passa a ser tema de piedosa meditação e que análise científica realmente não faz justiça a esta obra genial. Assim como uma grande pintura perde sua beleza quando partes individuais são estudadas sob um microscópio, assim o estudo necessário da composição e divisão do último discurso pode impedirmos em algum momento que estamos lidando com uma obra prima. Teremos de salientar sua monotonia de estilo, repetições, confundindo perspectiva de tempo e quase irreconciliável variedade de expectativas sobre a presença pós-ressurreição de Jesus com seus discípulos. Todavia, nada disso impede o leitor de reconhecer que o último discurso é uma das maiores composições na literatura religiosa. Aquele que aqui fala, fala como nenhum homem jamais falou.

A natureza compósita do discurso

Não pode haver dúvida de que os capítulos que formam o último discurso não estiveram sempre unidos. Já em Lucas vemos em ação a tendência de incorporar no último discurso material das etapas do ministério (compare Lc 22,24-26 com Mc 10,42-45). A eucaristia cristã, que evocava a última ceia, fornecia uma oportunidade para pregar e ensinar; e o uso desta ocasião para reunir ditos tradicionais de Jesus poderia ter tido seu efeito na narrativa da própria ceia. Tal tendência estaria em ação especialmente no Evangelho de João; pois o fato de que o ministério público foi consistentemente retratado como um encontro com incrédulos ou crentes parciais dá maior força à tendência a reunir as palavras destinadas aos crentes no Livro da Glória, onde Jesus está tratando com "os seus". Assim, o último discurso, indubitavelmente, se compõe de material variado em um ambiente no qual Jesus está falando aos seus discípulos.

Cataloguemos os detalhes que suscita uma dúvida sobre o encadeamento lógico do discurso e revela o caráter artificial da presente organização:

(a) As palavras de 14,30-31 ("Eu já não falarei [muito] convosco. ... Levantai-vos! Saiamos daqui e tomemos nosso caminho") marca claramente o final de um discurso e o momento que Jesus se levanta da mesa. Todavia, Jesus continua falando em mais três capítulos, e somente em 18,1 a partida parece ter sua realização.

(b) Uma parte do discurso não se harmoniza com a outra parte. Em 13,36, Simão Pedro fala: "Senhor, para onde estás indo?" Todavia, em 16,5, Jesus se queixa aos discípulos: "Nenhum de vós me pergunta: 'Para onde estás indo?'".

(c) Há no último discurso duplicações e repetições. Daremos abaixo um gráfico (I) dos paralelos entre 13,31-14,31 e 16,4b-33. Tal repetição é difícil de explicar se estas seções foram originalmente partes consecutivas do mesmo discurso.

(d) Parte do material que aparece no último discurso se assemelha intimamente ao material que os evangelhos sinóticos colocam no ministério público. Para os paralelos entre 15,18-16,4a e Mt 10,17-25, veja p. 1087 abaixo. Naturalmente, a localização sinótica desse material não é necessariamente mais original, mas a diferença de localização pressupõe que ao menos parte do material paralelo nem sempre esteve associado com a última ceia.

(e) Parte do material do discurso, como a parábola alegórica da videira em 15,1-6, necessariamente não tem conexão com o tema da partida de Jesus que é característica da última ceia (ver p. 1051 abaixo).

(f) A variedade da perspectiva teológica encontrada no último discurso é mais difícil de explicar se todos os ditos foram enunciados ao mesmo tempo. As diferentes expectativas sobre como Jesus voltará são um bom exemplo desta dificuldade; veja pp. 970-71 abaixo.

Diversas teorias sobre a composição do discurso

Como, pois, o último discurso assumiu sua forma atual, se originalmente não era uma unidade? Tem-se sugerido para o problema enunciado em (*a*) uma solução bem conservadora. Alguns têm proposto que Jesus realmente se afastou da sala da ceia depois de dizer o que consta em 14,30-31, e que o restante do discurso foi dito de caminho para o jardim de Getsêmani, do outro lado do Cedrom (18,1). E assim suas observações sobre a videira e os ramos foram sugeridas pela visão das vinhas pontilhando os declives que descem para o vale de Cedrom, e a advertência em 15,6 ("Se alguém não permanece em mim, será lançado fora, como o ramo, e seca; e recolhem e lançam no fogo para ser queimado") foi inspirada pela vista das piras de ramos mortos sendo queimados pelos vinhateiros. Essa abordagem é romântica, dependente de diretrizes de estágio não registrado, hoje foi quase universalmente abandonada. Não só deixa de resolver os outros problemas sobre o último discurso, mas nem mesmo faz justiça a 18,1, o qual diz que somente depois das palavras do cap. 17 é que Jesus *se foi*.

A reorganização consiste numa tentativa de solucionar os problemas (*a*) e (*b*). Se 14,30 e 31 forem removidos para o final do discurso, então, naturalmente, estes versículos podem servir de conclusão perfeita para todo o conjunto. Se 16,5 for recolocado, de modo que venha antes de 13,36, então a aparente contradição desaparece. BERNARD, por exemplo, propõe o seguinte arranjo: 15, 16, 13,31-38, 14, 17. MOFFATT concorda substancialmente, porém coloca a princípio meio versículo,

13,31a; e, à luz de 14,31, ele propõe que o cap. 17 foi pronunciado por Jesus em pé, antes de deixar a sala. Bultmann tem um arranjo diferente: 17, 13,31-35, 15, 16, 13,36-38, 14. Já expressamos nossas de confianças sobre a reorganização como uma solução adequada para as dificuldades encontradas em João (vol. 1, pp. 8-11). Caso se objete que o último discurso é um problema especial e que a reorganização poderia ser feita ao menos aqui, ainda teria de informar-nos como a atual sequência com seus supostos deslocamentos entraram em vigor e por que a óbvia falta de sequência não perturbou o redator final do evangelho. Se dissermos que um redator do 1º século pôs fragmentos deslocados na presente ordem, poderíamos supor seriamente que ele não viu que 14,30-31 marcou o fim do discurso e não poderia ser posto no meio? Além do mais, a reorganização nada faz para resolver os outros problemas catalogados acima sob (c) e (f) e na melhor das hipóteses poderia ser somente uma solução parcial.

Muitos hoje pensam no último discurso como se compondo de discursos mais breves independentes ou mesmo de sentenças isoladas, algumas das quais foram pronunciadas por Jesus em outra ocasião. Mas dentro deste ponto de vista há um amplo espectro de teorias oscilando das mais radicais às mais conservadoras. Em um extremo, alguns estudiosos sugeririam que o evangelista desenvolveu seu discurso com base em uns poucos e autênticos ditos de Jesus tomados da tradição sinótica; o resto foi o comentário criativo do evangelista. Bultmann tem uma abordagem diferente: a espinha dorsal do discurso veio da Fonte de Discurso Gnóstico Revelatório Não Cristão (vol. 1, p. 13; para a reconstrução que Bultmann faz deste material emprestado, veja Smith, pp. 30-34). No outro extremo, comentaristas conservadores propõem que o discurso se compõe de um discurso dado palavra por palavra por Jesus na última ceia e também discursos dados palavra por palavra em outras ocasiões. Por exemplo, W. J. P. Boyd, *Theology* 70 (1967), 207-11, propõe que o contexto original de Jo 14-17 era posterior a ressurreição, pois estes capítulos pertencem ao gênero literário conhecido como "conversações entre Jesus e seus discípulos após a ressurreição". Mais especificamente, J. Hammer (*Bibel und Kirche* 14 [1959], 33-40) pensa que os capítulos 15-16 representam o que foi dito pelo Jesus redivivo quando se manifestou aos quinhentos irmãos (1Cor 15,6), enquanto o cap. 17 foi pronunciado na aparição final de Jesus um pouco antes de ascender ao céu. Hammer está tentando resolver um problema real, a saber, o estranho uso dos tempos verbais no discurso, especialmente no cap. 17, onde Jesus parece estar se referindo ao seu retorno a seu Pai como algo já realizado (17,11: "Já não estou no mundo"). Que partes do último discurso têm ares pós-ressurreição é refletido na antiga prática litúrgica das igrejas grega, siríaca e latina de ler extratos selecionados do discurso na ocasião pós-pascal. Todavia, a solução de HAMMER é muito simplista e não responde ao agudo problema mencionado sob (c) acima.

Pensamos, em linhas gerais, que a crítica literária torna mais implausível que o último discurso consiste até certo ponto de discursos completos pronunciados em outras ocasiões e simplesmente transferidos para o cenário da última ceia. Os blocos maiores de material que vieram como unidades substanciais para o discurso de outros contextos são, em nosso juízo, a parábola alegórica em 15,1-6 e a unidade que trata do ódio que o mundo nutriria pelos discípulos em 15,18-16,4a, embora o último tenha acréscimos que se adequam ao seu atual cenário. Por outro lado, a atmosfera partilhada por todas as partes do discurso significa que todo o material que foi tomado de outro lugar foi reestruturado e unificados com material tradicionalmente pertinente ao contexto da última ceia. Não podemos excluir a possibilidade de que alguns dos ditos independentes incorporados no último discurso podem ter sido, originalmente, transmitidos em um contexto pós-ressurreição, mas consideramos que o recurso habitual a tal possibilidade como uma solução inadequada ao problema da peculiar perspectiva temporal do discurso. Há no último discurso diferentes pontos de vista temporais: algumas vezes Jesus olha para sua partida e união com o Pai que jazem adiante; algumas vezes ele enfoca essas realidades como passadas. Mas exemplos desse último caso não são necessariamente ditos pós-ressurreição; antes, refletem a incursão do ponto de vista temporal do compositor. Para o evangelista, o retorno de Jesus ao Pai fora concretizado muito antes; ele e seus leitores estavam vivendo na era em que Jesus voltara para os homens no e através do Paráclet0. Visto que ele pensa no evangelho de Jesus enquanto fala aos leitores, seu ponto de vista se tornou parte do contexto histórico. DODD, *Interpretation*, p. 397, descreve a situação nestes termos: "Toda a série de discursos, incluindo diálogos, monólogos e a oração conclusiva, é concebida como ocorrendo dentro do momento da culminação. É verdade que o cenário dramático é o de 'na noite em que ele foi traído', com a crucifixão em prospecto. Todavia, num sentido real, é o Cristo ressurreto e glorificado quem fala".

As partes do último discurso provavelmente foram formadas da mesma maneira que os demais discursos joaninos (vol. 1, p. 19; Segundo estágio); ditos tradicionais dirigidos aos discípulos, que foram preservados em vários contextos, foram unidos no discurso contínuo sobre um tema particular; então as unidades do discurso foram elaboradas em composições maiores. Às vezes podemos ainda ver suturas em que unidades díspares foram unidas; por exemplo, entre 14,1-4 e 14,6ss. Talvez os temas orientadores das distintas composições foram supridas por um núcleo de material que desde sua formação mais primitiva estava associado com o contexto da última ceia. É verdade que não há tradição em Marcos e Mateus de um discurso enunciado por Jesus durante a ceia, mas Lc 22,21-38 tem uma coleção de ditos pós-eucarística, alguns dos quais poderiam ter pertencido, originalmente, a este cenário. Além do mais, os sinóticos têm a tradição da oração de Jesus a seu Pai no Getsêmani, correspondente à oração que João tem na conclusão do discurso. Ao discutirmos Jo 6 (vol. 1, pp. 469, 514), vimos que, enquanto os sinóticos tinham apenas leves traços de uma explicação da multiplicação dos pães, João tinha um discurso explicativo plenamente desenvolvido; e o mesmo fenômeno pode estar presente aqui. Seja como for, temas adaptados ao contexto da ceia (partida e retorno; um legado de mandamentos e amor a intercessão diante do Pai) têm colorido e modificado todos os demais ditos tradicionais que foram trazidos para o atual contexto. Desta maneira, *diversos últimos discursos independentes* foram formados, e eventualmente estes foram combinados no último discurso como o conhecemos. Estes últimos discursos independentes nos dão a chave para entender a divisão de 13,31-17,26.

As divisões do último discurso (ver esboço, pp. 900-901 acima)

(O que segue é proposto à luz da teoria da composição do evangelho desenvolvida no vol. 1, pp. 21-26; estágios 3-4-5). A primeira, ou ao menos uma bem antiga, forma escrita do evangelho (Terceiro estágio) provavelmente continha um último discurso consistindo de uma introdução (13,31-38) e uma palavra final de Jesus aos seus discípulos substancialmente similar ao que hoje é o cap. 14. Este último discurso teria sido incluído com o sinal para o final da ceia em 14,31. Entretanto, não podemos estar certos de que todos os ditos ora encontrados em 13,31-14,31 faziam parte deste primitivo discurso final, pois algumas modificações deste material poderia ter sido introduzido na própria redação que o evangelista fez do evangelho (Quarto estágio) ou na redação final do evangelho (Quinto estágio). Contudo, este primeiro discurso final permanece, substancialmente, como a **Primeira seção** do final do último discurso. Chamamos a atenção para o fato de que, juntamente com Dodd, tratamos 13,31-38 como a parte introdutória da Primeira seção, em vez de uma introdução a todo o discurso (14-17). A última posição é assumida por muitos estudiosos (Lagrange, Schneider, Barrett), e discutiremos a questão detalhadamente nas pp. 978-79 abaixo.

O material adicional do discurso foi reunido ao primitivo discurso final pelo último redator. Não se sentindo livre para reescrever a própria obra do evangelista, ele não mudou o final do cap. 14; antes, ele anexou mais discursos ao que já era parte do evangelho. O material nestes discursos anexados não é necessariamente inferior a ou posterior ao material da Primeira seção; Pois em nossa teoria da composição do evangelho insistimos que o redator foi incorporando outro material genuinamente joanino, parte dele antigo, parte dele oriundo do próprio evangelista, mas, por uma razão ou outra, não fazia parte previamente do evangelho nos terceiro e quarto estágios.

A adição mais longa constituiu o que ora é a **Segunda seção** do último discurso (15-16), uma coleção do material maior que a contida na Primeira seção. As origens do material, na Segunda seção, foram bem diversas e distinguiremos três subdivisões:

(a) *A primeira subdivisão* é 15,1-17. Contêm uma parábola alegórica sobre a videira e os ramos (15,1-6) acompanhada com uma explicação da qual aparecem traços em 15,7.16. Mas essa explicação foi adaptada ao contexto da última ceia pela adição de temas apropriados da partida, formando o belo conjunto de 15,7-17. O tema dominante é que o amor uniria os discípulos a Jesus e uns aos outros.

(b) *A segunda subdivisão* é 15,18-16,4a. O tema dominante aqui é o ódio que o mundo sente por Jesus e seus discípulos. O material foi tomado em parte de um corpo de tradição independente sobre a perseguição futura muito similar à tradição encontrada em Mt 10,17-25 e no discurso escatológico sinótico (Mc 13 e par.).

(c) *A terceira subdivisão* é 16,4b-33. Ela constitui um paralelo muito estreito em conteúdo e organização com a forma do último discurso encontrado em 13,31-14,31. Discutiremos esta similaridade em um gráfico, mas podemos ressaltar que esta subdivisão é a única parte da Segunda seção que tem interrupções da parte dos discípulos, um aspecto encontrado na Primeira seção. Consequentemente, somente nesta divisão, como na Primeira seção, há alguma referência a um cenário onde os discípulos foram o auditório de Jesus numa mesa de ceia; na primeira e segunda subdivisões da Segunda seção temos discurso direto enunciado aos discípulos sem qualquer indicação de cenário.

É possível que o leitor indague por que sugerimos que as três partes, (a), (b) e (c), devem ser tratadas como subdivisões de um só discurso (Segunda seção), em vez de discursos separados. A razão é que, enquanto estas unidades tiveram origens independentes, houve um verdadeiro esforço redacional para unificá-las. O tema da escolha dos discípulos em (a) salta para (b); cf. 15,16 e 19. O tema do amor em (a) é equiparado pelo tema do ódio em (b). O tema da oposição do mundo em (b) prepara o caminho para a descrição do Paráclito como o acusador do mundo em (c).

Voltando à **Terceira seção** do último discurso, a grande oração sacerdotal do cap. 17, encontramos um conjunto perfeitamente estruturado. Se material de origem diversa se introduziu no cap. 12, esse material foi reunido de modo mais uniforme do que em qualquer outra divisão ou subdivisão do discurso. O capítulo 17 contém a oração de Jesus no momento de seu retorno ao Pai, e o redator exibiu um caráter de genialidade ao pô-lo no final do discurso. Sua qualidade sublime e lírica oferece um clímax perfeito, porquanto qualquer outra unidade que fosse adicionada aqui poderia ter quebrado a tensão. Naturalmente, ao localizar a oração no final, o redator poderia ter sido guiado pelo esquema tradicional visto nos sinóticos que registraram a oração de Jesus a seu Pai (no Getsêmani) precisamente antes de sua prisão. Os seguintes aspectos na tradição sinótica desta oração (Mc 14,35-36) têm paralelos em João: a invocação: "Pai"; o tema de "a hora"; o tema da conformidade com a vontade do Pai (Jo 14,31).

Concluindo nossa discussão das divisões do último discurso, podemos comparar nossos resultados com os de duas abordagens do problema muito diferentes. ZIMMERMANN, *art. cit.*, encontra uma diferença de tema em 13-14 e 15-16, respectivamente os caps. 13-14 se preocupam com a partida de Jesus, enquanto os caps. 15-16 se preocupam com a permanência da presença de Jesus entre seus discípulos. ZIMMERMANN vê dois discursos, o dos caps. 13-14 se situa na perspectiva do período anterior à partida de Jesus, e os caps. 15-16, se situa na perspectiva do período posterior à ida para o Pai. A oração do cap. 17 é pronunciada por Jesus como um Paráclito ou intercessor celestial junto ao Pai, apelando em favor dos seus que ainda estão no mundo. RICHTER, *art. cit.*, identifica duas classes temáticas no material em discussão. A primeira é o tema cristológico ou soteriológico no qual Jesus realiza a salvação, cumprindo a vontade de seu Pai, e sua morte na cruz o exibe na qualidade de Messias e Salvador. A atmosfera é apologética e confessional, sublinhando a fé em Jesus como o Messias em função de responder tanto às objeções dos de fora como fortalecer a oscilante fé dos de dentro. Visto que este tema corresponde à afirmação de propósito em 20,31, o próprio evangelista é responsável pelas partes da cena da última ceia em que se encontram (13,2-10; 21-33; 36-38; 14; 17,1-5). O segundo tema, proeminente na obra do redator, é uma parênese ou de exortação moral: Jesus entrega sua vida à morte, movido de amor pelos seus, e seu exemplo deve ser imitado. Aqui, o apelo não é primariamente à fé, mas ao amor e à prática dos mandamentos. Este tema, que está em harmonia com o espírito de 1 João, caracteriza 13,1; 12-20; 34-35; 15-16; 17,6-26. É característico de um último estágio no desenvolvimento da comunidade joanina, que já estava doutrinariamente mais bem estabelecida. Notamos que nas teorias de ambos, ZIMMERMANN e RICHTER, o núcleo de 13,31-14,31 é atribuído a um discurso ou estágio de composição diferente daquele representado pelo núcleo de 15-17. Ambos os autores admitem diferença de perspectiva nos dois conjuntos de material.

A relação especial entre 13,31 – 14,31 e 16,4b-33

Tendo considerado as três principais divisões do último discurso, demos mais atenção à relação entre Primeira seção e a terceira subdivisão da Segunda seção. O gráfico I abaixo mostrará quantos versículos são paralelos nestas duas unidades. Quanto aos paralelos gerais, notamos que a estrutura geral das duas é aproximadamente a mesma. Ambas começam com o tema da iminente partida de Jesus. Logo vem a lume a questão de para onde ele está indo e o motivo da tristeza dos discípulos. Cada unidade tem duas passagens sobre o Paráclito; cada uma promete que em breve os discípulos verão Jesus outra vez e que o Pai amará os discípulos; cada uma assegura aos discípulos, que tudo quanto for pedido em nome de Jesus, será concedido. Em cada uma Jesus é interrompido por perguntas da parte dos discípulos, e em cada uma aparece o tema da infidelidade dos discípulos para com Jesus durante a paixão. Certamente, notamos que há algumas seções em uma que não tem paralelo na outra, daí o valor do Gráfico II.

GRÁFICO I: OS PARALELOS ENTRE 16,4b-33 E 13,31 – 14,31*

13,31 – 14,31	16,4b-33	OUTROS PARALELOS PERTINENTES
14,28: "Ouvistes que eu vos disse: 'Vou'... Se me amais, regozijai-vos por eu ir para o Pai"	5-7: "Agora estou indo para Aquele que me enviou. ... Justamente porque eu vos disse isto, vossos corações se encheram de tristeza. ... é para o vosso próprio bem que eu vá"	
13,36: "'Senhor', disse Simão Pedro, para onde estás indo?" 14,5: "'Senhor', disse Tomé, 'não sabemos para onde estás indo'"	5: "Todavia, nem um de vós me pergunta: 'Para onde estás indo?'"	
14,1: "Não se turbem os vossos corações" – também 13,27.	6: "Vossos corações se encheram de tristeza"	
14,15-17: *Primeira passagem sobre Paráclelo* 14,16: "O Pai vos dará outro Paráclelo" 14,26: "O Pai [o] enviará em meu nome" 14,17: "O mundo não pode [o] aceitar" 14,12: "Eu estou indo [*poreuesthai*] para o Pai" 14,30: "O Príncipe do mundo está chegando"	7-11: *Primeira Passagem sobre o Paráclelo* 7: "Eu vo-lo enviarei" 8: "Ele convencerá o mundo do pecado" 10: "Eu estou indo [*hypageini*] para o Pai". Também o v. 28 com *poreuesthai* 11: "O Príncipe deste mundo já foi condenado"	15,26: "Eu vo-lo enviarei da parte do Pai" 12,31: "Agora o Príncipe deste mundo será expulso"
14,30: "Já não falarei [muito] convosco"	12: "Tenho muito mais a dizer-vos, mas não podeis suportar agora"	

* Nota dos editores, aqui os versículos foram mantidos, conforme o original em inglês, que nem sempre corresponde a qualquer tradução em português.

13,31 – 14,31	16,4b-33	OUTROS PARALELOS PERTINENTES
14,26: *Segunda Passagem sobre o Paráclito* 14,26: "O Paráclito, o Espírito Santo, que o Pai enviará"	13-15: *Segunda Passagem sobre o Paráclito* 13: "Quando vier o Espírito da Verdade"	15,26: "Quando o Paráclito vier, o Espírito da Verdade"
14,17: "Ele é o Espírito da Verdade"		
14,26: "[Ele] vos ensinará tudo" (14,6: disse Jesus: "eu sou o caminho e a verdade") (14,10: Disse Jesus: "As palavras que eu digo a vós, homens, não as digo de mim mesmo")	13: "Ele vos guiará a toda a verdade" 13: "Ele não falará de si mesmo"	Discurso Escatológico dos Sinóticos (Mc 13,11; Mt 10,20): O Espírito Santo ("de vosso Pai") falará através dos discípulos nos tempos de provação
14,26: "[Ele] vos fará lembrar de tudo o que eu vos disse [de mim]"	14: "há de receber do que é meu, e vo-lo há de anunciar"	15,26: "Ele dará testemunho a meu respeito"
14,19: "Ainda um pouco de tempo e o mundo não me verá mais; mas vós me vereis"	16: "Um pouco de tempo, e não mais me vereis, e então, outra vez, um pouco de tempo, me vereis"	
14,18: "Voltarei para vós"	*Em nenhum outro lugar há paralelos para 17-22, com a possível exceção de 22:* "Eu vos verei outra vez"	
14,20: "Naquele dia"	23: "Naquele dia". Também 26	
14,14.13: "Se me pedirdes algo em meu nome, eu o farei. Tudo o que pedirdes em meu nome, eu o farei"	23-24: "Se pedirdes alguma coisa ao Pai, ele vo-lo dará em meu nome. Até agora nada tendes pedido em meu nome. Pedi, e recebereis"	15,7: "Pedis o que quiserdes, e vos será feito" 15,16: "a fim de que tudo que pedirdes ao Pai em meu nome, Ele vos dará". Veja pp. 1009-12, para paralelos sinóticos
Nenhuma menção de alegria, mas de paz (14,27)	24: "para que vossa alegria seja completa"	15,11: "Para que minha alegria esteja em vós, e vossa alegria se cumpra" 17,13: "a fim de que tenham em si minha plena alegria"

48 • O último discurso: Observações gerais

13,31 – 14,31	16,4b-33	OUTROS PARALELOS PERTINENTES
14,25: "Eu vos tenho dito isto"	25: "Eu vos tenho dito isto"	15,11: "Eu vos tenho dito isto". Também 16,1. 4 abaixo
14,9: "Todo aquele que me tem visto, tem visto o Pai"	25: "Mas vos direi sobre o Pai claramente"	
Veja acima sobre 14,14.13	26: "pedireis em meu nome"	Veja acima sobre 15,16
14,21: "E quem me ama será amado [*agapan*] por meu Pai" 14,23: "Se alguém me ama, guardará a minha palavra. Então meu Pai o amará [*agapan*]"	27: "O próprio Pai vos ama [*philein*], porque vós me tendes amado"	
14,12: "porque vou para o Pai"	28: "vou para o Pai". Veja acima sobre 10	
	Em nenhum outro lugar há paralelos para 29-31, embora haja um padrão similar de interrupção da parte dos discípulos no cap. 14	Não há interrupções nas outras partes do último discurso (15, 17)
13,38: A Pedro: "O galo não cantará antes que me negues três vezes"	32: "A hora está chegando... em que sereis dispersos, cada um para seu lado"	Em Marcos 14,27-31 (Mt 26,31-35) os equivalentes das duas passagens joaninas são unidas
14,29: "Eu vos tenho dito antes que aconteça, para que... acrediteis" 14,27: "Deixo-vos a paz"	33: "Eu vos tenho dito isto para que em mim tenhais paz"	16,1: "Eu vos tenho dito isto para impedir que vossa fé seja abalada" 16,4: "Eu vos tenho dito isto para que... vos lembrais que eu vo-lo disse"
	33: "No mundo tereis aflições"	15.18-16.4a: Sobre o ódio do mundo e a perseguição dos discípulos
14,27: "Nem vos atemorizeis"	33: "Tendes bom ânimo"	
14,30: "O Príncipe do mundo... contra mim, ele nada pode"	33: "Eu venci o mundo"	12.31: acima. Também 1Jo 5,4-5

GRÁFICO II: SEÇÕES DE 13,31-14,31 PARA AS QUAIS NÃO HÁ PARALELOS EM 16,4b-33

13,31-14,31	PARALELOS EM OUTROS LUGARES DO Último discurso	OUTROS PARALELOS PERTINENTES (Em João, a não ser com outra indicação)
13,31-32: Glorificação do Filho do Homem	17,1-5: Glorificação do Filho	11,4: Glorificação do Filho [de Deus] 12,23; 27-28: Glorificação do Filho do Homem
13,33: "por pouco tempo ainda estou convosco"		7,33-34; 12,35
13,33: "Filhinhos"		Frequente em 1Jo (2,1.12.28 etc.)
13,33: Tema da busca (e não encontrado) e da impossibilidade de ir onde ele vai		7,33-34; 8,21
13,34-35: Novo mandamento de amar uns aos outros	15,12-13,17	1Jo 2,7; 3,11; 4,21
14,1b-4: Jesus está indo preparar um lugar; então voltará para levar consigo os discípulos	17,24: "quero que, onde eu estou, que também eles estejam comigo"	
14,6-11: Jesus, o caminho, verdade e vida 7: Conhecer Jesus = é conhecer o Pai 9: Ver Jesus = é ver o Pai 10: "Eu estou no Pai e o Pai está em mim" 10: palavras não são ditas sobre o próprio Jesus 10: O Pai realiza as obras de Jesus 11: "Crede [em mim] por causa das obras"	17,21	8,19 12,45 10,38 12,49 5,19 10,37-38

13,31-14,31	PARALELOS EM OUTROS LUGARES DO Último discurso	OUTROS PARALELOS PERTINENTES (Em João, a não ser com outra indicação)
14,12: O que crer realizará obras maiores, combinado com o tema de pedir e receber em 13-14		Marcos 11,23-24: Aquele que crer poderá mover montanhas (combinado com o tema de pedir e receber)
14,15: Amar Jesus e guardar seus mandamentos	15,10.14	1Jo 2,3; 3,24; 5,3: Guardar seus mandamentos
14,17: O Espírito Santo "permanece convosco e está em vós"		1Jo 2,20.27: A unção do Santo "permanece em vossos corações" – nenhuma necessidade de outros mestres. Também 2Jo 2
14,20-21: "Eu estou no Pai, e vós estais em mim e eu em vós", junto com os temas de guardar os mandamentos e de amar		1Jo 3,24; 4,11-13
14,24: A mensagem não é do próprio Jesus, "mas vem do Pai que o enviou"		7,16
14,29: "Ora, eu vos tenho dito isto antes que aconteça, para que, quando acontecer, acrediteis"		13,19
14,31: "Eu faço exatamente como o Pai me ordenou... Levantai-vos! Partamos"		Getsêmani: Marcos 14,36.42

No vol. 1, p. 8ss, discutimos o fenômeno de discursos duplicados em João, e aqui, aparentemente, estamos tratando de outro caso deste fenômeno. Os mesmos temas e inclusive os mesmos ditos foram pegos, reunidos e escritos em duas diferentes coleções que podem ter-se originado de diferentes períodos na história da tradição joanina ou de diferentes círculos na comunidade joanina. Vimos o mesmo processo de elaboração em 5,19-25 e 26-30, e outra vez em 6,35-50 e 51-58.

Qual a coleção mais antiga? Provavelmente não seja possível nenhuma resposta definitiva. Com base na conclusão dada por 14,30-31, já sugerimos que 13,31-14,31 representa, substancialmente, o discurso que estava na antiga forma escrita do evangelho (Terceiro estágio, talvez com alguma redação adicional no Quarto estágio), e que 16,4b-33 foi adicionado juntamente com o restante de 15-16 pelo redator final (Quinto estágio). Mas, reiterando, devemos insistir que isto não significa que o material em 16,4b-33 seja necessariamente posterior, visto que o redator estava dando sequência e adicionando material joanino de todos os períodos, anteriores e posteriores. (LAGRANGE, pp. 399, 434, pensa que 16,4b-33 é menos desenvolvido do que 14,1-31). Cada uma destas duas coleções derivam de antigos ditos de Jesus e cada uma tem desenvolvimentos posteriores. Portanto, as duas devem ser comparadas versículo por versículo; e nem sempre é possível uma decisão quanto a que é mais antiga em cada versículo. Por exemplo, muitos estudiosos sugerirão que as passagens do Paráclito, no cap. 14, são mais antigas do que as do cap. 16, porque, em 14,16 e 26, o Pai dá e envia o Paráclito, enquanto em 16,7 é Jesus quem envia o Paráclito. (Todavia, quão clara diferença há entre o ato do Pai em enviar o Paráclito, *em nome de Jesus*, e o ato de Jesus em enviá-lo!) Entretanto, usando o mesmo argumento, alguém teria que atribuir prioridade a 16,23-24 (o Pai dará o que os discípulos pedirem) sobre 14,13-14 (Jesus dará o que os discípulos pedirem). Em outra comparação, como é possível decidir se 16,5 (nenhum dos discípulos pergunta aonde Jesus está indo) é mais antigo do que 13,36 e 14,5 (Pedro pergunta aonde Jesus está indo; Tomé diz que não sabem aonde Jesus está indo)?

Deixando de lado a questão da prioridade de uma destas duas coleções sobre a outra, ainda devemos manter que, se representam os últimos discursos formados independentemente em diferentes círculos joaninos e diferentes épocas, podem ser guias muito úteis ao tipo de material que é mais original no contexto da última ceia. Estudiosos frequentemente têm tentado isolar este material utilizando vários critérios. DODD, *Interpretation*, pp. 390-400, tem buscado, por exemplo, distinguir no atual último discurso: (I) material que tenha paralelos nos evangelhos sinóticos e (II) material que é peculiarmente joanino. Sigamos este método, prestando particular atenção aos exemplos extraídos das duas coleções que ora estamos considerando.

(I) O material no último discurso de João, que tem paralelos e similaridades nos sinóticos, pode ser dividido desta forma: se os paralelos aparecem: (A) nos relatos sinóticos da última ceia e as cenas do Getsêmani ou (B) em outro lugar nos evangelhos sinóticos. Quanto a (A), a lista de paralelos dada acima na p. 914 servirá; os Nm 2-7 naquela lista são aplicáveis aqui; e com a exceção de 3, estes paralelos são extraídos de 13,31-14,31 ou de 16,4b-33. Devemos adicionar a essa lista três paralelos entre João e a cena do Getsêmani:

- A oração de Jesus em Jo 17,1 e Mc 14,36.
- A conformidade entre a vontade de Jesus e a do Pai em Jo 14,31 e Mc 14,36.
- As palavras "Levantai-vos! Saiamo-nos daqui", em Jo 14,31 e Mc 14,42.

Quanto a (B), podem-se apresentar os seguintes paralelos e similaridades:

- A perseguição dos discípulos: Jo 15,18-16,4a (também 16,33); Mt 10,17-25: Mc 13,9-13 (discurso escatológico).
- A menção do Paráclito como aquele que dá testemunho através dos discípulos (Jo 15,26-27) se assemelha à menção do Espírito Santo falando através dos discípulos que darão testemunho (Mt 10,20; Mc 13,9-11).
- O tema de pedir e receber (ver pp. 985-86 abaixo).
- O ideal de Jo 15,13 ("dar sua vida pelos que ele ama") se assemelha a Mc 10,45: "O Filho do Homem veio... para dar sua vida como resgate por muitos".
- As promessas joaninas de que Jesus voltará (14,3; 18-19; 16,22) se assemelha vagamente por seu tema às predições sinóticas da ressurreição (Mc 8,31; 9,31; 10,34).

- O tema apocalíptico da vinda do Filho do Homem encontrado nos evangelhos sinóticos parece ser reinterpretado em termos de escatologia realizada em João (ver discussão de 14,2-4).
- A confissão de Jesus como aquele que procede do Pai (16,30) tem uma leve semelhança com a confissão de Pedro em Mc 8,29; mas há melhores paralelos para essa confissão em Jo 1,41-42; 6,68-69.

É difícil avaliar estas similaridades entre João e os sinóticos. Certamente ajudam a mostrar que João está recorrendo a material tradicional, porém é mais difícil usá-las para determinar temas que foram originais no contexto da última ceia. Somente aqueles sob (A) são muito proveitosos neste respeito, e é interessante que a maior parte desses é paralelo com 13,31-14,31, ou com 16,4b-33, as unidades que sugerimos como a chave para o último discurso. Quanto aos paralelos sob (B), notamos que as últimas três similaridades ao material em Jo 13,31-14,31 e 16,4b-33 são bem fracas, enquanto as similaridades precedentes ao material em Jo 15 são bem mais fortes. É bem provável que isto é assim porque 15,1-16,4a em que se utilizou bastante materiais não originalmente relacionados com a última ceia.

(II) Podemos subdividir ainda o material que é peculiarmente joanino e sem paralelos nos sinóticos:

(A) Material que 13,31-14,31 e 16,4b-33 têm em comum. Ver Gráfico I.
(B) Material encontrado somente em uma das duas coleções, mas com paralelos em outras partes do último discurso. Ver gráficos I e II.
(C) Material encontrado somente em uma das duas coleções, mas com paralelos em outros lugares dos escritos joaninos; por exemplo, nos discursos do Livro dos Sinais ou nas epístolas joaninas. Ver gráfico II.
(D) Material encontrado somente em uma das coleções e com nenhum outro paralelo joanino; por exemplo, a afirmação em 16,29 de que Jesus agora está falando claramente sem figuras de linguagem.

Não há como decidir cientificamente se o material (D) pertencem originalmente ao cenário da última ceia, e obviamente o material

(C) tem menos chance do que (A) ou (B) de pertencer originalmente a este cenário. Se um pequeno núcleo de ditos relacionados tradicionalmente à última ceia estava sendo expandido pelo evangelista ou outros em um último discurso formal, a adição e a readaptação de material dos discursos do ministério seriam prováveis. BOISMARD sustenta, por exemplo, que 14,6-11 é posterior em composição ao material paralelo na forma mais antiga do cap. 8. Ele sugere ainda (RB 68 [1961], 519-20) que em 14,15-23 tem havido reelaboração de material mais antigo sob a influência de 1 João.

Mesmo dentro do material (A) ou (B) se pode fazer alguma escolha quanto ao que é original no contexto da última ceia. A escatologia de 14,2-3 parece ser a escatologia final da expectativa da parousia em glória, enquanto 14,18ss. parece apontar para a escatologia realizada e a habitação divina. Se este for um estágio posterior do pensamento joanino, mais que o primeiro (vol. 1, pp. 129-135), ambos os ditos não podem ser originais no último discurso. J. SCHNEIDER, *art. cit.*, é quem tem feito um importante esforço de isolar os núcleos mais primitivos de material no cap. 14 partindo de um estrato posterior de material (ambos são obra de uma única mão). Ele sugere que as duas passagens do Paráclito (14,16-18.26) são tardias, e igualmente 14,19-20 (porque o cap. 15 seria seguido do cap. 21). Este método depende da ideia que tenha os intérpretes sobre o que é consecutivo em João: obviamente, 14,15 e 21 são relacionados, mas é uma relação tão estreita que tudo o que está entre eles deve ser considerado como secundário? É possível concordar que as passagens do Paráclito, como se encontram agora, representam um nível tardio do pensamento joanino; contudo, visto que aparecem em dois últimos discursos presumivelmente independentes (13,31-14,31; 16,4b-33), é bem provável que se indague se alguma tradição sobre o Espírito não era parte da tradição joanina do último discurso desde os tempos mais antigos. Se tivéssemos que selecionar de (A) e (B) o material mais provavelmente original no contexto da última ceia, ele teria que incluir os temas da partida (*hypagein, poreeusthai, erchesthai*), da consolação dos discípulos e das promessas para o futuro depois da partida. (Veja DODD, *Interpretation*, p. 403; SCHNEIDER, art. cit., p. 108). Estes temas, combinados com o material dado acima em (I) sob (A), apareceriam em qualquer reconstrução do primitivo discurso final.

O gênero literário do último discurso

Se o redator final do evangelho produziu o atual último discurso, acrescentando discursos ao último discurso que encontrou numa forma primitiva do evangelho, teria sido guiado por algum plano literário? Pois os que veem no Quarto Evangelho padrões de setes (vol. 1, p. 163), é digno de nota que há sete referências ao pedir e receber dos discípulos "em meu nome" (14,13.14.26; 16,15.15; 16,23.24.26). Outros que são parciais quanto aos padrões quiásticos (vol. 1, p. 153) não encontrarão dificuldades em detectar um deles na forma final do último discurso:

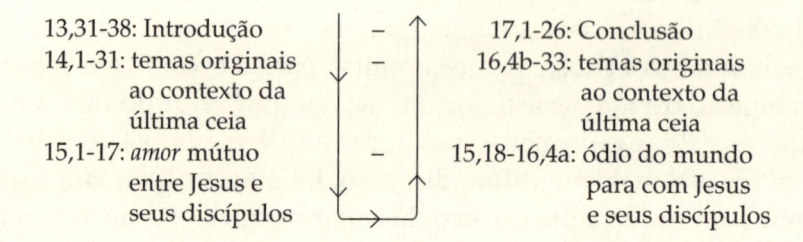

13,31-38: Introdução	17,1-26: Conclusão
14,1-31: temas originais ao contexto da última ceia	16,4b-33: temas originais ao contexto da última ceia
15,1-17: *amor* mútuo entre Jesus e seus discípulos	15,18-16,4a: ódio do mundo para com Jesus e seus discípulos

Entretanto, tanto nos casos dos esquemas quiásticos como na descoberta deste padrão septenários podemos estar tratando mais com a engenhosidade do intérprete do que com a intenção final do redator. Por exemplo, a similaridade entre a introdução e a conclusão dificilmente é óbvia.

Pondo de lado a questão do plano literário e voltando ao do gênero literário, já mencionamos a possibilidade de que, na tradição anterior ao evangelho, à qual o evangelista recorreu, poderia ter havido um breve discurso enunciado por Jesus a seus discípulos na noite anterior à sua morte. Entretanto, a ideia de compor um discurso solene antes da morte, atestado nos vários discursos independentes que temos proposto (13,31-14,31; 14-16 e 17) e no discurso final composto, provavelmente foi inspirado mais do que por reminiscência histórica. Alguns têm pensado que a ideia de combinar a descrição da ceia com um discurso esotérico e uma oração intercessória (17) foi sugerida pela liturgia. SCHNEIDER, *art. cit.*, e W. GRUNDMANN, NovT 3 (1959), 63, sugerem que Jo 13-17 reflete uma antiga liturgia cristã da última ceia. HOSKYNS, p. 495, diz: "Pode ser que a estrutura dos caps. 13-17 corresponda com a estrutura do culto cristão no tempo em que o evangelho foi composto, na qual a cena do cenáculo foi reproduzida e criativamente interpretada por ensinos espirituais (caps. 14-16) e finalmente resumida numa oração eucarística compreensiva (cap. 17)". Esse tipo de hipótese é interessante, porém difícil de se provar.

Preferimos uma abordagem que possa ser verificada por evidência contemporânea e, por isso, nos unimos aqueles estudiosos (W. BAUER, O. MICHEL, KÄSEMANN, entre outros) que pensam que o último discurso exemplifica o padrão literário bem estabelecido de atribuir a homens famosos discursos de despedida enunciados antes da morte. Este gênero literário tem sido cuidadosamente estudado (veja Bibliografia); em particular, aqui dependemos da análise que MUNCK faz do desenvolvimento do discurso de despedida dentro do judaísmo e pelas tabelas de paralelos compostas por STAUFFER.

O discurso de despedida já aparece nos mais antigos livros do AT; por exemplo, a despedida e bênçãos de Jacó a seus filhos em Gn 47,29-49,33; a despedida que Josué faz a Israel em Js 22-24; a despedida de Davi em 1Cr 28-29. Talvez o mais importante exemplo do período pré-exílico seria Deuteronômio, onde todo o livro é composto por discursos de despedida enunciados por Moisés a Israel. Este gênero literário se tornou ainda mais popular ao final do período bíblico e durante o período intertestamentário. A despedida de Tobias no leito mortuário está registrado em Tb 14,3-11, e a totalidade dos *Testamentos dos Doze Patriarcas* (ou uma obra judaica com interpolações cristãs ou uma obra cristã primitiva que recorre a fontes judaicas) é formada pelas despedidas dos doze filhos de Jacó a seus filhos. Enoque, Esdras e Baruque supostamente fizeram todos eles eloquentes discursos de despedidas ao povo de Israel (1En 91ss.; 2Esd 14,28-36; II Bar 77ss.). *O livro de Jubileus* atribui despedidas por Noé (10), por Abraão (20-22) e por Rebeca e Isaque (35-36), enquanto JOSEFO fornece um por Moisés (*Ant.* 4.8.45-47; 309-26). No NT, o discurso de Paulo aos anciãos de Éfeso (At 20,17-38) é um tipo de discurso de despedida. Este gênero é também atestado na literatura epistolar; por exemplo, as Pastorais são uma forma de despedida paulina (especialmente 2Tm 3,1-4,8), e 2 Pedro é uma forma de despedida petrina (ainda que pseudônima). Os discursos escatológicos nos evangelhos sinóticos contêm certos elementos em comum com este gênero literário, mas os discutiremos separadamente abaixo.

Enumeraremos a seguir os aspectos destes discursos de despedida bíblicos e pós-bíblicos que se encontram também no último discurso de João. A situação comum é a de um grande personagem que reúne seus seguidores (seus filhos, seus discípulos, ou o povo) à véspera de sua morte para ministrar-lhes instruções que os ajudem após sua partida. Em João, isto ocorre num ambiente de uma ceia de despedida; e uma ceia precede a morte também em *Jubileus* 35,27 (Rebeca), 36,17 (Isaque) e o *Testamento de Naftali* 1,2.

- O personagem anuncia a iminência de sua morte. Em *Jubileus* 36,1, Isaque diz: "Meus filhos, estou seguindo o caminho de meus pais rumo à casa eterna onde se encontram meus pais". Zebulom (*Testamento de Zebulom* 10,4) diz: "Agora me apresso rumo ao meu descanso". O tema de "Estou partindo" é recorrente no último discurso joanino. Em particular, em 14,2-3, Jesus fala de ir para a casa de seu Pai, e em 13,33 e 14,16, ele frisa que sua partida é iminente.
- Ocasionalmente, este anúncio produz tristeza, e se faz necessária alguma forma de reafirmação. Em *Jubileus* 22,23, Abraão diz a Jacó: "Não temas"; e *1 Enoque* (92,2) adverte seus filhos: "Que vosso espírito não se perturbe". No *Testamento de Zebulom* 10,1-2, o patriarca diz: "Não vos entristeçais por eu estar morrendo... pois me levantarei outra vez no meio de vós... e me regozijarei". Em várias ocasiões em João (14,1.27; 16,6-7.22), Jesus diz a seus discípulos que não se perturbassem ou se entristecessem, e em 14,27, ele acrescenta: "Não temais". Ele lhes assegura que, se está partindo, também estará voltando (14,3.18; 16,22), e este retorno lhes propiciará ocasião de alegria (15,11; 16,22).
- Nas despedidas maia antigas do AT, o personagem tende a endossar suas instruções, evocando o que Deus fizera por Israel, nos exemplos judaicos tardios se tornou mais costumeiro o personagem evocar sua própria vida pregressa; por exemplo, em *Testamentos*. Em seu discurso de despedida, Matatias, pai dos Macabeus, lembra a seus filhos o que ele fizera por Israel e insiste com eles que imitem seus feitos (*Ant.* XII.6.3; 279-84). Em particular, Jesus fala do Paráclito/Espírito cuja tarefa seria interpretar para os discípulos o que Jesus dissera e fizera (14,26; 16,14-15). Em 14,12, Jesus promete: "Aquele que tem fé em mim realizará as mesmas obras que eu realizo. Aliás, ele realizará muito maiores que estas".

- A recomendação de guardar os mandamentos é frequentemente parte do conselho transmitido pelo personagem; por exemplo, por Abraão em *Jubileus* 21,5. Moisés (Dt 30,16) insiste sobre isto como uma condição necessária: "Se obedecerdes aos mandamentos do Senhor vosso Deus, os quais vos ordeno neste dia, amando ao Senhor vosso Deus...". Algumas vezes o personagem menciona seus próprios mandamentos ou palavra. *1 Enoque* 94,5 tem o mandamento: "Retende minhas palavras". Em João, Jesus frequentemente reitera a condição: "Se me amardes e guardardes meus mandamentos...". (14,15.21; 15,10.14). Em 14,23, ele diz: "Se alguém me ama, guardará minha palavra".
- Em particular, o personagem muitas vezes ordena a seus filhos que amem uns aos outros; por exemplo, Abraão, em *Jubileus* 20,2. Em *Jubileus* 36,3-4, Isaque diz a Esaú e a Jacó: "E isto vos ordeno... meus filhos, amai um ao outro... como um homem ama sua própria vida". Em Jo 13,34 e 15,12, Jesus fala do novo mandamento de amor recíproco; e no cap. 15,13, ele estabelece um padrão: "Ninguém pode ter maior amor do que este: dar sua vida por aqueles a quem ama". Veja p. 983.
- Unidade é outro tema recorrente nas formas tardias dos discursos de despedida. Em *Jubileus* 36,17, Isaque se regozija de haver uma só mente entre seus filhos; veja também Matatias, em *Ant.* XII.6,3; 283. Baruque frisa a unidade entre as tribos, "unidas por um só vínculo" (2Bar 78,4). No *Testamento*, de *Zebulom* 8,5-6 insta com os filhos de Zebulom que amem uns aos outros, pois o dano feito ao irmão de alguém viola a unidade; e *Testamento de José* 17,3 diz: "Deus se deleita na unidade dos filhos". Este mesmo tema de unidade aparece nos lábios de Jesus em Jo 17,11.21-23.
- O personagem tende a olhar para o futuro e a ver o destino que recairá sobre seus filhos. *1 Enoque* (91,1) diz: "O espírito é derramado sobre mim para que eu vos mostre tudo o que vos sobrevirá para sempre". Em João, embora o próprio Jesus faça predições gerais sobre o futuro, é o Paráclito/Espírito, que Jesus enviará, que declarará aos discípulos as coisas por vir (16,13).
- Ao olhar para o futuro, o personagem amaldiçoa os que perseguem o justo e se regozija em suas tribulações (*1 Enoque* 95,7;

98,13; 100,7). Correspondentemente, Jesus prediz que o mundo odiará e perseguirá os discípulos (Jo 15,18.20; 16,2-3) e se regozijará em sua própria morte (16,20).

- O personagem pode invocar paz sobre seus filhos (Jub 21,25: "Ide em paz, meus filhos") e prometer a alegria na outra vida (1En 103,3; *Testamento de Judá* 25,4). Jesus dá ainda sua paz aos discípulos (Jo 14,27; 16,33) e lhes promete a alegria que ninguém pode tirar deles (16,22).

- O personagem pode prometer a seus filhos que Deus estará com eles, se forem fiéis. Com a cautela de que há interpolações cristãs nos *Testamentos,* devemos notar o que diz *José* 10,2: "Se seguirdes a modéstia... o Senhor habitará em vós"; e 11,1: "Pois todo aquele que observa a Lei do Senhor será amado por Ele". Isso traz à mente Jo 14,23: "Se alguém me ama, guardará minha palavra. Então meu Pai o amará, e viremos para ele e faremos nele morada".

- É natural para um homem moribundo preocupar-se com a permanência de seu nome. Em *Jubileus* 22,24, Abraão diz com referência a seus descendentes: "Esta casa que construí para mim mesmo a fim de pôr nela o meu nome sobre a terra. ...Construireis minha casa e estabelecereis meu nome diante de Deus para sempre". O Jesus joanino também fala do nome que Deus lhe deu (17,11-12); e ele diz: "Manifestei o teu nome aos homens que me deste do mundo" (17,6). Estes homens orarão e rogarão a Deus no nome de Jesus (14,13.14; 15,16; 16,24.26) e assim manterão seu nome vivo sobre a terra.

- Como parte da despedida de Moisés a Israel, ele toma Josué como sucessor que de muitas maneiras será outro Moisés (Dt 31,23). No Apêndice V, salientaremos que esta relação em série se assemelha à relação entre Jesus e o Paráclito. O Paráclito acerca de quem Jesus fala no último discurso é seu sucessor e conclui sua obra.

- Finalmente, o personagem costuma concluir seu discurso de despedida com uma oração por seus filhos ou pelo povo que está deixando para trás. Em Dt 32, Moisés evoca a benção de Deus sobre as tribos, e em *Jubileus* 22,28-30, Abraão ora a Deus que proteja Jacó. Assim também o último discurso joanino é concluído com o capítulo 17, no qual Jesus ora por si, por seus discípulos e por todos quantos viessem a crer nele por intermédio da palavra de seus discípulos.

À luz de tantos temas paralelos, parece indubitável que o último discurso do Quarto Evangelho pertence ao gênero literário do discurso de despedida. DODD, *Interpretation*, pp. 420-23, comparou o último discurso ao diálogo nos tratados Herméticos (veja vol. 1, pp. 52, 53), e crê que os leitores do evangelho teriam interpretado este discurso contra esse pano de fundo helenista. É muito difícil estar seguro sobre a mentalidade dos leitores, mas cremos que a composição do discurso pode ser mais bem explicada como uma imitação dos modelos bem conhecidos no judaísmo, sem a necessidade de recorrer a modelos pagãos.

O último discurso e escatologia

Entre os evangelhos sinóticos, somente Lucas (22,24-34) tem uma coleção de ditos de alguma extensão na última ceia. Entretanto, na tradição sinótica do ministério público há um longo discurso final de Jesus, a saber, o discurso escatológico (ou apocalipse sinótico: Mc 13; Mt 24-25; Lc 21). Ali, frequentemente em linguagem apocalíptica, Jesus volve sua atenção para o futuro. Ele adverte de futuros perigos e perseguições e de perigos no tocante à fé, e ressalta a necessidade de manter vigilância. Tudo terminará quando o Filho do Homem vier nas nuvens e enviar anjos a reunir seus eleitos dos quatro ventos (Mc 13,26-27). Em Mt 24,45-51, há uma garantia da amabilidade do senhor àqueles a quem ele encontrar vigiando. Finalmente, Mt 25,31-46 pinta a dramática cena do juízo onde os perversos serão enviados à punição eterna, enquanto os justos serão recompensados com a vida eterna. Este discurso escatológico não é exatamente um discurso de despedida, embora os discursos de despedida em *Enoque* e *2 Baruque*, citados acima, estão entrelaçados com visões apocalípticas do fim dos tempos.

Tem-se sugerido que o último discurso é um substituto joanino para o discurso escatológico dos sinóticos. Com algumas matizações, esta tese se aproxima da verdade. Toda uma seção do último discurso, 15,18-16,4a, contém material bem similar àquele que se encontra no discurso escatológico (veja p. 1087 abaixo). Palavras como as de Jo 14,29, "Eu vo-lo disse agora antes que aconteça, para que, quando acontecer, acrediteis" (também 16,1.33) nos recordam Mc 13,23 (Mt 24,25): "Atentai bem; eis que de antemão vos tenho dito tudo". No entanto, ainda mais importante, o tema do retorno de Jesus, que ocorre em muitas formas no último discurso, pode representar uma forma joanina não apocalíptica do tema da vinda do Filho do Homem que encontramos no apocalipse sinótico. Já notamos que alguns elementos escatológicos futuristas encontrados nos discursos de despedida dos escritos apocalípticos judaicos aparecem em João numa atmosfera da escatologia realizada. Por exemplo, o *Testamento de Judá* 25,4 e *1 Enoque* 103,3 mencionam júbilo na próxima vida como galardão para os que houverem morrido num estado de justiça; mas em Jo 15,11 e 16,24 este júbilo parece ser característico da vida cristã neste mundo após a ressurreição de Jesus.

Examinemos mais detalhadamente o que o último discurso diz sobre o retorno de Jesus. De acordo com o cenário joanino do discurso, Jesus está falando às vésperas de sua morte sobre o que acontecerá após sua morte. O leitor cristão tem uma convicção definida sobre o que aconteceu após essa morte, a saber, que houve um breve período de aparições pós-ressurreição que foram seguidas de um período mais longo, ainda continuando, quando Jesus estava (e está) presente através de seu Espírito invisível, e que a culminação de tudo isto será a parousia ou segunda vinda de Jesus. Esta crença frequentemente guia inconscientemente o leitor cristão quando interpreta os ditos de Jesus sobre o retorno que estão registrados no último discurso; por conseguinte, ele aplica alguns ditos às aparições pós-ressurreição, alguns à presença do Espírito e alguns à parousia. Mas podemos pressupor que esta sequência clara era conhecida ou predita durante a vida terrena de Jesus ou entendida nos primeiros anos do cristianismo? Se aceitarmos a evidência dos evangelhos de que Jesus predisse que ele seria vitorioso após a morte, ainda nos resta ter certeza de como ele concebeu a vitória. Os evangelhos sinóticos retratam Jesus como a predizer sua ressurreição após três dias (Mc 8,31; 9,31; 10,34 e par.); o apresentam como a predizer uma era quando os homens serão movidos pelo Espírito Santo (Mt 10,20; Lc 11,13; cf. Mt 3,11); o apresentam como a predizer a vinda do Filho do Homem (Mt 16,27-28; 24,27.30.37.39). Ainda que aceitássemos todas estas afirmações em sua forma atual como oriunda do ministério de Jesus (uma pressuposição difícil), não saberíamos como Jesus as combinou. Se Jesus falou da

48 • O último discurso: Observações gerais

ressurreição do Filho do Homem, parece também ter falado da vinda do Filho do Homem logo depois de sua própria morte (Mc 14,62 – afirmando que o sumo sacerdote o contemplaria); estas afirmações se referem ao mesmo evento? Jo 20,22 retrata a era do Espírito como tendo começado imediatamente após a ressurreição; At 2,1 retrata um intervalo de cinquenta dias.

O caráter confuso das predições que chegaram a nós é mais aparente no último discurso. Aqui Jesus fala de voltar para levar seus discípulos consigo (14,3); ele fala da vinda do Paráclito (veja apêndice V); fala da vinda com seu Pai para fazer morada no crente (14,23); fala que os discípulos não mais o veriam porque ele estaria com o Pai (16,10); fala que o veriam outra vez depois de pouco tempo (16,22); expressa o desejo que os discípulos estivessem com ele para que pudessem ver sua glória (17,24). Estaria ele falando de suas aparições pós-ressurreição? De uma presença através do Espírito? De outro tipo de habitação? De sua vinda na morte do cristão? ou da parousia (cf. 5,28-29)?

Para ilustrar a confusão mais precisamente, concentremo-nos nos vários tipos de habitação prometidas no último discurso e nas epístolas joaninas:

- Habitação que envolve o Pai, Jesus e os discípulos:
  O Pai e Jesus nos discípulos: 14,23.
  Koinōnia mútua ou vida comum: 1Jo 1,3.
  Os discípulos no Pai e em Jesus: 17,21; 1Jo 5,20.
- Habitação que envolve Jesus e os discípulos:
  Jesus nos discípulos: 17,23.26.
  Habitação mútua: 14,20; 15,4.5(7); veja também 6,54.56.
  Os discípulos em Jesus: 15,6.7; 1Jo 5,20.
- Habitação que envolve o Espírito e os discípulos:
  O Paráclito/Espírito nos discípulos: 14,17; 16,7-8.

Comentaristas têm buscado extrair um esquema histórico e teológico consistente das várias predições e referências à habitação que aparecem no último discurso, mas devemos admitir que, sem considerável reinterpretação, estas predições e referências parecem ser totalmente diversas. Entretanto, o redator final e, talvez, até mesmo o evangelista, aparentemente, não viam contradição nesta diversidade, já que suas predições e referências foram postas lado a lado sem uma tentativa de conciliá-las. Nem sempre é fácil estar certo de como o redator interpretou as predições; e é ainda mais difícil conjeturar o que significavam quando foram registradas pela primeira vez, em especial se originalmente pertenciam a outro contexto além daquele da última ceia. A teoria da composição do último discurso esposada aqui adverte o leitor que espere encontrar no discurso uma coleção de ditos compostos ou reformulados em vários estágios na história do pensamento escatológico joanino, como também os ditos primitivos reinterpretados de um modo consoante ao pensamento posterior.

BIBLIOGRAFIA

Estudos gerais sobre o último discurso

BEHLER, G.-M., *The Last Discourse of Jesus* (Baltmore: Helicon, 1965).

CORSSEN, P., "Die Abschiedsreden Jesu im vierten Evangelium", ZNW 8 (1907), 125-42.

DODD, *Interpretation*, pp. 390-423.

DURAND, A., "Le discours de la Cène (Saint Jean xiii 31-xvii 26)", RSR 1 (1910), 97-131, 513-39; 2 (1911)), 321-49, 521-45.

GAECHTER, P., "Der formale Aufbau der Abschiedsreden Jesu", ZKT 58 (1934), 155-207.

HAURET, C., *Les adieux du Seigneur* (S. Jean XIII-XVII) (Paris: Gabalda, 1951).

HOLWERDA, D. E., *The Holy Spirit and Eschatology in the Gospel of John* (Kampen: Kok, 1959).

HUBY, J., *Le discours de Jésus après la Cène* (2nd ed.; Paris: Beauchesne, 1942).

KÖNN, J., *Sein letztes Wort* (Einsiedeln: Benziger, 1954).

KUNDSIN, K., "Die Wiederkunft Jesu in den Abschiedsreden des Johannesevangeliums", ZNW 33 (1934), 210-15.

RICHTER, G., "Die Deutung des Kreusestodes Jesu in der Leidensgeschichte des Johannesevangeliums (Jo 13-19)", BiLeb 9 (1968), 21-36.

SCHNEIDER, J., "Die Abschiesdesreden Jesu", *Gott und die Götter* (Festgabe E. Fascher; Berlin: Evangelische Verlaganstalt, 1958), pp. 103-12.

STAGG, F., "The Farewell Discourses: John 13-17", RExp 62 (1965), 459-72.

VAN DEN BUSSCHE, H., *Le discours d'adieu de Jésus* (Tournai: Casterman, 1959).

ZIMMERMANN, H., *"Struktur und Aussageabsicht der johanneischen Abschiedsreden (Jo 13-17)"*, BiLeb 8 (1967), 279-90.

Discursos de Despedida

MUNCK, J., *"Discours d'adieu dans le Nouveau Testament et dans la littérature biblique"*, Aux sources de la tradition chrétienne (Mélanges M. Goguel; Neuchâtel: Delachaux, 1950), pp. 155-70.

RANDALL, J., *The Theme of Unity in John XVII:20-23* (Louvain University, 1962), pp. 42-98.

SCHNACKENBURG, R., *"Abschiedsreden Jesu"*, Lexikon für Theologie und Kirche 1 (1957), 68-69.

STAUFFER, E., *"Abschiedsreden"*, Reallexiikon für Antike und Christentum 1 (1950), 29-35.

_____ *"Valedictions and Farewell Speeches"*, in New Testament Theology (Nova York: Macmillan, 1955), pp. 344-47.

49. O ÚLTIMO DISCURSO:
– PRIMEIRA SEÇÃO (INTRODUÇÃO)
(13,31-38)

A partida de Jesus; o mandamento de amor, a negação de Pedro

13   ³¹Então, assim que Judas acabou de sair, Jesus disse:

"Agora o Filho do Homem tem sido glorificado,
e Deus foi glorificado nele.
³²[Se Deus foi glorificado nele,]
Deus, por sua vez, o glorificará em Si mesmo
e o glorificará logo.
³³Meus filhinhos,
por pouco tempo ainda estou convosco.
Vós me buscareis;
mas, como disse aos judeus
e agora digo também a vós:
'Aonde estou indo, vós não podeis ir.'
³⁴Eu vos dou um novo mandamento:
que vos ameis uns aos outros.
Assim como tenho vos amado,
assim também vos ameis.
³⁵Nisso conhecerão todos que sois meus discípulos –
pelo amor que tendes uns pelos outros".

31: *disse*. No tempo presente histórico.

³⁶"Senhor", disse Simão Pedro, "para onde estás indo?" Jesus respondeu:

"Para onde estou indo, não podeis seguir-me agora;
mas me seguireis mais tarde".

³⁷"Senhor", disse Pedro, "por que não podemos seguir-te agora? Por ti darei a minha vida". ³⁸"Então, darás a tua vida por mim?" – respondeu Jesus. "Com toda firmeza te asseguro que o galo não cantará antes que me negues três vezes!"

36: *disse*; 37: *disse*; 38: *respondeu*. No tempo presente histórico.

NOTAS

13.31. *Deus foi glorificado nele*. C<small>AIRD</small>, *art. cit*., enumera quatro maneiras possíveis para se entender esta frase:
(a) "Através de Jesus, Deus é tido em honra pelos homens". Esta interpretação não é impossível, porém improvável, pois requer o "Agora" que prefacia o versículo para referir-se não só a "a hora" da paixão, morte, ressurreição e ascensão de Jesus, mas também ao momento futuro da apreciação desses eventos pela comunidade cristã. Tal extensão de tempo faz ocioso o próximo versículo que expressamente se refere ao futuro.
(b) "Deus é glorificado por Jesus"; por exemplo, por sua obediência. Ainda quando este conceito seja joanino (17,4: "Eu te glorifiquei na terra"), C<small>AIRD</small> encontra dificuldade no fato de que em nenhuma outra parte João usa a preposição *en* com o dativo de agente pessoal. Além do mais, tal interpretação não se ajusta a frase quase paralela em 14,13: "E tudo quanto pedirdes em meu nome eu o farei, para que o Pai seja glorificado no Filho".
(c) "Deus é glorificado em Jesus". Esta interpretação tem o uso local mais aceitável de *en*, mas é aberta à mesma objeção suscitada contra a primeira interpretação acima.
(d) "Deus revelou Sua glória em Jesus". Esta é a interpretação que C<small>AIRD</small> aceita, ressaltando que o passivo de *doxazein*, aqui, realmente é intransitivo, como normalmente na LXX, quando traduz o *niphal* do heb. *kābēd*, usado no sentido de manifestar glória.
No vol. 1, p. 802, enfatizamos que glória envolve uma manifestação *visível* da majestade de Deus em *atos de poder*. Estas duas qualidades são

verificadas na morte e ressurreição de Jesus, que é uma ação de seu próprio poder (10,17-18). Visto que o poder de Jesus é ao mesmo tempo o poder de Deus (veja vol. 1, p. 688), o significado completo aqui deve ser encontrado numa combinação da segunda e quarta interpretações de Caird. (No NT, a preposição *en* tem às vezes uma amplitude semelhante ao heb. *b^e*). M. Martinez Pastor (*Miscelánea Camillas* 42 [1964], 173-82) tem analisado o conceito de glória na exegese que Orígenes faz deste versículo. Orígenes helenizou o conceito de glória na direção do gnosticismo cristão, pois ele associou glória com conhecer a Deus e ser conhecido por Deus. O conceito hebraico não enfatiza o elemento de contemplação.

32. [*Se Deus*...]. Esta sentença desapareceu em algumas das testemunhas textuais mais importantes, incluindo P^{66} e o Codex Vaticanus, mas pode ser por *homoioteleuton*. É mais fácil explicar por que ela teria sido perdida do que por que teria sido agregada. Bernard, Lagrange, Bultmann e Thüsing estão entre os que aceitam a sentença.

em Si mesmo. Por contraste com o v. 31, o qual afirma que Deus é glorificado em Jesus, este versículo significa que Jesus é glorificado em Deus. (Todavia, muitos, inclusive Cirilo de Alexandria, Lagrange e Behler, pensam que a referência é a Jesus sendo glorificado em si mesmo). A mesma ideia se encontra em 17,5: "Glorifica-me, ó Pai, em tua presença".

logo. A paixão, morte, ressurreição e ascensão se contemplam como uma só e breve ação (também o "apenas por um pouco" do v. 33) guiando à glória futura na presença do Pai.

33. *Meus filhinhos*. Esta expressão (*teknia*) aparece sete vezes em 1 João; mas, em João, somente aqui. A que direção a influência seguiu? Teria o autor de 1 João se baseado em um uso ocasional de Jesus, ou o próprio modo de falar do autor teria sido relido no discurso? Nenhuma resposta definitiva é possível, mas há evidência de que um mestre judaico poderia ter-se dirigido a seus discípulos como "meus filhos" (*tekna*, em vez do diminutivo joanino *teknia*); e em Mt 18,3 e 19,14, Jesus admoesta os discípulos a que fossem como crianças. Ver nota sobre "moços" em 21,5.

por pouco tempo. No Livro dos Sinais tivemos dois casos da expressão *eti mikron chronon*: "Vou estar convosco somente por pouco tempo" (7,33); "a luz está entre vós somente por pouco tempo" (12,35). No último discurso, *chronos*, "tempo, espaço de tempo", é omitido e o neutro *mikron* é usado como substantivo. Encontramos *eti* (somente, apenas) *mikron* aqui e em 14,19; mas *eti* é omitido em 16,16. Bultmann, p. 445[1], salienta o forte tom semita desta expressão que não é normal em grego. Que a expressão nos informa pouco sobre a duração cronológica se vê no fato de que ela pode ser usada tanto em 7,33, quando Jesus tinha ao menos mais seis meses de vida, e no presente contexto, quando Jesus tem apenas umas poucas horas de vida. É uma expressão do AT usada pelos profetas para expressar, em termos otimistas, a iminência do tempo antes que a salvação de Deus chegue (Is 10,25; Jr 51 [28] 33).

como disse aos judeus. A referência é às cenas em 7,33 e 8,21 (veja comentário) que ocorreram ao menos seis meses antes. Não temos que nos preocupar se os discípulos teriam se lembrado do dito depois de tanto tempo; como em tantas outras ocasiões, essa advertência está implícita para o leitor cristão do evangelho.

34. *Eu vos dou.* Algumas testemunhas tomam o "agora" de 33 (vem com a última linha) com 34: "Agora estou dando...".

mandamento. O tema do(s) mandamento(s) recorre frequentemente no último discurso (seis ou sete vezes) e nas Epístolas joaninas (dezoito vezes). Do latim para "mandamento" (*mandatum*) obtemos o nome Quinta-Feira Santa.

que vos ameis uns aos outros. Esta sentença é precedida por *hina*, a qual temos traduzido epexegeticamente, de modo que "amar uns aos outros" constitui o mandamento. ZGB, § 415, menciona a possibilidade de um *hina* imperativo. JERÔNIMO (*Ad Galat.* III 6:10; PL 26:433) relata a história de que, na velhice de João, sua mensagem se reduzira a isto: "Meus filhinhos, amai-vos uns aos outros" – uma combinação de frases dos vs. 33 e 34. Para o amor que deve existir entre os discípulos de Jesus, João sempre usa o verbo *agapan*; entretanto, em outros lugares em João *agapan* e *philein* parecem ser intercambiáveis (vol. 1, p. 803).

Assim como tenho vos amado. No contexto de "a hora", a demonstração de amor de Jesus inclui a entrega de sua própria vida e tomá-la de volta (veja 13,1; 15,13).

assim também vos ameis. Esta é uma cláusula *hina*, e alguns intérpretes preferem lhe dar o pleno significado final: "Eu vos tenho amado para que também vos ameis uns aos outros".

35. *pelo amor que tendes uns pelos outros.* LOISY, p. 402, salienta que o evangelista está escrevendo sobre algo que há muito havia experimentado, e bem depois de seu tempo os apologetas cristãos invocariam o impacto causado pelo amor cristão como um argumento habitual em prol da superioridade do cristianismo.

36. *para onde estás indo?* Em latim, isto é "*Quo vadis?*" No final do 2º século, o apócrifo *Atos de Pedro* cap. 25 (= *Martyrdom of Peter* cap. 3), as palavras reaparecem. Quando Pedro foge de Roma e do perigo do martírio, ele encontra Jesus e pergunta: "Senhor, para onde estás indo?" Jesus fala a Pedro que está indo para Roma a fim de ser crucificado outra vez (no lugar de Pedro). Envergonhado por seu Senhor, Pedro volta à cidade para morrer.

37. *Senhor*. Alguns manuscritos antigos favorecem a omissão desta palavra.
darei minha vida. Embora João partilhe esta cena com os sinóticos (veja comentário), a linguagem é peculiarmente joanina (nota sobre 10,11).
38. *darás a tua vida por mim?* Na resposta de Jesus há uma nota tanto de ironia como de resignação para com a fraqueza humana.
o galo não cantará. João, como os sinóticos, é cuidadoso em narrar o cumprimento desta predição em 18,17-18.25-27.

COMENTÁRIO: GERAL

Consideramos 13,31-38 como sendo a introdução à primeira seção do último discurso. Todavia, o próprio fato de que tratamos 13,31-38 separadamente de 14,1-31 implica certa distinção entre a introdução e o corpo da primeira seção, de modo que não formam uma unidade perfeita. Uma indicação de deslocamento de enfoque entre o final do cap. 13 e o início do cap. 14 é vista na mudança de auditório: em 13,38 Jesus está falando a Pedro, enquanto em 14,1 ele está falando a todos os discípulos. Nunca outra vez no discurso, a despeito da interrupção em 14 por discípulos individuais (Tomé, Filipe e Judas [não o Iscariotes]), Jesus centra a atenção sobre o destino de um discípulo, como ele com Pedro em 13,36-38. Se responde às indagações de indivíduos, logo volta a falar a todos os discípulos; por exemplo, veja o "vós homens" em 14,7.10. (O discurso duplicado em 16,4b-33 reflete esta atitude, ter os discípulos *como um conjunto* interrompe Jesus). Além do mais, a natureza de 14,1-31 como uma unidade separada de 13,31-38 é indicado pela inclusão entre 14,1-3 e 27-28 (estar agitados; ir e voltar), formando o início e o fim de uma seção.

Mas, se há uma demarcação entre 13,31-38 e 14,1-31, pode-se indagar se 13,31-38 porque não separar completamente do cap. 14 e tratar como introdução a todo o último discurso (assim SCHNEIDER, p. 106; também LAGRANGE e BARRETT). A objeção real a isto é que 14,4b-33, que é uma duplicata do cap. 14, também tem paralelos em 13,31-38. A questão sobre aonde Jesus está indo é formulada em 13,36 e discutida em 16,5. As predições da negação de Pedro em 13,36-38 e da deserção dos discípulos em 16,32 estão relacionadas; pois estão unidas nos paralelos sinóticos (Mc 14,27-31; Mt 26,31-35), porém em ordem inversa. Então, sobre a analogia de 16,4b-33, pareceria que 13,31-38 pertence a 14,1-31.

A sugestão mais plausível, portanto, é que, no estágio quando o que é agora 14,1-31 substancialmente constituía a totalidade do último discurso, 13,31-38 serviu como a introdução àquele discurso. Como uma abertura, ele combinou breves ecos dos dois temas que foram ouvidos de modo proeminente no último discurso original (e, naturalmente, são ouvidos de modo abrangente na forma final muito mais antiga do último discurso): os temas de amor e da partida iminente de Jesus. A duplicação menos estruturada em 16,4b-33 não tem introdução, mesmo quando reitera em forma dispersa elementos presentes em 13,31-38.

Considerado em si mesmo, 13,31-38 tem obviamente um caráter composto. Ele combina material que os evangelhos sinóticos também colocam na última ceia (predição da negação de Pedro em 36-38) com temas peculiares a João; por exemplo, glorificação, partida, amor fraternal. Quanto aos versículos que contêm os últimos temas, LOISY, p. 402, é perfeitamente correto em afirmar que os vs. 31-32, 33, 34-35 são mais justapostos do que combinados. Além do mais, têm paralelos em outros lugares em João (*31-32* = 12,23, 27-28; *33*=7,33; 8,21; *34-35* = 15,12), de modo que é difícil determinar quanto do material em 31-35 pertence a situação histórica da última ceia e quanto tem sido tomado do ministério público.

Não obstante, é possível traçar a lógica que levou à união destes elementos díspares. A glorificação de Jesus (31-32), que é o alvo de "a hora", é um tema de abertura apropriado para o grande discurso interpretando a hora. Esta glorificação envolve seu retorno a seu Pai e, portanto, sua partida de seus discípulos (33). O mandamento de amar (34-35) é a forma de Jesus assegurar a permanência de seu espírito entre seus discípulos. Pedro, fracassando em entender a natureza desta partida, deseja seguir Jesus: o "para onde estás indo", do v. 36 retoma o "para onde estás indo" do v. 33. Indo além deste encadeamento de ideias, L. CERFAUX, *art. cit.*, tem proposto uma análise mais sutil das relações nestes versículos. Ele sugere que o tema do amor (34-35) está relacionado com o tema do retorno de Jesus insinuado no v. 33, onde Jesus fala de sua partida. A base para esta sugestão é que o tema do amor ou caridade aparece em seções dos evangelhos sinóticos que tratam do retorno de Jesus na parousia; por exemplo, nas parábolas de Mt 25. Ora, é bem normal que uma parábola seja entendida equivocadamente, e CERFAUX veria a pergunta de Pedro em 36-37 como uma confusão das ideias de 33-35. Não nos parece que esta análise seja particularmente convincente, embora Cerfaux esteja certo em enfatizar que há uma relação tradicional maior em 31-38 do que aparece à primeira vista.

COMENTÁRIO: DETALHADO

Versículos 31-32: Glorificação

O último discurso se abre com uma proclamação da glorificação do Filho do Homem. Depois que os gregos apareceram na cena em 12,20-22, Jesus anunciou que chegara a hora e começou a falar da glorificação do Filho do Homem (12,23.28-29). Temos salientado (vol. 1, p. 772) que alguns estudiosos juntariam aquela seção do cap. 12 a 13,31. É inclusive possível que estejamos tratando de uma duplicação, especialmente já que os capítulos 11-12 podem ter tido uma história independente e ter sido anexados ao evangelho propriamente dito somente no último estágio redacional (vol. 1, pp. 695, 711s). Seja como for, não há contradição em haver duas proclamações da glorificação do Filho do Homem. De um lado, a vinda dos gregos proclamou o início da glorificação, pois prefiguraram todos os homens que seriam atraídos a Jesus quando ele fosse elevado ao Pai (12,32). Por outro lado, a traição de Judas, aceita por Jesus (13,27), realmente inaugurou o processo da passagem de Jesus deste mundo para o Pai. Tem-se sugerido que o "agora" do v. 31 se refere primariamente ao lava-pés com seu simbolismo da morte auto sacrificial de Jesus; porém, mais diretamente, se refere à situação produzida pela partida de Judas da última ceia, quando sai em busca da guarda e soldados que prenderão Jesus e o entregarão à morte.

Já enfatizamos que a interpretação que João dá da glorificação de Jesus como relacionada com o sofrimento e morte é prefigurada em Is 52,13 (vol. 1, p. 773). D. Hill, NTS 13 (1966-67), 281-85, sugere que a mesma relação de glória e morte aparece na tradição sinótica em Mc 10,35. Ali, Tiago e *João* são informados de maneira figurativa que só é possível partilhar da glória de Jesus através do sofrimento e da morte ("Sois capazes de beber o cálice que eu bebo, ou ser batizados com o batismo com que eu sou batizado?").

A mudança de um tempo pretérito no v. 31 ("tem sido glorificado") para um tempo futuro no v. 32 ("glorificará") tem provocado muito comentários. Aliás, a ideia no v. 31 de que Jesus já foi glorificado ilustra que, começando com o primeiro versículo do último discurso, há um problema de perspectiva de tempo, discutido acima (p. 948). BULTMANN, p. 401, tem usado o pretérito do v. 31 para justificar sua reordenação em que o cap. 17 precede 13,31, afirmando que o v. 31 é o cumprimento da oração de Jesus por glorificação em 17,1. Não obstante, como BULTMANN mesmo reconhece, o tema de glória que domina a segunda parte do evangelho (O Livro da Glória) é pretérito, presente e futuro, visto que todo o processo é visualizado de uma perspectiva eterna (talvez produzida pela mescla da perspectiva da noite antes de Jesus morrer e da perspectiva do último período da composição do evangelho). A mesma mescla de pretérito e futuro que encontramos em 13,31-32 foi visto em 12,28: "Já o tenho glorificado, e o glorificarei outra vez" (veja discussão de THÜSING: o pretérito (aoristo em 31) é complexo, referindo-se a todo o processo da paixão, morte, ressurreição e ascensão que ocorrem em "a hora"; o futuro em 32 se refere à glória que seguirá quando o Filho voltar à presença do Pai (cf. 17,5).

Estes dois versículos são também interessantes, já que se referem a "o Filho do Homem", um título que ocorre somente aqui no Livro da Glória, quando comparado aos doze exemplos no Livro dos Sinais. Mencionamos na nota sobre 1,51 que há na tradição sinótica três tipos de ditos sobre o Filho do Homem. O v. 31 (também 3,14) deve ser um exemplo do segundo tipo de dito que se refere ao sofrimento do Filho do Homem. A ideia de que o Filho do Homem foi glorificado no processo de morte e ressurreição pode ser comparada com Mc 8,31: "O Filho do Homem deve sofrer muitas coisas e depois de três dias ressurgirá". O v. 35, por outro lado, visto que fala de glorificação futura (que será vista pelos seguidores de Jesus: 17,24), seria um exemplo do terceiro tipo de dito e pode ser comparado com Mc 13,26: "Então verão o Filho do Homem vindo nas nuvens com grande poder e *glória*". No entanto, talvez seja um tanto equivocado interpretar o uso que João faz do título à luz do uso sinótico; para uma comparação do presente versículo com 17,1 ("Glorifica teu Filho para que o Filho Te glorifique") sugerimos que, para João, o título "Filho do Homem" se torna intercambiável com "o Filho [de Deus]". Compare também estes dois títulos em 3,13-17, e veja os artigos na mesma linha de E. D. FREED, JBL 86 (1967), 402-9, e H.-M. DION, ScEccl 19 (1967), 49-65. Uma nova análise dos ditos joaninos sobre o título Filho do Homem já foi feita por S. S. SMALLEY, NTS 15 (1968-69), 278-301.

Versículo 33: A partida

A expressão afetuosa, "meus filhinhos" (ver nota), é particularmente apropriada se a última ceia for tida como uma ceia pascal, pois os pequenos grupos que se reuniam para comer a ceia pascal tinham de modelar-se à vida da família, e um do grupo tinha de agir como um pai que explica aos filhos o significado do que estava sendo feito. A expressão é também muito apropriada se o último discurso é tido como um discurso de despedida, pois neste gênero literário a cena às vezes é de um pai moribundo instruindo seus filhos. Exemplos de particular interesse em vista do contexto em João (v. 34 menciona o mandamento de amor recíproco) são encontrados nos *Testamentos dos Doze Patriarcas*, uma obra judaica com interpolações cristãs, ou talvez uma obra cristã dependente de fontes judaicas. "Meus filhos, cuidado com o ódio... pois ódio é não querer ouvir as palavras dos mandamentos de Deus concernentes ao amor do próximo" (*Gad* 4,1-2). "Agora, meus filhos, que cada um ame a seu irmão... amando uns aos outros" (*Gad* 6,1). Veja também *Zebulom* 5,1; 8,5: *José* 17,1-2; *Issacar* 7,6-7; *Simeão* 4,7. A afirmação de Jo 13,33, "Meus filhinhos", eu vou continuar convosco só por pouco tempo", não é diferente de *Ruben* 1,3, "Meus filhinhos, estou morrendo e sigo o caminho de meus pais". Do mesmo modo que Jesus perto de partir dá mandamento a seus filhinhos, assim ouvimos em *Ruben* 4,5: "Meus filhos, observai tudo o que vos tenho ordenado".

O tema de partida no v. 33 tem ressonância em 7,33-34 e 8,21:

- "Eu vou continuar convosco só por pouco tempo" = 7,33 (mas o último tem a palavra *chronon* que falta no v. 33);
- "Vós me buscareis" (sem a frase "e não me achareis") = 8,21 (7,34 tem "e não me achareis");
- "Para onde estou indo, não podeis ir" = 8,21 (7,34 tem "aonde vou estar".

Nos caps. 7 e 8, Jesus estava advertindo "os judeus" que não podiam encontrá-lo porque não criam nele; mas nesta passagem as mesmas palavras ditas a seus discípulos são uma preparação para sua partida *e retorno*. (Os discípulos não podem ir para onde Jesus está indo, mas, subsequentemente, Jesus e o Pai virão a eles [14,23]). A ideia de que o v. 33 é também uma advertência porque prepara para a predição da negação de Pedro nos vs. 36-38 dificilmente é correta. A expressão, "Meus filhinhos", dá ao versículo uma tonalidade de ternura; e certamente as palavras de Jesus, no v. 36, interpretam a afirmação do v. 33 como uma promessa de felicidade final ("me seguireis depois"). Veja também a passagem paralela em 16,4ss., a qual promete um retorno e presença contínua através do Paráclito. Na verdade, a similaridade de 13,33 a 7,33-34 e 8,21 não é que todos são casos de advertências, mas na má-compreensão de que recebe tanto a promessa de 13,33 como a advertência de 7 e 8. Em 13,37, Pedro demonstra que ele não compreende por que não pode ir com Jesus.

Versículos 34-35: O mandamento do amor

Visto que os discípulos não podem seguir Jesus quando ele deixar esta vida, recebem um mandamento que, se obedecido, manterá vivo entre eles o espírito de Jesus enquanto continuarem vivendo neste mundo. O mandamento de amor recíproco aparece outra vez no último discurso em 15,12 e 17, e é o tema de discussão em 1Jo 2,7-9; 3,23; 4,21; 5,2-3; 2Jo 5. A própria ideia de que o amor é um mandamento resulta interessante. No AT, os dez mandamentos têm um cenário na aliança entre Deus e Israel no Sinai; tradicionalmente, eram as estipulações que Israel tinha de observar se quisesse ser o povo escolhido de Deus. Ao falar do amor como o novo mandamento para aqueles a quem escolhera como os seus (13,1; 15,16) e como uma marca pela qual pudessem ser distinguidos dos demais (v. 35), o evangelista mostra implicitamente que ele está pensando na cena desta última ceia em termos de aliança. Os relatos sinóticos da Eucaristia tornam isto específico (Mc 14,24: "meu sangue da aliança"; Lc 22,20: "a *nova* aliança em meu sangue"; também 1Cor 11,25).

Todavia, o amor é mais que um mandamento; é um dom; e, como os outros dons da dispensação cristã, ele vem do Pai através de Jesus aos que creem nele. No cap. 15,9 ouvimos: "Como o Pai me tem amado, assim também eu vos amo"; e em ambos, 13,34 e 15,12, o "como vos tenho amado" enfatiza que Jesus é a fonte do amor recíproco dos cristãos. (Só secundariamente se refere a Jesus como o padrão do amor cristão). O amor que Jesus tem por seus seguidores é não só afetivo, mas também efetivo: efetua a salvação. Ele é expresso em seu ato de entregar sua vida, e o ato do amor que dá vida aos homens. Isto é bem expresso em

Ap 1,5: "... aquele que nos ama e libertou [ou lavou]-nos de nossos pecados". Devemos enfatizar ainda que o "amor mútuo" de que fala o Jesus joanino é o amor *entre cristãos*. Em nossos dias, um frequente ideal é o amor de todos os homens, enunciado em termos da paternidade de Deus e a irmandade de todos os homens. Tal máxima tem certa fundamentação bíblica na criação de todos os homens por Deus (veja Mt 5,44), mas a ideia não é joanina. Para João, Deus é Pai somente dos que creem em Seu Filho e que são gerados como filhos de Deus pelo Espírito no Batismo. O "uns aos outros" que o cristão deve amar é corretamente definido em 1Jo 3,14, como "nossos irmãos", isto é, aqueles dentro da comunidade (veja o uso de "irmãos" em Jo 21,23). Nesta ênfase, João não está longe do pensamento de Qumran (veja nossa discussão em CBQ 17 [1955], 561-64, reimpresso em NTE, pp. 123-26 ou 163-67). Enquanto os adeptos de Qumran sequer prestavam atenção para os de fora, mas suas ênfases sobre o amor fraternal eram edificantes. Eram instruídos a "amar todos os filhos da luz, cada um segundo sua parte nos desígnios de Deus, e odiar a todos os filhos das trevas, cada qual segundo sua culpa e o lugar que lhe corresponde na vingança divina" (1QS 1,9-11). Todavia, enquanto para Qumran o amor é um dever consequente sobre os pertencentes à comunidade, para João, o amor de Jesus pelos homens é elemento constitutivo da comunidade.

Em que sentido o mandamento do amor mútuo é um "*novo* mandamento"? Estudiosos cristãos frequentemente têm tentado explicar a novidade contrastando com a atitude veterotestamentária para com o próximo. Ao mandamento dado ao israelita para amar seu semelhante como a si próprio (Lv 19,18) foi acrescentado no AT um mandamento similar de amar o estrangeiro que habitasse entre os israelitas (19,34); mas não há no AT clara evidência de que estes mandamentos receberam ênfase especial. Todavia, uma ênfase sobre amar o semelhante é atestado no judaísmo intertestamentário; por exemplo, por parte de Hillel (*Pirqe Aboth* i 12). A novidade no ensino de Jesus tem sido creditada ao fato de ele dar ao mandamento do amor ao próximo uma importância unicamente ante ao mandamento do amor a Deus (Mc 12,28-31; Mt 22,34-40) e por definir "próximo" em um sentido muito amplo (Lc 10,29-37). Se esta abordagem é válida para a tradição sinótica, não podemos discutir aqui (Lc 10,25-28 tem um escriba, não Jesus, associado a dois mandamentos). Mas tal contraste com o AT lança pouca luz sobre a novidade do mandamento do amor em João; pois o Jesus joanino não menciona dois mandamentos (veja nota sobre

1Jo 4,21) e, como já vimos, seu conceito de "outro" não é abrangente. A formulação do mandamento joanino, "Amai-vos uns aos outros", não recorda Lv 19,18 tão diretamente como faz o vocabulário sinótico. Este também torna duvidosa a sugestão de que a novidade consiste no fato de que Jesus mande que o cristão ame "como eu vos tenho amado", enquanto o AT manda que o israelita ame seu próximo *como a si mesmo*. B. SCHWANK, "*Der Weg*", 103-4, ao refutar peremptoriamente a ideia de que o mandamento joanino é novo mediante contraste com o mandamento do AT, salienta que, ao argumentar em prol da necessidade de se amar uns aos outros, 1Jo 3,11-12 toma do AT um exemplo negativo, como se o mandamento do amor fosse obrigatório nos dias do AT.

A novidade do mandamento do amor realmente se relaciona com o tema de aliança na última ceia – o "novo mandamento" de Jo 13,34 é a estipulação básica da "nova aliança" de Lc 22,20. Ambas expressões refletem a primitiva compreensão cristã de que em Jesus e seus seguidores se cumpriu o ideal de Jeremias (31,31-34): "Eis que vêm dias, diz o Senhor, em que farei uma aliança nova com a casa de Israel e com a casa de Judá". (Para Jeremias, esta era uma aliança mais renovada mais do que uma nova aliança, e esta provavelmente foi também a interpretação cristã mais antiga, com ênfase na natureza radical e escatológica da renovação). Esta nova aliança tinha de ser interiorizada e marcada pelo contato íntimo do povo com Deus e conhecimento dele – um conhecimento que é o equivalente de amor e uma virtude pactual. Os temas da intimidade, habitação e um conhecimento mútuo aparecem ao longo do último discurso. Salientamos anteriormente os paralelos de Qumran com o tema joanino de amor fraternal; não é acidental que a comunidade de Qumran fale de si mesma e de sua vida como "a aliança de misericórdia [graça]" (1QS 1,8), "a aliança da comunhão [unidade] eterna" (3,11-12, e "a nova aliança" (CD 6,19; 20,12).

A marca que distingue o amor de Deus expresso na aliança inclusive das mais nobres formas do amor humano é que ele é espontâneo e não motivado, dirigido aos homens que são pecadores e indignos do amor – um tema belamente exposto na obra clássica de ANDERS NYGREN *Agape and Eros*. A generosidade do amor de Deus já era conhecida por Israel (Dt 7,6-8), e por isso de certa maneira o conceito cristão de amor não é novo (cf. 1Jo 2,7-8). Todavia, visto que a generosidade do amor de Deus não poderia ser plenamente conhecida até que ele desse seu próprio Filho, por isso pode-se afirmar também que o conceito cristão de amor oriundo de Jesus é novo. O v. 35 diz que mesmo os "estranhos" reconhecerão a distinção do amor cristão. O mesmo tema aparece em 17,23, onde lemos que a atenção do mundo será atraída pelo amor e união que existem entre o Pai, o Filho e os discípulos cristãos. Tal amor desafia o mundo assim como Jesus desafiou o mundo, e leva os homens a fazerem sua escolha pela luz. Assim, enquanto o amor cristão estiver no mundo, o mundo não deixará de encontrar-se ante Jesus; e assim podemos ver que o mandamento do amor, nos vs. 34-35, é uma resposta ao problema suscitado pela partida física de Jesus no v. 33.

Versículos 36-38: Predição da negação de Pedro

Já mencionamos que a pergunta de Pedro, "Para onde estás indo?", no v. 36 tem certo paralelismo com 16,5: "Nenhum de vós me pergunta: 'Para onde estás indo?'" Provavelmente sejam formas variantes do mesmo incidente. O rearranjo de BULTMANN no qual 13,36 segue ao cap. 16 na verdade não é proveitoso, pois então a pergunta "Para onde estás indo?" seria logo após 16,28 ("Estou indo para o Pai") e uma nova lógica seria criada. Em sua atual sequência, o v. 36 retoma o tema da partida de Jesus do v. 33.

É interessante comparar a cena joanina com Lc 22,31-34, onde a predição da negação de Pedro é posta durante a última ceia em um breve discurso seguindo a Eucaristia, e com Mc 14,26-31 e Mt 26,30-35, onde a predição é dada por Jesus de caminho para o Monte das Oliveiras.

	Marcos/Mateus	Lucas	João
Preliminares	Jesus adverte que os discípulos fugiriam e se dispersariam.	Jesus adverte Pedro que Satanás o peneiraria, porém ele sobreviverá.	Veja 15,32 Pedro pergunta para onde Jesus está indo. Jesus lhe informa que ele só poderá segui-lo mais tarde.
Predição	Pedro diz que não deserdará, ainda que os outros o façam Jesus prediz que Pedro o negará antes que galo cante (Marcos: o galo canta segunda vez). Pedro diz que morrerá em vez de negar Jesus. Os outros dizem o mesmo.	Pedro diz que está pronto para ir para a prisão e para a morte. Jesus prediz que Pedro o negará antes que o galo cante.	Pedro diz que está pronto a dar sua vida a fim de segui-lo. Jesus prediz que Pedro o negará antes que o galo cante.

49 • O último discurso: – Primeira seção (introdução)

Os preliminares são distintos nos três relatos; Jo 16,32 tem uma similaridade com Marcos/Mateus, e Jo 13,36 tem uma ligeira similaridade com Lucas. Enquanto à predição em si há dois pontos gerais em comum: a disposição de Pedro de morrer e a predição da negação antes que o galo cante. Mas, se examinarmos estes pontos comuns, ainda há numerosas diferenças quanto aos detalhes.

Primeiro, a disposição de Pedro de morrer. Em Marcos/Mateus isto segue a predição de Jesus da negação; em Lucas e João, ela precede ao mesmo. O fraseado da afirmação de Pedro é bem variado:

Marcos/Mateus: "Ainda que eu morra contigo, não te negarei".
Lucas: "Estou pronto a ir contigo para a prisão e para a morte".
João: "Por ti darei a minha vida".

Nas duas primeiras formas da afirmação, Pedro está pronto a acompanhar Jesus até a morte; na forma de João, Pedro sacrificará sua própria vida para salvar a vida de Jesus. Em João, a cena tem matizes teológicas definidas. O Pedro joanino fala como um discípulo que tem ouvido Jesus insistir que o bom pastor está disposto a renunciar sua vida por suas ovelhas (10,11), e, por sua impetuosidade, Pedro, implicitamente, proclama sua disposição de corresponder a esta exigência. Jesus, porém, rejeita o oferecimento de Pedro, pois Pedro está excessivamente confiante. (Há um elemento de excessiva confiança da parte de todos os discípulos na cena relacionada em 16,29-32 – veja comentário ali). Pedro não avalia corretamente sua própria fraqueza ou a dificuldade de seguir Jesus, porquanto a morte a que Jesus segue envolve luta contra o príncipe deste mundo. Somente quando Jesus o tiver vencido, outros poderão seguí-lo. Depois da ressurreição, Jesus oferecerá a Pedro o papel de pastor e ao mesmo tempo prediz como Pedro realmente dará sua vida (21,15-19). Então as palavras de Jesus a Pedro, "Segue-me", cumprirão a promessa dada em 13,36: "Tu me seguirás mais tarde". Como Bultmann, p. 461, observa, o "mais tarde" do v. 36 equivale a "depois" de 13,7 – ambos se referem ao período após "a hora". À luz deste tema joanino implícito de pastor, é interessante que Marcos/Mateus nos informe que, antes de Jesus predizer a negação de Pedro, ele citou Zc 13,7: "Eu ferirei o *pastor*, e as ovelhas ficarão dispersas".

Segundo, a predição da negação de Pedro antes de o galo cantar:

Marcos/Mateus: "Eu te asseguro, [Marcos: hoje] nesta mesma noite, antes que o galo cante (Marcos: duas vezes], tu me negarás [*aparneisthai*] três vezes".

Lucas: "Pedro, eu te asseguro que hoje o galo não cantará até que me tenhas negado [*aparneisthai*] três vezes que me conheces".

João: "Com toda firmeza eu te asseguro, o galo não cantará antes que me negues [*arneisthai*] três vezes".

A forma joanina da sentença não tem nenhum dos detalhes peculiares a Marcos, mas partilha os aspectos comuns com Mateus e Lucas. Todavia, aí permanecem diferenças inexplicáveis em uma teoria baseada em empréstimo; provavelmente um dito de Jesus foi transmitido com formas ligeiramente variantes. Admitido todas as outras diferenças que temos visto, não temos razão para duvidar que DODD, *Tradition*, pp. 55-56, está certo quando insiste que o relato que João faz da cena é independente dos relatos sinóticos. Não é possível determinar qual destes relatos é o mais original (embora o relato de João seja estreitamente integrado nos interesses teológicos joaninos); talvez elementos do que uma vez foi uma cena mais extensa tenham sido transmitidos em cada uma das várias tradições.

[A Bibliografia para esta seção está inclusa na Bibliografia encontrada no final do § 52).

50. O ÚLTIMO DISCURSO:
– PRIMEIRA SEÇÃO (PRIMEIRA UNIDADE)
(14,1-14)

Jesus é o caminho para o Pai para todos que creem nele

14 ¹"Não se turbe os vossos corações.
   Tendes fé em Deus; então, tendes fé em mim.
   ²Na casa de meu Pai há muitas moradas;
   se não, eu vos teria avisado.
   Estou indo preparar um lugar para vós;
   ³e quando eu for e preparar-vos um lugar,
   então voltarei para levar-vos comigo,
   para que, onde eu estou, estejais também.
   ⁴E conheceis o caminho para onde estou indo".

⁵"Senhor", disse Tomé, "não sabemos para onde estás indo. Então, como podemos conhecer o caminho?" ⁶Jesus lhe disse:

   "Eu sou o caminho e a verdade e a vida:
   ninguém vem ao Pai senão por meu intermédio.
   ⁷Se vós, realmente me conhecêsseis,
   então também conheceríeis a meu Pai.
   Desde agora vós O conheceis e O tendes visto".

5: *disse*; 6: *disse*. No presente histórico.

⁸"Senhor", disse Filipe, "mostra-nos o Pai. Isso nos basta". ⁹"Filipe", replicou Jesus, "eis que estou convosco a tanto tempo, e ainda não me conheceis?

> Todo aquele que me tem visto, tem visto o Pai.
> Então, como podeis dizer: 'Mostra-nos o Pai'?
> ¹⁰Não credes que eu estou no Pai
> e que o Pai está em mim?
> As palavras que eu digo a vós, não as digo de mim mesmo;
> é o Pai, habitando em mim, que realiza as obras.
> ¹¹Crede-me que estou no Pai
> e que o Pai está em mim;
> se não, crede[-me] por causa das obras.
> ¹²Eu vos asseguro com toda firmeza:
> quem crê em mim
> fará as obras que eu faço.
> Aliás, fará até maiores que estas,
> porque vou para o Pai,
> ¹³e tudo o que pedirdes em meu nome
> eu o farei,
> para que o Pai seja glorificado no Filho.
> ¹⁴Se me pedirdes alguma coisa, em meu nome,
> eu o farei".

8: *disse*; 9: *replicou*. No presente histórico.

NOTAS

14.1. *Não*. O Codex Bezae, OL e OS^sin têm um verso introdutório não preservado na maioria das testemunhas textuais: "E ele disse a seus discípulos". Se este verso fosse original, então confirmaria a separação entre 13,38 e 14,1, como sugerido à p. 978. Entretanto, é bem provável que fosse apenas uma interpolação litúrgica para facilitar a leitura em público. "Jesus disse a seus discípulos" é prefixado a muitas perícopes do evangelho selecionadas para leitura na liturgia romana; por exemplo, para esta perícope (14,1-13) na liturgia de 11 de maio (Festa dos Santos Filipe e Tiago).

corações. Usa-se o singular, como também em 14,27; 16,6.22. MTGS, p. 23, observa: "Contrário ao grego normal e à prática latina, o NT segue a preferência aramaica e hebraica para um singular distributivo". No AT e nos evangelhos sinóticos, geralmente "coração" é a sede das decisões; na maioria dos usos joaninos, ele tem um papel afetivo.

se turbe. Este verbo, *tarassein*, foi usado para descrever as emoções de Jesus quando confrontado com a morte de Lázaro em 11,33 ("ele perturbou-se") e ante a traição da parte de Judas, que lhe entregaria à morte (13,21).

Tendes fé. Temos traduzido isto como um indicativo, embora seja igualmente possível traduzi-lo como um imperativo ("Tende fé"), como feito no OL. A diferença de significado não é grande, pois a tradução imperativa realmente significaria: "Se tendes fé no Pai, tende fé em mim" (BDF, §387²). Um paralelo temático aparece em Mc 11,22-24, onde, durante seus últimos dias em Jerusalém, Jesus diz a seus discípulos que tivessem fé em Deus e não duvidassem em seus corações. A palavra hebraica para "fé", procede da raiz '*mn*, tem uma matiz de firmeza; ter fé em Deus equivale a participar de sua firmeza – uma ideia muito apropriada no presente contexto.

2. *moradas*. A significação do termo grego, *monē*, é disputada. Muitos têm pensado que ele representa o aramaico. '*wn*' ('*ōnâ*, ou algumas vezes '*awawnâ*), palavra que pode referir a uma parada noturna ou ponto de pouso para um viajante em sua jornada. *Monē* tem um significado similar no grego secular; e Orígenes (*De principiis* II 9,6; PG 11:246) entende que João está a referir-se às estações do caminho para Deus. Esta poderia ter sido também a compreensão dos tradutores latinos que traduziram *monē* por *mansio*, um lugar elevado. Tal interpretação também teria se adequado à teoria gnóstica de que a alma, em sua escalada, passa por estágios em que ela é gradualmente purificada de tudo o que é material. Westcott, p. 200, aceita "estações" como sendo o significado, contudo a forte oposição de T. S. Berry, *The Expositor*, 2nd series, 3 (1882), 397-400. Estaria muito mais em harmonia com o pensamento joanino relacionar *monē* com o verbo cognato *menein*, frequentemente usado em João em referência a ficar, permanecer, ou habitar com Jesus e com o Pai. J. C. James, ET 27 (1915-16), 427-29, aponta para a inscrição nabateana do início da era cristã, a qual usa '*wn*' em aposição a "túmulo", com o sentido de um lugar de repouso ou um lugar para morar em paz depois das lutas da vida. E assim, ao usar *monē*, João poderia estar se referindo a lugares (ou situações) onde os discípulos pudessem habitar em paz, permanecendo com o Pai (cf. 14,23). Um interessante paralelo com esse quadro se encontra em uma obra tardia, *2 Enoque 41,2*: "No mundo por vir... há muitas moradas preparadas para os homens, as boas para os bons e as más para os maus".

na casa de meu Pai. Há considerável evidência patrística para a redação "com meu Pai"; BOISMARD, RB 57 (1950), 388-91, insiste que esta é a redação original. As duas redações gregas poderiam ser traduções alternativas da mesma frase semítica (b)*bēt 'abbâ*; veja BOISMARD, ÉvJean, p. 52. Entretanto, "com meu Pai" pode representar também uma reinterpretação teológica de "na casa de meu Pai": veja comentário. IRINEU (*Contra Heresia* 5.36:2; PG 7:1223) cita as palavras "na (casa) de meu Pai há muitas moradas" aparentemente como um dito do Senhor *transmitida pelos anciãos*. Quase certamente ele está se referindo aos anciãos mencionados por PAPIAS (veja vol. 1, p. 93); contudo, é curioso que ele atribuísse o dito a eles em vez de ao Quarto Evangelho que ele conhecia. Alguns têm visto aqui a confirmação de que o evangelho foi composto por João o ancião (João o Presbítero); outros têm argumentado que IRINEU estava citando uma tradição independente e não do evangelho. Veja B. W. BACON, ET 43 (1931-32), 477-78.

eu vos teria avisado. Literalmente, "eu vos teria dito" ou, possivelmente, "eu vos teria informado?". Há excelente, porém não conclusiva, evidência de ms. para ler a conjunção *hoti*, "que" ou "porque", depois do verbo "dizer" (Isto poderia ter sido uma tentativa dos copistas de esclarecer a parataxe de João). Esta redação com *hoti* torna possível quatro possíveis traduções do primeiro verso:

(a) "se não, eu vos teria dito [= advertido], porque estou indo preparar...".
(b) "se não, então eu vos teria dito, porque estou indo preparar...?"
(c) "se não, eu vos teria dito que estou indo preparar...".
(d) "se não, eu vos teria dito que estou indo preparar...?"

Só se pode fazer sentido a tradução de (*a*) se "se não, eu vos teria dito" for posto entre parênteses, e nesse caso a verdadeira sequência é: "Na casa de meu Pai há muitas moradas (...) porque estou indo preparar-vos um lugar". Ambos, (*b*) e (*d*), dependem de afirmações anteriores de Jesus; todavia, Jesus não disse anteriormente a seus discípulos que há muitas moradas na casa de seu Pai (*b*) ou que estava indo preparar-lhes um lugar (*d*). Pode-se fazer sentido de (*c*): se não houvesse aposentos, Jesus lhes teria dito que partiria para preparar-lhes um lugar. Todavia, como o v. 3 indica, realmente não é uma questão de Jesus *dizer*-lhes que estava partindo, mas de sua ida real. Seja como for, a tradução sem *hoti* faz melhor sentido.

estou indo. Aqui e no v. 3 o verbo é *poreuesthai*; no v. 4, como em 13,33.36, o verbo é *hypagein*. Sobre outras variantes, veja nota sobre 16,5.

um lugar. Em Ap 12,8, *topos* é usado para designar um lugar no céu. Alguns comparariam o papel de Jesus, indo e preparando lugar para seus discípulos, com Hb 6,20, onde lemos que Jesus entrou no Santo dos Santos do templo celestial "como precursor em nosso favor". Outros têm visto uma semelhança com o perfil do salvador gnóstico que leva as almas escolhidas da terra para o céu. A última comparação sempre enfrenta a dificuldade da diferença entre o mito gnóstico da divinização do homem e o evangelho cristão da vida do Jesus histórico.

para vós. A sequência desta frase varia em umas poucas testemunhas gregas para o v. 2 e em muito mais para o v. 3. Talvez um dos dois casos de sua ocorrência seja um esclarecimento da parte dos copistas.

3. *quando eu for*. Sobre *ean*, "se", com o significado "quando", ver BAG, p. 210, §1d.

então voltarei. Em alguns livros do NT, a parousia é *a* vinda de Jesus para a qual seu ministério era apenas uma preparação. João está muito mais perto de entender a parousia como a segunda vinda ("volta" ou "retornar").

levar-vos comigo. Literalmente, "levar-vos para mim". A. L. Humphries, ET 53 (1941-42), 356, argumenta em prol da conotação "levar comigo *para meu lar*". *Pros* com um pronome reflexivo tem uma conotação similar em 20,10; Lc 24,12; 1Cor 16,2.

4. Outra redação bem atestada (incluindo P[66*]) é: "Sabeis para onde estou indo e conheceis o caminho"; é grego amenizado, mas por essa mesma razão suspeita-se que houvesse melhoramento redacional. Pode-se ter sugerido pela divisão que aparece na afirmação de Tomé no v. 5. Dodd, *Interpretation*, p. 412[1], pensa que estas redações alternativas interpretam erroneamente o v. 4; pois Jesus tem em vista: "conheceis o caminho [eu sou o caminho], mas *não* sabeis aonde ele conduz". A pergunta de Pedro em 13,36 se preocupava com o destino, e nenhuma resposta foi dada. Segundo Dodd, a objeção de Tomé no v. 5 significa: "Se não conhecemos o destino, como podemos conhecer o caminho?"

5. *Tomé*. O Codex Bezae acrescenta: "Este nome significa 'Gêmeo'", como em 11,16 (ver nota ali) e 20,24. Barrett, p. 382, observa: "Tomé aparece em João como um discípulo leal, porém obtuso, cujas incompreensões servem para destacar ainda mais a verdade".

Então, como podemos conhecer. Há muitas variantes sem importância; alguns manuscritos importantes dizem: "nós conhecemos?" O "então" é implícito no âmago da questão, se o *kai* inicial, encontrado em muitas testemunhas, é ou não original.

6. *o caminho e a verdade e a vida*. Há uma interessante passagem no *Evangelho da Verdade* (obra gnóstica do 2º século d.C) que faz eco a essas palavras:

"[O Evangelho] lhes deu um caminho, e o caminho é a verdade que ele lhes mostrou" (18,18-21). É digno de nota que *zōē*, "vida", que ocorre 31 vezes no Livro dos Sinais, ocorre somente quatro vezes no Livro da Glória. Agora que "a hora" se aproxima, a vida realmente está sendo dada já não há necessidade de falar a respeito.

O problema mais difícil diz respeito à relação que estes três substantivos têm entre si. DE LA POTTERIE, pp. 907-13, tem oferecido um resumo das distintas opiniões:

(A) Explicações nas quais o *caminho* se dirige para um alvo que é *a verdade* e/ou *a vida*: (1) A maioria dos Padres gregos, AMBRÓSIO e LEÃO o Grande [Leão I] entendeu o caminho e a verdade como a conduzirem à vida (vida eterna, no céu). MALDONATUS apresenta uma variante, uma vez que ele via por detrás do grego um hebraísmo no qual a verdade é apenas uma descrição adjetiva do caminho: "Eu sou o verdadeiro caminho para a vida". (2) CLEMENTE de Alexandria, AGOSTINHO e a maioria dos Padres latinos entenderam que o caminho conduz tanto à verdade quanto à vida. Nesta interpretação, tanto verdade como vida são realidades divinas e escatológicas (a verdade é a mente de Deus, o *Logos*). TOMÁS DE AQUINO susteve uma versão medieval da teoria em que Cristo era o caminho em conformidade com sua humanidade, mas a verdade e a vida em conformidade com sua divindade. Muitos estudiosos modernos ainda sustentam essa mesma teoria, mas modificada (DE LA POTTERIE enumera WESTCOTT, V. TAYLOR, LAGRANGE e BRAUN). (3) Outros estudiosos modernos (W. BAUER, BULTMANN e DODD) interpretam João sobre o pano de fundo do dualismo gnóstico, mandeano ou pensamento hermético (vol. 1, p. 44). Pensam na ascensão da alma ao longo do caminho para a esfera celestial da verdade, luz e vida. BULTMANN, pp. 467-68, mantém que João demitologizou o quadro gnóstico, para que em Jesus os discípulos encontrassem seu Salvador, e o caminho não é mais parcialmente separado do alvo da verdade e vida. A verdade é a realidade divina manifestada, e a vida é essa realidade partilhada pelos homens.

(B) Explicações nas quais *o caminho* é o predicado primário, e *a verdade* e *a vida* são apenas explicações do caminho. Jesus é o caminho porque ele é a verdade e a vida. Entre os defensores deste ponto de vista se encontram DE LA POTTERIE, BENGEL, B. WEISS, SCHLATTER, STRATHMANN, W. MICHAELIS, TILLMANN e VAN DEN BUSSCHE. Que "o caminho" é a frase dominante no v. 6 é sugerido pelo fato de que Jesus está reafirmando sua afirmação sobre o caminho em 4, em resposta à pergunta de Tomé sobre o caminho no v. 5. Além do mais, a segunda linha do v. 6 deixa de lado a verdade e a vida e se concentra em Jesus como o caminho: "Ninguém vem ao Pai senão *por mim*". Este ponto de vista parece o melhor para este escritor. Se as três frases, "o caminho", "a verdade" e "a vida" se unem pelo "e", o *kai* entre a primeira e a segunda pode ser epexegético ou explicativo (= "isto é"; BDF, §442[9]).

ao Pai. Este é o alvo de "o caminho".

7. *Se vós realmente me conhecêsseis*. Isto já não é dirigido somente a Tomé, mas a todos os discípulos. O testemunho de manuscritos é quase invariavelmente dividida sobre que tipo de condição está implícito: (a) Negativa, implicando que eles não tinham chegado a conhecê-lo; isto recebe alguma confirmação do v. 9; cf. também 28: "Se me amásseis"; (b) Real ("Se me conheceis"), implicando que chegaram a conhecê-lo, e prometendo-lhes conhecimento do Pai. O último se adequa melhor à segunda metade do versículo, mas por essa mesma razão é suspeito como um melhoramento de uma dificuldade. Todavia, se nos inclinarmos para a primeira redação sobre o princípio de escolher a redação mais difícil, reconhecemos a possibilidade de que tem havido uma influência cruzada de 8,19 ("Se me reconhecêsseis, reconheceríeis também a meu Pai"), onde a condição é claramente negativa.

Desde agora. Não se refere a este preciso momento na última ceia, mas da suprema "hora" da revelação que corre desde a paixão até a ascensão. Isto é mais claro em 16,25: "chega a hora em que já não vos falarei mais em figuras, mas vos falarei do Pai claramente".

O tendes visto. Aqui e no v. 9 o verbo é *horan*; em 12,45 tivemos o mesmo pensamento expresso com *theōrein*; em ambos os casos, se trata de uma visão espiritual (veja vol. 1, pp. 814-817). O "O" é omitido no Codex Vaticanus; pode representar uma adição de copista para esclarecer o que está implícito.

8. *Filipe*. Veja nota sobre 1,43.

9. *mostra-nos o Pai*. P[75] e alguns manuscritos latinos acrescentam "também", talvez em imitação do v. 7.

Então. Veja nota sobre 5 acima.

10. *vós*. Na metade do versículo, o "vós" de repente se torna plural, e o que segue é dirigido não só a Filipe, mas também a todos os discípulos.

realiza as obras. As testemunhas textuais têm variantes: "Suas obras"; "as obras dele próprio"; assim também no v. 11: "Suas obras"; "as mesmas obras". Provavelmente, estas são tentativas de suavizar o estilo do original e ter sido influenciado por 10,37-38. A relação de "as palavras" em 10c com "as obras" em 10d não é clara. Escritores patrísticos, como AGOSTINHO e CRISÓSTOMO, tenderam a identificá-las sobre as bases de que palavras de Jesus eram obras. BULTMANN, p. 471, por outro lado, parece entender "obras" em 10-14 primariamente como palavras. Mais provavelmente, os termos são complementares, porém não idênticos; o paralelismo é progressivo mais que sinônimo. Contra o ponto de vista de BULTMANN, chamamos a atenção para a ênfase aqui sobre *realizar* obras, para o contraste implícito entre palavra e obra em 11, e para o contexto no v. 12 que parece exigir uma referência a obras. Da ótica de Jesus, tanto palavra quanto obra têm força reveladora, mas da ótica do auditório obras têm maior valor confirmativo do que palavras.

11. *Crede-me*. Isto forma uma inclusão com o imperativo "então, tende fé [crede] em mim" do v. 1. Aqui, "crede" (*pisteuein*) é seguido do pronome dativo; em 1 e outra vez em 12 é seguido da frase preposicional "em mim" (vol. 1, p. 841).

[*mim*] P^{66} e P^{75} estão a favor dos manuscritos que omitem o pronome, o qual poderia ter sido acrescentado por copistas em imitação da primeira linha do versículo.

13. *pedirdes*. Em vez de um aoristo subjuntivo, o Codex Vaticanus e provavelmente P^{75} trazem o tempo presente que daria caráter de uma ação continuada ao pedido. A *Vulgata Clementina* e alguns outros manuscritos acrescentam "o Pai" e, assim, especificam a direção do pedido. A adição está provavelmente sob a influência de 15,16 e 16,23.

14. Todo o versículo é omitido em alguns importantes manuscritos, inclusive a OL e OS, mas ambos, P^{66} e P^{75}, o têm. Seu caráter repetitivo poderia ter causado a omissão. Há alguma evidência para outra redação: "Se pedirdes algo [omite "de mim"] em meu nome, eu farei *isto*". É bem provável que isto seja uma tentativa de amenizar a estranheza do original; por exemplo, na sequência "de mim em meu nome". LAGRANGE, p. 380, salienta que não há nada excessivamente ilógico sobre Jesus pedir em seu próprio nome, pois no AT o salmista pedia a Iahweh por amor de Seu nome (Sl 25,11). É ainda menos ilógico se "em meu nome" significa "em união comigo".

COMENTÁRIO: GERAL

A introdução (13,31-38) anunciou o tema da partida de Jesus; o que segue no último discurso se dedica a responder os problemas suscitados por esta partida – não o problema do que acontecerá a Jesus (sua glorificação só é mencionada), mas os problemas do que acontecerá aos discípulos que ele deixa para trás. Todavia, o cap. 14 (Primeira seção) e sua duplicata 16,4b-33 (Segunda seção, Subdivisão 3) atacam estes problemas mais diretamente do que as outras partes dos caps. 15 e 16. O cap. 14 começa com a nota de segurança que se dá aos discípulos não serão separados de Jesus. Ele voltará para levá-los consigo (3); seus pedidos serão respondidos por seu Pai e por ele mesmo (12-13); o Paráclito virá para eles como uma forma de presença continuada de Jesus (16-17.26); Jesus mesmo voltará para eles (18); e assim seu Pai virá para eles (23). Finalmente (27-29) o capítulo retorna ao tema da segurança. Se todas essas sentenças foram ou não originalmente pronunciadas nesta ocasião, em sua forma atual se encaixam perfeitamente na atmosfera da partida iminente que se respira na última ceia.

Não é fácil de discernir a organização interna do cap. 14. LAGRANGE, por exemplo, sugere uma divisão em 1-11; 12-26; 27-31, enquanto BULTMANN sugere 1-4; 5-14; 15-24; 25-31. Um ponto de demarcação parece ocorrer entre 14 e 15, pois em 15-16 introduz-se o novo tema do Paráclito. Mas, mesmo esta interrupção não é decisiva; pois o Paráclito vem a pedido (*erōtan*) de Jesus, e os vs. 13-14 têm-se preocupado com rogar (*aitein*) em nome de Jesus. A inclusão que existe entre o começo e o fim de 1-14 tende a endossar a sugestão de que estes versículos constituem uma unidade: o desafio de crer em Jesus é formado por 1 e 11-12; o tema de que Jesus está indo para o Pai é formado por 2 e 12. Os vs. 13-14 constituem um problema: são relacionados com 12 e provavelmente devem ser mantidos com esse versículo, mas também oferecem uma transição para o v. 15. Aqui, podemos ter um exemplo da técnica joanina de sobreposição, onde a conclusão de uma unidade é o começo da seguinte (vol. 1, p. 164). A unidade seguinte parece consistir de 15-24, pois há uma inclusão entre 15 e 23-24 no tema de amar Jesus e guardar seus mandamentos e palavras. Isto leva 25-31 a uma terceira unidade. Entretanto, estas três unidades, 1-14; 15-24 e 25-31 não são subdivisões totalmente isoladas, como encontraremos nos caps. 15-16, pois a ilação das ideias mantém uma marcada conexão ao longo de todo o conjunto. Se os tratarmos em seções separadas, neste comentário, na verdade é uma questão de praticidade.

Analisemos a primeira unidade, vs. 1-14. BURNEY, *The Poetry of Our Lord*, pp. 126-29, pensa que por detrás de 14,1-10 subjaz uma poesia aramaica original em ritmo de quatro acentos, e assim vê uma unidade condensada ao menos neste grupo de versículos. Muitos autores não concordam. BOISMARD, RB 68 (1961), 519, seguindo a orientação de Spitta, pensa que os vs. 1-3 e 4ss. formavam em outro tempo complexos independentes. No v. 3, Jesus anuncia que está indo preparar um lugar para seus discípulos e, que logo retornará para levá-los consigo; mas no v. 6 Jesus mesmo é o caminho para o Pai. Certamente, isto é uma mudança na direção do pensamento; todavia, pode-se também admitir que a conexão entre as duas partes é bastante regular na primeira redação. Quão difícil é o problema, pode-se ver no fato de que Bultmann, diferente de Boismard, prefere unir o v. 4 ao 3. (A dificuldade é centrada no significado de "o caminho" em 4: significa o próprio caminho de Jesus para onde está indo [uma ideia mais aproximada de 2-3], ou o caminho dos discípulos para o Pai [mais aproximado de 6]?

De la Potterie, pp. 927-32, argumenta que 2-6 constituem uma subunidade, sem interrupção abrupta entre 3 e 4. Para ele, a segunda subunidade seria 6-11, com o v. 6 como um elo para a subunidade anterior (todavia, à p. 914 ele parece falar de 7-14). Em apoio de sua reivindicação, ele apresenta uma complicada teoria baseada sobre enlaces verbais que não parece convincente. (Algumas das palavras que ele usa em apoio à unidade de 6-11 também aparecem em 12-14 com quase a mesma frequência; então, por que os últimos versículos não estão incluídos?) Mas ele está certo em salientar que nos primeiros versículos o tema se ocupa da partida e retorno de Jesus e possuem um forte tom escatológico, enquanto nos vs. 6-11 os tempos verbais e o pensamento se ocupam do tempo em que os cristãos estão vivendo; somente em 12-14 reaparece o tema da partida e dos tempos futuros.

Com hesitação, propomos a seguinte divisão em subunidades: 1-4; 6-11 e 12-14. A pergunta inserida no v. 5 serve para mudar a linha de pensamento; a pergunta e resposta dos vs. 8-9a servem apenas para dar continuidade ao discurso.

COMENTÁRIO: DETALHADO

Versículos 1-4: Partida e retorno de Jesus

Jesus começa com uma referência, no v. 1, à perturbação do coração que sua partida está causando em seus discípulos. Anteriormente, ouvimos que Jesus mesmo estava *perturbado* ao encarar a morte (veja a respectiva nota), aparentemente porque a morte pertence ao âmbito de Satanás. Levar Jesus à morte será o ato final de hostilidade por parte do mundo e de Satanás, seu príncipe; e porque a morte de Jesus estabelecera uma hostilidade implacável entre o mundo e os discípulos que seguem a Jesus (15,18; 17,14). Assim, a conturbação dos corações dos discípulos em face da partida de Jesus (também 16,6: "Vossos corações se encherão de tristeza") não é mero sentimento, mas é parte da luta dualística entre Jesus e o príncipe deste mundo. Por esta ótica, a exortação de Jesus que tenham fé nele é mais que um pedido por um voto de confiança: a fé dos discípulos vence o mundo (1Jo 5,4), unindo-os a Jesus que tem vencido o mundo (Jo 16,33). Na morte de Jesus, o príncipe deste mundo é expulso (12,31), mas esta vitória só será notória pelo Paráclito somente nos que possuem fé (16,8-11). É interessante notar que na tradição sinótica (Mc 5,35-36; Mt 8,25-26), em contextos inteiramente diferentes, achamos exemplos similares de temor em face da morte e a mesma sugestão de que a fé é o remédio.

No v. 1, o tema de que fé em Deus tem como sua contraparte fé em Jesus reaparece em termos de conhecer e ver nos vs. 7 e 9. João não quer dizer que a fé do cristão, em Jesus, seja um critério da fé do cristão, em Deus; antes, está envolvida uma e a mesma fé. A mesma ideia se encontra em 12,44: "Todo o que crê em mim na verdade está crendo, não em mim, mas naquele que me enviou"; temos esta ideia expressada negativamente em 1Jo 2,23: "Todo o que nega o Filho não tem o Pai".

Com o fim de tranquilizar seus discípulos com respeito à sua partida, Jesus lhes afirma que na casa de seu Pai há muitas moradas (*monē* – v. 2), que ele está indo preparar-lhes um lugar (*topos* – vs. 2-3), e que ele voltará a fim de levá-los para si, para que estejam onde ele está. Estes dois versículos são extraordinariamente difíceis. A sentença (se é que se trata de *uma só*) não teria sido recolhida se a promessa não fosse tida como já realizada ou sendo realizável. Apesar disso, não se vê que Jesus tivesse retornado para *levar seus discípulos consigo*; e se a referência é tida como sendo uma vinda no fim dos tempos (o que hoje sabemos que estava longe de iminente), como isso poderia consolar os discípulos que nunca a veriam? Além do mais, esta promessa parece colidir com muitas outras afirmações no último discurso de que Jesus voltaria, não para levar consigo os discípulos, mas para estar com os discípulos aqui embaixo. Veja pp. 970-01 acima sobre este problema.

Podemos começar nosso estudo notando que Jesus está usando terminologia tradicional. Tomada do pano de fundo judaico, a expressão "casa de meu Pai" provavelmente deva ser entendido como o céu. FILO (*De somniis* 1,43; 256) fala do céu como "a casa paterna". Quanto às "muitas moradas", devemos rejeitar a tradição patrística, que remonta ao menos a IRINEU (veja nota), que elas se referem a diferentes graus de perfeição celestial, isto é, lugares mais elevados e mais baixos no céu. O "muitas" simplesmente significa que há bastante para todos; as "moradas" refletem o tipo de imagens judaicas encontradas em *1 Enoque* 39,4 que fala de "as moradas dos santos e os lugares de repouso dos justos" que estão situados nas extremidades dos céus (também 41,2; 45,3). Em *2Esd* 7,80 e 101, faz-se distinção entre as almas dos perversos que não podem entrar nas moradas e devem perambular e as almas dos justos que entrarão em suas moradas. No NT, a imagem de moradas (*skēnē*) eternas se encontra em Lc 16,9, enquanto Mc 10,40 fala de sedes celestiais (preparadas pelo Pai, não por Jesus). A promessa do Jesus joanino a seus discípulos de que haveria moradas para eles na casa de seu Pai é um tanto similar com a promessa feita a eles em Lc 22,29-30 (uma sentença da última ceia): "E eu vos destino o reino, como meu Pai mo destinou, para que comais e bebais à minha mesa em meu reino, e vos assenteis sobre tronos, julgando as doze tribos de Israel". A linguagem que aparece em Jo 14,2-3, e ir e preparar um lugar, poderia originar-se da tipologia do Êxodo (a última ceia se situa na noite anterior à Páscoa). Em Dt 1,33, Deus diz que irá adiante de Israel *no caminho* para escolher *um lugar* para eles; Dt 1,29 diz: "Não vos espanteis, nem os temais" – uma ordem não diferente da de Jesus: "Que vossos corações não se perturbem". Nesta tipologia, Jesus estaria indo adiante dos discípulos à Terra Prometida para preparar-lhes um lugar.

Se assumirmos que as "muitas moradas [*monē*]" na casa do Pai e o lugar (*topos*) que Jesus está indo preparar para seus discípulos são a mesma coisa, o que Jesus tem em mente quando diz que voltará para levar os discípulos consigo, aparentemente para os lugares que preparou? Estes versículos são mais bem entendidos como uma referência a uma parousia em que Jesus voltaria logo depois de sua morte para levar seus discípulos triunfantemente ao céu. (A ideia de uma parousia logo depois da morte fica subjacente em Mt 26,29, onde na última ceia Jesus diz: "Não beberei outra vez deste fruto da videira até aquele dia em que o beberei novo convosco no rei de meu Pai"). Uma referência à parousia se encontra em Jo 21,22, onde se emprega o mesmo verbo "vir, voltar" que é usado em 14,3; cf. também Ap 3,20. Sobre a parousia como o momento em que Jesus levará seus seguidores para si, ver 1Ts 4,16-17: "Pois o Senhor mesmo descerá do céu. ... Então os mortos em Cristo ressuscitarão primeiro; e assim, nós, os que estivermos vivos, seremos arrebatados juntamente nas nuvens para o encontro do Senhor nos ares; e então estaremos para sempre com o Senhor"; note como a última cláusula se parece com a de João "para que, onde eu estou, estejais vós também".

Alguns estudiosos pensam que 14,2-3 se refere à vinda de Jesus para seus discípulos à hora de sua morte a fim de levá-los para o céu. Devemos ver isto como uma possível reinterpretação do tema da parousia, quando se compreendeu que a parousia não ocorreu logo depois da morte de Jesus e quando os discípulos começaram a morrer. (Pode-se desenvolver a mesma dupla perspectiva em 17,24; veja p. 1.193 abaixo). Quando analisamos 13,36-37 à luz de 21,15-19, vimos que a promessa de Jesus a Pedro, "Tu me seguirás depois", foi subsequentemente relacionada com a morte de Pedro. A ideia de que através da morte os cristãos são levados para a casa do Pai parece estar refletida em 2Cor 5,1: "Pois sabemos que, se nossa tenda/casa terrena for destruída, temos um edifício da parte de Deus, uma casa feita não por mãos, que é eterna nos céus".

Se admitirmos que 14,2-3 se referia originalmente à parousia e, possivelmente, foi reinterpretado em termos da morte dos cristãos, não podemos ignorar a tensão entre tal ponto de vista em 2-3 e a escatologia realizada do restante do capítulo; por exemplo, o pensamento nos vs. 15-17 (também 16,7) de que Jesus voltará para o crente em e através do Paráclito que habita no cristão, ou a ideia do v. 23 (somente outro uso no NT de *monē*) de que Jesus e o Pai farão sua morada no cristão. (BOISMARD, *art. cit.*, salienta bem a diferença entre as duas perspectivas). Temos insistido que há em João elementos tanto da escatologia final quanto da realizada (vol. 1, pp. 129s) e que podem ser encontrados até mesmo em passagens contíguas (5,19-25; 26-30). Todavia, alguns comentaristas acham difícil pensar que duas imagens tão diferentes de morada celestial com Jesus e de habitação divina terrena pudessem ter sido postos lado a lado no cap. 14 como promessas de como os discípulos seriam consolados após a partida de Jesus sem alguma tentativa de conciliação ou harmonização. À luz de nossa discussão, é óbvio que a fraseologia dos vs. 2-3 não se referia originalmente ao retorno de Jesus na forma de habitação, mas poderia ter sido reinterpretada, secundariamente, nestes termos para torná-la harmoniosa com o tema de habitação que aparece no restante do capítulo?

SCHAEFER, *art. cit.*, tem proposto um possível significado de "casa de meu Pai" que pode ser útil neste respeito. A frase ocorreu em 2,16 em referência ao templo de Jerusalém, mas João reinterpretou o templo de modo que fosse o corpo de Jesus (2,19-22). Ainda mais significativo é o dito parabólico sobre a casa em 8,35: "Ora, o servo não tem um lugar [*menein*] permanente na casa [ou família: *oikia*, como em 14,2]; o Filho tem ali um lugar para sempre". Esta casa especial, ou família, onde o filho tem uma morada permanente, sugere uma união com o Pai reservada para Jesus, o Filho, e para todos quantos são gerados como filhos de Deus pelo Espírito que Jesus dá. Assim, haveria algum precedente para reinterpretar parabolicamente "na casa de meu Pai há muitas moradas", como possibilidades para a união permanente (*monē/menein*) com o Pai e através de Jesus. (GUNDRY, *art. cit.*, propôs independentemente uma interpretação similar: "... não mansões no céu, mas posições espirituais em Cristo"). Jesus está de caminho para unir-se ao Pai – é assim que ele prepara as moradas. A redação variante para "na casa de meu Pai" é "com meu Pai" (veja nota), e esse é justamente o significado que a frase pode ter assumido quando foi integrada no conjunto da teologia joanina do cap. 14. O retorno de Jesus após a ressurreição seria para o propósito de tomar os discípulos em união consigo e com o Pai, sem qualquer ênfase de que a união é no céu – seu corpo é a casa de seu Pai; e onde quer que Jesus é glorificado, aí está o Pai. Na expressão grega do v. 3, Jesus diz literalmente: "Voltarei para levar-vos comigo"; na reinterpretação, esta afirmação pode ter perdido seu significado original de uma localidade celestial. A *monē* ou "morada" pode ter-se tornado a *monē* de 14,23 – uma habitação.

Pode ser neste sentido reinterpretado que os vs. 2-3 são relacionados pelo autor joanino aos vs. 6ss., enquanto o v. 4 serve como uma transição mediante a técnica joanina de compreensão equivocada. Se por sua morte, ressurreição e ascensão Jesus deve tornar possível uma união dos discípulos com seu Pai, ele deve preparar seus discípulos para a união, fazendo-os entender como ela deve ser realizada. AGOSTINHO (*In Jo.* 98,2; PL 35:1814) expressa isto engenhosamente:

"Ele prepara as moradas, preparando os que se destinam a morar nelas". Assim, o v. 4 busca envolver os discípulos, quando Jesus lhes assegura que conhecem o caminho para onde ele está indo (– para o Pai, porque conhecem Jesus). Mas assim como "os judeus" de 7,35 e 8,22 não puderam entender aonde Jesus estava indo, tampouco o pode Tomé. Em resposta, agora Jesus deve explicar claramente que está indo para o Pai e que ele representa o caminho para chegar ao Pai (v. 6).

Versículos 6-11: Jesus como o caminho

Estes versículos explicam de que maneira Jesus é o caminho para o Pai. Ele é o caminho porque é a verdade ou revelação do Pai (veja nota sobre como interpretar os três substantivos em 6a), de modo que, quando os homens o conhecem, então conhecem o Pai (7); e quando os homens o veem, também veem o Pai (8). Ele é o caminho porque é a vida – visto que ele vive no Pai e o Pai vive nele (10-11), ele é o canal através do qual a vida do Pai flui para os homens.

Qual é o pano de fundo do qual este conceito de Jesus como "o caminho" foi extraído? Dois paralelos, hermético e mandeano, têm sido propostos; nestes escritos, geralmente "a verdade" é a esfera do divino, e "o caminho" é a rota para a divindade (embora nos textos mandeanos o redentor nunca seja chamado "o caminho"). Em particular, tem-se notado a expressão mandeana "o caminho da verdade". W. MICHAELIS (*"Hodos"*, TWNTE, V, 82-84) e DE LA POTTERIE (pp. 917-18) rejeitaram estes paralelos. Salientam que o conceito joânico de "o caminho" realmente não é espacial da mesma maneira que estes conceitos gnósticos são espaciais. Além do mais, muito do que possa ser interessante em tais paralelos até certo ponto já existiam no judaísmo. Em passagens veterotestamentárias (Sl 119,30; Tb 1,3; Sb 5,6), "o caminho da verdade" é um caminho de vida em conformidade com a Lei. O Sl 86,11 põe "caminho" e "verdade" em paralelismo: "Ensina-me o teu caminho, ó Senhor, para que ande na verdade". Notamos que nestes textos veterotestamentários não há indagação de um caminho para a verdade, como encontrado nos escritos gnósticos; antes, o caminho é um caminho de verdade (e isto parece aproximar-se mais com o significado joanino – veja nota). No AT, às vezes este caminho tem ressonâncias escatológicas, pois leva da morte para a vida: "Para o sábio, o caminho da vida leva para cima, para que se desvie do abismo em baixo" (Pr 15,24). O caminho da vida e o caminho da morte são contrastados em Jr 21,8. O Sl 16,11 diz que o caminho da vida é revelado por Deus ao homem; isto se une para combinar as três noções que João tem de caminho, verdade e vida. Em Qumran, o caminho do (Espírito da) verdade é oposto dualisticamente ao caminho do espírito de iniquidade (1QS 4,15-16; veja também 2Pd 2,2 e 15 que contrasta "o caminho da verdade" e "o caminho de Balaão").

Até que ponto este material judaico oferece um pano de fundo para Jo 14,6? Em João não há ênfase sobre o aspecto moral do caminho tal como se encontra no conceito veterotestamentário de "o caminho da verdade"; antes, para João, Jesus é o caminho porque ele é a revelação do Pai. Todavia, não devemos impor uma dicotomia entre o aspecto revelatório e o aspecto moral de Jesus como o caminho. McCasland, *art. cit.*, enfatiza que Jesus é o caminho num sentido duplo: primeiro, como um mediador da salvação; segundo, como uma norma de vida. Para João, verdade constitue uma esfera de ação da mesma maneira que o crer e conhecer; por exemplo, ele pode falar de agir na verdade (3,21). Se pudermos evocar nesse sentido uma passagem sinótica, em Mc 12,14, os fariseus admitem que Jesus ensina "o caminho de Deus em verdade".

Outra objeção para encontrar o pano de fundo do conceito joanino de "o caminho" no judaísmo é que não há no AT nenhum exemplo do uso absoluto de "o caminho". Mas, com a descoberta dos Rolos do Mar Morto, podemos prescindir desta objeção, pois a comunidade de Qumran se designou absolutamente como "o caminho" (*ha-derek*). Aqueles que se ingressaram na comunidade eram "os que escolheram o caminho" (1QS 9,17-18), enquanto os que os apóstatas eram "os que se desviaram do Caminho" (CD 1,3). As normas pelas quais se regia a vida da comunidade eram "as normas do caminho" (1QS 9,21). Para Qumran, "o caminho" consistia na estrita observância da lei mosaica como foi interpretada pelo grande Mestre da comunidade, e não pode haver dúvida de que este uso é o herdeiro do pano de fundo veterotestamentário mencionado acima (com o fator adicional do dualismo). Em particular, o uso absoluto de "o caminho" em Qumran parece ter-se originado de reflexão sobre Is 11,3. Encontramos tal reflexo em 1QS 8,12-16, um texto de maior importância para se compreender a concepção que a comunidade tem de si mesma:

Quando os homens [que foram provados] se tornam membros da comunidade em Israel, de conformidade com todas estas regras, eles se separarão dos lugares onde homens perversos habitam a fim de irem para o deserto e ali prepararem o caminho para ele, como está escrito: "Preparai o caminho do Senhor no deserto; fazei reta uma vereda para o nosso Deus no ermo". Este (caminho) é o estudo da Lei que ele ordenou através de Moisés, para que ajam segundo tudo o que foi revelado de tempo em tempo, e como os profetas têm revelado por meio de seu santo espírito.

Se a comunidade de Qumran estava vivendo "o caminho do Senhor no deserto", João Batista também professou este ideal de preparar o caminho do Senhor. A comunidade cristã, que se assemelha à comunidade de Qumran em algumas práticas e organizações básicas, parece também ter-se comparado a "o caminho" (At 9,2; 19,9.23; 22,4; 24,14.22), talvez porque sua vida era o caminho que preparava para a última vinda de Cristo, um caminho de vida traçado por Jesus e animado pelo Espírito. Agora sugerimos que Jo 14,6 reflete toda esta concatenação de uso da imagem de "o caminho", originária do AT, modificada pelo pensamento judaico sectário ilustrado em Qumran e, finalmente, adaptada pela comunidade cristã como uma auto-designação. Não é estranho que o Jesus joanino tome uma terminologia anteriormente aplicada a Israel (e subsequentemente adotado pela comunidade cristã) e aplicá-la a si. Se a comunidade cristã é o templo (Ef 2,19-21; 1Pd 2,5; 4,17), para João Jesus é o templo (2,21). Os ditos "Eu sou...". do Jesus joanino tomam o lugar dos ditos sinóticos "O reino de Deus [céu] é semelhante a...". (vol. 1, p. 120), e em alguns casos o reino de Deus parece ter sido parcialmente identificado com a Igreja. A imagem do aprisco e da vinha, aplicada no AT a Israel e nos evangelhos sinóticos ao reino de Deus, em João é aplicada a Jesus, o pastor e a videira. O mesmo processo parece estar em ação, ao chamar Jesus, em vez da comunidade cristã, de "o caminho". Se o Batista veio para endireitar "o caminho do Senhor", sua missão, do ponto de vista joanino, era revelar Jesus a Israel (1,23.31), pois Jesus é o caminho dado por Deus aos homens.

Tal transformação de terminologia pode ter sido encorajada pela compreensão joanina de Jesus como a Sabedoria divina personificada (vol. 1, p. 136). Em Pr 5,6, está implícito que a Sabedoria oferece aos homens o caminho da vida (veja também Pr 6,23; 10,17). Há uma interpolação cristã muito perspicaz nas palavras da Sabedoria na versão latina de Siraque 24,25. A Sabedoria diz: "Em mim está o dom de todo *caminho* e *verdade*; em mim está toda a esperança da *vida* e virtude". É quase como se o interpolador tivesse associado a descrição joanina de Jesus, em 14,6, com as reivindicações da Sabedoria. Concluindo esta discussão do pano de fundo do conceito joanino de Jesus como o caminho, desejamos enfatizar que reconhecemos que o material extraído de fontes judaicas tem sido grandemente transformado à luz da cristologia joanina, porém insistimos que as fontes judaicas oferecem bastante matéria prima para que realmente não mais seja necessário atravessar outros campos em busca do pano de fundo.

Quando voltamos à exegese de Jo 14,6, descobrimos que, ao dizer "Eu sou o caminho", Jesus não está se apresentando primariamente como um guia moral, nem como um líder para seus discípulos seguir (como em Hb 2,10; 6,20). Aqui, a ênfase é diferente daquela de 16,13, onde lemos que o Paracleto/Espírito guiaria os discípulos ao longo do *caminho* em toda a *verdade*. Antes, Jesus está se apresentando como a rota única para a salvação, à maneira de 10,9: "Eu sou a porta, todo aquele que entra através de mim será salvo". Isto é assim porque Jesus é *a verdade* (*alētheia*), a única revelação do Pai que é o alvo da viagem. Ninguém jamais viu o Pai, exceto Jesus (1,18); Jesus nos comunica o que ele viu na presença do Pai (8,38); e Jesus converte os homens em filhos de Deus a quem possam, então, chamar de Pai (veja comentário sobre 20,17). Ao denominar-se de a verdade, Jesus não está dando uma definição ontológica em termos transcendentais, e sim descrevendo a si em termos de sua missão aos homens (cf. nota sobre 4,24). "Eu sou a verdade" deve ser interpretado à luz de 18,37: "Eu para isto nasci, e para isto vim ao mundo, a fim de dar testemunho da verdade". Todavia, DE LA POTTERIE, p. 939, está certo ao insistir que a fórmula joanina faz mais do que dizer-nos o que Jesus faz: ela nos informa o que Jesus é em relação aos homens. Além do mais, ela se refere ao que Jesus é *em si mesmo*; toda a insistência joanina sobre "o verdadeiro" (*alēthinos*: o pão verdadeiro, o vinho verdadeiro) seria em vão se o que Jesus é em relação aos homens não fosse uma verdadeira indicação do que ele é em si mesmo.

Se Jesus é o caminho no sentido que ele é a verdade e capacita os homens a conhecerem seu alvo, ele é também o caminho no sentido que é *a vida* (*zōē*). Uma vez mais, esta é a descrição de Jesus em termos de sua missão aos homens: "Eu vim para que tenham vida, e a tenham em abundância" (10,10). O destino do caminho é a vida com o Pai; esta vida, o Pai deu ao Filho (5,26), e o Filho é o único que pode dá-la aos homens que creem nele (10,28). O dom da vida natural dado a Lázaro era um sinal das realidades eternas por detrás da reivindicação de Jesus de ser a ressurreição e a vida (11,25-26): "Todo aquele que vive e crê em mim jamais morrerá".

Se Jesus é o caminho porque ele é a verdade e a vida, "verdade" e "vida" não são termos simplesmente coordenados: a vida vem através da verdade. Os que creem em Jesus como a revelação encarnada do Pai (e é isso que "verdade" significa) recebem o dom da vida, de modo que as palavras de Jesus são a fonte da vida: "As palavras que eu vos tenho dito são Espírito e vida" (6,63); "Aquele que ouve minha palavra e tem fé naquele que me enviou possui a vida eterna" (5,24). O uso do artigo definido antes dos três substantivos, no v. 6, implica que Jesus é o único caminho para o Pai. BULTMANN, pp. 468-69, está certo em insistir que, quando uma pessoa vai a Jesus como a verdade, não é simplesmente uma questão de aprender algo. Ela deve pertencer à verdade (18,37). Assim, não só no início da fé Jesus é o caminho, mas Jesus permanece para sempre.

Os versículos que seguem (7-11) são simplesmente um comentário sobre a relação de Jesus com o Pai, que foi expressa de forma lapidar no v. 6. Não importa que tipo de condição seja lida no v. 7 (veja nota), o tema é que o conhecimento de Jesus equivale ao conhecimento do Pai. (B. GÄRTNER, NTS 14 [1967-68], 209-31, vê neste tema um reflexo do princípio grego de conhecimento de igual para igual). Os discípulos não falharam completamente em conhecer Jesus (como fizeram "os judeus": 8,19); todavia, suas perguntas indicam que não o conhecem perfeitamente. Tudo isto mudará a partir de agora (veja nota); após "a hora", o autor de 1 João (2,13) poderá dizer com certeza ao seu auditório cristão: "Vós tendes conhecido o Pai". Em Jo 14,7, o tema de conhecer Jesus e, assim, conhecer o Pai também se encontra no assim chamado logion joanino dos evangelhos sinóticos (Mt 11,27; Lc 10,22): "Ninguém conhece o Filho exceto o Pai, e ninguém conhece o Pai exceto o Filho, e aquele a quem o Filho o quiser revelar".

A aparição deste tema no último discurso reflete a atmosfera pactual da última ceia (p. 985 acima). H. B. HUFFMON (BASOR 181 [1966], 31-37) tem mostrado que o verbo "conhecer", no sentido de "reconhecer", pertencia à linguagem contratual do Oriente Próximo.

É usada na Bíblia para o reconhecimento de Israel de Iahweh como seu único Deus e soberano (Os 13,14); e Jeremias (24,7; 31,34) faz do verdadeiro conhecimento ou reconhecimento de Iahweh parte da nova aliança. O Jesus joanino, como autor da nova aliança com os discípulos, insiste que devemos conhecê-lo assim como Israel conhece Iahweh, pois "doravante" é Jesus quem será reconhecido pelos cristãos como "Meu Senhor e Deus meu" (20,28).

Os discípulos ainda entendem equivocadamente: Jesus está falando sobre conhecer e ver o Pai, porém eles nunca viram o Pai (v. 8). Exatamente o que Filipe espera, em termos de visão, é difícil explicar. Talvez, na situação histórica pré-pascal, devamos pensar que Filipe esteja refletindo sobre as grandes teofanias no Sinai [manifestadas] a Moisés e a Elias. (No texto grego de Ex 33,18, Moisés diz a Deus: "Mostra-te a mim"). Ou esteja pensando nas visões da corte celestial contempladas pelos profetas? No contexto da época do evangelista, talvez Filipe se comporte como o porta voz ingênuo daqueles cristãos heréticos que buscam uma visão mística de Deus.

Em qualquer caso, a pergunta dá a oportunidade de Jesus explicar claramente (v. 9) que tais teofanias ou visões são inúteis agora que a Palavra, que é Deus, se fez carne. Ao ver Jesus se vê a Deus. Esta é uma cristologia elevada, mesmo quando, como já insistimos previamente (vol. 1, p. 689), a ênfase joanina sobre a unicidade de Jesus e o Pai se relaciona primariamente com a missão do Filho aos homens e só tem implicações metafísicas secundárias sobre a vida interna da Deidade. Sugerimos ainda que, muito da equivalência entre Pai e Filho, é expressa em linguagem que se origina da concepção judaica de que aquele que é enviado (*šālīaḥ*) é o perfeito representante do que o envia. Esta ideia foi agora admiravelmente desenvolvida por P. BORGEN, "*God's Agent in the Fourth Gospel*", in *Religions in Antiquity* (Goodenough Volume; Leiden: Brill, 1968) pp. 137-48. Ele aponta para o princípio legal ou haláquico dos rabinos: "Um agente se assemelha àquele que o enviou", ou, como está escrito em TalBab *Quiddushin* 43a: "Ele se classifica como a própria pessoa [de seu senhor]". Porque Jesus é um agente que é também o próprio Filho de Deus, João aprofunda a relação legal de agente com o que o envia a tal ponto de torná-la uma relação de semelhança de natureza (todavia, ainda que não em termos filosóficos). O estudo que BORGEN faz do pano de fundo judaico do tipo de linguagem que encontramos em 14,9 é mais importante por causa da alegação feita frequentemente de que as passagens neotestamentárias que descrevem Jesus com linguagem divina são, em última análise, de origem pagã. Podemos acrescentar que há similaridades entre a descrição de Jesus no v. 10 e a do Profeta-como-Moisés em Dt 18,18 de quem Deus diz "Eu porei minhas palavras em sua boca, e ele lhes falará tudo o que eu lhe ordenar". Do mesmo Moisés, Dt 34,10-12 diz que o Senhor o enviou para fazer sinais e obras.

Em seus dois temas da união de Jesus com o Pai e da capacidade de suas "obras" em revelar tal união, o v. 10 contém mais afinidade com 10,38: "Mas, se as faço, e não credes em mim, crede nas obras; para que conheçais e acrediteis que o Pai está em mim e eu nele". Em paralelismo complementário, as últimas duas linhas do v. 10 unem palavras e obras como testemunhas da união de Jesus com o Pai. Em 12,49-50 e em 8,28 já ouvimos Jesus reivindicar que ele *diz* somente o que o Pai lhe disse e mandou que ele dissesse; em 8,28 ele afirmou: "Eu nada *faço* de mim mesmo". Assim, precisamente porque nem suas palavras nem suas obras são propriamente suas, estas palavras e obras informam aos homens que Jesus se relaciona intimamente com o Pai. Esta atitude é melhor exposta em 17,4, onde todo o ministério de Jesus, palavras e obras, são a "obra" que lhe foi dada por seu Pai para que ele a cumpra.

O v. 11 reitera o v. 10 com um apelo mais direto ao crer. Os dois motivos de crer que são oferecidos ("crede-me"; "crede[-me] por causa das obras") não são totalmente distintos, pois não há apelo às obras miraculosas meramente como credenciais extrínsecas para a missão de Jesus (vol. 1, pp. 693). A fé autêntica nas obras implica a capacidade de entender seu papel como sinais – a capacidade de ver através deles o que elas revelam, a saber, que são a obra tanto do Pai como do Filho, que são um, e, portanto, que o Pai está em Jesus e Jesus está no Pai.

Versículos 12-14: A força da fé em Jesus

O v. 12 serve de transição entre o tema de crer (10-11) para o tema de receber a ajuda de Deus (13-14). A fé em Jesus dará ao cristão o poder de realizar as mesmas obras que Jesus realiza, porque, ao unir uma pessoa com Jesus e o Pai, a fé lhe dá participação no poder que eles possuem. A promessa adicional, que o crente "realizará (obras) maiores que estas", é explicável na situação diferente que se seguirá no período pós-ressurreição. Depois que Jesus fosse glorificado (17,1.5), o Pai realizaria em nome de Seu Filho obras capazes de manifestar a glória do Filho (note o último hemístiquio do v. 13). Em 5,20 houve outra referência às "obras maiores" (cf. também 1,50) num contexto em referência ao julgar e ao dom da vida, e talvez uma participação nestas duas obras esteja inclusa no que aos discípulos ora está sendo prometido. Participarão no juízo, pois o Jesus ressurreto lhes dará poder sobre o pecado (20,21-23) e lhes dará o Paráclito que convencerá o mundo do seu erro (16,8.11). Também terão uma missão de levar a outros uma participação na vida de Jesus ("produzir fruto": 15,16). A ideia de que aos discípulos será dado poder de realizar obras maravilhosas se encontra em muitos escritos neotestamentários. O v. 12 com sua profunda afirmação de que o homem que tem fé realizará obras maiores do que aquelas feitas por Jesus é um tanto similar a Mt 21,21: "Em verdade vos digo que, se tiverdes fé e não duvidardes, não só fareis o que foi feito à figueira, mas até se a este monte disserdes: ergue-te e precipita-te no mar, assim será feito". O final maior de Marcos (16,17-18) enumera uma série de milagres que os crentes realizarão em nome de Jesus. E, naturalmente, Atos exibe os discípulos operando grandes milagres em seu nome, inclusive o tirar a vida (5,1-11) e o de dar a vida e curar (3,6; 9,34.40) ou seja, as obras de julgar e dar vida. Entretanto, o pensamento de João difere destes outros exemplos do NT em que em João há menos ênfase ao caráter maravilhoso das "obras maiores" que os discípulos fariam: o "maiores" se refere mais ao seu caráter escatológico.

Afirmações tais como as dos vs. 13 e 14, que Jesus fará tudo o que for pedido em seu nome, são frequentes no último discurso. Analisemos cuidadosamente quatro modelos distintos:

(a) 14,13: "Tudo o que pedirdes em meu nome, eu o farei [*poiein*]".
14,14: "Se me pedirdes alguma coisa, em meu nome, eu o farei [*poiein*]".
(b) 15,16: "Tudo o que pedirdes ao Pai em meu nome, Ele vos dará".
16,23: "Se pedirdes alguma coisa ao Pai, Ele vo-lo dará em meu nome".
(c) 16,24: "Pedi, e recebereis".
15,7: "Pedireis o que quiserdes, e vos será feito [*ginesthai*]".

(d) Uma forma livre (que aparece também em 1 João):
 16,26: "Naquele dia pedireis em meu nome, e não vos digo que eu rogarei ao Pai por vós".
 1Jo 3,21-22: "Amados, se o nosso coração não nos condena, temos confiança para com Deus; e qualquer coisa que lhe pedirmos, dele a receberemos, porque guardamos os seus mandamentos, e fazemos o que é agradável à sua justiça".
 1Jo 5,14-15: "E esta é a confiança que temos nele, que, se pedirmos alguma coisa, segundo a sua vontade, ele nos ouve. E, se sabemos que ele nos ouve em tudo o que pedimos, sabemos que alcançamos as petições que lhe fazemos".

Nas sentenças do tipo (*a*) no cap. 14, o pedido é (aparentemente no 13, certamente em 14) dirigido a Jesus e ele o atende; nas sentenças tipo (*b*) nos caps. 15 e 16, o pedido é dirigido ao Pai e Ele o responde no nome de Jesus. (Curiosamente, se compararmos as sentenças relacionadas ao Paráclito nos respectivos capítulos, a situação é inversa: no cap. 14, o Pai dá ou envia o Paráclito no nome de Jesus ou sob o pedido de Jesus, enquanto que nos caps. 15 e 16, Jesus envia o Paráclito). Nas sentenças tipo (*d*) o pedido é concedido por Deus sem qualquer menção do nome de Jesus. Nas sentenças tipo (*c*) não se menciona nem o que recebe nem o doador, mas no contexto seguinte de cada sentença se alude ao Pai.

O esquema das sentenças dos tipos (*a*) e (*b*), e em alguma extensão nas sentenças (*d*), envolve uma condição com uma cláusula "tudo" ou "se" da sentença; nas sentenças (*c*) usa-se um imperativo (tempo presente em 16,24; aoristo em 15,7).

Nas sentenças (*a*) o verbo "fazer" () aparece na apódose; em (*b*) o verbo "dar" aparece; (*c*) e (*d*) têm vocabulário variado, mas "receber" é frequente.

Há um grupo de sentenças dos sinóticos nas que encontramos paralelos tanto de vocabulário como do esquema:

- Mt 7,7 (Lc 11,9): "Pedi e vos será dado". O imperativo (presente) é usado como no tipo (*c*) de João, mas o verbo "dar" aparece como em (*b*).
- Mt 7,8 (Lc 11,10): "Todo aquele que pede, recebe". Enquanto este esquema estrutural não aparece nos ditos de João, há uma

similaridade com (c) no verbo "receber" e no fato de que o doador não é nomeado. Note-se que estas sentenças são agrupadas em versículos consecutivos, como também em Jo 14,13-14; 16,23-24.
- Mt 18,19: "se dois de vós concordarem na terra acerca de qualquer coisa que pedirem, isso lhes será feito [*ginesthai*] por meu Pai, que está nos céus". A sentença contém um "se", cláusula condicional, como em (*a*); o Pai é o agente como em (*b*) e (*d*); o verbo *ginesthai* é usado como em (*c*).
- Mt 21,22: "E, tudo o que pedirdes na oração, crendo, o recebereis" (veja uma variante em Mc 11,24). O esquema da primeira parte da sentença se aproxima muito do tipo (*a*) ou (*b*), mas a falta de indicação do agente e o uso do verbo "receber" estão mais próximos do tipo (*c*).

Está claro que há muitas similaridades entre os esquemas joaninos e os dos sinóticos, especialmente os de Mateus (ainda que seja inusitado para João e Mateus ter paralelos particulares: vol. 1, p. 32). Todavia, está também claro que há muitas variações e combinações diferentes, e nem de João é exatamente as mesmas que as sentenças sinóticas. DODD, *Tradition*, pp. 349-52, provavelmente esteja certo uma vez mais em manter que João e os sinóticos preservam ecos independentes de sentenças mais antigas. Algumas das variações em modo (imperativo ou condicional) e vocabulário ("seja dado", "receber", vários verbos de ação) e voz (ativa ou passiva) podem ser atribuídas a diferentes tentativas de traduzir ditos originais aramaicos para o grego.

Há dois pontos que merecem uma breve apreciação. As últimas duas sentenças em (*d*) e as últimas sentenças em Mateus expressam condições para ter o pedido concedido – tais como guardar os mandamentos, de pedir de acordo com a vontade de Deus, de ter a anuência de vários cristãos sobre o que se deve pedir e de crer. A última condição mencionada, a de fé da parte da pessoa que pede, realmente está implícito em todas as formas do dito. Mas as outras condições podem ter sido ditadas pela experiência concreta da vida da comunidade de que nem todos os pedidos são concedidos. As formas incondicionais das sentenças são mais originais, e é interessante que na tradição joanina as formas condicionais não são atribuídas a Jesus.

O outro ponto a ser considerado é que cinco das sentenças joaninas mencionam pedir (ou dar – 16,23) "em meu nome". Enquanto João enfatiza este tema, embora não seja o único a fazê-lo. Em Mt 18,19, a sentença citada acima é imediatamente seguida de uma afirmação que se expressa a base para confiança de que o pedido será concedido: "Pois onde dois ou três estiverem reunidos *em meu nome*, ali eu estou no meio deles". Em suas orações, os judeus frequentemente evocavam os Patriarcas na esperança de que Deus se deixaria tocar pela memória daqueles santos homens, e a oração em nome de Jesus pode ter-se originado de maneira similar. Veja também Mc 9,41 e a ideia de dar em nome de Jesus. A Eucaristia que se celebra em memória de Jesus pode ter contribuído para o costume de orar em seu nome, especialmente posto que as orações cristãs primitivas frequentemente fossem pronunciadas por ocasião da Eucaristia (assim LOISY, p. 409). A teologia joanina, porém, introduziu na oração em nome de Jesus uma ênfase que vai além do uso de uma mera fórmula. Um cristão ora em nome de Jesus no sentido de que ele está em união com Jesus. Assim, o tema de pedir "em meu nome", em 14,13-14, continua e desenvolve o tema de morada de 10-11: porque o cristão está em união com Jesus e Jesus está em união com o Pai, não pode haver dúvida de que o pedido do cristão será concedido. Este contexto de união com Jesus também sugere que os pedidos dos cristãos já não são tidos como pedidos acerca de coisas sem importância na vida – são pedidos de tal natureza, que quando são concedidos o Pai é glorificado no Filho (13). São pedidos pertinentes à vida cristã e à continuação da obra pela qual Jesus glorificou o Pai durante seu ministério (17,4).

[A Bibliografia para esta seção está inclusa na Bibliografia no final do § 52.]

51. O ÚLTIMO DISCURSO:
– PRIMEIRA SEÇÃO (SEGUNDA UNIDADE)
(14,15-24)

O Paráclito, Jesus e o Pai virão para aqueles que amam a Jesus

14   15"Se me amais
    e guardais os meus mandamentos,
    16então, eu rogarei ao Pai que vos dará outro Paráclito
    para estar convosco para sempre.
    17Ele é o Espírito da Verdade
    a quem o mundo não pode aceitar,
    porque não o vê nem o conhece;
    mas vós o conheceis,
    já que ele permanece convosco e está em vós.
    18Eu não vos deixarei órfãos:
    Voltarei para vós.
    19Ainda pouco tempo, o mundo não me verá mais;
    mas vós me vereis
    porque eu tenho vida, vós tereis vida.
    20Naquele dia conhecereis
    que eu estou no Pai,
    e vós estais em mim, e eu em vós.
    21Aquele que guarda os mandamentos que tem de minha parte,
    e os cumpre, esse é o que me ama;
    e quem me ama será amado por meu Pai,
    e eu o amarei
    e me revelarei a ele".

²²"Senhor", disse Judas (não Judas Iscariotes), "de onde vem que hás de manifestar-te a nós, e não ao mundo?" ²³Jesus respondeu:

"Se alguém me ama,
guardará a minha palavra.
Então meu Pai o amará,
e viremos para ele
e faremos nele morada.
²⁴Todos quantos não me amam, não guardam as minhas palavras;
ora, a palavra que ouvistes não é minha,
mas vem do Pai que me enviou".

22: *disse*. No tempo presente histórico.

NOTAS

14.15. *e guardais*. Temos lido este verbo no subjuntivo (*tērēsēte*) como parte da prótasis, juntamente com P⁶⁶ e o Codex Sinaiticus. Outras redações são bem atestadas: (a) Códices Alexandrinus e Bezae trazem um imperativo (*tērēsate*): "Se me amais, guardai os meus mandamentos"; (b) o Codex Vaticanus tem o futuro (*tērēsete*): "Se me amardes, guardareis os meus mandamentos". A redação que temos seguido relaciona estreitamente o v. 15 com o v. 16. A redação (b) pode representar uma harmonização da parte de copistas com o esquema que aparece no v. 23. A redação (a) e, com menos intensidade, a redação (b) isola este versículo do v. 16, não estabelecendo nenhuma relação gramatical entre as estipulações do v. 15 e a doação do Espírito no v. 16. K. Tomoi (ET 72 [1960-61], 31) entende esta ausência de conexão tão incisivamente que sugere que o v. 15 está fora de lugar e deveria estar entre os vs. 20 e 21. Tal rearranjo destrói o esquema triádico da seção (veja comentário) e é desnecessário, se nossa tradução for aceita.

guardais os meus mandamentos. O verbo *tērein* ("guardar" no sentido de "cumprir") é usado em João para a observância dos mandamentos de Jesus (14,21; 15,10); em outros lugares, ele é usado para observar os Dez Mandamentos de Deus (Mt 19,17; 1Cor 7,19). Em 1 João, igualmente (2,3-4; 3,22-24), o verbo é usado para os mandamentos de Deus; um paralelo muito estreito com o presente versículo se encontra em 1Jo 5,3: "Pois o amor de Deus consiste nisto: que guardemos os seus mandamentos". Deve-se notar que aqui e no v. 21, Jesus fala de seus mandamentos no plural, em contraste com o "novo mandamento" (singular) de 13,34. A mesma variação de plural e singular se encontra quando se fala do(s) mandamento(s) de Jesus em 15,10 e 12. Seus mandamentos não são simplesmente preceitos morais: eles envolvem todo um estilo de vida em amorosa união com ele.

16. *rogarei.* BERNARD, II, 545, sustenta que em geral este verbo *erōtan* é usado para descrever as orações de Jesus, enquanto *aitein* é usado para as orações dos discípulos (como em 13 e 14). Mas há muitas exceções.

o Pai que vos dará. Em 14,26, ouvimos que "o Pai enviará" o Paráclito; mas em 15,26 e 16,7, o envio é feito por Jesus. A atribuição da ação ao Pai pode ser a mais original. Não devemos exagerar o caráter joanino desta variação, pois ela pode ser encontrada também em Lucas/Atos (em Lc 24,49 e At 2,33 Jesus envia ou derrama seu Espírito; todavia, estas mesmas passagens mostram que o Pai é a fonte do Espírito). O verbo "dar" costuma ser, no NT, associado ao Espírito Santo (Rm 5,5), de modo que o término "dom" se tornou uma designação do Espírito (At 2,38; 8,20; 10,45; 11,17).

outro Paráclito. O grego poderia ser traduzido: "outro, um Paráclito", uma tradução que remove a implicação de que tem havido um Paráclito anterior; e o OS^{sin} endossa isto. Não obstante, este não é o significado óbvio (cf. 10,16: "eu tenho outras ovelhas"; não "eu tenho outras – ovelhas"), e 1Jo 2,1 demonstra que o pensamento joanino não acha inconveniente apresentar Jesus como Paráclito. JOHNSON, p. 33, entende essa frase como um modificador adjetival de "o Espírito da Verdade" no versículo seguinte: "O Pai dará como outro Paráclito... o Espírito da Verdade, a quem o mundo não pode aceitar...".

estar convosco. Os que pensam em um original aramaico que subjaz João sugerem que *hina*, a conjunção grega que expressa propósito, é uma tradução equivocada do relativo aramaico d^e (= "que estará convosco"). Tal hipótese é desnecessária, pois na verdade há um elemento de propósito na frase. Os mss. que têm o verbo "estar" exibem considerável variante na sequência das palavras, e há também forte evidência para se ler o verbo "permanecer" (*menein*). Uma vez mais, alguns encontram nisto apoio para um original semítico, pois o hebraico costuma usar o verbo "estar" no sentido de permanecer; por exemplo, o grego de Mt 2,13 reflete o uso hebraico: "Fica [i.e., permanece] ali até que eu te diga". Para o uso joanino de *menein*, veja vol. 1, pp. 811.

17. *o Espírito da Verdade.* No pensamento joanino, o genitivo é objetivo: o Espírito comunica a verdade (veja 16,13), embora possa haver também um elemento do genitivo apositivo (1Jo 5,6[7]: "o Espírito é a verdade"). A frase não dá uma descrição ontológica essencial do Espírito; para o pano de fundo, veja o apêndice V.

51 • O último discurso: – Primeira seção (segunda unidade) 1017

a quem... o. Os pronomes gregos neste versículo referentes ao Espírito são neutros, pois *pneuma* é neutro. Contudo, os pronomes masculinos *ekeinos* e *autos* são usados para Espírito/Paráclito em 15,26; 16,7.8.13.14. Como o Paráclito, o Espírito assume um papel mais pessoal do que em muitas outras seções do NT.

posto que não o vê nem o conhece. A incapacidade para perceber "ver", realmente não é razão ou causa para o fracasso do mundo de aceitar o Espírito da Verdade. O verbo ver *theōrein*, pode ser usado em relação à visão física (2,23; 14,19) ou à visão espiritual (12,45; veja vol. 1, p. 799). O mundo não pode ver fisicamente o Paráclito porque o Paráclito não é corpóreo; tampouco o mundo possui visão espiritual para perceber sua presença divina nos discípulos. Para a atitude de Paulo sobre a mesma questão, veja 1Cor 2,14.

vós o conheceis. Este verbo e o "permanecer" na próxima linha estão no tempo presente; nas demais passagens sobre o Paráclito, as ações do Paráclito são descritas no tempo futuro. É bem provável que devamos considerar os tempos presentes, aqui, como tendo um valor prolépticos (BDF, §323). Mas alguns autores preferem os tempos presentes literalmente e afirmam que, ou que o Paráclito já habitava na última ceia, ou que o versículo foi escrito da perspectiva temporal do evangelista. W. R. HUTTON (ET 57 [1945-46], 194) pensa que estas linhas constituem um comentário parentético acrescentado pelo evangelista às palavras de Jesus como uma nota de rodapé. Veja vol. 1, p. 357ss, para nossa atitude geral para com tal abordagem dos discursos de João.

já que ele permanece convosco. Reiterando, isto não é uma razão ou causa: a habitação e conhecimento estão coordenados. Como o expressou BENGEL: a falta de conhecimento exclui a habitação, enquanto a habitação é a base do reconhecimento. Aqui se diz que o Espírito da Verdade *vive ou permanece* com os discípulos. 2Jo 2 usa este mesmo vocabulário duplo em referência à própria verdade: "... a verdade que está [permanece] em nós estará conosco para sempre". O caráter intercambiável de "verdade" e "Espírito de Verdade" tem certo paralelo em Qumran (1QS 4,23-24): "Até agora os espíritos da verdade" e da mentira lutam nos corações dos homens. ... Em conformidade com sua porção de verdade, um homem odeia a mentira".

está em vós. As testemunhas textuais estão divididas sobre se leem uma forma presente ou futura do verbo. O futuro pode ser uma correção de copista para evitar a ideia de uma habitação já na última ceia; ou o futuro pode ser preferível como um *lectio difficilior* depois de dois verbos no tempo presente (assim RIEGER, *art. cit.*, p. 20) – a menos que o copista introduzisse o futuro para enfatizar a qualidade proléptica dos dois verbos precedentes. RIEGER pensa que, neste versículo, as linhas 2, até a última parte da 5, constituem um parêntese, enquanto a última parte da linha 5 dá sequência à linha 1: "Ele é o Espírito de Verdade (...) e estará entre vós". As linhas parentéticas, em sua visão, tratam da presença do Paracleto/Espírito durante o ministério de Jesus. A última parte de sua teoria parece insustentável, uma vez que para João o Paracleto só pode vir quando Jesus tiver ido (16,7); durante o ministério de Jesus não foi outorgado o Espírito aos homens (7,39).

18. *órfãos*. Esta figura de linguagem não é incomum: dizia-se que os discípulos dos rabinos ficavam órfãos após a morte deles (StB, II, 562), como ocorreu com os discípulos de Sócrates após sua morte (*Fédon* 116A). No último discurso, a imagem se encaixa na alocução de Jesus dirigida a seus discípulos como "filhinhos" (13,33). Se aqui órfão significa destituído de pai ou, mais geralmente, alguém abandonado sem ter ninguém que cuide dele, é difícil de dizer; todavia, SCHWANK, *"Vom Wirken"*, p. 152, assinala este versículo como base para chamar Cristo de "Pai" na oração.

voltarei. Enquanto "voltar" (*palin*) foi expresso no v. 3, aqui e em 28 só está implícito.

19. *ainda pouco tempo*. *Eti mikron*; veja nota sobre 13,33. Que isto se refere ao ínterim antes do período escatológico é visto pela referência no versículo seguinte ao cumprimento da promessa de ver Jesus "naquele dia".

verá. Um tempo presente usado prolepticamente para comunicar a certeza do futuro. *Theōrein* é usado aqui, enquanto *horan* é usado na passagem paralela em 16,16.

porque eu tenho vida, vós tereis vida. Literalmente, "porque eu vivo, vós vivereis". Uma vez mais, a relação desta linha com a linha precedente é mais coordenada do que causal: a visão do Jesus ressurreto e a vida constituem um só dom. Na verdade, esta última linha do v. 19 poderia ser formada numa sentença separada: "porque eu tenho vida, também vós tereis vida".

20. *Naquele dia*. Esta expressão ocorre três vezes em João: aqui em 16,23.26. Muito embora no AT "aquele dia" seja uma fórmula tradicional para descrever o tempo da intervenção final de Deus (também em Mc 13,32), na forma definitiva do pensamento joanino o termo parece aplicar-se ao período da existência cristã possibilitado por "a hora" de Jesus. Compare "no último dia" em 6,39.40.44.54.

conhecereis. Isto poderia ser traduzido por "vós mesmos", se o pronome expresso para "vós" for enfático (assim BERNARD, II, 548); mas é bem provável que BULTMANN, p. 479[5], esteja certo quando mantém o contrário (BDF, §277²).

21. *Aquele que.* Em 21,23-24a há uma mudança para a terceira pessoa (talvez sob o impacto do tema Sabedoria – veja comentário). Os vs. 1-20 têm sido dirigidos aos discípulos na segunda pessoa; o discurso duplicado do cap. 16 conserva invariavelmente na segunda pessoa.

guarda os mandamentos que tem de minha parte. Literalmente, "tem os meus mandamentos e os guarda". Não há diferença real entre ter os mandamentos (somente aqui, mas com paralelos rabínicos) e guardá-los, ainda que Bernard, II, 548, veja guardar os mandamentos como um passo a mais (assim também Agostinho).

será amado por meu Pai. P^{75} diz "o guardará a salvo" (*tērein*; cf. 17,11) para "amado"; e C. L. Porter, em *Studies in the History and Text of the New Testament*, ed. por B. L. Daniels e M. J. Suggs (Salt Lake City: University of Utah, 1967), p. 74, opina que esta pode ser a redação original. Barrett, p. 388, diz que João não tem em mente que o amor de Deus é condicional à obediência do homem; antes, ele está se concentrando na correspondência mútua do amor. Todavia, é possível reconhecer isso no dualismo joanino, visto que o amor espontâneo de Deus é expresso no dom de seu filho, se alguém se aparta do Filho, esse despreza o amor de Deus.

22. *"Senhor", disse Judas.* As três perguntas que interrompem a sequência, propostas pelos discípulos neste capítulo (aqui, vs. 5 e 8) começam da mesma maneira. Evidentemente, há algum artifício redacional; contudo, se estivesse envolvida mera invenção, por que se introduziu um discípulo tão obscuro como este Judas?

Judas (não Judas Iscariotes). O original poderia ter dito simplesmente "Judas"; e o parêntese, bem como as variantes das versões, poderiam provir de tentativas por parte dos copistas visando ao esclarecimento. A saída de Judas Iscariotes, em 13,30, poderia ter indicado a um copista que este Judas não era o Iscariotes. Além de Iscariotes havia ao menos dois outros homens importantes chamados Judas (= Judá) que tinham contato com Jesus. O *primeiro* foi Judas, parente ou irmão de Jesus (Mc 6,3; Mt 13,55). Ele era irmão de Tiago de Jerusalém e é tradicionalmente identificado como o autor da Epístola de Judas. O *segundo* foi Judas de Tiago (i.e., presumivelmente, o filho de Tiago, não o irmão de Tiago, como algumas traduções dizem). Seu nome aparece nas duas listas lucanas dos Doze (Lc 6,16; At 1,13), porém não nas de Marcos ou Mateus. Nada sabemos dele, mas na hagiografia posterior houve uma tentativa de identificá-lo com Tadeu, ou Lebeu, cujo nome aparece nas listas de Mateus e Marcos dos Doze (Mc 3,18; Mt 10,3), mas desapareceu da lista de Lucas – uma identificação que, presumivelmente, é o produto de uma conjetura de alguém comparando as listas. Geralmente, sugere-se que o Judas mencionado no presente versículo, por João, é Judas de Tiago, e que ele era um dos Doze (assim Lucas e João frente a Mateus e Marcos sobre a composição dos Doze).

A versão copta saídica deste versículo diz "Judas o Cananeu", talvez uma tentativa de identificar Judas com Simão o Cananeu das listas marcana e mateana. O OS traz "[Judas] Tomé", e esta tradição de identificar Judas com Tomé Dídimo (veja nota sobre 11,16, que menciona a lenda de que Tomé era o irmão gêmeo de Jesus) aparece em obras de origem siríaca e no *Evangelho de Tomé*. H. Koester, HTR 58 (1965), 296-97, sugere que a tradição siríaca é correta e que o Judas em questão era o irmão de Jesus e foi apóstolo de Edessa. Entretanto, isto é muito especulativo, indo além da evidência e até mesmo além das tradições da igreja de Edessa. Cf. G. Quispel, NTS 121 (1965-66), 380. Podemos notar que estas tentativas nas versões para identificar Judas se opõem a identificá-lo com o "Judas de Tiago" lucano, pois a lista de Lucas distingue este discípulo de Simão o Zelote e de Tomé. Em face de evidência tão confusa, não é possível chegar a uma conclusão.

23. *guardará a minha palavra*. A expressão é usada nos vs. 23 e 24; em 8,51; e em 15,20; o tema de guardar a palavra de Deus aparece em 1Jo 2,5. Nos vs. 15 e 21, anteriormente, é utilizado a mesma expressão "guardar [os] meus mandamentos". O plural e singular de "palavra" aparecem no v. 24 sem diferença aparente de significado; e então a variação entre singular e plural no uso tanto de "palavra" como de "mandamento" (cf. a nota ao v. 15) não é de significação teológica clara. A equivalência entre "palavra" e "mandamento" se apoia no AT, onde os Dez Mandamentos são mencionados como as "palavras" de Deus (Ex 20,1; Dt 5,5.22 – de fato, "palavra", heb. *dābār*, pode ser um termo técnico para se referir as estipulações da aliança); veja também como são intercambiáveis "mandamentos", "palavra" e "palavras" no texto grego do Sl 119,4.25.28. À luz deste pano de fundo veterotestamentário, não aceitamos a tese de Bultmann (p. 475²) de que, posto que "guardar os mandamentos" é o mesmo que "guardar a palavra", a expressão simplesmente se refere à fé, e, portanto, em João não há sinal do "legalismo da igreja católica incipiente". Por todo o pensamento neotestamentário, há um forte legado da lei e preceitos recebidos do AT. Em 1 João se unem a fé e uma vida moral cuidadosamente regulada.

Então meu Pai o amará, e viremos para ele. Em RB 57 (1950), 392-94, Boismard dá evidência em prol de uma forma mais breve: "Então eu e meu Pai viremos". Para a diferença entre a noção que João tem de morada divina e a de Filo, veja Lagrange, pp. 389-90.

24. *a palavra que ouvistes não é minha*. Os manuscritos ocidentais leem: "minha palavra não é minha". Talvez esta redação tenha sido produzida por analogia com 7,16: "Minha doutrina não é minha, mas vem daquele que me enviou".
vem de mim. Literalmente, "é de".

COMENTÁRIO

Muitos autores, entre eles Bultmann, Wikenhauser e Boismard têm encontrado um interessante esquema triádico nesta segunda unidade da Primeira seção. Se o mandamento, "tende fé [crede] em mim", domina a primeira unidade (14,1.11), a ideia de "amai-me" domina a segunda unidade. Uma afirmação sobre amar a Jesus e guardar seus mandamentos/palavra(s) ocorre três vezes (15,21,23); e em cada caso há uma promessa de que a presença divina virá aos que cumprem o mandamento. Nos vs. 15-17, é o Paráclito/Espírito que virá habitar nos discípulos. Nos vs. 18-21, é Jesus quem virá habitar nos discípulos. Nos vs. 23-24 (o v. 22 serve de transição), é o Pai quem virá, juntamente com Jesus, fazer morada nos discípulos. Assim, aparentemente, aqui há um esquema triádico que põe em estreito paralelismo o Espírito, Jesus e o Pai (com Jesus). Tal esquema não seria incomum; por exemplo, esquemas triádicos breves são frequentes nos escritos paulinos (1Cor 12,4-6; 2Cor 13,13; Ef 4,4-6). Se alguém aceita este esquema em Jo 14,15-24, a teoria mais plausível sobre sua origem é que as sentenças independentes sobre a presença divina foram reunidas, e que estas sentenças se originaram de diferentes períodos dentro da história da tradição joanina. (Frequentemente as sentenças sobre a presença de Deus através e no Paráclito são tidas como sendo as mais tardias).

Entretanto, sem negar necessariamente a validade do esquema triádico, pode-se notar que ele atenua muitas dificuldades. A terceira subunidade não se preocupa unicamente com o Pai, mas com o Pai e com Jesus. Na verdade, o Pai já há sido mencionado no v. 21, na segunda subunidade, embora a morada do Pai não seja especificada ali. De fato, nos vs. 21-24 se pode apresentar uma razão para certa unidade, visto que esses versículos falam do discípulo cristão na terceira pessoa, enquanto que os vs. 15-20 se dirigem aos discípulos na segunda pessoa (cf. nota sobre "aquele que" no v. 21). Além do mais, o esquema de pergunta e resposta, nos vs. 22-23a, realmente serve melhor como um conectivo entre os vs. 21 e 23-24 do que como um divisor entre duas das unidades triádicas menores.

Mas independentemente de que se aceite ou não o esquema triádico, o certo é que há menção de três tipos de habitação divina. A despeito de suas origens presumivelmente independentes, os ditos sobre estas habitações têm sido combinadas em uma unidade que começa e termina sobre o tema de amar Jesus e guardar seus mandamentos. Provavelmente, no estágio final da teologia joanina, todas estas habitações eram tidas como sendo realizadas através do Paráclito. O Paráclito é a presença de Jesus enquanto ele está ausente, de modo que "eu voltarei para vós", no v. 18, não constitui contradição à ideia de que o Paráclito está sendo enviado. E visto que o Pai e Jesus são um, a presença do Pai e Jesus (23) realmente não é diferente da presença de Jesus no Paráclito.

Finalmente, podemos notar que em 16,4b-33, que o discurso é uma duplicação do cap. 14, não há nenhum esquema triádico rigorosamente formulado. Não volta a repetir-se regularmente a sentença sobre amar Jesus e guardar seus mandamentos. A vinda do Paráclito, nos vs. 16,13-15, é seguido de uma seção que promete que os discípulos verão Jesus outra vez (= 14,19); mas não se diz que Jesus habitará nos discípulos, nem se diz que o Pai habitará neles (embora em 16,27 leiamos que o Pai ama os discípulos). BOISMARD, *art. cit.*, afirma que o cap. 14 se parece muito com as epístolas joaninas, mesmo que o cap. 14 seja cristocêntrico, enquanto 1 João é teocêntrico. Aos versículos do cap. 14 (15,21,23-24) que falam de amar a Deus correspondem os versículos em 1 João (4,20-21; 5,2-3) que falam de amar a Deus. Na nota sobre o v. 15, indicamos que a insistência nesta unidade de João sobre guardar os mandamentos de Jesus corresponde com 1 João, insistindo sobre guardar os mandamentos de Deus, cuja observância assegura a habitação de Deus no cristão (1Jo 3,24; 4,12-16).

Versículos 15-17: A vinda do Paráclito

O v. 15 começa com o mandamento de amar a Jesus. Enquanto o amor de Deus é um tema bem atestado em ambos os Testamentos, surpreendentemente o tema do amor de Jesus para com o cristão não é muito comum – fé em Jesus é um tema mais frequente. O amor de Jesus é mencionado principalmente nos livros tardios do NT: *agapan* é o verbo usado nesta unidade de Jo 14; em 8,42; 21,15.16; Ef 6,24;

1Pd 1,8; e *philein* é usado em Jo 16,27; 21,17; Mt 10,37 (cf., porém, Lc 14,26); 1Cor 16,22. O conhecimento de que o cristão deve amar a Jesus assim como ele ama o Pai, pode ser uma faceta de um desenvolvimento teológico gradual na compreensão de quem é Jesus, mas não podemos desconsiderar o fato de que o mandamento de Jesus de ser amado é perfeitamente familiar no ambiente da aliança do último discurso e da última ceia. N. LOHFINK (GeistLeb 36 [1963], 271-81) tem apontado para um paralelismo entre o mandamento do Deus da aliança do Sinai de ser amado exclusivamente por seu povo (Dt 6,5) e o mandamento por amor exclusivo da parte de Jesus, que é a presença visível de Deus entre os homens, estabelecendo uma nova aliança com eles.

A introdução do tema do Paráclto nos vs. 16-17 não é tão abrupta quando o dom do Paráclito é associado com o tema de que as orações de alguém são respondidas por Deus (13-14). Obtemos a mesma sequência em Lc 11,9-13: "Pedi e vos será dado. ... Quanto mais o Pai celestial dará o Espírito Santo aos que lho pedirem". Os vs. 16-17 constituem a primeira das cinco passagens do Paráclito no último discurso, as quais trataremos em conjunto no apêndice V, mencionando aqui somente aspectos peculiares a esta passagem que agora comentamos. Duas das passagens que ocorrem no cap. 14, e duas que ocorrem no discurso duplicado de 16,4b-33; e em cada um dos casos, a primeira passagem se ocupa da oposição entre o Paráclito e o mundo. A referência do v. 16 ao Paráclito como "outro Paráclito" (veja nota) tem a implicação óbvia de que Jesus tem sido um Paráclito, visto que o outro Paráclito virá quando Jesus partir. 1Jo 2,1 apresenta Jesus como um Paráclito em sua função de intercessor celestial diante do Pai depois da ressurreição; todavia, João parece dar a entender que Jesus tem sido um Paráclito durante seu ministério terreno. (A sugestão de que Jesus é um Paráclito em virtude de haver pronunciado a grande oração intercessória do cap. 17 dificilmente é adequada para explicar a implicação de 14,16-17, onde não se atribui ao Paráclito nenhuma função intercessória). No apêndice V veremos que o Espírito da Verdade é um Paráclito precisamente porque ele leva adiante a obra terrena de Jesus. O Paráclito/Espírito diferirá de Jesus, o Paráclito, em que o Espírito não é fisicamente visível, e sua presença só será possível por meio da habitação nos discípulos. O tema veterotestamentário do "Deus conosco" (o Emanuel de Is 7,14) se realizará agora no Paráclito/Espírito que permanece com os discípulos para sempre.

Versículos 18-21: A vinda (retorno) de Jesus

Há um paralelismo entre a primeira e a segunda unidades menores do esquema triádico, aquelas que tratam, respectivamente, da vinda e da habitação do Paráclito/Espírito e a vinda (retorno) e habitação de Jesus:

	vs. 15-17	vs. 18-21
Condições necessárias: amar a Jesus; guardar seus mandamentos	15	21
Doação do Paráclito; retorno de Jesus	16	18
O mundo não verá o Paráclito nem a Jesus	17	19
Os discípulos reconhecerão o Paráclito e verão a Jesus	17	19
O Paráclito e Jesus habitarão nos discípulos	17	20

(João parece ter dois esquemas de paralelismo. Um é quiástico, onde há uma sequência inversa nas duas seções, de modo que, juntas, formam uma curva parabólica; veja 6,36-40 em vol. 1, p. 455; também 15,17-17 à p. 1053 abaixo. No outro esquema, a sequência é a mesma em ambas as seções, frequentemente com a exceção de que o primeiro versículo em uma seção se vincula com o último versículo da outra; veja 5,19-30 em vol. 1, p. 444. O último está envolvido aqui). Tal paralelismo constitui a maneira de João de dizer ao leitor que a presença de Jesus, após seu retorno ao Pai, é realizada em e através do Paráclito. Não se trata de duas presenças, mas sim de uma mesma presença.

Visto que já chamamos a atenção para as semelhanças entre Jo 14 e 1 João, é interessante salientar que os cinco aspectos citados acima se encontram em 1 João, geralmente em descrições do Pai (nem sempre é possível dizer a quem o "ele" e "seu" de 1 João se refere):

	1 João
Condições necessárias: amar uns aos outros; guardar seus mandamentos	3,23-24
Revelação de Deus	3,2
Oposição entre o Pai e o mundo	2,15-17
Os cristãos o verão como ele é	3,2
Deus habita nos cristãos	3,24

Comentando os versículos individuais desta subseção, encontramos na primeira linha do v. 18 uma ponte entre a referência ao Paráclito e a referência à atuação pós-pascal de Jesus. De fato, é difícil estar certo sobre que tipo de habitação constitui a base para "não vos deixarei órfãos". Ainda que na presente sequência "voltarei para vós" provavelmente deva ser interpretada em termos da vinda do Paráclito, devemos indagar sobre a referência original destas palavras, se, como é provável, uma vez existiram independentemente da promessa do Paráclito. Os Padres latinos pensavam que a referência era à parousia prometida em 14,2-3. A implicação no v. 19, de que a vinda ocorrerá depois de pouco tempo, não constitui obstáculo a esta interpretação, já que a frase não é uma indicação cronológica (nota sobre 13,33), e as palavras "naquele dia", do v. 20, podem favorecer a ideia da parousia. Mas a afirmação no v. 19 de que o mundo não verá Jesus não se adequa absolutamente à parousia. Os Padres orientais em geral entenderam que se fazia uma referência às aparições pós-ressurreição de Jesus, interpretação que toma "por pouco tempo" literalmente. Isto se adequa bem à ideia de que o mundo não verá Jesus (At 10,40-41: "Deus fez que se manifestasse, não a todo o povo, mas a nós que fomos escolhidos como testemunhas"). Igualmente, a afirmação no v. 19, "eu tenho vida", parece uma terminologia característica da ressurreição: Lc 24,5: "Por que buscais o vivo entre os mortos?"; 23: "... uma visão de anjos, que dizem que ele vive"; também Mc 16,11; At 1,3; Ap 1,18.

Todavia, é óbvio que Jesus está falando de uma presença continuada mais do que era possível no breve período de aparições pós-ressurreição – não só as palavras "não vos deixarei órfãos", mas toda a tonalidade de suas observações implicam uma continuidade. Portanto, se originalmente estes versículos se referiam à volta de Jesus numa série de aparições pós-ressurreição, logo foram interpretados nos círculos joaninos como uma referência a uma presença permanente e não física de Jesus após a ressurreição. (E aparentemente isto aconteceu antes que fossem associados com a promessa do Paráclito e posteriormente reinterpretados como uma referência à presença de Jesus por meio de seu Espírito). Esta reinterpretação se desenvolveu a partir da profunda convicção que o verdadeiro dom do período pós-ressurreição se deu naquela união com Jesus que já não haveria de depender da presença física. Isto não significa que passagens tais como esta despojem o evento pascal de seu caráter externo e miraculoso (BULTMANN, p. 479), e que não há diferença entre as aparições que seguem à ressurreição e a habitação. Mais certo é que o Quarto Evangelho (20,27) sai um pouco de sua linha para insistir no caráter externo das aparições e na realidade corpórea do Jesus ressurreto. Mas João também compreendeu que as aparições e a realidade corpórea não eram um fim em si mesmas; mas sim que iniciavam um tipo mais profundo de presença. (Vimos a mesma atitude com relação aos milagres de Jesus: o Quarto Evangelho não prescinde da realidade dos milagres, porém insiste sobre seu significado espiritual). Esta postura não é exclusiva de João; pois em Mt 28,20 o Jesus ressurreto diz: "Eu estou sempre convosco, até a consumação dos séculos". (Todavia, é possível que Mateus não esteja falando da presença de Jesus nos cristãos individuais, mas na comunidade cristã como tal). Deve-se notar que nenhuma destas passagens se ocupa da presença de Jesus encontrada pelos místicos; a presença de Jesus é prometida, não a uma minoria seleta, mas aos cristãos em geral.

O tema na última linha do v. 19, de que a vida de Jesus é a base e a fonte da vida cristã é doutrina comum do NT (Rm 5,10; 1Cor 15,22). No v. 20, João dá um passo a mais e propõe a ideia de que, uma vez que os cristãos tenham recebido a vida de Jesus, serão aptos a reconhecer que ela é uma vida mutuamente partilhada pelo Pai e pelo Filho (veja também 5,26; 6,57). Já salientamos que muitas classes de fórmulas referente à habitação que envolvem Jesus, o Pai e os discípulos (p. 971 acima).

A menção de habitação no v. 20 é seguida, no v. 21, pela condição da qual depende essa habitação: guardar os mandamentos de Jesus e, portanto, amá-lo. As primeiras duas linhas do v. 21 se relacionam com o v. 15 de uma forma inversa e mostram que amar e guardar os mandamentos são apenas duas diferentes facetas do mesmo estilo de vida. O amor motiva a guarda dos mandamentos, e deveras o amor é a substância dos mandamentos de Jesus. A afirmação no v. 21 de que todo o que ama (*agapan*) Jesus será amado pelo Pai tem um paralelo no discurso duplicado de 16,27: "Pois o próprio Pai vos ama [*philein*], porque me tendes amado". O pano de fundo sapiencial veterotestamentário do pensamento e vocabulário joaninos em grande medida vem em primeiro plano no v. 21. Por exemplo, Sb 6,18 fala da Sabedoria: "O amor [*agapē*] consiste em guardar suas leis"; também 6,12: "Ela é facilmente vista [*theōrein*] por aqueles que a amam".

Se Jesus diz: "Eu mesmo me revelarei a ele [o que me ama]", Sb 1,2 diz que o Senhor se revelará aos que confiam nele.

A questão proposta no v. 22 conecta o final da segunda subunidade (18-21) com o início da terceira subunidade (23-24) – a menos que se leve mais a sério a possibilidade supramencionada (p. 1022) de que os vs. 21-24 foram um único conjunto. O problema que preocupa Judas é tão perturbador como o problema proposto bem antes em 7,4, quando os "irmãos" de Jesus insistentemente sugeriram que ele mostrasse seus milagres ao mundo. Poderíamos esperar que nesse momento Judas tivesse exercido mais fé em Jesus do que os irmãos incrédulos dele (Jesus), mas, evidentemente, a natureza das expectativas messiânicas dos discípulos não mudou muito (cf. Lc 22,24, na última ceia). Jesus falara de revelar-se aos seus discípulos. Ele tinha em mente que faria isso pela habitação (se falarmos no nível do presente contexto); mas este mesmo termo fora usado nas descrições que a LXX faz da teofania apresentada a Moisés no Sinai (Ex 33,13.18). Então pareceria que Judas, talvez não diferente de Filipe, no v. 8, está buscando outra teofania que deixe o mundo perplexo e não consegue entender a afirmação de Jesus no v. 19 de que o mundo não o verá mais. (Se em um período anterior à "volta" do vs. 18-21 se referia às aparições pós-ressurreição, então esta questão pode ter sido originalmente centrada no fato de que o Jesus ressurreto não se mostrou a todos os homens, um problema refletido em At 10,40-41 e ainda era discutido nos dias de Orígenes. Orígenes [*Celso* 2,63-65; GCS 2:185-87] deu a resposta de que nem todos os olhos poderiam suportar a glória do Ressurreto. A resposta de João pareceria ter sido que o amor de Jesus e a guarda dos mandamentos eram necessários para se partilhar da presença de Jesus em qualquer de suas formas).

Versículos 23-24: A vinda do Pai (junto com Jesus)

Como sucedeu antes com muita frequência (3,5; 4,13), Jesus não responde diretamente à pergunta proposta por Judas, embora, quando propriamente entendido, o que ele diz constitui uma resposta. Ele se vale da oportunidade para explicar uma vez mais o que realmente significa vê-lo; e, portanto, implicitamente explica por que o mundo não pode vê-lo. No v. 9, ele disse a Filipe: "Todo aquele que me tem visto, tem visto o Pai"; agora ele salienta que sua presença depois da ressurreição também significará a presença do Pai. Salientamos acima cinco aspectos que eram comuns às descrições da presença do Paráclito e de Jesus; três destes reaparecem aqui no v. 23, em relação à presença do Pai: as condições necessárias de amar a Jesus e de guardar sua palavra; a afirmação de que o Pai (e Jesus) virá para os discípulos; e uma referência à habitação do Pai (e Jesus) no interior do discípulo. Dos dois aspectos restantes, não há menção específica da incapacidade do mundo de ver o Pai, como foi o caso com o Paráclito e com Jesus; mas os versículos que tratam da presença do Pai são em resposta à indagação de Judas por que não haverá revelação ao mundo. Quanto à capacidade especial do cristão de ver ou reconhecer o Pai, ouvimos no v. 7: "Se vós realmente me conhecêsseis, então também reconheceríeis a meu Pai. Desde agora vós, O conheceis e O tendes visto". Assim, as similaridades partilhadas pelas subunidades do padrão triádico são realmente impressionantes.

No v. 23, Jesus enfatiza que a habitação divina flui do amor do Pai para com os discípulos de Seu Filho. Em 3,16, ouvimos que Deus amou o mundo de tal maneira que deu seu Filho unigênito – se a encarnação (e a morte) do Filho foi um ato do amor do Pai para com o mundo, a habitação pós-ressurreição é um ato especial do amor para com o cristão. No v. 2 encontramos a palavra "morada" (*monē*) usada para a morada celestial com o Pai para onde Jesus levaria seus discípulos; aqui, ela é usada para a habitação do Pai e o Filho no crente. Embora as palavras de Jesus não excluam a parousia ou revelação em glória tal como Judas esperava, ele está dizendo implicitamente que na habitação se cumprem algumas das expectativas do período final. Um profeta como Zc (2,14 [10]) prometeu em nome de Iahweh: "Eis que eu virei habitar no meio de vós". Israel havia esperado que isto ocorresse no templo, a casa de Deus (cf. Ex 25,8; 1Rs 8,27ss.); mas no pensamento joanino esta era agora a hora em que os homens adorariam o Pai, não no Monte Gerizim, nem no Templo de Jerusalém, mas em Espírito e em verdade (4,21-24).

O v. 24 repete indiretamente à razão pela qual o mundo não pode ver o Pai, a saber, porque ele recusa ouvir a palavra de Jesus, posto que ele não ama a Jesus. Como o expressa AGOSTINHO (*In Jo.* LXXVI 2; PL 35:1831), "O amor separa os santos do mundo". O tema no v. 24 é muito similar ao que Jesus disse em 12,48-49. Ali ele prometeu que a palavra que ele falava condenaria os incrédulos no último dia.

Aqui, vemos como se faz realidade aquela ameaça ao separar o incrédulo da fonte da vida à qual o verdadeiro discípulo de Jesus está unido.

[A Bibliografia para esta seção está inclusa na Bibliografia no final do §52.]

52. O ÚLTIMO DISCURSO:
– PRIMEIRA SEÇÃO (TERCEIRA UNIDADE)
(14,25-31)

Pensamentos finais de Jesus antes da partida

14 ²⁵"Eu vos tenho dito isto enquanto estou ainda convosco.
²⁶Mas o Paráclito, o Espírito Santo
   que o Pai enviará em meu nome,
   vos ensinará todas as coisas
   e vos fará lembrar de tudo o que eu vos disse [de mim mesmo].
²⁷Deixo-vos a paz.
   Minha 'paz' é o meu dom a vós,
   e não vo-la dou
   como o mundo a dá.
   Que vossos corações não se turbem,
   Nem voz atemorizeis.
²⁸Ouvistes o que eu vos disse:
   'Vou', e 'retorno para vós.'
   Se me amásseis,
   Vós vos regozijaríeis por eu ir para o Pai,
   pois o Pai é maior do que eu.
²⁹Mas agora eu vos tenho dito isto antes que aconteça,
   para que, quando acontecer, acrediteis.
³⁰Já não falarei [muito] convosco,
   pois o Príncipe deste mundo está chegando.
   Na verdade, contra mim, ele nada pode;
³¹mas o mundo deve reconhecer que eu amo o Pai
   e que faço como o Pai me ordenou.
   Levantai-vos! Partamos daqui".

NOTAS

14.25. *Eu vos tenho dito isto*. Literalmente, "estas coisas". Estas palavras se repetirão seis vezes como um refrão na Segunda Seção do último discurso (15,11; 16,1.4a.6.25.33). Em dois casos (16,4a.33), o refrão marca o fim de uma subdivisão; em três casos (15,11 e 16,1.25), ele vem uns poucos versículos antes do final quando Jesus conclui, na forma de resumo, suas palavras. Bernard, II, 485, salienta que um refrão deste tipo não é incomum nos profetas: "Eu, o Senhor, tenho falado" ocorre muitas vezes em Ezequiel (p. ex., 5,13.15). Há um paralelo funcional no refrão com o qual Mateus marca o final de cada um de seus cinco grandes discursos: "Quando Jesus terminou estas palavras [ou estas parábolas ou instrução]...". (7,28; 11,1; 13,53; 19,1; 26,2).

estou ainda convosco. Literalmente, "permanecendo convosco"; para a intercambialidade entre "permanecer" e "estar", veja nota sobre o v. 16 ("estar convosco"). Se João usa o verbo *menein* aqui para descrever a presença de Jesus na última ceia com seus discípulos, o verbo foi usado anteriormente no v. 17 para descrever a presença futura do Paráclito/Espírito com os discípulos, e o substantivo cognato *monē* foi usado no v. 23 para descrever a presença futura do Pai e do Filho com os discípulos.

26. *Mas*. O v. 26 se relaciona com o v. 25; o Paráclito assume o lugar de Jesus (explicitamente em 16,7).

o Espírito Santo. Esta é uma redação muito bem atestada. Há apoio menor para "o Espírito da Verdade", mas isto provavelmente seja uma harmonização com outras passagens do Paráclito (14,17; 15,26; 16,13). O OS^{sin} diz simplesmente "o Espírito"; Barrett, p. 390, salienta que não é impossível que uma redação tão sucinta fosse original, e que ambos, "santo" e "de verdade", são esclarecimentos de copistas. Deve-se notar que este é o único exemplo, em João, da forma grega mais completa do "Espírito Santo (*to pneuma to hagion*), de modo que, até mesmo alguns que pensam ser esta a redação genuína sugerem que no processo da redação joanina ela foi introduzida numa passagem que originalmente só mencionou o Paráclito. A questão tem importância, porque há alguns estudiosos que questionam a identificação tradicional do Paráclito com o Espírito Santo (veja Ap. V), e esta é a única passagem que faz explicitamente essa identificação.

enviará. Veja nota sobre "dará" no v. 16.

vos ensinará todas as coisas. Um pronome masculino é o sujeito do verbo (veja nota sobre "o" no v. 17). Embora devamos precaver-nos de ler discussões teológicas do 4º século no Oriente sobre pessoa e natureza ao analisar este pronome, Bernard, II, 500, está certo em dizer que o uso dos pronomes masculinos mostra que, para o autor, o Espírito era mais do que um impulso ou influência. O "tudo" estabelece um contraste com o "isto" ("estas coisas") do v. 25, mas não necessariamente no sentido de que o Paráclito ensinará mais, quantitativamente, do que Jesus fez durante seu ministério. Antes, como deduzimos de 16,13, o Paráclito capacitará os discípulos a verem o pleno significado das palavras de Jesus. Em 1Jo 2,27, o cristão é informado que a unção que ele tem de Deus "vos ensina acerca de tudo" e que ele não necessita de novo ensino (também 2Jo 9). A presente passagem e seu paralelo em 16,13 ("ele vos guiará a toda a verdade") são um eco do Sl 25,5: "Guia-me pelo caminho de tua verdade e ensina-me".

vós fará lembrar. O verbo é usado em Lc 22,61 para evocar as palavras de Jesus. BULTMANN, p. 485[1], salienta que ensinar e lembrar não são duas funções diferentes do Paráclito, e sim aspectos da mesma função. Assim, as últimas duas linhas do v. 26 constituem um paralelismo sinonímico.

[*de mim mesmo*]. O pronome pessoal se encontra no Códice Vaticano e em uns poucos manuscritos; se esta leitura é original, tem valor enfático.

27. *'Paz' é o meu adeus a vós*. Literalmente, "a paz eu vos deixo". O verbo "deixar" pode ter o sentido de legado, embora não seja um termo técnico judicial. Há aqui um jogo de palavras na saudação tradicional hebraica "Shalom" (*šālōm*, "paz"), p. ex., 1Rs 1,17. Ao partir, Jesus diz "Shalom" aos seus discípulos; mas seu "Shalom" não é a saudação impensada dos homens ordinários – é o dom da salvação (veja Comentário). "Paz", juntamente com "graça" se tornou parte da saudação tradicional de um cristão para o outro (Rm 1,7; 1Cor 1,3); mas, a despeito do seu frequente uso, ela reteve seu significado profundamente religioso: "Que a paz de Cristo reine em vossos corações" (Cl 3,15).

corações. Veja nota sobre 14,1.

tenhais medo. Ap 21,8 amaldiçoa os covardes juntamente com outros perversos; pois o medo para os primeiros cristãos representava falta de fé em Jesus.

28. *Ouvistes o que eu vos disse: 'Vou e retorno.'* O verbo é *hypagein*. Jesus disse isto indiretamente em 13,33 ("Para onde estou indo [*hypagein*], vós não podeis vir") e em 14,4 ("Vós conheceis o caminho para onde estou indo [*hypagein*]". Aparentemente, é ao último que Jesus está se referindo.

'Retorno para vós.' O verbo é *erchesthai*. Jesus disse isto exatamente em 14,18, mas veja também o *palin erchesthai* de 14,3. Somente em 14,3-4 é que as duas afirmações citadas no v. 28 aparecem juntas, mas ali nenhuma delas coincide ao pé da letra com as palavras do v. 28.

Se me amásseis. Alguns manuscritos amenizam o elemento condicional de forma que se entenda que os discípulos amam realmente a Jesus. Para o uso do aoristo na apódose desta condição irreal, veja ZGB, §317.

ir para o Pai. Aqui, o verbo é *poreuesthai*; veja nota sobre "partir" no v. 2.
pois o Pai é. O OS diz "que é".
29. Veja Nota sobre 13,19.
30. [*muito*]. Não são fortes as provas a favor de sua omissão (OS^{sin}); todavia, um copista, pensando ser a afirmação "não mais falarei convosco" estranha, quando três capítulos do discurso estavam ainda adiante, poderia ter inserido a palavra. Sem "muito" a afirmação teria feito sentido perfeito quando todo o discurso final se reduzia à Primeira Seção.

o Príncipe deste mundo. Veja nota sobre 12,31. No discurso duplicado do cap. 16 ele é mencionado no v. 11.

contra mim, ele nada pode. Literalmente, "em mim ele nada tem"; para nossa tradução, veja BAG, p. 334, §I,7. Há evidência, tanto nas versões como na patrística, para outra redação: "em mim ele nada *acha*" (por combinação, o Codex Bezae tem ambos os verbos). Isto pode ser uma tentativa de copistas em oferecer uma leitura mais fácil, mas BOISMARD sugere que os dois verbos representam traduções alternativas de um verbo aramaico (*'aškaḥ*) que significa tanto "ser capaz" e "encontrar" – veja discussão completa em ÉvJean, pp. 54-55.
31. *mas o mundo deve reconhecer*. Literalmente, "a fim de que o mundo reconheça" – uma construção elíptica similar àquelas em 9,3 e 13,18. Alguns a conectariam ao que segue para que explique a razão para a ordem de levantar e sair (talvez entendido como uma referência à sua ascensão ao Pai). Mais provavelmente, a cláusula deve relacionar-se com o conjunto de ideias precedentes e explica por que Jesus está entrando em luta com o Príncipe deste mundo.

e que faço como o Pai me ordenou. A obediência de Jesus ao mando do Pai é um tema joanino: "Fazendo a vontade daquele que me enviou... que é meu alimento" (4,34); "Eu guardo sua palavra" (8,55).

COMENTÁRIO

No cap. 14 é difícil saber onde uma unidade termina e a outra começa. Por exemplo, os vs. 25-26 pode ser tratado como o término da unidade 15-24 (assim SCHWANK), com a referência ao Paráclito do v. 26 servindo como uma inclusão à seção anterior sobre o Paráclito em 15-17. Entretanto, de outro ponto de vista, 25-26 podem ser postos com 27-31, pois estes versículos coligem os vários temas que se espalharam por toda a Primeira Seção do último discurso e a cena da última ceia que serve de prefácio:

26: O Paráclito = 14,16-17
27: Não se turbem os vossos corações = 14,1
28: Estou indo = 14,2
28: Então voltarei = 14,3
28: Se me amásseis (contrariando o fato da condição) = 14,7 (Se realmente me conhecêsseis)
29: Eu vos disse isto antes que aconteça = 13,19
30: O Príncipe deste mundo = 13,27 (Satanás)

Visto que o refrão do v. 25, "eu vos tenho dito isto", é usado em outro lugar no último discurso para introduzir observações conclusivas (veja nota), parece preferível considerar os vs. 25-31 como a conclusão da cena da última ceia e da forma original do último discurso (pp. 947-50 acima). As observações têm um aspecto de conclusão e despedida, e o v. 31 é o sinal de partida do cenáculo.

Versículos 25-26: O envio do Paráclito como mestre

O refrão no v. 25 difere dos outros casos de seu uso em que ele é modificado pela cláusula "enquanto estou convosco", uma sombria advertência de que o tempo de Jesus com seus discípulos está se acabando. Isto prepara o caminho para outra referência ao Paráclito. A segunda passagem sobre o Paráclito tanto no cap. 14 como no cap. 16 (13-14) trata de sua função como mestre. Ambos são introduzidos por uma afirmação sobre as limitações que o tempo tem imposto ao que o próprio Jesus poderia ensinar (14,25; 16,12), e o ensino do Paráclito se relaciona claramente com o próprio ensino de Jesus. "Ele não falará de si próprio, mas falará somente o que ouvir... porque é de mim que ele receberá o que há de vos declarar" (16,13-14). Se a primeira passagem sobre Paráclito (14,16) afirmou que o Pai daria o Paráclito *a pedido de Jesus*, esta passagem diz que o Pai enviará o Paráclito *em nome de Jesus*. As duas frases se relacionam (recorde-se que nos vs. 13-14 os cristãos foram informados a fazer seus pedidos em nome de Jesus); mas, como já salientamos (p. 1012 acima), "em meu nome" leva consigo uma implicação de união com Jesus. Quando o Pai age em nome de Jesus, esta ação flui da união de Pai e Filho (uma união que foi o tópico dos vs. 2, 23-24). Aqui, "em meu nome" pode também referir-se à maneira de desenvolver da missão: a missão do Paráclito vem completar a missão de Jesus.

Jesus porta o nome de Deus (17,11.12) porque ele era a revelação de Deus aos homens; o Espírito é enviado no nome de Jesus porque ele revela o significado de Jesus para os homens. Se Jesus pôde dizer no v. 24, "A palavra que ouvistes não é de mim mesmo", assim também o ensino que o Paráclito comunicará não é propriamente seu.

Versículo 27ab: O dom da paz como despedida

As primeiras quatro linhas deste versículo consistem numa promessa solene feita por Jesus aos discípulos de que ele deixa o mundo. A paz de que Jesus fala nada tem a ver com a ausência de luta (aliás, ela só virá depois que o mundo for vencido: 16,33), nem com o término da tensão psicológica, nem com uma sensação sentimental de bem-estar. CIRILO de Alexandria identificou a paz com o Espírito Santo mencionada no versículo anterior; sua exegese é errônea, mas se aproxima mais da verdade do que muitas das modernas distorções retóricas deste versículo, pois ele reconhece corretamente que a paz de Jesus é um dom que pertence à salvação do homem. BARRETT, p. 391, ressalta que já em muitas passagens do AT "paz" adquirira mais do que um significado convencional; por exemplo, como um dom especial do Senhor em Sl 29,11; Is 57,19. Na linguagem joanina, "paz", "verdade", "luz", "vida" e "alegria" são termos figurativos que refletem diferentes facetas do grande dom que Jesus trouxe do Pai aos homens. "'Paz' é o meu dom a vos" é outro modo de dizer "eu lhes dou a vida eterna" (10,28). A "minha paz" de que Jesus fala aqui é o mesmo que a "minha alegria" de 15,11 e 17,13.

O uso do termo "paz", aqui, é particularmente apropriado, uma vez que está envolvida uma despedida (veja nota). No v. 20, Jesus usou a expressão típica do AT "naquele dia", implicando que sua permanência com seus discípulos depois da ressurreição cumpriria as visões escatológicas dos profetas. Para estes profetas, o rei messiânico enviado por Deus havia de ser o príncipe da paz (Is 9,6) que "ordenaria paz às nações" (Zc 9,10). O portador das boas notícias havia de ser aquele que anuncia paz e salvação (Is 52,7). O tema da paz também pertence à mentalidade pactual que temos visto exibida na última ceia. Em Ez 37,26, Iahweh diz a Ezequiel: "Farei com eles uma aliança de paz". (Ezequiel deixa claro que uma parte essencial da aliança é que Iahweh poria seu santuário no meio de seu povo para sempre; assim também a aliança de Jesus com seus seguidores envolve sua permanência com eles para sempre). Segundo Sb 3,1.3, paz é uma das bênçãos das almas dos justos que estão na mão de Deus, mas na escatologia realizada joanina paz é desfrutada pelos cristãos durante esta vida.

Versículos 27c-29: A partida de Jesus

As últimas duas linhas do v. 27 repetem o conselho inicial do cap. 14, a saber, que os discípulos não temessem ou não se atemorizassem com a partida de Jesus. Enquanto este pensamento liga suavemente após a menção de paz, sua função primordial é preparar o caminho para os vs. 28-29, onde essa partida será enfatizada e ampliada. Uma vez mais, estamos na atmosfera do discurso de despedida, pois parte do conselho de Moisés em Dt 31,8 é "não temas". Tal conselho é especialmente apropriado quando Jesus parte, pois esta partida envolve um combate com o Príncipe deste mundo (30-31).

No v. 28 Jesus recorda o que ele disse no vs. 3-4 (veja nota) sobre ir embora e voltar, uma inclusão que engloba o início e o fim do corpo da Primeira Seção. A condição irreal, "Se me amásseis...", não significa negar que os discípulos o amam, mas sim indicar que seu amor é possessivo em vez de ser generoso. O Jesus joanino representa o Pai e leva ao Pai, e assim, ao ir para seu Pai, ele está cumprindo o propósito de sua vida; qualquer amor que fracasse em reconhecer este fato, esse não é amor verdadeiro. Assim, fé e amor implícitos estão estreitamente associados aqui. O pensamento é levado ainda mais longe em 16,7: "É para o vosso próprio bem que estou partindo", pois nessa afirmação são visualizados tanto a glorificação de Jesus com o Pai como os resultados dessa glorificação para os homens.

A última linha do v. 28, "pois ó Pai é maior do que eu", tem sido causa de muito debate cristológico e trinitário. Os arianos evocavam esta afirmação para justificar sua cristologia, e, subsequentemente, muitas vezes ela tem sido usada como um argumento contra a divindade de Jesus. (Aqui, porém, Loisy, p. 415, é muito perceptivo: "À luz do próprio fato de Cristo comparar-se com o Pai, é tomado por admitido que ele é de natureza divina por razão de sua origem celestial". Para outros textos que parecem fazer Jesus menor que Deus Pai, veja vol. 1, p. 199). Tem havido duas interpretações ortodoxas clássicas. Um grupo de Padres da igreja (Orígenes, Tertuliano, Atanásio, Hilário,

Epifânio, Gregório de Nazianzo, João Damasceno) tem explicado o texto como expressando a distinção entre o Filho e o Pai: o Filho é gerado, enquanto o Pai não o é. Entretanto, esta interpretação tem como ponto de partida a reflexão dogmática posterior sobre a Escritura, em lugar de uma exegese literal. É anacrônico imaginar que João tinha Jesus falando a seus discípulos de relações trinitárias íntimas. Outro grupo de Padres da igreja (Cirilo de Alexandria, Ambrósio, Agostinho) tem explicado que, *como homem* encarnado, o Filho era menor que o Pai. À primeira vista, esta explicação parece ser uma exegese mais plausível do que a anterior. Todavia, enquanto João oferece a base sobre a qual construir a teologia subsequente da distinção de natureza em Jesus (compare a afirmação sob consideração com 10,30: "O Pai e eu somos um"), não devemos interpretar João como se a teologia posterior estivesse na mente do autor. O evangelista pensaria em uma distinção entre Jesus falando como homem e Jesus falando como Deus? Mais particularmente, tal distinção é apropriada no último discurso onde mais que em qualquer outro lugar o Jesus que fala transcende ao tempo e espaço (veja pp. 944-45 acima)?

Se buscarmos explicar a passagem sem recorrer a princípios dogmáticos formais de um período posterior, provavelmente a chave esteja numa afirmação similar feita em 13,16: "Nem o enviado maior maior do que quem o enviou". Já explicamos que afirmações como "O Pai e eu somos um" (10,30) e "Todo aquele que me tem visto, tem visto o Pai" (14,9) têm seu pano de fundo no conceito judaico da relação entre um mensageiro ou agente e aquele que o enviou. (Veja p. 1008 acima e o artigo de P. Borgen citado ali). Borgen, p. 153, destaca a subordinação do agente ao que o envia: "O que envia é maior que o enviado" (*Midrash Rabbah* 78.1 sobre Gn 32,27). Por outro lado, a afirmação em Jo 14,28 deve estar relacionada com seu contexto: os discípulos se regozijariam quando Jesus fosse para o Pai, pois o Pai é maior que Jesus. Nenhuma das explanações dogmáticas clássicas explica por que os discípulos se regozijariam. É bem provável que a ideia seja a mesma que em 17,4-5: Jesus está retornando para o Pai, o qual o glorificará. Durante sua missão na terra, ele é menor que aquele que o enviou, mas sua partida significa que a obra que o Pai lhe deu a fazer está consumada. Agora ele será glorificado com aquela glória que teve com o Pai antes que houvesse mundo. Isto é um motivo de regozijo para os discípulos porque, quando Jesus for glorificado, então também glorificará os discípulos, outorgando-lhes vida eterna (17,2).

O "Eu vos tenho dito isto antes que aconteça" do v. 29 é uma referência a todo o processo de morte, ressurreição, ascensão e doação do Espírito. Quando acontecer, os discípulos serão aptos a reconhecê-lo como o cumprimento do que Jesus dissera precisamente porque terão o Paráclero que os lembrará de tudo o que Jesus lhes disse (14,26). Até que tivessem a iluminação do Paráclero, não compreenderiam a morte de Jesus (Lc 24,20-21) nem estariam prontos a crer em sua ressurreição (Jo 20,25; Mt 28,17).

Versículos 30-31: Luta com o príncipe deste mundo

Aqui, justamente como no final do discurso duplicado no cap. 16, há uma alusão à luta iminente com o mundo, personificada no v. 30 em seu príncipe. Em ambos os casos, Jesus está confiante de sua vitória (16,33: "Eu venci o mundo"). Há quem sugira que a afirmação de que o príncipe deste mundo nada tem a ver com Jesus se refere ao fato de que Jesus entrega sua vida por decisão pessoal, e não porque alguém a tira dele (10,18). Não obstante, ainda vamos ver o momento em que Jesus se submeteu à morte; pois em 13,27, depois que Satanás entrou em Judas, Jesus disse a Judas que fizesse o que estava para fazer. Agora, é mais verossimil que a fonte de confiança é que a ninguém terá poder sobre Jesus, exceto pela permissão do Pai (19,11). A afirmação do v. 31, que a luta com o Príncipe do mundo demonstrará que Jesus faz como o Pai lhe ordenou, indica que o controle que o Pai mantém sobre o que está acontecendo impedirá que Príncipe deste mundo de ter qualquer vantagem sobre Jesus. Uma vez mais, não estamos pensando que os resultados da luta serão imediatamente evidentes aos olhos do mundo. Se dessa luta o mundo vier a reconhecer a relação especial de Jesus com o Pai (31), será preciso a intervenção do Paráclero para provar isto ao mundo (16,8-11).

O v. 31 é a única passagem no NT que declara que Jesus *ama* o Pai. Em que este amor consiste se torna óbvio pela segunda linha, pois o "e" que une a segunda linha à primeira tem carácter epexegético (BULTMANN, p. 488[4]) – o amor consiste em fazer o que o Pai ordenou, assim como o amor do cristão para com Jesus consiste em que ele faça o que Jesus tem ordenado. Ninguém pode acusar o evangelista de falta de realismo.

No vol. 1, pp. 765-66, mostramos que, enquanto João não descreve a agonia no Getsêmani, elementos paralelos a essa cena se acham dipersos através de seu evangelho. Alguns destes se encontram nos vs. 30-31. A menção da vinda do Príncipe deste mundo lembra Lc 22,53, onde Jesus reconhece que o momento de sua prisão é a hora de "o poder das trevas". No v. 31, a ordem de levantar e sair é a mesma ordem dada por Jesus em Mc 14,42, quando Judas se aproxima do jardim: "Levantai-vos! Partamos daqui". Neste contexto, podemos comparar o "eu faço como o Pai me ordenou" de João com Lc 22,42: "Pai... faze a tua vontade, não a minha". Mc 14,42, recém citado, conclui com estas palavras: "Levantai-vos, vamos; eis que está perto o que me trai". Esta é uma referência à aproximação de Judas; João está mais interessado na aproximação de Satanás que é a força real atuando em Judas (13,2.27).

A última linha do v. 31 era o final original do último discurso. Temos sugerido que o autor da redação final não queria mexer nesta forma final, e por isso, a despeito do fato de estar criando uma sequência estranha, ele anexou formas adicionais do último discurso depois do v. 31. DODD, *Interpretation*, pp. 407-9, embora reconheça a possibilidade de tal intervenção redacional, pensa que "Levantai-vos! Partamos daqui!" seria inteligível mesmo em sua atual posição onde seguem ainda vários capítulos. Ele o entende em termos de encorajamento para sair ao encontro ao Príncipe deste mundo, na morte e ressurreição, e entende que o que ocorre no v. 31 é "um impulso do espírito", em vez de um momento físico, de modo que o próximo estágio do último discurso é de uma perspectiva além da cruz, após a morte (assim também ZIMMERMANN, *art. cit.*). Isto parece forçado e desnecessário. É mais plausível que o redator final simplesmente fez o melhor que pode de uma situação difícil e não buscou forçar um novo significado no v. 31.

BIBLIOGRAFIA
(13,31-14,31)

Veja a bibliografia geral sobre o último discurso no final do §48 e a Bibliografia sobre o Paracleto no Ap. V.

BOISMARD, M.-E., *"L'évolution du thème eschatologique dans les traditions johanniques"*, RB 68 (1961), especialmente 518-23.

CAIRD, G. B., *"The Glory of God in the Fourth Gospel: An Exercise in Biblical Semantics"*, NTS 15 (1968-69), 265-77. A Study of 13.31.

CERFAUX, L. *"La charité fraternelle et le retour du Christ (Jn. Xiii 33-38)"*, ETL 24 (1948), 321-32. Também RecLC, II, 27-40.

DE LA POTTERIE, I., *"'Je suis la Voie, la Vérité et la Vie' (Jn 14, 6)"*, NRT 88 (1966), 907-42. Condensado em inglês em TD 16 (1968), 59-64.

GUNDRY, R. H., *"'In my Father's House are many Monai' (John 14,2)"*, ZNW 58 (1967), 68-72.

KUGELMAN, R., *"The Gospel for Pentecost (Jn. 14:23-31)"*, CBQ 6 (1944), 259-75.

LEAL, J., *"'Ego sum via, veritas, et vita' (Ioh. 14, 6)"*, VD 33 (1955), 336-41.

MCCASLAND, S. V., *"The Way"*, JBL 77 (1958), 222-30.

RIEGER, J., *"Spiritus Sanctus suum praeparat adventum (Jo 14, 16-17)"*, VD 43 (1965), 19-27.

SCHAEFER, O., *"Der Sinn der Rede Jesu von den vielen Wohnungen in seines Vaters Hause und von dem Weg zu ihm (Joh 14, 1-7)"*, ZNW 32 (1933), 210-17.

SCHWANK, B., *"Der Weg zum Vater (13, 31-14, 11)"*, SeinSend 28 (1963), 100-14.

_____ *"Vom Wirken des dreieinigen Gottes in der Kirche Christi (14, 12-26)"*, SeinSend 28 (1963), 147-59.

_____ *"'Frieden hinterlasse ich euch' (14, 27-31)"*, SeinSend 28 (1963), 196-203.

53. O ÚLTIMO DISCURSO:
– SEGUNDA SEÇÃO (PRIMEIRA SUBDIVISÃO)
(15,1-17)

A Videira e os Ramos

15   ¹"Eu sou a videira verdadeira
    e meu Pai é o agricultor.
  ²Ele poda
    todo ramo que não produz fruto,
    mas todo o que produz fruto
    ele o limpa
    para fazê-lo produzir mais fruto ainda.
  ³Vós já estais limpos,
    pela palavra que vos tenho falado.
  ⁴Permanecei em mim, como eu permaneço em vós.
    Assim como o ramo não pode dar fruto de si mesmo
    sem que permaneça na videira,
    assim nem vós podeis produzir fruto
    sem que permaneceis em mim.
  ⁵Eu sou a videira; vós sois os ramos.
    Aquele que permanece em mim e eu nele,
    esse é o que produz muito fruto,
    pois sem mim nada podeis fazer.
  ⁶Se alguém não permanece em mim,
    como o ramo, cortado e seco,
    o qual recolhem
    e lançam no fogo para ser queimado.

⁷Se permanecerdes em mim,
 e minhas palavras permanecerem em vós,
 pedis o que quiserdes,
 e vos será feito.
⁸Meu Pai tem sido glorificado nisto:
 em produzirdes muito fruto
 e em vos tornardes meus discípulos.
⁹Como o Pai me tem amado,
 assim eu vos tenho amado.
 Permanecei em meu amor.
¹⁰E permanecereis em meu amor
 se guardardes meus mandamentos,
 assim como tenho guardado os mandamentos de meu Pai
 e permaneço em Seu amor.
¹¹Eu vos tenho dito isto
 para que minha alegria esteja em vós,
 e vossa alegria seja plena.
¹²Este é o meu mandamento:
 Amai uns aos outros
 como eu vos tenho amado.
¹³Ninguém pode ter maior amor do que este:
 dar sua vida por aqueles a quem ama.
¹⁴E vós sois meus amigos
 quando fizerdes o que eu vos mando.
¹⁵Eu já não vos chamo servos,
 pois o servo não entende o que seu senhor está fazendo.
 Antes, tenho-vos chamado meus amigos,
 pois vos tenho revelado tudo o que ouvi do Pai.
¹⁶Não fostes vós que escolhestes a mim;
 mas, antes, eu que vos escolhi.
 E vos designei
 para que vades e deis fruto –
 fruto que permaneça –
 a fim de que tudo que pedirdes ao Pai em meu nome,
 Ele vos dará.
¹⁷Isto vos ordeno:
 Amai-vos uns aos outros".

NOTAS

15.1. *Eu sou*. Temos discutido as afirmações "eu sou" como um predicado nominativo no vol. I, p. 841. Somente no presente caso (vs. 1 e 5) é que há um desenvolvimento da afirmação, mediante novas expressões predicativas – "meu Pai é o agricultor"; "vós sois os ramos". No entanto, especialmente no v. 1, fica claro que a ênfase está em Jesus como a videira verdadeira, e não no Pai como o agricultor. A última era uma imagem comum para os que familiarizados com o AT e não carecia de ser enfatizada. A menção do Pai realmente ajuda a qualificar o tipo de videira que Jesus é – uma videira que pertence à ordem celestial (Borig, p. 36).

verdadeira. Até então, temos traduzido consistentemente o atributivo *alēthinos* como "verdadeira" (vol. 1, p. 797), mantemos aqui esta tradução. Veja Comentário quanto ao significado.

videira. O OL, OS^{cur}, a versão Etíope e alguns dos Padres leem "vinha". Algumas vezes no grego popular nos papiros *ampelos*, "videira", assume o significado de *ampelōn*, "vinha". Veja nota sobre "podar" no v. 6 abaixo.

agricultor. Basicamente, *geōrgos* é alguém que lavra o solo; e Lagrange, p. 401, observa que às vezes na Palestina pouco mais se faz pela vinha do que apenas lavrar o solo. Todavia, o termo pode referir-se, de uma maneira especial, a um viticultor; por exemplo, ele é usado para os arrendatários perversos que trabalham na vinha de Deus em Mc 12,1ss. Em João, Deus se encarrega de sua própria vinha. (Forçando os detalhes alegóricos em demasia, os arianos argumentavam que assim como havia uma diferença de natureza entre o agricultor e a videira, assim havia uma diferença de natureza entre o Pai e o Filho. Um dos principais pontos desta parábola alegórica é que o ramo extrai sua vida da videira, isto é, que o discípulo extrai sua vida de Jesus. Frequentemente, em João se chegaria a partir daqui à ideia de que Jesus recebe sua vida do Pai (6,57), mas aqui o papel do Pai é cuidar da videira, não de dar-lhe vida.

2. *poda... o limpa*. No grego há um jogo de palavras que soam de modo parecido (paranomásia) de dois verbos similares, respectivamente, *airein* e *kathairein*. (Assim, a despeito das possíveis raízes semíticas desta parábola alegórica, a fraseologia grega se tornou um veículo essencial). Um adjetivo, *katharos*, "limpos", correspondendo ao segundo verbo, *kathairein*, "limpar", aparece no versículo seguinte como parte de uma cadeia de ideias. Propriamente dito, *kathairein* não é frequente no grego bíblico; seu uso para os processos agrícolas é bem atestado no grego secular, embora haja alguma dúvida se, tomado isoladamente, tem o significado "podar" que é exigido pelo contexto aqui. (Nos exemplos que os comentaristas

usualmente dão, tomados de FILO, *kathairein* é acompanhado de outro verbo que significa "cortar"). O uso de *airein*, "tirar fora", para cortar os ramos é ainda mais estranho. E assim pareceria que ambos os verbos foram escolhidos não por causa de sua adequação para descrever práticas no cultivo de vinhas, e sim por sua aplicabilidade a Jesus e aos seus seguidores (DODD, *Interpretation*, p. 136). Alguns dos manuscritos latinos têm estes verbos no futuro – uma tentativa do copista para conformar a parábola à perspectiva futurística própria do último discurso.

todo ramo que não produz fruto. Literalmente, "Ele poda todo ramo em mim que não produz fruto". Esta construção pareceria ser um nominativo que vem depois de "todo, cada um", uma construção que frequentemente é um semitismo (BDF, §466³; ZGB, §31; contudo, BARRETT, p. 395, afirma que ele não é um semitismo aqui). Um semitismo seria interessante à luz da paranomásia grega que vimos acima.

3. *Vós*. O simbolismo parabólico indireto se presta para dirigir o discurso aqui.

pela. A preposição é *dia* com o acusativo que geralmente significa "por causa de", mas algumas vezes "através de". BERNARD, II, 480, argumenta fortemente em prol do primeiro significado aqui. Não significa que através ou por meio de sua palavra Jesus declara seus discípulos limpos, uma interpretação endossada por CIRILO de Alexandria, AGOSTINHO e alguns autores modernos como SCHLATTER, p. 305. É mais uma questão da ação da palavra de Jesus no interior dos discípulos. Veja comentário.

palavra. Aqui, *logos* significa todo o ensino de Jesus. Cf. 5,38: "E sua palavra não permanece [*menein*] em vós, porque não credes naquele que ele enviou". 1Jo 2,24: "se o que tendes ouvido desde o princípio permanece em vossos corações, então permanecereis no Filho e [em] o Pai".

4. *Permanecei em... permaneço em*. Estas traduções representam a mesma expressão grega *menein en*, a qual é usada dez vezes nos vs. 4-10. É muito difícil achar uma tradução consistentemente adequada às relações, respectivamente, entre uma videira e seus ramos e entre Jesus e seus discípulos. Os ramos devem permanecer *em* a videira; os discípulos devem permanecer *em* Jesus.

Permanecei em mim, como eu permaneço em vós. Há outros modos possíveis de traduzir a ideia nesta frase (BARRETT, pp. 395-96): "Se permanecerdes em mim, eu permanecerei em vós"; "Permaneceis em mim e como eu permaneço em vós". As várias traduções realmente não se excluem; no v. 5 adotaremos a última mencionada, como fizemos em 6,56.

sem que permaneceis. Os manuscritos gregos variam entre um aoristo e um presente do subjuntivo. O último daria mais ênfase ao caráter contínuo da ação, mas isto é óbvio em qualquer caso com o verbo "permanecer".

A imagem se interrompe aqui e cede lugar à realidade que é simbolizada: um ramo não tem a função de decidir permanecer na videira.

5. *muito fruto*. Aqui e no v. 8, o grego é *karpos polys*. Em ET 77 (1965-66), 319, J. Foster apresentou a sugestão de que Policarpo, bispo de Esmirna, no início do 2º século, e discípulo de João (segundo Irineu: veja vol. 1, pp. 91), recebeu seu nome à luz do desafio destes versículos. Ele era um discípulo produzindo *muito fruto*.

sem mim. O grego *chōris* tem os significados "sem" e "à parte de"; é possível que João desejasse conservar ambas as conotações, a imagem descritiva requer a última alternativa. Veja nota sobre 1,3: "À parte dele, nenhuma coisa veio a existir".

nada podeis fazer. A mesma ideia se encontra em 2Cor 3,5: "Não que sejamos suficientes em nós mesmos para reivindicar algo como vindo de nós; mas nossa suficiência vem de Deus".

6. *Se alguém não permanece*. Esta é a contraparte negativa de "aquele que permanece" no v. 5.

esse é como um ramo, cortado e seca. Literalmente, "ele foi tirado como um ramo e secou". Há uma inversão do padrão simbólico: deveríamos esperar encontrar uma descrição do que aconteceu ao ramo com uma implicação de que o destino dos discípulos seria similar; aqui, porém, a descrição é subordinada à realidade. Quando um homem é feito o sujeito imediato destes verbos, isso é muito difícil. Ambos os verbos estão no aoristo, e tem havido várias tentativas para explicar isto. W. Bauer pensa que o aoristo enfatiza a imediação da sequência: no momento em que um homem não mais está unido a Jesus, esse é o momento em que ele já foi lançado fora e secou. Ou podemos estar lidando com um aoristo proléptico depois de uma condição implícita: o resultado é tão certo que o futuro é expresso como se já tivesse ocorrido (Lagrange; Bernard; MTGS, p. 74; ZGB, §257 – a Vulgata também tem tempos futuros). Ou podemos ter um aoristo gnômico usado para expressar algo que é válido para todos os tempos: ele é sempre eliminado e seco – esse tipo de aoristo não é incomum numa parábola em que o autor está generalizando com base em um caso específico que tem em mente (BDF, §333[1]; MTGS, p. 73). Devemos notar ainda a expressão "cortado"; isto se adequaria à imagem de uma vinha melhor que a de uma videira em que podemos esperar "cair".

recolhem. Bernard, II, 481, provavelmente pensando na parábola sinótica da vinha, sugere que o "eles" se refere aos servos anônimos. Mas provavelmente, temos aqui o costume semítico de usar a terceira pessoa plural para o passivo. O verbo é do tipo que era usado para ajuntar fragmentos (6,12-13) e para congregar os filhos dispersos de Deus em 11,52.

O fato de que este verbo e o verbo seguinte, "lançam", estão no tempo presente sugere a Lagrange, p. 404, um intervalo entre o momento em que os ramos eram cortados (aoristo) e o momento em que são recolhidos. O argumento gramatical não é convincente, pois isto é provavelmente um caso do presente geral, descrevendo o que as pessoas ordinariamente fazem na situação visualizada na parábola. Esta interpretação é muito apropriada se os aoristos precedentes forem são de caráter gnômicos.

o fogo. O uso do artigo (contraste Mt 3,10) pode ser um caso da tendência de usar-se o artigo definido em estilo parabólico; ou, o autor pode estar se referindo ao fogo bem conhecido da punição escatológica (veja comentário). Westcott, p. 216, propõe sem qualquer plausibilidade que, se esta parte do último discurso foi pronunciada de caminho para o Monte das Oliveiras, as fogueiras dos ramos podados das videiras no vale Cedrom podem ter dado origem à imagem.

7. *Se permanecerdes em mim*. Alguns estudiosos que não percebem uma divisão entre os vs. 6 e 7 sugerem que esta frase no v. 7 é a possível contraparte para "se alguém não permanece em mim" no v. 6. Mas temos salientado que a contraparte positiva para o v. 6 está no v. 5. No v. 7 há uma mudança para a segunda pessoa, e a imagem da videira se desvanece.

minhas palavras permanecerem em vós. Nos vs. 4-5, Jesus falou dele mesmo permanecer nos discípulos (também 14,20); aqui, são suas palavras que permanecem nos discípulos. Jesus e sua revelação são praticamente intercambiáveis, pois é a revelação encarnada (a Palavra). Cf. 6,35: "Eu sou o pão da vida", onde pão simboliza sua revelação. É duvidoso se o plural "palavras" (*rēmata*) deva ser distinguido do singular "palavra" (*logos*) do v. 3; veja nota sobre "guardará a minha palavra" em 14,23.

pedís. Isto poderia ser traduzido como um futuro ("vós pedireis"), mas o imperativo parece preferível; conforme o esquema(*c*) à p. 1011 acima.

será feito. O passivo é uma circunlocução para descrever as ações de Deus sem mencionar seu nome; cf. 16: "Tudo que pedirdes ao Pai em meu nome".

para vós. Omitido em P[66*] e alguns manuscritos ocidentais.

8. *tem sido glorificado*. O aoristo pode ser proléptico ("terá sido glorificado") ou gnômico ("sempre é glorificado") – veja nota sobre "cortar" no v. 6. Todavia, é possível que haja neste aoristo um elemento do "uma vez por todas". Visto que os discípulos continuam a obra do Filho e permanecem unidos a ele, há somente uma missão partilhada pelo Filho e seus discípulos. Nesta missão una o Pai tem sido glorificado. (Cf. 17,4: "Eu te glorifiquei [aoristo] na terra completando a obra que me deste para fazer"). É também possível que o pretérito represente a perspectiva do evangelista do tempo se encontra.

nisto. A frase se reporta ao que segue na segunda e terceira linhas do v. 8, em vez do que precede no v. 7. O *hina* que introduz a segunda linha do v. 8 é epexegético de "isto" (ZGB, §410). O Pai é glorificado em que os discípulos se tornem como Jesus e levem adiante sua obra.

tornardes. P[66] parece adicionar seu endosso à redação um subjuntivo aqui, assim fazendo "tornar-se" parte da cláusula *hina*, gramaticalmente coordenado com o subjuntivo precedente, "produzirdes". Outros bons manuscritos trazem um futuro indicativo, e isto poderia favorecer a tradução: "e então vos tornareis meus discípulos" (assim BDF, §369[3]). Enquanto julgamos ser o futuro a redação mais provável, em significado ela é coordenada com o subjuntivo precedente (ZGB, §342). Assim, "produzir muito fruto" e "tornar-se meus discípulos" na realidade não são duas ações diferentes, uma é consequente da outra. O sentido não é que, quando os ouvintes produzem fruto, se tornarão seus discípulos, mas que, ao produzirem fruto, mostram que são discípulos. Tornar-se ou ser um discípulo é o mesmo que estar ou permanecer em Jesus.

9. *Como*. Para João, *kathōs* é não só comparativo, mas também causativo ou constitutivo, significando "porquanto" (BDF, §453[2]; nota sobre 17,21). O amor do Pai para com Jesus é a base do amor de Jesus para com seus discípulos, ambos quanto à origem e intensidade. O Filho ama a seus discípulos com o mesmo amor divino que o Pai nutre para com ele.

o Pai tem me amado. O vocabulário para amor em 9, 10, 12, 13a e 17 é *agapan/agapē*, enquanto em 13b, 14 e 15 há casos de *philos* (veja nota sobre 13). Em 3,35 e 10,17 (*agapan*) e em 5,20 (*philein*) o amor do Pai para com Jesus é expresso no tempo presente, uma indicação de seu caráter contínuo. Aqui e em 17,24, o tempo é aoristo, e a ênfase está na expressão do amor em Jesus dar-se pelos homens – um ato supremo de amor bem expresso pelo aoristo. Certamente, esta ênfase não exclui a continuidade do amor, como se pode ver na última linha do v. 10. Spicq, RB 65 (1958), 358, sustenta que no primeiro século *agapan* tinha a conotação de amor que se manifesta. Assim, o Pai amou o Filho antes da criação do mundo (17,24) e este amor se tornou manifesto quando Ele enviou o Filho ao mundo (3,16).

permanecei. Imperativo aoristo; veja nota sobre "sem que permaneça" no v. 4. O tom abrupto acentua a ideia de autoridade; Abbott, JG, §2438, diz que esta "provavelmente seja a abordagem mais próxima de mandamento autoritativo (em João) para se obedecer um preceito moral ou espiritual".

meu amor. Isto significa "meu amor para convosco", embora o amor dos discípulos para com Jesus não esteja excluído (cf. 14,15, "se me amais") – para a possibilidade de um significado secundário em tais frases, veja nota sobre 5,42. Um interessante paralelo a esta ideia em João é Judas 21: "Guardai-vos no amor de Deus".

10. *Se guardardes os meus mandamentos*. Já vimos esta expressão em 14,15.21.23-24 ("guardai a[s] minha[s] palavra[s]"). Veja nota sobre 14,15.

como tem guardado. Os tempos perfeitos nestes versículos dão uma ideia de uma ação completa; contraste 8,29: "Eu sempre faço o que Lhe agrada". O tempo perfeito não está fora de lugar no contexto do último discurso, quando "a hora" já começou e o ministério está no fim, mas o tempo poderia igualmente ser atribuído à perspectiva que o evangelista tem de tempo.

os mandamentos de meu Pai. Vimos numa nota sobre 14,15 que a alternação entre singular e plural, ao falar do[s] mandamento[s] de Jesus, não tinha uma significação particular; o mesmo parece ser o caso com o[s] mandamento[s] de Deus; aqui, no plural, em 14,31, singular; veja também a alternância em 1Jo 3,22-23.

11. *isto*. Literalmente, "estas coisas"; está incluído mais do que foi dito no v. 10, pois a afirmação "vos tenho amado" no v. 9 é a verdadeira base da alegria no v. 11.

minha alegria. STANLEY, p. 489, salienta que Jesus falou de "minha paz" que é a saudação hebraica "Shalom" (nota sobre 14,27), e aqui ele fala de "minha alegria" (*chara*) que soa parecido com a saudação grega *chaire*. O Cristo ressurreto encherá os discípulos de alegria quando os saúda com a "Paz" (20,19-21).

vossa. Literalmente, "em vós".

12. *amai uns aos outros*. O uso do presente do subjuntivo sugere que esse amor de uns pelos outros seria contínuo e perene.

como eu vos tenho amado. O tempo aoristo prepara o caminho para o supremo ato do amor de Jesus que será mencionado no próximo versículo. Os escritos paulinos também evocam a morte de Cristo como sinal de amor: "Deus prova seu amor para conosco, em que Cristo morreu por nós, sendo nós ainda pecadores" (Rm 5,8); "andai em amor, como também Cristo vos amou, e se entregou a si mesmo por nós" (Ef 5,2).

13. *dar sua vida*. Esta é uma construção epexegética com *hina* (BDF, §394) explicando o "isto" da primeira linha. Mas, como SPICQ (RB 65 [1958], 363) salienta, há também uma afinidade: o amor cristão não consiste simplesmente em dar alguém sua vida; mas porque ele tem sua origem em Jesus, há uma tendência no amor cristão que produz tal auto-sacrifício. Eis por que Jo 15,13 imprime no comportamento subsequente uma marca maior do que, por exemplo, uma sentença similar em PLATÃO (*Symposium* 179B): "Somente os que amam é que desejam morrer por outros". Para a expressão "dar alguém sua vida", veja nota sobre 10,11.

por aqueles a quem ama. A mesma preposição, *hyper*, ocorre nas fórmulas eucarísticas para o sangue da aliança que é derramado "por muitos" (Mc 14,24) ou "por vós" (Lc 22,20). O substantivo em 13-15 que temos traduzido como "aqueles a quem ama" é *philos*, "amigo", um cognato do frequente verbo joanino *philein*, "amar". A palavra portuguesa "amigo" não capta suficientemente sua relação de amor (pois temos perdido o sentimento de que "amigo" se relaciona com o verbo *freon*, "amar"). No pensamento joanino, Jesus não está falando aos discípulos aqui tão casualmente como lhes fala em Lc 12,4: "Eu vos disse, meus amigos, não temais os que matam o corpo" – o único uso sinótico de *philos* para os discípulos. Antes, o v. 14 é similar ao v. 10, e o "vós sois meus *philoi*" do v. 14 é o equivalente do "permanecereis em meu amor" do v. 10. Lázaro é o *philos* de Jesus (11,11) porque Jesus o ama (*agapan*, em 11,5; *philein* em 11,3). Algumas vezes em relação a este versículo de João, o título de Abraão como "o amigo de Deus" é relembrado (*philos* em Tg 2,23). Entretanto, deve-se notar que a LXX em Is 41,8 fala de Abraão como aquele "a quem Deus amou" (*agapan*). Assim, o título de Abraão se torna outro exemplo de nossa tese de que *philos* significa "o amado" (veja também nota sobre 3Jo 15 no volume 30 da série Anchor Bible). Veja o uso sinônimo de *philia* e *agapē* em Justino, *Trifo* XCIII 4: PG 6:697C.

15. *servos*. *Doulos* pode significar ambos, escravo e servo. De certa maneira, "escravo" pode ser mais apropriado aqui quando a condição servil do *doulos* é realçada – ele segue ordens sem compreender. Todavia, a implicação de que até então Jesus havia tratado os discípulos como escravos parece abrupta demais. O contraste entre *doulos* e *philos* não era estranho aos judeus; ele aparece em Filo (*De sobrietate* 11; 55), o qual diz que a Sabedoria é o *philos* de Deus, não seu *doulos*.

vos tenho revelado [revelei]. Ainda que "a hora" não se esgotou, o aoristo é usado para a obra consumada de Jesus. É a revelação da "hora" em sua totalidade que muda a condição dos discípulos, não simplesmente as palavras do último discurso. A afirmação de que Jesus revelara aos discípulos *tudo* o que ele ouvira do Pai parece contradizer 16,12: "Ainda tenho muito mais a dizer-vos, mas não podeis suportá-lo agora". Mas, desse último lemos no contexto da vinda do Paráclito, e salientamos que o Paráclito não revela nada novo, porém outorga um conhecimento mais profundo ao que Jesus já revelou.

16. *vos designei*. Este é o verbo *tithenai*, o mesmo verbo usado no v. 13 na expressão "dar alguém a própria vida", de modo que no grego a conexão entre a comissão dos discípulos e o exemplo de amor que Jesus lhes deu seriam muito evidentes. O uso do verbo aqui faz a expressão grega um tanto brusca. Em citações neotestamentárias do AT (Rm 4,17; At 13,47),

tithenai reflete o verbo hebraico *nātan*, "dar", assim a ideia literal pode ser: "eu vos tenho dado o ir". Todavia, BARRETT, p. 399, sugere que o verbo grego pode refletir o hebraico *sāmak*, "impor [as mãos] em, ordenar", o verbo usado no judaísmo tardio para a ordenação de um rabino. *Sāmak/epitithenai* são usados respectivamente no TM e na LXX de Nm 8,10 para a ordenação dos levitas e em Nm 27,18 para a comissão de Josué dada através de Moisés.

vades. Para BULTMANN, p. 420[2], entre outros, aqui o verbo *hypagein* é meramente uma expressão pleonástica semítica que poderia ser omitida quanto ao significado. Mas LAGRANGE, p. 408, e BARRETT, p. 399 veem plausivelmente aqui uma referência à missão apostólica ao mundo. Lc 10,3 usa o mesmo verbo ao descrever a missão dos setenta.

a fim de que. Depois de *designados* há duas construções com *hina*; literalmente, "a fim de irdes e produzirdes fruto..., a fim de que tudo o que pedirdes ao Pai em meu nome, Ele vo-lo conceda". Gramaticalmente, estas são orações coordenadas; mas os comentaristas estão divididos quanto a se a segunda é logicamente subordinada à primeira, a fim de que a produção de fruto predisponha o Pai a conceder o pedido.

17. *Isto eu vos ordeno*. O "isto" (literalmente "estas coisas") não se refere ao que precedeu, mas ao que segue. Na maior parte dos manuscritos (não P[66] ou Codex Bezae), a segunda linha é precedida por um *hina* que quase certamente é epexegético, fazendo o "Amai-vos uns aos outros" o mandamento. O *hina* poderia ser final: "Eu ordeno estas coisas a fim de que vos ameis uns aos outros"; mas a omissão, em alguns manuscritos, parece indicar que os respectivos copistas interpretaram-no como epexegético, e, consequentemente, não necessário para o sentido.

COMENTÁRIO: GERAL

A estrutura da subdivisão

Geralmente, 15,1-17 é reconhecido pelos estudiosos como sendo uma unidade; pois a última menção da imagem da videira ("deis fruto") aparece no v. 16, e ali parece ser uma mudança de tema entre o v. 17 e o v. 18. (STRACHAN é uma exceção entre os comentaristas sobre Jo 15; ele situa a interrupção entre 16 e 17). Caso se busquem subunidades dentro dos vs. 1-17, os estudiosos sugerem que se isole 1-8, em que se trata da videira e os ramos, e 9-17, em que se trata do amor dos discípulos.

(Borig, p. 19, é uma exceção, pois ele vê 1-10 como a primeira subunidade). Alguns inclusive sugerem que dois blocos independentes de material têm sido justapostos. Bultmann, p. 415, vê as duas partes como paralelas, a primeira tendo o tema "Permanecei em mim" e a segunda tendo o tema "Permanecei no amor". Em suas preleções em Jerusalém, Boismard pode ter expressado melhor a relação quando fala da segunda parte como um comentário parentético ou exortativo sobre a primeira.

Além do mais, pode ser preferível dividir as partes assim: 1-6, a figura da videira e os ramos; 7-17, uma explicação desta figura no contexto dos temas do último discurso. Lembramos ao leitor a estrutura que propusemos para 10,1-21. Em 10,1-5 houve sentenças figurativas sobre o pastor e as ovelhas, extraídos da vida pastoril; em 10,7-18 houve vários desenvolvimentos ou explicações destas figuras; por exemplo, dois desenvolvimentos da porta e dois do pastor. Propomos uma estrutura similar para 15,1-17 (com a notável exceção de que no cap. 10 as passagens do "eu sou" não são descrição figurativa [1-5], senão na seção que desenvolve as figuras [7-17]; enquanto aqui, no cap. 15, estão na própria descrição figurativa). Pode ser digno de nota que 1Cor 9,7 justaponha as imagens da vinha e o cuidado dos rebanhos.

Comecemos com os vs. 1-6. Se compararmos o que é dito aqui com outras partes do último discurso, se destaca um aspecto distintivo: não há nenhum elemento futurista na descrição da união entre os ramos e a videira. Em muitas outras passagens do último discurso, a união com Jesus é descrita como pertencente ao futuro (14,3.20-22; 16,22, passagens do Paráclito). Mas em 15,1-6 os discípulos já estão em união com Jesus, e a ênfase está na permanência nessa união. Não há a mais leve referência à partida iminente; nem aparecem aos outros temas característicos da última ceia. (A sugestão de que originalmente os vs. 1-6 foram ditos imediatamente após a distribuição do cálice eucarístico, quando a ênfase estaria na existência da união eucarística com Jesus, é interessante, mas totalmente carente de prova).

Nos vs. 15,7-17, a situação é bem diferente; os temas da última ceia são encontrados em cada linha. No v. 7 e no v. 16 há o tema de pedir e ter o pedido concedido (14,13-14; 16,23-24.26). No v. 8 há o tema da glorificação do Pai (13,31-32; 14,13; 17,1.4). No v. 9 há o tema do amor do Pai para com Jesus (17,23) e do amor de Jesus para com os discípulos (13,1.34; 14,21). Nos vs. 10 e 14 há a combinação de amar e guardar os mandamentos (14,15.21.23-24). No v. 11 há o refrão "eu vos tenho dito isto" (14,25; 16,1.4a.6.25.33). Nos vs. 12 e 17 há o mandamento de amar uns aos outros (13,34). No v. 13 há uma referência implícita aos discípulos dando sua própria vida (13,37). No v. 15 há a analogia da relação servo/senhor (13,16; 15,20). No v. 16 há o tema da escolha dos discípulos (13,18; 15,19). Se, pois, os vs. 7-17 têm muitos ecos dos temas da última ceia, em contrapartida há somente uns poucos ecos da imagem da videira e dos ramos (7: "permanecei em mim"; 8: "produzirdes muito fruto"; 16: "deis fruto").

Sugerimos que a imagem da videira e dos ramos encontrada em 15,1-6 pertenceu originalmente a outro contexto. (Não devemos tentar, contudo, especificar esse contexto, como faz J. E. ROBERTS, ET 32 [1920-21], 73-75, o qual sugere que ela foi pronunciada no percurso entre Betânia e Jerusalém, em conjunção com a maldição da figueira – ele aponta para a ideia de não produzir fruto [Jo 15,4] em Mt 21,19, e a de ter os pedidos concedidos [Jo 15,7] em Mt 21,22). Quando foi introduzida no último discurso, ela foi suprida com um desenvolvimento e aplicação parentéticos. Este desenvolvimento, ora encontrado nos vs. 7-17, foi formado pela combinação de alguma imagem extraída da figura da videira e os ramos com ditos e temas tradicionais no material do último discurso joanino. (Não é necessário que pensemos nisto como um processo meramente literário; tal combinação poderia ter ocorrido no curso da pregação). A tese de que há uma divisão entre 1-6 e 7-17, baseada na falta de paralelos ao último discurso na primeira e sua presença na segunda, é endossada por outros argumentos. Enquanto os vs. 1-6 faz algum uso da segunda pessoa, a terceira pessoa domina o cenário; mas o uso da segunda pessoa nos vs. 7-17 é consistente, mesmo quando se evoca o cenário da videira e dos ramos. Nos vs. 1-6 há uma inclusão entre 1 e 5 ("Eu sou a videira"); em 7-17 há inclusões entre 8 e 16 (produzirdes muito fruto) e entre 7 e 16 (pedir e obter o pedido).

Em particular os vs. 7-17 tem uma estrutura interna mais interessante. É possível dividi-los mais em 7-10 e 12-17, tendo o v. 11 como uma transição que resume o teor de 7-10. Há inclusões menores que justificam esta subdivisão adicional. Em 7-10, o v. 7 partilha com os vs. 9 e 10 a ênfase sobre permanecer em Jesus ou em seu amor. O v. 7 enfatiza que as palavras de Jesus permaneceriam como quinhão dos discípulos, enquanto o v. 10 enfatiza que os mandamentos de Jesus devem ser guardados pelos discípulos (para a equivalência entre palavra

53 • O último discurso: – Segunda seção (primeira subdivisão) 1053

e mandamento, veja nota sobre 14,23). Em 12-17, o v. 17 repete 12 quase literalmente. Se pusermos 7-10 e 12-17 lado a lado, descobrimos um interessante padrão quiásmico:

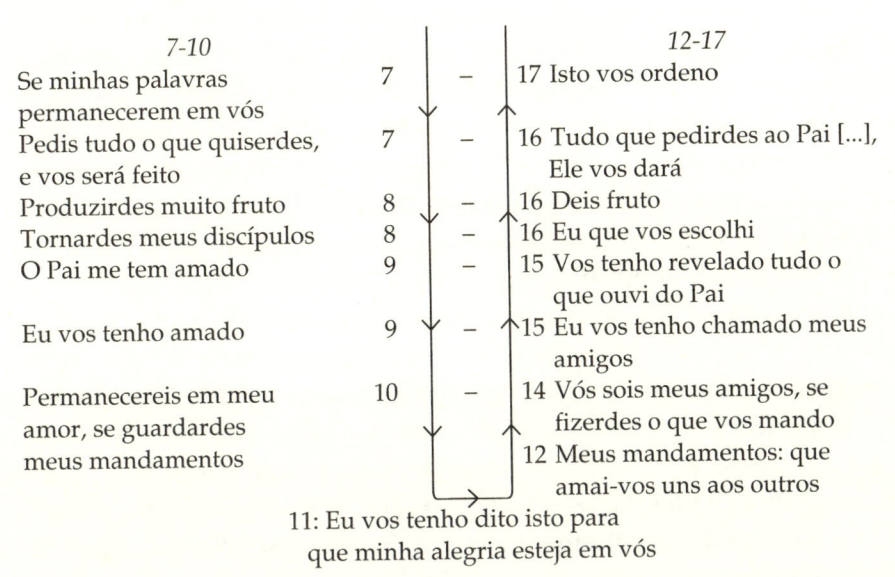

7-10			12-17
Se minhas palavras permanecerem em vós	7	–	17 Isto vos ordeno
Pedis tudo o que quiserdes, e vos será feito	7	–	16 Tudo que pedirdes ao Pai [...], Ele vos dará
Produzirdes muito fruto	8	–	16 Deis fruto
Tornardes meus discípulos	8	–	16 Eu que vos escolhi
O Pai me tem amado	9	–	15 Vos tenho revelado tudo o que ouvi do Pai
Eu vos tenho amado	9	–	15 Eu vos tenho chamado meus amigos
Permanecereis em meu amor, se guardardes meus mandamentos	10	–	14 Vós sois meus amigos, se fizerdes o que vos mando
			12 Meus mandamentos: que amai-vos uns aos outros

11: Eu vos tenho dito isto para que minha alegria esteja em vós

É sempre difícil estar seguro de que a descoberta de uma estrutura quiásmica tão elaborada não reflete mais da engenhosidade do investigador do que da intenção do autor joanino. BORIG, pp. 68ss., usa o esquema quiásmico para defender uma divisão diferente dos versículos). Contudo, aqui há correspondências em demasia para ser coincidência.

Versículos 1-6 como um mashal

Agora nos volvemos para o gênero literário de 15,1-6. Já discutimos a questão de alegoria e parábola em João (vol. 1, pp. 667-68). Certamente há elementos alegóricos nos vs. 1-6; por exemplo, a identificação da videira, o agricultor e os ramos; mas VAN DEN BUSSCHE, p. 102, está correto em insistir que não há alegoria cuidadosamente construída, na qual todos os detalhes tenham significação. A realidade que João está descrevendo, a saber, a relação de Jesus e seus discípulos, ultrapassa os limites da linguagem figurativa; e de fato parte do vocabulário é mais apropriada a esta relação do que é a viticultura. (Incidentalmente, podemos lembrar que há um arranjo alegórico para a parábola sinótica da vinha [Mc 12,1-11 e par.], onde o proprietário é Deus, os arrendatários são as autoridades judaicas, o filho é Jesus etc.). BULTMANN, pp. 406-7, tem razão quando diz que o que temos na descrição da videira e dos ramos não é alegoria nem parábola. Mas não avança o suficiente; pois não enfatiza que o problema de classificação é complexo e inclusive levado a extremos errôneos pela tentativa de aplicar categorias precisas derivadas dos retóricos gregos (parábola, alegoria) aos diversos esquemas das comparações semíticas, todos eles, no pensamento hebraico, podendo ser chamados *mashal* (*māšāl*). Devemos reconhecer que as ilustrações e figuras encontradas tanto em João como nos sinóticos vêm sob o nome *mashal*. O máximo que podemos dizer é que o elemento alegórico recebe mais ênfase em João.

Já encontramos em 10,1-18 o gênero *mashal* na imagem da porta das ovelhas e o pastor. Ali vimos um esquema consistente em parábolas básicas (10,1-5) seguido de elementos de *dois* desenvolvimentos ou explicações alegóricas (7-18), um deles está mais próximo ao significado original das respectivas parábolas do que o outro. Ora, acabamos de observar que no capítulo 15, vs. 7-17, eles são uma adaptação e desenvolvimento da imagem da videira e os ramos (1-6) no contexto do último discurso. Haveria outro desenvolvimento alegórico mais próximo ao significado original da imagem? Sugerimos que havia e que o encontramos realmente entretecido em 15,1-6 (não separado dele como no caso de 10,8 e 14,16). No capítulo 10, os desenvolvimentos alegóricos vieram na forma "Eu sou a porta" e "Eu sou o bom pastor" (cada um duas vezes). Encontramos afirmações similares em 15,1-6: "Eu sou a videira [verdadeira]" (1 e 5); "Meu Pai é o agricultor" (1); "vós sois os ramos" (5). O v. 3, "Vós já estais limpos", é um desenvolvimento relacionado com a imagem da poda dos ramos limpos no v. 2. A mudança para a segunda pessoa, na terceira linha do v. 5, é outro sinal de que a imagem está sendo explicada. Ao discutirmos o capítulo 10, insistimos que há boa razão para crer que Jesus explicou ou desenvolveu suas parábolas para seus discípulos e que, embora tais desenvolvimentos foram frequentemente "modernizados" pelo tempo em que foram inseridos nos evangelhos, alguns elementos das explicações originais realmente foram conservados. É bem possível que este tenha sido o caso em Jo 15,1-6.

O pano de fundo do cenário da videira e dos ramos

No tocante a tantos outros casos onde há um problema sobre o pano de fundo do pensamento joanino, alguns estudiosos recorrem às fontes gnósticas e mandeanas (W. BAUER, BULTMANN), enquanto outros (BEHM, BÜCHSEL, JAUBERT) enfatizam os escritos judaicos e do AT. Em particular, BULTMANN, p. 407[6], mantém que as imagens de João reflete o mito oriental da árvore da vida, algumas vezes representado como uma videira; e ele oferece alguns paralelos impressionantes da semi-gnóstica *Odes de Salomão* (vol. 1, p. 47 – todavia, veja J. H. CHARLESWORTH, "The Odes of Solomon – Not Gnostic", CBQ 31 [1969], 357-69) para a associação de temas de amor e alegria com a imagem da videira. S. SCHULZ, *Komposition und Herkunft der johanneischen Reden* (Stuttgart: Kohlhammer, 1960), pp. 114-18, embora ele aprecie mais os paralelos judaicos para João do que BULTMANN, pensa que, neste caso, os melhores paralelos estão na literatura mandeana e gnóstica, muito embora haja um misto de elementos veterotestamentários. Esta foi também a afirmação de E. SCHWEIZER em *Ego Eimi* (Göttingen: Vandenhoeck, 1939), pp. 39-41), embora pareça que ele tenha modificado seus conceitos (in NTEM, pp. 233-34). BORIG, *op. cit.*, fez um cuidadoso estudo destas sugestões, mas encontra o pano de fundo judaico e veterotestamentário para o simbolismo joanino muito mais plausível do que qualquer dos outros. Por exemplo, ele reconhece (pp. 135-87) que os documentos mandeanos oferecem paralelos para João em que o simbolismo da videira é usado para descrever indivíduos e usado em combinação com os ditos "Eu sou", mas as ênfases mandeanas e joaninas no simbolismo da videira são muito diferentes. O simbolismo mandeano é altamente místico; não se concentra nos ramos; além do mais, enquanto que, especialmente nos escritos mandeanos tardios, a videira é uma árvore da vida (note que João não menciona diretamente "vida" em sua descrição), a função geradora de vida da videira em relação aos ramos, que é importante em João, não assume o primeiro lugar na descrição mandeana (BORIG, p. 172).

Examinemos, pois, o possível pano de fundo judaico e veterotestamentário para vermos se ele é aplicável. No AT, a vinha é um frequente símbolo para Israel. Ocasionalmente, o símbolo é o da fertilidade (Is 27,2-6); mais frequente, a vinha é improdutiva ou desolada e desagrada Iahweh (Jr 5,10; 12,10-11). Na tradição sinótica, Jesus se vale do simbolismo veterotestamentário da vinha: sua parábola da vinha (Mc 12,1-11 e par.) cita implicitamente o "cântico da vinha" de Isaías (Is 5,1-7). Veja também as parábolas dos trabalhadores na vinha (Mt 20,1-16), dos filhos obediente e desobediente (Mt 21,28-32) e da figueira plantada na vinha (Lc 13,6-9). Ora, em João estamos tratando mais de uma videira do que de uma vinha. Que esta distinção não é tão acentuada como alguns considerariam é sugerido pela redação variante no v. 1 e pelo verbo no v. 6 (veja nota sobre "podar", literalmente "lançar fora"). Além do mais, no AT a imagem algumas vezes recua e avança, da videira para a vinha (cf. Sl 80,9[8] e 13[12]). ANNIE JAUBERT, p. 94, está certa ao sugerir que todo o simbolismo de Israel como uma planta ou árvore, frequente no AT, nos Apócrifos e em Qumran, também deve estar em jogo aqui. Mas, mesmo que nos limitemos ao uso da videira como um símbolo, podemos citar Os 10,1; 14,8(7); Jr 6,9; Ez 15,1-6; 17,5-10; 19,1-14; Sl 80,9(8)ss.; e 2Esd 5,23. Estas passagens oferecem muitos paralelos diretos com João, especialmente nos temas da fertilidade, podar os ramos ruins etc.

A verdadeira dificuldade que encontramos para supor que estas imagens constituam o pano de fundo de João está no fato de que a videira ou a vinha representam Israel, enquanto João identifica a videira com Jesus e não com um povo. Mas, como salientamos acima (p. 1003) ao tratarmos de "o caminho" em 14,6, este é um aspecto peculiar da teologia joanina que Jesus aplicou a si termos usados no AT para Israel e, em outras partes do NT, à comunidade cristã. Isto é parte da técnica joanina de substituir "o reino de Deus é como...". por "Eu sou...". Entretanto, no presente caso, devemos notar que o elemento da coletividade não está ausente. Jesus não é o caule, e sim toda a videira, e os ramos permanecem parte da videira. Visto que João (1,47) vê os cristãos crentes como os israelitas genuínos, a videira como um símbolo de Jesus e os crentes, em certo sentido, são o símbolo do novo Israel. (Recordemos que às vezes tem-se sugerido que videira é o equivalente da noção que Paulo tinha de corpo. A equivalência não é total; por exemplo, na imagem de João nada existe que equipare a ênfase de Paulo sobre a diversidade de membros; e o que vem à lembrança é o conceito paulino mais antigo em que os cristãos são membros do corpo físico de Cristo, e não o conceito paulino posterior, no qual Cristo é a cabeça do corpo. Mas, uma vez admitidas estas reservas, a ideia dos cristãos estarem em Jesus com a resultante imagem corporativa é muito similar).

Algumas passagens específicas do pano de fundo judaico e veterotestamentário têm sido oferecidas para se considerar quão estreitamente relacionado é o pensamento de João. DODD, *Interpretation*, p. 411, aponta para o Sl 80,9(8)ss., onde há uma descrição de Israel como uma videira. Comentaristas deste salmo às vezes têm considerado a última parte do v. 16(15) como uma duplicação incorreta do 18(17); mas se 16(15) for lido como está, especialmente na LXX, parece identificar a videira de Israel com o "filho do homem" sofredor. Toda a passagem merece ser citada: "Cuidai desta videira e protegei [?] o que vossa mão direita plantou, o filho do homem a quem vós mesmos fizestes forte; pois a queimaram com fogo e a derribaram". Se esta redação surgiu por acidente ou por reflexão teológica, alguém pode ver como ela veio a simbolizar Jesus, o Filho do Homem, como a videira. Todavia, a conexão é altamente especulativa.

E. M. SIDEBOTTOM, ET 68 (1956-57), 234, salienta que, do ponto de vista do vocabulário, Jo 15 se aproxima muito ao *mashal* da videira em Ez 17. Este *mashal* foi proposto à casa de Israel pelo "filho do homem", uma forma de discurso que Deus usava frequentemente em referência a Ezequiel. Seria possível que a meditação sobre Ezequiel tivesse levado à associação do novo Filho do Homem com a videira? Esta conexão parece muito forçada, mas o que é significativo é que a imagem da videira de Ez 17 se reporta a um rei da casa de Davi. Como afirma BORIG, p. 101: "No AT, a imagem da videira já estava associada não só com a comunidade de Israel, mas também com a descrição de uma pessoa individual, de modo que a transposição joanina de uma imagem coletiva para uma pessoa já está antecipada no simbolismo da videira em Ezequiel". É digno de nota que Ez 34 ofereceu o paralelo mais estreito com as passagens de Jo 10 em referência ao pastor, de modo que podemos reivindicar uma relação entre a imagem de João e a imagem de Ezequiel. Outros possíveis paralelos entre os dois são salientados por B. VAWTER, *"Ezekiel and John"*, CBQ 26 (1964), 450-58. Para a ideia de que a videira representa uma pessoa, alguns têm apontado para 2 *Baruque* 39,7ss., o qual parece falar do Messias ou seu principado como uma videira desarraigando os poderes maus do mundo. Embora isto possa ser proveitoso para mostrar que era aceitável dentro do judaísmo retratar o Messias como uma videira, certamente a força da imagem é muito diferente da lição que João extrai.

Outra objeção às tentativas de encontrar um pano de fundo veterotestamentário para a videira e ramos joaninos é que nenhuma das passagens veterotestamentárias da videira enfatiza a videira como fonte de vida para os ramos, ponto que é capital em João. (No Sl 80, discutido acima, juntamente com um apelo para se cuidar da videira

[= filho do homem] há uma súplica: "Dá-nos vida" [19(18)], mas não há sugestão de que a videira seja a fonte de vida). Entretanto, ANNIE JAUBERT, p. 95, argumenta que no judaísmo pós-bíblico houve certa assimilação da videira para a árvore da vida. Na iconografia judaica posterior, a árvore da vida foi retratada como uma videira (Z. AMEISENOWA, *Journal of the Warburg Institute* 2 [1938-39], 340-44). Esse tipo de assimilação poderia ter ocorrido na esfera do pensamento sapiencial como um meio de simbolizar o poder vivificante da sabedoria, da lei ou da palavra de Deus. A. FEUILLET, NRT 82 (1960), 927ss., tem chamado a atenção para os paralelos que a literatura sapiencial oferece a Jo 15. Em Eclo 24,17-21, a Sabedoria personificada fala nestes termos: "Eu produzo deleites como a videira; minhas flores se converteram em frutos belos e ricos. Vinde a mim, todos os que me desejam, e empanturrai-vos de meus frutos. ... Aquele que come de mim ainda terá fome; aquele que bebe de mim terá mais sede ainda". Tudo indica que esta passagem foi conhecida nos círculos joaninos (veja nota sobre 6,35), e já mencionamos anteriormente que um glosador cristão viu sua conexão com Jo 14,6. A cena de comer o fruto da videira é diferente daquela de João, mas a videira é apresentada como doadora de vida. Certamente a árvore da vida figurada no pensamento joanino (explicitamente, em Ap 22,2; implicitamente, talvez como parte do pano de fundo de Jo 6 – veja vol. 1, p. 521-22), e a ideia que João tinha da videira e dos ramos pode ter-se originado de uma combinação da imagem de Israel como a videira e a imagem da Sabedoria como uma árvore ou videira vivificante. (Vemos como uma imagem tão complexa e mista que se pode obter; em INÁCIO, *Trallians* 11,1-2, parece combinar a videira, o madeiro da cruz e a árvore da vida: "Fugi desses renovos perversos que produzem fruto mortífero. ... Pois estes não são a planta do Pai. Se fossem, se pareceriam com os ramos da cruz, e seu fruto seria incorruptível").

Concluindo, é óbvio que o *mashal* que João forma da videira e dos ramos tem uma única orientação, consoante com a cristologia joanina. Esta orientação não se encontra no AT ou no pensamento judaico, mas muitas das imagens e ideias que têm sido combinadas sob esta orientação se encontram ali. Admitindo a originalidade do pensamento joanino, sugerimos que o AT e o judaísmo forneceram a matéria prima da qual este *mashal* foi composto, justamente como forneceram a matéria prima para o *mashal* da porta das ovelhas e do pastor (vol. 1, pp. 646-47).

A videira como um símbolo eucarístico?

O significado básico da videira é muito claro. Do mesmo modo como Jesus é a fonte da água viva e é o pão do céu que gera vida, assim ele é a videira que comunica vida. Até aqui, as metáforas que concernem à recepção do dom da vida que Jesus concede tem envolvido ações externas: alguém tem que beber a água ou comer o pão para ter vida. A imagem no *mashal* da videira é mais íntima, como convém ao tema geral da interiorização que domina no último discurso: alguém deve permanecer em Jesus como um ramo permanece numa videira a fim de ter vida. Beber água e comer pão eram símbolos de crer em Jesus; a explicação em 15,7-17 deixa claro que permanecer na videira simboliza o amor. Temos sugerido que, em um nível secundário, a água e o pão eram símbolos sacramentais, respectivamente do batismo e da eucaristia. É possível que a videira simbolize também a união eucarística e a vivificação eucarística, à medida que ela poderia ser uma figura relacionada com o cálice do vinho eucarístico?

Como era de se esperar, Bultmann, p. 407, descarta apressadamente a possibilidade, salientando que no *mashal* não há ênfase sobre o vinho. Esta objeção certamente exclui uma referência à eucaristia como o simbolismo primário – conclusão que também seria ditada por nossa afirmação de que o *mashal* não foi originalmente dito no contexto da última ceia. Todavia, devemos certificar ainda se o *mashal* da videira, posto no contexto da última ceia e da instituição do cálice eucarístico, deve ou não ter evocado imediatamente ideias eucarísticas e, assim, ter adquirido um simbolismo eucarístico secundário. A ausência da instituição da eucaristia no relato que João faz da última ceia realmente não é um obstáculo intransponível a esta sugestão – não só porque ali pode ter havido imediatamente um relato joânico da instituição (veja vol. 1, pp. 530), mas também porque um auditório cristão primitivo certamente teria tido conhecimento da tradição da instituição da última ceia (pois, aparentemente, ela era parte da pregação habitual: cf. 1Cor 11,23-26). Que os leitores do evangelho associariam facilmente a imagem da videira com o cálice eucarístico no contexto da última ceia é sugerido pela designação do conteúdo daquele cálice como "o fruto *da videira*" em Mc 14,25; Mt 26,29. Na própria prática litúrgica dos primeiros cristãos preservada para nós na *Didaquê* 9,2, as seguintes palavras foram ditas como parte da benção eucarística: "Graças [*eucharistein*] a ti, nosso Pai, pela santa *videira* de Davi, teu servo, que revelaste a nós através de Jesus, teu servo". Esta citação da *Didaquê* é importante em razão da estreita similaridade que vimos entre as palavras da *Didaquê* concernentes ao pão eucarístico e o relato joanino da multiplicação dos pães (vol. 1, p. 480s).

Examinaremos agora algumas possibilidades que o *mashal* da videira e os ramos pode ser relacionado com a eucaristia. Este *mashal* é narrado pouco antes da morte de Jesus, e de fato a explicação (15,13 – veja nota sobre "por aqueles a quem ama") menciona a morte sacrificial. A importância de produzir fruto é ressaltada no *mashal*; e o único outro lugar no evangelho que se menciona a produção de fruto é em 12,24, onde se enfatiza que a semente deve morrer para produzir fruto. Este tema da morte de Jesus é, naturalmente, parte de todos os relatos da instituição da eucaristia. O tema da união íntima com Jesus também deve ser partilhado tanto pelo *mashal* da videira (permanecer em Jesus) como pela teologia eucarística da Igreja primitiva (1Cor 10,16-17).

É muito interessante comparar Jo 15,1-17 com a seção eucarística de Jo 6,51-58. Em geral, o mesmo pano de fundo sapiencial parece sublinhar ambas as passagens. Em particular, 15,5, com seu "Aquele que permanece em mim e eu nele" ecoa 6,56: "Aquele que come de minha carne e bebe meu sangue permanece em mim e eu nele". No cap. 15 está implícito que a vida passa para os ramos através da videira; assim ouvimos em 6,57: "Aquele que come de mim terá a vida em virtude de mim". Em 15,13 Jesus fala de alguém dando sua vida por aqueles que ele ama; em 6,51 ele diz: "O pão que eu darei pela vida do mundo é minha própria carne". O "Eu sou o pão vivo" de 6,51 e "Eu sou a videira verdadeira" de 15,1 formam um díptico joânico não diferente de "Isto é o meu corpo" e "Isto é o meu sangue".

Assim, parece provável que o *mashal* da videira e os ramos tenha nuances eucarísticos. Esta é uma tese endossada tanto por protestantes (Cullmann) e católicos romanos (Van den Bussche, Stanley). Sandvik, *art. cit.*, tem argumento com vigor em prol desta tese, embora nutramos dúvida sobre a dimensão eucarística acrescida que ele introduz em que a videira representa o templo que é o *corpo* de Jesus (2,21 – veja vol. 1, p. 325). Tampouco podemos aceitar sem reservas a avaliação que Cullmann faz da primazia desta referência eucarística: "A relação entre o ramo e a videira é, portanto, acima de tudo, a comunhão eucarística dos crentes com Cristo" (ECW, p. 113). A relação é primariamente a de amor (e fé) e só secundariamente eucarística. Pode ser que, quando ele foi introduzido no contexto da última ceia, o *mashal* da videira serviu, nos círculos joaninos, com finalidade paranética de insistir que a união eucarística duraria e produziria fruto e se aprofundaria a união entre Jesus e os discípulos já existente através do amor.

COMENTÁRIO: DETALHADO

Versículos 1-6: O mashal da videira e os ramos

No v. 1, Jesus insiste que ele é a videira verdadeira (para *alēthinos* como "verdadeira", veja vol. 1, p. 797), e menciona seu Pai para confirmar esta reivindicação. Vimos a mesma ideia em 6,32: "Meu Pai é quem vos dá o verdadeiro pão do céu". Não parece que, ao reivindicar ser a videira verdadeira, Jesus esteja polemizando diretamente contra uma falsa videira; antes, está enfatizando que ele é a fonte da "verdadeira" vida, vida que só pode vir do alto e do Pai. Jesus é a videira num sentido em que somente o Filho de Deus pode ser a videira. Aqui, "verdadeira" é a linguagem do dualismo joanino que distingue o que é de baixo e o que é de cima. Contudo, podemos indagar se em um nível secundário não pode haver, por implicação, uma referência a uma falsa videira. Ocasionalmente, o contraste em "verdadeira" é não só celestial versus terreno, mas também NT versus AT (ou cristão versus judaico); por exemplo, no caso do pão do céu ou maná. Já vimos que no AT a vinha ou videira frequentemente representa Israel e que na tradição sinótica Jesus recorre ao cântico da vinha de Is 5 para construir uma parábola (Mc 12,1-11) que adverte os líderes judaicos de serem rejeitados. Na conclusão da parábola, Mt 21,43 registra estas palavras: "O reino de Deus será tirado de vós e dado a uma nação que produza seus frutos". No *mashal* da videira e os ramos, é João que contrasta Jesus e seus seguidores como a videira verdadeira com a falsa videira representada pela sinagoga judaica (vol. 1, pp. 67-71). É bem possível que a videira como um símbolo sugeriria o judaísmo. Um dos notáveis ornamentos do Templo de Jerusalém era uma videira de ouro com cachos tão altos como um homem no (JOSEFO, *Ant.* 15.11.3; 395; *War*, 5.5.4; 210; Tácito, *Hist.* 5.5; Mishnah *Middoth* 3:8); e nas moedas da primeira revolta judaica (66-70 d.C.), cunhadas para exaltar a santidade de Jerusalém, havia o desenho de uma videira e seus ramos. Depois da queda do templo, o reagrupamento dos discípulos rabínicos em Jâmnia, sob a autoridade do Rabino Johanan ben Zakkai foi conhecido como uma vinha (Mishnah *Kethuboth* 4:6). Por outro lado, parte da descrição joanina da videira e os ramos ecoa passagens veterotestamentárias que tratam do castigo de Israel. A expressão "videira verdadeira" (*ampelos alēthinē*) ocorre na LXX na passagem de Jr 2,21: "Eu vos plantei como uma videira frutífera, inteiramente *genuína*. Como vos tornastes uma videira selvagem, que veio a ser amarga?" Precisamente como João diz que o Pai é o agricultor da videira, o Cântico da Vinha de Isaías, que é o pano de fundo da parábola sinótica mencionada acima, enfatiza que Iahweh lavrou, limpou e cuidou da vinha só para ser recompensado com uvas azedas. Por sua vez, Iahweh diz que causará ruína na vinha (Is 5,1-7). E assim, ao representar Jesus como a videira verdadeira, é bem provável que o escritor joanino estivesse pensando que Deus, finalmente, havia rejeitado a videira improdutiva do judaísmo que ainda sobrevivia na Sinagoga. (Para uma sugestão sobre a atitude cristã moderna para com tal polêmica anti-sinagoga, veja vol. 1, p. 653).

O v. 2 descreve duas diferentes ações do agricultor ou viticultor. A primeira, a de podar os ramos que não podem produzir fruto, que se realiza em fevereiro-março. Algumas vezes as videiras são tão completamente aparadas, que se vê nas vinhas somente os caules destituídos de ramos (F. G. ENGEL, ET 60 [1948-49], 111). Mais tarde (agosto), quando a videira já produziu folhas, vem o segundo estágio de poda, quando o viticultor corta os poucos brotos para que os principais ramos produtivos absorvam todos nutrientes (G. DALMAN, *Arbeit und Sitte in Palästina* [Gütersloh: Bertelsmann, 1935], IV, 312-13, 331). Este versículo, pois, introduz uma nota sombria; pois ele reconhece ambas as coisas: que há ramos na videira (literalmente, "em mim") que não produz fruto e que mesmo os ramos frutíferos necessitam de poda.

O que significa o simbolismo de produzir e não produzir fruto? Espontaneamente, a tendência é interpretar a imagem em termos de boas obras e um modo virtuoso de vida (assim LAGRANGE, p. 401), mas devemos ter em mente que João não faz a distinção que posteriormente os teólogos cristãos fariam entre a vida que vem de Cristo e a tradução dessa vida em obras. Para João, amar e guardar os mandamentos são tanto uma parte da vida oriunda da fé que quem não se comporta de maneira virtuosa não tem absolutamente vida nenhuma. Vida é vida na prática. Portanto, um ramo que não produz fruto é simplesmente um ramo improdutivo, não está vivo, e sim morto. Alguém pode achar esta interpretação dura, já que ela não atribui nenhuma esperança para os ramos improdutivos; todavia, no dualismo joanino não há muito espaço para um estágio intermediário: há somente ramos vivos e mortos. AGOSTINHO (In Jo. 81,3; PL 35:1842) capta perfeitamente este dualismo em seu epigrama latino rítmico: "Aut vitis, aut ignis [Ou videira, ou fogo]". Assim, o pensamento de João é diferente daquele implícito em Mt 3,8, onde o Batista diz aos líderes judaicos: "Produzi fruto digno de arrependimento"; pois João está falando de cristãos que já haviam se convertido e estão em Jesus, mas agora estão mortos. A atitude se aproxima muito das palavras de Jeremias (5,10) sobre a vinha de Judá: "Subi aos seus muros, e destruí-os (porém não façais uma destruição final); tirai seus ramos, porque já não são do Senhor". Na atmosfera da última ceia, Judas poderia ser tido como um ramo que não produz fruto; agora ele é um instrumento de Satanás e pertence ao reino das trevas (13,2.27.30). Na atmosfera do próprio tempo do evangelista, talvez os "anticristos" de 1Jo 2,18-19 fossem tidos como ramos em Jesus que não produziam fruto; saíram das fileiras dos cristãos porque realmente não permaneceram unidos à comunidade cristã. Acaso aqui há também polêmica contra a sinagoga? Certamente muitas das passagens veterotestamentárias, se referindo à poda dos ramos e a esterilidade (Ez 17,7ss.), tratam da indignidade e rebelião de Israel, e o mesmo se pode dizer de algumas passagens neotestamentárias (figueira infrutífera em Mc 11,12-14; os ramos quebrados da oliveira em Rm 11,17). Entretanto, João dificilmente poderia comparar os judeus da sinagoga com ramos que estão em Jesus. Se aqui existe alguma polêmica, teria que ser contra os judeu cristãos que não professavam publicamente sua fé e ainda permaneciam na sinagoga, mas tal referência é muito especulativa.

O final do v. 2 menciona que o agricultor limpa os ramos que produzem fruto a fim de que produzam ainda mais fruto. Não fica claro o que isto simboliza. Visto que a produção de fruto é um símbolo da possessão da vida eterna, a passagem se ocupa do desenvolvimento nessa vida e o desenvolvimento na união com Jesus. Produção de fruto proliferada também implica a comunicação da vida a outros? A explicação do *mashal* enfatiza fortemente o amor para com outros

(15,12-13) e parece relacionar a produção de fruto no ministério apostólico (v. 16). Em 12,24 está implícito que Jesus mesmo só "produz fruto" quando, através de sua morte e ressurreição, ele pode comunicar vida a outros. No *mashal* agrícola que envolve colheita e fruto (4,35-38) o foco em grande medida estava no empreendimento missionário. Do mesmo modo, pois, a imagem de limpar os ramos para que produzam mais fruto envolve um crescimento em amor que une o cristão a Jesus e difunde vida a outros. Como realça VAN DEN BUSSCHE, p. 108, seria errôneo pensar que o escritor joanino teria sido cônscio de uma distinção entre a vitalidade cristã interna e sua atividade apostólica dirigida a outros, pois ele não teria pensado na "vida" de um cristão como algo voltado para si em um isolamento improdutivo. O sentido de que havia outros que tinham de ser conduzidos ao rebanho (10,16) era, no primeiro século, forte demais para ser omitido de qualquer interpretação do que significava estar unido a Jesus.

O v. 3, que certamente é um desenvolvimento ou explicação da imagem original, força o *mashal* (veja primeira nota sobre o v. 3) a reafirmar aos discípulos que eles já está limpos e não necessitam de serem podados pelo Pai. Se isto está implícito como uma consolação aos discípulos já temerosos (14,1.27), então é a única linha no *mashal* que visualiza diretamente o cenário da última ceia e provavelmente foi anexado no tempo em que o *mashal* foi inserido em seu presente contexto. Estar "limpo" no v. 3 se refere primariamente a estar limpo não do pecado, e sim de tudo o que impede a produção de fruto (BORIG, p. 42). É possível que o redator quisesse recordar 13,10, onde em referência ao lava-pés Jesus disse a seus discípulos: "E agora vós, homens, estais limpos". Sugerimos que isso significava que os discípulos foram purificados em virtude da ação simbólica de Jesus prefigurando sua morte de Jesus (e em um nível secundário os cristãos foram purificados através do batismo). Não obstante, aqui é a palavra de Jesus que purifica os discípulos. (BULTMANN usa 15,3 para interpretar o lava-pés como símbolo do poder purificador da palavra; e na p. 410 ele aponta para este versículo como um indicador de que o cristão está purificado não pelas instituições da igreja ou meios sacramentais de salvação, mas exclusivamente pela palavra do revelador!) As duas ideias não são contraditórias. O escritor Joanino certamente não pensa nos discípulos, na última ceia, como já plenamente unidos a Jesus e produzindo fruto com abundância. Todas as questões atribuídas a eles enfatizam a imperfeição de seu conhecimento. Mas quando "a hora" estiver completada e o Paráclito/Espírito for dado aos discípulos, então ele se encarregará de que a obra de Jesus produza todos seus frutos. Assim, pode-se dizer que a palavra de Jesus já os fez limpos porque já receberam sua palavra e estão no contexto de "a hora" que tornará possível a ação dessa palavra. Assim também o lava-pés os purificou precisamente porque ele foi uma ação simbólica captando em si mesma a sujeição de Jesus à morte. Para João, não existe uma dicotomia entre a ação salvífica de Jesus e sua palavra salvífica. Nem havia na mente do escritor joanino qualquer dicotomia necessária entre o batismo e a ação da palavra de Jesus através do Paráclito. Os cristãos a quem este *mashal* foi dirigido teriam se tornado ramos em Jesus através do batismo. Isto os faria produtores de fruto porque lhes daria vida gerada de cima e os faria limpos segundo o simbolismo de 13,10. Mas, para fazê-los produzir mais e mais fruto era necessário que o mandamento do amor de Jesus gradualmente se expressasse mais e mais em suas vidas. Podemos mencionar que o poder atribuído aqui à palavra de Jesus é perfeitamente consoante com outras afirmações joaninas sobre esta palavra: ela é uma força ativa que condena o incrédulo no último dia (12,48), mas para o crente ela é tanto Espírito quanto vida (6,63). Tampouco este pensamento é peculiarmente joanino. É bem possível que em um contexto batismal 1Pd 1,23 atribua à palavra de Deus o poder de gerar homens de novo. Jo 15,3 não está longe demais do pensamento de At 15,9: "Deus purificou seus corações pela fé".

Embora provavelmente o v. 3 fosse inserido no *mashal*, o versículo como ora se encontra serve de transição aos vs. 4-5. Se os discípulos já estão limpos, então devem corresponder e viver diariamente neste estado permanecendo em Jesus (4). Hoskyns, p. 475, vê um elemento duplo na purificação dos discípulos: a limpeza inicial ocasionada pela palavra de Jesus, e sua conservação através da manutenção de uma união permanente com ele. Isto pode ser uma divisão mais formal do que o escritor joanino tencionava, mas ao menos fica claro que no pensamento joanino ser purificado não é algo estático e nem constitue um fim em si mesmo.

O v. 4 começa "Permanecei em mim, como eu permaneço em vós". Isto não é uma simples comparação entre duas ações, tampouco uma parte deste mandamento é uma condição causal da outra – antes, uma não pode existir sem a outra. Permanecer em Jesus e ter Jesus permanente no discípulo são partes do todo, pois só há uma relação pessoal entre Jesus e seus discípulos: se permanecerem em Jesus através da fé, ele permanece neles através do amor e fruto que darão (Borig, pp. 45-46). Eis por que os vs. 4 e 5 insistem que, para se produzir fruto, é preciso permanecer em Jesus; todos quantos permanecem em Jesus produzem fruto, e somente esses. (O v. 2 fez a produção de mais fruto dependente de ser podado pelo Pai – evidentemente, todo este simbolismo se refere a mesma coisa). O v. 5 simplesmente diz positivamente o que o v. 4 diz negativamente. Este tema da união se adequa bem com a teologia geral do último discurso e poderia ter sido o fator chave que levou à inclusão do *mashal* em seu presente contexto. A dependência total do cristão de Jesus, que é o motivo condutor do pensamento joanino, em parte alguma é expresso com mais eloquência do que aqui. A última linha do v. 5, "Sem mim nada podeis fazer", tem exercido um importante papel na história da discussão teológica sobre a graça. Agostinho a usou para refutar Pelágio que enfatizava a capacidade natural do homem de fazer boas obras dignas do galardão eterno; e o texto foi citado em 418 pelo Concílio de Cartago (DB 227) contra os pelagianos e novamente em 529 pelo Segundo Concílio de Orange (DB 377) contra os semi-pelagianos que defendiam a capacidade natural do homem de fazer boas obras que em algum sentido eram merecedoras da graça. O texto apareceu novamente no Concílio de Trento (DB 1546) nos argumentos de Roma contra os Reformadores, defendendo a qualidade meritória das boas obras feitas em união com Cristo. Enquanto estes debates teológicos vão além do significado claramente pretendido pelo escritor joanino, podemos ver como a teologia da graça e do mérito constitui uma tentativa de sistematizar as ideias transmitidas por João (veja Leal, *art. cit.*).

No v. 6, o *mashal* volta a tratar do destino dos ramos que foram cortados. Já salientamos que muitas passagens da vinha/videira do AT envolvem uma rejeição de Israel e culminam com uma nota sombria do juízo divino em que a vinha é pisoteada ou a videira é devastada. O cenário destas passagens parece ter influenciado João. Em Ez 15,4-6 a madeira da videira é lançada ao fogo como combustível (na LXX no v. 4 se afirma que o fogo consome o que é *podado* a cada ano – cf. Jo 15,2); em Ez 19,12 ouvimos que o caule da videira se seca e o fogo o consome. Para a descrição do crestamento dos ramos que não produzem fruto, é interessante ler Is 40,8: "seca-se a erva, e cai a flor, mas a palavra de nosso Deus permanece para sempre", especialmente quando nos lembramos que para João os ramos frutíferos já foram limpos pela palavra de Jesus (15,3). O fato de terminar, um *mashal* sobre o tema do juízo tem paralelo na parábola mateana do joio no meio do Trigo; em Mt 13,30 ouvimos: "Colhei primeiro o joio, e atai-o em molhos para o queimar". A explicação da parábola (13,41) interpreta as ervas daninhas como malfeitores que têm vivido dentro do reino do Filho do Homem. Assim também em João os ramos que são queimados estiveram uma vez unidos a Jesus, a videira. A expressão "secou-se" ocorre em Mc 4,6 na parábola do semeador para descrever o destino da semente que cai no solo rochoso e começa a crescer, mas é queimada pelo sol.

Em que medida a descrição no v. 6 tem simplesmente o alcance de uma imagem parabólica, i.e., a descrição de um destino apropriado aos ramos? Até que ponto trata de descrever a punição concreta visualizada pelos homens representados pelos ramos? (Há quem pense que essa descrição foi sugerida pelo comportamento de Judas; pois em 13,10 o tema de estar limpo [também encontrado em 15,3] leva a uma referência a Judas). Naturalmente, os estudiosos que se recusam ver qualquer escatologia final em João são relutantes em ver aqui uma referência à punição escatológica, mas não estaria além da esfera do pensamento joanino sugerir que os que se apartam de Jesus hão de ser punidos pelo fogo (cf. 5,29). Os evangelhos sinóticos oferecem alguns interessantes pontos de comparação; veja Mc 9,43; Mt 25,41; e particularmente Mt 3,10: "Toda árvore que não produz bom fruto é cortada e lançada ao fogo". O estranho uso que João faz de "rejeitar" [literalmente, 'tirados fora'], o qual não se adequa à imagem, poderia ter sido sugerido pelo frequente uso deste verbo em descrições escatológicas: "Os filhos do reino serão lançados fora nas trevas exteriores" (Mt 8,12). A sugestão de que "lançar fora" é uma referência à excomunhão da comunidade cristã é mais difícil de provar, porém veja 1Jo 2,19.

Versículos 7-17: Desenvolvimento do mashal no contexto do último discurso

Os vs. 5-6 ofereceram alternativa dualística de permanecer ou não em Jesus; mas nos vs. 7ss. Contudo, somente o lado positivo do *maschal* é desenvolvido para nós agora no contexto do último discurso e Jesus está falando aos seus, i.e., aos que permanecem nele (note que os discípulos de Jesus são claramente especificados no v. 8). Assim, os vs. 7-17 explicitam a implicação da permanência em Jesus que foi o tema do *mashal* nos vs. 1-6. (Para a subdivisão e o arranjo quiásmico de 7-17, veja pp. 1050-53 acima. Note que a segunda linha do v. 7 explica a primeira linha: a permanência envolve uma existência vivida em harmonia com a revelação de Jesus (veja nota sobre "palavras" e em obediência aos mandamentos de Jesus (compare "minhas palavras" no v. 7 com "meus mandamentos" no v. 10). Os pedidos dos que então se conformam a Jesus serão harmoniosos com o que Jesus quer e para que sempre sejam concedidos pelo Pai (última parte do v. 7). Jesus não especifica que o pedido deve ser feito "em meu nome", condição que aparece na maioria das outras formulações joaninas desta sentença (veja p. 1009s. acima); mas tal especificação não é necessária, visto que o pedido é feito por aqueles que permanecem em Jesus.

Os vs. 7 e 8 vão unidos, e os pedidos mencionados no v. 7 provavelmente devam ser interpretados à luz do v. 8; são pedidos que envolvem o crescimento da vida cristã, a saber, produzir fruto e se tornar discípulos. Chegamos à mesma conclusão se estudarmos o v. 16, o qual forma uma inclusão com os vs. 7-8: aí também os pedidos dos cristãos estão associados com ir e produzir fruto. (De passagem, quão estreitamente o v. 8 se relaciona com o v. 7 é ilustrado pelo estudo de 8,31: "Se insistirdes [em permanecer] em minha palavra, realmente sois meus discípulos" – esse versículo se junta a "tornar meus discípulos" do v. 8 com o "Se minhas palavras permanecerem em vós" do v. 7). Mediante seus pedidos, os cristãos tomam parte ativa no plano de Deus. No *mashal*, o Pai foi mencionado como o agricultor que ajudou os ramos a produzir mais fruto; o desenvolvimento do *mashal* mostra como o Pai exerce seu papel (v. 8). Já vimos em João (12,28; 13,31-32; 14,13) que o Pai foi glorificado na missão do Filho; mas agora que o Filho completou sua missão de trazer vida aos homens, o Pai é glorificado na continuação dessa missão pelos discípulos de seu Filho. Em Mt 5,16, declara-se que os homens verão as boas obras dos discípulos e darão glória ao Pai no céu. Entretanto, no pensamento joanino, a glorificação do Pai nos discípulos não é meramente uma questão de louvor por outros; está radicado na vida dos discípulos como participação na vida de Jesus (cf. 17,22: "Eu lhes tenho dado a glória que me tens dado"). Sugerimos, ao discutirmos o *mashal* que "produzir fruto" era símbolo de possuir vida divina, e que, secundariamente, envolvia a comunicação dessa vida a outros. Este aspecto de partilhar a vida vem em primeiro plano mais fortemente no desenvolvimento do *mashal*. "Tornar-se meus discípulos" envolve amor para com Jesus (9-10) e amor recíproco (12-17). O amor do discípulo para com seu irmão cristão deve ser tão grande que esteja disposto a doar sua vida (13). Inácio de Antioquia (c. 110) exemplificou verdadeiramente a noção joanina de tornar-se discípulo de Jesus quando a caminho do martírio ele exclamou: "Agora estou começando a ser um discípulo" (Rm 5,3).

Assim, os vs. 9-17, com seu tema do amor, realmente são uma interpretação da ideia de produzir fruto que aparece no v. 8 (mesmo quando esta conexão não tenha sido original); e embora a imagem da videira e os ramos ocorra outra vez somente no v. 16, a totalidade dos vs. 9-17 ainda se relaciona muito com essa imagem. Temos observado com frequência paralelos entre partes do último discurso e 1 João; certamente o tema do amor é mais fortemente desenvolvido nos vs. 9ss. do que em qualquer outro lugar no evangelho, e chegamos muito perto dos temas de 1 João. (O autor de 1 João foi o redator que introduziu o *mashal* no contexto do último discurso e o supriu com uma explicação formulada dos temas do último discurso?) Em outro lugar (6,57) foi dito que a vida foi transferida do Pai para o Filho para que o Filho pudesse comunicá-la a outros; agora (15,9) é o amor que é transferido. Isto é apropriado porque Jesus está falando em "a hora" quando "tendo amado os seus..., amou-vos" (13,1). Todavia, a permutabilidade parcial de "vida" e "amor" nos acautela contra pensar que por "amor" João entenda algo primariamente emocional – além de ser ético, o "amor" às vezes está perto de ser algo metafísico (Borig, p. 61). Dibelius, p. 174, observa que o amor não é uma questão de unidade de vontade existente em virtude de uma relação afetiva, mas uma unidade de ser em virtude de uma qualidade divina. Para João, o amor se relaciona com estar ou permanecer em Jesus. A última linha no v. 9, "Permanecei em meu amor", coloca nos discípulos uma exigência a que respondam ao amor de Jesus para com eles, assim como a primeira linha no v. 4, "Permanecei em mim", põe neles uma exigência a que respondam à purificação que Jesus faz neles por meio de sua palavra.

O tema do amor introduzido no v. 9 se desenvolve no v. 10 (Boris, p. 68, descobre um arranjo quiásmico no grego destes dois versículos que os une entre si). Em particular, o v. 10 associa amor e mandamento(s), uma associação já encontrada em 13,34; 14,15.23-24. Barrett, p. 397, observa: "... amor e obediência estão em dependência mútua. O amor nasce da obediência e a obediência do amor". Isto está em marcante diferença do conceito de amor em muitos dos paralelos gnósticos aduzidos pela imagem da videira; ali, o amor é muito mais místico.

No v. 11 reaparece o refrão "Eu vos tenho dito isto" (veja nota sobre 14,25); aqui ele marca a transição de 7-10 para 12-19 (diagrama à p. 1053 acima). O tema da alegria, visto de passagem em 14,28, é mencionado brevemente no v. 11; será o tema de um amplo desenvolvimento em 16,20-24. A alegria é apresentada como que fluindo da obediência e amor de que Jesus tem falado. A própria alegria de Jesus emana de sua união com o Pai que acha expressão na obediência e amor (14,31: "Eu amo o Pai e que faço como o Pai me ordenou"). Obediência e amor, aos quais por sua vez Jesus conclama seus discípulos, constituem e testificam, respectivamente, sua união com ele; e é esta união que será a fonte de sua alegria. Assim, "minha alegria", como "minha paz" (p. 1035 acima), é um dom salvífico. É interessante ver quão frequente no evangelho a "alegria" está associada com a obra salvadora de Jesus:

- 3,29: A plena ou completa alegria do Batista consiste em ele ouvir a voz de Jesus, o noivo.
- 4,36: O semeador e o ceifeiro se regozijam mutuamente em ver o fruto que é recolhido para a vida eterna.
- 8,56: Abraão se regozijou em contemplar o dia de Jesus.
- 11,15: Jesus se regozija por não estar lá quando Lázaro morreu, a fim de que seus discípulos cressem.
- 14,28: Os discípulos se regozijariam em saber que Jesus foi para o Pai.

Assim também, no presente caso, se a alegria emana da união dos discípulos com Jesus, a plenitude desta alegria estará no fato de que eles estão dando sequência à missão dele e produziam muito fruto.

O v. 12 (repetido no v. 17) se relaciona com e talvez seja uma duplicata de 13,34: "Eu vos dou um novo mandamento: Que vos ameis uns aos outros". Em 15,10, Jesus dissera que permaneceriam em seu amor se guardassem seus mandamentos; agora os discípulos são informados que o mandamento básico é o amor. O amor só pode subsistir se produzir mais amor. Note a concentração do amor que se encontra nos vs. 9 e 12: o Pai ama Jesus; Jesus ama os discípulos; estes amam uns aos outros. Enquanto isto se trata de uma formulação tipicamente joanina, Mt 5,44-45 oferece uma interessante comparação: "Amai vossos inimigos... a fim de que sejais filhos de vosso Pai que está no céu". O modelo do amor dos discípulos é o supremo ato de amor de Jesus, a entrega de sua própria vida (o "como vos tenho amado" é especificado pelo v. 13). Em 10,18 e em 14,31 este entregar a vida foi dito como um mandamento do Pai – assim, uma vez mais, temos a combinação de amor e mandamento. De que maneira a morte de Jesus por outros é tida como sendo um exemplo para (e a fonte de) o amor dos discípulos? Evidentemente, deve ser um modelo da *intensidade* de seu amor, mas 1Jo 3,16 pareceria interpretá-lo também como um modelo para a *maneira de expressar* o amor: "A maneira de virmos a entender o que significa amor foi que ele entregou sua vida por nós; de modo que nós também devemos entregar nossas vidas por nossos irmãos". Os vs. 12-13, tomados em um sentido expandido, se tornaram uma das grandes justificativas para os mártires cristãos. Ao discutir o v. 13, L. JACOBS, *art. cit.*, salienta que os modernos mestres judeus têm sido invariavelmente unânimes em rejeitar este mandamento radical de auto-sacrifício, e constitui uma das distinções mais clássicas entre o cristianismo e o judaísmo. Naturalmente, ambos, o AT e os rabinos, reconheceram a sacralidade de arriscar alguém sua segurança por outro, mas JACOBS diz que eles não o ordenaram. Deve ser notado que temos interpretado os vs. 12 e 13 juntos, pois concordamos com BULTMANN, p. 417, que o v. 13 está conectado tanto ao que precede quanto ao segue. Em contrapartida, DIBELIUS, *art. cit.*, tem argumentado que os vs. 13-15 formam um tipo de excurso midráshico que interrompe a unidade entre 12 e 17, com o v. 16 como uma glosa. Esta crítica parece incisiva demais: em determinado momento o v. 13 poderia ter sido um logion independente, mas agora está muito bem integrado em seu contexto.

No v. 14 somos informados que o ato de amar de que fala o v. 13 é constitutivo do grupo daqueles a quem Jesus ama (os *philoi*; veja nota). Este não é um grupo esotérico dentro da comunidade cristã mais ampla. A morte de Jesus, que é seu grande ato de amor, tornará possível a doação do Espírito a todos quantos crerem nele, e este Espírito gerará todos os crentes como filhos de Deus. Portanto, os *philoi* ou amigos de Jesus são todos cristãos crentes. Nas palavras de 1Jo 4,19, "Ele nos amou primeiro"; é seu amor que faz o cristão ser digno de ser amado. Ao fazer os homens seus *philoi* através de sua união com eles, Jesus está agindo à maneira da Sabedoria divina: "E, entrando nas almas santas de cada geração, as faz amadas [*philoi*] de Deus" (Sb 7,27). A segunda linha do v. 14 descreve a maneira de alguém agir como um *philos* de Jesus. Não devemos entender este versículo no sentido em que a obediência aos mandamentos de Jesus faz alguém um *philos* – tal obediência não é um teste se alguém é ou não amado por Jesus, mas flui naturalmente de ser amado por Jesus. O v. 14 realmente repete o v. 10 em outros termos: "Permanecereis em meu amor se guardardes meus mandamentos".

O v. 15 explica mais detalhadamente a condição de ser um *philos* de Jesus. Não devemos tomar também literalmente a exclusão do status de servo (*doulos*). Do mesmo modo que no AT os profetas falavam de si mesmos como os servos de Deus (Am 3,7), os cristãos falavam de si mesmos como servos. Em Lc 17,10, Jesus instrui os discípulos a dizer: "Somos servos inúteis". Em Jo 13,13, aos discípulos se ordenou que se dirigissem a Jesus como "Senhor", uma alocução que tem a implicação de que são seus servos; veja também 13,16; 15,20. Paulo chama a si mesmo de o "servo de Jesus Cristo" (Rm 1,1); todavia, em Gl 4,7 ele afirma que o cristão já não é servo, e sim filho. Assim, no pensamento neotestamentário, o cristão segue sendo um *doulos* pela ótica do serviço que ele deve prestar, mas, pela ótica da intimidade com Deus, ele é mais que um *doulos*. Assim também aqui em Jo 15,15, pela ótica da revelação que lhe foi dada, o cristão não é mero servo. Se o ato de Jesus, de amar e morrer por eles, fez dos discípulos seus amados, a mesma eficiência pode ser atribuída à sua palavra que ele recebeu do Pai – note uma vez mais a relação íntima entre o ato e a palavra de Jesus. Os estudiosos que veem influência gnóstica em Jo 15,1-17 logicamente aqui pensam nos amados ou *philoi* de Jesus como um grupo minoritário que alega ter tido uma revelação especial. Não temos que ir longe demais da ideia contida no v. 15. No AT, a revelação suprema de Iahweh a Moisés no Sinai era tão íntima quanto um homem que fala a seu *philos* (Ex 33,11). E ainda mais do próximo pensamento de João é a passagem de Sb 7 supracitada no comentário ao v. 14.

A constituição dos discípulos como seus amados é parte de sua eleição por Jesus (v. 16). Ao falar daqueles a quem ele escolheu, o Jesus joanino está indubitavelmente se dirigindo a todos os cristãos que são os "eleitos" ou "escolhidos" de Deus (Rm 8,33; Cl 3,12; 1Pd 2,4). Alguns estudiosos insistiriam nisto a ponto de João haver negado qualquer significado especial aos Doze. Todavia, é muito mais consoante com o pensamento joanino apresentar os Doze que eram os discípulos mais íntimos de Jesus como os modelos de todos os cristãos, tanto em os haver escolhido, quanto em os haver enviado para levar a palavra a outros. Em 6,70 e 13,18, Jesus fala de haver escolhido os Doze (e, deveras, o verbo "escolher, eleger" é usado em referência à seleção dos Doze em Lc 6,13; At 1,2). Como Jo 15,27 deixa claro, as palavras de Jesus, aqui, são dirigidas aos que estiveram com ele desde o princípio. Que os apóstolos, "os enviados", estão particularmente em pauta no "Eu vos escolhi" do v. 16 está pressuposto pelo que segue: "Eu vos designei para que vades e deis fruto". Ambas as noções de ir (veja nota) e de dar fruto (veja acima) têm conotações de uma missão a outros. O uso do verbo grego "designar" (veja nota) em passagens veterotestamentárias relacionadas com uma missão ou vocação adiciona uma nova matiz missionária este versículo. *Se* em outras passagens joaninas os Doze são apóstolos por excelência (Ap 21,14: "os doze apóstolos do Cordeiro"), aos Doze está sendo dada uma missão que todos os cristãos devem cumprir. Ao enfatizar que o *fruto* que produzissem permaneceria, no v. 16 João realiza uma inclusão com os temas dos vs. 7 e 8, e no fim da explicação do *mashal* uma vez mais utiliza ao proeminente vocabulário usado para descrever a videira e os ramos. O tema de pedir e ser concedido está também no final do v. 16 constitui também uma inclusão com o v. 7. O v. 7 deu a certeza de que Deus ouviria aqueles que estão unidos a Jesus; o v. 16 dá a certeza de que Deus ouvirá os escolhidos e amados de Jesus. São os comissionados por Jesus, que podem fazer suas petições em nome de Jesus (note Lc 10,17, onde os 70(2) que foram enviados por Jesus expulsam demônios em seu nome).

A expressão "isto vos ordeno" do v. 17 não só forma uma inclusão com o v. 12; como também é uma variante do refrão "Eu vos tenho dito isto" com que, como já vimos, João escolhe várias das unidades ou subdivisões do último discurso. O "amai-vos uns aos outros" um final adequado para uma seção que se ocupa tanto com o amor; ela está em notável contraste com as palavras sobre o ódio do mundo que veem a seguir.

BIBLIOGRAFIA
(15,1-17)

Veja a bibliografia geral sobre o último discurso no final do § 48.

BORIG, R., *Der wahre Weinstock* (Munique: Kösel, 1967).

DIBELIUS, M., *"Joh. 15:13. Eine Studie zum Traditionsproblem des Johannesevangeliums"*, in *Festgabe für Adolf Deissmann zum 60. Geburtstag* (Tübingen: Mohr, 1927), pp. 168-86. Reimpresso em Dibelius' Botschaft und Geschichte (Tübingen: Mohr, 1953), I, 204-20.

GRUNDMANN, W., *"Das Wort von Jesu Freunden (Joh. 15.13-16) und das Herrenmahl"*, NovT 3 (1959), 62-69.

JACOBS, L., *"'Greater Love Hath No Man...' The Jewish Point of View of Self-Sacrifice"*, Judaism 6 (1957), 41-47.

JAUBERT, A., *"L'image de la Vigne (Jean 15)"*, in *Oikonomia* (Cullmann Festschrift; Hambrug: Reich, 1967), pp. 93-99.

LEAL, J., *"'Sine me nihil potestis facere' (Joh. 15, 5)"*, in *XII Semana Bíblica Española* (Madrid, 1952), pp. 483-98.

SANDVIK, B., *"Joh. 15 als Abendmahlstext"*, TZ 23 (1967), 323-28.

SCHWANK, B., *"'Ich bin der wahre Weinstock' (15, 1-17)"*, SeinSend 28 (1963), 244-58.

STANLEY, D. M., *"'I Am the Genuine Vine', (John 15.1)"*, BiTod 8 (1963), 484-91.

VAN DEN BUSSCHE, H., *"La vigne et ses fruits (Jean 15, 1-8)"*, BVC 26 (1959), 12-18.

54. O ÚLTIMO DISCURSO:
– SEGUNDA SEÇÃO (SEGUNDA SUBDIVISÃO)
(15,18 – 16,4a)

O ódio do mundo para com Jesus e seus discípulos

15   ¹⁸"Se o mundo vos odeia,
       tenhais em mente que tem odiado a mim antes de vós.
    ¹⁹Se pertencêsseis ao mundo,
       o mundo amaria o que é seu;
       mas a razão por que o mundo vos odeia
       é que não pertenceis ao mundo,
       pois eu vos escolhi do mundo.
    ²⁰Lembrai-vos do que eu vos disse:
       'Nenhum servo é mais importante do que seu senhor.'
       Se perseguiram a mim,
       eles vos perseguirão;
       se guardassem a minha palavra,
       guardarão também a vossa.
    ²¹Mas vos farão todas essas coisas por causa de meu nome,
       pois não conhecem aquele que me enviou.
    ²²Se eu não viesse e não lhes falasse,
       não teriam pecado;
       mas agora não têm justificativa para seu pecado –
    ²³odiar-me equivale a odiar meu Pai.
    ²⁴Se eu não fizesse obras entre eles
       tais como nenhum outro jamais fez,
       não seriam culpados de pecado;

> mas eles não só têm visto,
> e apesar disso têm odiado a mim e a meu Pai.
> ²⁵Entretanto, isto é para cumprir-se o escrito em sua lei:
> 'Odiaram-me sem causa.'
>
> ²⁶Quando o Paráclito vier,
> o Espírito da Verdade que procede do Pai
> e a quem enviarei da parte do Pai,
> ele dará testemunho a meu respeito.
> ²⁷Vós também dareis testemunho,
> porque tendes estado comigo desde o princípio.

16 ¹Eu vos tenho dito isto
> para impedir que vossa fé seja abalada.
> ²Eles vos expulsarão da sinagoga.
> *Mas*, a hora está chegando
> quando qualquer que vos entregar à morte
> pensará que está servindo a Deus!
> ³E [vos] farão tais coisas
> porque nunca conheceram o Pai nem a mim.
> ⁴ªMas, eu vos tenho dito isto
> para que, quando a hora [deles] chegar,
> vos recordeis de que já vo-lo tinha dito".

NOTAS

15.18. *Se o mundo vos odeia*. P⁶⁶ tem o verbo no tempo aoristo: "odiou". Gramaticalmente, esta é uma condição real; o mundo odeia os discípulos. Aqui, "odiar" tem seu sentido literal, diferente de Mt 6,24, onde, mediante exagero semítico, significa "amar menos".

tenhais em mente. Literalmente, "sabeis". Isto pode ser um indicativo, mas as versões mais antigas o entendem como um imperativo – não há diferença significativa de sentido. A presença quase parentética de uma forma do verbo "saber" é característica do estilo joanino; por exemplo, "... o testemunho que Ele dá a meu respeito, eu sei que pode ser verificado" (5,32; cf. também 12,50).

tem odiado. O tempo perfeito indica que o ódio é perene.

a mim antes de vós. "Antes" é *prōtos*, "primeiro", usado como comparativo, como em 1,30 (BDF, §62). O Codex Sinaiticus e alguns manuscritos ocidentais omitem o "vós", levando à tradução: "me odiaram primeiro"; é bem provável que isto represente um esforço dos copistas de melhorar gramaticamente a passagem.

19. *Se pertencêsseis*. Isto é uma condição contrária ao fato ou irreal. Literalmente, "pertencêsseis a" equivale a "fôsseis de"; a preposição *ek*, usada desta maneira, expressa pertencer a certo grupo (ZGB, §134).

    o que é seu. A expressão está em gênero neutro – um exemplo da tendência joanina de usar um neutro para pessoas tomadas como um grupo. Veja Nota sobre 6,37.

    o mundo vos odeia. A ideia tem um eco na afirmação majestosa de Inácio de Antioquia (Rm 3,3): "O cristianismo não é uma questão de convicção, e sim de genuína grandeza quando é objeto de ódio por parte do mundo".

    eu vos escolhi do mundo. Esta ideia composta de eleição e de separação é difícil de traduzir. D. Heinz, ConcTM 39 (1968), 775, prefere "deste mundo", pois ele pensa no *ek* como partitivo. Veja comentário.

20. *Lembrai-vos do que eu vos disse*. Literalmente, "Recordeis a palavra que vos disse". O Codex Bezae e o OL trazem "palavras"; o Sinaiticus traz "falei"; Taciano e alguns manuscritos trazem "minha palavra"; o OS[sin] omite "a palavra". O número de variantes leva a suspeitar que um texto mais breve foi expandido por copistas. Esta linha pode formar uma inclusão com 16.4a, e concluir a subdivisão: "... para que vos lembrais de que eu vos disse isto".

    servo... senhor. Esta é uma citação literal de 13,16 (veja nota ali). Todavia, no cap. 13 o dito constitui um estímulo a que se imite a humildade do senhor; aqui, diz respeito à necessidade de se entender o destino do senhor. O reaparecimento da figura do servo e do senhor está um pouco fora de lugar quando se olha para 15,15: "Eu já não vos chamo servos".

    Se perseguiram a mim. Como no v. 18, aqui se trata de condição real. At 9,4 ("Saulo, Saulo, por que me persegues?") contém a equação adicional: a perseguição dos cristãos está não só baseada na perseguição de Jesus, mas a perseguição dos cristãos é a perseguição de Jesus.

    Se guardassem a minha palavra. As três condições precedentes, nos vs. 18-20, adotam um tom negativo, descrevendo a atitude do mundo para com Jesus e seus discípulos, mas de repente sugere-se a possibilidade de uma reação positiva por parte do mundo. Aqui, um tom positivo é também contrário à tensão no próximo versículo que pressupõe a hostilidade do mundo. Assim, com certa lógica, porém sem base textual, alguns estudiosos introduziriam negativas sob esta condição: "Se não têm guardado a minha palavra, nem tampouco guardarão a vossa". Todavia, essa leitura destrói o paralelismo na forma das duas condições no v. 20.

Talvez seja melhor estabelecer uma implicação negativa: guardarão a vossa palavra na medida em que guardaram a minha (e não têm guardado a minha). Dodd, *Tradition*, p. 409, vê um inexprimível *per impossibile* por detrás da afirmação; Lagrange, p. 411, fala de uma hipótese que é negada pela triste realidade. Em qualquer caso, é mais improvável que o v. 20 esteja apresentando uma escolha igual entre as duas alternativas que se deparam os homens, a saber, de perseguir Jesus e seus discípulos ou de aceitar seu ensino. Não é tão neutro como 1Jo 4,6: "Todo aquele que tem conhecimento de Deus vos ouve, enquanto aquele que não pertence a Deus se recusa a ouvir-vos".

21. *vos farão*. P^{66} tem um verbo no tempo presente.

todas estas coisas. Os que pensam que a última cláusula no v. 20 tem um caráter positivo encontram dificuldade para interpretar este versículo. Bernard, II, 493, salienta que a sequência seria mais suave sem o v. 21, e notamos que a ideia central do v. 21 é reiterada em 16,3. O versículo pode ser uma inserção com o propósito de conectar o que uma vez eram grupos de sentenças independentes (18-20 e 22-25). "Todas" é omitido pelo Codex Bezae e alguns manuscritos secundários.

vos. Há uma divisão entre os manuscritos se se deve ler um dativo ou *eis* com o acusativo; a segunda alternativa é mais bem atestada, e o dativo pode ser um melhoramento gramatical vindo de um copista sobre o estranho uso de *eis* (que é inesperado; MTGS, p. 256). Mas é também possível que, em ambas as formas, o "vos" tenha sido adicionada por copistas.

por causa do meu nome. Barrett, p. 401, sugere que isto significa simplesmente por causa de Jesus, e cita o uso do hebraico, *lešēm*, aramaico, *lešēma*, "por causa de". Mas parece mais provável que isto seja um jogo de palavras sobre o tema teológico joanino de que Jesus porta o nome divino; veja comentário. A frase "por causa do [grande] nome de Deus" ocorre no AT (1Sm 12,22; 2Cr 6,32; Jr 14,21), onde ela significa por conta do que Deus é, i.e., sua bondade, poder, fidelidade etc. Outros casos desta fórmula nos escritos de João estão em 1Jo 2,12: "porque pelo seu nome vossos pecados são perdoados"; Ap 2,3: "Conheço as tuas obras, e o teu trabalho, e a tua paciência, e que não podes tolerar os maus por causa do meu nome".

22. *Se eu não viesse... não teriam pecado*. Esta é uma condição irreal, expressada em tempos diferentes. Em vez do uso de tempos imperfeitos ou o uso de tempos aoristos de ambas as partes para expressar o que poderia ter havido no passado ("tinha... teria"), temos um aoristo na prótase (Jesus veio e falou) e um imperfeito na apódose (eram e ainda são culpados). O mesmo esquema se encontra no v. 24.

lhes falasse. O paralelo no v. 14 é: "Se eu não houvera feito obras". Uma vez mais, encontramos o tema joanino das palavras e obras revelatórias de Jesus; cf. 14,10. Uma comparação dos vs. 22 e 24 não sugere que aqui obras são consideradas mais persuasivas do que palavras. A combinação "vir e falar" não implica uma coordenação real, como se se tratasse de duas ações iguais e separadas. LAGRANGE, p. 411, sugere que o sentido é: "Se, tendo vindo, eu não haveria falado".

não teriam pecado. O pecado básico é a recusa de crer em Jesus (16,9); ódio é a necessidade concomitante a tal recusa, pois os homens devem decidir a favor ou contra Jesus.

Mas, agora não têm. Aqui, *nyn*, "agora", combinado com *de*, não possui verdadeira significação temporal; significa "na realidade". A expressão é reiterada no v. 24.

23. *odiar-me*. Literalmente, "aquele que me odeia, também odeia a meu Pai". Salientando que os vs. 22 e 24 são paralelos em estrutura, BULTMANN, p. 424[1], sugere que o v. 23, que rompe a estrutura, foi tirado de outro lugar. Todavia, ao conectar o v. 23 à sentença no v. 22, como temos feito, descobrimos que a última linha dos vs. 22-23 contrapõe a última linha do v. 24.

24. *têm visto e apesar disso têm odiado a mim e a meu Pai*. Literalmente, "tanto me têm visto como têm odiado a mim e a meu Pai". BERNARD, II, 495, insiste que cada um dos verbos abrange os dois objetos, de modo que João está dizendo: eles têm visto a mim e a meu Pai, e têm odiado a mim e a meu Pai. Entretanto, o Jesus joanino diria que os que pertencem ao mundo têm visto a seu Pai? (Há quem cite 14,9: "Todo o que me tem visto, tem visto o Pai"; todavia, isto é dirigido aos discípulos e pressupõe a aceitação de Jesus na fé). O mundo tem visto a Jesus, mas não tem tido a fé de ver nele o Pai. Em uns poucos versículos mais adiante (14,3), Jesus dirá dos homens do mundo: "Nunca conheceram ao Pai nem a mim". Talvez devamos entender o ver no v. 24 como se referindo às obras que Jesus acabara de mencionar: "Eles têm visto (as obras que eu fiz entre eles) e, todavia, têm odiado tanto a mim como a meu Pai". Que essa interpretação é possível para a primeira construção "tanto... como" é verificado por BDF, §444[3]. O tempo perfeito em "têm odiado" insinua um ódio deliberado e duradouro.

25. *Entretanto, isto é para*. O grego é simplesmente *alla hina*. O *alla* é difícil de traduzir; BULTMANN, p. 424[8], salienta que devemos entender algo mais ou menos assim: O fato de que têm visto e ainda têm odiado é quase incrível; todavia, ... A frase com *hina* pode ser traduzida como um construção no imperativo: "Entretanto, que se cumpra o texto em sua lei" (ZGB, §415). Mais provavelmente, a sentença é elíptica (BDF, §448[7]), e temos de

suplementar "isto ocorre"; cf. 9,3: "Antes, foi para que a obra de Deus se revelasse nele" (também 13,18).

em sua lei. Como em 10,34 e 12,34, "Lei" se refere a um conjunto mais amplo do que os cinco livros de Moisés, pois a citação é de um salmo. Para a dissociação de Jesus da herança judaica aparentemente implícita no uso de "seu", veja notas sobre 7,19; 8,17. Aqui, a ideia é que os próprios livros que "os judeus" alegam como seus os acusam. FREED, OTQ, p. 94, diz que a fórmula usada aqui para introduzir a Escritura é a mais longa em João e, talvez, em todo o NT.

'Odiaram-me sem causa.' No Sl 35,19, o salmista ora para que Deus não dê alegria "àqueles que me têm odiado sem causa"; no Sl 69,5(4), o salmista perseguido se queixa que mais numerosos do que os cabelos de sua cabeça são "os que me têm odiado sem causa". No hebraico e no grego de ambas as passagens, a construção é com particípio; João usa um verbo finito. (É interessante também *Salmos de Salomão* 7.1, onde o salmista pede a Deus que fique perto, para que "não nos assaltem os que nos odeiam sem causa"; aqui, o verbo está no modo infinitivo. Cf. também Sl 119,161: "Os príncipes me perseguem sem causa"). J. JOCZ, *The Jewish People and Jesus Christ* (Londres: SPCK, 1962), p. 43, cita o TalBab *Yoma 9b*, onde o Rabino Johanan ben Torta indica como uma das causas da destruição do templo: "Porque nesse lugar tem prevalecido ódio sem causa". JOCZ pensa que este rabino, que viveu c. de 110 d.C., poderia ter sido influenciado pela tradição judaico-cristã, ecoando o presente versículo em João (pois os cristãos explicavam a destruição do templo como procedente da rejeição dos líderes judeus e do ódio por Jesus). Esta teoria vai, consideravelmente, além do que permite os dados.

26. *que procede do Pai*. O verbo é *ekporeuesthai*, enquanto o verbo *exerchesthai* será usado em relação a Jesus em 16,27-28. Esta descrição foi introduzida nos credos do 4º século para expressar que a terceira pessoa da Santíssima Trindade procede do Pai. Muitos dos Padres gregos pensavam que João estava se referindo à processão eterna, e LAGRANGE, p. 413, ainda argumenta em prol desta interpretação. Não obstante, ainda quando o tempo do verbo seja presente, a vinda está em paralelismo com o "eu enviarei" na próxima linha e se refere à missão do Paráclito/Espírito aos homens (veja nota sobre 16,28). O autor não está especulando sobre a vida interior de Deus; sua atenção se centra nos discípulos que ficam no mundo.

a quem enviarei. Alguns manuscritos ocidentais têm um verbo no tempo presente na tentativa de harmonizar com o presente ("vem") na linha precedente. Em 14,26, Jesus falou do *Pai* que enviaria o Paráclito. Se a diferença de agência em enviar o Paráclito reflete ou não diferentes estágios no desenvolvimento do pensamento joanino, a variação realmente não é significativa no nível teológico, pois no pensamento joanino o Pai e Jesus são um (10,30). "São fórmulas distintas, não ideias distintas", diz LOISY, p. 427, "e não provam que as passagens não procedem da mesma mão". O fato de que *Jesus* envia o Paracleto é enfatizado aqui, porque o tema se ocupa de Jesus e do mundo.

ele dará testemunho. Isso implica decididamente o caráter pessoal do Espírito.

27. *vós também.* À primeira vista, isto dá a impressão de um testemunho em adição àquele do Paracleto/Espírito; mas, como indica HOSKYNS, p. 481, a ideia é: "E, além do mais, é vós que fareis e dareis testemunho (do Espírito)". Uma coordenação similar no escrito joanino sobre o Espírito se encontra em 1Jo 4,13-14: "Ele nos tem dado de seu próprio Espírito, e nós... podemos testificar" (cf. também 3Jo 12).

dareis testemunho. Como no v. 18 a forma verbal no tempo presente pode ser indicativa ou imperativa, não há muita distinção de significado contanto que Jesus seja compreendido como descrevendo um papel para os discípulos exercerem após o recebimento do Espírito. Mas BERNARD, II, 500, pensa que o tempo presente usado em relação aos discípulos está em contraste com o futuro usado no v. 26 em relação ao Espírito – o ministério dos discípulos de dar testemunho já começou, enquanto o do Espírito ainda é futuro. Esta interpretação deixa de reconhecer que o testemunho dos discípulos é simplesmente a exteriorização do testemunho do Espírito (veja comentário). No pensamento joanino, como no lucano, o testificar dos discípulos começa no período pós-ressurreição, quando o Espírito for dado; aqui, as palavras são equivalentes às palavras do Jesus *ressurreto* em Lc 24,48: "Vós sois testemunhas destas coisas". At 1,8 deixa claro como isto se concretizaria: "Recebereis poder, quando o Espírito Santo vier sobre vós; e sereis minhas testemunhas".

tendes estado comigo. Literalmente, "estais"; o tempo presente é usado com valor de perfeito (MTGS, p. 62), porque a ação é concebida como ainda em processo. (Isto é certo, mesmo que a afirmação seja visualizada da perspectiva do evangelista no tempo: os cristãos estão ainda com Jesus, porque possuem o Paracleto que é a presença de Jesus). Em 14,9, a relação era vista de outro extremo: "Eis que estou convosco todo este tempo". Se combinarmos a frase "comigo" deste versículo com a "eu vos escolhi" do v. 19, não estamos longe da ideia expressa em Mc 3,14 onde somos informados: "Ele designou Doze para estarem com ele".

desde o princípio. No cenário da última ceia, *ap' archēs* significa desde o princípio do ministério de Jesus, quando os discípulos começaram a segui-lo; veja nota sobre 16,4a. O tema de que os que estiveram com Jesus durante seu ministério eram testemunhas privilegiadas, se encontra também nos escritos lucanos: Lc 1,2 fala de "os que desde o princípio foram testemunhas oculares"; At 1,21 especifica que o lugar de Judas tinha de ser preenchido por alguém "de entre os homens que nos acompanharam durante todo o tempo em que o Senhor Jesus entrou e saiu dentre nós". Quando a afirmação em João é considerada da perspectiva temporal do evangelista, Hoskyns, p. 482, salienta que pode referir-se aos cristãos que têm sido fiéis a Jesus *desde sua conversão* ("desde o princípio" em 1Jo 2,13.14.24 etc.).

16.1. *Eu vos tenho dito isto*. Literalmente, "estas coisas"; a referência é ao conteúdo de 18-27, e não meramente à promessa do Paráclito nos vs. 26-27. Para esta afirmação como um refrão no último discurso, veja nota sobre 14,25.

para impedir que vossa fé seja abalada. Literalmente, "para que não vos escandalizeis". Segundo Mt 26,31, as primeiras palavras que Jesus falou depois da ceia e saiu para o Monte das Oliveiras foram: "Nesta noite, todos vós vos escandalizeis por minha causa". No pensamento de João (6,61; 1Jo 2,10), "escândalo" é o que faz um discípulo tropeçar e o afasta da companhia de Jesus; ou, se transferirmos a cena do ministério de Jesus para a vida terrena da igreja joanina, "escândalo" é o que faz alguém renunciar a verdadeira fé cristã e o afasta da comunidade. O mesmo uso se encontra nos escritos protocristãos; por exemplo, *Didaquê* 16,5 distingue entre dois grupos em juízo: os muitos que se "escandalizam" e se perdem e os que perseveram na fé.

2. *Vos expulsarão da sinagoga*. Veja nota sobre 9,22. É impossível à luz do adjetivo *aposynagōgos* estar certo de que João não está se referindo a uma sinagoga local. Mas todo o contexto da introdução à oração feita na sinagoga que contém a maldição contra os judeus cristãos (vol. 1, p. 73), mais as condenações de "os judeus" e as referências hostis a diferentes sinagogas em Ap 2,9 e 3,9, nos levam a pensar que ele está se referindo à sinagoga em geral e combatendo uma política que está, no mínimo, em vigor em todas as sinagogas da área que ele conhece.

Mas. Alla ("mas") não é usado adversativamente aqui; BDF, §448[6], salienta que *alla* tem a função de introduzir um ponto adicional de uma maneira enfática, enquanto MTGS, p. 330, sugere o significado: "Sim, deveras" (cf. Lc 12,7).

hora. Não é seguro que aqui e no v. 4a haja um jogo de palavras no simbolismo joanino de "a hora" de Jesus (vol. 1, pp. 820-21), embora Hoskyns, p. 483, pensa que "a hora" que envolvia o sofrimento de Jesus se estendeu à hora futura do sofrimento dos discípulos. (Mas, no conceito joanino de "a hora", sofrimento e crucifixão estão subordinados ao retorno de Jesus para o Pai).

servindo a Deus. O grego traz "oferecer *latreia* a Deus", expressão um tanto redundante, pois *latreia* em si significa o serviço de oferecer culto à deidade. Ao afirmar que a matança dos cristãos seria considerada um serviço a Deus, estaria João se referindo aos perseguidores romanos, tais como aqueles que formaram o pano de fundo do livro do Apocalipse? Somos informados que em um período logo após, a gratidão de Trajano aos deuses pelas vitórias sobre os dacianos e citas o induziram a perseguir os cristãos que se recusavam a reconhecer esses deuses. Todavia, em outras passagens no NT (Rm 9,4; Hb 9,1.6), *latreia* se refere ao culto judaico. Por outro lado, no v. 2 esta matança de cristãos está associada à expulsão da sinagoga. Portanto, parece provável que o autor está pensando na perseguição dos cristãos movida pelo judaísmo, e não na perseguição romana. Os judeus do 1º século lançam os cristãos à morte (cristãos judeus – dificilmente gentios), pensando que, ao fazerem isso, estavam servindo a Deus? Certamente a literatura cristã faz esta acusação. Em Atos ouvimos da responsabilidade judaica pelo martírio de Estêvão (7,58-60) e pela morte de Tiago, irmão de João (12,2-3). Que as autoridades judaicas podiam agir assim é confirmado por Josefo (*Ant*. 22,9,1; 200) que faz o sumo sacerdote Ananus II responsável pelo apedrejamento de Tiago, irmão de Jesus. A razão que Ananus apresentou aos juízes do Sinédrio foi que Tiago transgredira a lei. Paulo, que foi testemunha na execução de Estêvão (At 8,1), diz que sua razão para perseguir a Igreja violentamente foi o zelo por suas tradições judaicas ancestrais (Gl 1,13-14; também At 26,9). Justino, escritor cristãos do 2º século, nascido na Palestina, acusou seus oponentes judeus nestes termos: "Ainda que matastes a Cristo, não vos arrependestes; mas também nos odiais e nos matais... sempre que obtendes autorização" (*Trifon* 63,6, 45,4). O *Martírio de Policarpo* (12,1) diz que "os judeus foram extremamente zelosos, *como é seu costume*", em preparar a fogueira para a queima do santo. Indubitavelmente, algumas destas afirmações constituem exagero polêmico, mas representam uma continuação da atitude referida por João. J. L. Martyn, *History and Theology in the Fourth Gospel* (Nova York: Harper, 1968), pp. 47ss., argumenta convincentemente que muito da ação hostil assumida contra Jesus em João (tentativas de prendê-lo e matá-lo) realmente reflete a ação assumida contra os judeus cristãos da comunidade joanina pelas autoridades da sinagoga local, de modo que a situação visualizada na presente passagem na verdade se passou no tempo de João. Já foi salientado que há passagens na literatura judaica que *podem* ser tomadas para exemplificar a atitude de que João fala. Por exemplo, a Mishnah *Sinédrio* 9:6 admite certos casos em que os zelotes podiam matar pessoas por ofensas religiosas.

Em relação ao ato de Fineias, ao matar um israelita que fora contaminado por idolatria, a *Midrash Rabbah* 21,3 sobre Nm 25,13, observa: "Se um homem derrama o sangue de um perverso, é como se ele oferecesse um sacrifício". (Temos de acrescentar que, do lado cristão, há passagens na literatura patrística que apresentam o ódio aos judeus ser um dever para com Deus. Nenhuma das duas religiões pode pretender que não tenham feito um ao outro sofrerem em nome do Deus a quem servem. Todavia, de fato, no plano ético, por causa da profissão que o cristianismo faz da necessidade se amar os inimigos, os cristãos são especialmente culpáveis em conduzir perseguição de qualquer tipo; e, no plano histórico, a tragédia é que os cristãos têm tido o poder político de fazer infinitamente mais dano aos judeus do que vice-versa). Quanto ao v. 2, BARRETT, p. 404, vê aqui um exemplo de ironia joanina: os perseguidores pensam que estão servindo a Deus, enquanto a verdadeira *latreia* vem do mártir cristão como vítima. Todavia, não é certo que o autor tinha em vista fazer esse jogo irônico.

3. *farão*. Uns poucos manuscritos entre as versões têm um tempo presente. Todo o versículo é omitido no OS^{sin}, talvez porque seja repetitivo, já que é uma duplicata 15,21.

[*vos*]. O Codex Sinaiticus e muitas dos manuscritos ocidentais têm esta frase. É difícil decidir se ela é original ou uma adição em imitação de 15,21 (cf. também "vos tenho dito isto" em 16,1.4a).

porque nunca conheceram. Este é o aoristo de *ginōskein*; cf. o perfeito de *eidenai* (*oida*) em 15,21: "Não conhecem aquele que me enviou". (Veja vol. 1, p. 814, para estes dois verbos). MTGS, p. 71, cita isto como um exemplo do aoristo inceptivo ou ingressivo, significando que não começaram a reconhecer.

4a. *Mas*. Alguns manuscritos ocidentais omitem o *alla* inicial, como faz BDF, §448³. A omissão sugere que os copistas encontraram aqui uma adversativa estranha, mas a conjunção tem uma implicação continuativa que é legítima no presente caso.

eu vos tenho dito isto. Literalmente, "estas coisas"; veja v. 1 acima.

a hora [*deles*]. O pronome possessivo é omitido por muitos manuscritos importantes, mas a omissão poderia ser uma tentativa de conformar a frase à mais usual "a hora". Embora seja possível entender o "deles" no sentido de a hora para estas coisas, mui provavelmente signifique a hora dos perseguidores. Em Lc 22,53, Jesus diz aos principais sacerdotes e aos que saíram para prendê-lo no Getsêmani: "Esta é a vossa hora".

vos recordeis de que já vo-lo tinha dito. Literalmente, "vos lembreis destas coisas – que eu vos disse".

54 • O último discurso: – Segunda seção (segunda subdivisão)

COMENTÁRIO: GERAL

A primeira subdivisão (15,1-17) da Segunda Seção do último discurso enfatizou o amor de Jesus para com seus discípulos; a segunda subdivisão (também é toda ela um monólogo) enfatiza, por contraste, o ódio do mundo para com estes discípulos. Jesus ama seus discípulos porque permanecem ou perseveram nele; o mundo os odeia pela mesma razão. Como diz tão bem Hoskyns, p. 479, "O ódio implacável do mundo pelos amigos de Jesus é o sinal da autenticidade dessa amizade". Pertencer a Jesus não é pertencer ao mundo, e o mundo só pode amar o que lhe pertence. Além disso, estando relacionada com a primeira subdivisão, por via de contraste, a segunda subdivisão reitera no v. 19 o tema da escolha que Jesus fez de seus discípulos (que apareceu em 15,16).

Vimos que houve concordância geral entre os estudiosos de que 15,1-17 constituiu uma unidade ou subdivisão. Há muito menos concordância sobre onde a subdivisão que começa em 15,18 deve terminar. Alguns trariam a unidade a uma conclusão dentro do cap. 15. Por exemplo, Hoskyns e Filson sugerem uma interrupção depois de 15,25. Isto tem em seu favor uma inclusão entre 15,18 e 25, ambos partilhando do tema do ódio a Jesus; além do mais, a introdução do Paráclito em 15,26-27 parece indicar que o discurso adquire um novo giro. Enquanto aceitamos uma divisão menor entre 25 e 26, não devemos pôr uma linha maior de divisão aqui, porque, como veremos abaixo, cremos que o tema do Paráclito está intimamente relacionado com o da resistência ao ódio do mundo. Outro grupo de estudiosos trata 15,18-27 como uma unidade e põe a divisão entre 15,27 e 16,1 (assim, Barrett e Strachan [15,17-27]). Mas o "eu vos tenho dito isto" de 16,1 implica uma relação com o que precede, e o motivo de perseguição em 16,1-4a é similar ao de 15,18-25 (como veremos no gráfico abaixo, ambas as passagens têm paralelos em Mt 10,17-25). Cremos que Maldonatus estava certo quando afirmou que constituiu um equívoco começar um novo capítulo em 16,1. (Schwank, *"Da sie"*, p. 299, sugere que aqui se começou um capítulo porque, por analogia com Mt 26,31 [veja segunda nota sobre 16,1], imaginou-se que, por fim, Jesus chegou ao Monte das Oliveiras).

Em contrapartida, há estudiosos que preferem a divisão para mais adiante do cap. 16 (Dodd sugere 15,18-16,11; Loisy sugere 15,18-16,15).

Da nossa parte estamos mais de acordo com LAGRANGE, STRATHMANN, BUSHSEL, BULTMANN, VAN DEN BUSSCHE, entre outros, colocando o final da subdivisão na primeira parte de 16,4. O tema da perseguição termina aí, e o "Eu vos tenho dito isto" de 16,4a é uma boa conclusão (em 16,33 ela exerce o mesmo papel). O reconhecimento de que 15,18-16,4a constitui uma unidade é confirmado pelo fato de que estes versículos têm paralelos em Mt 10,17-25, enquanto 16,4b-33 é uma unidade que vem a ser uma duplicata de 13,31-14,31, Primeira Seção do último discurso. (Veja Gráfico I à pp. 955-59 acima).

Esta subdivisão é o equivalente joanino da ameaça de perseguição que exerce tão importante papel no discurso escatológico dos sinóticos (Mc 13; Mt 24-25, mais 10,17-25; Lc 21). É interessante que ambas as tradições, joanina e sinótica, colocam esta advertência entre as últimas palavras ditas por Jesus. No gráfico que apresentaremos abaixo, fica evidente que, enquanto João tem muitos paralelos em Mc 13,9-13 e em Lc 21,12-17, os melhores paralelos estão em Mt 10,17-25 e 24,9-10. Muitos críticos creem que Mt 10,17-25 foi deslocado de um contexto original mais próximo a 24,9-10, lugar onde a similaridade de Mateus com Marcos e Lucas nos levaria a esperar encontrar este material. (É interessante que, se Jo 15,18-16,4a tem estes paralelos em Mateus, Jo 16,33 também parece ecoar o tema da *thlipsis* ou sofrimento de Mt 24,9-10). As similaridades entre João e Mateus não são tantas que nos fazem pensar que um evangelista copiou do outro (veja DODD, *Tradition*, pp. 406-13); em particular, se o quarto evangelista tivesse copiado de Mateus, ele teria antecipado a era da crítica moderna, reconhecendo que Mt 10,17-25 e 24,9-10 se pertencem. Ambos os evangelhos preservam independentemente a tradição primitiva, e João tem mantido o material primitivo estreitamente mais coeso do que Mateus. (Aliás, o desejo de João é manter o material coeso que provavelmente explique a aparição de "Nenhum servo é mais importante do que seu senhor" em 15,20, mesmo quando já tenha sido usado em 13,16). Embora este material tradicional tenha sido formado nos esquemas característicos do pensamento joanino, nenhuma outra passagem do discurso joanino se assemelha ao discurso sinótico tão de perto como Jo 15,18-16,4a.

Marcos e Lucas situam as advertências sobre a perseguição no discurso escatológico, onde as perseguições são tratadas como preliminares aos sinais apocalípticos que indicarão a chegada do fim. Mateus,

GRÁFICO EXIBINDO OS PARALELOS ENTRE JO 15,18-16,4a E O DISCURSO ESCATOLÓGICO DOS SINÓTICOS

João 15,18-16,4a	Mateus 10,17-25; 24,9-10	Marcos 13,9-13; Lucas 21,12-17
15,18: "Se o mundo vos odeia... que tem odiado a mim antes de vós"	10,22: "Sereis odiados por todos por causa do meu nome"; também 24,9	Marcos 13,13; Lucas 21,17: o mesmo em Mateus
20: "Nenhum servo é mais importante do que seu senhor"	10,24: "Nenhum servo está *acima* de seu senhor"	
20: "Eles vos perseguirão"	10,23: "Quando vos perseguirem"; cf. também 23,34	Lucas 21,12: "os perseguirão"
21: "Mas vos farão todas estas coisas por causa do meu nome"	Veja primeiro paralelo acima	Veja primeiro paralelo *acima*
26: "O Paráclito... dará testemunho a meu respeito"	10,20: "O Espírito de vosso Pai falando através de vós"	Marcos 13,11: "O Espírito Santo (falando)"; cf. Lucas 12,12
27: "Vós também dareis testemunho"	10,18: "Sereis arrastados perante governadores e reis... para dar testemunho"	Marcos 13,9; Lucas 21,12-13: quase o mesmo que Mateus
16.1: "Para impedir que vossa fé seja abalada"	24,10: "A fé de muitos será abalada"	
2: "Eles vos expulsarão da sinagoga"	10,17: "Eles vos açoitarão em suas sinagogas"	Marcos 13,9: "Sereis açoitados nas sinagogas"; Lucas 21,12: "Entregando-vos às sinagogas"; cf. também Lucas 6,22
2: "Qualquer que entregar-vos à morte"	24,9: "Eles vos entregarão à morte"	Marcos 13,12: "Os filhos se levantarão contra os pais e os entregarão à morte" (= Mt 10,21); Lucas 21,16: "Eles entregarão à morte alguns de vós"

ao mudar este mesmo material para o cap. 10 e situá-lo no contexto de um discurso sobre missão cristã (veja Mt 10,5), dá a impressão de que a perseguição será o acompanhamento normal da pregação cristã no mundo. João usa este material na mesma perspectiva que Mateus.

Distinguiremos quatro grupos de versículos nesta subdivisão. O primeiro (15,18-21) e o último (16,1-4a) tratam diretamente do ódio do mundo e a perseguição dos discípulos. Cada um relaciona este ódio ao fato de que o mundo não tem conhecido o Pai (15,21; 16,3). O segundo grupo (15,22-25) analisa a culpa e o pecado do mundo; o terceiro grupo (15,26-27) trata do Paráclito que, como veremos em 16,8-11, é o único que salienta a culpa e o pecado do mundo. De tudo isto se deduz que a subdivisão está estruturada conforme a um certo movimento quiástico.

COMENTÁRIO: DETALHADO

Versículos 18-21: O mundo odeia e persegue os discípulos

João deixa claro que o ódio do mundo pelos cristãos não é um fenômeno passageiro; o ódio provém não menos da essência do mundo como o amor provém da essência do cristão. O mundo é oposto a Deus e à sua revelação; ele nunca pode ter algo senão ódio pelos que reconhecem aquela revelação em seu Filho. Numa série de quatro sentenças condicionais, reitera-se que o ódio do mundo pelos cristãos é basicamente a rejeição ao próprio Jesus. O amor de Jesus tem feito pelo verdadeiro cristão tanto, que ele é tratado da mesma maneira que Jesus. Podemos lembrar que, na época em que o Quarto Evangelho recebeu sua forma final, a perseguição pelos romanos e a expulsão dos judeus cristãos das sinagogas já eram fatos consumados e não mais sombrios presságios.

A ideia no v. 18 se encontra em outros lugares em João. Em 7,7, Jesus disse a seus parentes incrédulos que estavam tentando-o a mostrar seu poder miraculoso em Jerusalém: "O mundo não vos pode odiar, mas odeia-me". Implicitamente, isto afirma que o mundo odeia a todos quantos não lhe pertencem. Que este ódio se estende aos cristãos é declarado em 1Jo 3,13: "Meus irmãos, não vos maravilheis se o mundo vos odeia".

A distinção existente entre a esfera de Jesus e a do mundo, que se acha implícita no v. 19, já fora salientada incisivamente em 8,23, dirigido a "os judeus": "Vós dois daqui de baixo; eu sou de cima. Vós dois deste mundo, eu não sou deste mundo". No tocante aos discípulos de Jesus, em 15,16, Jesus disse: "Não fostes vós que me escolhestes a mim, mas, antes, eu que vos escolhi". Agora, porém, o tema da vocação dos discípulos é elaborado pela ideia de que Jesus os está tirando do mundo, ao menos no sentido de que, enquanto estiverem no mundo, não pertencerão ao mundo (17,15-16). A ideia não é simplesmente que os discípulos se esquivassem dos elementos pecaminosos de um mundo pagão (como em 1Pd 4,3-4); antes, o fato de que foram chamados significa que são portadores da palavra de Deus e, assim, estão em posição dualística com o mundo. Isto será reiterado em 17,14: "Eu lhes dei a tua palavra, e o mundo os odiou, porque não são do mundo, como eu não sou do mundo [nunca pertenci ao mundo]". O mesmo tema dualístico aparece em 1Jo 4,5-6: "Do mundo são, por isso falam do mundo, e o mundo os ouve. Nós somos de Deus; aquele que conhece a Deus ouve-nos; aquele que não é de Deus não nos ouve.

As duas primeiras linhas do v. 20 expressam figuradamente a tese de que os discípulos não podem ser superiores a Jesus. Isto é seguido por duas sentenças condicionais. A primeira corresponde ao tema de perseguição no discurso escatológico dos sinóticos; a segunda é ainda mais radical, pois implica que a palavra dos discípulos de Jesus terá a mesma eficácia que a palavra do próprio Jesus. O "Eu vos escolhi" do v. 19 (e de 16) tem ressonâncias missionárias: a palavra de Jesus será agora comunicada através da pregação e do ensino dos discípulos. No AT, os profetas portam a palavra de Deus, e como Iahweh disse a Ezequiel, "Eles não te ouvirão, porque não ouvirão a mim" (Ez 3,7). O mesmo se dará no caso dos discípulos. Há um bom paralelo para esta ideia em Mt 10,14 (o mesmo discurso missionário no qual encontramos paralelos para o tema de perseguição): Jesus instrui seus missionários, "Se alguém não vos receber nem ouvir vossas palavras, sacudi o pó de vossos pés quando deixarem aquela casa ou cidade". Jesus, pois, promete juízo sobre tal cidade; mais adiante, em 10,40, ele diz: "Aquele que vos recebe, a mim me recebe, e quem me recebe, recebe Aquele que me enviou" (veja p. 933 acima sobre Jo 13,20, que é paralelo de Mt 10,40).

O v. 21 resume o tema de perseguição e explica sua causa. João usa uma fórmula padrão, "por causa de meu nome" (paralelos sinóticos no gráfico (p. 1087); 1Pd 4,14; At 5,41), usada por cristãos para referir-se aos que estavam sendo perseguidos em razão de confessarem a Jesus. Os judeus se escandalizam ante o nome "Cristo" pelo qual os cristãos professavam Jesus como o Messias; os romanos se ofendem ante a reivindicação exclusiva de que ele é "Senhor" ou *kyrios*, um título pelo qual o Imperador (Domiciano) era conhecido. Mas, no pensamento joanino, "por causa de meu nome" significa mais que tal profissão de fé em Jesus e nos leva até à razão básica de por que Jesus não é aceito pelo mundo. Jesus porta o nome divino (veja pp. 1161-62 abaixo); o Pai lhe outorgou (17,11-2); e isto significa que ele é a revelação encarnada de Deus aos homens. Perseguir os seguidores de Jesus por causa de seu nome equivale a rejeitar a revelação de Deus em Jesus. Isto se torna claro na segunda linha do v. 21 que atribue a perseguição ao desconhecimento de que o Pai enviou Jesus. Em 8,19; 10,30; 12,44; 14,9 (cf. 1Jo 2,23), Jesus reivindicou que somente os que o conheciam também conheceriam o Pai, de modo que desconhecê-lo equivalia desconhecer o Pai. Aqui, a reivindicação é invertida: ignorar o Pai leva alguém a ignorar Jesus. Esta inversão não é surpreendente se nos lembrarmos que somente aqueles a quem o Pai lhe deu podem ir a Jesus (6,37.39); portanto, esta abertura ao Pai se requer antes que alguém possa se abrir a Jesus. Esta abertura ao Pai, que é demonstrada numa vida honrada, é precisamente o que falta ao mundo (3,19-20). Assim, Jesus está estendendo ao mundo a responsabilidade de se ignorar o Pai, a qual ele já lançou contra "os judeus" (5,37; 7,28). De fato, a discussão mantida com "os judeus" em 8,54-58 ilustra bem a ideia encontrada em 15,21. Em 8,54-55, Jesus diz a "os judeus" que eles não conhecem o Pai a quem reivindicam como sendo o seu Deus; então, no v. 57, Jesus profere o nome divino, dizendo "EU SOU", e em virtude de seu uso do nome divino, "os judeus" tentam apedrejá-lo. Nas palavras de 15,21, fizeram estas coisas a Jesus por causa de seu nome, mostrando que não conheciam àquele que o enviou.

Versículos 22,25: A culpa do mundo

No v. 21, a referência ao desconhecimento leva ao tema da culpa (o v. 21, consequentemente, não só resume os vs. 18-20, mas também introduz os vs. 22-25). Há no NT diversas passagens onde lemos que os responsáveis pelo sofrimento de Jesus não ignoram o que faziam (Lc 23,34;

At 3,17); todavia, quando em Jo 15,21 e outra vez em 16,3, Jesus declara que os que perseguem seus discípulos faziam isso pela falta de conhecimento do Pai (e dele), não há indício algum de que tal ignorância minimizasse a culpabilidade. Ao contrário, o desconhecimento em si é culpável. Jesus havia se aproximado daqueles homens, com palavras (22) e com obras (24); todavia, se recusam a reconhecê-lo, e esta recusa em crer é a raiz do pecado. Porque as palavras e obras de Jesus são as palavras e obras do Pai (5,36; 14,10), a rejeição e ódio a Jesus constituem rejeição e ódio ao Pai, como o v. 23 deixa claro. (Esta atitude lembra o respeito que Deus exige para o Profeta-como-Moisés de Dt 18,18-19: "Eu porei minhas palavras em sua boca. ... E será que qualquer que não ouvir as minhas palavras em sua boca, que ele falar em meu nome, eu o requerei dele"). Houve durante o ministério alguns que viram os sinais de Jesus e reagiram com entusiasmo, confundindo-o com um taumaturgo; mas este conhecimento imperfeito abriu caminho para progresso ulterior (4,46-54). Mas aqueles de quem Jesus está falando aqui são os que recusaram até mesmo este passo inicial (veja vol. 1, p. 834). São como "os judeus" que não quiseram crer que o cego tivesse sido curado (9,18) e a quem Jesus disse: "Se apenas fôsseis cegos, não seríeis culpados de pecado; mas agora que alegais ver vosso pecado permanece" (9,41).

Em 12,38-39, a fim de explicar essa incapacidade de crer, o escritor joanino recorreu à Escritura – foi para se cumprir as palavras de Isaías que predisse a incredulidade. Assim também em 15,25, a fim de explicar o ódio para com Jesus que se origina na incredulidade, o autor recorre a um salmo que fala do ódio sem causa. Embora haja dois salmos donde a citação poderia ser tirada (veja nota), o Sl 69,5[4] é o candidato mais provável; pois em outros lugares nos evangelhos este salmo é associado à paixão e morte de Jesus (Sl 69,22[21] em Jo 19,29 e Mc 15,36; o Sl 69,10[9] em Jo 2,17; há também frequente referência ao Sl 69 no Apocalipse [3,5; 13,8; 16,1; 17,8]). Além do mais, o contexto do Sl 69 é melhor para o significado que João dá à citação.

É digno de nota que, enquanto os vs. 22-25 desenvolvem o tema da perseguição, fazem isso de uma maneira particularmente joanina; e não há paralelo para estes versículos no tratamento sobre a perseguição encontrado no discurso escatológico dos sinóticos. Representam um bom exemplo do desenvolvimento que os autores joaninos têm dado ao material tradicional comum a João e aos sinóticos, combinando-o com o material que é peculiar à tradição joanina.

Versículos 26-27: O testemunho do Paráclito

Sobre o pano de fundo da acusação formulada por Jesus de que o ódio do mundo manifesta que ele é culpado de pecado, o tema do Paráclito é introduzido para preparar o caminho para a descrição com traços forense em 16,8-11, onde, convenientemente, a missão do Paráclito será estabelecer a culpa e o pecado do mundo. O mundo tem rejeitado a veracidade das palavras e obras de Jesus, e o Espírito da verdade o demonstrará. O mundo perseguirá os discípulos por causa do nome de Jesus, e para confrontar essa perseguição o Paráclito será enviado em nome de Jesus (14,26). Nesta perseguição, o discípulo cristão não se destina a ser uma vítima passiva; o Paráclito habita nele (14,17), o testemunho do Paráclito contra o mundo se fará ouvir na voz dos discípulos. Este ato combativo de testemunhar produzirá mais hostilidade por parte do mundo (16,1-4a). A passagem sobre o Paráclito em 15,26-27 não só antecipa as passagens que seguem, mas também se relaciona com o que acabara de ser dito por Jesus, pois a vinda do Paráclito propicia uma profunda explicação de por que o mundo trata os discípulos de Jesus da mesma maneira que o tem tratado. O Paráclito representa a presença de Jesus entre os homens (Ap. V); e, ao odiar os discípulos que são a habitação do Paráclito, o mundo está atacando a contínua presença de Jesus na terra. Através da habitação do Paráclito, os discípulos representam Jesus *contra mundum*.

Estudiosos como WINDISCH têm afirmado que as passagens sobre o Paráclito representam uma estranha adição ao último discurso; em particular, muitos têm pensado ser fácil demonstrar que 15,26-27 é uma passagem interpolada. (Já MALDONATUS reconheceu que 16,1 segue 15,25 mais facilmente do que segue 15,26-27). Em contrapartida, BARRETT, p. 402, argumenta: "Todo o parágrafo mostra marcas tão fortes de unidade que parece totalmente improvável que os versículos sobre o Paráclito fossem inseridos no material anteriormente redatado". Sugerimos que a presente passagem pode ser a chave de como a figura do Paráclito veio a exercer um papel tão importante no último discurso Joanino. Se aceitarmos a evidência de nosso gráfico de que 15,18-16,4a contém material tradicional paralelo ao que ora se encontra no último discurso dos sinóticos, é de grande importância que em Mt 10,20 (cf. Mc 13,11) haja uma referência ao Espírito do Pai falando através dos discípulos. No Apêndice V, enfatizaremos que o perfil joanino do Paráclito não pode ser simplesmente equiparado ao quadro geral que o NT oferece do Espírito – o Paráclito é o Espírito sob um aspecto particular, e para a formação do conceito têm surgido elementos estranhos; por exemplo, elementos oriundos da angelologia e o dualismo. Contudo, é precisamente esta menção do Espírito no contexto da perseguição iminente do mundo que poderia atuar como catalizador para o desenvolvimento da compreensão que João teve do Paráclito. Notamos que ao Paráclito se dá o título de "o Espírito de Verdade" em 15,26, título que Qumran atribui ao líder das forças do bem contra as forças do mal (veja Ap. V). Além do mais, o Paráclito tem mais em comum com a descrição do Espírito no discurso escatológico nos sinóticos do que tem com a maior parte das outras descrições sinóticas do Espírito. O Paráclito é outorgado pelo Pai (Jo 14,16); a menção sinótica do Espírito na hora da perseguição está em um contexto onde Jesus promete que o que os discípulos tiverem que dizer lhes será *dado* (Mt 10,19-20; Mc 13,11). Indubitavelmente, temos de entender que Deus é o doador, pois o passivo é frequentemente uma circunlocução para evitar a menção do nome divino. (Mt 10,20 confirma isto, falando de "o Espírito *de vosso Pai*". É interessante que Lc 21,15 faz de Jesus o doador de "eloquência e sabedoria" neste momento de perseguição – João também alterna entre o Pai e Jesus como aquele que envia o Paráclito). Os sinóticos nos esclarece que este dom comunicará aos discípulos o que deverão dizer: "Pois não sereis vós quem falará, e sim o Espírito de vosso Pai falando através de vós" (Mt 10,20; Mc 13,11 tem "o Espírito Santo"). O papel de dar testemunho em tempos de perseguição e de fazer assim através do testemunho dos discípulos é precisamente o papel atribuído ao Paráclito em Jo 15,26-27. O paralelo lucano para esta afirmação em Mateus e Marcos não se encontra no discurso escatológico, e sim em Lc 22,12: "Pois o Espírito Santo vos *ensinará* naquele momento o que deveis dizer"; e em Jo 14,26 descobrimos que o Paráclito "vos ensinará todas as coisas". Certamente, os sinóticos descrevem o Espírito como o defensor dos discípulos diante das várias autoridades, enquanto João retrata o Paráclito como o acusador do mundo. Mas esta diferença é parte da nova orientação no desenvolvimento joanino; ela não vicia as semelhanças, incluindo a do cenário forense. Para concluir, pois, há uma possibilidade de que, quando o material tradicional sobre a perseguição que agora se encontra em 15,18-16,4a foi introduzido no contexto do último discurso, a descrição do Espírito com funções judiciárias nesse material foi um catalizador para a formação da descrição joanina do Paráclito que encontrou seu caminho para as outras divisões e subdivisões do último discurso. O processo teria sido facilitado se já houvesse uma menção do Espírito nas formas mais antigas do último discurso, algo sugerido pela presença de duas passagens do Paráclito em 13,31-14,31 e em 16,4b-33, os discursos duplicados que temos usado como um guia para a forma original do último discurso. Esta menção original (hipotética) do Espírito então teria sido transformada na presente descrição do Paráclito. Assim, a questão se as passagens sobre o Paráclito foram originalmente parte do último discurso pode requerer uma resposta com muitas nuanças.

BERROUARD, *art. cit.*, tem argumentado que o testemunho do Paráclito (15,26) e o testemunho dos discípulos (27) não são dois testemunhos separados. Isto está em harmonia com Mt 10,20, onde é dito o Espírito falará através dos discípulos. A coordenação dos testemunhos em 26 e 27 lembra a de At 5,32: "Somos testemunhas destas coisas, nós e também o Espírito Santo, a quem Deus tem dado aos que lhe obedecem", quando esse versículo é interpretado à luz de At 6,10: "E não podiam resistir à sabedoria, e ao Espírito com que falava". (Veja também At 15,28: "Na verdade pareceu bem ao Espírito Santo e a nós"). O Paráclito/Espírito é invisível ao mundo (14,17), de modo que a única maneira de seu testemunho ser ouvido é através do testemunho dos discípulos. AGOSTINHO entendeu isto perfeitamente: "Porque ele falará, também falareis – ele, em vossos corações; vós, em palavras; ele, por inspiração; vós, pelos sons" (*In Jo.* 43,1; PL 35:1864). O testemunho do Espírito e o testemunho dos discípulos estão em relação entre si em grande medida da mesma maneira que o testemunho do Pai se relaciona com o testemunho do Filho. Em 8,18, Jesus disse: "Eu dou testemunho de mim mesmo, e também o Pai, que me enviou, dá testemunho de mim"; mas a afirmação no versículo seguinte ("Se me reconhecêsseis, reconheceríeis também a meu Pai") mostra que somente um testemunho ou testemunha está envolvido, a saber, o do Pai manifestado através de Jesus.

A última linha do v. 27 indica qual será o tema do testemunho dado pelo Espírito através dos discípulos. Eles são as únicas testemunhas, porque têm vivido com Jesus, e é a palavra dele que deve ser levar ao mundo. Isto concorda com o que ouvimos do Paráclito em 14,26 ("Ele vos fará lembrar de tudo o que eu vos disse [a meu respeito]") e em 16,13-14 ("Ele não falará de si mesmo. ... É de mim que ele receberá o que há de vos declarar"). Além do mais, isto concorda com outras referências joaninas ao testemunho dos discípulos no período pós-ressurreição: em 1Jo 1,2 e 4,14, dar testemunho é combinado com a declaração: "Nós mesmos temos visto". Jesus é a suprema revelação de Deus aos homens; não pode haver nenhum outro testemunho ao mundo senão o testemunho que ele dá. Todos os outros testemunhos do Paráclito, através dos discípulos, simplesmente interpretam aquele testemunho.

Versículos 16,1-4a: A perseguição aos discípulos

Reaparece aqui, a modo de inclusão, o tema dos vs. 18-21, mas agora o autor deixa claro que ele vê o ódio do mundo contra os discípulos cristãos, plasmado no tratamento que recebem da sinagoga (com o que se condensam polemicamente, sinagogas, prisões, governantes e reis que constituem os perseguidores nos relatos sinóticos). Ao dividir o material relativo a perseguição, para que partes dele viesse no início da subdivisão e uma parte viesse no final, é possível que o autor tenha pretendido um desenvolvimento de suas ideias. O primeiro grupo de versículos (15,18-21) segue 15,1-17, uma passagem que fala do amor de Jesus para com seus discípulos, de modo que o ódio do mundo está em contraste com o amor cristão. O segundo grupo (16,1-4a) segue a menção do Paráclito e se ocupa dos meios específicos da perseguição que serão adotados para impedir que os cristãos dêem voz o testemunho do Paráclito.

Por duas vezes (vs. 1 e 4a) nestes últimos versículos Jesus explica por que ele estivera falando aos discípulos acerca da perseguição futura. A razão é para impedir que a fé deles fosse abalada ("escândalo"; veja nota). Este tema de escândalo aparece nas palavras de Jesus na última ceia, em Mc 14,27 (Mt 26,31), onde ele prediz que, quando ele sofrer perseguição, todos vos dispersareis, i.e., "se escandalizarão". (Enquanto João tem aqui o tema de escândalo, a dispersão dos discípulos aparece até 16,32). Em João, o temor de escândalo entre os discípulos vai além de sua reação ante a prisão de Jesus e abarca também a desiludida reação deles diante das futuras perseguições. Pode ter havido uma tendência de esperar a felicidade messiânica após a vitória de Jesus, e talvez alguns estivessem começando a pensar que sua fé em Jesus era vã quando no mundo se depararam com guerra, em vez de paz. A lembrança de que Jesus predissera isto poderia eliminar o elemento de escândalo (cf. a psicologia de 1Pd 4,12). Mas, certamente, além deste motivo de antecipar e evitar choque, o principal desejo do Jesus joanino é explicar claramente que o conflito com o mundo é inevitável, pois ele surge da atitude natural do mundo para com Deus.

As palavras do v. 2 mostram que o evangelista tinha uma razão prática para registrar estas palavras de Jesus, a saber, que a comunidade cristã estava em oposição com a sinagoga (vol. 1, pp. 67-74). Que no pensamento joanino a sinagoga podia ser identificada com o mundo mau e hostil, se vê pelo epíteto "sinagoga de Satanás" em Ap 2,9 e 3,9. João não se refere ao fato de os cristãos serem açoitados ou flagelados nas sinagogas (assim Mc 13,9; Mt 10,17), e sim à sua expulsão das sinagogas; isto indica que a situação corresponde a dos anos 80 e 90, quando a excomunhão estava sendo invocada contra os judeus que professavam Jesus como o Messias. Veja a nota sobre a possibilidade de que os judeus estavam entregando os judeus cristãos à morte, convencidos que com isso estavam servindo a Deus. O mais provável é que grande parte das predições gerais feitas por Jesus de futuras perseguições antes da vitória messiânica completa tenha sido especificada em termos da situação contemporânea. Paulo, que em grande medida sofreu por parte da sinagoga, achou que isso seria proveitoso a fim de que todo o Israel fosse salvo (Rm 11,26); mas, para João, os judeus da sinagoga representavam o mundo em sua oposição ao Pai: "Nunca conheceram o Pai nem a mim" (16,3). Uma vez mais, lembramos ao leitor, como já fizemos no vol. 1, p. 637 que a atitude joanina para com a sinagoga deve ser avaliada à luz do contexto polêmico de sua época.

Já notamos as semelhanças existentes entre 16,3 e 15,21. Tendo separado o material pertinente à perseguição em dois grupos, um no início e o outro no final da subdivisão, o desejo do autor poderia ser o de reiterar a causa desta perseguição. Tal como agora se encontra o v. 3 é quase parentético, interrompendo o fluxo do pensamento de 2 a 4.

O v. 4a reitera de uma maneira levemente mais positiva o que foi dito no v. 1. A forma de expressar-se, "para que... vos lembreis de que eu vo-lo disse", é particularmente apropriado após o tema do Paráclito de 15,26-27, pois uma das funções do Paráclito será lembrar os discípulos de tudo o que Jesus lhes havia dito (14,26). Certamente, na mente do autor, a aplicação dos ditos tradicionais de Jesus sobre perseguição à situação da polêmica igreja/sinagoga no final do século é precisamente uma obra do Paráclito, pois este Espírito recorda de maneira viva e adapta a tradição das palavras de Jesus a uma situação existencial. Em seu "Eu vos tenho dito", Jesus está falando a uma nova geração, falando através do Paráclito que agora é sua presença entre os homens.

[A Bibliografia para esta seção está inclusa na Bibliografia para o cap. 16, no final do §56.]

55. O ÚLTIMO DISCURSO:
– SEGUNDA SEÇÃO (TERCEIRA SUBDIVISÃO)
PRIMEIRA UNIDADE (16,4b-15)

A partida de Jesus e a vinda do Paráclito

16   ⁴ᵇ"No princípio, eu não vos disse isto,
    porque estava convosco;
⁵mas agora vou para Aquele que me enviou.
    Todavia, nem um de vós me pergunta: 'Para onde estás indo?'
⁶Justamente porque eu vos disse isto,
    vossos corações se encheram de tristeza.
⁷Contudo, estou dizendo-vos a verdade:
    convém-vos que eu vá.
    Pois se eu não for,
    o Paráclito jamais virá para vós;
    todavia, se eu for,
    eu vo-lo enviarei.
⁸E quando eu for,
    ele convencerá o mundo do
    pecado,
    justiça,
    e juízo.
⁹Primeiro, pecado –
    porque se recusam crer em mim.
¹⁰Então, justiça –
    porque vou para o Pai,
    e não mais me vereis.

¹¹Finalmente, juízo –
   em que o Príncipe deste mundo já está julgado.
¹²Tenho muito mais a dizer-vos,
   mas não o podeis suportar agora.
¹³Todavia, quando ele vier,
   o Espírito da Verdade,
   ele vos guiará a toda a verdade.
   Porque ele não falará de si mesmo,
   mas falará o que ouvir
   e vos declarará as coisas por vir.
¹⁴Ele me glorificará,
   porque há de receber do que é meu,
   e vo-lo há de anunciar.
¹⁵Tudo o que o Pai tem é meu;
   eis por que eu disse:
   'É de mim que ele recebe
   o que há de vos declarar'".

NOTAS

16.4b. *no princípio. archēs*, encontrado também em 6,64, literalmente é "desde o princípio"; como *ap' archēs* em 15,27, significa desde o princípio de meu ministério.

eu não vos disse isto. Literalmente, "estas coisas", a saber, a inevitabilidade da perseguição por parte do mundo, como acabamos de discutir em 15,18-16,4a. Jesus fez referência simbólica à necessidade de sofrimento e morte em 12,24-26, mas aquela passagem já estava sob a rubrica de "a hora" (12,23). Também nos sinóticos, a ameaça de perseguição futura contra os discípulos tende a vir depois na vida de Jesus; por exemplo, no discurso escatológico. Às vezes não podemos depender dos ditos cronológicos do evangelho, mas não é implausível neste caso.

porque estava convosco. Uma razão lógica para não falar de perseguição no princípio (João pressupõe que Jesus o previu desde o princípio) teria sido o desejo de não amedrontar os discípulos antes que começassem a entender e a crer. Mas esta não é a razão que Jesus oferece. Pode ser que a ideia seja que, enquanto estava com eles, toda perseguição se deflagrava contra ele. Somente quando ele partir é que haverá problema para seus discípulos, os quais virão a ser os principais porta-vozes da palavra de Deus.

5. *mas agora*. Em "a hora" como contrastado com "no princípio".

   vou para Aquele que me enviou. Em 7,33, Jesus disse às multidões: "Por pouco de tempo estou convosco, e então vou [*hypagein*] para Aquele que me enviou". Note como o tema de voltar para o Pai domina sua atitude diante da morte. A partida de Jesus foi um tema frequente no cap. 14, fraseado num vocabulário variado (nota sobre 14,2). Semelhantemente, aqui no cap. 16: nos vs. 5 e 10 "ir" é *hypagein* (também 13,33.36; 14,4.5.28); no v. 7, "partir" é expresso duas vezes por *aperchesthai*, enquanto "vou" é *poreuesthai* (também 14,2.3.12.28).

6. *isto*. Literalmente, "estas coisas".

   vossos corações se encheram de tristeza. Literalmente, "a tristeza encheu vosso coração"; para o singular "coração", veja nota sobre 14,1. O tema da tristeza (*lypē*) é forte neste capítulo, aparecendo outra vez nos vs. 20, 21 e 22. No cap. 14, ele está implícito no v. 1: "Não se turbe os vossos corações". Para "encher de tristeza" a versão gótica traduz "feito insensível pela tristeza" (cf. 12,40).

7. *estou dizendo-vos a verdade*. Jesus usou esta expressão ao falar a "os judeus" em 8,45-46 (cf. o tom de segurança em Rm 9,1; 1Tm 2,7). Se trata meramente de uma segurança, ou a "verdade" tem sua conotação joanina especial de revelação divina? O que segue no capítulo é parte do que Jesus veio para revelar.

   convém-vos. Esta expressão ocorreu em 11,50 ("que convém ter..."; será reiterada em 17,14), e ali também diz respeito à morte de Jesus.

   jamais virá para vós. A negativa (*mē* + o subjuntivo) é enfática. Talvez a negativa mais branda (*ou* mais o futuro) que aparece na tradição bizantina pode representar uma modificação teológica; cf. nota sobre 7,39, "o Espírito ainda não fora dado".

   se eu for. Toda esta última condição é omitida em P[66*] por homoioteleuton.

   eu vo-lo enviarei. Aqui, como em 15,26, Jesus envia o Paráclito; em 14,26, o Pai o envia.

8. *ele convencerá...* Tem havido muita discussão sobre os possíveis significados de *elenchein peri* (Barrett, p. 406; De La Potterie, *"Le paraclet"*, pp. 51-52). Buscaremos dar uma interpretação apropriada para as três frases regidas pelo mesmo verbo neste versículo, embora alguns tenham trabalhado com a ideia de que o significado muda de frase para frase (cf. A. H. Stanton, ET 33 [1921-22], 278-79). O verbo significa tanto "trazer à luz, expor" como "convencer alguém de algo" (também "corrigir, punir", mas tal significado não é pertinente aqui). Barrett prefere o segundo significado por causa da analogia de 8,46, onde Jesus desafia "os judeus" a convencê-lo de pecado. Mas se examinarmos os três elementos regidos

pela preposição *peri* em 16,8, descobriremos que "convencer de" só é apropriado para o primeiro elemento, precisamente porque ali ele é uma questão do pecado do mundo. Mas "convencer de" é menos apropriado para o segundo e o terceiro elementos, pois não se trata da justiça do mundo, nem do juízo do mundo. A ideia é que, numa inversão do julgamento de Jesus, o mundo se acha culpado de *pecado* em que ele não reconheceu a *justiça* de Deus no Jesus glorificado, e esta mesma convicção é um *juízo* sobre o Príncipe deste mundo que acusou Jesus e o levou a morte. Assim, a sentença "convencer o mundo da justiça e do juízo" não é uma tradução tão satisfatória. Uma tradução em termos de expor a culpa do mundo em relação aos três elementos parece mais apta para captar a amplitude da ideia. (O *Testamento de Judá* 20,5 tem um paralelo interessante: "O espírito da verdade acusará a todos"; mas ali o verbo é *katēgorein*) No uso de *elenchein peri* e *men... de... de* coordenando para estabelecer um padrão nos vs. 9, 10 e 11, respectivamente, João mostra uma elegância de estilo quase clássica. A "atraente" paráfrase da NEB é digna de nota: "mostrará onde está a culpa, o direito e a justiça". BULTMANN pensa que na Fonte do Discurso de Revelação o v. 8, com sua linguagem jurídica, seguia diretamente os vs. 15, 26, de modo que a prova da culpabilidade do mundo constitui o testemunho que o Paracleto havia de dar em favor de Jesus. Esta interpretação do significado é correta independentemente de se aceitar ou não a sequência proposta.

pecado. Os três substantivos, "pecado", "justiça", "juízo" não têm artigo – o autor está tratando de ideias básicas, e não de casos individuais. Este efeito é intensificado pela falta de quaisquer genitivos esclarecedores ("pecado do mundo"; "justiça de Deus em Jesus"; "julgamento do Príncipe do mundo" – há uma tentativa de suprir estes em OS^{sin}, com base na informação em 9, 10 e 11). A questão não é primariamente quem pecou, e sim em que consiste esse pecado (BULTMANN, p. 434).

justiça. A palavra *dikaiosynē*, tão importante nas cartas paulinas, em João ocorre somente nestes versículos. Sabido é que, em relação o NT em geral, se apresenta o problema de qual pode ser sua melhor tradução "retidão" ou "justiça", mas o ambiente judicial, nesta passagem, parece tornar "justiça" mais apropriada. Certamente, a palavra tem um contexto mais amplo do que justiça forense; em particular, a "justiça de Deus" envolve tanto sua santidade quanto sua majestade. O papiro Bodmer III, uma versão Bohairic de João datada do 4º século recentemente descoberta, traz "verdade" em vez de "justiça". E. MASSAUX, NTS 5 (1958-59), 211, sugere que esta pode ser uma redação gnóstica, pois no pensamento gnóstico verdade era mais importante que justiça.

juízo. Krisis, aqui com matiz condenatória, como vemos à luz do v. 11. Veja nota sobre 3,17, "condena".

9. *Primeiro.* Traduzimos a construção de *men... de... de* em 9, 10 e 11 por "primeiro... então... finalmente".

Porque. Hoti pode ser traduzido "porque" (BARRETT, p. 406), mas a principal ênfase parece ser explicativa antes que causativa (BULTMANN, p. 434³).

se recusam crer em mim. O tempo presente (literalmente, "não crê") indica incredulidade prolongada. Uns poucos manuscritos gregos e a Vulg. Trazem um aoristo que enfatizaria a decisão de não crer tomada uma vez para sempre. A obstinação do incrédulo já foi indicada em 15,22.

10. *justiça – porque vou para o Pai.* Em outras passagens no NT Jesus é chamado de justo no sentido que ele é moralmente virtuoso (1Jo 2,1.29; 3,7); aqui, porém, Jesus é justo no sentido de alguém que foi vindicado ante o tribunal (cf. Dt 25,1, onde os juízes absolvem o *ṣaddîq*). Ele está na presença do Pai e por isso participa da justiça de Deus, diante de quem não pode permanecer nada injusto.

o Pai. A tradição bizantina traz "meu Pai".

e não mais me vereis. O tempo presente de *theōrein*. Em 14,19, Jesus disse: "Ainda um pouco, e o mundo não me verá mais, mas vós me vereis [*theōrein*]". Nas pp. 1024-27 acima, sugerimos que, enquanto 14,19 pode ter-se referido originalmente às aparições pós-ressurreição, ela foi reinterpretada em círculos joaninos em referência a uma presença mais permanente e não corpórea de Jesus depois da ressurreição, especialmente para sua presença no Paráclito. Este versículo não necessita de reinterpretação; ele se refere diretamente ao período em que a presença de Jesus entre os discípulos no Paráclito já não é visível.

11. *já está julgado. Krinein*; veja *krisis* em 8. A ideia de que no próprio fato da morte de Jesus o domínio de Satanás foi encerrado parece ter sido comum nos tempos do NT. Hb 2,14 fala da morte de Jesus nulificando o poder da morte (um poder do diabo). O final de Marcos em manuscritos independentes diz: "O limite dos anos da autoridade de Satanás já se cumpriu". Todavia, 1 João suscita uma dificuldade: enquanto os cristãos são louvados por já terem vencido o Maligno (2,13), e se afirma que o mundo já passou (2,17), lemos que o mundo inteiro ainda jaz sob o poder do Maligno (5,19). Assim, enquanto derrotado, o Príncipe deste mundo mantém o poder em seu próprio domínio (veja Ef 2,2; 6,22). Alguém pode também ponderar sobre Ap 20,2-3, onde o diabo ou Satanás fica preso por mil anos, antes de ser solto no mundo mais uma vez. Fica claro, contudo que Satanás não tem mais poder algum sobre o crente.

55 • O último discurso: – Segunda seção (terceira subdivisão) 1103

12. *muito mais*. Literalmente, "ainda muitas coisas"; o "ainda" é omitido por Taciano, OS^{sin} e alguns testemunhos patrísticos.

não podeis suportar. Barrett, p. 407, observa que este uso de *bastazein* não é muito comum em grego, e pode refletir uma ideia semítica (heb. *nāśā*, ou o rabínico, *sābal*). Enquanto a ideia básica é que não podem *entender* agora, há também a questão de "suportar", porque está envolvida a perseguição pelo mundo.

o. O objeto pronominal não está expresso, mas é suprido por alguns testemunhos ocidentais.

agora. Isto é omitido no Codex Sinaiticus e em alguns manuscritos menores das versões. SB [La Sainte Bible] sugere que uma forma mais abreviada deste versículo pode ter sido original: "Eu tenho muito a dizer-vos, mas não podeis suportar isto".

13. *Espírito da Verdade*. Este título apareceu na primeira passagem sobre o Parácleto (14,17), bem como em 15,26. Bultmann a considera como a adição do evangelista ao material tomado da fonte do discurso de revelação. Veja Ap. V.

vos guiará. O verbo *hodēgein* está relacionado com *hodos*, "caminho" (14,6: "Eu sou o caminho"); o verbo é usado em Ap 7,17 para descrever como o Cordeiro conduz os santos à água viva. Alguns dos Padres gregos (Cirilo de Jerusalém, Eusébio) leem outro verbo aqui, a saber, *diēgeisthai*, "explicar"; e este verbo pode estar por detrás da tradução da Vulg.: "ele vos ensinará" – tradução que faz a segunda passagem sobre o Parácleto no cap. 16 ecoar a segunda passagem do Parácleto em 14 (26: "vos ensinará tudo"). As testemunhas textuais estão mais uniformemente divididas sobre qual preposição se deve ler com *hodēgein* Vaticanus e Alexandrinus leem *eis*, "para dentro", enquanto o Sinaiticus, Bezae e o OL leem *en*, "em". Entre os comentaristas modernos, Westcott, Lagrange, Bernard, Bultmann, Braun, Leal e Mollat preferem *eis*, enquanto Barrett, Grundmann e Michaelis preferem *en*. Alguns objetam contra *eis* com base de que a verdade não é o alvo da orientação do Parácleto, pois a própria orientação é a verdade; consequentemente, preferem *en* que indica que a verdade é a esfera da ação do Parácleto. Todavia, De La Potterie, *"Le paraclet"*, p. 45[1], responde que *eis* tem um significado mais amplo do que apenas direção: pode significar também que o movimento terminará no interior do lugar para o qual é dirigida e, assim, pode expressar adequadamente como a orientação do Parácleto se relaciona com a verdade. Provavelmente, se atribua uma importância excessiva às matizes que expressam as distintas preposições, quando a realidade é que estas se utilizavam sem muita distinção naquela época. (BDF, §218; mas De La Potterie não concordaria).

de toda a verdade. "Toda" é omitido pelo Sinaiticus e na versão Bohairica; sua posição varia em outros manuscritos.

porque. Esta conjunção mostra que a função orientadora do Paráclito de guiar ao longo do caminho de toda a verdade se relaciona com seu falar sobre o que ele ouviu de Jesus.

não falará de si mesmo. Isto foi também dito do Filho (12,49; 14,10).

mais falará o que ouvir. Os Codíces Vaticanus e Bezae (uma combinação muito forte) trazem o tempo futuro de "ouvir"; o Sinaiticus traz o presente; a tradição bizantina, por desejo de melhoramento gramatical, lê o subjuntivo com *an* ("tudo o que puder ouvir"). A escolha entre o futuro e o presente é difícil de se fazer. É duvidosa a sugestão de que o tempo presente representa uma adaptação à teologia trinitária (o Espírito continua ouvindo). Em outras passagens, a obra do Paráclito é descrita em ambos os tempos, futuro ("ensinará", em 14,26; "provará", em 16,8; "guiará", em 16,13) e presente (frequentemente proléptico: "permanece" e "está", em 14,17 – veja nota ali). Note a variação sem sentido entre "receberá" e "recebe" no dito registrado em 14 e 15 abaixo. O princípio de preferir a redação mais difícil se inclina para a aceitação do tempo presente aqui, pois todos os verbos no contexto imediato são futuros, e um copista se veria tentado a fazer este verbo conformar-se com os demais. Em qualquer caso, deve-se notar que o tempo usado para o Paráclito difere do aoristo usado para Jesus em 8,26: "o que dele tenho ouvido, isso falo ao mundo" (também 12,49). Westcott, p. 230, sustenta que a diferença de tempo implica que a mensagem que o Filho tinha que enunciar era completa e definida, enquanto a mensagem do Paráclito é contínua e se prolonga no tempo. Duvidamos sobre a validade desta distinção: visto que João considera a mensagem do Paráclito como sendo a de Jesus, a mensagem do Paráclito é do mesmo modo completa. (Por outro lado, os verbos no tempo presente são usados também para o que Jesus recebe do Pai em 5,19; 7,17; 14,10). Se há uma tensão entre a completude da mensagem e a necessidade de aplicação contínua, essa tensão se dará a obra, quer de Jesus, quer do Paráclito, pois ambos têm a mesma tarefa de revelação. Concluindo, notamos que João não especifica de quem o Paráclito ouve o que fala. Mas esta não é uma questão de indagar se o Paráclito ouve de Jesus ou do Pai. Se a implicação é que ele ouve de Jesus (veja 14), tudo o que Jesus tem ouvido provém do Pai (15).

declarará. O verbo *anangellein*, "anunciar, revelar, declarar", aparece três vezes em 13-15. P. Joüon, RSR 28 (1938), 234-35, acha o significado clássico do verbo mais apropriado a toda a literatura joanina (seis vezes), a saber, repetir novamente o que já fora dito; a única exceção possível é Jo 4,25. Nesta interpretação, o prefixo *ana-* tem a função do português "re-"; assim, "re-anunciar, re-proclamar". Se usarmos o emprego que a LXX faz de *anangellein* como nosso guia do significado em João, os resultados são parcialmente similares. O verbo é muito comum em Isaías (cinquenta e sete vezes; cf. F. W. Young, *"A Study of the Relation of Isaiah to the Fourth Gospel"*, ZNW 46 [1955], 224-26). Aquele livro deixa bem claro que o ato de declarar coisas é um privilégio de Iahweh que os falsos deuses não possuem (48,14). Quase a mesma expressão que João usa se encontra na LXX em Is 44,7, onde Iahweh desafia a qualquer outro que declare as coisas que estão por vir (veja também 42,10). Em 45,19 aparece Iahweh declarando a verdade – uma expressão que combina duas descrições que João faz do papel do Paráclito em 16,13. Assim, a afirmação de que o Paráclito declarará aos discípulos as coisas que hão de vir concorda perfeitamente com a afirmação de que o Paráclito é dado ou enviado pelo Pai, pois ao declarar assim o Paráclito está desempenhando uma função peculiar referida unicamente a Deus. De La Potterie, *"Le paraclet"*, p. 46, tem feito um estudo de *anangellein* na literatura apocalíptica; por exemplo, na versão de Teodocião de Dn 2,2.4.7.9 etc. Ali o verbo é usado para descrever a interpretação de mistérios *já comunicados* em sonhos ou visões. A interpretação aclaratória trata do futuro, buscando um significado mais profundo do que já aconteceu (veja a mesma ideia em At 20,27). Podemos notar que as palavras cognatas *apangellein* ("proclamar" em 1Jo 1,2.3) e *angelia* ("mensagem" em 1Jo 1,5; 3,11) implicam claramente uma interpretação do que já foi revelado em Jesus Cristo.

14. *Ele me glorificará*. Há uma passagem no *Evangelho da Verdade* (veja vol. 1, p. 46) que tem uma certa semelhança com isto: "Seu espírito se regozija nele e glorifica aquele em quem ele veio estar" (43,17-18). Contudo, o documento gnóstico poderia estar falando do eu interior do crente, e não do Espírito Santo; assim K. Grobel, *The Gospel of Truth* (Nashville: Abingdon, 1960), p. 201.

do que é meu. Tem-se sugerido que João tinha em mente enfatizar o partitivo no sentido de que toda a verdade divina implícita em Jesus não seria revelada aos homens e que o Paráclito escolheria dela somente o que é apropriado. O universalismo de 14,26 ("vos ensinar tudo e vos fará lembrar tudo") e de 16,13 ("toda a verdade") torna esta sugestão improvável.

15. O versículo todo é omitido em P^{66*} por homoioteleuton (os vs. 14 e 15 têm o mesmo final).

Tudo o que o Pai tem é meu. Na teologia trinitária isto tem sido usado para mostrar que o Filho tem a mesma natureza que o Pai; João, porém, está pensando na revelação que tinha de ser comunicada aos homens.

eis por que. Algumas vezes se torna difícil determinar se a expressão *dia touto*, "por causa disto", se refere ao que precede ou ao que segue; aqui, evidentemente, ela se refere ao que precede.

ele recebe. Aqui, um caso presente é lido pelos melhores manuscritos como contrastado com o futuro do v. 14. Os manuscritos que têm um futuro no v. 15 estão harmonizando com o v. 14. Não há ao que parece diferença alguma de significado nesta mudança de tempos.

COMENTÁRIO

Tudo indica que o v. 4b foi construído para servir de transição entre duas subdivisões do último discurso, a saber, o material originalmente independente sobre perseguição que agora aparece em 15,18-16,4a, e o material em 16,5-33, o qual, como já vimos no gráfico I (p. 1087 acima), forma um paralelo muito estreito com 13,31-14,31. Temos dividido 13,31-14,31 (Primeira Seção) em uma introdução e três unidades. A interrupção que pressupomos em 16,4b-33 é mais problemática, pois aqui o material é menos organizado do que na Primeira Seção. Porque as passagens sobre o Paráclito terminam em 16,15, tem parecido lógico à maioria dos estudiosos (Loisy, Buchsel, Hoskyns, Strathmann, Barrett, Dodd) reconhecer uma interrupção entre os vs. 15 e 16. Mas Bultmann encontra uma interrupção entre os vs. 11 e 12. Esta última divisão tem a vantagem de unir a segunda passagem sobre o Paráclito em 16 (13-15) com uma passagem que menciona os discípulos como tendo visto Jesus outra vez (16-22) e uma passagem que menciona o Pai (23-28). Assim, é possível descobrir um tríplice motivo em 16,12-28, que corresponde a segunda unidade na primeira seção (14-15-24), a qual falou da vinda do Paráclito, de Jesus e do Pai habitando nos homens. Todavia, esta similaridade seria artificial, pois no cap. 16 não há menção de uma habitação do Pai. Os paralelos entre 16,4b-33 e a Primeira Seção tem que buscar mais no material do que na construção do discurso.

Então, por conveniência, trataremos 16,4b-15 como uma unidade. Dentro dela podemos distinguir três grupos de versículos: uma passagem introdutória nos vs. 5-7 (concernente à partida de Jesus e a tristeza dos discípulos), conduzindo às duas passagens sobre o Paráclito nos vs. 8-11 e 13-15. Falamos de *duas* passagens sobre o Paráclito, mesmo que sejam colocadas muito mais próximas uma da outra do que são as outras três passagens sobre o Paráclito no último discurso, e não é implausível que, pela inserção do elemento de transição v. 12, que a intenção do autor fosse que 8-15 fossem lidos como uma única passagem sobre o Paráclito.

Versículos 5-7: A partida de Jesus e a tristeza dos discípulos

O tema da iminente partida de Jesus não mais ouvida desde o cap. 14; sua reaparição nos vs. 4b-5 mostra que estamos uma vez mais tratando de material que é totalmente familiar no cenário do último discurso. Os versículos iniciais desta subdivisão têm estreitos paralelos na primeira unidade do cap. 14. Ao estudarmos 14,1, salientamos que a perturbação dos corações dos discípulos em face da partida de Jesus era mais que um mero sentimento e refletia a luta dualística entre Jesus e o Príncipe deste mundo. Isto é ainda mais claro em 16,6, onde ponderamos que a tristeza dos discípulos é consequente da terrível descrição que Jesus faz da perseguição que eles sofreriam no mundo.

Essa tristeza é tão profunda, que nenhum dos discípulos pergunta a Jesus: "Para onde estás indo?" (5). Aqui, encontramos um famoso ponto crucial do último discurso, visto que ali realmente se indagou sobre aonde Jesus estava indo, pergunta formulada por Simão Pedro (13,36) e por Tomé (14,5). Já mencionamos teorias de reordenações do texto que busca desfazer a dificuldade, colocando 16,5 antes das outras duas passagens (pp. 947-50 acima). Outros, como WELLHAUSEN, veem uma contradição aqui e uma prova de que as várias partes do último discurso não pertencem ao mesmo autor. Ainda outros buscam elucidar a aparente contradição. BARRETT, p. 405, enfatiza o tempo presente em 16,5: os discípulos estão tão sensibilizados que, enquanto indagaram previamente para onde Jesus estava indo, nenhuma pergunta *foi feita*. LAGRANGE, pp. 417-18, tem um ponto de vista similar: *já não* lhe perguntavam; e SCHWANK, *"Es ist gut"*, p. 341, aponta para Am 6,10 para provar que no esquema linguístico hebraico nem sempre há uma distinção tão clara entre "não" e "já não". Talvez estas últimas observações possam ser usadas para explicar o significado da passagem como está na forma redacional definitiva do evangelho quando estamos tentando descobrir o sentido do último discurso ora como está. Mas, quanto às origens da dificuldade, já indicamos nossa convicção de que 16,5 é uma duplicação do incidente que serve de base a 13,36 e 14,5.

Em uma forma do relato, a questão é proposta pelos discípulos a Jesus e o contexto indica que não entendem para onde ele está indo. Na outra forma, a questão nem mesmo é proposta, porque os discípulos não entendem suficientemente a importância de sua partida.

A afirmação que aparece na primeira parte do v. 7, que é bom para os discípulos que Jesus vá, tem seu paralelo em 14,28: "Se me amásseis, vos regozijaríeis por eu ir para o Pai". Entretanto, ali a implicação é que é melhor para o próprio Jesus que esteja partindo, enquanto a ideia em 16,7 é que é melhor para os discípulos. LAGRANGE, p. 418, se pergunta por que a humanidade não poderia ter tido o privilégio da presença contínua tanto do Filho glorificado quanto do Paráclelto. Contudo, se nossa compreensão do Paráclelto (Ap. V) é correta, isto seria uma contradição. O Paráclelto é o Espírito entendido como a presença do Jesus ausente, e por definição o Paráclelto e Jesus não podem estar na terra juntos. Recordemos 7,39: "Porque o Espírito Santo ainda não fora dado, por ainda Jesus não ter sido glorificado". Isto implica não só que é o Jesus glorificado quem dá o Espírito, mas também que o papel do Paráclelto/Espírito é assumir o lugar do Jesus glorificado na terra. Mas se pode ainda indagar por que João diz que esta troca de lugar entre Jesus e o Paráclelto é para o bem dos discípulos – por que eles não poderiam viver bem se Jesus permanecesse com eles? A resposta é que somente através da presença íntima do Paráclelto que os discípulos viriam a compreender Jesus plenamente. Ou, se evocarmos outras passagens onde João descreve o Espírito, somente a comunicação do Espírito gera homens como filhos de Deus (3,5; 1,12-13); e, nos planos de Deus, o Espírito atua como o princípio da vida que procede do alto. A promessa do v. 7 se cumpre em 20,22, onde se diz que a primeira ação do Jesus ressurreto, que ascendeu a seu Pai (20,17), é soprar sobre seus discípulos e dizer: "Recebei o Espírito Santo".

Versículos 8-11: O Paráclelto contra o mundo

A primeira passagem do Paráclelto em 14 (15-17) também se ocupa da relação entre o Paráclelto e o mundo. Em 14,7 foi dito que o mundo não pode aceitar o Paráclelto, posto que não o vê nem o reconhece. No cap. 16, se torna evidente que esta incapacidade para ver o Paráclelto não resulta em indiferença, e sim em hostilidade, o mesmo tipo de hostilidade que marcou a relação do mundo com Jesus.

Os comentaristas não têm achado fácil a exposição detalhada dos vs. 8-11. AGOSTINHO evitava esta passagem por considerá-la muito difícil; TOMÁS DE AQUINO citava diversas opiniões, mas sem decidir-se a favor de nenhuma; MALDONATUS dizia que ela está entre as mais obscuras do Quarto Evangelho. LOISY, p. 430, observa que o esquema consistente de mencionar as três acusações (8) e então explicar cada uma delas (9-11) – "explicação metódica que não tem muita clareza" – é mais característico da sutileza de 1 João do que do evangelho (cf. 1Jo 2,12-13; 5,6-8). Parte do problema diz respeito ao verbo *elenchein* que temos traduzido como "provar" (veja nota). Quem seria o recipiente desta prova? Alguns têm pensado que a tarefa do Paráclito é provar ao mundo seu pecado, e assim *elenchein* significa "convencer". Mas MOWINCKEL, p. 105, tem argumentado persuasivamente que *elenchein* não implica necessariamente a conversão ou mudança da parte envolvida no processo. Antes, é uma questão de trazer a implacável luz da verdade sobre o delito: a única certeza é que a parte que é o objeto de *elenchein* é culpada. Por outro lado, a ideia de que o mundo deve ser convencido pelo Paráclito contradiz a afirmação de 14,17, a saber, que o mundo não pode aceitar o Paráclito. O mundo não pode ser convencido pelo Espírito da verdade, porque sua rejeição da verdade é deliberada (3,20).

O que pensar então? Acaso João está pensando em algo como um julgamento conduzido perante Deus onde a culpa do mundo será publicamente demonstrada aos discípulos? Certamente a prova da culpabilidade do mundo se realiza em benefício dos discípulos, mas em um foro interno. Na escatologia realizada joanina, elementos do julgamento do mundo estão incorporados aqui; mas no tribunal não constitue em algum apocalíptico vale de Josafá (Jl 3,2.12), e sim na mente e entendimento dos discípulos. (Isto tem sido demonstrado por BERROUARD, *art. cit.*). Mais ainda, o julgamento só é indiretamente um julgamento do mundo. É propriamente uma revisão do julgamento de Jesus em que o Paráclito faz a verdade emergir para os discípulos contemplarem. Seu efeito sobre o mundo provém do fato de que, tendo sido assegurados pelo Paráclito da vitória de Jesus nesse julgamento, os discípulos saem a dar testemunho (15,27) e, assim, desafiam o mundo com sua interpretação do julgamento. Ao ser a força motora por detrás disto, o Paráclito está simplesmente continuando a obra de Jesus que ele mesmo deu evidência contra o mundo de que as obras do mundo são más (7,7).

O primeiro elemento (v. 9) na atividade forense do Paráclito é provar aos discípulos que o mundo é culpado de pecado – o pecado fundamental que consiste em recusar-se a crer em Jesus. Este tem sido um tema da descrição que o evangelho faz do ministério de Jesus, um ministério que tem sido apresentado muitas vezes envolto na atmosfera forense de um julgamento (vol. 1, p. 224-25). No primeiro discurso de Jesus, ele resume o efeito de sua vinda: "A luz veio ao mundo, mas os homens preferiram as trevas à luz, porque seus feitos eram maus" (3,19). No final do ministério público, o autor joanino fez esta avaliação: "Mesmo quando Jesus realizasse tantos de seus sinais diante deles, recusavam-se a crer nele" (12,37). Todos os outros pecados individuais encontram expressão em ou se relacionam com este pecado fundamental da incredulidade. Se trata de um pecado inteiramente culpável (15,22-24) que representa uma permanente escolha do mal (9,41) e que merece a ira de Deus (3,36). O Paráclito se fixará na expressão de incredulidade que culminou na exposição de Jesus à morte, mas os que são culpados formam um grupo muito mais amplo do que os participantes do julgamento histórico de Jesus. Esses participantes são apenas os precursores dos homens de cada geração que serão hostis a Jesus. Talvez a atitude encontrada em João choque os cristãos de hoje com bastante espanto, acostumados como estão a uma sociedade pluralista onde a incredulidade para com Jesus não representa necessariamente uma hostilidade particular para com ele ou para com Deus. João, porém, não estava realmente considerando a culpa subjetiva e individual; e sua atitude dualística estava condicionada pelo contexto polêmico em que ele vivia.

O segundo elemento (v. 10) na atividade forense do Paráclito é provar que o mundo está errado acerca da justiça, mostrando que Jesus, a quem julgaram culpado, na verdade era inocente e justo. Influenciado pelo debate paulino sobre a justiça (*dikaiosynē*), alguns dos Padres da Igreja, inclusive AGOSTINHO, e alguns dos reformadores, pensaram que o v. 10 se refere à justificação *do cristão* pela fé. Todavia, o "eu estou indo para o Pai" demonstra que o tema é a vindicação de Jesus, a manifestação da justiça de Deus na exaltação de Jesus. (Nestes versículos, João está tratando das mesmas noções fundamentais, e a justiça do cristão é derivativa da justiça de seu Senhor). "Os judeus" tinham considerado a reivindicação de Jesus de unicidade com o Pai como uma demonstração de arrogância e o acusaram de ser um enganador, um pecador e um blasfemo (5,18; 7,12; 9,24; 10,33). O propósito do julgamento da sentença

55 • O último discurso: – Segunda seção (terceira subdivisão)

contra ele à morte se propunha mostrar que ele era culpado e não era o Filho de Deus (19,7). Contudo, o Paracleto demonstrará aos discípulos que esta mesma sentença de morte na realidade demonstrava que Jesus era o que afirmava ser, pois após sua morte ele está com o Pai; e, e o Pai lhe tem dado a razão ao glorificar Jesus (13,5). "O retorno para o Pai é a ratificação de Deus sobre a retidão [justiça] manifestada na vida e morte de Seu Filho" (HOSKYNS, p. 485). A ideia de que a exaltação de Jesus é uma manifestação da justiça de Deus é também vista no hino de 1Tm 3,16, o qual contrasta a encarnação e a exaltação nestas palavras: "Ele foi manifestado na carne, *justificado* no Espírito". Esta passagem tem interessantes raízes no AT, como se vê em Is 5,15-16: "Então o plebeu se abaterá, e o nobre se humilhará; e os olhos dos altivos se humilharão. Porém o SENHOR dos Exércitos será exaltado em juízo; e Deus, o Santo, será santificado em justiça". Sendo exaltado à presença do Pai, Jesus está na esfera da justiça divina. Como o Paracleto mostrará aos discípulos que Jesus está com o Pai? Para explicar isto, alguns têm recorrido a At 7,55, onde Estêvão, *cheio do Espírito*, testificou de Jesus como estando à destra do Pai – em outras palavras, o Espírito outorga o discernimento necessário para ver a vitória de Jesus. Outros fazem uma dedução lógica a partir de Jo 7,39, onde se declara que não haveria a doação do Espírito antes que Jesus fosse glorificado. Mas se raciocinarmos a partir da própria natureza do Paracleto, o argumento é ainda mais forte, pois o Paracleto é a presença espiritual no mundo daquele mesmo Jesus que está com o Pai (Ap. V). Toda a ideia do Paracleto é sem sentido e auto-contraditória, se Jesus não tivesse vencido a morte; e então, uma vez que os discípulos reconheçam o Paracleto (14,17), também reconhecerão que Jesus está com o Pai.

A última sentença do v. 10, "não mais me vereis", é quase um paradoxo. Como pode ser que o fato de os discípulos não tornarem a vez Jesus seja para eles a prova de que eram justas as afirmações de Jersus? Provavelmente, isto deva ser interpretado à luz da presença do Paracleto, especialmente se pensarmos nestas palavras como que dirigidas não primariamente aos discípulos na última ceia, mas aos cristãos da igreja joanina (LOISY, p. 429). Até Jesus voltar para levá-los consigo para sua habitação celestial (14,2-3; 17,24), os crentes não o verão fisicamente, mas tão-só em e através de seu Espírito, o Paracleto. Eles seguem pertencendo ao grupo daqueles afortunados "que não viram e, no entanto, têm crido" (20,29). Durante seu ministério, Jesus advertiu que logo os homens perderiam a oportunidade de vê-lo

(7,33-34; 8,21); após sua morte, estará presente o Paráclito a quem unicamente os crentes podem ver e aceitar. Assim, ao condenar Jesus à morte, o mundo tem condenado a si mesmo.

Isto nos leva ao terceiro e último elemento (v. 11) na atividade forense do Paráclito, isto é, provar que, ao condenar Jesus, o próprio mundo tem sido julgado. Na morte de Jesus na cruz, a dura prova que durou todo o seu ministério parece finalizar com a vitória de seus inimigos. Mas, no Paráclito, Jesus continua presente após sua morte, e assim a provação teve um surpreendente resultado. Se a hora da paixão e morte representou a confrontação de Jesus e o Príncipe deste mundo (12,31; 14,30), então, ao ser vitorioso sobre a morte, Jesus foi vitorioso sobre o Príncipe deste mundo. O próprio fato de Jesus ficar justificado diante do Pai significa que Satanás foi condenado e já perdeu seu poder sobre o mundo (veja nota). Temos aqui já realizado algo do que o próprio livro do Apocalipse descreve em termos de escatologia final. Enquanto Ap 22,5.7-12 retrata simultaneamente a exaltação do Messias e a expulsão de Satanás do céu, a prisão de Satanás (20,2) e sua condenação final ao ardente tormento (20,10) ainda estão por vir. O pensamento em 1 João está muito próximo ao de João, e ali fica claro que os que creem participam da vitória de Jesus sobre o Maligno (2,13-14; 4,4; 5,4-5). Ao dar testemunho desta vitória, o Paráclito é, pois, verdadeiramente um antídoto para a dor que se apodera do coração dos discípulos em face da partida de Jesus e da violenta investida da perseguição contra eles no mundo.

Versículos 12-15: O Paráclito guiará os discípulos para compreender a Jesus

A segunda passagem sobre o Paráclito no cap. 16, como seu equivalente em 14,26, diz respeito ao papel do Paráclito como mestre dos discípulos. O v. 12 oferece uma transição para este aspecto da obra do Paráclito. O que Jesus tem em vista quando diz que tem muito mais a falar, mas que os discípulos não podem suportar agora? Significa que haverá novas revelações após sua morte? Alguns têm crido assim, e tem-se construído certa mística com base nesta afirmação. AGOSTINHO pensava ser temerário especular o que estas coisas viriam a ser. Os teólogos sistemáticos têm usado este versículo em apoio da tese de que a revelação continuou após a morte de Jesus até a morte do último apóstolo. Os teólogos católicos romanos têm visto nele uma referência à contínua expansão do dogma durante o período da existência da Igreja.

55 • O último discurso: – Segunda seção (terceira subdivisão)

Todavia, devemos ser cautelosos, comparando estas palavras com 15,15, o qual parece excluir as revelações ulteriores: "Pois vos tenho revelado tudo o que ouvi do Pai". (LOISY, p. 432, trata estes versículos como contraditórios, na linha de uma suposta contradição entre 16,5 e 13,36 que já nos referimos anteriormente). Mais provavelmente, o v. 12 significa que só depois da ressurreição de Jesus é que haveria pleno entendimento do que aconteceu e foi dito durante o ministério, tema este que é frequente em João (2,22; 12,16; 13,7). Esta promessa de compreensão mais profunda pode ser expressa em termos de "tenho muito mais a dizer-vos", porque, agindo em e através do Paráclito, Jesus comunicará esse conhecimento. É improvável que no pensamento joanino houvesse algum conceito de revelação ulterior após o ministério de Jesus, pois ele é *a* revelação do Pai, a Palavra de Deus.

E assim somos levados ao v. 13 e ao tema do Paráclito como aquele que guia os discípulos à plena verdade do que Jesus disse. Alguns querem relacionar esta imagem do Paráclito com o papel do guia nas religiões pagãs de mistério, mas há também o pano de fundo veterotestamentário. Recordemos o Sl 113,10: "O teu bom *espírito* me guiará por vereda plana"; e 25,4-5: "Ensina-me as tuas veredas, ó Senhor; guia-me à tua *verdade*". Na LXX de Is 63,14, lemos: "O espírito desceu da parte do Senhor e os guiou no caminho". Algumas vezes se objeta que estas passagens veterotestamentárias tratam de uma orientação moral, e não de uma compreensão mais profunda da revelação, e que, portanto, a imagem que João passa do Paráclito como um guia é muito diferente. Obviamente, "espírito", "caminho" e "verdade" têm um significado no pensamento joanino que vai além do AT; mas estamos tratando somente da questão do pano de fundo veterotestamentário, e ao menos este escritor pressupõe que, originalmente, a mensagem cristã de João exigiria uma transformação e adaptação de tudo que o evangelista pode ter recebido do ambiente que o rodeava. No entanto, mais diretamente, a orientação do Paráclito ao longo do caminho de toda a verdade envolve mais do que uma compreensão intelectual mais profunda do que Jesus disse – envolve um caminho de vida em conformidade com o ensino de Jesus, e assim não está longe demais da noção que o AT tem de guia, como poderia parecer à primeira vista. Podemos mencionar ainda que o papel de guiar os homens foi atribuído à Sabedoria personificada (Sb 9,11; 10,10); assim como a figura do Jesus joanino é modelada pela Sabedoria divina personificada, assim também é a figura do Paráclito (veja Ap. V).

O Paráclito guiaria os homens *ao longo do caminho de toda a verdade*. Em 8,31-32, Jesus prometeu: "Se permanecerdes em minha palavra, verdadeiramente sereis meus discípulos; e conhecereis a verdade". Isto se cumpriu em e através do Paráclito. Temos um interessante exemplo de como isto se cumpriu em At 8,31, onde o eunuco não consegue entender que a passagem do Servo Sofredor, em Is 53, se refere a Jesus, até que fosse orientado por Filipe que, por sua vez, se acha sob a influência do Espírito (8,29). Guiar alguém pelo caminho da verdade é levá-lo ao mistério de Jesus que é a verdade (Jo 14,6). A menção de *toda* a verdade em 13 (cf. "tudo o que eu vos disse [de mim mesmo]" em 14,26) e a ênfase de que o Paráclito não falará de si mesmo, mas somente o que ouve, parece confirmar a tese de que aqui não se há de pensar em nenhuma nova revelação.

Mas a última parte do v. 13 apresenta uma dificuldade. A promessa "vos declarará as coisas por vir" não implicaria nova revelação? Wikenhauser, p. 295, e Bernard, II, 511, estão entre os muitos que veem aqui uma referência à existência de um ofício profético ou carisma na igreja joanina (ou pré-joanina – Windisch), semelhante ao dom de profecia guiada pelo Espírito de 1Ts 5,19-20; 1Cor 12,29; 14,21-33; Ef 4,11. Loisy, p. 433, pensa na profecia apocalíptica dirigida pelo Espírito sobre as coisas por vir (Ap 2,7; 14,13; 19,10; 22,17). Bultmann, p. 443, para quem este verso é uma adição do evangelista à Fonte dos Discursos de Revelação, pensa que, em si mesmo o verso pode refletir a crença da comunidade no espírito de profecia, em seu presente contexto ele perde seus tons apocalípticos. Este último ponto de vista parece mais razoável, já que ele se adequa à ênfase joanina sobre a escatologia realizada. Os estudos da palavra *anangellein*, "declarar", à qual temos reportado na nota correspondente, pressupõem que a declaração das coisas por vir consiste em interpretar em relação a cada geração vindoura o significado contemporâneo do que Jesus disse e fez. A melhor preparação cristã para o porvir não é uma previsão exata do futuro, mas uma profunda compreensão do que Jesus significa para cada época. Em sua função de interpretação profética, o Paráclito continua a obra de Jesus que se identificou à mulher samaritana como o Messias que anuncia ou declara (*anangellein*) aos homens todas as coisas (4,25-26). Vimos na nota sobre 4,25 que, para a mulher samaritana, isto significava que Jesus era o esperado Profeta como Moisés, isto é, um profeta que interpretaria a Lei mosaica, dada muito tempo antes, com o fim de resolver os problemas presentes daquela comunidade.

Em relação a Jesus, o Paráclito tem a mesma função de anunciar ou declarar todas as coisas.

BARRETT, p. 408, observa uma nuança especial na interpretação que o Paráclito fará de todas as coisas por vir; ele pensa que este é por de manifesto o pecado, da justiça e o juízo como narrado em 8-11. Embora o julgamento de Jesus pertença ao passado, as implicações da morte de Jesus e sua glorificação tem de estabelecer-se de novo aos discípulos e para cada nova geração. O Paráclito se encarregará de manifestar aos discípulos o alcance da mensagem de Jesus que não poderiam compreender agora (12).

O v. 14 reforça a impressão de que o Paráclito não traz novas revelações, porque ele recebe de Jesus o que tem de declarar aos discípulos. Jesus glorificou o Pai (17,4), revelando o Pai aos homens; o Paráclito glorifica Jesus, revelando-o aos homens. A glória envolve manifestação visível (vol. 1, p. 802); e ao fazer dos homens testemunhas (15,26-27), o Paráclito proclama publicamente o Jesus ressurreto que partilha da glória do Pai (17,5). (Em outro lugar em João, aprendemos que o Espírito glorifica Jesus mediante a geração de filhos de Deus que, assim, reflete a glória de Deus de uma maneira similar àquela em que Jesus reflete a glória de Deus – veja nota sobre 17,22). Notamos mais um elemento de escatologia realizada nesta referência à glória. Segundo os evangelhos sinóticos, o Filho do Homem virá em glória no último dia (Mc 13,26), mas, para João, já há glória na presença de Jesus em e através do Paráclito.

O v. 15 toca indiretamente na relação do Paráclito com o Pai e com o Filho. Já observamos que o cap. 16 sublinha a intervenção de Jesus com respeito ao Paráclito (v. 7: "Eu o enviarei") como contrastado com o cap. 16,26, onde o Pai é o agente. Mas o v. 15 mostra que o autor do cap. 16 sabia também que definitivamente o Paráclito, como o próprio Jesus, era o emissário do Pai. Ao declarar ou interpretar o que pertence a Jesus, o Paráclito realmente está interpretando o Pai para os homens; pois o Pai e Jesus possuem todas as coisas em comum. Posteriormente, os teólogos orientais e ocidentais disputariam na teologia trinitária se o Espírito procede somente do Pai ou do Pai e do Filho. Na teologia joanina, seria ininteligível que o Paráclito tenha algo de Jesus que não seja do Pai, mas tudo o que ele tem (para os homens) é de Jesus.

[A Bibliografia para esta seção está inclusa na Bibliografia para o cap. 16, no final do §56.]

56. O ÚLTIMO DISCURSO:
– SEGUNDA SEÇÃO (TERCEIRA SUBDIVISÃO)
SEGUNDA UNIDADE (16,16-33)

O retorno de Jesus trará alegria e conhecimento aos discípulos

16 ¹⁶"Um pouco de tempo e já não me vereis mais,
e então, outra vez, um pouco de tempo, me vereis".

¹⁷Nisto alguns de seus discípulos disseram entre si: "O que isto significa? Ele nos diz: 'Um pouco de tempo não me vereis, e então, outra vez, em pouco de tempo me vereis'; e diz ainda: 'Porque estou indo para o Pai'". ¹⁸Então continuaram indagando: "O que significa este 'pouco de tempo' [de que ele fala]? Não entendemos [de que ele está falando]". ¹⁹Sabendo que eles queriam perguntar-lhes, Jesus lhes falou: "Estais indagando entre si sobre meu dito: 'Um pouco de tempo já não me vereis, e então, outra vez um pouco de tempo ainda me vereis.'

²⁰Verdadeiramente, vos asseguro,
vós chorareis e continuareis lamentando
enquanto o mundo se regozijará;
ficareis tristes,
mas vossa tristeza se converterá em júbilo.
²¹Quando uma mulher está com dores de parto, ela se entristece
por ter chegado sua hora.
Mas, uma vez a criança tenha nascido,
sua alegria a faz esquecer o sofrimento,
porque uma criança tem nascido para o mundo!

²²Assim também é convosco – agora estais tristes;
   mas eu vos verei outra vez,
   e vossos corações se regozijarão
   com um júbilo que ninguém vos poderá tirar.
²³E naquele dia nada me perguntareis.
   Verdadeiramente, vos asseguro,
   se pedirdes alguma coisa ao Pai,
   Ele vo-la dará em meu nome.
²⁴Até agora nada pedistes em meu nome.
   Pedi, e recebereis,
   para que vossa alegria seja completa.
²⁵Eu vos tenho dito isto por meio de figuras.
   Chega a hora
   em que já não vos falarei mais em figuras,
   mas vos falarei do Pai claramente.
²⁶Naquele dia pedireis em meu nome,
   e não vos digo que rogarei ao Pai por vós.
²⁷Pois o próprio Pai vos ama,
   porque vós me tendes amado
   e tendes crido que saí de Deus.
²⁸[Saí do Pai]
   e vim para o mundo.
   Agora estou deixando o mundo
   e vou para o Pai".

²⁹Disseram-lhe seus discípulos:
   "Eis que agora falas abertamente, sem figuras de linguagem! ³⁰Por fim sabemos que tu conheces todas as coisas – nem mesmo necessitas que alguém te pergunte. Por causa disto cremos que saíste de Deus". ³¹Jesus lhes respondeu:

   "Então credes agora?
³²Eis que a hora chega – deveras já chegou –
   em que sereis dispersos, cada um para seu lado,
   deixando-me sozinho.
   Mas, nunca estou sozinho,
   porque o Pai está comigo.

³³Eu vos tenho dito isto
para que em mim tenhais paz.
No mundo tereis aflições,
mas tendes bom ânimo:
eu venci o mundo".

29: *disseram*. No tempo presente histórico.

NOTAS

16.16. *pouco de tempo. Mikron*; veja nota sobre 13,33. Nas afirmações similares em 7,33; 12,35 e 13,33, quando Jesus diz que estaria com seus ouvintes mais um pouco (tempo), ele segue o discurso com uma advertência de que partirá para um lugar onde não poderá ser visto.
já não me vereis mais. A negativa é *ouketi*. O verbo é *theōrein*; na linha seguinte, é *horan* (*opsesthai*). A última é tida por alguns como se referindo ao discernimento espiritual mais profundo (assim BERNARD, II, 513); veja, porém, nossos comentários no vol. 1, p. 801.
outra vez um pouco de tempo. A ideia de que haverá apenas pouco tempo antes de encontrar a felicidade junto a Deus aparece em um contexto apocalíptico em Is 26,20: "Vai, pois, povo meu, entra nos teus quartos, e fecha as tuas portas sobre ti; esconde-te só por um momento, até que passe a ira". Isto é interessante, pois Is 26,17 é parte do pano de fundo do v. 21 (veja comentário).
me vereis. A tradição grega bizantina, juntamente com as versões latina e siríaca, acrescenta uma linha: "porque eu vou para o Pai". Esta sentença (que em 7,33 segue uma afirmação sobre não mais ver a Jesus) foi introduzida para justificar a segunda citação no próximo versículo (17). Um copista teria pensado que ambas as citações do v. 17 vieram do v. 16.

17. *seus discípulos disseram*. Esta intervenção marca a primeira vez que falaram desde que Judas deu voz a confusão que todos sentiam em 14,22; assim termina o monólogo do evangelho. As intervenções na primeira seção do último discurso vieram de discípulos individuais; as intervenções no cap. 16 vêm dos discípulos como um grupo.
O que isto significa? Ele nos diz... Isto é similar a uma frequente fórmula rabínica (SCHLATTER, p. 314).
'Um pouco de tempo.' Esta primeira citação do v. 17 é tomada literalmente do v. 16 com a exceção do uso de uma forma negativa mais breve (*ou* em vez de *ouketi*).
e diz ainda. O grego tem simplesmente "e"; o verbo do dito que precede a primeira citação é subentendido como a cobrir também a primeira.

'*Porque estou...*'. A segunda citação começa com *hoti*, presumivelmente com o significado "em que, dado que" que ela tem no v. 10 donde a citação é tomada ao pé da letra, embora com uma variante da ordem das palavras. Entretanto, é possível que o *hoti* no v. 17 seja simplesmente o "que" usado para introduzir discurso (indireto). Muitos favorecem o último, porque ele propicia uma tradução mais suave: "Ele diz ainda que estou indo para o Pai". Todavia, na verdade o discurso é direto, não indireto, e então o *hoti* narrativo seria ocioso; Por outro lado, não há *hoti* narrativo antes da primeira citação, e assim não esperaríamos um antes da segunda citação.

18. *Então continuaram indagando*. Literalmente, "dizendo" (a si mesmos). Isto é omitido por muitos manuscritos ocidentais. Como veremos mais adiante, há muitas variantes devido aos copistas no texto deste versículo, talvez por causa de seu caráter repetitivo. Tal repetição é típica de narrativa simples, especialmente no Oriente Próximo.

    '*pouco de tempo*.' Na maioria dos manuscritos, *mikron* é precedido de um artigo (omitido em P[5], Vaticanus, o corretor do Sinaiticus e, aparentemente, em P[66]). LAGRANGE, p. 426, argumenta que mesmo sem o artigo o sentido é: Realmente, sua ausência durará apenas *pouco tempo*?

    [*de que ele fala*]. Isto é omitido por P[66] e alguns importantes manuscritos ocidentais.

    [*de que ele está falando*]. A maioria dos manuscritos lê o verbo *lalein*, enquanto que os códices Bezae e Koridethi leem *legein*. O vaticanus omite a sentença. Poderia ter sido adicionada por copistas numa tentativa de esclarecer o texto.

19. *Conhecendo*. Frequentemente João atribui a Jesus o poder de ler as mentes dos homens (2,24-25; 4,17-18). Nos outros evangelhos, às vezes fica difícil estar seguro se o evangelista quer que pensemos que este conhecimento era sobrenatural ou simplesmente um caso de excepcional discernimento: cf. Lc 7,39-40; Mt 9,22 com Mc 5,30 com a tradição "Q" de Mt 12,25 e Lc 11,17. Em João, o conhecimento especial atribuído a Jesus parece ser consistentemente apresentado como sobrenatural; e certamente, no presente caso, o entusiasmo que seu conhecimento provoca (30) indica que está implícito um conhecimento além do normal.

    queriam. Alguns manuscritos incluindo o Sinaiticus e P[66], leem "estavam continuando". P[66] tinha ambos os verbos – isto é interessante, pois costumeiramente é o manuscrito mais tardio que tende a combinar duas redações diferentes.

    Estais indagando. Isto poderia ser uma pergunta: "Estais indagando...?"

    não me vereis. A negativa é *ou* como no v. 17, não *ouketi*, como no v. 16.

20. *chorareis... lamentando*. A referência é aos gritos plangentes e lamentação que é a reação costumeira em face da morte no Oriente Próximo. Para estes

verbos usados no contexto de morte, veja Jr 22,10; Mc 16,10 ("chorando"); Lc 23,27 ("lamentavam").

tristes. O tema da *lypē* de 16,6 retorna em 20-22. No NT, *lypē* descreve primariamente uma angústia física ou moral. Loisy, p. 435, comenta que uma palavra para dor física teria sido mais apropriada; por exemplo, *ōdin*, o termo técnico de dores de parto (e para os ais messiânicos). Mas o vocabulário da parábola alegórica é dominado pela situação dos discípulos, onde "tristeza" é mais apropriada.

se converterá. Provavelmente, um hebraísmo (*hyh l*); cf. MTGS, p. 253. Veremos no comentário que João está usando aqui um antigo simbolismo hebraico.

21. *uma mulher*. Literalmente, "a mulher". Este é um discurso simbólico, como o v. 25 deixa claro; e o artigo definido é frequentemente usado para introduzir substantivos que são os sujeitos das parábolas (cf. 12,24).

dores de parto. Tiktein, "gerar, dar à luz".

entristece. Lypē; veja nota sobre 16,6. Feuillet, *"L'heure"*, pp. 178-79, chama a atenção para Gn 3,16: "Com tristeza [*lypē*] darás à luz [*tiktein*] filhos". Isto é importante porque a história de Adão e Eva se tem proposto frequentemente como possível pano de fundo para o simbolismo usado por João.

sua hora. O Codex Bezae, P^{66}, OL e OS leem "dia", mas temos seguido a maioria das testemunhas textuais. Bons argumentos podem ser apresentados de ambos os lados por que copistas poderiam ter mudado uma palavra por outra. Pode-se argumentar que "hora" foi inserido por estar em mais acordo com a teologia joanina na qual a paixão e a ressurreição constituem "a hora" de Jesus; note também o uso de "hora" nos vs. 25 e 32. Todavia, "dia" poderia ter sido inserido para estabelecer uma referência a "o dia do Senhor" com suas tribulações e sofrimentos; note o uso de "dia" em 23 e 26.

sofrimento. Thlipsis; veja comentário. O tema retorna no v. 33.

uma criança tem nascido para o mundo. A expressão literal, "um ser humano tem nascido para o mundo" é um tanto tautológica, pois na linguagem rabínica "o nascimento de alguém no mundo" é uma descrição de um ser humano; veja nota sobre 1,9. Todavia, a ideia pode ser que sua alegria não é simplesmente porque ela tem um filho, mas também porque ela tem contribuído para a humanidade ou o mundo. Feuillet, *"L'heure"*, pp. 157-77, pensa que o uso de "ser humano" (*anthrōpos*), em vez de "filho", é outro eco do pano de fundo de Gênesis mencionado acima. Em particular, ele cita Gn 4,1: "Eva concebeu e deu à luz a Caim, dizendo: 'Com o auxílio do Senhor tenho gerado *um homem'*" (Filo, *De Cherubim* 16-16-17; 53-57, chama a atenção para o uso de "homem" aqui). Às pp. 366-69,

FEUILLET sugere que a frase "*no* mundo" tem aqui a intensão de evocar o curso da vida de Jesus que veio ao mundo com sua encarnação e voltará ao mundo depois de sua paixão e ressurreição como um Novo Adão (uma interpretação oferecida em tempos de outrora por CRISÓSTOMO, AQUINO, CORNELIUS a LAPIDE, entre outros).

22. *estais tristes*. Literalmente, "tendes tristeza". Uma forte combinação de testemunhas textuais (P^{66}, Bezae, Alexandrinus) endossa um tempo futuro, mas a diferença não é significativa.

Eu vos verei outra vez, e vossos corações se regozijarão. Há aqui um eco da LXX de Is 66,14: "E vós vereis e o vosso coração se alegrará". BARRETT, p. 411, observa que a mudança de João de "vós vereis" para "eu verei" deste versículo dificilmente pode ser acidental. Outros, comparando "eu vos verei" deste versículo com o "vós me vereis" do v. 16, observam que tem se dado uma progressão, porque é preferível ser visto por Deus do que vê-lo. Entretanto, é possível suspeitar de que "vós me vereis" e "eu vos verei" sejam simplesmente os dois lados de uma moeda, tanto quanto o viver "vós em mim e eu em vós" do qual temos vários exemplos.

corações. Literalmente no singular, como no v. 6; veja nota sobre 14,1.

poderá tirar. "tira" ou "tirará"; o Vaticanus e o Bezae endossam um tempo futuro, mas é bem provável que o presente (P^{66}) seja o original, sendo usado para expressar a certeza do futuro.

23. *naquele dia*. A frase aparece aqui e no v. 26; veja nota sobre 14,20.

não me perguntareis nada. O verbo é *erōtan*. Os comentaristas estão divididos sobre se este verso se refere ao que precedeu ou ao que segue. Caso se refira ao que precedeu (WESTCOTT, LOISY, LAGRANGE, BULTMANN, HOSKYNS, BARRETT), a referência é ao tipo de pergunta que foi o tema dos vs. 17-19: uma pergunta que denuncia uma falta de compreensão. Jesus está prometendo que "naquele dia" entenderão. Isto concordaria com nossa tese que expomos no comentário de que esta passagem se refere à presença de Jesus através do Paráclito. O Paráclito trará entendimento, já que ele ensinará aos discípulos todas as coisas (14,26) e os guiará no caminho de toda a verdade (16,13). É possível achar uma ideia similar em 1Jo 2,27: "E a unção que vós recebestes dele, está em vós, e não tendes necessidade de que alguém vos ensine".

Caso se refira ao que segue (CRISÓSTOMO, BERNARD), perguntar equivaleria aqui a pedir (*aitein*) coisas ao Pai: um pedido ou petição por algo que alguém deseje. Jesus está prometendo que "naquele dia" não mais lhe apresentarão seus pedidos, mas serão capazes de pedir diretamente ao Pai. O fato de que dois verbos diferentes (*erōtan* e *aitein*) são usados nos versos 1 e 3 não favorecem esta solução, embora frequentemente estes verbos sejam intercambiáveis (no v. 26 abaixo *erōtan* é usado para uma petição). O fato de que os versos 1 e 3 são separados pelo solene "Amém" duplo ("Verdadeiramente, vos asseguro") também sugere uma mudança de sujeito e assim favorece a primeira interpretação. Mas, em nossa mente, o argumento conclusivo pela primeira interpretação está no contexto. Nossas notas sobre os vs. 26 e 30 abaixo dão motivos para se pensar que as "perguntas" do v. 3, verso 1, dizem respeito à compreensão e não são petições.

Verdadeiramente, vos asseguro. Jesus iniciou a resposta aos seus discípulos no v. 20 com estas palavras, e agora essa resposta toma um novo rumo. O axioma de BERNARD (I, 67) de que o duplo "Amém" nunca introduz um novo dito sem estar relacionado com o que precede só é verdadeiro se alguém inserir um "totalmente" antes de "não relacionado". Esta expressão costuma marcar o início de um novo pensamento ou uma nova fase no discurso, como no v. 10,1.

se. Um raro uso de *an* em vez de *ean* (BDF, §107); cf. 14,14: "Se [*ean*] me pedirdes alguma coisa em meu nome, eu o farei".

ao Pai. Como indica a citação do cap. 14 que acabamos de fazer, ali se assegura petições feitas a Jesus, enquanto que aqui se trata de petições [feitas] ao Pai. Veja discussão à pp. 1009-12 acima.

Ele vo-la dará em meu nome. Nos códices Vaticanus e no Sinaiticus, e as versões coptas, a frase "em meu nome" vem depois do verbo "dar" e deve ser interpretada assim. Mas nos códices Bezae e Alexandrinus e na tradição bizantina, "em meu nome" é posto antes do verbo "dar" e assim *pode* ser traduzido com o verso precedente: "Se pedirdes alguma coisa ao Pai em meu nome, eu vo-lo darei". Esta tradução, endossada pelo OL e OS, concorda com 15,16 ("Tudo que pedirdes ao Pai em meu nome, Ele vos dará") e também, na sentença padrão, com 14,14 citado acima. As testemunhas textuais estão divididas por iguais, mas preferimos a primeira tradução, porque ela é mais difícil e rara. Em nenhuma outra parte em João ou no NT lemos que as coisas serão dadas em nome de Jesus, e é possível que copistas tenham harmonizado esta afirmação ao esquema mais usual de pedir nesse nome. Que a ideia de o Pai dar em nome de Jesus seria familiar no pensamento joanino se vê em 14,26: "O Paráclito... que o Pai enviará em meu nome".

24. *pedistes.* O imperativo presente ("continuar pedindo") põe a ênfase na persistência do requerente. Sobre a construção desta sentença e seus paralelos nos sinóticos, veja p. 1087 acima.

para que vossa alegria seja completa. Literalmente, "para que se cumpra"; a construção é perifrástica; e às vezes, mas nem sempre, este é um sinal de tradução de modismos semitas.

25. *isto.* Literalmente, "estas coisas".

de figuras. Paroimia, como *māšāl* cuja tradução na LXX abarca uma ampla gama de expressões parabólicas e alegóricas. (Veja nota sobre 10,6; também A. J. SIMONIS, *Die Hirtenrede im Johannes-Evangelium* [Analecta biblica 29; Roma: Pontifical Biblical Institute, 1967], pp. 75-79). Nesse tipo de linguagem costuma haver um elemento de dificuldade, o obscuro ou enigmático; por exemplo, em Eclo 39,3, achamos um paralelismo "os segredos de *paroimiai*" e "os enigmas de *parabolai*". Também foi empregado de linguagem figurativa na Primeira Seção do último discurso (o simbolismo do lava pés em 13,8-11; o servo e o mensageiro em 13,16) e na presente Seção (a videira e os ramos em 16,1-17; a mulher com dores de parto em 16,21). Ao evocar o costume de Jesus de falar figuradamente, João está em concordância com Mc 4,34: "Ele não lhes falava sem uma parábola [*parabolē*, sinônimo de *paroimia*], mas explicava tudo privativamente aos seus próprios discípulos (também Mc 4,11). Todavia, para João a explicação completa não veio até a era do Espírito.

chega a hora. Veja vol. 1, p. 802.

falarei. Este verbo, *apangellein*, é usado em 1Jo 1,2.3 para descrever a proclamação apostólica do que haviam ouvido de Jesus. No comentário, desenvolverei a tese de que a promessa de Jesus de falar aos discípulos acerca do Pai com palavras claras é concretizada através do Paráclito. Uma associação deste versículo com a obra do Paráclito é sugerida pela tradição textual bizantina que (incorretamente) lê *anangellein*, "declarar", o mesmo verbo usado na passagem do Paráclito de 16,13-15.

claramente. Parrēsia pode significar também "sinceridade, confiança, ousadia". Se estamos certos em interpretar a promessa de falar "claramente" como uma tarefa de iluminação realizada em e através dos discípulos (comentário), então o pensamento de João é um tanto similar àquele de Atos, onde falar com ousadia (*parrēsia*) é um dom especial do Espírito (veja At 2,29; 4,13.29.31; 28,31).

26. *Naquele dia.* Isto significa: quando a hora mencionada no v. 25 atingir seu cumprimento. No v. 23, foi dito: "Naquele dia já não me fareis nenhuma pergunta". Já argumentamos que estas perguntas foram feitas com meio de informação e para se compreender, e não petições; aqui vemos que "naquele dia" ainda haverá petições.

pedireis em meu nome. O verbo é *aitein*. Em 14,13 ("Tudo o que pedirdes em meu nome, eu o farei") houve uma promessa explícita de que a petição seria concedida; aqui ela é implícita.

rogarei. O verbo é *erōtan*; veja nota sobre "não me perguntareis nada" no v. 23. LAGRANGE, p. 430, sugere que a ideia é que Jesus não terá que chamar a atenção sobre ninguém que esteja necessitado (veja o uso de *erōtan* em Lc 4,38).

27. *o próprio Pai*. BERNARD, II, 520, cita FIELD no tocante a "o elegante uso grego" do pronome *autos* aqui, significando "o Pai de si mesmo" (*proprio motu*); ele diz ser evidente que muito do grego de João não é uma mera tradução do semítico. Entretanto, *autos* pode ser um pronome proléptico usado para antecipar enfaticamente um substantivo que vem na sequência, essa construção gramatical que BLACK, pp. 70-74, caracteriza como um puro aramaísmo. MTGS, pp. 258-59, cita isto como um caso em que "não é fácil decidir, mas provavelmente o pronome contém uma intenção enfática".

ama... tendes amado. Philein; a mesma coisa foi dito de *agapan* em 14,21.23 (veja vol. 1, p. 794).

tendes crido. Aqui, fé é a segunda condição para se ganhar o amor do Pai; em 14,21.23, a segunda condição foi guardar os mandamentos e a palavra de Jesus. Para João, amor, fé e obediência são todos parte do complexo da vida cristã, e um pressupõe o outro. Note-se o tempo perfeito nos verbos "amastes" e "crestes"; está implícita uma atitude mantida ao longo da vida.

saí. Este é o aoristo de *exerchesthai* como em 8,42 (veja nota ali); também 17,8. Em 15,26, ouvimos que o Espírito da Verdade saiu (presente de *ekporeuesthai*) do Pai.

de Deus. Os códices Vaticanus e Bezae, TACIANO e as versões coptas dizem "do Pai" – uma combinação forte. As testemunhas que leem "Deus" estão divididas sobre se o artigo vem ou não antes de *theos*. Com o artigo, *theos* se refere ao Pai (nota sobre 1,1), e a leitura "o Pai" pode ser um esclarecimento disto. Ou, "o Pai" pode representar a influência cruzada da primeira parte do versículo seguinte e de 15,26 (todavia, veja 8,42, o qual tem "Deus").

28. [*Saí do Pai*]. Esta sentença se encontra nos melhores manuscritos ocidentais, incluindo o Sinaiticus e o Vaticanus, talvez por meio de homoioteleuton. A confusão no final do versículo precedente, sobre se ler "de Deus" ou "do Pai" poderia ter levado algum copista a combinar e incluir ambas as redações, repetindo o verbo. Mas é difícil admitir que o padrão quiásmico perfeito agora encontrado no v. 28 foi criado por uma adição casual de copista: os versos 1 e 4 tratam da encarnação e ressurreição da perspectiva do Pai; os versos 2 e 3 as tratam da perspectiva do mundo. Este argumento inclina a balança em favor da autenticidade da primeira parte do versículo.

Saí... vim. No tempo aoristo e perfeito, respectivamente. O primeiro tempo serve para indicar que a encarnação ocorreu em um momento particular do tempo; o segundo reconhece seu efeito permanente. Um contraste similar aparece em 8,42: "Pois saí de Deus e estou aqui" (um aoristo e um presente com um significado perfeito).

56 • O último discurso: – Segunda seção (terceira subdivisão)   1125

do Pai. Os manuscritos que trazem esta primeira linha entre colchetes estão divididos sobre se leem *para* ou *ek* ("de"). Não existe diferença real de sentido; aliás, uma terceira preposição, *apo*, aparece no v. 30. *Ek* não pode ser interpretado teologicamente como uma alusão à relação intratrinitárias do Pai e Filho ("saí do Pai"), já que este verso se refere à encarnação, não ao que a teologia posterior chamaria de a processão do Filho. (Por outro lado, em 8,47 a frase *ek tou theou* é usada para descrever um crente comum: "Quem é de Deus").

agora. *Palin*, "outra vez", é usado aqui para indicar o que vem na sequência; todavia, também tem a conotação de um retorno a uma condição prévia, donde nossa adição de "vou" na linha seguinte. Cf. BAG, p. 611, e o emprego em 11,7.

deixando... vou. Os verbos são *aphienai* e *poreuesthai*; para o restante do vocabulário, veja nota sobre 16,5.

29. *por fim*. Literalmente, "agora"; *nyn* aparece outra vez no início do v. 30. BULTMANN, p. 454, propõe este significado: "agora, no último discurso, estás falando claramente, em contraste com o modo de falares durante o ministério público". Mas, se alguém não aceita a reordenação de BULTMANN que situa o cap. 16 no princípio do último discurso, então se torna menos provável que os discípulos estão contrastando o que é dito no último discurso (o que frequentemente eles têm entendido equivocadamente) com o que foi dito durante o ministério. Podem ser descritos como a pensar que, como a partida de Jesus se torna mais iminente, ele começou a falar mais claramente do que se fez anteriormente no último discurso, e que agora chegou a hora que fora prometida no v. 25, hora quando não mais falaria por meio de figuras.

30. *sabemos... cremos*. Houve também uma combinação do verbo conhecer com o verbo crer, quando Pedro expressou as convicções dos discípulos em 6,69: "Temos crido, e estamos convencidos [*ginōskein*] de que tu és o Santo de Deus".

nem mesmo necessitas que alguém te pergunte. O verbo é *erōtan*. Este versículo, que se referiria às perguntas de informação, é importante para a compreensão da promessa em 23a: "Naquele dia já não me perguntareis nada [*erōtan*]"; aparentemente, os discípulos pensam que a promessa já se cumpriu. Alguns exegetas não têm feito uma conexão com o v. 23a e pensam que a afirmação, na primeira parte do v. 30, que Jesus conhece todas as coisas, deve ser seguida, logicamente, por uma afirmação de que *Jesus* (não "uma pessoa") não tem necessidade de que se façam perguntas; assim, o OS: "Não necessitas que uma pessoa te pergunte" (cf. também AGOSTINHO, *In Jo*. 53,2; PL 35:1900). Entretanto, não só há pouco suporte textual para tal reinterpretação, mas também negligencia a ideia judaica de que a capacidade de antecipar perguntas, e não a necessidade de ser *indagado*, é uma característica do divino. Em Josefo, *Ant.* 6.11,8; 230, Jônatas jura a Davi por "Este Deus... que, antes que tenha expressado meu pensamento com palavras, já conhece qual é". A mesma ideia se encontra em Mt 6,8: "Vosso Pai sabe o de que tendes necessidade, antes mesmo que lho peçais".

Mais precisamente, na presente sequência em João, por que os discípulos concluem que Jesus não necessita que uma pessoa lhe faça perguntas, e por que esta conclusão conduz os discípulos a afirmar sua convicção de que ele veio de Deus? (H. N. Bream dedicou um importante artigo a estas questões, e apenas apresentamos sucintamente aqui). Muitos comentaristas, consciente ou inconscientemente, demonstram a dificuldade da sequência, transferindo para os discípulos a negação da necessidade de Jesus e explicando por que os discípulos já não necessitam de fazer perguntas a ele (assim Lutero, Spitta, Strachan, Lightfoot). Contudo, isto destrói o paralelismo entre a primeira e a segunda parte do v. 30: "Tu conheces todas as coisas – nem mesmo necessitas...". Outros estudiosos, lidando com a afirmação dos discípulos como a temos traduzido, explicam que os discípulos ficaram impressionados pela capacidade que Jesus tinha de saber e responder às suas indagações não expressas; p. ex., no v. 19, e talvez nos vs. 20-28 (assim Crisóstomo, B. Weiss, Westcott, Lagrange, Bernard, Bultmann, Barrett). Mas devemos notar que a expressão afirma mais do que Jesus não necessitava que os *discípulos* lhe fizessem perguntas; afirma que ele não necessitava que alguém lhe fizesse perguntas. Bream sugere que esta afirmação pode estar relacionada com o costume de buscar respostas nos oráculos, uma prática que no pensamento cristão equiparar-se à falsa profecia. No *Pastor de Hermas*, *Mandato* 11,2-5, há um ataque contra o falso profeta a quem se deve fazer perguntas: "Para todo espírito que é dado da parte de Deus necessita que se lhe faça perguntas [*erōtan*], mas tem o poder da deidade e fala todas as coisas de si mesmo, porque provém de cima" (11,5). No pensamento joanino, Jesus teria este poder porque ele é o único verdadeiro revelador de Deus. Quando os discípulos reconhecem que ele conhece as perguntas antes mesmo de serem formuladas, reconhecem, automaticamente, que ele veio de Deus.

Por causa disto. Literalmente, "nisto" (= a razão de que; BDF, §219^2). O "isto" é a capacidade que Jesus tem de antecipar perguntas e de conhecer tudo.

saíste de Deus. Aqui, a preposição é *apo*, como contrastada com *ek* no v. 28; mas certamente (com a devida vênia a Lagrange, p. 432) o escrito joanino com isto não insinua, com esta mudança de vocabulário, que os discípulos estão fazendo uma afirmação menor que a que Jesus reivindicou em 28. Estão aceitando o que Jesus disse de si mesmo numa extensão que pudessem entendê-lo, e a mudança de preposição não tem nenhum significado especial.

31. *Credes agora?* Gramaticalmente, é difícil decidir se isto é uma pergunta ou uma afirmação; BDF, §440, fala de ambiguidade. O caso similar no cap. 13,38 sugere que se trata de uma pergunta. Mesmo que seja uma afirmação ("Agora credes" – a saber, no momento), ela lança dúvida sobre a adequação da fé dos discípulos. A fé deles ainda não está completa; ela vacilará (v. 32). Esta interpretação vai contra uma exegese (p. ex., LAGRANGE) em que Jesus exclama que finalmente os discípulos chegaram a crer – e já era hora, pois ele está para ser preso.

32. *Eis que. Idou*, literalmente, com sentido adversativo como em 4,35.

    chega a hora... porque. Frequentemente *hōra* é conectado com *hote*, "quando" (4,21;23; 5,25; 16,25), mas aqui e em três outros casos (12,23; 13,1; 16,2) é construído com *hina*. BDF, §382[1], e ZERWICK, §428, negam qualquer nuança final ao *hina*, de modo que não veem nenhuma diferença de significado nas duas construções. Todavia, não deixa de ser tentador ver em *hina* uma implicação de que o que aconteceu foi *a fim de* se cumprir a profecia de Zacarias sobre as ovelhas sendo dispersas.

    dispersos. João usa *skorpizein*; no comentário salientaremos o paralelo com Mc 14,27 que usa *diaskorpizein* ao citar Zc 13,7. O Codex Alexandrinus de Zacarias também usa *diaskorpizein*; todavia, quase certamente a redação da LXX do original de Zacarias era *ekspān*, que aparece nos códices Vaticanus e Sinaiticus. Embora os verbos que usam João e Marcos sejam ligeiramente diferentes, alguns têm sugerido que João depende da forma marcana da citação de Zacarias. Entretanto, é possível que ambos, João e Marcos, sejam dependentes aqui de uma tradição de testemunhos ou textos coletados por suas referências cristológicas (assim DODD) em que havia uma forma variante do texto grego de Zacarias. Também não é inconcebível que João e Marcos representem tentativas independentes de traduzir o hebraico de Zacarias mais fielmente para o grego.

    para seu lado. Literalmente, "aos seus". É possível o significado "para sua própria ocupação", mas o significado "para sua própria casa" é mais provável (veja uso em Est 5,10; 3Mc 6,27; Jo 19,27). Isto se referiria às moradias temporárias dos discípulos em Jerusalém, ou às cidades natais na Galileia? O *Evangelho de Pedro*, 59, menciona especificamente que os discípulos foram para seus lares.

    deixando-me sozinho. Essas palavras são um eco de Is 63,3: "Eu sozinho pisei no lagar e dos povos ninguém houve comigo".

mas nunca estou sozinho. A mesma afirmação foi feita em 8,16 ("Eu não estou só – tenho do meu lado Aquele que me enviou") e em 8,29 ("Aquele que me enviou está comigo. Ele não me tem deixado sozinho").

33. *dito isto*. Literalmente, "estas coisas"; note a inclusão com o v. 25. O "estas coisas" se referiria mais do que a dura advertência do v. 32, pois isso dificilmente daria paz aos discípulos. Provavelmente, a referência seja às promessas dos vs. 26 e 27, e talvez a algumas das primeiras promessas do capítulo. O fato de que o v. 33 não concorde facilmente com o v. 32 levou alguns (E. Hirsch, Dibelius) a sugerirem que, originalmente o v. 33 seguia o v. 32 e que os vs. 29-32 são uma adição do redator (a partir da tradição sinótica). Wellhausen propôs que o v. 33 se harmoniza melhor com o v. 24; Lagrange pensava que ele se adequaria bem depois de 16,3. Provavelmente seja mais sensato simplesmente reconhecer o caráter heterogêneo do material aqui sem tentar reconstruir a sequência original.

tereis aflições. Uns poucos manuscritos endossam um tempo futuro. A palavra para "sofrimento" é *thlipsis*; veja comentário sobre o v. 21.

eu venci. No NT, particularmente no Apocalipse (5,5; 6,2; 17,14), Jesus é descrito como aquele que vence. Também 1Cor 15,57: "Graças a Deus que nos dá a vitória por intermédio de nosso Senhor Jesus Cristo".

COMENTÁRIO

Tal como temos hoje o cap. 16, dificilmente pode haver dúvida de que o redator joanino final concebeu a passagem de 16,4b-33 como um todo, e que, portanto, ao distinguir entre as unidades 4b-15 e 16-33, devamos distinguir entre duas partes dentro do todo, e não entre duas subdivisões realmente independentes. A unidade do conjunto é ilustrada pela referência do v. 17 a algo já dito no v. 10. Naturalmente, isto não significa que tal unidade seja original. Aliás, o fato de que a menção específica do tema sobre o Paráclito está incluída unicamente em 4b-15 sugere que estamos lidando com uma unidade imposta ao que uma vez foram blocos independentes de material. Notamos também que os vs. 16-33 tem o estilo de um diálogo entre Jesus e seus discípulos, enquanto 4b-15, não. O tema da tristeza que vimos no v. 6 reaparece nos vs. 20-22; todavia, nestes versículos a resposta a essa tristeza não é uma promessa da vinda do Paráclito, e sim uma promessa de que os discípulos verão Jesus outra vez (16; cf. 22). Foi requerida considerável reinterpretação pelo autor joanino a fim de propiciar unidade a essas expectativas diversas, como veremos mais adiante.

Há dentro do conjunto dos vs. 16-33 uma estrutura reconhecível? Muitos estudiosos (LAGRANGE, HOSKYNS, BARRETT, BULTMANN) propõem um duplo agrupamento de versículos: 16-24 e 25-33. Indicam que o v. 25 pode servir como o início de um novo grupo de versículos, visto que existe uma atmosfera de finalidade, como se o discurso estivesse agora chegando à sua conclusão. Por outro lado, pode-se achar uma inclusão no refrão: "Eu vos tenho dito isto", que aparece nos vs. 25 e 33. Não obstante, há também argumentos contra tal divisão; por exemplo, o tema dos vs. 23b-24 (pedir e receber) é muito semelhante ao tema dos vs. 26-27, e parece resultar uma violência ao texto separar estes versículos em diferentes agrupamentos.

Sugerimos que o material seja dividido em dois grupos 16-23a e 23b-33, e que estes dois grupos de versículos sejam relacionados entre si conforme ao padrão quiástico tipicamente joanino, assim:

	16-23a	23b-33
Predição de julgamento e de consolação subsequente	16	31-33
Observações dos discípulos	17-19	29-30
Promessa de bênçãos a serem desfrutadas pelos discípulos	20-23a	23b-28

Estamos cientes do risco que corremos ao ver uma estrutura maior para a unidade do que pretendia o escritor joanino, mas há pontos específicos que dão plausibilidade à tese de que sua estruturação é intencionada. A advertência de julgamento no v. 16 ("um pouco de tempo, não me vereis mais") tem seu equivalente no v. 32 ("Eis que chega a hora – deveras já chegou – em que sereis dispersos"). A nota acompanhante de consolação no v. 16 ("outra vez, um pouco de tempo, me vereis") corresponde à do v. 33 ("para que em mim tenhais paz"). As intervenções dos discípulos nos vs. 17-19 e 29-30 estão explicitamente relacionadas pela referência do v. 30 ao conhecimento de Jesus do que estava em suas mentes antes mesmo que formulassem uma pergunta – uma faculdade que foi exemplificada em 19. Finalmente, os dois grupos mais extensos do discurso (20-23a, 23b-28) são quase igual em extensão, e cada um é introduzido por "Verdadeiramente, vos asseguro". Cada um se ocupa do que acontecerá aos discípulos "naquele dia" (23a, 26), quando "a hora" finalmente chegar (21, 25).

O primeiro (20-25a) promete que aos discípulos uma alegria duradoura (20-22) e conhecimento (23a); o segundo (23b-28) promete a concessão de suas petições (23-24, 26) e conhecimento (25).

Versículos 16-23a: Os discípulos verão Jesus outra vez e se alegrarão

O v. 16, a chave para este grupo de versículos e, na verdade, para toda a unidade, ilustra a grande dificuldade de determinar o que significa exatamente no último discurso o retorno de Jesus, dificuldade já mencionada nas pp. 969-72 acima. Se tratarmos o v. 16 como uma sentença pronunciada no contexto da última ceia, a primeira vista parece que temos de entendê-lo assim: Jesus morrerá em breve, e assim em pouco tempo os discípulos não o verão; mas então dentro de pouco tempo o verão outra vez, porque, depois de seu sepultamento, ele ressuscitará e aparecerá a eles. Este era o ponto de vista da maioria dos Padres gregos. (Obviamente, tal interpretação pressupõe que Jesus sabia detalhadamente o que aconteceria após sua morte, uma pressuposição que muitos estudiosos, protestantes e católicos, não mais fariam). Todavia, há certos elementos na descrição que João faz do estado dos discípulos depois que vissem Jesus que não se enquadram bem a uma referência às aparições pós-ressurreição. É verdade que na ótica de João as promessas de alegria e paz (16,20-22.24.33) em alguma extensão se cumpriram nas aparições do Jesus ressurreto (20,20.21.26), mas essas aparições realmente outorgam "uma alegria que ninguém pode tirar-vos"? Muito do que João registra em 16,16ss. antecipa uma união mais permanente com Jesus do que a proporcionada por aparições pós-ressurreição. O v. 23a promete aos discípulos um conhecimento pleno, de modo que não mais necessitam formular perguntas. Esse conhecimento mais profundo dificilmente foi concretizado no breve período pós-ressurreição, dentro do qual Jesus lhes apareceu. O tema de fazer petições e tê-las alcançado (23b-24,26) parece implicar um longo período de tempo em que isto seria um procedimento costumeiro.

Outra solução tem sido proposta. AGOSTINHO (*In Jo.* CI 6; PL 35:1895) entende o segundo "pouco tempo" do v. 16 como o período antes da parousia e sugere que os discípulos (cristãos) veriam Jesus outra vez quando ele vier no fim dos tempos. A liturgia romana parece seguir esta interpretação, pois ela lê esta passagem em um domingo *após* a festa da ressurreição. Que a expressão "me vereis" poderia referir-se à parousia se demonstra por passagens sinóticas que falam de ver o Filho do Homem vindo sobre as nuvens em poder e glória (Mc 13,26; 14,62). A imagem das dores do parto (21) é empregada no AT para descrever o dia escatológico do Senhor, um dia que é também ecoado na frase "naquele dia" dos vs. 23 e 26. Todavia, não podemos limitar a promessa do v. 16 unicamente à parousia, pois isso implicaria que nada do que Jesus prometeu teria ainda sido cumpridas.

Se temos de interpretar esta sentença no contexto histórico da última ceia, talvez possamos combinar o melhor das duas interpretações anteriores. É possível que Jesus prometesse aos discípulos bênçãos que seriam deles após sua vitória sobre a morte e o mal, mas sua expectativa do que essa vitória consistiria não pudesse ser claramente definida. Pode ser que fosse uma expectativa que pudesse ser expressa na linguagem tradicional tanto da ressurreição como da parousia. (No vol. 1, p. 351, sugerimos que as vagas referências joaninas sobre a exaltação de Jesus fossem mais originais em sua perspectiva do que as detalhadas predições sinóticas da ressurreição). Assim, a distinção entre ver Jesus no tempo de suas aparições pós-ressurreição e vê-lo no tempo de sua parousia pode muito bem ter sido uma distinção formulada pela igreja primitiva precisamente quando os cristãos comprovaram que nem todas as promessas de Jesus se cumpririam em suas aparições após a ressurreição. Esta distinção não seria original em sentenças provenientes do ministério.

Se do possível significado da sentença no contexto da última ceia passamos a estudar o que significaria no contexto total do evangelho, descobrimos que no pensamento joanino "ver" Jesus e a alegria e o conhecimento que são consequentes desta experiência são considerados privilégios da existência cristã depois da ressurreição. As promessas de Jesus têm-se cumprido (ao menos numa extensão significativa) no que tem sido assegurado a todos os cristãos, pois o último discurso é dirigido a todo aquele que crê em Jesus e não só aos que estavam presentes. "Ver" Jesus tem sido reinterpretado no sentido de experiência constante de sua presença no cristão, e isto só pode significar a presença do Paráclito/Espírito. Tal reinterpretação é legítima no pensamento joanino, porque o Paráclito é outorgado pelo Jesus ressurreto, precisamente como o caminho para tornar permanente sua presença glorificada entre seus discípulos, agora que seu lugar é junto ao Pai. Enquanto a sentença do v. 16 pode ter-se referido originalmente a uma visão física, agora se refere a uma visão espiritual; e assim não há contradição real entre "me vereis" do v. 16 e "não mais me vereis" do v. 10; cf. também 20,29. Como os paralelos com os evangelhos sinóticos em 23-24,25,26 e 32 sugerem, aqui o autor joanino estava tratando das sentenças que tinham suas raízes em uma tradição anterior. Em vez de reelaborar completamente estas sentenças em termos de ver Jesus em e através do Paráclito, ele levou a cabo sua reinterpretação, colocando-as lado a lado com as sentenças sobre o Paráclito de 16,8.15. (Ao analizarmos 14,2-3 [pp. 998-1000 acima], vimos uma técnica similar de reinterpretação através do contexto). A Primeira Seção do último discurso tem um paralelo com 16,16 na sentença de 14,19: "Ainda um pouco, e o mundo não me verá mais, mas vós me vereis; porque eu tenho vida, e vós tereis vida". Como salientamos às pp. 1024-25, esta sentença foi também reinterpretada em referência a uma presença mais permanente de Jesus do que era possível no período pós-ressurreição; seguindo logo depois a passagem sobre o Paráclito em 14,15-17, e pode também ser perfeitamente interpretado em termos da vinda do Paráclito/Espírito.

Enquanto ao diálogo em 16,17-19, descobrimos que, se temos tido dificuldade em determinar o significado exato do que Jesus disse no v. 16, os discípulos também estavam confusos. A promessa de Jesus de que o veriam outra vez logo depois (16) parece conflitar-se com sua afirmação de que estava indo para o Pai (v. 10: "Eu vou para o Pai, e não mais podereis ver-me"). Já salientamos anteriormente que o autor joanino resolveu a aparente contradição, reinterpretando o significado de "ver"; mas, sem a vantagem que supõe a reinterpretação posterior, os discípulos tinham todo o direito de estar confusos. Somos informados que Jesus sabia as intenções deles e antecipou suas perguntas, mas a resposta que deu nunca informa a eles ou a nós como resolver a dificuldade dentro do contexto histórico da última ceia – a despeito do fato de que os discípulos mais adiante (29-30) se mostram entusiasmados com o fato de Jesus antecipar suas perguntas e agora estava falando com toda clareza.

O Jesus joanino tem o costume de responder indiretamente a perguntas, e sua resposta nos vs. 20ss. realmente é uma descrição dos privilégios que os discípulos desfrutarão depois "um pouco de tempo", a saber, "naquele dia" (23,26), quando "a hora" chegar em sua plenitude (21, 25). Nos vs. 20-23a, descrevem-se dois privilégios: alegria e conhecimento.

A alegria duradoura dos discípulos (20-22) é contrastada com a falsa e cruel alegria que se assenhoreia do mundo quando Jesus morrer. A alegria dos discípulos se relaciona também com sua morte, mas é uma alegria que emerge triunfantemente do sofrimento. Ao descrever este fenômeno, Jesus se reporta a uma parábola extraída da experiência comum do nascimento do ser humano. Todavia, a linguagem figurativa que ele emprega também tem raízes no Antigo Testamento onde se diz que as dores de parto que Israel terá de suportar antes que chegue o dia do Senhor ou antes que o Messias venha. Em Is 26,17-18 (LXX), lemos: "Como a mulher grávida, quando está próxima sua hora, tem dores de parto... assim somos nós diante de ti, ó Senhor! ...Temos anunciado o espírito de tua salvação". Isto é seguido por uma promessa de que os mortos viverão e por um chamado aos que jazem no pó para que se regozijem (*euphrainein*; não o *chairein* de João), pois a ira do Senhor dura somente *pouco tempo* (*mikron*). Is 66,7-10 descreve as dores de parto de Sião ao dar à luz seus filhos e então encoraja todos os que a amam que se regozijem (*euphrainein*) com ela. Esta passagem poderia estar em mente na redação de Jo 16,21, pois o v. 22 cita Is 66,14 (veja nota). Veja também Os 13,13; Mq 4,9-10; 5,2(3). A imagem das dores de parto continuou a ser empregada no pensamento judaico no período posterior ao AT. Nos Manuscritos do Mar Morto, 1QH 3,8ss. descreve uma mulher grávida de seu primeiro filho, um varão. Após dores lancinantes, ela dá à luz ao "maravilhoso conselheiro" (descrição do rei prometido em Is 9,5[6]). A intenção deste hino de Qumran é obscura, mas é possível que descreva figurativamente o nascimento do Messias.

A imagem também se encontra em Ap 12,2-5, onde a mulher vestida do sol, entre gritos de dores em seu parto, dá à luz a um varão que há de governar todas as nações com vara de ferro (descrição do rei [messias] ungido do Sl 2,9). Ao discutirmos o primeiro milagre em Caná e o papel de Maria ali (vol. 1, pp. 302-04), tivemos ocasião de comentar sobre esta cena no Apocalipse. Apontamos para seu pano de fundo em Gn 3,15-16, onde lemos que a mulher daria à luz seus filhos entre dores e que seu descendente esmagaria a cabeça da perversa serpente. (Veja notas para notáveis paralelos com o relato de Gênesis também em Jo 16,21). Sugerimos que a mulher do Apocalipse é um símbolo do povo de Deus, de quem Maria, mãe de Jesus, é uma personificação. No artigo que citamos, A. FEUILLET tem defendido com argumentos convincentes que Ap 12, ao aludir ao doloroso nascimento do Messias, está se referindo à morte e ressurreição de Jesus. Isto está pressuposto em Ap 12,5, onde no momento em que o menino nasce, ele é arrebatado para o céu. A equivalência entre ressurreição e nascimento é elaborada no início do Apocalipse (1,5), pois ali Jesus é chamado "o primogênito dos mortos". A ideia de que a ressurreição -ascensão gerou o Messias está em conformidade com At 2,34-36; ali Pedro proclama que, ao elevar Jesus à sua destra, Deus o fez Messias.

À luz deste pano de fundo, Feuillet sugere que a breve parábola em Jo 16,21 é também uma alegoria. (Para a mescla joanina de parábola e alegoria, veja vol. 1, pp. 666-67). A presente tristeza e a alegria futura dos discípulos são não só comparadas com a tristeza e a alegria que uma mulher normalmente sente no nascimento de seu filho, mas também há referência a um esquema simbólico já conhecido no qual a morte e a vitória de Jesus são retratadas como as dores de parto da mulher e o subsequente nascimento do filho messiânico. Mas até onde podemos chegar com esta alegoria? Loisy (Ed. 1903), p. 788, defendia que a mulher do v. 21 parece representar a sinagoga convertida ao cristianismo – ponto de vista rejeitado por Hoskyns, p. 488, e por Bultmann, p. 446[5] ("absurdo"). Ao tempo de sua edição em 1921, Loisy, p. 436, foi mais cauteloso sobre identificar detalhes alegóricos. A. Kerrigan, *Antonianum* 35 (1960), 380-87, vê uma referência particular a Maria; ele corrobora isto evocando Jo 19,25-27, onde *na morte* de Jesus, Maria é mencionada como "Mulher", e fez dela a mãe do Discípulo Amado (simbolizando o cristão). W. H. Brownlee, NTS 3 (1956-57), 29, vê uma referência particular aos apóstolos que são comparados a uma mulher parturiente cujo filho é o Jesus ressurreto. Talvez seja preferível dizer simplesmente que Jo 2,4; 16,21; 19,25-27 e Ap 12 todos ecoam de uma maneira ou de outra a alegoria do papel da mulher na aparição do Messias como vitorioso, sem tentar ser mais específico sobre os detalhes de 16,21.

Contudo, pode-se ver mui plausivelmente um detalhe como contendo significação alegórica: o "sofrimento" ou *thlipsis* da mulher. Esta é uma palavra usada quase tecnicamente para descrever a tribulação que precederá a ação escatológica de Deus; por exemplo, no texto grego de Dn 12,1: "E naquele tempo se levantará Miguel, o grande príncipe, que se levanta a favor dos filhos de teu povo, e haverá um tempo de angústia, qual nunca houve, desde que houve nação até àquele tempo; mas naquele tempo o teu povo será libertado, todo aquele que for achado escrito no livro". Em Sf 1,14-15, se diz: "O grande dia do Senhor está próximo.

... Aquele dia é um dia de grande ira, um dia de *sofrimento* e angústia". Veja também Habacuque 3,16. No NT, *thlipsis* é usado por Jesus para descrever o sofrimento ou tribulação que precederá a vinda do Filho do Homem (Mc 13,19.24; cf. Rm 2,9). Mediante um certo tipo de escatologia realizada, as aflições da Igreja, durante o tempo que permanece na terra, foram interpretadas como *thlipsis* (Mc 4,17; At 11,19). Em harmonia com o simbolismo em que a morte e ressurreição de Jesus combinadas são representadas pelo nascimento messiânico de um menino, João vê o sofrimento dos discípulos na morte de Jesus como *thlipsis* que precede a emergência da dispensação divina definitiva. A segunda menção de *thlipsis* no v. 33 estende a noção de sofrimento para incluir a contínua aflição dos discípulos durante a perseguição pelo mundo (isto concorda com o uso em Ap 7,14). Do mesmo modo que o sofrimento tem um duplo motivo, assim também a alegria que o segue. A alegria do discípulo cristão é não só a alegria de reconhecer que Jesus já venceu a morte em sua ressurreição (20,20); é uma alegria duradoura como resultado da presença de Jesus no Paráclето. A primeira alegria segue a tristeza e o sofrimento da partida de Jesus na morte; a segunda alegria (que é a continuação da primeira) coexiste ao sofrimento imposto pelo mundo.

O segundo privilégio que os discípulos desfrutarão depois do "um pouco de tempo" é mencionado no v. 23a: um conhecimento pleno que tornará inúteis quaisquer perguntas. No período pós-ressurreição, os discípulos virão a entender o que Jesus dissera e fizera em seu ministério (2,22; 12,16; 13,7). Esta compreensão poderia ter começado com as aparições do Senhor (20,9.24-28; 21,4-7; cf. Lc 24,27), mas sua perfeição e continuidade são obra do Paráclето (16,13-15). Os dois privilégios da alegria (em virtude da presença de Jesus no Paráclето) e compreensão (propiciada pelo Paráclето) realmente não são distintos, pois a alegria flui do fato de que o cristão tem chegado a conhecer e compreender Jesus. Uma conexão entre compreensão e alegria é feita em 1Jo 1,4, onde o autor diz que está escrevendo sobre o que ele vira e ouvira de Jesus, a fim de "conduzir à plenitude nossa alegria comum".

Versículos 23b-33: Os discípulos terão suas petições concedidas e entenderão Jesus claramente

As palavras de Jesus nos vs. 23b-28, as quais até certo ponto são paralelas com as dos vs. 20-23a (cf. p. 1129 acima), também prometem dois privilégios que os discípulos desfrutarão dentro de "um pouco de tempo": o privilégio de uma intimidade com Deus que garantirá que seus pedidos serão atendidos (23b-24,26) e, uma vez mais, o privilégio de compreender a Jesus como a revelação do Pai (25). O privilégio de ter os pedidos atendidos na realidade brota do "ver" Jesus (16). Visto que o cristão experimentará a presença de Jesus na habitação interior do Paráclito, ele permanecerá unido a Jesus; e, como se prometeu em 15,7: "Se permanecerdes em mim... pedis o que quiserdes, e vos será feito". Precisamente porque os cristãos terão a presença íntima de Jesus no Paráclito, também desfrutarão de intimidade com o Pai que é um com Jesus. Este fato nos capacita a entender a peculiar ênfase de 16,23b-24, que não só são coisas a serem pedidas em nome de Jesus, mas também serão dadas em nome de Jesus. Visto que Jesus habita nos cristãos, suas petições são feitas em nome de Jesus; visto que o Pai é um com Jesus, as petições que Ele atende são outorgadas em nome de Jesus. O v. 24 é mais profundo do que parece à primeira vista. A afirmação de que até então (a última ceia) os discípulos não tinham pedido nada *em nome de Jesus* implica realmente que os discípulos não podem viver completamente unidos a Jesus (e assim agir em seu nome) senão depois da hora da paixão, morte, ressurreição e doação do Espírito. Somente então, como expressa Ef 2,18, eles "terão acesso ao Pai em um mesmo Espírito".

Que tipo de pedidos João tem em mente ao registrar estas sentenças relativas a pedir e receber? Temos sugerido, ao discutir 14,13-14 e 15-17 (pp. 1013 e 1024 acima), que, primariamente, não é uma questão das necessidades ordinárias da vida, mas de tudo quanto aprofundará a vida eterna e fará frutífera a obra do Paráclito. No cap. 16, o contexto da sentença em 23b-24 confirma isto, pois ambos, 23a e 25, dizem respeito a uma compreensão mais profunda de Jesus (através do Paráclito). Podemos ainda comparar a sentença no v. 24, "Pedi e recebereis, para que vossa alegria seja completa", com o que foi dito em 15,11: "Eu vos tenho dito isto para que minha alegria esteja em vós, e vossa alegria seja plena". A plenitude da alegria cristã vem através da compreensão do que Jesus tem revelado, uma compreensão que influencia o modo de viver do cristão.

Com o v. 25, torna-se óbvio que as observações de Jesus chegam a um ponto final. A promessa de um conhecimento mais profundo no v. 23a foi feita em termos dos discípulos já não necessitarem de formular mais perguntas a Jesus; agora a promessa é em termos de Jesus falar com mais clareza. (De fato, o v. 25 parece ter um caráter de inserção entre os vs. 24 e 26, ambos os quais tratando do tema das perguntas. *Parrēsia*, "claramente", se encontra associado com o tema de pedir e receber em 1Jo 3,21-22 e 5,14-15, onde o termo se refere à "confiança" com que alguém pode certificar-se de que o pedido será respondido). O que implica o contraste entre "figuras de linguagem" e "claramente"? Durante o ministério, "os judeus" desafiaram Jesus a falar com palavras claras (10,24), mas ele afirmou que o verdadeiro problema era que, obstinadamente, se recusavam a crer no que ele dizia; esta resposta parece implicar que ele estava falando com palavras claras [claramente] durante seu ministério. O uso de *parrēsia* em 11,14 ajuda mais: ali Jesus esteve falando em linguagem figurada do sono de Lázaro, mas os discípulos não entenderam, e então Jesus teve que lhes falar claramente que Lázaro havia morrido. No presente caso, os discípulos não chegaram a entender a figura da mulher parturiente que Jesus usa para ilustrar sua partida, e então Jesus promete que virá o tempo em que tais figuras não mais serão necessárias. Talvez devamos ir além do significado literal de "figuras de linguagem" no contexto imediato e pensar na expressão como uma referência ao elemento de mistério que caracteriza todas as palavras de Jesus no evangelho – o mistério inevitável apresentado por alguém do alto quando fala aos que são da terra (em suma, a forma joanina do que nos sinóticos se chama como o mistério do reino oculto *em parábolas*: veja nota). Este mistério só pode ser desvelado quando forem gerados do alto (3,3-6,31-32). Então, ao prometer falar claramente, Jesus está fazendo mais do que prometer uma interpretação das parábolas alegóricas que tem usado no último discurso; está se referindo a uma iluminação geral sobre toda sua revelação. Uma vez mais, em relação ao v. 25, teólogos sistemáticos têm pensado na possibilidade de novas revelações depois da ressurreição; no entanto, provavelmente João tenha em mente a obra do Paráclito. Podemos comparar o v. 25 com 14,25-26: "Eu vos tenho dito isto enquanto estou ainda convosco. Mas o Paráclito... vos ensinará todas as coisas e vos fará lembrar de tudo o que eu vos tenho dito [de mim mesmo]". Em particular, segundo com 16,25, Jesus (através do Paráclito) dirá aos discípulos *a respeito do Pai*. Isso se dá porque o Paráclito/Espírito procede do Pai e gera os discípulos como filhos do Pai, de forma que seu conhecimento do Pai seja quase conatural.

Os vs. 26-27 desenvolvem a nota de intimidade com o Pai e a aplicam ao tema de pedir e receber (depois de serem tratados nos vs. 23b-24). Sentenças anteriores sobre este tema (p. 1011-12 acima) têm enfatizado ou o pedir ou o conceder *em nome de Jesus*; o v. 26 diz algo novo enquanto que parece excluir a intercessão da parte de Jesus. Todavia, há nos escritos joaninos outras passagens que tomam por admitido a intercessão de Jesus em favor dos cristãos no período pós-ressurreição. Em 14,16, o Paráclito é dado a pedido de Jesus, e 1Jo 2,1 descreve o próprio Jesus como um Paráclito ("intercessor") na presença do Pai, ajudando os cristãos que tiverem pecado. Então, talvez a verdadeira implicação de 16,26 não seja excluir a intercessão, e sim explicar que como intercessor Jesus não é uma realidade intermediária entre o Pai e seus filhos. Antes, o papel necessário de Jesus em conduzir homens ao Pai e o Pai aos homens (14,6-11) estabelecerá uma relação tão íntima de amor *em e através de Jesus*, que Jesus não pode ser considerado como um intermediário. O Pai amará os discípulos com o mesmo amor com que Ele tem amado a Jesus (17,23-26); e o Pai, Jesus e os discípulos serão um (17,21-23). Jesus não terá que interceder ao Pai em favor dos cristãos, pois a oração dos cristãos será a oração de Jesus. LOISY, p. 438, expressa o pensamento de João assim: "Em seu estado glorioso, Cristo não orará pelos seus; ele orará com eles e através deles em sua Igreja. Aqui se chega ao ponto mais profundo da mística cristã. O Pai vê nos cristãos o próprio Cristo, que ao mesmo tempo é o objeto de sua fé e amor".

Em uma majestosa sentença (v. 28) que leva à sua conclusão este grande discurso (ou, ao menos, que é agora a Segunda Seção do último discurso), Jesus explica como ele é um com homens e um com o Pai. Vindo ao mundo, ele estabeleceu um vínculo de união com seus irmãos; deixando o mundo, ele volta a estabelecer, em sua plenitude, sua união com o Pai (SCHLATTER, p. 316). Somente quando isso seja uma realidade é que "a hora" se completará na qual os discípulos participarão da alegria, do conhecimento e da confiança que Jesus lhes prometera. SCHWANK, *"Sieg und Friede"*, p. 398, salienta que o v. 28 é um paralelo cristológico com a bela descrição no Deuteroisaías (55,10-11) sobre a palavra de Deus: "assim como desce a chuva e a neve dos céus... Assim será a minha palavra, que sair de minha boca; ela não voltará para mim vazia, antes fará o que me apraz, e prosperará naquilo para o que a enviei".

A despeito da majestuosidade e concisão do v. 28, tudo o que ele diz já foi dito anteriormente. Portanto, quando no v. 29 os discípulos recebem esta sentença ou a que lhe precede imediatamente como um exemplo de falar claramente, eles estão sendo impetuosos. Até agora, eles não compreenderam Jesus quando ele disse estas coisas, mas agora se gabam: "Conhecemos... cremos que saíste de Deus" (30). Todavia, não estão mais perto da verdadeira compreensão do que estavam quando formularam perguntas ingênuas no início do discurso. Naturalmente, eles têm uma fé incipiente; eles a tiveram desde os primeiros dias do ministério (1,41.45.49; 2,11). (Dodd, *Interpretation*, p. 392, salienta que a afirmação dos discípulos no v. 30 vêm a ser quase uma duplicação da declaração de Pedro em 6,69: "temos crido e estamos convencidos de que tu és o Santo de Deus"). E já que agora se encontram imersos na atmosfera de "a hora", esta fé incipiente pode ter-se desenvolvido consideravelmente. Mas é impossível a fé plena sem o dom do Espírito que virá no período pós-ressurreição. Jesus prometeu que, quando chegasse plenamente a hora, ele falaria claramente (25). Os discípulos pensam que isto aconteceu porque, como descrito no v. 19, Jesus antecipou a pergunta deles antes que a expressassem em palavras – um sinal de que ele veio de Deus (veja nota sobre a capacidade de antecipar perguntas como um sinal do divino). Esta avaliação demonstra que sua compreensão e sua fé não estão completas (31). A hora só pode chegar através de sofrimento e morte, e devem partilhar disto se querem compreender e crer (32).

Na referência do v. 32 à dispersão dos discípulos agora que a hora já chegou, parece que temos um paralelo joanino com o que se encontra em Mc 14,27 (Mt 26,31), onde, após a última ceia, de caminho para o Monte das Oliveiras Jesus prediz que todos os discípulos o abandonarão e, assim, se cumprirá a profecia de Zc 13,7: "Fere ao pastor, e se espalharão as ovelhas". Na tradição sinótica, na verdade esta profecia se cumpre no Getsêmani (a qual Mc 14,35 descreve como "a hora" de Jesus), pois ali todos os discípulos o abandonaram e fugiram (Mc 14,50; Mt 26,56). No *Evangelho de Pedro*, se diz que os discípulos se esconderam de seus perseguidores (26); cada um voltou para seu próprio lar, enquanto Simão Pedro e André voltaram a pescar (59-60). Mas em João não há menção de tal deserção na cena do Getsêmani, e de fato o Quarto Evangelho enfatiza a fidelidade de um dos discípulos, o Discípulo Amado, durante a crucifixão (19,26-27). Além do mais, a cena em 20,19, onde os discípulos se reúnem no crepúsculo do dia da ressurreição, dificilmente dá a impressão de que se dispersaram. (Jo 21, com sua descrição dos discípulos voltando à Galileia em seu trabalho ordinário, se encaixaria melhor com a profecia de sua dispersão). FASCHER, *art. cit.*, examinou exaustivamente as tentativas de resolver esta dificuldade, incluindo o rearranjo da passagem a fim de preceder a predição da negação de Pedro em 13,36-38 (um rearranjo que é feito à base da tese da união das duas predições em Mc 14,26-31; Mt 26,30-35). Mas parece preferível considerar Jo 16,32 como um exemplo de uma tradição primitiva preservada no último discurso, ainda quando não corresponda perfeitamente ao desenvolvimento da narrativa subsequente. No nível do significado tencionado pelo autor joanino, a passagem perdeu sua referência aos discípulos no Getsêmani e se tornou uma predição do sofrimento que aguarda aos cristãos dispersos em um mundo hostil.

No final do v. 32, a soberania de Jesus se reafirma. Seu controle de seu próprio destino estava implícito no v. 28, mas agora ele reafirma a fonte de sua confiança ao entregar sua vida (veja 10,18). Ele se mantém sereno na certeza de que seu Pai não o abandonará mesmo que os discípulos escolhidos o façam. Alguns têm sugerido que no v. 32 o autor joanino está corrigindo um mal-entendido acerca do que se conta do que Jesus diz sobre a cruz: "Deus meu, Deus, por que me abandonaste?" (Mc 15,34; Mt 27,46) – mal-entendido porque alguns não conseguem compreender que ele estava citando o Sl 22. HOSKYNS, p. 492, afirma que a sentença joanina pressupõe e interpreta o significado correto da tradição mais antiga. Contudo, não podemos estar certos de que o autor joanino conhecia este dito marcano-mateano. Parece ser mais seguro sugerir que 16,32 indica que a concepção joanina da relação de Jesus com o Pai impediria a João atribuir a Jesus as palavras citadas de Marcos e Mateus, não importa quão inocentemente tais palavras implicavam. Veja p. 1386 abaixo.

A seção termina em um tom triunfante no v. 33. A primeira seção do último discurso (14,30) terminou com a afirmação de Jesus de poder frente ao Príncipe deste mundo; a Segunda Seção termina com uma proclamação de vitória sobre o mundo. (A alternância entre vencer Satanás e vencer o mundo se encontra em 1Jo 2,13.14; 5,4. J. E. BRUNS, JBL 86 [1967], 451-53, está plenamente certo em insistir que a vitória sobre o mundo e sobre seu Príncipe inclui vitória sobre a morte; entretanto, achamos pouca evidência para endossar sua pretensão de que a descrição que João faz de Jesus como vencedor ecoa o mito pagão de Hércules, o vencedor da morte e do mal. As ideias se aproximam aqui ao dualismo judaico tardio [veja vol. 1, p. 50]. O contraste entre "em mim" e "no mundo" mostra que o autor está pensando na existência cristã pós-ressurreição. O sofrimento (*thlipsis*) consiste na perseguição predita em 15,18-16,4a (também Mt 24,9-10). O tema da paz, que apareceu no final da Primeira Seção (14,27), aparece aqui também; e uma vez mais (veja p. 1035-36 acima) enfatizamos que ela [a paz] é um dom salvífico. O fato de que ela apareça junto com o sofrimento mostra que esta não é uma paz no sentido ordinário do termo. Em 14,29, Jesus disse: "Eu vos tenho dito isto... para que... creiais". Aqui, ele diz: "Eu vos tenho dito isto para que em mim tenhais paz". A paz nasce da fé em Jesus e consiste na união com ele. A paz não é adquirida sem esforço, pois ela vem unicamente da vitória sobre o mundo. Se Jesus vence o mundo, o cristão também deve vencer o mundo (Ap 3,21); e isto é feito através da fé (1Jo 5,4-5). Assim, se faz muitíssimo necessário o mandamento, "Tendes bom ânimo", em 33. Ele lembra o cristão da tarefa que nunca termina de escolher entre Jesus e o mundo.

BIBLIOGRAFIA
(15,18-16,31)

Veja a bibliografia geral sobre o último discurso no final do §48 e a Bibliografia sobre o Paráclito em Ap. V.

BREAM, H. N., "*No Need to Be Asked Questions: A Study of Jn. 16:30*", Search the Scriptures-New Testament Studies in Honor of Raymond T. Stamm (Gettysburg Theological Series 3; Leiden: Brill, 1969), pp. 49-74.
FASCHER, E., "*Johannes 16, 32*", ZNW 39 (1940), 171-230.
FEUILLET, A., "*L'heure de la femme (Jn 16, 21) et l'heure de la Mère de Jésus (Jn 19, 25-27)*", Biblica 47 (1966), 169-84, 361-80, 557-73.
SCHWANK, B., "'*Da sie mich verfolgt haben, werden sie auch euch verfolgen*' *(15, 18-16, 4a)*", SeinSend 28 (1963), 292-301.
_____ "'*Es ist gut für ench, dass ich fortgehe' (16, 4b-15)*", SeinSend 28 (1963), 340-51.
_____ "*Sieg und Friede in Christus (16, 16-33)*", SeinSend 28 (1963), 388-400.
ZERWICK, M., "*Vom Wirken des Heiligen Geistes in uns (Jo 16, 5-15)*", GeisLeb 38 (1965), 224-30.

57. O ÚLTIMO DISCURSO:
– TERCEIRA SEÇÃO (PRIMEIRA UNIDADE)
(17,1-8)

Jesus, tendo completado sua obra, pede para ser glorificado

17 ¹Depois destas palavras, Jesus levantou os olhos ao céu e disse:
"Pai, é chegada a hora:
glorifica a teu Filho
para que o Filho te glorifique –
²assim como lhe concedeste poder sobre todos os homens
para que ele conceda vida eterna a todos os que tu lhe deste".

³E a vida eterna consiste nisto: que te conheçam, o único Deus verdadeiro, e a Jesus Cristo, a quem enviaste.

⁴"Eu te glorifiquei na terra,
Completando a obra que me deste para fazer;
⁵assim agora glorifica-me, ó Pai, em tua presença,
com aquela glória que eu tive contigo antes que o mundo existisse.

⁶Eu manifestei o teu nome aos homens
que me deste e os tirei do mundo.
Eram teus, e tu mos deste,
e têm guardado a tua palavra.
⁷Agora sabem
que de ti vem tudo o que me tens dado.

⁸Porque as palavras que me deste,
eu lhes dei,
e as aceitaram.
E em verdade conheceram
que eu vim de ti,
e creram
que tu me enviaste".

NOTAS

17.1. *destas palavras*. Literalmente, "estas coisas".
levantou os olhos ao céu. Uma ação similar está registrada antes da oração de 11,41; veja nota correspondente.
Pai. Esta invocação abrupta, tão característica, também aparece em 11,41 e 12,27; para seu significado especial, veja vol. 1, p. 721. O Pai é o sujeito ativo destacado nesta oração; e a invocação "Pai" é frequente do começo ao fim, sendo usada isoladamente em 1, 5, 21 e 24, e com modificativos nos vs. 11 e 25. As testemunhas textuais não estão de acordo se leem com função de vocativo (*pater*) ou um nominativo (*patēr*) que funciona como vocativo (BDF, §147). A variação pode ser explicada se, como em P⁶⁶, o manuscrito do qual os amanuenses estiveram copiando empregava uma abreviação (*pr*).
é chegada a hora. Já ouvimos isto em 12,23 e 13,1; obviamente, "a hora" é um longo período de tempo, começando com a primeira indicação de que o processo que levaria Jesus à morte já se pusera em movimento, e finaliza com seu retorno para seu Pai. No Livro da Glória, o único uso prévio sem modificação de "a hora", na última ceia, foi em 13,1, esta aí a base por detrás do rearranjo de BULTMANN (veja comentário) que põe 17,1 imediatamente após 13,1. Ele pensa que "Jesus estava ciente de que havia chegado a hora para ele passar deste mundo para o Pai" faz uma excelente introdução à oração que Jesus dirige ao Pai quando se aproxima a hora. Mas, mesmo sem o rearranjo, a atmosfera de "a hora" em que Jesus retorna ao seu Pai domina a última ceia e fornece um cenário para a oração.
glorifica a teu Filho. O processo de glorificação já havia começado com o início de "a hora", mas ainda não está completo. Cf. 13,31-32: "Agora o Filho do Homem foi glorificado, e Deus foi glorificado nele. ... Deus, por sua vez, o glorificará em Si mesmo e o glorificará logo".
para que o Filho. Vários manuscritos importantes, tanto ocidentais ou bizantinos, leem "teu Filho". Esta é a primeira de duas orações subordinadas

introduzidas por *hina*; a segunda está no v. 2b: "para que ele conceda...". Estão separadas por uma construção com *kathōs* ("assim como") do vs. 2a. A mesma construção aparece mais adiante no v. 21 (também 13,34).

te glorifique. BERNARD, II, 560, observa que toda a paixão se desenvolve sob o lema de *"ad maiorem Dei gloriam".*

2. *lhe concedeste.* O tempo aoristo implica uma ação passada: a autoridade lhe foi dada como parte do seu ministério terreno. Não obstante, este poder de conceder vida não se tornaria plenamente eficaz até a exaltação de Jesus.

poder. Ou "autoridade" (*exousia*; veja vol. 1, pp. 180).

sobre todos os homens. Literalmente, "toda carne", um semitismo (cf. 8,15). O habitual dualismo joanino entre carne e Espírito não parece estar em mente aqui. Talvez o poder sobre todos os homens é o poder de juízo (5,27), pois o próximo verso deixa claro que Jesus tem o poder de dar vida somente a um grupo seleto, i.e., àqueles que o Pai lhe deu.

para que ele conceda. Esta é a segunda sentença com *hina* (cf. "que o Filho" no v. 1). De que é dependente? É dependente de "glorifica a teu Filho" do v. 1, de modo a ser paralela à primeira sentença com *hina*? (Então a frase com *kathōs*, "assim como", deve ser tratada como um parênteses; assim BERNARD). Ou é dependente de "lhe concedeste poder" na frase com *kathōs* do verso 2a? (Assim LAGRANGE e BARRETT). Provavelmente seja preferível reconhecer que as interpretações não são conclusivas, e que em alguma extensão a segunda sentença com *hina* elabora ambos os antecedentes. A concessão de vida eterna é o alvo do poder sobre todos os homens que foram concedidos ao Filho (segunda interpretação); todavia, o dom da vida eterna também constitui o propósito para o qual o Filho roga que fosse glorificado (primeira interpretação) – é o modo pelo qual o Filho glorifica o Pai. BULTMANN, p. 376[1], considera todo o v. 2 como uma adição em prosa do evangelista à Fonte do Discurso de Revelação.

vida eterna. Aqui e no versículo seguinte estão as únicas vezes que "vida *eterna*" é mencionada no Livro da Glória, em contraste com o uso frequente da expressão no Livro dos Sinais. Talvez uma ênfase sobre o tipo diferente de vida que Jesus oferece fosse mais importante no período mais antigo quando homens começavam a irem a Jesus, enquanto que, neste discurso, dirigido "aos seus" (13,1), o esclarecimento já não fosse necessário. Em outras passagens em João (6,63; 7,38-39) é evidente que o dom do Espírito é o modo de Jesus conceder vida eterna; mas o Espírito não é mencionado no cap. 17, nem mesmo sob o título de Paráclelo.

todos os que. Um neutro em vez de um masculino como em 6,37 (veja nota ali), um neutro também nos vs. 7 e 24. Aqui (veja v. 6) o autor está se referindo claramente aos homens, e o uso de um neutro pode conferir certa unidade ao grupo – são "seus".

tu lhe deste. O tempo perfeito é apropriado, porque os homens ainda são possessão de Jesus (v. 12). Este capítulo enfatiza o que o Pai deu a Jesus, a saber, homens (2,6,9,24); todas as coisas (7); palavras (8); o nome divino (11,12); e glória (22,24). A ideia de que Jesus dá vida eterna a um grupo seleto aparece também em 10,27-28 (às ovelhas que ouvem sua voz); em 1Jo 2,23-25 (aos que confessam o Filho e o Pai); etc.

3. *consiste nisto*. Literalmente, "Ora, esta é a vida eterna". O estilo explicativo é um traço joanino; por exemplo, 3,19, "O julgamento consiste nisto".

te conheçam. Embora alguns manuscritos tenham um futuro do indicativo, os melhores manuscritos têm um presente do subjuntivo; isto implica que o conhecimento é uma ação contínua.

único Deus verdadeiro. "Um" (ou "único") e "verdadeiro" são atributos tradicionais de Deus: *monos* em Is 37,20; Jo 5,44; *alēthinos* em Ex 34,6; Ap 6,10. Geralmente, tais atributos eram enfatizados em oposição ao politeísmo do mundo gentílico; cf. "vos convertestes dos ídolos... para servirdes a um Deus vivo e verdadeiro" (1Ts 1,9). Notamos que o "um Deus verdadeiro" e "Jesus Cristo" não são identificados. Este versículo tem uma conotação um tanto contrária aos outros versículos em João, os quais denominam Jesus de "Deus" (1,1.18; 20,28); veja vol. 1, p. 199.

Jesus Cristo. Embora João apresenta Jesus falando de si mesmo na terceira pessoa, por exemplo, como "o Filho", é anômalo que Jesus se denomine de "Jesus Cristo". Em outra passagem do evangelho, o Prólogo (1,17), que é um hino cristão aparece este mesmo nome. Este versículo é claramente uma inserção no texto da oração de Jesus, provavelmente uma inserção que reflete uma fórmula confessional ou litúrgica da igreja joanina (veja 1Jo 4,2). Há inserções explicativas similares no Prólogo.

4. *glorifiquei*. Este verbo está no aoristo (também o verbo no v. 6: "manifestei"), como se a ação estivesse já concluída. Há quem pense que Jesus está se referindo à sua glorificação pretérita de Deus em seu ministério; contudo, a glorificação do Pai dificilmente estivesse completa antes da hora da morte, ressurreição e ascensão. Parece que a perspectiva a partir da qual se formularam estas afirmações não parece ser o último discurso, e sim o período após "a hora" e após a exaltação de Jesus.

na terra. Isto é contrastado com "em tua presença" do v. 5; cf. "de cima... da terra" (3,31); "coisas terrenas... coisas celestiais" (3,12).

completando a obra. Há somente três usos ativos do verbo *teleioun* em João, e todos estão relacionados com a(s) obra(s) do Pai (para um uso passivo, veja o v. 23). Em 4,34, Jesus disse que seu alimento era "fazer a vontade daquele que me enviou e levar sua obra à conclusão". Agora a obra é concluída. No entanto, obviamente a completude só tem lugar ao longo de todo o conjunto de "a hora" que se estende do cap. 13 ao 20. Em 13,1 menciona-se o "fim" (*telos*), e se emprega o passivo de *teleioun* (19,28: "as coisas estavam consumadas") quando Jesus é cravado na cruz.

me deste para fazer. O "fazer" é uma sentença com *hina*. VANHOYE, *art. cit.*, discute extensamente se esta sentença (e aquela em 5,36) expressa propósito (= a obra que foi dada a Jesus com a intenção de que *ele* a fizesse) ou simplesmente complementar (= a obra dada a Jesus consiste em fazer, i.e., em concretizar a vontade do Pai; veja BDF, §392). Temos dúvida se a distinção deva ser levada até o extremo onde uma conotação exclui a outra.

5. *agora*. LAURENTIN, *art. cit.*, estudou exaustivamente esta expressão *kai nyn*. Frequente em Atos (dez vezes) e nos escritos joaninos (nove vezes), amiúde ela é um semitismo, traduzindo $w^{e c}$ *attāh*, uma expressão hebraica que é tanto uma conjunção como uma interjeição. No AT, ela aparece em fórmulas judiciais, especialmente aquelas relacionadas com as estipulações da aliança (para o tema da aliança em Jo 17, veja pp. 1159 e 1194 abaixo), e em petições litúrgicas (o cap. 17 é uma oração). Muitas vezes seguida por um imperativo, a expressão hebraica pode marcar a transição do resumo em que se expõe uma situação à petição de um resultado que deveria seguir-se. Bons exemplos se encontram em Ex 19,5; Js 9,6; 24,14; Jz 13,4; 2Sm 7,25. Em especial, LAURENTIN, 425, indica que *kai nyn* pode introduzir uma repetição mais decisiva de uma petição já formulada; tal parece ser a função neste caso presente, se o compararmos os vv. 5 e 1. No pensamento joanino, o "a hora" (é chegada a hora ou melhor dito, tem chegado: 4,23; 5,25).

em tua presença... contigo. A preposição *para* é usada em ambas estas frases; contraste 1,1: "A Palavra estava na presença [*pros* com o acusativo] de Deus; 1,18: "O Filho unigênito, sempre ao lado [*eis ton kolpon*] do Pai". Há certa tendência entre as testemunhas textuais de omitir ou a levar a uma oposição distinta uma ou outra destas duas frases. BOISMARD, RB 57 (1950), 394-95, 398-99, apresenta argumentos para a forma mais breve do texto que omitiria ambas "em tua presença" e "assim agora" do v. 5a; todavia, a última expressão é quase certamente original, se a investigação de LAURENTIN for válida. A posição da segunda frase, "contigo", se tomada literalmente, permitiria outra tradução: "Com a glória que eu tive ao teu lado antes que o mundo existisse". J. M. BALLARD, ET 47 (1935-36), 284, argumenta em prol desta tradução, mas a diferença de significado não parece importante. Ambas as traduções se refrem à glória que antes da criação compartilham Pai e Filho. As duas frases preposicionais que viemos discutindo constituem a maneira joanina de descrever a Jesus sentado à direita de Deus (At 2,33; 7,55).

aquela glória. Isto implica que a glória que Jesus terá depois de sua exaltação na carne será a mesma glória que ele teve antes da encarnação? Se for sim, a "carne" de Jesus não parece exercer um papel profundo na visão que João tinha de sua exaltação. Dificuldades como estas têm levado KÄSEMANN, p. 21, a insistir que a escatologia de João realmente é uma "protologia", pois o alvo é uma restauração de todas as coisas como eram "no princípio".

que eu tive contigo. Aparentemente, algumas das testemunhas textuais gregas diziam em algum momento *ēn*, uma forma do verbo "ser" em lugar de *eichon*, uma forma do verbo "ter". Entre os Padres latinos e em alguns mss. etíopes se encontra apoio para a redação: "aquela glória que estava contigo" ou "aquela glória pela qual eu estava contigo". BOISMARD, RB 57 (1950), 396[1], seguido por MOLLAT em SB, sugere a originalidade de um texto sem qualquer verbo conectivo ("aquela glória contigo"), uma leitura que conta com alguma evidência em outros mss. etíopes e no *Diatessaron*.

antes que o mundo existisse. Em vez de "existisse" (*einai*), alguns manuscritos ocidentais leem "veio à existência" (*ginesthai*). Isto pode estar sob a influência de 8.58, "Antes mesmo que Abraão vir à existência [*ginesthai*] EU SOU". Se *einai* é a redação correta, este é o único exemplo no NT da preposição *pro* com um infinitivo presente (BDF, §403). O verbo "estar" é caracteristicamente usado neste evangelho em relação ao Filho; ele é, enquanto todas as demais coisas vieram à existência. BULTMANN, p. 378, considera esta frase como uma glosa do evangelista à Fonte do Discurso Revelatório.

6. *eu manifestei o teu nome*. O verbo é *phaneroun*. Este é outro modo de dizer o que foi dito no v. 4: "Eu te glorifiquei".

os tirei do mundo. Isto ecoa o tema de 15,19: "Eu vos escolhi do mundo".

guardado a tua palavra. Da perspectiva cronológica do qual a afirmação é feita parece ser o do tempo do autor, em vez daquele da última ceia, pois a ideia de que os discípulos tinham guardado a palavra de Deus no passado e ainda a estava guardando (tempo perfeito) fica fora de lugar na última ceia. Em outras passagens em João (8,51; 14,23), é a palavra de *Jesus* que aos homens se exige guardar, porém a palavra de Jesus veio do Pai (7,16).

7. *agora sabem*. Um tempo perfeito do verbo "saber". O Codex Sinaiticus e algumas das versões trazem "agora sei", talvez com base por influxo dos verbos na primeira pessoa singular que abrem os vs. 4 e 6. Com *nyn* inicial, este versículo é semelhante a 16,30: "Agora sabemos que conheces

todas as coisas". Os discípulos que entenderam só parcialmente durante o ministério são tidos como vindo ao conhecimento mais pleno durante "a hora" (veja também 13,17). Todavia, uma vez mais, deve-se entender "a hora" como abarcando a exaltação de Jesus e a doação do Paracleto, o qual ensinará os discípulos todas as coisas (14,26; 16,12-13). Durante a última ceia, os discípulos mostram claramente que não entendem plenamente (14,7.9; 16,5.18), e Jesus lança dúvida sobre a alegação deles de que creem (16,31).

de ti vem tudo o que me tens dado. A tautologia frisa a dependência que Jesus tem do Pai.

8. *Porque.* É possível, porém não plausível, que o *hoti* introdutório dá continuidade ao discurso indireto do versículo anterior: "Agora sabem... que as palavras que me deste, eu lhes dei".

palavras. É o plural *rēmata*, em contraste com o singular *logos* dos vs. 6 e 14. BARRETT, p. 421, pensa que o singular se refere à mensagem divina como um todo, enquanto o plural se aproximaria mais de "preceitos". A distinção é tênue quando comparamos os vs. 8 e 14; veja nota sobre 14,23.

que me deste. A melhor leitura parece ser o aoristo, embora alguns manuscritos tenham o perfeito. Em 15,15, Jesus falou de modo semelhante: "Pois vos tenho revelado tudo o que ouvi do Pai".

as aceitaram. Tempo aoristo; em contraste com o perfeito no v. 6: "têm guardado a tua palavra". O complemento não se expressa na maioria das testemunhas textuais, mas é exigido pelo sentido do verso.

e em verdade conheceram. Algumas importantes testemunhas textuais, orientais e ocidentais, omitem esta frase e colocam o verbo "aceitaram", no verso anterior, rege o substantivo da frase seguinte, assim: "e aceitaram que eu vim de ti". Se "verdadeiramente conheceram" é a redação correta, provavelmente se saberia em termos de descobrir seu conhecimento e aprender a verdade (BARRETT, p. 422). "Em verdade" traduz o advérbio "verdadeiramente", mas aqui o advérbio significaria mais do que realmente conheceram. O verbo "conheceram", neste verso, e o verbo "creram", dois versos mais adiante, estão no tempo aoristo; em contraste com o tempo perfeito de "vieram a conhecer" do v. 7. BULTMANN, p. 381[13], diz que os tempos perfeitos dos vs. 6 e 7 descrevem a essência da fé, enquanto os tempos aoristos no v. 8 descrevem como se produziu essa fé. Não obstante, não podemos estar certos de que o autor joanino foi tão preciso, e ambos os tempos procedem da perspectiva de um tempo posterior à última ceia; todavia, veja 16,30. O paralelismo de "conheceram" e "creram", no v. 8, ilustra o fato de que em João estes dois verbos são quase intercambiáveis (vol. 1, p. 814). Em 16,27.30, a vinda de Jesus da parte do Pai é o objeto do verbo "crer"; aqui, ele é o objeto de "conhecer".

que vim de ti. Que isto se refere à missão terrena do Filho, mais do que uma processão intratrinitária, se vê à luz do paralelismo deste verso com a última linha do versículo: "me enviaste". Veja nota sobre 8,42 e sobre 16,28 ("do Pai").

me enviaste. Esta frase é quase um refrão ao longo de toda a oração do cap. 17 (BERNARD, II, 565); ela aparecerá mais quatro vezes (18, 21, 23, 25).

COMENTÁRIO: GERAL

Função e gênero literário do cap. 17

Agora passamos a um dos momentos mais majestosos do Quarto Evangelho, o clímax do último discurso em que Jesus se volta para seu Pai em oração. Já identificamos o gênero literário do último discurso como um todo (pp. 964-69 acima): é um discurso de despedida. E já salientamos que não é raro que um orador termine um discurso de despedida com uma oração por seus filhos ou pelo povo que está deixando para trás. A esse respeito, o livro de Deuteronômio é particularmente instrutivo. Como uma coleção dos últimos discursos de Moisés a seu povo, ele oferece um interessante paralelo com o último discurso joanino. Em particular, é digno de nota que já perto do final de Deuteronômio há dois cânticos de Moisés; um no cap. 32, onde Moisés se volta do povo para dirigir-se aos céus, e o outro no cap. 33, onde Moisés abençoa as tribos para o futuro. Assim também em Jo 17 Jesus se dirige para o céu e fala com o Pai, porém muito do que ele diz se ocupa do futuro de seus discípulos. Assim, ao colocar a oração do cap. 17 no final do último discurso, o autor joanino permaneceu fiel ao gênero literário de discurso de despedida que ele adotara. Ao reordenar o discurso de maneira que o cap. 17 fique no início, BULTMANN comete um disparate contra o bom sentido literário: esta oração certamente fica melhor como um clímax do que como uma introdução. Mas ele está certo em ver que o cap. 13 (o início da cena da última ceia) e 17 estão intimamente relacionados; mas só por via de inclusão, não de ilação direta. Podemos notar os seguintes paralelos entre os dois capítulos: a referência à vinda de "a hora" (13,1; 17,1); a glorificação do Filho pelo Pai (13,31-32; 17,1.4-5);

telos e *teleioun* (13,1; 17,4 – veja nota); os discípulos continuam no mundo (13,1; 17,11.15); a entrega de todas as coisas e o poder dados a Jesus (13,3; 17,2); Judas, o instrumento de Satanás e o filho da perdição (13,2.27; 17,12); o cumprimento da Escritura acerca do traidor (13,18; 17,12).

Veremos mais adiante que várias sentenças do cap. 17 têm paralelos sinóticos; e é bem provável que o capítulo foi construído, em grande medida como o resto do discurso, sobre elaboração de ditos tradicionais de Jesus, alguns dos quais eram originais no cenário da última ceia. Por certo que ele evoca mais diretamente a atmosfera de despedida característica da última ceia do que o material em 15,1-6 ou em 15,18-16,4a. Segundo a teoria de composição que temos seguido (pp. 946-50 acima), a oração do cap. 17 não era parte do último discurso na primeira redação do evangelho, onde 14,31 seguia diretamente 18,1. Tampouco esta oração foi parte do discurso independentemente formado que hoje ocupa os caps. 15-16 (segunda seção do último discurso em sua forma final). A oração parece ter tido uma composição independente que o redator anexou ao mesmo tempo que anexou os caps. 15-16. Pode ser que a oração tenha vindo do mesmo círculo dentro da igreja joanina que produziu o Prólogo, pois as duas obras têm interessantes similaridades em sua qualidade poética, estrutura cuidadosa (incluindo comentários explicativos em prosa) e seu tema (veja 17,5).

As comparações com os cânticos de Moisés em Deuteronômio e com o Prólogo sugerem que o cap. 17 tem a qualidade hinódica. DODD, *Interpretation*, pp. 420-23, salienta que várias vezes nos escritos herméticos (veja vol. 1, p. 52) um diálogo é concluído com uma oração ou hino, e que a linguagem desses hinos tem alguns interessantes paralelos com o cap. 17. A definição de vida eterna como conhecimento, em 17,3, tem servido de apoio aos que enfatizam as influências gnósticas neste evangelho. BULTMANN, p. 374, encontra um paralelo do cap. 17 na literatura gnóstica mandeana que registra orações pronunciadas pelos enviados ao mundo por ocasião de sua partida dele. Naturalmente, a avaliação destes paralelos será influenciada pela posição geral que se assuma sobre as influências que têm moldado o pensamento joanino.

Outros pensam antes em um hino dentro do contexto litúrgico. Funcionalmente o cap. 17 exerce um papel no relato de João semelhante ao exercido pelo hino que Mc 14,26 registra como tendo sido entoado no final da última ceia (presumivelmente, um hino do Hallel quando terminava a ceia pascal). Tem-se sugerido que o cap. 17 era recitado ou cantado nas celebrações eucarísticas cristãs, e POELMAN, *art. cit.*, teoriza que o v. 3 pode ser um remanescente do responso antifonal da parte da congregação! HOSKYNS, que pensa que o último discurso todo reflete a ordem do culto cristão, propõe (p. 495) que a parte doutrinal do culto (14-16) era seguida de uma oração eucarística. BULTMANN, que coloca o cap. 17 no início do discurso, sugere que esta oração ocupou de fato o lugar da ação eucarística! Os liturgistas católico-romanos frequentemente têm comparado Jo 17 com o hino ou prefácio que precede a parte sacrificial da missa, um hino que é sempre dirigido a Deus Pai. Também, indicam que Jesus fala a seu Pai antes de se pôr de caminho para seu sacrifício histórico. WESTCOTT, p. 236, fala do cap. 17 como uma oração de consagração mediante a qual o Filho se oferece como um sacrifício perfeito. J. SCHNEIDER, IMEL, pp. 139-42, pensa que o cap. 17 pode ter sido composto mais ou menos da maneira do cap. 6 (onde, como vimos, há um tema eucarístico e onde a prática litúrgica pode ter exercido um papel formativo: vol. 1, p. 534).

É evidente que algumas destas hipóteses (e são apenas uma seleção) são altamente românticas e totalmente impossíveis de se provar. Embora possa haver uma alusão ao auto-sacrifício em 17,19, não se insiste claramente sobre o tema de oferta sacrificial no cap. 17: Jesus não diz que está entregando sua vida, mas que está indo para o Pai. Quanto à interpretação eucarística do cap. 17 (favorecida por LOISY, CULLMANN, WILKENS, entre outros), o melhor argumento é baseado em paralelos com a oração eucarística da Igreja primitiva como encontrada na *Didaquê* 9-10 (veja também vol. 1, p. 480 e p. 1155 acima). A oração na *Didaquê* 10,2 começa: "Damos-te graças [*eucharistein*], ó Pai santíssimo"; Jo 17,1 começa com a invocação "Pai" e no v. 11 encontramos "Pai santo". Do mesmo modo como o tema da glória percorre todo o cap. de Jo 17 (1, 5, 22), o tema da glória ao Pai através de Jesus Cristo aparece muitas vezes na *Didaquê* (9-2,3,4; x 2,4,5). Em termos parentéticos, vale notar que alguns dos Padres da Igreja Grega, como CIRILO de Alexandria e JOÃO CRISÓSTOMO, relacionam a glória de João cap. 17 com a Eucaristia. Jo 17 menciona o nome divino que é dado a Jesus (11,12) e o qual, por sua vez, ele revela aos discípulos (6,26); *Didaquê* 9,5 diz que ninguém pode receber a Eucaristia se não houver sido batizado no nome do Senhor, e 10,2 rende graças ao Pai por "teu santo nome que fizeste habitar em nossos corações". O versículo seguinte na *Didaquê* diz que o Senhor criou todas as coisas por amor ao seu nome.

Conhecimento e o que Jesus tornou conhecido é um tema de João (3,6,7,8,23,25,26); na *Didaquê* 9,3 e 10,2 agradece a Deus pelo conhecimento e o que ele tornou conhecido mediante Jesus. Há na *Didaquê* 10,5 uma petição para que Deus liberte a Igreja "de todo o mal" (*ponēros* como em Jo 17,15), a conduza à plenitude em amor (*teleioun*; cf. Jo 17,23), e a reúna em santidade (ou consagração; cf. Jo 17,17.19) no reino que Deus tem preparado para ela (cf. Jo 17,24). Todavia, apesar desses paralelos, *Didaquê* 9-10 menciona o pão e o vinho eucarísticos, enquanto Jo 17 não o faz. O tema da unidade em Jo 17 é um tema frequentemente associado com a Eucaristia, mas temos que admitir que tal referência à Eucaristia é muito menos óbvia do que a que encontramos em Jo 6,51-58. E assim qualificaríamos aquela interpretação eucarística da oração contida no cap. 17 como simplesmente possível. A tese do emprego litúrgico do cap. 17 como um hino é também possível, mas esta tese não pode exercer nenhum papel decisivo em nossa interpretação.

A oração do cap. 17 tem sido tradicionalmente designada como oração sacerdotal. Já no início do 5º século Cirilo de Alexandria (In Jo. XI 8; PG 74:505) fala de Jesus neste capítulo 17 como uma intercessão feita pelo sumo sacerdote em nosso favor. O teólogo luterano David Chyträus (1531-1600) intitulou o cap. 17 de a "oração do sumo sacerdote" (*precatio summi sacerdotis*). Mas, se aqui Jesus é um sumo sacerdote, não é primariamente no sentido de alguém que oferece sacrifício, porém mais conforme às linhagens do sumo sacerdote descrito em Hb e em Rm 8,34 – alguém que está diante do trono de Deus intercedendo por nós. Naturalmente, é verdade que na oração de Jo 17 Jesus segue falando no contexto da última ceia; mas da tonalidade do que ele diz e dos tempos dos verbos, sente-se que Jesus tem atravessado o limiar do tempo rumo à eternidade e já está de caminho para o Pai ou, ao menos, a meio caminho entre este mundo e a presença do Pai. Lagrange, p. 437, expressa essa ambiguidade quando diz que a oração está escrita *sub specie aeternitatis* e, contudo, realmente representa as próprias palavras de Jesus. Como pode o Jesus do cap. 17 dizer, respectivamente, "já não estou no mundo" (11) e "digo tudo isto enquanto ainda estou no mundo" (13)? Temos afirmado que o Jesus do último discurso transcende o tempo e o espaço, pois desde o céu e além do túmulo ele já está falando aos discípulos de todos os tempos. Em parte alguma é isto mais evidente do que no cap. 17, onde Jesus já assume o papel de intercessor celestial que 1Jo 2,1 lhe atribui depois da ressurreição. DODD, *Interpretation*, p. 419, o expressou muito bem: de alguma maneira, a oração em si é a ascensão de Jesus ao Pai; na verdade, é já a oração de "a hora".

Mas devemos analisar mais profundamente o sentido exato em que o cap. 17 é intercessão e oração. Ela possui muito das características das orações de Jesus; por exemplo, o gesto de olhar para o céu e a invocação "Pai" (veja notas). Há paralelos claros com as petições da oração do Senhor [Pai nosso]: compare a petição "seja glorificado [santificado] o teu nome" com o tema de glorificação do Pai e o uso do nome divino em 17,1.11-12; a petição "seja feita a tua vontade" com o tema de completar a obra que o Pai deu a Jesus para fazer em 17,4; a petição "livra-nos do maligno" com o tema expresso quase nas mesmas palavras em 17,15. Todavia, a oração do cap. 17 é de caráter especial, e Jesus não é um suplicante ordinário. A frequência da palavra "Pai" na oração lhe dá uma nota de intimidade singular. O discípulo e o leitor são parte de uma conversação celestial familiar. Jesus coloca seu "quero" (24) diante de seu Pai com a segurança do Filho divino. Aí não pode haver dúvida de que o que ele pede será concedido, pois sua vontade e a vontade do Pai são uma só. Os evangelhos sinóticos também conhecem uma última oração de Jesus pronunciada após a última ceia e pouco antes que fosse levado preso, a saber, sua oração a seu Pai no Getsêmâni (Mc 14,34-36). Mas quão diferentes são as orações sinóticas e joaninas! No Getsêmâni, aparece um Jesus entristecido e angustiado, prostrado em terra, roga que o cálice do sofrimento passe dele – uma oração que não pode ser atendida. Se trata de uma oração humana que se situa no tempo presente (GEORGE, p. 395). Mas o divino e o temporal são a marca da oração joanina. O Jesus joanino nada pede para si. (É verdade que nos vs. 1 e 5 ele pede para ser glorificado, mas esta glória na verdade visa a seus discípulos, para que lhes conceda vida [2]). Ele não roga para que fosse livrado do sofrimento, mas somente que ele deixe um mundo no qual tem sido um estranho (KÄSEMANN, pp. 5, 65). Esta é mais uma oração da comunhão entre o Pai e o Filho do que uma oração de petição.

Esta oração é pronunciada em voz alta, diante dos discípulos, precisamente para que tivessem participação nesta união (21-23). Porque há um auditório, a oração é um ato de revelação e de intercessão. O "tu" é dirigido a Deus, mas Jesus está falando aos discípulos tanto aqui como no restante do discurso. (Notamos que as outras orações joaninas em 11,41-42 e 12,27-28 também pressupoem a presença de um auditório; MORRISON, pp. 259-60, indica que esta técnica não tem parecido tão estranha para os antigos como é para nós. Encontramos o mesmo fenômeno em Lc 10,21-22). E "discípulos" significa não só os [aqueles que ouviram] o último discurso, mas, e inclusive primariamente, os cristãos das gerações seguintes (com a devida vênia a AGOURIDES, p. 141, que insiste em um grupo unitário: os doze). Este interesse pelas gerações futuras se torna mais específico nos vs. 20ss. do que em qualquer outro lugar antes da ressurreição. O cap. 17 tem sido comparado a uma mensagem pessoal que um homem morto registrou e deixou para aqueles a quem amava, mas essa comparação se apresenta com dificuldade pois tal mensagem logo ficaria superada. Antes, no cap. 17, a intenção do autor joanino, é antes apresentarmos um Jesus que fala com acentos familiares de sua existência terrena, porém reinterpretado (pela obra do Paráclito) para que o que ele agora diz se converta em uma mensagem viva e para sempre.

A estrutura do cap. 17

Mesmo muitos dos especialistas que não encontram uma estrutura poética nos discursos joaninos em geral reconhecem o estilo poético do cap. 17. Esta oração permanece intermediária entre a poesia do Prólogo e o tom mais livre dos outros discursos. Uma cuidadosa estrutura pode ser suposta, mas têm-se defendido divisões diferentes. Com segurança, LOISY, p. 441, afirma: "Ela pode ser dividida sem dificuldade em sete estrofes de oito versos cada". Adaptadas à nossa tradução, as estrofes que ele reconhece são 1-2, 4-5/ 6-8/9-11c/ 11d- 12c, 13-14/ 15-19/ 20-23/ 24-26; tanto o v. 3 como os últimos versos do v. 12 são tratados como adições em prosa. Entretanto, o sistema em que ele acha oito versos em cada estrofe é muito debatido. Com não menor segurança ("todos concordam", inclusive TOMÁS DE AQUINO), LAGRANGE, p. 436, aceita uma quádrupla divisão: 1-5, 6-19, 20-23, 24-26. DODD, *Interpretation*, p. 417, propõe outra divisão quádrupla: 1-5, 6-8, 9-19, 20-26; e este é um esquema frequentemente aceito. Uma dificuldade que enfrenta ambas as quádruplas divisões é a extensão desigual das unidades. Uma divisão tríplice em 1-8, 9-19, 20-26, que é seguida abaixo, é tão comum como a divisão quádrupla. (Para um cuidadoso exame da variedade de divisões propostas para o cap. 17, veja BECKER, pp. 56-61).

Antes de apresentarmos nossas razões para aceitarmos a divisão tríplice, temos de mencionar a divisão defendida por LAURENTIN, pp. 427-31, sobre a base de que ela é menos subjetiva e menos ocidental em sua perspectiva do que os sistemas propostos anteriormente. Ele divide 17 assim:

1-4: Introdução: unidade que começa e termina com o tema de glória. No uso de "Pai" e "te glorifiquei" há uma inclusão com os vs. 25-26, *abaixo*.

5-6: Transição: *kai nyn* (veja nota sobre o v. 5). "Antes que o mundo existisse" forma uma inclusão com o v. 24.

7-12: Primeira Parte: começa com *nyn*: segue-se um esquema de afirmação (7-8), petição (9), e uma referência, à glória (10) e à unidade (11).

13-23: Segunda Parte: começa com *nyn*: se segue um esquema de afirmação (13-14), petição (15), e uma referência, respectivamente, à glória (22) e à unidade (21-23).

24: Transição: "antes da criação do mundo".

25-26: Conclusão: "Pai justo"; "eu revelei o teu nome".

Há muito de atraente na divisão de LAURENTIN, e usaremos algumas de suas observações em nosso comentário. Contudo, porque sua divisão rejeita o que nos parece claras marcas divisórias nos vs. 9 e 20, não podemos aceitá-la em sua totalidade.

Outra estrutura complicada do cap. 17 tem sido proposta por BECKER, p. 69. Ele encontra a petição principal da oração nos vs. 1-2, e isto, por sua vez, é desenvolvido em quatro petições distintas consistindo dos vs. 4-5; 6-13; 14-19 e 22,26. Em cada uma destas quatro, BECKER detecta um padrão constante: (a) uma afirmação sobre o que Jesus tem feito; (b) algumas vezes uma afirmação preliminar de que ele está orando ou rogando por algo; (c) petição em si; (d) os fundamentos para a petição. Esse isolamento dos esquemas é importante, ainda que se prefira adotar uma divisão mais tradicional do cap. 17.

A chave da organização do cap. 17 se encontra nas três indicações de Jesus sobre por quem ele está orando: no v. 1, ele ora por sua própria glorificação; no v. 9, pelos discípulos a quem o Pai lhe deu; e, no v. 20, por aqueles que crerão através da pregação dos discípulos. FEUILLET (*art. cit.* na Bibliografia do §56), p. 375, indica uma tríplice divisão similar na oração de Arão em Lv 16,11-17: o sumo sacerdote ora por si mesmo, por sua casa ou família sacerdotal, e por todo o povo (isto é interessante quando lembramos que o cap. 17 é denominado de oração sacerdotal de Jesus). O principal ponto de diferença entre a frequentemente defendida quarta e tríplice divisões diz respeito as vs. 6-8, onde os discípulos são mencionados. Estes versículos devem ser tratados como uma unidade distinta, ou devem ser unidos aos vs. 1-5, ou aos vs. 9-18 (BULTMANN, GIBLET)? Pondo-os com o vs. 1-5, chega-se a uma divisão de três unidades aproximadamente com a mesma em extensão (1-8, 9-19, 20-26). Objetar-se-á que o vs. 1-5 tratam da glorificação de Jesus, enquanto os vs. 6-8 tratam dos discípulos. Mas quando nos vs. 1-5 Jesus ora por glorificação, a base de sua oração é a obra que ele já fez entre aqueles a quem Deus lhe deu, e o propósito de sua glorificação visa a que ele lhes conceda a vida eterna. Em outros termos, os discípulos já foram mencionados nos vs. 1-5 em relação com a glória de Jesus. Os vs. 6-8 são simplesmente uma expansão do tema exposto no v. 4: falam com detalhes como Jesus fez a obra de Deus entre os discípulos. Não obstante, se os vs. 6-8 vão com os vs. 1-5, estes versículos preparam o caminho para a segunda unidade (9-19), onde Jesus ora mais diretamente pelos discípulos. No final da unidade, encontramos exatamente o mesmo fenômeno de uns versículos que servem de transição: no v. 18, Jesus menciona o envio de discípulos, e isto prepara para a terceira unidade, onde Jesus ora por aqueles que são conduzidos à fé em virtude dessa missão.

Há alguns aspectos interessantes que relacionam as três unidades entre si e ilustram a cuidadosa estruturação que há sido objeto este capítulo:

- cada unidade começa pelo que Jesus está pedindo ou orando (1,9,20)
- cada uma tem o tema de glória (1-5,10,22)
- cada uma tem uma invocação ao Pai dentro do corpo da unidade (5,11,21)
- cada uma menciona os homens dados a Jesus pelo Pai (2,9,24)
- cada uma tem o tema de revelação de Jesus do Pai para os homens (v. 6 "teu nome"; v. 14 "tua palavra"; v. 26 "teu nome")

Há também aspectos comuns partilhados por duas das três unidades. Há similaridade por inclusão entre a primeira e a terceira unidades, isto é, entre o começo e o fim da oração. Se as três unidades usam invocação "Pai" sem modificativos, isto ocorre com mais frequência na primeira e terceira unidades (1,5,24,25). Estas duas unidades partilham o tema da relação de Jesus com o Pai antes que o mundo existisse (5,24) e também o tema de fazer conhecido o nome de Deus (6,26). Se compararmos a primeira e a segunda unidades, ambas contrastam o que foi feito na terra e o que será feito (4-5,12-13), e ambas mencionam que Jesus tem dado aos discípulos a(s) palavra(s) que lhe foi dada pelo Pai (8,14). Se compararmos a segunda e a terceira unidades, ambas começam com "rogo" (9,20); ambas têm o tema da unidade (11,21-23); ambas usam um qualificador adjetival para falar com o Pai (11, "Pai santo"; v. 25, "Pai justo"). Dentro da segunda unidade pode haver uma inclusão entre os vs. 9 e 19 (9, "em favor deles" [*peri autōn*]; 19, "por eles" [*hyper autōn*]. Dentro da terceira unidade há uma inclusão entre os vs. 21 e 26 no tema da habitação.

COMENTÁRIO: DETALHADO

Versículos 1-5: Jesus pede para ser glorificado

Se deixarmos de lado por um momento o comentário parentético em prosa no v. 3, o tema da glória domina estes versículos. Nos vs. 1-2 se explica por que o Filho deve ser glorificado à luz do que o Filho glorificado fará – glorificará o Pai e concederá vida aos discípulos. Nos vs. 4-5 se explica por que Jesus deve ser glorificado à luz do que ele já fez – completou a obra que lhe foi dada pelo Pai. (Notemos a mudança da terceira pessoa ["o Filho"], nos vs. 1-2, para a primeira pessoa ["Eu"], nos vs. 4-5; não é impossível que tenhamos aqui ditos originalmente independentes). No vol. 1, p. 802, salientamos que "glória" tem dois aspectos: ela é uma manifestação *visível* da majestade através de *atos de poder*. A glória pela qual Jesus roga não é distinta da glória do Pai, pois as sentenças de 8,50 e 12,43 excluem qualquer ambição de glória exceto a glória de Deus. "A hora" significa para Jesus a volta ao Pai, e então o fato de que ele e o Pai possuem a mesma glória divina será visível a todos os crentes. O ato concreto de poder que fará visível a unidade de Jesus e o Pai será o dom da vida eterna aos crentes (v. 2, "a todos os que tu lhe deste"). A doação da vida eterna está intimamente relacionada com a obra que Jesus esteve fazendo na terra (v. 4) e conduz esta obra à completude, pois suas obras na terra foram sinais de seu poder de dar vida eterna (vol. 1, Ap. III, p. 831). BULTMANN, p. 376, expressa perfeitamente esta ideia quando diz: "Sua obra não alcança um fim com sua vida terrena, mas, em um sentido real, só começa com o fim dessa vida". Em sua glorificação, Jesus glorificará o Pai (v. 1) pelo dom da vida eterna, pois este dom gerará para Deus novos filhos que o honrarão como Pai (veja 1,12). Assim, em seu pedido de voltar para seu lar celestial, Jesus nada busca para si mesmo; ele está interessado no reconhecimento de seu Pai e no bem-estar de seus discípulos.

O pedido de Jesus para ser glorificado pode parecer estranho, já que João deixou bem claro que Jesus já possuía e a manifestou ao longo de todo seu ministério. O "temos visto sua glória" do Prólogo segue imediatamente a referência a palavra se fez carne (1,14). Em Caná (2,11), Jesus revelou sua glória a seus discípulos; veja também 11,4.40; 12,28. Todavia, a glória de Jesus durante o ministério foi vista através de alguns sinais, ainda quando seu poder gerador de vida fosse exercido através de sinais. Ao chegar "a hora" passamos dos sinais para a realidade, de modo que "a hora" é o momento certo para "o Filho do Homem ser glorificado" (12,23). Quando "a hora" estiver completa, a vida eterna verdadeiramente poderá ser concedida no dom do Espírito (20,22). A ideia que durante o ministério Jesus já possuía a glória aparece nos evangelhos sinóticos no relato da transfiguração (especialmente Lc 9,32); mas é evidente que o pleno reconhecimento de Jesus como o Filho de Deus se produz a partir de sua morte (Mc 15,39), ressurreição e ascensão (At 2,36; 5,31). O pensamento de João sobre a glorificação de Jesus através de seu retorno ao Pai tem alguns aspectos em comum com o pensamento do hino primitivo citado por Paulo em Fl 2,9: "Portanto, Deus o exaltou sobremaneira e lhe deu o nome que é acima de todo nome" (veja o tema do nome em Jo 17,11-12). Todavia, há uma diferença; KÄSEMANN, p. 10, está certo em insistir que a avaliação do ministério de Jesus em Fl 2,7 como uma *kenosis* não aparece em João. Se "a Palavra se fez carne", ela não se esvaziou, pois na encarnação lhe foi concedido poder sobre toda carne (17,2; também 5,27). Ao ministério terreno de Jesus, João atribui um poder universal que é atribuído somente ao Cristo ressurreto em

Mt 28,18; contraste também Ap 12,10, onde só depois da derrota de Satanás pela exaltação do filho messiânico se proclamam o reino de Deus e o *poder* de Cristo.

O comentário explicativo parentético no v. 3 requer atenção especial. Como temos mencionado, este versículo tem sido citado como um exemplo de gnosticismo joânico, pois aqui o dom salvífico da vida é definido em termos de conhecimento. Claro que, para João, conhecer a Deus não é meramente uma questão intelectual, mas envolve uma vida de obediência aos mandamentos de Deus e de amorosa comunhão com os irmãos cristãos (1Jo 1,3; 4,8; 5,3). Isto está em concordância com o uso hebraico do verbo "conhecer" com sua conotação de experiência e intimidade diretas. Todavia, não podemos negar que 17,3 relaciona vida eterna com uma correta apreciação do Pai e de Jesus. Se no pensamento joanino fé é um estilo de vida em comprometimento com Jesus, isto não significa que fé seja destituída de conteúdo intelectual. KÄSEMANN, p. 25, enfatiza corretamente que a ideia de fé como a aceitação de doutrina ortodoxa já está presente de modo incoativo em João. Para receber vida eterna, deve-se aceitar como doutrina na forma de credo que Jesus é o Filho de Deus (1Jo 2,22-23). Muitas passagens da Bíblia, os adjetivos "único" e "verdadeiro" são aplicados a Deus para distingui-lo dos deuses pagãos; mas, para João, o "único e verdadeiro Deus" tem uma conotação especial – ele é o Deus que é conhecido em e através de seu Filho Jesus Cristo, de modo que quem não confessa o Filho não confessa o "único e verdadeiro Deus".

À guisa de comparação de Jo 17,3 com o gnosticismo, podemos fazer duas observações. Primeira, para João o conhecimento de Deus em que consiste a vida eterna tem sido mediado por algo que aconteceu na história (a morte e ressurreição de Cristo), e este conhecimento é salvífico no sentido em que ele livra os homens do pecado (8,32). Segunda, a vida eterna é concedida aos homens sobre esta terra. Enquanto o Jesus joanino deseja isolar seus seguidores para que realmente não participem do mundo (17,14.16) e finalmente os leve consigo para o céu (24), mas a vida eterna lhes concede enquanto ainda estão no mundo. Nestes pontos João difere de um gnosticismo que na realidade é independente da história e no qual a vida é obtida pelo abandono do mundo e da condição carnal.

Embora o conceito de que vida eterna consiste em um conhecimento tenha uma matiz peculiar em João, devemos reconhecer que há antecedentes para a ideia no AT. Jeremias promete como um dos frutos da nova aliança um conhecimento íntimo de Deus: "Eu lhes darei um coração que saiba que eu sou o Senhor; e eles serão o meu povo e eu serei o seu Deus" (24,7; 31,33-34). Este paralelo é importante porque várias das ideias mais importantes do último discurso se relacionam com o ambiente característicos da última ceia e da narrativa da paixão (veja pp. 985-86). O conhecimento de Deus foi também visualizado como característico do período escatológico: "A terra se encherá do conhecimento da glória de Deus" (Hc 2,14), e o último discurso de João tem traços característicos de um discurso escatológico. Vemos a expectativa do conhecimento de Deus capaz de comunicar vida traduzida para o vocabulário judaico helenista em Sb 15,3: "Conhecer-te é perfeita justiça e conhecer teu poder é a raiz da imortalidade". (R. E. MURPHY, CBQ 25 [1963], 88-93, sugere que "poder" nesta citação é o poder para destruir a morte e encontra um paralelo autêntico para o pensamento joânico). Em Qumran, o autor do hino que conclui a Regra da Comunidade fala de ser justificado, porque lhe foi concedido o conhecimento de Deus: "Pois minha luz emanou da fonte de seu conhecimento; meus olhos têm contemplado seus maravilhosos feitos; e a luz de meu coração está no mistério por vir" (1QS 11,3-4). É verdade que a ideia que a seita tinha do conhecimento de Deus consistia, em sua maioria, em um conhecimento especial da Lei; mas já vimos que, para João, Jesus assume o lugar da Lei (vol. 1, p. 829).

No NT não é apenas em João que lemos que a felicidade escatológica consiste no conhecimento. Paulo escreve em 1Cor 13,12: "Agora conheço em parte, mas então conhecerei assim como sou conhecido". Para Paulo, este conhecimento é algo ainda futuro; João põe mais ênfase em sua realização no presente. Um paralelo para o pensamento de João pode ser também encontrado no dito da antiga fonte "Q" preservada em Mt 11,27; Lc 10,22; este dito enfatiza a importância de conhecer o Pai através da revelação comunicada pelo Filho. O versículo seguinte em Mateus promete o descanso escatológico a todos quantos acolham o Filho. No final do 2º século, IRINEU dá à ideia uma expressão teológica mais formal: "Aquele que é incompreensível, intangível e invisível se fez ver e entender pelos homens, para que todos o vejam e o entendam possam viver. ... A única vida é a participação em Deus, e fazemos isto conhecendo Deus e desfrutando de sua bondade" (*Contra as Heresias*, 4,20:5; SC 100: 640-42).

Em 17,5, a glória que Jesus pede é identificada com a glória que Jesus tinha junto ao Pai antes que o mundo existisse. Mais adiante, no v. 24, se dirá que esta glória provém do amor que o Pai tinha por Jesus antes da criação do mundo. BULTMANN, p. 379, caracteriza estas ideias como próprias do esquema do mito gnóstico. São semelhantes à perspectiva teológica do Prólogo (1,1), e sugerimos o mesmo pano de fundo que sugerimos para o Logos, a saber, a especulação judaica sobre a Sabedoria personificada. A Sabedoria existia *antes que a terra fosse criada* (Pr 8,23); durante a criação, *ela estava com Deus*, que *se deleitava* nela (8,30); ela era uma pura efusão de sua *glória* (Sb 7,25). Jesus, que fala como Sabedoria divina, tem as mesmas origens. A relação que 17,5 estabeleceu entre a glória final de Jesus e sua glória anterior à criação ajuda a explicar por que a primeira ação do Jesus glorificado é a de uma nova criação semelhante a de Gênesis (veja p. 1522 abaixo).

Versículos 6-8: A obra de revelação de Jesus entre os discípulos

O v. 2 mencionou os homens que Deus confiou a Jesus; v. 4 disse que Jesus glorificou a Deus na terra, completando a obra que Deus lhe dera para fazer. Os vs. 6-8 unem estes dois temas: a obra de Jesus que glorificou a Deus foi a manifestação de Deus àqueles a quem Deus lhe confiou. No v. 6, a tarefa da revelação é expressada em termos de fazer conhecido o nome de Deus. (Este capítulo é o único lugar em João onde é dito explicitamente que ele revelou o nome de Deus aos homens). O pano de fundo e o significado desta ideia merece cuidadosa análise.

No AT, o autor do Sl 22,23(22) diz "Proclamarei o teu nome aos meus irmãos". Com isto o salmista tem em mente que ele louvará a Deus, mas o salmo pode ter assumido um significado mais profundo quando foi aplicado pelos cristãos a Jesus (Hb 2,12). No AT, conhecimento do nome de Deus implicava um comprometimento de vida ("Os que conhecem o teu nome põem em ti sua confiança", Sl 9,11[10], e o mesmo vale para João, pois aqueles a quem Jesus revelou o nome guardam a palavra de Deus (17,6). Há passagens no Deuteroisaías que parecem falar de um nome especial (de Deus?) que será dado aos servos de Deus na era escatológico (veja YOUNG, ZNW 46 [1955], 223-23). Por exemplo, a LXX de Is 55,13: "o que será para o Senhor por nome, e por sinal eterno"; 62,2: "chamar-te-ão por um nome novo, que a boca do Senhor designará"; 65,15-16: "E deixareis o vosso nome aos meus eleitos por maldição... e a seus servos chamará por outro nome. De sorte que aquele que se bendisser na terra, se bendirá no Deus da verdade". Isto é muito parecido com Ap 2,17; 3,12, onde somente o cristão conhece um novo nome e tem o nome de Deus escrito nele; em 19,12-13, somos informados que Jesus porta um nome que ninguém conhece, senão ele mesmo, a saber, "A Palavra de Deus". Outro exemplo interessante do AT seria o costume deuteronômico de falar da localidade central do culto de Israel (onde estava o tabernáculo ou o templo) como o lugar onde Deus tem posto seu nome (Dt 7,5.21 etc.). Para João, Jesus substitui o tabernáculo (veja vol. 1, pp. 209-10) e o templo (pp. 322-23), e agora é o lugar onde Deus tem posto Seu nome.

No judaísmo dos dias de Jesus havia, certamente, especulações acerca do nome divino. G. SCHOLEM (*Major Trends in Jewish Mysticism* [3rd ed.; Nova York, 1961], pp. 68ss.) pensa que a ênfase sobre o nome nos escritos místicos do judaísmo tardio teve origens mais antigas. Em particular, havia especulação sobre o anjo do Senhor mencionado em Ex 22,2-21: "Eis que envio um anjo adiante de vós para guardar-vos no caminho e conduzir-vos ao lugar que já preparei... *meu nome está sobre ele*". Esta descrição pode adequar-se perfeitamente ao Jesus de Jo 17. As especulações sobre o nome divino que aparecem nos primitivos escritos gnósticos podem também ter tido raízes judaicas; veja G. QUISPEL em *The Jung Codex* (Londres: Mowbray, 1955), pp. 68ss.; e J. E. MÉNARD, *L'Evangile de Vérité* (Paris: Letouzey, 1962), pp. 183-84, que cita um pano de fundo oriental mais amplo. Duas passagens das obras recentemente descobertas em Chenoboskion são dignas de nota:

> O nome do Pai é o Filho. É Ele que no princípio lhe deu um nome que procedeu dele – que é Ele mesmo – e a quem Ele gerou como Filho. Ele lhe deu Seu nome que Lhe pertencia. ... O Filho pode ser visto, mas o nome é invisível. ... O nome do Pai não é expresso, mas é revelado pelo Filho. (*Evangelho da Verdade*, 38,6ss.).

> Um só nome que não se pronuncia no mundo, o nome que o Pai deu ao Filho, que é acima de todas as coisas, que é o nome do Pai. Pois o Filho não se tornaria o Pai, exceto que se vestiu com o nome do Pai. Os que têm este nome o conhecem, porém não o pronunciam. Mas os que não o tem não o conhecem. (*Evangelho da Verdade*; veja R. McL. WILSON, *The Gospel of Philip* [Nova York: Harper, 1962], p. 30).

As ideias destas obras gnósticas possuem certa similaridade com João, mas vão além, ao identificar o Filho com o Pai e ao enfatizar a inefabilidade do nome. Finalmente, notamos que as lendas judaicas anti-cristãs das *Toledoth Jeshu* atribuem poderes (mágicos) a Jesus ao fato de que ele havia conseguido apoderar-se do nome divino.

Qual foi o nome de Deus que Jesus revelou? É bem atestado que no judaísmo o uso da expressão "o nome" era um modo de evitar o tetragrama (YHWH), de modo a ser possível que João tivesse em mente um nome divino especial. Em contrapartida, visto que para o semita um nome é uma expressão de personalidade e poder de um indivíduo, revelar o nome de Deus pode simplesmente ser uma maneira de descrever ao estilo semita a revelação divina em geral (BULTMANN, p. 385[1]). Somos inclinados à primeira e menos abstrata interpretação da teologia joanina do nome. Em um interessante artigo, BONSIRVEN indica que os Padres da igreja, como CIRILO de Alexandria e AGOSTINHO, eram mais inclinados a enfatizar a relação pessoal do nome, enquanto os comentaristas posteriores falavam do nome em abstrato. (Esta última tendência ainda se encontra nas traduções modernas; em 17,11, da NEB e da "Todays's English Version" da American Bible Society's de 1966 encontramos "o poder de teu nome" em vez de "teu nome").

Sugerimos a hipótese que o nome divino que o Jesus joanino fez conhecido aos homens era "EU SOU". Em 17,11-12, Jesus diz que Deus lhe deu o nome divino; obviamente, este dom não se tornaria totalmente evidente até a glorificação de Jesus. Isto corresponde ao que Jesus dissera sobre o "EU SOU". "Quando levantardes o Filho do Homem, então reconhecereis que "EU SOU" (8,28). No vol. 1, Ap. IV, discutimos o pano de fundo veterotestamentário para o peculiar uso absoluto que Jesus fez de "EU SOU". Particularmente pertinente para Jo 17,6 é a promessa de Deus em Is 52,6: "Naquele dia meu povo conhecerá o meu nome, que Eu sou (*egō eimi*) Aquele que fala". Outra passagem significativa seria Ex 3,13-15. Quando Moisés perguntou o nome de Deus a fim de ir ao povo com as devidas credenciais, Deus replicou: "Dize isto ao povo de Israel: 'EU SOU me enviou a vós'". (No vol. 1, p. 841, reconhecemos que este não pode ter sido o significado original da passagem que contém o tetragrama, mas este parece ser o significado dado a ela em tempos posteriores). Assim também o Jesus joanino se apresenta entre os homens, não só conhecendo o nome de Deus como "EU SOU", mas inclusive portando-o, porque ele é a revelação de Deus a seu povo. Nos vs. 6, 11 e 12, o nome é mencionado em relação aos que Jesus está deixando para trás e os quais foram enviados ao mundo (18). De maneira muito semelhante ao que ocorreu com Moisés, o fato de que os mensageiros de Jesus conhecem seu nome divino se consagraram a tudo que implica esse nome autentica a missão.

Uma vez mais, o pensamento joanino tem certas similaridades com o pensamento expresso no hino de Fl 2,9, o qual diz que "o nome que é acima de todos os outros nomes" foi outorgado ao Jesus exaltado. O nome de que Paulo fala é kyrios, "Senhor", "EU SOU", a tradução grega de YHWH; o nome de que João fala, "EU SOU", se relaciona indiretamente com YHWH (vol. 1, p. 844). Para Paulo, porém, o nome só é dado depois da ressurreição; para João, Jesus porta o nome divino já durante seu ministério. Entretanto, em outra corrente do pensamento joanino, em Ap 19,12-13, Jesus tem gravado sobre si o nome divino, "A Palavra de Deus", em um tempo ainda no futuro quando ele descerá do céu para derrotar as hostes malignas.

Os vs. 7 e 8, do cap. 17, tiram as implicações de que aos discípulos foi dado conhecimento do nome divino que Jesus porta. Isto os levou a compreender que tudo o que Jesus tem vem do Pai (7), especialmente suas palavras (8). Visto que Jesus porta o nome de Deus, eles sabem, como Moisés, que ele foi enviado por Deus (8). A descrição de Jesus nas primeiras linhas do v. 8 são um eco da descrição do Profeta-como-Moisés em Dt 18,18: Deus põe suas palavras na boca do profeta que então fala como Deus lhe ordenou. É interessante que esta oração, onde a glória e a divindade de Jesus são tão proeminentes, também insiste enfaticamente na sua dependência do Pai.

[A Bibliografia para esta seção está inclusa na Bibliografia para o cap. 17, no final do §59.]

58. O ÚLTIMO DISCURSO: – TERCEIRA SEÇÃO (SEGUNDA UNIDADE)

(17,9-19)

Jesus ora por aqueles que o Pai lhe deu

17 ⁹"É em favor deles que eu rogo.
Não rogo pelo mundo,
mas por aqueles que me deste,
porque são teus

¹⁰(assim como tudo o que é meu é teu,
e tudo o que é teu é meu),
e é neles que tenho sido glorificado.

¹¹Eu já não estou no mundo;
e enquanto estou indo para ti,
eles ainda estão no mundo.
Ó Pai santíssimo,
Guarda com o teu nome os que me deste
[para que sejam um, como nós].

¹²Enquanto estava com eles,
e os guardava em teu nome, que me deste,
eu os mantive seguros e nenhum deles se perdeu,
exceto àquele que tinha que perder-se,
a fim de cumprir-se a Escritura.

¹³Mas agora estou indo para ti.
Todavia, enquanto ainda no mundo, eu digo tudo isto
a fim de que tenham em si minha plena alegria.

¹⁴Eu lhes dei a tua palavra,
e o mundo os odiou,
porque eles não pertencem ao mundo
[como eu não sou do mundo].
¹⁵Não estou rogando que os tire do mundo,
e sim que os guarde do Maligno.
¹⁶Eles não pertencem ao mundo,
como eu não pertenço ao mundo.
¹⁷Consagra-os na verdade –
'A tua palavra é a verdade';
¹⁸pois como me enviaste ao mundo,
também eu os enviei ao mundo.
¹⁹E é por eles que eu me consagro,
para que também sejam consagrados na verdade".

NOTAS

17.9. *Eu rogo*. Literalmente, "eu peço". Nos vs. 9, 15 e 20 o verbo *erōtan* é usado absolutamente sem complemento direto pessoal; subtende-se que o Pai é o destinatário do pedido. Em casos em que usa este verbo para petição no último discurso (14,16; 16,26), "o Pai" é o objeto. SCHWANK, *"Für sie"*, p. 487, defende a tese de que o Jesus joanino fala de sua própria oração em termos de *erōtan* e não usa *aitein*, o verbo mais frequentemente usado em relação à petições de seus discípulos. Veja 16,26, onde os verbos parecem sinônimos e 16,23, onde parecem não ser sinônimos.

aqueles que me deste. No contexto da última ceia, esta é uma referência aos discípulos mais próximos a Jesus, presumivelmente os doze (veja nota sobre 13,5). Mais adiante (v. 20), a oração mudará destes discípulos para os futuros convertidos. Contudo, visto que os discípulos são modelos para todos os cristãos, ambos os vs. 9-19 e 20-26, são focados os cristãos de um tempo futuro.

porque são teus. Esta frase é explicativa, seja porque Jesus está orando por eles ou porque Jesus pode dizer que foi o Pai que lhos concedeu. BULTMANN, p. 382⁷, enfatiza somente a primeira relação, mas que a última também está em mente é visto nas linhas que funcionam como um parênteses do versículo seguinte. As últimas duas linhas do v. 9 (aqueles que me deste, porque são teus) inverte à terceira linha do v. 6 ("Eram teus, e tu mos deste").

10. *(assim como tudo o que é meu é teu...)*. Esta sentença a modo de parênteses é similar a 16,15. Notamos que houve uma mudança de pronomes masculinos no v. 9 ("aqueles que") para pronomes neutros no v. 10 ("tudo o que"); o neutro tem o efeito de ampliar esta reivindicação. A equivalência entre os que pertencem a Jesus e os que pertencem ao Pai significa que no pensamento joanino não é a criação de um homem que o faz pertencer a Deus, e sim sua atitude para com Jesus. Ninguém pode aceitar Jesus a menos que pertença a Deus, mas ninguém pode pertencer a Deus a menos que aceite Jesus.

neles que tenho sido glorificado. No que se refere a seus discípulos imediatos, a glória de Jesus foi primeiramente revelada em Caná (2,11). Contudo, da perspectiva temporal do autor, Jesus foi glorificado nos cristãos crentes que vieram à fé depois da ressurreição. O Codex Bezae diz "tu me glorificaste", talvez pela analogia do v. 1, onde o Pai é o autor da glorificação.

11. *Eu já não estou no mundo*. Nota-se o contraste com o v. 13 abaixo: "Enquanto ainda no mundo, eu digo tudo isto"; todavia, em ambos os versículos, Jesus diz: "Estou indo para ti". As três partes do v. 10 e as primeiras três linhas do v. 11 começam todas com *kai*, "e"; é difícil decidir o que coordenar e o que subordinar na tradução em português.

indo. Em outro lugar em João lemos que Jesus está *indo* para Deus (notas sobre 14,2 e 16,5); aqui, porém, ele está falando diretamente ao Pai e "me vou a ti" é mais apropriado. Depois desta sentença, o Codex Bezae e alguns manuscritos do OL acrescentam: "Já não estou no mundo; todavia, eu estou no mundo". A adição parece unir a sentença do v. 11 à que precede: "Eu estou indo para ti", com a do v. 13 que segue "Eu estou indo para ti".

ó Pai santíssimo. Literalmente, "Pai santo". No AT, Deus é denominado de "o Santo" (de Israel), e é invocado como santo nas orações judaicas: "Ó Senhor santo de toda santidade" (2Mc 14,36); "Ó Santo entre os santos" (3Mc 2,2), já mencionamos acima o emprego da *Didaquê* 10,2.

guarda. Literalmente, "guarda-os"; os discípulos guardaram a palavra do Pai (6), assim Jesus roga ao Pai que os guarde. Guardá-los significa guardá-los da contaminação do mundo (1Jo 2,15-17).

com o teu nome. Literalmente, "em teu nome"; o "em" é, respectivamente, local e instrumental: eles tinham de ser, respectivamente, marcados e protegidos pelo nome divino que foi dado a Jesus. P[66*] traz "em meu nome" aqui e no v. 12.

que me deste. O tempo perfeito do verbo deve ser preferido ao aoristo que aparece em alguns mss.; o nome foi dado no passado, mas ainda é possuído por Jesus. Um problema mais importante diz respeito ao antecedente do pronome relativo "que". As melhores testemunhas textuais, inclusive P[66], têm o dativo neutro do singular, e isto significa que "teu nome" é o antecedente. Um grande número de manuscritos posteriores e menos confiáveis tem um relativo masculino plural, cujo antecedente é "eles", a saber, os discípulos. Temos adotado a primeira redação, enquanto que SB e NEB adotaram a segunda (RSV é ambígua). É bem provável que a segunda redação represente um esforço dos copistas para harmonizar este versículo com os vs. 2, 6 e 9 que falam de homens sendo dados por Deus a Jesus. A redação que temos seguido faz os vs. 11 e 12 os únicos exemplos em João onde se lê que Deus deu o nome (divino) a Jesus. Têm havido diversas tentativas de resolver a diversidade de redação. Burney sugeriu que um relativo aramaico ambíguo foi entendido de duas maneiras diferentes. Huby, *art. cit.*, tem argumentado que a redação original era o pronome neutro no acusativo singular (encontrado em Bezae*), mas que se referia aos discípulos (um caso de tendência joanina ao uso de neutro coletivo para uma ideia masculina plural).

[*para que sejam um, como nós*]. Toda a sentença é omitida em P^{66*}, OS^{sin}, OL, versões coptas e talvez Taciano – uma importante combinação de testemunhas textuais. O tema da unidade é mais familiar na terceira unidade da oração (veja 21-23) do que é aqui. O Codex Vaticanus e alguns manuscritos secundários acrescentam "também" a "como nós". João usa o neutro *hēn* para "um"; e Barrett, p. 424, interpreta isto no sentido de que os discípulos não fossem guardados unidos, mas como unidade. É interessante que João não utilize noção abstrata para "unidade", *henōtēs*, encontrado em Ef 4,3.13, e frequentemente em Inácio de Antioquia.

12. *os guardava... mantive seguros*. Os verbos são *tērein* e *phylassein*. Aqui, Jesus tem feito por seus discípulos o que a Sabedoria fez por Abraão, em conformidade com Sb 10,5: "Ela encontrou o homem justo e o guardou [*tērein*] irrepreensível diante de Deus e o preservou [*phylassein*] resoluto...".

em teu nome, que me deste. As testemunhas textuais estão divididas sobre o pronome relativo em boa medida da mesma maneira que se dividiram no v. 11. O Codex Sinaiticus* e a OS^{sin} omitem toda a sentença; assim faz P^{66*} (K. Aland, NTS 10 [1963-64], 67). Bultmann omite a sentença em sua reconstrução da seção poética da Fonte do Discurso de Revelação.

nem um deles se perdeu. Em 3,16, afirmou-se que Deus deu ao Filho "para que todos os que creem nele não pereçam"; em 10,28, Jesus disse de suas ovelhas "Jamais perecerão. Ninguém as arrebatará de minha mão"; em 6.39 diz também: "A vontade daquele que me enviou é que eu nada perca do que Ele me deu".

exceto àquele que tinha que perder-se. Literalmente, "o filho da perdição"; a palavra "perdição" é da mesma raiz grega que "perecer". No NT, "perdição" frequentemente significa condenação (Mt 7,13; Ap 17,8); e assim "o filho da perdição" se refere àquele que pertence ao âmbito da condenação e está destinado à destruição final. Embora, como tem salientado F. W. DANKER, NTS 7 (1960-61), 94, este tipo de frase possa ser encontrado no grego clássico, quase certamente estamos tratando com um semitismo. R. E. MURPHY, *Biblica* 39 (1958), 66[4], sugere que a frase grega de João traduz *ben šaḥat*; pois enquanto *šaḥat* possa referir-se ao poço do Sheol, no hebraico de Qumran ela significa "corrupção" e é um sinônimo para *'āwel*, "perversidade", um termo usado no dualismo de Qumran para descrever a esfera oposta ao bem (vol. 1, p. 57). A frase "o filho da perdição" é usada em 2Ts 2,3 para descrever o anticristo que vem antes da parousia. É interessante que na escatologia realizada joanina "o filho da perdição" aparece durante o ministério de Jesus antes de seu retorno ao Pai. Se isto é uma modificação intencional da expectativa apocalíptica é difícil dizer; veja vol. 30 da Anchor Bible para nossa discussão da abordagem joanina sobre o anticristo em relação a 1Jo 2,18.20. Evidentemente, no evangelho a referência é a Judas como o instrumento de Satanás. Em 6,70, Judas é descrito como um diabo; e em 13,2.27.30 somos informados que Satanás entrou no coração de Judas, e que ele saiu para o reino das trevas a fim de trair Jesus.

a fim de. A mentalidade na qual se imaginou que as coisas aconteceram no ministério de Jesus a fim de se cumprir o que fora predito na Escritura é descrito no vol. 1, pp. 782-83. Não fica claro se esta última linha do v. 12 é apresentada pelo autor joanino como as próprias palavras de Jesus ou como uma observação pelo próprio autor. Exemplos de ambas as práticas são encontrados em João; compare 13,19 com 12,14-15.

a Escritura. Presumivelmente, está implícita uma passagem particular. Evidentemente, os primeiros cristãos rapidamente saíram em busca de passagens veterotestamentárias para explicar a traição de Judas, pois os relatos distintos da morte de Judas destacam um pano de fundo veterotestamentário. At 1,16-20 alega que o Espírito Santo falara de antemão sobre Judas e cita explicitamente Sl 69,26(25), 109,8. Mt 27,3-10 cita implicitamente um princípio legal sobre não usar dinheiro contaminado na casa do Senhor (cf. Dt 23,19[18], e na sequência se faz uma citação explícita, mas livre de Zc 11,12-13 sobre as trintas moedas de prata, talvez combinando-a com uma passagem de Jeremias (32,6-15?). Nossa única chave para a passagem que João tem em mente é que a descrição da traição de Judas em 13,18 cita explicitamente o Sl 41,10(9). Se esta última linha de Jo 17,12, com sua referência a "a Escritura", é uma adição explicativa em prosa ao hino do cap. 17 (como era o v. 3), então o redator que a inseriu poderia ter se referido a 13,18. Freed, OTQ, p. 97, aponta para a possibilidade de que a passagem do AT, em mente, não é a que prediz traição, e sim a que usa da expressão "o filho da perdição", daí que a versão da LXX de Pr 24,22a (a única ocorrência no AT – "filhos da perdição" aparece em Is 57,4). A opinião de Freed de que "a Escritura" não é aqui palavras do AT, e sim palavras de Jesus em 6,70-71 não achamos plausível.

13. *Mas agora.* Laurentin, *art. cit.*, indica que, com seu *nyn* inicial, o v. 13 lembra o v. 7 e usa esta observação como a chave para sua divisão do capítulo (p. 1154 acima). No entanto, na essência do pensamento o v. 13 (primeiras duas linhas) é muito mais próximo do v. 11.

tudo isto. Literalmente, "estas coisas"; presumivelmente, está em pauta a primeira parte da oração, e não todo o último discurso.

tenham em si minha plena alegria. Cf. 15,11: "Tenho-vos dito isto, para que minha alegria permaneça em vós, e vossa alegria seja completa"; 16,24: "Pedi e recebereis, para que vossa alegria seja completa". No momento, seus corações estão *cheios* de tristeza (16,6). A alegria plena é um conceito escatológico que aparece nos escritos rabínicos (Bultmann, p. 388).

14. *tua palavra.* Aqui se usa, o singular *logos*; veja nota sobre "palavras" no v. 8.

o mundo os odiou. Temos amenizado a construção com aoristo; esta construção certamente está escrita da perspectiva temporal do autor. Quase o mesmo pensamento e expressão se encontram em 15,18-19; note o tempo presente ali.

não pertencem ao mundo. Literalmente, "não são do mundo". No pensamento joanino, o cristão é gerado de cima e é de Deus (3,3-6; 1,13). Os discípulos foram escolhidos do mundo (15,19). *A carta a Diogoneto* (6,3), do final do 2º século, parece apoiar a João: "Os cristãos vivem no mundo, porém não pertencem ao mundo".

[*como eu não sou do mundo*]. Isto é omitido por P[66*] e importantes manuscritos ocidentais. Teria sido omitido por parecer redundante em face do v. 16? A última hipótese parece mais plausível.

15. *os tire do mundo.* Schlatter, p. 323, mostra bons paralelos rabínicos para as expressões usadas em ambas as linhas deste versículo.

que os guardes do Maligno. A palavra *ponēros*, "Maligno", é passível de ser traduzida como uma noção abstrata, "o mal"; mas na analogia de 1Jo 2,13-14; 3,12; 5,18-19, é bem provável que a intenção fosse uma aplicação pessoal ao diabo. O Maligno é o Príncipe deste mundo, pois 1Jo 5,19 diz: "O mundo inteiro está sob o Maligno". Esta linha é o paralelo joanino à petição na versão mateana da Oração do Senhor: "Livra-nos do Maligno" (Mt 6,13 –

frequentemente, porém com não muita exatidão, traduzido por "Livra-nos do mal"). A petição precedente em Mateus que trata da provação ("tentação") final mostra que está em pauta um livramento no fim dos dias. A petição de João é em termos de escatologia realizada; ela roga por proteção enquanto os discípulos estiverem no mundo. Ap 3,10, por outro lado, é em termos de escatologia final: "Porque tens guardado a minha palavra... eu te guardarei seguro da hora da provação que há de vir sobre o mundo inteiro". 1Jo 2,13-14 ilustra a concessão da petição expressa por Jesus no presente versículo, pois ali os jovens cristãos são informados que já venceram o Maligno.

16. Exceto por uma leve mudança na ordem das palavras, este versículo é o mesmo que as últimas duas linhas do v. 14. Juntamente com outros manuscritos, P[66] (corretor) suprime todo o versículo.

17. *Consagro-os*. Literalmente, "santifica"; há um eco de "Pai santíssimo" no v. 11.

    na verdade. O artigo (faltando quando a frase é repetida no v. 19) significa que a expressão não é simplesmente adverbial: "verdadeiramente, con-sagra-os". A "verdade" tem eficácia; cf. 8,32: "a verdade vos libertará". Aqui, "verdade" é tanto a agência da consagração como a esfera em que são consagrados; o "em" significa, respectivamente, "por" e "para".

    '*a tua palavra é a verdade*'. O Codex Vaticanus e alguns manuscritos do texto de Taciano trazem um artigo antes de "verdade"; a tradição bizantina tem um "tu" com fim de esclarecer antes de "verdade". A passagem é idêntica à forma que a LXX dá ao Sl 119,142 como encontrado no Codex Sinaiticus; o TM e as outros manuscritos da LXX dizem o versículo do salmo como "tua lei é verdade". Estaria João citando uma forma variante do salmo conhecido no primeiro século e ainda preservado no Códice Sinaiticus? Ou a tradição sinaítica adapta o AT para conformar-se a João? Podemos mencionar que ser consagrado numa verdade que consiste na palavra divina lembra a ideia de ser purificado pela palavra de Jesus (15,3).

18. *pois como me enviaste*. Com base no pressuposto de que a citação (?) na última parte do v. 17 é parentética, em 18 não começamos uma nova sentença, mas fornecemos um "pois" para relacionar esta sentença *kathōs* com a primeira parte do v. 17. (Compare a sentença *kathōs* do v. 2, que se relaciona com o Pai glorificando o Filho no v. 1). A consagração na verdade não é simplesmente uma purificação do pecado (veja 15,3), mas é a consagração para uma missão; estão sendo consagrados, porquanto estão sendo enviados.

    também. A construção "como... assim" estabelece um paralelismo entre o que o Pai tem feito para Jesus e o que Jesus faz para os discípulos. Em outras passagens no evangelho, este paralelismo aparece em relação com a vida (6,57), conhecimento (10,14-15), amor (15,9; 17,23) e unidade (17,22).

eu os enviei. A família Ferrar de mss. minúsculos tem um tempo presente aqui, mas esta é uma tentativa de copistas para amenizar a dificuldade causada pelo aoristo. Da perspectiva da última ceia, em que momento anterior Jesus enviou os discípulos? É arriscado referir-se aos episódios narrados nos sinóticos (Mt 10,5; Lc 10,1) não registrados por João (a menos que se suponha que estamos lidando com um antigo dito que foi preservado em João, muito embora o incidente a que originalmente se referia não fosse preservado). Esta é a mesma missão que foi mencionada em 4,38 (vol. 1, p. 401) em referência à colheita espiritual entre os samaritanos? Mais provavelmente, o tempo é da perspectiva temporal do evangelista e se refere à verdadeira missão dos discípulos iniciada depois da ressurreição (20,21-22).

19. *Eu me consagro.* Um número importante de manuscritos, inclusive P[66], omite o pronome enfático, "Eu"; mas o contexto confere um tom enfático em qualquer caso. Em 10,36, foi dito que o Pai consagrou (passado) a Jesus; aqui, Jesus é que se consagra – outro exemplo de um mesmo poder compartilhado pelo Pai e por Jesus (vol. 1, p. 687).

na verdade. Na maioria das testemunhas textuais, a frase ocorre depois do particípio "consagrou", mas aparentemente antes dela em P[66]. O uso de "verdade" sem o artigo depois da preposição "em" é comum no estilo joanino (1Jo 3,18; 2Jo 1,3 etc.; veja BDF, §258). O significado aqui realmente não é distinto do significado da frase com o artigo no v. 17; aqui, porém, "verdade" é mais a esfera da consagração dos discípulos do que a agência dessa consagração – a consagração que Jesus faz de si mesmo é o agente na consagração dos discípulos (cf. J. Reid, ET 24 [1912-13], 459-60).

COMENTÁRIO

Versículos 9-16: Os discípulos e o mundo

Como pano de fundo para este pedido para que o Pai o glorifique, Jesus mencionou sua obra entre os homens que lhe foram dados pelo Pai: ele revelou a glória de Deus entre eles (v. 4); revelou-lhes o nome de Deus (6); e deu-lhes as palavras de Deus (8). Agora, em sua oração, ele volta a incluir estes mesmos homens em seu pedido a seu Pai. A modo de paralelo, note-se que no relato que Lucas faz da última ceia Jesus ora por um dos discípulos, Simão Pedro, e revela sua preocupação pelos outros, para que estivessem armados para enfrentar a luta que se aproxima (Lc 22,32.36).

A oração em favor de seus discípulos (9) é uma extensão da oração em que pede por sua própria glorificação (1); pois é na perseverança e missão destes discípulos que o nome de Deus, dado a Jesus, será glorificado na terra. Como Jesus diz no v. 10, "é neles que tenho sido glorificado". O tema de oposição entre os discípulos e o mundo, proeminente na segunda seção do último discurso (especialmente em 15,18-16,4a), agora aparece na oração final de Jesus. Os discípulos têm de ser deixados no mundo (11); porém não pertencem ao mundo (18,36). Porque são como que estranhos no mundo, a própria presença deles provoca distúrbio. Jesus lhes deu a palavra de Deus (14) e os enviou ao mundo (18), mas o mundo reagirá com ódio (14).

Como é possível conciliar a ideia de que Jesus envia os discípulos ao mundo com sua recusa de orar pelo mundo (9)? Há quem amenize a dureza de "não rogo pelo mundo", compreendendo isto no sentido de que na última ceia Jesus está em contato somente com seus discípulos, deixando de lado (porém não rejeitando) o mundo por um momento (SCHWANK, "Für sie", p. 488). A atitude do Jesus joanino costuma ser interpretada à luz da tradição sinótica onde Jesus insiste em que se deve orar pelos inimigos (Mt 5,44; também Lc 23,34) e através do imperativo paulino de que se deve orar por todos os homens (1Tm 2,1). Mas tais esforços para amenizar Jo 17,9 não fazem justiça ao dualismo joanino. No início do ministério, Jesus disse que Deus de tal modo amou o mundo que deu seu Filho unigênito (3,16). Entretanto, a vinda do Filho provocou juízo (3,18-19), de tal modo que "o mundo" chegou a personificar os que têm se apartado de Jesus e estão sob o poder de Satanás (1Jo 5,19), o príncipe ou líder do mundo (12,31; 14,30). O mundo já foi condenado na pessoa de seu príncipe (16,11); e assim o mundo não deve receber intercessão, e sim ser convencido de sua maldade (16,8-11) e vencido (1Jo 5,4-5). BARRETT, p. 422, expressa bem a perspectiva joanina: "... a única esperança para o *kosmos* é precisamente que ele deixasse de ser o *kosmos*". O mundo há de passar (1Jo 2,17).

Se os discípulos são enviados ao mundo, é para o mesmo propósito para o qual Jesus foi enviado ao mundo – não para mudar o mundo, e sim para desafiar o mundo. Em cada geração há na terra um grupo de homens confiados por Deus a Jesus, e a tarefa dos discípulos é separar estes filhos da luz dos filhos das trevas que os cercam. Os que são confiados a Jesus reconhecerão sua voz em e através da missão dos discípulos e se unirão para ser uma só coisa (final do v. 11).

Esta comunidade de cristãos será odiada pelo mundo, mas Jesus não quer que sejam poupados desta hostilidade. Para que a profundidade de seu amor se manifeste, Jesus mesmo não deixará o mundo sem enfrentar a hostilidade de seu príncipe (14,30-31). De modo semelhante, cada um de seus seguidores deve enfrentar o Maligno (17,15; cf. 1Jo 2,15-17 sobre as seduções do mundo) se eventualmente ele estiver com Jesus (17,24). Jesus sabe que seus seguidores necessitam de auxílio nesta peleja escatológica, uma peleja deflagrada não no Armagedom (Ap 16,16), mas na alma de cada homem. Consequentemente, Jesus pede a Deus que guarde os discípulos em segurança com o nome divino que lhe foi dado (17,11). O poder protetor do nome de Deus é um tema judaico já atestado em Pr 18,10: "O nome do Senhor é uma torre forte; o justo corre para ela e vive seguro". Se estamos certos em afirmar que para João o nome é *egō eimi*, "EU SOU", temos em Jo 18,5-8 um exemplo de como este nome protege os discípulos; pois quando Jesus diz *egō eimi*, os que vieram para prendê-lo caem impotentes, e Jesus pede que deixem ir sem dano algum a seus discípulos.

Esta atitude para com o mundo choca muitos a cristãos modernos como sendo estranha e inclusive uma distorção do verdadeiro apostolado cristão. Em uma época em que se valoriza o compromisso em que os homens estão considerando a função da Igreja no mundo moderno, a recusa do Jesus joanino de orar pelo mundo constitui um escândalo. E, no entanto, a hostilidade para com o mundo no NT não é exclusividade de João. Tg 4,4 diz aos cristãos: "Ser amigo do mundo equivale a ser inimigo de Deus". Em Gl 1,4, Paulo diz que Cristo se entregou para livrar os homens da presente era má. Naturalmente, a desconfiança por um mundo que é visto como mau não esgota a mensagem do NT, e há muitas passagens que inculcam o compromisso com o mundo. Mas se os cristãos creem que a Escritura exerce certo poder para julgar e corrigir, então as últimas passagens são mais significativas em tempos em que a Igreja tende a afastar-se do mundo, enquanto passagens tais como as que temos encontrado em João têm uma mensagem para uma era que se torna ingenuamente otimista sobre mudar o mundo ou inclusive afirmar seus valores sem necessidade de mudança. (Sobre o conceito joanino de mundo, veja vol. 1, pp. 809-10).

Concluindo, podemos notar que a certeza de encontrar hostilidade no mundo não tem por objetivo entristecer os discípulos. A promessa de proteção divina feita por Jesus compensará a tristeza e conduzirá a alegria dos discípulos à plenitude (13). O tema da alegria em meio à hostilidade do mundo apareceu duas vezes na segunda seção do último discurso (veja p. 1070 acima). Evidentemente, esta combinação paradoxal foi um motivo cristão frequente; por exemplo, Mt 5,11: "Bem-aventurados sois quando os homens vos injuriarem e vos perseguirem... por minha causa"; 1Ts 1,6: "recebendo a palavra em muita tribulação, com a alegria do Espírito Santo".

Versículos 17-19: A consagração dos discípulos e de Jesus

No v. 11 Jesus se dirige a seu Pai como "santo". Para a mentalidade judaica, isto sugeriria algo sobre a santidade a ser esperada dos discípulos por quem Jesus está orando, pois o princípio de Levítico (11,44; 14,2; 20,26) é que os homens se tornem santos, porque Deus é santo. O fato de que os discípulos pertençam a Deus (9) é a razão para que se mantenham separados do mundo, visto que na mentalidade do AT a santidade de Deus é oposta ao que é secular e profano. O tema da santidade dos discípulos se torna explícito no v. 17, onde se pede ao Pai que os consagre (os santifique) na verdade. Em passagens anteriores temos sido informados que o Pai é santo e consagrou a Jesus e o enviou ao mundo (10,36). Agora Jesus, o Santo de Deus (6,69), quer os discípulos consagrados e enviados ao mundo (18). Como já enfatizamos nas notas, a consagração dos discípulos é direcionada para sua missão (Morrison, *art. cit.*, enfatiza isto). Isto está em harmonia com o que o AT entende por consagração; por exemplo, diz-se que Moisés, que havia sido consagrado por Deus (texto grego de Eclo 45,4), recebe em Ex 28,41 a ordem de consagrar outros para que *pudessem servir* a Deus como sacerdotes. Os discípulos tinham de ser consagrados para que pudessem servir como apóstolos, isto é, como enviados.

Em particular, os discípulos tinham de ser consagrados na verdade, que é a palavra de Deus. Na oração judaica comum (StB, II, 566), era proclamado que Deus santifica (consagra) aos homens através de seus mandamentos – uma ideia que é parcialmente semelhante ao pensamento de João, visto que para João "palavra" e "mandamento" são praticamente intercambiáveis (nota sobre 14,21). É também interessante uma oração judaica do Ano Novo citada por Westcott, p. 245: "Purifica nossos corações para te servirmos em verdade. Tu, ó Deus, és a verdade [Jr 10,10], e tua palavra é a verdade e permanece para sempre".

Devemos ter em mente que na teologia joanina Jesus é tanto a Palavra como a Verdade (14,6), de modo que uma consagração na verdade que é a palavra de Deus vem a ser simplesmente um aspecto de pertencer a Jesus (e, naturalmente, pertencer a Jesus é pertencer a Deus [17,10] que é santo). Os discípulos têm aceitado e guardado a palavra que Jesus lhes trouxe da parte de Deus (17,6.14); esta palavra os tem purificado (15,3); agora ela os separa para uma missão de comunicá-la a outros (17,20).

É curioso que na oração do cap. 17 que se ocupa do futuro dos discípulos não há menção do Paráclito/Espírito que será o fator mais importante nesse futuro. Todavia, especialmente na teologia ortodoxa oriental, a oração tem sido interpretada em termos do papel do Espírito Santo (P. EVDOKIMOV, *Verbum Caro* 14 [1960], 250-64). Alguns exegetas veem em particular uma referência implícita ao Espírito no tema de consagração na verdade que é a palavra de Deus. Frequentemente no evangelho temos visto uma semelhança entre a obra da palavra revelatória de Jesus e a obra do Espírito (vol. 1, pp. 394-95). Pode ser que "verdade" em 17,17 se destina a ser identificada não só com a palavra de Deus, mas também com o Paráclito que é o Espírito da Verdade. Se os discípulos hão de ser santificados na verdade, então esta é a esfera do Espírito *Santo*, o Paráclito (14,26) que faz a palavra de Jesus inteligível. A associação destas ideias se encontra em 2Ts 2,13: "Deus vos escolheu desde o princípio para serdes salvos através da *santificação* pelo *Espírito* e fé na *verdade*".

No último versículo da unidade (v. 19), descobrimos que Jesus está não só pedindo ao Pai que consagre os discípulos na verdade, mas também consagrando a si mesmo para esse propósito. Em que consiste esta auto-consagração de Jesus? No AT, tanto homens como animais são consagrados. Em particular, os profetas e sacerdotes são consagrados para uma tarefa especial. Um exemplo de consagração profética se encontra nas palavras de Deus a Jeremias (1,5): "Antes que saísses do ventre eu te consagrei; eu te designei profeta às nações" (também Eclo 49,7). O profeta tinha de ser santificado, porque ele era o portador da palavra de Deus. Referências à consagração de sacerdotes se encontram em Ex 40,13; Lv 8,30; 2Cr 5,11. Estes exemplos de consagração profética e sacerdotal são um bom pano de fundo para Jo 10,36, onde lemos que o Pai consagrou a Jesus e o enviou ao mundo; são menos apropriadas para a interpretação de 17,19, onde Jesus se consagra a si mesmo. Aqui podemos estar mais perto da ideia de consagrar vítimas sacrificiais (Dt 15,19).

Estaria Jesus pensando em sua auto-oferta na morte pelos discípulos quando diz "É por eles que eu me consagro a mim mesmo"? A frase "por [*hyper*] eles" pode pressupor a morte, como vemos pelo uso de *hyper* ao longo do evangelho. Em 11,51, Jesus há de morrer *pela* nação; em 10,11, o bom pastor renuncia sua vida *por* suas ovelhas; em 15,13, Jesus fala de renunciar sua própria vida *por* aqueles a quem ama. (Também em outras passagens do NT; por exemplo, Rm 8,32: "Aquele que não poupou a seu próprio Filho, mas, antes, o entregou por todos nós"). A solene autoridade do "me consagro a mim mesmo" pode ser comparado com o tom de 10,17-18: "Porque dou a minha vida... eu de mim mesmo a dou". Se a auto-consagração de Jesus for relacionada com a consagração e envio dos apóstolos, o envio não ocorre até depois da morte e ressurreição de Jesus (20,21). E se a consagração dos discípulos na verdade, envolve o Espírito Santo, então o Espírito não é dado até depois da morte e ressurreição de Jesus (20,22). Assim, é plausível que, quando em 17,19 Jesus fala de auto-consagração, devemos pensar nisso não só como a encarnação da Palavra de Deus consagrada pelo Pai, mas também como sacerdote que se oferece como vítima por aqueles que Deus lhe confiou. O tema sacerdotal aparentemente reaparece no cap. 19 (veja p. 1373 abaixo).

Já mencionamos que a oração sumo sacerdotal de Jo 17 tem uma atmosfera não muito diferente daquela da Carta aos Hebreus, onde Jesus é retratado como sumo sacerdote celestial, que faz intercessão pelos homens. Em Hb 9,12-14, descobrimos que Jesus se ofereceu como uma vítima sacrificial, pensamento este que pode corresponder a Jo 17,19. Podemos mencionar ainda o paralelo com Jo 17 em Hb 2,10-11. Ali o autor fala de Jesus se aperfeiçoando através do sofrimento, e isto lembra a ideia que João tem de Jesus sendo glorificado através de seu retorno ao Pai. O autor de Hebreus descreve Jesus como aquele que consagra (ou santifica), enquanto os cristãos são irmãos de Jesus a quem ele consagrou. A ideia é reiterada em Hb 10,10: "Temos sido consagrados através do sofrimento do corpo de Jesus Cristo uma vez por todas". Jo 17,19 tem Jesus se consagrando, aparentemente como vítima, de modo que seus discípulos possam ser consagrados – seus discípulos, por outro lado, são um só com Jesus (11,12,21-23). Veja também vol. 1, p. 693.

[A Bibliografia para esta seção se acha inclusa na Bibliografia para o cap. 17, no final do §59.]

59. O ÚLTIMO DISCURSO:
– TERCEIRA SEÇÃO (TERCEIRA UNIDADE)
(17,20-26)

*Jesus ora por aqueles que crerem nele através
da palavra dos discípulos*

17 ²⁰"Todavia, não rogo somente por estes,
mas também por aqueles que crerem em mim
através de sua palavra,

²¹para que todos sejam um,
assim como tu, ó Pai, está em mim e eu em ti,
para que sejam [um] em nós,
assim o mundo creia que tu me enviaste.

²²Eu lhes tenho dado a glória que me tens dado,
para que sejam um,
assim como somos um,

²³eu neles e Tu em mim,
para que sejam perfeitos em unidade.
Assim o mundo conheça que tu me enviaste
e que os amaste, assim como tu me amaste.

²⁴Pai, eles são tua dádiva para mim; quero que,
onde eu estou,
que também eles estejam comigo,
para que vejam minha glória que me deste,
porque me amaste antes da criação do mundo.

²⁵Ó Pai justíssimo,
  enquanto o mundo não te conheceu
  (ainda quando eu te conheci),
  Estes homens vieram a conhecer que me enviaste.

²⁶E a eles eu fiz teu nome conhecido;
  e continuarei a fazê-lo conhecido
  para que o amor com que me tens amado esteja neles
  e eu neles esteja".

NOTAS

17.20. *rogo*. O verbo *erōtan* aparece no início desta seção, assim como se deu no início da última seção (v. 9).

aqueles que crerem. Se a perspectiva temporal é a da última ceia, este particípio presente é proléptico, com valor de futuro (BDF, §339/2b; ZGB, §283), um uso que pode refletir um semitismo. Se a perspectiva temporal é a do autor joanino, os crentes são uma realidade atual.

em mim através de tua palavra. No texto grego, a primeira destas duas frases segue a segunda; assim, seria possível traduzir assim: "creem através da palavra deles sobre mim". A ideia não está muito longe do que se diz em Rm 10,14; Hb 2,3-4.

21. Há um notável paralelismo gramatical entre as seis frases que formam os vs. 20-21 e as seis frases que formam os vs. 22-23. Em particular, note o seguinte:

21a	[*hina*]	para que todos sejam um
21b	[*kathōs*]	assim como tu, ó Pai, está em mim e eu em ti
21c	[*hina*]	para que sejam [um] em nós
21d	[*hina*]	assim o mundo crerá que tu me enviaste
22b	[*hina*]	para que sejam um
22c-23	[*kathōs*]	assim como somos um, eu neles e Tu em mim
23b	[*hina*]	para que sejam perfeitos em unidade
23c	[*hina*]	Assim o mundo conheça que me enviaste

Cada um desses blocos de quatro linhas consiste de três sentenças que começam com *hina* com uma sentença com *kathōs* separando a primeira frase da segunda. A primeira e segunda sentença com *hina* em cada uma envolve a unidade dos crentes. Enquanto a terceira fala do efeito que isso terá no mundo. A segunda sentença com *hina* não repete meramente a primeira, mas desenvolve a noção de unidade. A sentença com *kathōs* em cada bloco apresenta aos crentes o modelo da unidade de Jesus e o Pai. RANDALL, p. 141, analisa exemplarmente este paralelismo.

assim como tu. Kathōs tem aqui, respectivamente, uma função comparativa e causativa (BDF, §453^2): a unidade celestial é tanto o modelo como a fonte da unidade dos crentes. No quarto século, os ortodoxos tendiam a usar Jo 10,30 ("O Pai e eu somos um") como um argumento contra os arianos. Estes replicaram fazendo uso deste versículo para provar que a unidade do Pai e o Filho é o mesmo tipo de unidade que existe entre os crentes, a saber, unidade moral. Entretanto, como indica POLLARD, *art. cit.*, João não não coloca como modelo a unidade celestial com base na unidade terrena, e sim vice-versa.

tu, ó Pai, está em mim e eu em ti. Na última frase do v. 11 a comparação oferecida para a unidade dos discípulos foi simplesmente "assim como nós". Aqui, a comparação é delineada com detalhe, e descobrimos que o modelo de unidade é a habitação mútua de Pai e Filho. Não há razão para pensar que a unidade proposta no v. 11 ("para que sejam um, assim como nós") é um tipo diferente de unidade daquela proposta aqui, a despeito da tentativa de alguns de distinguir entre uma unidade em fé e uma unidade em Deus. INÁCIO, *Efésios* 5,1, se aproxima mais à linguagem joanina: "Eu te considero tão abençoado como aquele que está unido a ele [teu bispo] como a Igreja é com Jesus Cristo, e como Jesus Cristo é com o Pai, para que todas as coisas sejam harmoniosas em uníssono".

sejam [um] em nós. Sobre bases meramente textuais, a evidência para a omissão de "um" (Vaticanus, Bezae, OL, OS^{sin}, aparentemente P^{66}) é mais estranha do que a evidência para sua inclusão (Sinaiticus, tradição bizantina, Vulgata, Peshitta). Se "um" é uma adição, provavelmente venha dos esforços dos copistas para conformar a segunda sentença com *hina* com a primeira. Em contrapartida, o *hen* poderia ter sido acidentalmente omitido por um copista através de um tipo de homoioteleuton (*en hēmin hen ōsin*). O paralelismo destas sentenças com *hina* com aquelas dos vs. 22-23 favorece a inclusão, já que as segundas têm "um" em todos os versos. Com ou sem o "um", a segunda sentença com *hina* no v. 21 é um desenvolvimento sobre a primeira, já que ela roga não só por unidade (primeira sentença), mas também pela habitação divina.

Deve-se notar que para as primeiras três linhas do v. 21 (as sentenças com *hina, kathōs, hina*) ORÍGENES, em dez ocasiões, lê um texto muito mais breve: "Como eu e tu somos um, para que eles sejam um em nós".

É tentador descartar esta redação como um resumo livre do que se disse nos vs. 11,21,22,23; mas a mesma redação ocorre em muitos dos Padres, inclusive JERÔNIMO (dez vezes). BOISMARD, RB 57 (1950), 396-97, cita isto como um exemplo onde os Padres preservam uma redação mais antiga e mais sucinta que poderia ser original. Todavia, o cuidadoso paralelismo das sentenças no v. 21 com as dos vs. 22-23 milita contra a aceitação da redação mais sucinta, em nosso juízo.

Assim o mundo creia. Literalmente, "para que o mundo...". É bem evidente que a primeira e segunda sentenças com *hina* do v. 21 constituem o conteúdo da oração de Jesus: ele está orando por unidade e habitação. Acaso a terceira sentença com *hina* seria também parte da oração ("Eu rogo... para que o mundo creia que me enviaste")? J. C. EARWAKER, ET 75 (1963-64), 316-17, afirma que sim; mas BULTMANN, p. 394[1], pensa que a terceira sentença não se relaciona com "Eu rogo" – antes, ela expressa o objeto da habitação mencionada na segunda sentença com *hina* (p. 394[4]). O ponto de vista de BULTMANN se adequa melhor com o restante da teologia joanina, onde Jesus não ora diretamente pelo mundo. A unidade e a habitação visíveis entre seus seguidores desafiam o mundo a crer na missão de Jesus, e assim, indiretamente, o mundo está incluído na oração de Jesus.

creia. Os melhores manuscritos, inclusive P[66], têm um presente do subjuntivo, enquanto a tradição bizantina tem um aoristo, que é mais fácil de entender. BULTMANN, p. 394[6], não vê diferença real de significado. Entretanto, ABBOTT, JG, §§2524-26, 2511, indica que João é muito estrito em observar a distinção entre os tempos presente e aoristo nas sentenças com *hina*; veja 10,38, onde em uma só linha o presente e o aoristo do mesmo verbo são usados com significados diferentes. Em §2528, ABBOTT sustenta que o presente de *pisteuein*, nesta construção, implicaria uma fé contínua, enquanto o aoristo se referiria à fé em seus começos e em vias de formação. Em §2554, ABBOTT contrasta a sentença em 21d (= "para que o mundo cresça em fé") com a sentença paralela em 23c que emprega o aoristo (= "para que o conhecimento induza o mundo"). Se aceitarmos a interpretação de ABBOTT, o v. 21d implica que o mundo já está crendo e que Jesus está orando para que ele continue a crer. Tal atitude contraditaria muitas das outras afirmações do Jesus joanino sobre o mundo (16,33; 17,9). Veja comentário. Sobre a questão como um todo, consulte H. RIESENFELD, *"Zu den johanneischen hina-Sätzen"*, ST 19 (1965), 213-20.

que me enviaste. Este tema foi envolvido na oração de 11,42.

22. *eu lhes tenho dado... me tens dado*. Segundo os melhores manuscritos, estes dois verbos estão no tempo perfeito, não no aoristo. Jesus continua

possuindo a glória que lhe foi dada pelo Pai, e os discípulos continuam possuindo a glória que lhes foi dada por Jesus. Quando Jesus lhes deu esta glória? A oração no v. 1, "Glorifica a teu Filho para que o Filho te glorifique", sugere que glória será dada depois da exaltação de Jesus, já que o Filho glorifica o Pai através dos discípulos. Consequentemente, os tempos do v. 22 parecem ser da perspectiva do tempo em que o autor joanino está vivendo. Rm 8,30 faz a glorificação do cristão uma consequência de sua justificação. Notamos que o tema da glória ocorre nas três unidades de Jo 17 (1,5,10,22).

assim como somos um. A comparação para a unidade na última frase do v. 11 foi "assim como nós"; no v. 21b foi "assim como tu, ó Pai, está em mim e eu em ti". O presente versículo quase combina as duas comparações anteriores.

23. *para que sejam perfeitos em unidade*. Literalmente, a última frase é "para um". O verbo é o passivo de *teleioun*, um verbo que foi usado ativamente no v. 4 (veja nota ali) quando Jesus falou de completar a obra dada pelo Pai para ele realizar. O passivo é particularmente comum em 1 João (2,5; 4,12.17.18), onde se menciona que o amor de Deus é conduzido à completude ou perfeição; note que o tema do amor aparece na última linha do presente versículo. Aparentemente, no pensamento joanino os crentes devem ser levados à perfeição já *nesta vida*, pois esta perfeição deve exercer um efeito no mundo. À maneira de comparação, notamos que Paulo confessa que ele ainda não se sente perfeito ou completo, mas prossegue, porque Cristo Jesus já se apoderou dele (Fl 3,12).

Assim o mundo. Podemos suscitar a mesma questão sobre a terceira sentença com *hina* nos vs. 22-23 que suscitamos sobre a terceira sentença com *hina* no v. 21 (veja nota ali). Ela explica por que Jesus dá a glória aos crentes ou modifica a ideia na segunda sentença com *hina*, de modo que é a unidade completa dos crentes que desafia o mundo ao conhecimento? A segunda hipótese parece ser a ideia dominante, apesar das objeções de Earwaker. Há uma concatenação de ideias: a dádiva da glória leva à unidade dos crentes, e esta, por sua vez, desafia o mundo a reconhecer Jesus como o emissário do Pai de quem emana toda a glória.

conheça. No aoristo; veja nota sobre "creia" no v. 21. Durante o ministério de Jesus, o mundo não conheceu Jesus (1,10), mas através do ministério dos discípulos o mundo teria outra chance, pois sua mensagem provocará o mundo e lhe incitará a julgar-se a si mesmo.

que tu me enviaste. A concatenação de ideias neste versículo tem um interessante paralelo em Zc 2,12-13(8-9): O mensageiro, vingador angélico, foi enviado *pela glória* de Deus às nações perversas como uma lição para Israel, de modo que *viessem saber* que o Senhor dos Exércitos *o enviara*.

que os amaste. BERNARD, II, 579, interpreta isto no sentido de que o mundo entenderá que Deus *o* ama; porém, mais provavelmente, significa que o mundo entenderia que Deus tem amado os cristãos crentes. O amor de Deus pelo mundo só é mencionado como uma preparação para a encarnação do Filho em 3,16; veja o contraste com 15,19. O Codex Bezae e algumas testemunhas latinas leem "Eu os amo", e BARRETT, p. 429, pensa que possivelmente esta foi a redação original. Uma redação que se disse que Jesus amou os discípulos como o Pai amou ele estaria muito próximo do pensamento joanino (veja v. 26 abaixo; também 15,9). Todavia, um dos temas desta oração é a presença do Pai na vida cristã, e "os amaste" está em harmonia com isto. Este versículo declara que a unidade dos crentes provará ao mundo que Deus os tem amado. Parte dessa unidade é o amor que os crentes nutrem entre si, e 13,35 dá a isso uma força probatória: "Nisso conhecerão, todos que sois meus discípulos – pelo amor que tendes uns pelos outros".

assim como tu me amaste. A comparação é de tirar o fôlego, mas lógico; visto que os cristãos são filhos de Deus e lhes têm outorgado a vida que Jesus tem da parte do Pai (6,57), Deus ama a estes filhos como ama a seu Filho. Há somente um amor de Deus; cf. SPICQ, p. 210.

24. *Pai*. A oração agora chega a uma conclusão; e, para assinalar isto, várias inclusões foram inseridas, em que se escutam de novo os elementos do início (vs. 1-5). A invocação "Pai" aparece no v. 1; e o presente versículo remodela o pedido por glorificação feito no v. 1.

eles são tua dádiva para mim. Literalmente, "aquilo que me tens dado"; ou, como em muitos manuscritos gregos tardios, "aqueles que me deste". Para o uso de um neutro em vez de um masculino, veja nota sobre "tudo o que" no v. 2. Esta sentença substantiva está numa construção *pendens*, antecipando o pronome "lhes" na terceira frase do versículo. Visto que tal construção se destina a dar ênfase, temos convertido a sentença subordinada numa sentença principal.

eu estou. Alguns traduziriam a forma *eimi* por outro verbo: "vou"; veja nota sobre 7,34.

quero. Jesus já não diz "eu oro"; agora majestosamente expressa sua vontade. (compare Mc 14,36: "Não o que eu quero, mas o que tu queres"). Na teologia joanina, este "quero" não é pretensioso, pois a vontade de Jesus é na verdade a do Pai (4,34; 5,30; 6,33). Em 5,21, ouvimos: "O Filho concede vida àqueles a quem ele quiser [conceder]"; ali, como aqui, a vontade do Filho é expressa em termos de um dom aos homens.

estejam comigo. Jesus tem dito claramente que os que não creem não podem ir com ele para onde está indo (7,34; 8,21); nem podem ir com ele os discípulos que se encontram em sua companhia na última ceia. Mas, chegará um dia que os que servem e seguem a Jesus estarão com ele (12,26; 14,3). Uma esperança similar se encontra em 2Tm 2,11: "Se já morrestes com ele, também com ele vivereis", enquanto Rm 8,17 fala dos cristãos sendo glorificados com Cristo. É possível que aqui tenhamos o equivalente joanino das palavras que Jesus fala no relado de Lucas da última ceia: "Comereis e bebereis à minha mesa em meu reino" (Lc 22,30).

vejam minha glória. Este uso de *theōrein* supõe uma dificuldade para os que opinam que o verbo se refere a uma visão que vai acompanhada de um conhecimento imperfeito (veja vol. 1, p. 816).

que me deste. Uma vez mais, o perfeito, não o aoristo, provavelmente seja a redação correta, embora o Códice Vaticanus tenha o aoristo.

porque me amaste. Tempo aoristo. O amor do Pai para com o Filho antes da criação do mundo é a base da glória que o Filho possuía antes da criação (17,5). Este amor é também a base da missão terrena de Jesus (3,35).

antes da criação do mundo. Literalmente, "fundação" ou "princípio". Não é uma expressão que ocorra na LXX, embora ocorra no apócrifo *Ascensão de Moisés* (1,13-14), obra do início do primeiro século d.C. Evidentemente, [a frase] era bem conhecida no período neotestamentário, pois ocorre nove vezes no NT; veja especialmente Ef 1,4; 1Pd 1,20.

25. *Ó Pai justíssimo*. Literalmente, "Ó Pai justo"; isto é paralelo a "Ó Pai santíssimo" no v. 11. Mais romanticamente, HOSKYNS, p. 495, vê uma progressão nas invocações "Pai", "Pai santíssimo", "Pai justíssimo", refletindo o movimento da oração desde a morte de Cristo rumo à glorificação da Igreja. Assim também SCHWANK, "*Damit*", p. 544, o qual pensa na designação "justo" como um avanço para a designação "santo" e cita 1Cor 6,11: "Vós vos lavastes, fostes *santificados*, fostes *justificados*". Isto é muito duvidoso; em nossa opinião, "santo" e "justo" não são variantes significativas, mas pensa-se que "justo" era mais apropriado no v. 25 porque o restante do versículo descreve um julgamento (veja comentário). O tema da justiça de Deus é frequente no AT (Jr 12,1; Sl 116,5; 119,137), que ecoa no NT (Rm 3,26; Ap 16,5). No NT, pensa-se que a justiça de Deus tem, respectivamente, efeitos positivos (Ele salvará o inocente) e efeitos negativos (Ele punirá os perversos). O efeito positivo aparece em 1Jo 1,9: "Se confessarmos nossos pecados, ele, que é fiel e justo, perdoará nossos pecados e nos purificará de toda injustiça"; também em 2,1-2, que descreve Jesus como justo quando intercede diante do Pai por nossos pecados.

enquanto o mundo... estes homens. Literalmente, "e o mundo... e estes homens" – uma coordenação dura das duas sentenças. O autor está descrevendo os dois grupos que estão diante da justiça do Pai, a saber, o mundo que não o conhece e os homens que passaram a conhecer.

(*eu te conheci*). A sentença é parentética, interrompendo a coordenação com *kai... kai* da segunda e quarta linhas. Ela explica em que sentido o mundo não conhece a Deus: ele não chegou a conhecer a Jesus, o único que conhece a Deus (1,10; 10,14-15; 14,7; 16,3). Um paralelo muito próximo é 8,55: "Vós não o conheceis, mas eu o conheço"; ali o tempo perfeito de *eidenai* (*oida*) tem valor do tempo presente. Os três usos de "conhecer", no presente versículo, são aoristos.

estes homens vieram a conhecer. Em 1Jo 2,14(13), o autor se dirige aos cristãos como filhos "pois tendes conhecido o Pai".

26. *Eu fiz... conhecido*. O verbo *gnōrizein* se relaciona com *ginōskein*, "conhecer", usado três vezes no versículo anterior. Homens vieram a conhecer Jesus porque Jesus lhes tornou possível conhecer. Este verso é pouco mais que uma repetição do v. 6a.

continuarei a fazê-lo conhecido. A revelação ocorre durante o ministério e ocorrerá depois do ministério; a mesma coisa valeu para a glorificação que Jesus fez ao Pai (1,4).

o amor com que me tens amado. Literalmente, "o amor (com) que tu me amaste"; uma construção similar se encontra em Ef 2,4. A tautologia pode ser um semitismo. O Pai amou o Filho antes da criação (24); este amor agora se torna uma força criadora, fazendo possível a habitação de Deus nos homens.

amor... esteja neles. No texto grego, não se expressa a copulativa nem neste verso no seguinte. A força do amor de Deus para com o cristão é proclamado em Rm 8,39: nada "poderá separar-nos do amor de Deus em Cristo Jesus nosso Senhor".

COMENTÁRIO

Nesta terceira unidade da oração do cap. 17, Jesus volve sua atenção, diretamente, para o futuro, prevendo o resultado da missão dos discípulos, mencionada no v. 18. A oração pelos discípulos, na segunda unidade (vs. 9-19), também leva em conta os futuros cristãos, visto que os discípulos simbolizam o que serão os crentes; agora, porém, a projeção futura é mais direta, talvez porque a unidade deva ser o tema principal. Jesus prevê não só uma comunidade sobre a terra que confessa o seu nome (21-23);

ele também aspira pelo livramento escatológico dessa mesma comunidade, para que seus membros estejam com ele no céu (24-26).

Versículos 20-23: A unidade dos que creem em Jesus

Dois aspectos são importantes na relação dos futuros cristãos no v. 20. Primeiro, creem em Jesus. Enquanto esta fé implica comprometimento e amor pessoais, no pensamento joanino fé é mais que adesão a Jesus, pois implica um conhecimento de quem é Jesus. Somente aquele que crê que Jesus porta o nome divino, somente o homem que confessa que Jesus é o Cristo, somente quem confessa que Jesus é o Filho de Deus (20,31) – pode cumprir as exigências da fé em Jesus segundo o pensamento joanino. KÄSEMANN, p. 25, insiste corretamente que, para João, os cristãos devem aderir ao menos a um dogma cristológico, concretamente, a relação do Filho com o Pai; veja R. E. BROWN, Interp 21 (1967), 397-98. Isto concorda com 1Jo 4,2-3, onde se oferece um critério cristológico para se distinguir entre os que têm o espírito de Deus e os que têm o espírito do anticristo.

Segundo, os cristãos têm vindo à fé através da palavra dos discípulos de Jesus. A teologia lucana enfatiza a cadeia de tradição dos discípulos para o crente muito mais que a teologia joanina; aliás, o conceito do Paráclito (veja Ap. V), que é dado diretamente a cada crente, impede acentuar excessivamente a dependência com respeito a uma tradição humana. Todavia, mesmo no pensamento joanino, se dá por certo que os discípulos que estavam com Jesus foram comissionados a pregar aos homens, e que a fé vem através de ouvir o que eles pregam. Se o Paráclito dá testemunho de Jesus, então fez isso através dos discípulos, e não de uma maneira meramente espiritual (15,26-27). Veja o papel dado ao discípulo amado em 19,35.

Quanto à constituição do grupo dos que viessem a crer em Jesus através da palavra dos discípulos, podemos recordar 10,16 e 11,52, onde o chamado se estende aos gentios ("outras ovelhas... que não pertencem a este aprisco; os filhos dispersos de Deus"), além dos judeus. João admite que Deus seleciona aos seus, mas não sobre uma base ética. Jesus veio chamar aqueles que seu Pai lhe confiou e que estão dispersos pelo mundo, aqueles que atuam como Deus quer (3,21). A "palavra" de Jesus pregada pelos discípulos é uma força dinâmica que é ouvida pelos que são as ovelhas do rebanho de Jesus (10,3). Para os que ouvem, esta palavra, ela é espírito e vida (6,63), mas para os que se recusam dar crédito à palavra, ela é se converterá em juiz (12,48).

Na última parte do v. 11, Jesus pediu a seu Pai que os discípulos fossem um; agora, nos vs. 21-23, ele roga para que os que vierem a crer nele através da palavra dos discípulos também sejam um. Em cada caso, o modelo oferecido para esta unidade é a unidade entre o Pai e o Filho. Em que consiste esta unidade?

Jo 17,21-23 tem sido frequentemente usado em discussões ecumênicas com o pressuposto de que esta passagem se refere à unidade da *igreja*. Para os católicos, em particular, "para que todos sejam um" é *o* slogan ecumênico. Entretanto, T. E. POLLARD, *art. cit.*, tem utilizado 17,21 para argumentar contra a união da igreja. Visto que a unidade dos crentes é modelada na unidade do Pai e o Filho, esta unidade admitiria diversidade, pois o Pai e o Filho permanecem pessoas distintas, a despeito de sua unidade. Por conseguinte, POLLARD insiste que a unidade entre os cristãos deve reconhecer e preservar uma distinção de identidade denominacional. Seu argumento foi respondido por E. L. WENGER, afirmando que POLLARD não faz justiça à descrição da unidade desejada pelo Jesus joanino, especialmente às ideias de que esta unidade visa a oferecer ao mundo uma oportunidade de crer e vir a conhecer que Jesus foi enviado pelo Pai (21,23). No ponto de vista de WENGER, nenhuma mera inter-comunhão de denominações corresponde a estes aspectos; somente a unidade orgânica da igreja faz isso. Esta discussão das implicações ecumênicas de 17,21-23 certamente é importante, mas sejamos claros que tais problemas dificilmente estavam na mente do autor. A perspectiva joanina não é em absoluto ecumênica; 2Jo 10, por exemplo, proíbe o cristão de saudar a alguém cuja doutrina não seja ortodoxa.

Estes versículos de João têm sido também usados em apoio de teorias de como a Igreja deve ser organizada. B. HÄRING, *This Time of Salvation* (Nova York: Herder & Herder, 1966), pp. 12ss., apresenta Jo 17 como um modelo para a igreja católica a partir do Vaticano II, especialmente na questão do colegiado dos bispos. Isto é apenas um exemplo de várias abordagens de Jo 17 que consciente ou inconscientemente interpreta o pensamento à luz da doutrina paulina do corpo com seus diferentes membros.

Outros especialistas têm afirmado que não há provas suficientes de que o cap. 17 visa à unidade da igreja e que nos versículos que ora discutimos nada há sobre organização ou comunidade. RANDALL, pp. 12-16,40-41, cita numerosas opiniões. Seria a unidade uma questão de propósitos conjuntos expressando-se numa missão e mensagem cristãs comuns (STRACHAN)? Seria uma questão de os cristãos trabalharem harmoniosamente juntos sem dissidência (SCHLATTER)? Seria a união dos cristãos entre si e com Cristo, modelada na união que existe entre pessoas, especialmente entre esposo e esposa (STRATHMANN)? Seria unidade efetuada através do caráter singular da imagem de Deus na consciência de cada crente (HOLTZMANN)? Seria ela uma unidade mística (B. WEISS, BERNARD)? Seria uma unidade fundada sobre a unidade de cada cristão com o Pai e o Filho (BEHLER)? Estaria esta unidade relacionada com o ministério eucarístico (A. HAMMAN)? Seria uma unidade que se manifesta no poder de operar milagres (W. BAUER; cf. 14,11-12)? Seria uma unidade em torno da "palavra" que funda a comunidade – uma unidade que nada tem a ver com sentimento pessoal ou propósito comum e não é simplesmente harmonia fraterna, nem organização, nem dogma, nem mesmo estes podem ser testemunhas da unidade (BULTMANN)? Mais cedo ou mais tarde, a maioria dos autores dirá que ela é a união de amor. Aí está o problema; mas KÄSEMANN, p. 59, tem razão, quando diz: "Usualmente, neste ponto desviamos a questão com linguagem edificante, reduzindo a unidade ao que chamamos de amor".

Em vez de analisarmos estas teorias uma a uma, salientemos os aspectos que parecem estar claros nas afirmações de João sobre a unidade. Qualquer abordagem que situe a essência da unidade na solidariedade do empenho humano na realidade não faz justiça à insistência de João de que a unidade tem suas origens na ação divina. O próprio fato de que Jesus rogue ao Pai por esta unidade indica que a chave para alcançá-la está nas mãos de Deus. No v. 22, Jesus dá a entender que a unidade dos crentes brota do dom que ele mesmo faz aos crentes da glória que o Pai lhe deu, e assim a unidade flui do Pai e do Filho aos crentes. Nenhuma destas hipóteses implica uma passividade por parte dos crentes na questão da unidade, mas a ação deles não é a fonte primária da unidade.

As afirmações joaninas sobre a unidade implicam tanto uma dimensão horizontal como uma vertical. A unidade envolve a relação dos crentes com o Pai e o Filho (vertical) e a relação dos crentes entre si (horizontal). A última dimensão se encontra em todas as afirmações, enfatizando o amor recíproco que temos ouvido no último discurso (13,34-35; 15,12.17); veja também o tema da comunhão em 1Jo 1,7. Assim, para João a unidade não se reduz a uma relação mística com Deus. Em contrapartida, a dimensão vertical, aparente nas frequentes afirmações tão acentuada no último discurso (especialmente no v. 21: "para que também sejam [um] em nós"; v. 23: "Eu neles, e tu em mim"), significa que a unidade não é simplesmente comunhão humana ou a harmoniosa interação dos cristãos. (Devemos notar que ao introduzir tanto o Pai quanto o Filho na unidade, João vai além da unidade visualizada na imagem paulina do corpo de Cristo).

Algum tipo de unidade vital e orgânica parece ser exigida pelo fato de que a relação de Pai e Filho é mantida como o modelo da unidade. A relação Pai-Filho envolve mais do que união moral; as duas estão relacionadas, porque o Pai dá vida ao Filho (6,57). De modo semelhante, os cristãos estão unidos entre si e com o Pai e o Filho, porque participam desta vida.

O fato de a unidade ser visível basta para desafiar o mundo a crer em Jesus (vs. 21, 23) parece militar contra uma união meramente espiritual. Se interpretarmos 17,21-23 à luz de 10,16, com sua ênfase sobre um só rebanho, então se torna plausível que a unidade implique comunidade, mesmo quando a segunda ideia não apareça explícita no cap. 17. Certamente, no *mashal* da videira e dos ramos, que tem o mesmo contexto que a oração do cap. 17, a ideia de união com Jesus implica comunidade (15,5-6). A *koinōnia* ou "comunhão" de 1Jo 1,3.6.7 pode ser uma expressão da ideia de unidade encontrada no evangelho.

A impressão de que João está pressupondo uma comunidade cristã é agora grandemente corroborada pela evidência dos Manuscritos do Mar Morto. As afirmações joaninas soavam até agora como uma coisa estranha com sua insistência sobre ser "um" (*hen* neutro), especialmente 23b: "... para que sejam perfeitos em unidade". Na busca pelo pano de fundo para esta ideia, alguns têm se volvido para Pitágoras e os estoicos para quem "o uno" (*hen*) era um importante conceito filosófico e religioso. O ideal da união com "o uno" também exerceu certo papel no gnosticismo. Mas agora temos um melhor paralelo no vocabulário religioso de Qumran; cf. F. M. Cross, *The Ancient Library of Qumran* (Nova York: Doubleday Anchor ed., 1961), p. 209. A comunidade falava de si mesmas como a *yaḥad* ou "unidade"; o termo ocorre umas setenta vezes somente em 1QS. Tem havido inúmeros artigos dedicados a analisar o significado preciso do termo: S. TALMON, VT 3 (1953), 133-40; A. NEHER, em *Les manuscrits de la Mer Morte, colloque de Strasbourg* (Paris: Presses Universitaires, 1957), pp. 44-60; J. C. DE MOOR, VT 7 (1957), 350-55; J. MAIER, ZAW 72 (1960), 148-66; E. KOFFMAHN, *Biblica* 42 (1961), 433-42; B. W. DOMBROWSKI, HTR 59 (1966), 293-307 – resumo em RANDALL, pp. 188-206. Parece claro que o uso de *yaḥad* em Qumran não deriva diretamente do AT, embora tal uso possa ter se tornado comum no judaísmo posterior, como vemos dos interessantes exemplos que NEHER tem descoberto nas primeiras seções mais antigas do Talmude. MAIER enfatiza que *yaḥad* em Qumran não se centra na unidade organizacional; antes, o termo é um *nomen actionis* com matizes rituais e pactuais. KOFFMAHN admite a possibilidade de interpretar a *yaḥad* como uma pessoa moral. O significado radical da palavra lhe dá as possíveis conotações tanto "junto" como "só".

É difícil combinar todas estas observações. Dos documentos de Qumran temos a impressão de que *yaḥad* é a comunhão de indivíduos que levam a mesma vida, unidos por sua aceitação comum e a observação de uma interpretação particular da Lei. A organização da comunidade deriva da união dos membros, não vice-versa. Sua união tem uma dimensão escatológica: já possuem certa comunhão com os anjos, porém antecipam o dia em que Deus os reunirá consigo. Estão sós, unidos pelo amor recíproco e unidos em sua oposição a um mundo hostil. Não é impossível que o *hen* joanino, "um", traduza literalmente o conceito de *yaḥad*. CROSS salienta as várias expressões que lembram a linguagem de João; por exemplo, *lhywṭ lyḥd*, "ser uma unidade" (1QS 5,2; compare o "para que sejam um" de João); *bh'spm lyḥd*, "sobre serem eles reunidos na unidade" (1QS 5,7; compare Jo 11,52: *"reunir em um* os filhos dispersos de Deus"). Em qualquer caso, o quadro joanino da unidade cristã, com seus elementos escatológico e vertical e com sua oposição ao mundo, tem muito em comum com a *yaḥad* de Qumran.

Que a ideia joanina implica uma comunidade é também sugerido quando estabelecemos o contato vital do cristianismo primitivo que pode ter originado a insistência sobre a unidade em 17,21-23. KÄSEMANN, pp. 56-57, indica que a situação subjacente a Jo 17 lembra o que encontramos em Efésios (isto é significativo se a epístola realmente foi endereçada aos Efésios, a localidade geralmente favorecida para a composição do Quarto Evangelho) e nas Pastorais (as duas cartas a Timóteo o colocam como o delegado do apóstolo em Éfeso; *se* estas cartas são pós-paulinas, sua data de composição pode não estar muito longe daquela do Quarto Evangelho). Podemos acrescentar à comparação a situação subjacente a 1 João. Há em Efésios (4,3-6) uma ênfase sobre a unidade, e nas Pastorais sobre a sã doutrina (1Tm 1,10; 6,3; 2Tm 1,13; 4,3) e o mesmo em 1 João (2,22-24; 4,2-3.15; 5,10). A Igreja visível é a coluna e o baluarte da verdade (1Tm 3,15), e aqueles que ensinam doutrinas diferentes serão castigados (1Tm 1,3-7.18-20; 6,3-5; 2Tm 4,3-5; 1Jo 2,19). Em 1Tm 1,3 e 1Jo 4,6 sublinha-se a importância do mestre investido de autoridade. Em João, somente alguns destes elementos vêm em primeiro plano. Para João, o mestre investido de autoridade é Jesus, o qual age através do Paráclelo, e há pouca ênfase sobre os mestres humanos. (Todavia, se Jo 21,15-17 for admitido como uma testemunha do pensamento joanino, pode-se imaginar que Jesus, o único pastor, tem tido seus representantes humanos). Em João, porém, há uma ênfase doutrinal não diferente da ênfase nas outras obras neotestamentárias que temos citado, pois somente os que confessam Jesus como o Filho de Deus podem fazer parte da unidade dos crentes. E se a unidade joanina se opõe ao mundo que cerca os cristãos, parte desse mundo consiste de cristãos dissidentes que foram expulsos (15,6; cf. 1Jo 2,19). Um ideal de unidade que se desenvolveu sobre semelhante pano de fundo quase necessariamente seria um ideal de comunidade.

Antes de concluirmos nossa afirmação de unidade nos vs. 21-23, devemos discutir sucintamente o efeito desejado que esta unidade deve exercer sobre o mundo. Temos referido nas notas sobre os vs. 21 e 23 à teoria dos que interpretam de uma maneira muito otimista as duas sentenças: "Assim o mundo creia que tu me enviaste" e "Assim o mundo conheça que tu me enviaste". Mas da nossa parte essas afirmações não significam que o mundo aceitará Jesus; ao contrário, os cristãos crentes oferecerão ao mundo o mesmo tipo de desafio que Jesus ofereceu – o desafio de reconhecer Deus em Jesus (cf. M. BOUTTIER, RHPR 44 [1964], 179-90). Aqueles a quem Deus deu a Jesus crerão e conhecerão; mas para o restante dos homens, isto é, os que constituem o mundo, este desafio será ocasião de auto-condenação, pois se retrocederão. Como a *unidade* cristã apresenta tal desafio? Jesus representou um desafio porque reivindicou ser um com o Pai; agora os cristãos são parte desta unidade ("para que sejam [um] em nós") e então apresentam o mesmo desafio. Jesus representou um desafio porque reivindicou ser a revelação da glória de Deus; agora Jesus comunicou sua glória aos cristãos (22) pelo o que através deles continua sendo apresentado ao mundo o mesmo desafio. (Desta perspectiva de uma teologia posterior e mais precisa, é possível estabelecer uma distinção mais bem definida do que João provê entre a encarnação de Deus em Jesus e a habitação de Deus no cristão – em outros termos, entre a filiação natural de Jesus e a filiação genérica dos cristãos. É *possível* que tal distinção não era estranha ao pensamento joanino pode-se indicar pelo costume de João de referir-se a Jesus como o *huios* ou "Filho" de Deus, enquanto os cristãos são designados como *tekna* ou "filhos"; mas nenhuma diferenciação definida é apresentada nos versículos que estamos considerando).

Versículos 24-26: Jesus quer que os crentes estejam junto a ele

Se a unidade dos cristãos visa a desafiar o mundo e conduzi-lo ao momento do juízo, encontramos o resultado do juízo implicitamente descrito nos vs. 24-26. No v. 25, vemos dois grupos de homens que estão diante do "Pai justíssimo": aqueles que formam o mundo que não reconheceu a Jesus, e consequentemente não conheceram a Deus (nota sobre o v. 25), e aqueles que reconheceram a Jesus como representante de Deus. Não se menciona o destino do mundo, mas somos informados que o destino do cristão é estar com Jesus onde ele estiver (a saber, com o Pai) e vir sua glória eterna (24). Temos ouvido que os discípulos viram a glória de Jesus durante seu ministério (2,11; cf. 1,14) e que uma manifestação mais plena de sua glória havia de ser concretizada no período pós-ressurreição (17,10.22). Mas, evidentemente, há uma manifestação final da glória de Jesus que aguarda o cristão quando ele se juntar a seu mestre no céu. O pensamento não é diferente de 1Jo 3,2: "Agora somos filhos de Deus; o que seremos ainda não foi revelado. Sabemos que, nesta manifestação, seremos semelhantes a ele, pois o veremos como ele é". (Entretanto, 1 João parece estar falando de ver a Deus, enquanto João se ocupa de ver a glória que Deus deu a Jesus). Rm 8,18 distingue entre o tempo presente com seu sofrimento e "a glória que nos há de ser revelada". 2Cor 3,18 fala do tempo presente quando, "Contemplando a glória do Senhor, seremos transformados em sua semelhança de glória em glória".

O último desejo de Jesus é que seus seguidores estejam com ele. Visto que o verbo *thelein* no v. 24 significa, respectivamente, "desejar" e "querer", podemos falar da última vontade de Jesus, contanto que reconheçamos que ela não é a vontade de um morto, mas a vontade permanente do Jesus vivo que está com o Pai. Jesus reconhece que seus seguidores não podem ser tirados do mundo sem primeiro lutarem contra o Maligno (15), mas sua vontade é que, depois desta luta, finalmente sejam libertados do mundo aqui em baixo e levados para o céu que é sua morada definitiva (14,2-3), visto que foram gerados do alto (3,3). KÄSEMANN, p. 72, indica que na descrição que João faz do destino do crente, alguns dos antigos temas apocalípticos judaicos têm sido espiritualizados. Os profetas falaram da reunião dos filhos dispersos de Israel em Jerusalém para partilharem das bênçãos do Senhor e de seu Ungido; mas em João os que são predestinados para serem filhos de Deus são congregados para estar com o Filho de Deus na presença do Pai. Na apocalíptica de Qumran e no livro do Apocalipse se pensa que Deus intervirá na batalha para libertar sua comunidade de seus inimigos no mundo, mas em João a comunidade é tirada do mundo perverso para estar com Jesus. O destino da história do mundo não é um novo céu e uma nova terra (Ap 21,1), mas sim a reunião das almas em seu lar celestial. O Filho do Homem não é retratado como vindo sobre nuvens do céu para socorrer seus seguidores, mas seus seguidores são arrebatados a ele no céu (Jo 12,32). KÄSEMANN, por sua vez vê o pensamento joanino como marcantemente diferente daquele da maior parte do NT, e atribui a ele uma orientação gnóstica, visto que apoia o ideal de retirada do mundo. Enquanto muitas das ideias de KÄSEMANN são válidas, mas ele enfatiza excessivamente o isolamento e peculiaridade do pensamento joanino. Paulo, por exemplo, expressa o desejo de deixar o mundo e estar com Jesus (2Cor 5,8: "desejamos antes deixar este corpo, para habitar com o Senhor"; Fl 1,23: "tendo desejo de partir e estar com Cristo, porque isto é ainda muito melhor"); e, como o tema de desconfiança pelo mundo, este pode ter sido a visão cristã comum.

É discutível até que ponto a esperança de reunir-se a Jesus no céu excluía as expectativas apocalípticas. O [aspecto] apocalíptico se encontra no Apocalipse, uma obra da escola joanina, e no próprio evangelho (vol. 1, p. 129ss). Indubitavelmente, o evangelho insiste na escatologia realizada, porém não exclui a escatologia futura. Por exemplo, 17,24 não explica como os cristãos se juntarão a Jesus no céu. O Filho do Homem descerá a chamá-los que saiam do túmulo (5,28-29)?

Talvez a compreensão original de 17,24 envolvesse essa cena apocalíptica; e então, quando as expectativas da escatologia futurística se tornaram menos vívida, o desejo de Jesus passou a ser tido como já cumprido na morte do cristão. (Nas pp. 998-1003 acima sugerimos exatamente este desenvolvimento do significado em 14,2-3). Isto se harmonizaria com 11,25, que promete vida eterna após a morte física. Visto que para João os cristãos, filhos de Deus, estão intimamente conformados à imagem de Jesus, o Filho de Deus, a ideia de que Jesus entrou em sua glória através da morte poderia ter levado à compreensão de que, após a morte, o cristão veria Jesus em sua glória. Evidentemente, a ideia de que a morte leva à união com Jesus não teve o por que excluir a esperança de um livramento final de toda a comunidade cristã na parousia – compare as citações paulinas citadas acima com as expectativas apocalípticas de Paulo em 1Ts 4,13-17; 1Cor 15,51-57. Assim, enquanto o pensamento joanino sobre o futuro tem sua própria modalidade (uma modalidade que mais tarde o gnosticismo acharia simpática em sua teologia de livramento do mundo), não devemos admitir o método dialético para levar-nos a atribuir a João atitudes mais avançadas do que permitem os dados.

O último versículo do cap. 17 explica por que os crentes estariam definitivamente unidos a Jesus, a saber, porque foram intimamente unidos a Jesus durante sua permanência na terra. Jesus já lhes fizera o nome de Deus conhecido, e continuaria a fazê-lo conhecido. Se recordarmos que Jesus está falando durante a última ceia e se referindo aos crentes futuros que se converteriam por meio de seus discípulos, a afirmação "eu lhes fiz conhecido o teu nome" é um tanto estranha. Presumivelmente, esta revelação passada é a obra que ocorreu durante seu ministério que seus discípulos comunicaram aos crentes. A segunda afirmação, "e continuarei a fazê-lo conhecido", pode referir-se à obra do Paracleto (14,26; 16,13). Este aprofundamento crescente da compreensão da revelação de Deus em Jesus tem como seu propósito e finalidade a habitação de Jesus no cristão (26d). Jesus só pode habitar nos que compreendem e apreciam sua revelação. Se as últimas duas linhas do v. 26 forem comparadas, notar-se-á que a presença de Jesus no cristão tem seu paralelismo com a presença do amor de Deus no cristão. Isto significa que a presença de Jesus é dinâmica, que se expressa no amor. O estudioso medieval, RUPERT DE DEUTZ (PL 169:764; veja SCHWANK, "*Damit*", p. 541) identifica o amor imanente descrito no v. 26c ("o amor que tiveste por mim") como o Espírito Santo – evidentemente, um reflexo da teologia trinitária posterior, onde o Espírito é o amor entre o Pai e o Filho. Todavia, ele não pode estar tão errado em ver que somente através do Espírito as promessas de Jesus no v. 26 podem cumprir-se. A implicação em João não pode ser diferente do que é especificamente dito por Paulo (Rm 5,5): "O amor de Deus foi derramado em nossos corações através do Espírito Santo que nos foi dado".

Não poderia ser mais oportuno que esta bela oração, que é a majestosa conclusão do último discurso, termina com a nota da habitação de Jesus nos crentes – um tema corroborado pela reivindicação de Jesus de ter comunicado aos crentes a glória (22) e de ter-lhes feito conhecido o nome de Deus. Temos declarado que o tema da nova aliança percorre todo o relato joanino da última ceia, mesmo quando não haja menção explícita do corpo e do sangue eucarísticos de Cristo. Vimos (na p. 463) que o mandamento do amor, mencionado nos primeiros versos do último discurso (13,34), é "novo" precisamente por constituir a estipulação principal da aliança. Assim também a nota final de habitação é um eco da teologia da aliança. Depois da aliança do Sinai, a glória de Deus que habitava na montanha (Ex 24,16) veio habitar no tabernáculo no meio de Israel (4,34). No pensamento joanino, Jesus, durante sua vida terrena, foi o tabernáculo de Deus que encarnava a glória divina (Jo 1,14), e agora, num cenário pactual, ele promete dar a seus seguidores a glória que Deus lhe deu. Na linguagem do Deuteronômio, o tabernáculo (ou onde era guardado a Arca) foi o lugar onde o Deus da aliança estabeleceu seu nome. Assim agora o nome de Deus dado a Jesus foi confiado a seus seguidores. O Senhor Deus que falou no Sinai assegurou a seu povo que estava no meio deles (Ex 29,45; Nm 11,20; Dt 7,21; 23,14). Jesus, que será aclamado por seus seguidores como Senhor e Deus (20,28), nas últimas palavras que ele lhes dirige durante sua vida mortal ora para que, depois de sua morte, lhe seja concedido *estar com eles*.

BIBLIOGRAFIA (17)

Veja a bibliografia geral sobre o último discurso no final do §48.

AGOURIDES, S., *"The 'High Priestly Prayer' of Jesus"*, StEv, IV, 137-45.

BECKER, J. *"Aufbau, Schichtung und theologiegeschtliche Stellung des Gebetes in Johannes 17"*, ZNW 60 (1969), 56-83.

BONSIRVEN, J., *"Pour une intelligence plus profonde de Saint Jean"*, RSR 39 (1951), 176-96. (A history of the exegesis of xvii 11, 12, 26).

BORNKAMN, G., *"Zur Interpretation des Johannes-Evangeliums"*, EvTh 28 (1968), 8-25. Reprinted in *Geschichte und Glaube I* (Gesammelte Aufsätze III; Munich: Kaiser, 1968), pp. 104-21. A critique of Käseman's work on John xvii citado abaixo.

BRAUN, F.-M., *"La Seigneurie du Christ dans le monde selon saint Jean"*, RThom 67 (1967), 357-86, especialmente 359-66 sobre 17,1-3.

D'ARAGON, J.-L., *"La notion johannique de l'unité"*, ScEccl 11 (1959), 111-19.

GEORGE, A., *"L'heure de Jean xvii"*, RB 61 (1954), 392-97.

GIBIET, J., *"Sanctifie-les dans la vérité"*, (Jean 17, 1-26)", BVC 19 (1957), 58-73.

HUBY, J., *"Un double problème de critique textuelle et d'interprétation: Saint Jean xvii 11-12"*, RSR 27 (1937), 408-21.

KÄSEMANN, E., *The Testament of Jesus According to John 17* (Filadélfia: Fortress, 1968).

LAURENTIN, A., *"We'attah-Kai nyn. Formule charactéristique des texts juridiques et liturgiques (à propos de Jean 17, 5)"*, Biblica 45 (1964), 168-97, 413-32.

MORRISON, C. D., *"Mission and Ethic: An Interpretation of John 17"*, Interp 19 (1965), 259-73.

POELMAN, R., *"The Sacerdotal Prayer: John xvii"*, Lumen Vitae 20 (1965), 43.66. Pollard, T. E., *"'That They All May Be One' (John xvii 21) – and the Unity of the Church"*, ET 70 (1958-59), 149-50.

RANDALL, J. F., *The Theme of Unity in John xvii 20-23* (Louvain University, 1962). Todas as nossas referências visam a esta dissertação, mas há também um artigo breve em ETL 41 (1965), 373-94.

SCHWANK, B., *"'Vater, verherriliche deinen Sohn' (17, 1-5)"*, SeinSend 28 (1963), 436-49.

_____ *"'Für sie heilige ich mich, die du mir gegeben hast' (17, 6-19)"*, SeinSend 28 (1963),484-97.

_____ *"'Damit alle eins seien' (17, 20-26)"*, SeinSend 18 (1963), 531-46.

SPICQ, C., *Agapè* (Paris: Gabalda, 1959), III, 204-18. Citações são do francês, mas há em inglês uma *forma abreviada em Agape in the New Testament* (St. Louis: Herder, 1966), III, 74-85.

THÜSING, W., *Herrilichkeit und Einheit. Eine Auslegung des Hoheprlesterlichen Gebetes Jesu* (Joh. 17) (Düsseldorf: Patmos, 1962).

VANHOYE, A., "*L'oeuvre du Christ, don du Père (Jn 5, 36 et 17, 4)*", RSR 48 (1960), 377-419.

WENGER, E. L., "'*That They All May Be One*'", ET 70 (1958-59), 333.

O LIVRO DA GLÓRIA

Segunda Parte: A Narrativa da Paixão

ESBOÇO

SEGUNDA PARTE: A NARRATIVA DA PAIXÃO
(caps. 18-19)

A. 18,1-27 *Primeira seção*: A PRISÃO E INTERROGATÓRIO DE JESUS
   (§§61-62)
   (1-11) *Primeira unidade*: A Prisão de Jesus (§61)
      1-3: Cenário da cena no jardim.
      4-8: Jesus encontra o grupo que vem prendê-lo e demonstra seu poder.
      (9): Adição explicativa parentética.
      10-11: Pedro reage à prisão, ferindo o servo.
   (12-13) Mudança de cena, encerramento da primeira unidade e abertura da segunda, como Jesus é levado do jardim para Anás.
   (14-27) *Segunda seção*: O interrogatório de Jesus (§62)
      (14): Adição explicativa parentética.
      15-18: Introdução de Pedro no palácio do sumo sacerdote; primeira negação.
      19-23: Anás interroga Jesus que alega sua inocência.
      (24): Inserção preparatória para o julgamento perante Pilatos; Jesus enviado a Caifás.
      25-27: Segunda e terceira negações de Pedro.

   18,28–
B. 19,16a *Segunda seção*: O JULGAMENTO DE JESUS PERANTE PILATOS.
   (§§63-64)
   18 (28-32) *Primeiro episódio*: As autoridades judaicas pedem a Pilatos que condene Jesus. (§63)
   (33-38a) *Segundo episódio*: Pilatos interroga a Jesus sobre sua realeza.
   (38b-40) *Terceiro episódio*: Pilatos busca soltar Jesus; "os judeus" preferem Barrabás.
   19 (1-3) *Quarto episódio* (intermediário): Os soldados romanos açoitam e escarnecem de Jesus. (§64)
   (4-8) *Quinto episódio*: Pilatos apresenta Jesus a seu povo; "os judeus" pedem que seja crucificado.
   (9-11) *Sexto episódio*: Pilatos fala com Jesus sobre poder.

Esboço

       (12-16a) *Sétimo episódio*: Pilatos cede as exigências dos judeus e ordena a crucifixão de Jesus.
C. 19,16b-42   *Terceira seção*: A EXECUÇÃO DE JESUS NA CRUZ E SEU SEPULTAMENTO. (§§65-66)
       (16b-18) *Introdução*: A via dolorosa e a crucifixão (§65)
       (19-22) *Primeiro episódio*: Pilatos e a inscrição sobre a cruz.
       (23-24) *Segundo episódio*: Os executores dividem as roupas de Jesus; a túnica inconsútil.
       (25-27) *Terceiro episódio*: Jesus confia sua mãe ao Discípulo Amado.
       (28-30) *Quarto episódio*: Jesus grita de sede; os executores lhe oferecem vinho; ele rende o espírito.
       (31-37) *Quinto episódio*: Pilatos ordena não quebrar as pernas de Jesus; brota sangue e água. (§66)
       (38-42) *Conclusão*: O sepultamento de Jesus por José e Nicodemos.

60. A NARRATIVA DA PAIXÃO:
OBSERVAÇÕES GERAIS

Em seu *The Gospel of the Hellenists* (Nova York: Holt, 1933), pp. 226-27, B. W. BACON põe sob três tópicos as peculiaridades da Narrativa Joanina da Paixão. Primeiro, há uma tendência apologética: "os judeus" emergem como os únicos vilões da trama. As acusações reais contra Jesus são exclusivamente de cunho religioso, e Pilatos se torna uma figura simpática, sinceramente interessada no bem-estar de Jesus. Segundo, há uma orientação doutrinal precisa: Jesus segue rumo à paixão não como vítima, e sim como o Ser soberano e sobre-humano que a qualquer momento poderia fazer o processo parar. Terceiro, há um forte elemento dramático que BACON atribui à adição de detalhes imaginários. Estes são aperfeiçoamentos não-históricos das narrativas sinóticas.

Ao destacar a apologética, o doutrinal e o dramático, BACON certamente captou o espírito da Narrativa Joanina da Paixão. Entretanto, se fôssemos avaliar detalhadamente as apreciações de BACON para com cada um, teríamos qualificações menores sobre a primeira e a segunda, e uma qualificação maior sobre a terceira. Estas observações gerais serão dirigidas a todos os três pontos. Começaremos com as relações da Paixão em João com os relatos sinóticos, e então voltaremos a uma avaliação global do que é histórico em todos os relatos do evangelho. Finalmente, ao tratarmos a estrutura da Narrativa Joanina da Paixão, salientaremos o elemento dramático.

João e os sinóticos

A Narrativa da Paixão nos oferece o melhor material para um estudo da relação do Quarto Evangelho com os evangelhos sinóticos,

ANÁLISE QUE TAYLOR FAZ DA NARRATIVA MARCANA DA PAIXÃO

A = Relato Primitivo	B = Adições Marcanas
14,26-31: Jesus sai para o Monte das Oliveiras; *ali prediz a negação de Pedro*	14,32-42: Agonia no Getsêmani
43-46: Prisão de Jesus	47-52: Pedro corta a orelha do servo; Jesus alega que ensinou diariamente no templo; um jovem foge desnudo
(53,55-64: *Jesus perante o Sinédrio [à noite]*)	54,65,66-72: Escárnio de Jesus pelo Sinédrio; negações de Pedro
15,1: Jesus perante o Sinédrio de manhã	15,2: Pilatos pergunta a Jesus: "És 'o Rei de dos Judeus'?"
3-5: Os sumos sacerdotes acusam Jesus perante Pilatos	6-14: Incidente de Barrabás
15: Pilatos entrega Jesus para ser crucificado	16-20: Escarnecimento de Jesus da parte dos soldados romanos
21-24: Simão carrega a cruz; chegada no Gólgota; lhe dão a beber vinho; crucifixão de Jesus; repartem suas roupas	25: Crucifixão de Jesus à terceira hora
26: Inscrição: "O Rei dos Judeus"	27: Crucifixão de dois bandidos
29-30: *Escarnecimento da parte dos transeuntes*	31-32: Escarnecimento da parte dos sumos sacerdotes e os dois bandidos
34-37: *Jesus grita à hora nona; um guarda oferece esponja com vinho comum*; Jesus grita e dá seu último suspiro	33: Trevas desde as horas sexta e nona 38: O véu do templo é rasgado
39: *Exclamação do centurião* 42-46: *José solicita de Pilatos o corpo; Pilatos não dá boa acolhida a José; o corpo dado a José que o enfaixa e o sepulta em um túmulo*	40-41: Mulheres contemplam à distância 47: As duas Marias observam onde Jesus é sepultado

pois ele se constitui na narrativa mais longa da mesma ação que as duas tradições têm em comum. Posto que a maioria dos especialistas estudam esta relação em termos de tradições reconstruídas mais antigas subjacentes aos evangelhos, a paixão é, a partir deste ponto de vista, inigualavelmente importante; pois geralmente há concordância de que as narrativas da paixão foram as grandes seções do material do evangelho a ser formado para a narrativa contínua. Para quadros detalhados comparando os diferentes evangelhos, veja Léon-Dufour, cols. 1439-54.

Podemos começar com a relação de João com Marcos. Especialistas críticos das diversas tendências (Bultmann, Jeremias e Taylor, para mencionar uns poucos) concordam que a Narrativa da Paixão marcana é composta, e que uma das principais fontes de Marcos foi um relato contínuo mais antigo da paixão. Aparentemente, este relato começou com a prisão de Jesus e continuou com uma apresentação de Jesus perante o Sinédrio, um julgamento efetuado por Pilatos, a condenação de Jesus, sua condução rumo ao Gólgota, sua crucifixão e morte. (As predições em 8,31; 9,31 e 10,33-34, que contêm material pré-marcano, fornece o mesmo quadro; e o fraseado é parcialmente independente da Narrativa Marcana da Paixão). Jeremias deduz a existência deste relato primitivo a partir de uma comparação de Marcos e João e da informação em Mc 10,33-34. Bultmann deduz sua existência da crítica literária da narrativa marcana, comparando-a com a outra Narrativa Sinótica da Paixão. As deduções de Taylor são baseadas na presença e ausência de semitismo nas diferentes partes da paixão marcana. Em geral, Bultmann e Jeremias atribuem menos material ao relato primitivo do que faz Taylor, mas o consenso geral que flui de três métodos diferentes é impressionante. (Deve-se deixar claro que este relato "primitivo" não é ininterrupto e noticiário factual; a reflexão teológica já deixou suas marcas nele). Ora, a este relato primitivo Marcos anexou outro material. Bultmann explicaria este material anexado como narrativas lendárias ou de acréscimos doutrinais. Taylor, entretanto, aponta para o forte tom semítico do material anexado: não é contínuo, mas consiste de narrativas vívidas e auto-suficientes e de detalhes suplementais. Taylor pensa que Marcos agregou as reminiscências de Pedro ao relato primitivo que encontrou em circulação em Roma. Como teremos muitas ocasiões de nos referirmos aos dois tipos de material marcano, apresentamos um esquema resumido do ponto de vista de Taylot (*Mark*, p. 658). Taylor não tem certeza se a passagem entre parênteses (14,53.55-64) pertence a A. Dentro da coluna A colocamos em itálicos as cenas que BULTMANN, HST, pp. 268ss., *não* aceita como primitivas.

Na questão das relações entre João e Marcos, vem se tornando mais comum estudar a semelhança de João com uma das fontes marcanas, A ou B, em vez da Narrativa Marcana da Paixão como um todo. Visto que JEREMIAS, EWJ, p. 94, baseia sua reconstrução do relato contínuo primitivo numa comparação de Marcos e João, logicamente ele encontraria muitas similaridades entre a Paixão de João e A. Não obstante, BUSE, em um estudo baseado precisamente na teoria de TAYLOR, acha impressionantes similaridades entre João e B, da qual, sugere ele, João extraiu e a qual supõe-se ter circulado independentemente. S. TEMPLE, *art. cit.* tem reestudado as tradições A e B de Mc 14, sugerindo correções a serem feitas na distribuição do material de TAYLOR. Por exemplo, no relato da prisão, a reconstrução de B que TEMPLE faz (Mc 14,32-42.43a.44-46) não tem paralelos joaninos. Teremos de examinar as similaridades a Marcos quando discutirmos cada cena em João, mas à guisa de antecipação podemos afirmar que descobrimos que João tem elementos em comum com A e B. Em contrapartida, algumas das cenas em B estão perdidas em João: a agonia no Getsêmani; o *protelado* abuso do Sinédrio; crucifixão à terceira hora; trevas; véu do templo rasgado; mulheres à distância; as duas Marias observando onde Jesus é sepultado. (A lista seria mais longa caso BULTMANN seja seguido em sua classificação de material ulterior como não-A). Muitas das cenas em A também estão faltando em João: sessão noturna do Sinédrio; Simão de Cirene; motejo dos transeuntes; o grito de Jesus *"Eloi"*; a exclamação do centurião. (Caso se aceite o A mais breve de BULTMANN, somente uns poucos episódios seriam encontrados em A que não apareça em João). Mesmo nas cenas partilhadas por João e ou A ou B há importantes diferenças; e, naturalmente, João tem muito material, boa parte bem plausível, que não se encontra em nenhuma fonte marcana. Assim, nossa conclusão antecipada é que a tradição primitiva da paixão subjacente (Primeiro estágio – vol. 1, p. 20) em alguns pontos era semelhante a ambas as fontes marcanas, A e B, mas eram independentes delas.

A comparação de João e Mateus é complicada pelo fato de que a crítica sinótica que atinja um consenso sobre se Mateus recorreu a uma tradição independente pré-evangélica para a paixão ou simplesmente modificou Marcos. Todos concordam que algumas das cenas e detalhes peculiares a Mateus refletem elaboração teológica e ornamentos populares. Em geral, os críticos alemães tendem a pensar que Mateus dependeu de Marcos e não teve fonte primitiva importante, enquanto os franceses e belgas pensam que Mateus teve uma fonte mais primitiva do que Marcos em muitos casos (veja LÉON-DUFOUR, cols. 1448-53). Pessoalmente, aceitamos a dependência mateana de Marcos para a maioria dos episódios, mas manteremos em mente a outra possibilidade quando comentamos sobre a relação de João com a tradição sinótica em cada episódio. P. BORGEN, que admite que nenhuma relação literária direta se pode propor entre João e os sinóticos, sugere que em João unidades de proveniência sinótica foram anexadas a uma tradição joanina uma vez independente. Ele se concentra particularmente nos paralelos a Mateus; mas a crítica que BUSE faz à posição de BORGEN é convincente, a saber, que os paralelos joaninos com Mateus não são particularmente decisivos ou claros. Por exemplo, no episódio onde Jesus é preso, somente João e Mateus têm Jesus instruindo o discípulo a desembainhar sua espada, mas tanto as palavras usadas para formular a instrução como as razões aduzidas para ela são muito diferentes.

A comparação entre as Narrativas da Paixão de João e Lucas é de certo modo a mais interessante. Lucas parece ter usado Marcos como uma fonte para algumas seções da paixão (cerca de um quarto do relato lucano pode ser tido como a reproduzir Marcos), mas quanto ao restante da narrativa da paixão Lucas difere notavelmente de Marcos. LOISY, HOLTZMANN, LIETZMANN, DIBELIUS e BULTMANN estão entre os que hesitam atribuir a Lucas o uso de uma fonte primitiva realmente independente de Marcos e as fontes marcanas – estes estudiosos tendem a atribuir muito das diferenças entre Lucas e Marcos à redação lucana criativa de Marcos ou de uma forma mais antiga das fontes de Marcos. Aqui, porém, muito mais do que no caso de Mateus, pensamos que uma sólida defesa se pode formular para a tese de que Lucas recorreu a uma fonte realmente independente, não marcana, tese habilmente apresentada por A. M. PERRY, *The Sources of Luke's Passion Narrative* [As Fontes Lucanas da Narrativa da Paixão] (Universidade de Chicago, 1920) e corroborada por B. WEISS, SPITTA, BURKITT, EASTON, STREETER, TAYLOR, JEREMIAS, BENOIT, WINTER, entre outros. OSTY, *art. cit.*, tem salientado mais de quarenta casos onde somente Lucas e João tem algo em comum na Narrativa da Paixão, alguns dos casos precisos demais para que sejam acidentais. OSTY tem sugerido que um discípulo de Lucas ou alguém que conhecia o Evangelho de Lucas se envolveu na redação de João; BOISMARD tem identificado o redator joanino como sendo o próprio Lucas. (Isto vai além de nossa posição – vol. 1, p. 23ss – de que *possivelmente* o redator final de João anexou alguns detalhes ao evangelho quando adquiriu sua forma final, tomando-os da tradição sinótica, especialmente de Marcos). Cremos que os paralelos podem ser explicados em termos da dependência joanina de uma tradição mais antiga que em muitos casos se aproxima da tradição usada por Lucas. Não é impossível que Lucas conhecesse uma forma primitiva da tradição joanina desenvolvida (uma tese que OSTY também abraça em seu esforço por explicar os traços joaninos de Lucas).

Assim, nossa conclusão geral sobre a Narrativa da Paixão, que será exposta detalhadamente pelos comentários sobre as seções individuais, é a mesma conclusão detectada por nosso estudo do restante do Quarto Evangelho, a saber, que João não recorre, em nenhuma extensão, aos evangelhos sinóticos existentes ou às suas fontes como reconstruídas por especialistas. A Narrativa da Paixão joanina é baseada em uma tradição independente que tem similaridades com as fontes sinóticas. Onde as várias fontes pré-evangélicas concordam, estamos na presença de uma tradição que teve ampla aceitação em um estágio muito antigo na história da Igreja Cristã e, portanto, uma tradição que é muito importante em questões de historicidade. Entretanto, o valor histórico de detalhes peculiares a uma ou outra tradição pré-evangélica não deve ser desconsiderado apressadamente, embora haja maior possibilidade de que tais detalhes sejam oriundos da preocupação teológica ou apologética da respectiva tradição.

Certamente, na Narrativa da Paixão joanina, a tradição pré-evangélica subjacente tem sido drasticamente remodelada por interesses doutrinais, apologéticos e dramáticos, como BACON tem insistido. Por exemplo, o relato que João conta de Jesus na cruz consiste de episódios selecionados por sua implicação simbólica e raramente se tem incluído um detalhe que não seja teologicamente orientado. Tem-se emprestado ao julgamento joanino de Jesus perante Pilatos um cenário dramático e tornou-se um veículo explicativo da natureza do reino de Jesus e da culpa de "os judeus" na morte de Jesus. Todavia, a aceitação da tese de uma tradição independente subjacente a João nos faz cautelosos sobre assumir tão depressa que a doutrina, a apologética e o drama *criaram* a matéria prima básica para as cenas envolvidas. Em nossa opinião, o gênio de João, aqui, como em outros lugares, consistiu em reinterpretar, em vez de inventar.

Reconstrução histórica da prisão e julgamento de Jesus

Enquanto de algumas maneiras esta discussão poderia seguir melhor nosso comentário sobre as cenas envolvidas, ela prevenirá repetição e confusão se dermos uma visão global antes de passarmos ao comentário. Além do mais, visto que esta série de comentários é dirigida a um auditório misto para alguns do qual esta poderia ser uma questão sensível, pensamos ser sábio esclarecer desde o início nossa linha de abordagem. Um fato histórico é lucidamente claro: Jesus de Nazaré foi sentenciado por um prefeito romano a ser crucificado sob a culpa política de haver reivindicado ser "o Rei dos Judeus". As fontes cristãs, judaicas e romanas concordam nisto. O verdadeiro problema diz respeito a se e em que medida o Sinédrio ou as autoridades judaicas de Jerusalém exerceram a função de levar a efeito a crucifixão de Jesus.

De fato, há outro problema suscitado pelo próprio NT quanto a se a responsabilidade pela crucifixão de Jesus deve ser posta sobre toda a nação de seu tempo e inclusive sobre as gerações subsequentes dos Judeus. Por mais embaraçoso que seja esse segundo problema para muitos cristãos hoje, é preciso reconhecer honestamente que ele tem suas origens em certas generalizações do NT sobre os judeus (vol. 1, p. 56) e nas passagens como Mt 27,25; Jo 7,19; 8,44; e 1Ts 2,14-16. (Enquanto a hostilidade nestas afirmações teve sua origem numa polêmica entre sinagoga e igreja, amiúde os cristãos esperavam despertar nos judeus culpa pela rejeição de Jesus e, assim, provocar sua conversão). Este problema não é solucionado nem pela pretensão de que os respectivos autores do NT não queriam dizer o que disseram nem excluindo as passagens ofensivas (p. ex., como fez DAGOBERT RUNES, *The Gospel According to Saint John... editado em conformidade com o verdadeiro espírito ecumênico de Sua Santidade, o Papa João XXIII* [Nova York: Philosophical Library, 1967]). A solução jaz no reconhecimento de que os livros de ambos os Testamentos podem servir como significativos guias somente quando se levar em conta o espírito da época em que foram compostos. Não obstante, isto é obviamente mais um problema teológico do que histórico.

60 • A narrativa da paixão: Observações gerais

Confinando-nos ao problema primário e o único que propicia esperança de solução histórica, a saber, o problema do envolvimento das autoridades judaicas, podemos distinguir ao menos quatro pontos de vista:

(1) A posição cristã clássica de que as autoridades judaicas foram os pivôs centrais na prisão, julgamento e sentença de Jesus. Tramaram contra ele porque não creram em suas reivindicações messiânicas; o Sinédrio o examinou sob a acusação de blasfêmia e o sentenciaram. Não obstante, ou porque somente os romanos podiam executar criminosos ou porque as autoridades judaicas desejaram transferir para os romanos a responsabilidade pública de matar Jesus, o Sinédrio o entregou a Pilatos sob uma acusação política e chantagearam Pilatos a fazer a sentença. (Alguns inclusive diriam que Pilatos apenas ratificou a sentença de morte judaica). Por este prisma, os romanos foram pouco mais que executores. Com variações, esta é a interpretação de MOMMSEN, SCHÜRER, VON DOBSCHÜTZ, W. BAUER, BILLERBECK, DIBELIUS e BLINZLER.

(2) Uma modificação da teoria anterior questiona o caráter formal do julgamento do Sinédrio e sugere que realmente não se passou nenhuma sentença judaica sobre Jesus. Embora as autoridades judaicas estivessem profundamente envolvidas, todas as principais formalidades legais foram executadas pelos romanos. Hoje muitos estudiosos cristãos adotam, de uma forma ou outra, este ponto de vista.

(3) Os romanos foram os pivôs centrais. Tinham ouvido de Jesus como um possível perturbador e forçaram a cooperação judaica. Muitos estudiosos judeus têm sugerido que apenas uma pequena facção dentro do Sinédrio (os adeptos do sumo sacerdote ou os lideres saduceus, porém não os fariseus) estava envolvida na prisão e interrogatório de Jesus. P. WINTER pensa que o Sinédrio, relutantemente, acedeu à pressão romana como um gesto de conveniência política, mas não havia antagonismo religioso real contra Jesus. A. BÜCHLER (1902) sugere que havia dois Sinédrios, um envolvido com questões religiosas e o outro com questões civis (também, com variações, LAUTERBACH, ABRAHAMS, ZEITLIN). Teoriza-se que o Sinédrio religioso, o real corpo governante do judaísmo, que era o representante romano.

(4) As autoridades de modo algum estavam envolvidas, nem mesmo como um instrumento dos romanos. Todas as referências a elas ou ao Sinédrio no NT representam uma falsificação apologética da história.
(Para mais detalhes sobre os defensores desta posição e suas variantes, veja BLINZLER, *Trial*, pp. 10-20; LÉON-DUFOUR, cols. 1488-89).

Alguém pode simpatizar com a última tese mencionada como uma reação aos séculos de perseguição anti-judaica, amiúde deflagrada como uma vingança pela suposta responsabilidade judaica pela crucifixão. Não obstante, ela tem pouco direito a ser reconhecida como cientificamente respeitável. É uma reivindicação relativamente moderna, pois as referências judaicas mais antigas ao tema aceitam francamente o envolvimento judaico na morte de Jesus. Tal é o caso da *baraitha* em TalBab, *Sanhedrin*, 43a, uma passagem cujo valor e antiguidade (anterior a 220) são defendidos por M. GOLDSTEIN, *Jesus in the Jewish Tradition* (Nova York: Macmillan, 1950), pp. 22ss. *The Testimonium Flavianum*, ou a referência a Jesus em JOSEFO, *Ant.* 18.3.3; 64, diz que Jesus foi indiciado pelos principais homens dentre os judeus. (Um crescente número de estudiosos se dispõem a reconhecerem que esta referência a Jesus pertence substancialmente ao texto de JOSEFO do 1º século; cf. L. H. FELDMAN, vol. IX na edição de Loeb Classical Library [Harvard, 1965], p. 49; WINTER, "*Josephus*"). Nem nos apologetas judeus contra o cristianismo refletido no *Diálogo contra Trifo*, de JUSTINO, e em *Celso* de ORÍGENES, nem nas várias versões das lendas amargamente anti-cristãs do *Toledoth Jeshu* há evidência de uma tentativa antiga de colocar a exclusiva responsabilidade pela morte de Jesus sobre os romanos (E. BAMMEL, NTS 13 [1966-67], 328).

Se passarmos da evidência judaica para a do NT, pode-se retroceder aos anos 40 a alegação do envolvimento judaico. É verdade que os evangelhos tendem a intensificar a responsabilidade judaica; mas não é possível manter que os evangelistas inventaram a tese de que as autoridades judaicas estavam envolvidas, pois ela aparece antes do tempo dos evangelhos escritos. H. E. TÖDT, *The Son of Man in the Sinoptic Tradition* [O Filho do Homem na tradição Sinótica] (Filadélfia: Westminster, 1965), pp. 155ss., tem argumentado plausivelmente que as predições atribuídas a Jesus concernentes à sua paixão, morte e ressurreição, em Mc 8,31; 9,31; 10,33-34, foram de origem pré-marcana e, em sua maioria, palestinense. E estas predições pressupõem envolvimento judaico. (G. STRECKER, Interp 22 [1968], 421-42, concorda que a predição básica é pré-marcana, provinda da comunidade primitiva pós-pascal). Além do mais, o relato primitivo pré-marcano da paixão, que temos discutido anteriormente, parece ter incluído um comparecimento de Jesus ao Sinédrio ou sumo sacerdote. Segundo muitos autores, os sermões atribuídos a Pedro em Atos contêm muito material primitivo; e estes sermões (3,14-15; 4,10; 5,30; cf. 8,27-28) também dão às autoridades judaicas um papel na morte de Jesus. No escrito cristão mais antigo preservado (61 a.C), Paulo fala de "os judeus que mataram o Senhor Jesus" (1Ts 2,14-15). Esta é uma passagem polêmica que generaliza e exagera; mas não podemos racionalmente supor que Paulo, que conheceu bem a Palestina dos anos 30, escrevesse essas palavras como pura invenção.

Se rejeitarmos a quarta opinião supramencionada e pressupormos algum envolvimento das autoridades judaicas, também devemos reconhecer as debilidades da primeira opinião que faz as autoridades judaicas quase totalmente responsáveis pela morte de Jesus ao qual odiavam unicamente por razões religiosas. Obviamente, estava no interesse da Igreja cristã buscar a tolerância das autoridades romanas sobre as quais ela tinha de viver, a fim de evitar culpar os romanos pela morte de Jesus. (Não achamos particularmente convincente a objeção de que já em fins do período neotestamentário a Igreja se voltou contra Roma, como testemunhado no Apocalipse, e não se preocuparia com a opinião romana. A Igreja ainda não quereria dizer que houvesse alguma justificativa na alegação de que seu Senhor era um revolucionário político contra Roma). Os efeitos desta tendência de justificar os romanos nas narrativas do evangelho são óbvios a medida em que o tempo vai passando. Em Mc 15,6-15, Pilatos tenta absolver Jesus, mas não tem grande resultado de sua relutância a sentenciar Jesus. Em Mt 27,19.24-25, a relutância de Pilatos é muito mais notável; não só sua esposa lhe informa de seu sonho de que Jesus é um homem inocente, mas Pilatos lava publicamente suas mãos da responsabilidade, proclamando: "Eu sou inocente do sangue deste homem". Em Lc 23,4.14.22 Pilatos solenemente declara três vezes que não encontra em Jesus nenhuma culpa. Ele envia Jesus a Herodes numa tentativa de evitar pronunciar a sentença contra Jesus e inclusive propõe aos líderes judeus o compromisso de açoitar Jesus em vez de entregá-lo à morte (23,16.22). Em Jo 18,28-19,16, Pilatos faz determinado esforço para perdoar Jesus e realmente manda açoitar Jesus e apresentá-lo ao povo num esforço de conquistar sua simpatia. Pilatos está de plena posse de Jesus e parece temer que esteja lidando com algum ser divino (19,7-8). O processo de melhorar a imagem de Pilatos continua além do período neotestamentário até o tempo de Eusébio. Por exemplo, o *Evangelho de Pedro*, 2, faz Herodes, não Pilatos, o único que pronuncia a sentença de morte. Na tradição siríaca (OS^{sin}), a Narrativa da Paixão mateana é reescrita para fazer parecer que somente os judeus maltrataram e crucificaram Jesus. A *Didascalia Apostolorum* (v 19:4; Funk ed., p. 290), do 3º século, composta na Síria afirma que Pilatos não consentiu nas maquinações dos perversos judeus. Tertuliano, *Apologeticum* 21,24; PL 1:403, pensa em Pilatos como um cristão no coração, e mais tarde lendas falam de sua conversão. Na Cóptica e na hagiografia etiópica, Pilatos e sua esposa Procla são qualificados de santos cuja festa é celebrada em 25 de junho. Se neste processo de justificativa, Pilatos e os romanos podem ser reconstruídos a partir de 60 d.C., fazemos bem em supor que isto já estava em ação na era pré-evangélica, e que em alguma extensão o Evangelho de Marcos já havia moderado o envolvimento romano.

Se os romanos foram mais responsáveis do que pode parecer a partir de uma leitura inicial dos evangelhos, porventura as autoridades judaicas, correspondentemente, foram menos envolvidas? Segundo Marcos e Mateus, o processo de Jesus foi formalmente examinado pelo Sinédrio, testemunhas foram chamadas e pronunciada uma sentença de morte. A sentença é mais clara em Mc 14,64 do que em Mt 26,66; mas ambos os evangelhos (Mc 10,33; Mt 20,18) registram uma versão da terceira predição que Jesus fez de sua morte, onde é dito que os principais sacerdotes e escribas o *condenarão* à morte. Esta última evidência significa que a ideia de uma sentença judaica de morte era conhecida na comunidade palestinense pré-marcana; também exclui interpretações benevolentes (Lagrange, Bickermann) da cena do tribunal em que somos informados que o Sinédrio meramente expressou a opinião de que Jesus era merecedor de morte. Seguindo a opinião de Hans Lietzmann, muitos especialistas, com perspectivas bíblicas muito diferentes (p. ex., Goguel, Bickermann, Benoit, Winter), têm, em graus variantes, expressado suas reservas acerca das descrições, marcana e pré-marcana, de um julgamento formal e uma sentença. É passível de dúvida se tal cena fosse encontrada no relato primitivo da paixão (relato marcano A); e Lucas e João parecem concordar, independentemente, numa versão do envolvimento judaico que não inclui um julgamento com testemunhas ou uma sentença de morte. Consideremos sucintamente estes dois evangelhos. Em Jo 18, a prisão de Jesus é efetuada pela força da guarda do templo com a corroboração de soldados romanos. Conduzido a Anás para interrogatório, Jesus exige que se apresente prova de que ele tem feito algo errado. Então é enviado a Caifás que o leva a Pilatos. Assim, há apenas uma descrição muito insuficiente da ação judaica legal contra Jesus. Em Lc 22,66-70, o sumo sacerdote interroga Jesus diante do Sinédrio, porém não se apresenta nenhuma testemunha e não se pronuncia nenhuma sentença. É difícil avaliar a omissão lucana de testemunhas contra sua presença em Marcos/Mateus. A ausência lucana de testemunhas é colocada em dúvida por Lc 22,71, onde a questão "Por que necessitaríamos de testemunhas?" *poderia* implicar que tem havido outro testemunho além daquele do próprio Jesus. Em contrapartida, a presença de testemunhas em Marcos/Mateus poderia refletir a influência do AT no relato da paixão: "Contra mim se levantaram falsas testemunhas" (Sl 27,12). A omissão de uma sentença judicial em Lucas dificilmente é acidental, pois na forma lucana da terceira predição da paixão (Lc 18,31-33) nada há registrado sobre ser Jesus entregue aos principais sacerdotes e ser condenado à morte, como na forma marcana/mateana. A tradição de Lucas sobre a ação judaica legal contra Jesus parece estar resumida em At 13,28: "E, embora [os que viviam em Jerusalém e seus governantes] não achassem alguma coisa de morte, pediram a Pilatos que ele fosse morto".

Portanto, de uma comparação dos evangelhos, ficamos com a impressão de possível exagero na tradição marcana de um julgamento formal. Depois de registrar uma sessão noturna do Sinédrio que se pronuncia uma sentença de morte contra Jesus, Marcos (15,1) e Mt (26,1) descrevem uma segunda sessão matutina do Sinédrio! Não tem uma finalidade clara para esta segunda sessão, e provavelmente ela resulta da fusão de dois relatos da mesma cena. Mui frequentemente se suscita uma questão sobre como os seguidores de Jesus poderiam ter descoberto o conteúdo da sessão do Sinédrio. A dificuldade não é tão séria, pois alguns dos presentes poderiam, subsequentemente, ter comentado sobre os procedimentos. Não obstante, a resposta comum de que alguns do Sinédrio eram seguidores de Jesus (José de Arimateia? Os mencionados em Jo 12,42?) não nos é de muita valia aqui, pois Mc 14,55 fala de todo o Sinédrio estando presente e 14,64 discute que *todos* eles o condenaram. Muitos dos amigos de Jesus, em altos postos, poderiam ter usado sua influência para descobrir o que aconteceu.

Como os detalhes do julgamento legal de Jesus, como narrado nos evangelhos, se equiparam com o que conhecemos da jurisprudência contemporânea? Muitos estudiosos judeus têm ressaltado a total irregularidade dos procedimentos do Sinédrio, se forem julgados à luz do código penal encontrado na Mishnah *Sanhedrin* que data de um século após a morte de Jesus, mas que não contém material mais antigo. Em conjunto, o procedimento legal descrito nos evangelhos viola o código Mishnático em vinte e sete detalhes! Por exemplo, uma sessão noturna do Sinédrio, durante a festa da Páscoa (cronologia sinótica) ou às vésperas da Páscoa (cronologia joanina) teria sido irregular tanto em sua exiguidade da hora como em sua proximidade do dia Santo. Segundo a Mishnah, requeriam-se duas sessões para uma pena capital, e tampouco teriam sido convocadas durante uma festa ou às vésperas de uma festa. No entanto, não sabemos se estas leis do período mishnático eram aplicáveis no tempo de Jesus. H. Danby, JTS 21 (1920), 51-76, tem argumentado que não eram, enquanto I. Abrahams, *Studies in Pharisaism and the Gospel* (Nova York: KTAV reimpressão, 1968), II, 129-37, tem argumentado que eram. Uma razão por que não era possível que fossem aplicáveis é que a Mishnah codifica a tradição farisaica, e no tempo de Jesus o Sinédrio estava dominado pelos saduceus (StB, II, 818ss.; J. Blinzler, ZNW 52 [1961], 54-65). Há um contra-argumento que, com o fim de obter o apoio dos fariseus, os saduceus tinham que ceder aos fariseus em algum procedimento legal. Blinzler nega isto e afirma que Jesus foi julgado por um código inteiramente saduceu, pois cada detalhe no código mishnático posterior que tem o amparo do AT e, assim, teria sido aceito pelos saduceus (que aceitavam a Lei escrita do AT, porém não a lei oral dos fariseus), foi observado no procedimento contra Jesus. (Blinzler prossegue defendendo seu ponto contra as recentes objeções em seu *"Zum Prozess Jesu"*, *Lebendiges Zeugnis* 1 [1966], 15-17). Winter, *Trial*, p. 71, toma outra direção:

ele mantém que as normas do 1º século eram diferentes das normas judiciais da Mishnah tardia, porque no 1º século o Sinédrio se constituía não só de um corpo judicial, mas também de um legislativo e um executivo (todavia, veja nota sobre 18,31). JEREMIAS, EWJ, p. 78, argumenta que, mesmo que a lei mishnática fosse aplicável, o julgamento de Jesus, como descrito nos evangelhos, ainda era possível; pois o próprio AT permitia que crimes realmente sérios fossem tratados em momentos festivos (JEREMIAS pensa que Jesus foi acusado do mais sério crime de falsa profecia). Podemos resumir, reconhecendo que simplesmente não sabemos o suficiente sobre os costumes do Sinédrio no tempo de Jesus para estarmos certos de que as ações daquela corporação descritas em Marcos/Mateus fossem possíveis, mas a improbabilidade intrínseca de ter havido duas sessões tão perto uma da outra (uma delas realizada à noite) sujeita a narrativa à dúvida.

A questão poderia ser estabelecida conclusivamente se conhecêssemos a competência exata do Sinédrio em punição capital. A despeito da afirmação de Jo 18,31 (veja nota), de que o Sinédrio não podia executar uma sentença de morte, alguns especialistas têm mantido que as autoridades judaicas tinham o poder de execução, inclusive para crimes políticos. Se esse era o caso, então o próprio fato de que Jesus foi entregue aos romanos seria prova de que ele não foi sentenciado pelo Sinédrio; pois a sentença do Sinédrio podia ter sido executada sem a intervenção romana. Mas, como veremos, a evidência por detrás desta teoria está longe de ser conclusiva, e a informação de João pode ser correta, ao menos com respeito a crimes políticos. Deixando de lado a questão da punição capital, alguns têm pensado ser improvável que houvesse dois julgamentos, um judaico e um romano; mas os expertos em jurisprudência provincial romana nada acham de estranho em dois julgamentos desse tipo (VERDAM, p. 286).

A despeito do fato de que não podemos chegar a uma certeza absoluta, parece, pois, que a posição *prima face* do evangelho de quase total responsabilidade judaica para a morte de Jesus (o primeiro dos quatro pontos de vista que enumeramos) é exagerada, e que o segundo ou terceiro ponto de vista estariam melhor fundamentados. O papel das autoridades judaicas na noite ou na manhã antes de Jesus ser morto, seja pela ação exclusiva de Anás ou do Sinédrio, se interpretaria melhor em termos de uma *investigação preliminar*. Visto que os resultados desta investigação tinham de ser colocados à disposição de Pilatos, a analogia de uma grande ação do júri por parte do Sinédrio não é tão inapropriada. (Usaremos este termo ação do "grande júri", mesmo quando estejamos totalmente cônscios do perigo de modernizar e inclusive de americanizar a situação. Não é mais do que um modo conveniente de descrever o que imaginamos ter sido o procedimento: o Sinédrio estava capacitado para interrogar alguém que fosse preso, ouvir as testemunhas e então determinar se havia evidência suficiente para enviar o prisioneiro a juízo perante o prefeito romano). À luz desta avaliação, como decidimos entre o segundo e o terceiro pontos de vista? Diferem em dois aspectos: o grau do envolvimento judaico (os principais sacerdotes estavam ansiosos em eliminar Jesus ou eram instrumentos involuntários dos romanos?) e o motivo por detrás deste envolvimento (religioso ou político?). Talvez a situação humana seja emaranhada demais para desvendarmos o grau e motivo exatos, por isso vejamos os dados.

Segundo a tradição não cristã (judaica e romana), nem Pilatos nem os sacerdotes judeus da casa de Anás foram figuras dignas de admiração. (Para uma perspectiva mais favorável sobre Pilatos, veja H. WANSBROUGH, *Scripture* 18 [1966], 84-93). Que havia colisão entre Caifás e os romanos, pressupõe-se pelo fato de que ele foi capaz de manter o ofício por dezoito anos – o pontificado mais longo nos cem anos desde a elevação de Herodes o Grande até a queda de Jerusalém! E dez destes anos esteve sob Pôncio Pilatos, de modo que os dois homens teriam sido aptos a agir juntos quando isso servia aos seus propósitos. (É digno de nota que, tão logo Pilatos foi removido do ofício, Caifás foi igualmente deposto). O término de Pilatos como prefeito foi marcado por explosões do nacionalismo judaico, pelo que não lhe faltariam razões para preocupar-se diante de alguém que era aclamado como "o Rei dos Judeus". Segundo JOSEFO, *Ant.* 17.10.8; 285, a Judeia se mantinha viva com as guerrilhas de bandidos (*lēstēs*); e alguém podia fazer-se rei na liderança de um bando de rebeldes e então passar à destruição da comunidade. (Para a longa lista de revolucionários no 1º século, veja E. E. JENSEN, *"The First Century Controversy over Jesus as a Revolutionary Figure"*, JBL 60 [1941], 261-62). Jesus era galileu, e Pilatos já havia sido perturbado por galileus (Lc 13,1). As profecias apocalípticas de Jesus continham referências a guerras iminentes. Entre os seguidores mais íntimos de Jesus estava um zelote ou revolucionário (Lc 6,15). Sua entrada em Jerusalém antes da Páscoa deu início a uma recepção tumultuosa em que muitos o saudavam como rei. Como a Páscoa estava próxima, Jesus era uma possível fonte de perturbação na cidade apinhada que recentemente viu uma insurreição e onde as cadeias estavam repletas de bandidos guerrilheiros (Mc 15,7; Lc 23,19). Os seguidores de Jesus portavam armas para o caso de tumulto (Lc 22,38; Mt 26,51; Jo 18,10). Enquanto todos esses detalhes do evangelho podem muito bem ser históricos, mesmo uma seleção deles tornaria compreensível por que Pilatos poderia ter decidido a não correr riscos e pressionar as autoridades judaicas a prenderem Jesus antes da festa. Isto não precisa significar que Pilatos tencionasse crucificar Jesus, mas apenas que ele queria adquirir informação sobre as intenções e reivindicações de Jesus e tirar Jesus do caminho durante um período tão perigoso.

Quanto à motivação das autoridades judaicas, Jo 9,47-53 dá uma descrição de uma sessão do Sinédrio que pode conter mais história do que os estudiosos geralmente admitem (vol. 1, p. 728). Ela mostra o Sinédrio temeroso da atração que Jesus exercia sobre as massas e apreensivo que tal movimento não levasse os romanos a interferir no templo e em Jerusalém e em toda a nação. Podemos supor que tais motivos políticos exerceram o papel de levar os principais sacerdotes a agir com os romanos na prisão de Jesus. Escritores cristãos costumam presumir que todos os líderes judeus estavam cientes de que Jesus não um revolucionário potencial, e assim usavam o cargo político como cortina de fumaça para sua antipatia religiosa contra Jesus. A situação não era tão simples. At 5,33-39 apresenta Gamaliel, um dos principais líderes do Sinédrio, como um homem honesto de bom juízo que está interessado em servir à vontade de Deus. Todavia, Gamaliel crê ser possível que os cristãos constituíssem outro movimento revolucionário semelhante ao de Teudas e de Judas Galileu. (A linguagem de Atos não é necessariamente histórica, mas pode refletir corretamente as dúvidas que muitos tinham sobre Jesus). Em qualquer caso, por ordem romana e talvez com o auxílio de tropas romanas, os sacerdotes/líderes do Sinédrio poderiam ter prendido Jesus numa masmorra solitária para que não causasse sublevação entre as multidões presentes em Jerusalém para a festa. Aparentemente, o partido enviado a realizar a prisão estava bem armado e esperava tumulto, mas somente um seguidor de Jesus tentou lutar. Jesus reconheceu que estava sendo preso como um revolucionário e protestou que em suas ações nada havia que permitisse ser tratado como um bandido guerrilheiro (*lēstēs*: Mc 14,48 e par.).

Não podemos ter certeza até que ponto os relatos que o evangelho faz das interrogações judaicas a Jesus são históricas, mas todas consistem de questões religiosas que têm uma matiz política, provando o status revolucionário de Jesus. Em Jo 18,19, Anás o interroga sobre seus seguidores e seu ensino, talvez com a insinuação de que ele é subversivo. Em Mc 14,58 e Mt 26,6, surge a questão sobre a intenção de Jesus de destruir o templo – certamente um gesto revolucionário. (Se isto era ou não parte do interrogatório, há ampla concordância de que Jesus fez afirmações contra o templo e de fato poderia ter recentemente assumido ação violenta no átrio do templo. Veja vol. 1, pp. 315-20) nos três relatos sinóticos, Jesus é interrogado pelo sumo sacerdote se ele se considera ser o Messias, isto é, o rei davídico que havia de libertar Israel. Uma vez mais, escritores cristãos algumas vezes pressupõem que as autoridades judaicas entenderam que Jesus estava falando de uma maneira figurativa sobre destruir o templo e que sua messianidade não era política. Isto é muito improvável, pois o próprio NT demonstra que os próprios seguidores de Jesus, demoraram anos para ter estes discernimentos. Ao entregarem Jesus aos romanos como pseudo "Rei dos Judeus", estas autoridades poderiam pensar sinceramente que Jesus e seu movimento fossem politicamente perigosos.

Se a interpretação que temos apresentado até aqui salienta os fortes motivos políticos que aparentemente uniram os romanos às autoridades judaicas em prender, interrogar e julgar Jesus, devemos precaver-nos de diversas hiper-simplificações. Primeiro, o fato de que alguns dos oponentes e seguidores de Jesus interpretam sua carreira em termos políticos não significa que Jesus fosse um revolucionário político. Nas entrelinhas dos evangelhos descobrimos evidência de que sua pregação do reino frustrou a muitos, amiúde precisamente porque ela não se adequava às expectativas políticas. Seu incômodo em aceitar o título Messias (Mc 8,29-31) e ser aclamado como rei (vol. 1, pp. 480-82, 753-55) revelam que seu conceito de seu próprio papel não coincidia com as ressonâncias políticas que muitos supunham. Não negamos a possibilidade de que os evangelhos pudessem ter desenfatizado alguma das aparências políticas do ministério de Jesus; todavia, respeitamos a sólida tendência da tradição evangélica para o efeito de que os que interpretaram Jesus primariamente em termos políticos o compreenderam mal. E assim, ao afirmar a presença de um forte motivo político na ação legal contra Jesus, dissociaríamos enfaticamente nossa visão das teorias como a de S. G. F. BRANDON, *The Trial of Jesus of Nazareth* (Nova York: Stein & Day, 1968), pp. 146-47, que infere que Jesus subiu a Jerusalém para preparar um *coup d'*état [golpe de estado] messiânico contra a aristocracia sacerdotal, possivelmente como parte de um ataque concertado com Barrabás contra o templo e as posições romanas.

Uma segunda simplificação contra a qual devemos acautelarnos é a inclusão de toda motivação religiosa das mentes das autoridades judaicas que entregaram Jesus aos romanos. Na história de Israel, desde Moisés até nossos dias, o destino da nação nunca foi uma questão meramente política na mente israelita ou judaica. Se as autoridades temiam que Jesus encabeçasse um movimento revolucionário que pudesse precipitar a ação romana contra o templo (ou contra abusos no templo), por palavra ou por ato ou por ambos. Isto poderia ter sido algo menos religioso do que as explosões do profeta Jeremias contra o templo? Se os sacerdotes queriam desvencilhar-se de Jesus em razão de seu medo de Roma, isto não exclui o desejo de desvencilhar-se dele por haver ele atacado o que era sacro a seus olhos. Houve em Jeremias uma reação semelhante: "Merece a sentença de morte o homem que profetizar contra esta cidade" (cf. Jr 26,6.11.20-23 – é também citado o exemplo de Urias que foi exposto à morte). Somente uns 150 anos antes do tempo de Jesus, a oposição do Mestre de Justiça de Qumran ao templo hierosolimitano e ao seu sacerdócio fez o sumo sacerdote buscar matá-lo em um dia festivo (cf. 1Qp Hab 9,4-5, 11,4-7).

A questão de Jesus como o Messias teria também tido fortes implicações religiosas. Uma vez mais, não é crucial se esta questão foi ou não suscitada no interrogatório que o Sinédrio fez a Jesus; certamente surgiu durante seu ministério e teria chegado ao conhecimento das autoridades. (O ponto não é se Jesus se identificou como sendo o Messias – há razões para se pensar que ele não fez isso explicitamente –, mas se seus seguidores o proclamaram assim). Alguns têm argumentado que a identificação de Jesus como o Messias não teria causado antagonismo religioso da parte das autoridades judaicas, pois houve muitos pseudo messias no 1º século que não foram condenados pelo Sinédrio. De fato, no 2º século Simão Bar-Kochba (Ben Kosiba) recebeu apoio religioso para suas reivindicações messiânicas de algumas das mais elevadas autoridades religiosas judaicas. Todavia, estes outros pseudo messias eram nacionalistas, e seu sucesso daria independência política implícita pelo Sinédrio e a glorificação de Jerusalém e do templo. Um messias que ao mesmo tempo ameaçasse subverter o templo bem que poderia ter provocado oposição religiosa. Mas pode ser que não estamos alcançando o âmago do problema religioso quando discutimos Jesus como o Messias (especialmente se ele não aceitou para si, imerecidamente, o título). Há razão para se crer que a real acusação religiosa contra Jesus fosse que ele era um falso profeta. R. H. FULLER, *The Foundations of New Testament Christology* (Nova York: Scribner, 1965), pp. 125-29, em uma análise crítica da auto-compreensão de Jesus, mantém que Jesus não reivindicou ser o Messias, o Filho do Homem, ou o Filho de Deus; Antes, ele interpretou sua missão em termos de profecia escatológica. Seja como for, é significativo que a antiga referência judaica a Jesus em TalBab, *Sanhedrin*, 43a, diz que ele foi executado por praticar bruxaria e atrair Israel à apostasia – em suma, porque era um falso profeta que caiu sob a sentença de morte de Dt 13,5 e 18,20. Esta acusação claramente religiosa é um eco dos relatos sinóticos do escarnecimento judaico contra Jesus (Mc 14,65 e par.) e talvez no interrogatório que Anás fez a Jesus (veja p. 1262 abaixo; compare também Jo 7,15-19 com Dt 18,20). P. E. DAVIES, BiRes 2 (1957), 19-30, oferece abundante evidência neotestamentária, mostrando que os primeiros cristãos conceberam o sofrimento e a morte de Jesus em termos do destino de um profeta mártir.

Devemos mencionar ainda que muitas ações de Jesus durante seu ministério tinham profundas implicações religiosas, das quais os que o interrogaram teriam sido bem cientes. Seria possível que a oposição que Jesus fez aos fariseus (certamente um aspecto histórico em seu ministério) foi esquecida pelos escribas que eram parte do Sinédrio? Não poderia sua atitude profética para com os ricos e seu apelo às classes mais pobres ter contrariado a aristocracia abastada do seio da qual vinham alguns dos anciãos do Sinédrio? Não podemos estar certos se a acusação explícita de blasfêmia foi lançada contra Jesus, mesmo quando aparece independentemente nas tradições diferentes do evangelho (veja vol. 1, p. 689). Pode ser que a descrição evangélica do que constituía a blasfêmia, a saber, a reivindicação de ser o Filho de Deus, fosse relida no ministério de Jesus à luz das últimas condenações que a sinagoga fez à teologia dos seguidores de Jesus (vol. 1, p. 71s). Mas a incerteza sobre a formulação não nos deve cegar à realidade envolvida, oriunda do ministério de Jesus. A ousada proclamação que Jesus fez do advento do reino e a autoridade com que ele pregava e agia não teria sido ofensiva àqueles que mantinham os conceitos religiosos estabelecidos, fariseus e saduceus igualmente? É bem possível que O. LINTON, NTS 7 (1960-61), 261, esteja certo em insistir que, se as autoridades teriam ou não denunciado Jesus por blasfêmia, no sentido técnico, fazendo-lhe objeção como a intrometer-se implicitamente nos privilégios especiais de Deus e fazendo um ataque à confissão de que há um só Deus além do qual nenhum outro existe. Pensar que motivos religiosos não entraram na condenação de uma figura como a de Jesus equivale ir contra tudo o que sabemos da longa história de conflito entre os profetas e a autoridade.

O Sinédrio (todo ou parte) que estava envolvido com Jesus teria sido o corpo religioso mais singular de todas as corporações religiosas da história, se não houvesse incluído um misto de políticos eclesiásticos, homens justos de zelo ardente, e homens piedosos de compaixão e justiça. Ao devolverem Jesus aos romanos com a recomendação de que fosse tratado como um revolucionário em potencial com reivindicações monárquicas, alguns estavam indubitavelmente agindo egoisticamente e sem muito escrúpulos de consciência, a fim de proteger seus interesses adquiridos no *status quo*. Outros estavam também agindo por motivação política, mas há muito decidiram que seus interesses coincidiam com o que era melhor, tanto temporal quanto espiritualmente, pela nação. Ainda outros poderiam ter desprezado a intervenção romana e agido isoladamente, motivados pela ira justificada contra aquele que tinha violado o templo de Deus e que se comportava e falava contra os santos costumes religiosos. Dificilmente há uma igreja cristã que não consiga encontrar em sua história condenações de homens bons dirigidos por assembleias religiosas com uma variedade similar de motivos.

A estrutura da narrativa joanina da paixão

Com relativa facilidade, se pode discernir as linhas gerais da estrutura dos dois capítulos envolvidos na Narrativa Joanina da Paixão (pp. 1200-01 acima). Há três divisões principais com aproximadamente a mesma extensão, contendo respectivamente versículos 27, 29 e 36. A primeira divisão (18,1-27) consiste da prisão de Jesus e de seu interrogatório pelas autoridades judaicas. A prisão leva diretamente ao interrogatório (vs. 12-13). A segunda divisão (18,28-19,16a) consiste do julgamento de Jesus por Pilatos, um encontro altamente dramático e bem estabelecido. A terceira divisão (19,16b-42) consiste dos episódios em torno da crucifixão, morte e sepultamento de Jesus.

Dentro das divisões maiores há sinais de cuidadoso arranjo e subdivisão. Em cada uma dessas unidades da primeira divisão (prisão, interrogatório) há um incidente subsidiário envolvendo Pedro (decepando a orelha de Malco, negando Jesus). Na segunda divisão, o julgamento de Pilatos consiste de sete episódios, cada um de três a seis versículos por extenso. São alternadamente localizados fora e dentro do pretório e organizados na forma de uma inclusão (diagrama, p. 1294 abaixo). A terceira divisão tem uma introdução (a crucifixão), cinco episódios na cruz e uma conclusão (o sepultamento), também organizada bastante na forma de uma inclusão.

JANSSENS DE VAREBEKE, *art. cit.*, tem feito um estudo detalhado da estrutura destes capítulos, usando o método que os estudiosos como VANHOYE e LAURENTIN têm aplicado a outros livros do NT. Ele reconhece acertadamente os sete episódios da segunda divisão, e com base nisto tem tentado encontrar sete episódios ou subseções nas outras duas divisões. Discordaremos de suas conclusões quando discutirmos a estrutura da primeira e terceira divisões abaixo. De um modo geral, descobrimos que ele impõe na Narrativa da Paixão um padrão e uma consistência que está além da intenção demonstrável do evangelista.

BIBLIOGRAFIA

DISCUSSÕES GERAIS SOBRE A PAIXÃO

BENOIT, P., *"Le procès de Jésus"*, *La Vie Intellectuelle*, fevereiro de 1940, pp. 200-13; março de 1940, pp. 372-78; abril de 1940, pp. 54-64. Reimpresso em *Exégèse et théologie* (Paris: Cerf, 1961), I, 265-89.

_____ "Jésus devant Le Sanhédrin", Angelicum 20 (1943), 143-65. Reimpresso em *Exégèse et théologie*, I, 290-311.

_____ *The Passion and Resurrection of Jesus Christ* (Nova York: Herder & Herder, 1969).

BLINZLER, J., *The Trial of Jesus* (Westminster, Md.: Newman, 1959).

DALMAN, G., *Sacred Sites and Ways* (Nova York: Macmillan, 1935), especialmente pp. 346-81, ch. xxi on *"Golgotha and the Sepulchre"*.

JEREMIAS, J., *Golgotha* (Leipzig: Pfeiffer, 1926).

KILPATRICK, G. D., *The Trial of Jesus* (Oxford, 1953).

LÉON-DUFOUR, X., *"Passion (Récits de la)"*, DBS 6 (1960), cols. 1419-92.

LIETZMANN, H., *"Der Prozess Jesu"*, *Kleine Schriften* (Berlin: Akademie, 1958), II, 251-63. Originalmente publicado em *Sitzungsberichte der Preussischen Akademie der Wissenschaften*, phil-hist. Klasse 9131, 15 (1934), 313-22.

LOHSE, E., *History of the Suffering and Death of Jesus Christ* (Filadélfia: Fortress, 1967).

SHERWIN-WHITE, A. N., *Roman Society and Roman Law in the New Testament* (Oxford: Clarendon, 1963), especialmente pp. 1-47.

_____ *"The Trial of Christ"*, in *Historicity and Chronology in the New Testament* (Theological Collections 6; Londres: SPCK, 1965), pp. 97-116.

VERDAM, P. J., *"Sanhedrin and Gabbatha"*, *Free University Quarterly* 7 (1960-61), 259-87.

WILSON, W. R., *"The Trial of Christ"* (Duke University, Religion Department dissertation, 1960).

WINTER, P., *On the Trial of Jesus* (Studia Judaica 1; Berlin: de Gruyter, 1961).

_____ "Josephus on Jesus", *Journal of Historical Studies* 1 (1968), 289-302.

A NARRATIVA JOANINA DA PAIXÃO

BORGEN, P. *"John and the Synoptics in the Passion Narrative"*, NTS 5 (1958-59), 246-59.

BRAUN, F.-M., *"La passion de Notre Seigneur Jésus Christ d'après saint Jean"*, NRT 60 (1933), 289-302, 385-400, 481-99.

BUSE, I., *"St. John and the Marcan Passion Narrative"*, NTS 4 (1957-58), 215-19.

_____ *"St. John ande the Passion Narratives of St. Mattew and St. Luke"*, NTS 7 (1960-61), 65-76.

DE LA POTTERIE, I., *"Passio et mors Christi apud Johannem"* (Mimeographed; Rome: Pontifical Biblical Institue, 1962-63).

DIBELIUS, M., *"Die alttestamentlichen Motive in der Leidensgeschichte des Petrus-und des Johannes-Evangeliums"*, BZAW 33 (1918), 125-50. Reimpresso em *Botschaft und Geschichte* (Tübingen: Mohr, 1953), I, 221-47.

DODD, *Tradition*, pp. 21-151.

FENTON, J. C., *The Passion According to John* (Londres: SPCK, 1961).

HAENCHEN, E., *"Historie und Geschichte in den johanneiscehn Passionsberichten"*, in *Zur Bedeutung des Todes Jesu* (Gütersloh: Mohn, 1967), pp. 55-78.

JANSSENS DE VAREBEKE, A., *"La structure des scenes du récit de la passion en Joh., XVIII-XIX"*, ETL 38 (1962), 504-22.

JEREMIAS, J., *"A comparison of the Marcan Passion Narrative with the Johannine"*, EWJ, pp. 89-96.

MEEKS, W. A., *The Prophet-King: Moses Traditions and the Johannine Christology* (SNT XIV, 1967), especialmente pp. 55-80.

OSTY, E., *"Les points de contact entre le récit de la passion dans Saint Luc et dans saint Jean"*, *Mélanges J. Lebreton* (RSR 39 [1951]), 146-54.

RIAUD, J., *"La gloire et la royauté de Jésus dans la Passion selon saint Jean"*, BVC 56 (1964), 28-44.

SUMMERS, R., *"The Death and Resurrection of Jesus: John 18-21"*, RExp 62 (1965), 473-81.

TEMPLE, S., *"The Two Traditions of the Last Supper, Betrayal, and Arrest"*, NTS 7 (1960-61), 77-85.

61. A NARRATIVA DA PAIXÃO:
– PRIMEIRA SEÇÃO (PRIMEIRA UNIDADE)
(18,1-12)

A prisão de Jesus

18 ¹Tendo dito isto, Jesus saiu com seus discípulos para além do vale de Cidrom onde havia um jardim, no qual entraram juntos. ²Este lugar era também familiar a Judas, o traidor, pois Jesus costumava ir ali com seus discípulos. ³Então Judas levou um destacamento de soldados, juntamente com a guarda fornecida pelos principais sacerdotes e os fariseus, e foram para lá com lanternas, tochas e armas.

⁴Sabendo plenamente o que estava para lhe acontecer, Jesus adiantou-se e perguntou: "A quem estais buscando?" ⁵"Jesus o Nazoreano", replicaram. Ele lhes falou: "Eu sou ele". (Ora, Judas, o traidor, estava também com eles). ⁶Quando Jesus lhes disse, "Aqui estou", recuaram e caíram por terra. ⁷Então ele lhes perguntou outra vez: "A quem estais buscando?" "Jesus o Nazareno", repetiram. ⁸"Eu vos disse que sou eu", respondeu Jesus. "E se eu sou aquele que quereis, deixai irem estes homens". (⁹Isto foi para se cumprir o que ele dissera: "Não perdi sequer um dos que me deste").

¹⁰Então Simão Pedro, que tinha uma espada, puxou-a e feriu o servo do sumo sacerdote, decepando sua orelha direita. (O nome do servo era Malco). ¹¹Mas Jesus disse a Pedro: "Reponha essa espada. Acaso não beberei o copo que o Pai me deu?"

¹²Nisso os soldados, com seu tribuno e a guarda dos judeus, prenderam Jesus e o manietaram.

3: *foi*; 4: *perguntou*; 5: *disse*. No tempo presente histórico.

NOTAS

18.1. *Tendo dito isto*. Literalmente, "Havendo dito estas coisas". DE LA POTTERIE, entre outros, vê nesta frase a conotação de propósito ou preparação, de modo que a Narrativa da Paixão que segue representa a culminação das palavras de Jesus. Por exemplo, a crucifixão seria a glorificação do que se falou em 17,1-5. A conexão é possível, mas em outro lugar em João a frase é meramente sequencial (13,21; 20,20).

saiu com seus discípulos. Praticamente, as mesmas palavras aparecem nos relatos sinóticos do final da ceia. Mc 14,26 (Mt 26,30) traz: "Saíram"; Lc 22,39: "E, saindo, ele foi... e seus discípulos o seguiram". Todos os relatos dos evangelhos implicam que a intenção de Jesus era passar a noite nas cercanias da cidade, e não na própria cidade. Isto concordaria com o que sabemos das condições de como se enchia a cidade no período da Páscoa (veja nota sobre 11,55). O costume judaico exigia que a noite pascal (cronologia sinótica) fosse passada em Jerusalém – esta era a exegese contemporânea de Dt 16,7. Mas, para solucionar o problema de acomodações, o distrito da cidade foi alargado para propósitos pascais, incluindo as cercanias até Betfagé, no Monte das Oliveiras. Betânia, o lugar de residência costumeira de Jesus na área de Jerusalém (nota sobre 11,1), ficava fora do limite legal. Veja JEREMIAS EWJ, p. 55.

Quanto à designação dos que estavam com Jesus, de "seus discípulos", JEREMIAS, EWJ, p. 95, salienta que, no relato primitivo pré-marcano da paixão, a palavra "discípulos" não é usada na cena da prisão, mas somente a designação mais vaga "aqueles que estavam ali".

para além do vale de Cidrom. Literalmente, "a corrente invernal de Cidrom" (ou Cedrom, se for seguir a pronúncia grega). O Cidrom, não mencionado pelos sinóticos, é o ribeiro que só tem água corrente na estação chuvosa ou invernal. O uso que João faz da terminologia correta para o Cidrom não é necessariamente prova de que o evangelho esteja recorrendo a uma tradição palestinense autêntica (vol. 1, p. 29), pois "corrente invernal" é a designação usual do Cidrom na LXX (2Sm 15,23; 1Rs 15,13). LOISY, LAGRANGE, entre outros, pensam que João está sutilmente aludindo aqui o relato da fuga de Davi diante de Absalão em 2Sm 15 (14: "Levantemo-nos e fujamos" [Jo 14,31]; 23: "e o rei atravessou o vale de Cidrom"). GUILDING, p. 165, relacionando a narrativa joanina a 1Rs 2, lê como um *haphtarah* dois meses antes da Páscoa no primeiro ano do ciclo trienial das leituras da sinagoga (vol. 1, pp. 518s). Em particular, ela aponta para a advertência de Salomão a Simei: "No dia em que atravessares o vale de Cidrom, saibas que certamente morrerás" (1Rs 2,37; veja também nota sobre Malco no v. 10 abaixo). StB, II, 567, menciona o fato de que os resíduos do sangue dos sacrifícios feitos no templo eram jogados no Cidrom. No entanto, a referência ao Cidrom obviamente não é simbólica.

onde havia um jardim. Alguns detectam aqui uma nota de finalidade: porque havia ali um jardim. A palavra *kēpos* se refere a um lote de terra onde se plantavam vegetais ou flores, e algumas vezes também árvores. Somente João dá este nome ao lugar. D. M. STANLEY e B. P. ROBINSON (*art. cit.*), seguindo uma antiga tradição (CIRILO de Alexandria, AQUINO), pensam que, ao estabelecer-se a luta entre Judas (o instrumento de Satanás) e Jesus em um jardim, João está aludindo ao tema do Jardim do Paraíso em Gn 2-3. Alguns dos propostos temas do Paraíso (árvore da vida) emergem da combinação deste jardim com o jardim mencionado em 19,41-42, onde Jesus foi crucificado, sepultado e ressuscitado; mas nada em João pressupõe que esteja envolvido o mesmo jardim em ambos os episódios. Além do mais, João não usa a palavra *paradeisos* encontrada no relato de Gênesis, ainda quando a palavra seja conhecida em outras partes nos escritos joaninos (Ap 2,7). E assim a exegese simbólica se torna difícil de justificar. Mc 14,32 e Mt 26,36 mencionam "uma porção de terra [*chōrion*] com o nome Getsêmani". Este nome, proveniente da fonte B de Marcos (veja p. 1203 acima), não se encontra em Lucas (que fala simplesmente de "o lugar") ou em João. Significa "vale do óleo" ou "prensa de óleo", e não era uma designação inapropriada para uma localização no Monte das Oliveiras. (Note que, enquanto o *Monte das Oliveiras* aparece na fonte [A] de Marcos e nos três sinóticos, mesmo esta identificação geral da localidade está ausente de João). É possível combinar a informação evangélica e pensar no local como um bosque de olivas nos declives mais baixos do Monte das Oliveiras, passando de Jerusalém pelo vale do Cidrom; e este é onde a tradição cristã tem localizado como sendo o lugar desde o 4º século. Em Zc 14,4 (uma das duas referências explícitas ao Monte das Oliveiras no AT), o Senhor se põe de pé sobre este monte para a batalha final contra as nações, e depois desta batalha vêm as bênçãos do dia do Senhor. Colocando a agonizante luta de Jesus sobre o Monte das Oliveiras, os evangelhos sinóticos podem estar se utilizando do simbolismo teológico de Zacarias (cf. também Mc 13,3-4), simbolismo ao qual João não recorre. Finalmente, podemos notar que o costumeiro título "a agonia de Jesus no jardim" é uma mélange [mistura ou misto]: a "agonia" é descrita nos sinóticos (Lc 22,44, exclusivamente, traz a palavra *agōnia*); somente João menciona o "jardim".

entraram. O verbo *eiserchesthai* (= *erchesthai... eis* de Mc 14,32; Mt 26,36) evoca a imagem de uma área fechada; assim também "adiantou-se" no v. 4.

juntos. Literalmente, "ele e seus discípulos".

2. *o traidor*. Literalmente, aqui e em 5: "o traidor"; veja notas sobre 6,64.71. No Livro da Glória, João já identificou Judas como o traidor três vezes (13,2.11.21), e os exemplos aqui e no v. 5 geralmente são tidos como a refletir a mão do redator. Não obstante, é necessário prudência quando se julga o presente versículo – no relato pré-evangélico primitivo da paixão é possível ter havido a necessidade de identificar Judas na cena da prisão de Jesus, pois esta teria sido a primeira vez que ele apareceu. No relato da prisão em Mc 14,42.44 e Mt 26,6.48 Judas é chamado "o traidor"; cf. Lc 22,48: "*Trairias* o Filho do Homem com um ósculo?"

costumava ir ali com seus discípulos. Ou, "ficava ali com"; o verbo *synagesthai* normalmente significa "reunir-se" (cf. At 11,26). Não obstante, no presente caso, e talvez anteriormente, os discípulos de Jesus foram com ele ao jardim, em vez de encontrar-se com ele ali (REYNEN, *art. cit.*). A informação de João, de que Jesus frequentava o jardim, pode ser comparada com a informação de Lc (21,37) de que Jesus costumava passar a noite no Monte das Oliveiras; mas João é o único que extrai a inferência lógica de que o hábito de Jesus possibilitou a Judas saber onde o encontrar.

3. *Judas levou*. Aqui o particípio "levar" implica pouco mais que acompanhamento como guia (BAG, p. 465[1a]; cf. BDF, §418[5]); não é necessário atribuir a Judas nenhuma autoridade particular. Assim, não achamos convincente a insistência de WINTER (*Trial*, pp. 44-45) de que aqui João, equivocadamente, implica que Judas estava encarregado dos soldados romanos e, assim, contradiz o v. 12, o qual menciona um oficial militar romano. Somos hesitantes em presumir que o redator final ignorasse tal discrepância dentro de poucos versículos.

um destacamento de soldados. Literalmente, "a escolta". Que soldados (como distintos da guarda) estavam envolvidos na prisão de Jesus é mencionado somente em João. No NT, "escolta" sempre se refere a soldados romanos, descrevendo ou a escolta de 600 homens, ou o manípulo de 200. Pode ser que a menção aqui de uma escolta, em vez de um destacamento menor, veio à moda de confusão com a escolta mantida nos relatos da crucifixão. (Mc 15,16 menciona a convocação de "toda a escolta" para o escarnecimento de Jesus, e alguns copistas introduziram essa redação neste versículo de João). A referência a um tribuno no v. 12 confirma a impressão de que João está pensando nos soldados romanos (*vênia* a BLINZLER, *Trial*, pp. 64-70; BENOIT, *Passion*, p. 46). Um apelo à LXX onde termos militares romanos foram usados anacronicamente para tropas não romanas não lança luz sobre a presente situação. Um escritor que vivesse sob o domínio romano dificilmente usaria um termo técnico militar romano para uma força judaica quando sua intenção é mencionar ao lado da escolta e distinta dela "a guarda fornecida pelos principais sacerdotes e os fariseus". Se a menção de tropas romanas é histórica, então devemos presumir que foram colocadas por Pilatos à disposição dos sacerdotes ou do Sinédrio, talvez porque ele temesse o perigo de outra insurreição (cf. Mc 15,7; Lc 23,19). Isso também poderia explicar a dificuldade do grande número de soldados, se formos tomar "escolta" literalmente. De uns poucos anos depois do tempo de Jesus (At 10,1) até meados do 2º século, o prefeito ou procurador romano na Palestina tinha à sua disposição tropas de uma escolta (*Cohors Secunda Italica*) consistindo de tropas arregimentadas na Itália e complementadas por recrutas de Samaria e Cesareia (Josefo, *Ant.* 19.9,2; 365). Enquanto o relato sinótico da prisão de Jesus não menciona romanos, alguns veem uma referência a eles em Mc 14,41 (Mt 26,45): "O Filho do Homem é entregue nas mãos de *pecadores* [i.e., gentios?]".

guarda fornecida pelos principais sacerdotes e fariseus. Para estas guardas do templo (*hypēretai*), veja nota sobre 7,32. Literalmente, são os guardas "dos principais sacerdotes"; e em 12 são chamados "a guarda dos judeus", em distinção da escolta (romana) com seu tribuno. As descrições sinóticas do grupo envolvido na prisão de Jesus são mais gerais, com Lucas sendo mais afim com João. Mc 13,43 (Mt 26,47) fala de "uma (grande) multidão... dos principais sacerdotes, dos escribas e dos anciãos (do povo)"; Lc 22,52 coloca os principais sacerdotes e os próprios anciãos na cena lado a lado com "os oficiais do templo" (de At 5,22-24.26 podemos concluir que os *stratēgoi* de Lucas são os oficiais que estão comandando os *hypēretai* do templo).

Voltando à expressão de João, "os principais sacerdotes e os fariseus", notamos que ela ocorreu quatro vezes antes (7,32.45; 11,47.57). Em si, a combinação não oferece muita dificuldade (ela ocorre em Josefo, *Life* 5; 21), mas alguns veriam aqui um amálgama dos sacerdotes do tempo de Jesus e dos fariseus do tempo dos evangelistas. Consideremos cada termo. O uso plural "sumos sacerdotes" ocorre umas dez vezes em João (cinco vezes na Narrativa da Paixão) e é muito frequente nos sinóticos e em Atos. Não indica necessariamente que os escritores neotestamentários não conheciam que havia somente um sumo sacerdote oficial, pois o plural é uma expressão corrente encontrada em Josefo e na Mishnah. Sob a rubrica dos principais ou sumos sacerdotes estava incluído o sumo sacerdote incumbido (João e Mateus mencionam Caifás nas Narrativas da Paixão), primeiro os sumos sacerdotes que foram depostos, mas que ainda viviam (p. ex., Anás), e membros das famílias privilegiadas dentre as quais eram escolhidos os sumos sacerdotes. Veja SCHÜRER, II, I, 203-6. Talvez a rubrica também cobrisse os mantenedores dos ofícios sacerdotais (assim Jeremias, como citado em BAG, p. 112).

Todos os evangelhos dão aos principais sacerdotes o mais proeminente papel na ação contra Jesus. Marcos e Mateus mencionam muitas vezes os anciãos, enquanto Lucas (23,13.35; 24,20) menciona os governadores juntamente com os anciãos (22,52; cf. 66).

Nas Narrativas da Paixão propriamente, somente João menciona os fariseus, e então somente no presente caso (Mt 27,62 os envolve no cenário da guarda ao túmulo – certamente uma adição posterior à narrativa). Entretanto, pode ser que João quisesse incluí-los em outro lugar na Narrativa da Paixão sob a rubrica de "os judeus", como fazem os sinóticos quando se referem a todo o Sinédrio (Mc 15,1) e aos escribas (os três evangelhos). Alguns estudiosos pensam que aqui João é culpado de erro ao falar da guarda do templo fornecida pelos fariseus que na realidade não tinham autoridade sobre tal guarda. Entretanto, João não poderia ter em mente mais do que a guarda enviada pelo Sinédrio na qual os sacerdotes, os escribas fariseus e os anciãos tinham voz (Mc 14,43). Historicamente, é impossível determinar precisamente quão envolvidos na ação contra Jesus estavam os fariseus ou todo o Sinédrio (aparentemente, vinte e três dos setenta conselheiros eram suficientes para formar um quórum); mas é possível conjeturar plausivelmente tanto que os fariseus eram importantes demais para terem sido ignorados pelos sacerdotes, como também que não nutriam nenhum afeto por Jesus depois de suas afirmações públicas sobre eles.

Lanternas e tochas. Mencionado somente por João, este detalhe poderia ter sido incluído na narrativa para enfatizar o tema teológico de que era noite (veja comentário). Isto não exclui a possibilidade de que o detalhe fosse factual. É frágil a objeção de que não teria havido necessidade de lanternas, pois este era o tempo da lua pascal quase cheia: o senso comum indica que um bosque de oliveiras tem seus cantos escuros em que um homem poderia esconder-se. HAENCHEN, "Historie", p. 59, pensa ser irreal que 600 ou mesmo 200 homens viessem carregando lanternas e tochas, porém ninguém tem que interpretar João como significando que *todos* as levavam.

armas. Mc 14,43 e Mt 26,47 mencionam espadas e cacetes. P. WINTER, "The Trial of Jesus" (preleção mimeografada, 19 de fevereiro, 1964, p. 10), insiste que a guarda judaica carregava bastões (cacetes) e os soldados romanos portavam espadas; implicitamente, pois, para ele o relato marcano/mateano reconheceria a presença dos dois grupos.

4. *Sabendo*. Há corroboração textual mais fraca para "vendo", uma redação que é menos teológica. Reconhecimento de Jesus é um forte tema joanino (6,6; 13,1). Em Mc 14,42 (Mt 26,46), Jesus sabe que seu traidor está por perto antes mesmo de Judas entrar em cena.

    adiantou-se. Somente em João Jesus toma a iniciativa de ir ao encontro de Judas; para João, Jesus permanece em pleno controle de tudo o que acontece.

5. *Nazoreano*. Podemos distinguir três designações de Jesus: (a) *apo Nazareth*, "de Nazaré": Mt 21,11; Mc 1,9; Jo 1,45; At 10,38. (b) *Nazarēnos*, "Nazareno": quatro vezes em Marcos; duas vezes em Lucas; uma variante textual ocidental neste versículo de João. (c) *Nazōraios*, "Nazoreano": duas vezes em Mateus; oito vezes em Lucas/Atos; três vezes na Narrativa da Paixão de João (aqui, 18,7; 19,19). Este terceiro termo tem sido o tema da discussão erudita. Ao tempo em que o Evangelho de Mateus foi escrito, *Nazōraios* era interpretado como uma referência à vinda de Jesus de Nazaré (Mt 2,23). No relato da negação de Pedro após a prisão de Jesus, Mc 14,67 menciona Jesus o Nazareno enquanto Mt 26,71 fala de Jesus o Nazoreano. É verdade que M. BLACK, p. 144, entre outros, tem questionado a derivação de *Nazōraios* como da Nazaré gentílica, mas a maioria dos estudiosos ainda endossa esta derivação como sendo plausível e permanece a melhor hipótese elaborada. (Veja G. F. MOORE in *The Beginnings of Christianity*, ed. por K. Lake e F. J. Foakes-Jackson [Londres: Macmillan, 1920], I, I, 426-32; W. F. ALBRIGHT, JBL 65 [1946], 397-401). É perfeitamente lógico que um grupo enviado a prender alguém queira identificá-lo plenamente pelo nome e lugar de nascimento. Aqui não há razão para se pensar que uma referência a Nazaré como a cidade natal de Jesus contenha uma nota de menosprezo, como em 45-46 (cf. 7,41.52). Algumas das outras hipóteses para explicar *Nazōraios* incluem: (a) O nome designa uma seita judaica pré-cristã ("Observantes", da raiz *nṣr*), talvez os seguidores do Batista. Os mandeanos, que alegam descender do movimento do Batista, ocasionalmente se denominam de *naṣorayya*. Os Padres da Igreja, como TEODORETO e EPIFÂNIO, tinham conhecimento de uma seita herética judaico-cristã chamada *Nazōraioi*, mas EPIFÂNIO (*Haer*. XVIII, XXIX; GCS 25:215,321) distingue entre eles e os *Nazōraioi* pré-cristãos. (b) O nome deve ser relacionado com os antigos nazireus (heb. *nāzîr*) que eram consagrados a Iahweh mediante um voto; veja Jz 13,5 e o argumento de E. SCHWEIZER em *Judentum, Urchristentum, Kirche* (J. JEREMIAS

Festschrift; Berlin: Töpelmann, 1960), pp. 90-93. (c) O nome designa Jesus como o "renovo messiânico" (heb. *nēṣer*) de Is 11,1. (d) O nome está relacionado ao passivo do verbo *naṣar*, "preservar", assim *nāṣur*, "o preservado", com conotações do remanescente messiânico – Jesus é aquele que foi separado e guardado para a tarefa messiânica; seus seguidores são o remanescente. B. GÄRTNER, *Die rätselhaften Termini Zazoräer und Iskariot* (Horae Soederblomianne 4; Uppsala: Gleerup, 1957), p. 14, pensa que as passagens Is 42,6 e 49,6, que contêm este verbo, são as profecias referidas em Mt 2,23 como a base para chamar Jesus um Nazoreano. GÄRTNER também apresenta sua explicação do substantivo cognato isaiano *nēṣer*, supramencionado. Para um exame de pontos de vista, veja H. H. SCHAEDER, TWNTE, IV, 874-79.

"*Eu sou ele*". Literalmente, "Eu sou" (*egō eimi*). O Codex Vaticanus, que lê "Eu sou Jesus", preserva uma tentativa de copista para esclarecer. Um *egō eimi* ocorre na narrativa marcana da paixão (14,62), quando Jesus responde à pergunta do sumo sacerdote sobre ser ele o Messias. Além do mais, em Mc 14,44, na prisão de Jesus, Judas diz: "Aquele a quem eu beijar, esse é ele [*autos estin*]".

(*Ora, Judas...*). Isto parece ser uma inserção muito estranha: a presença de Judas não só já fora mencionada, mas já não exerce nenhum outro papel que justificasse ser mencionado outra vez. BULTMANN, p. 493, pensa que esta foi a primeira referência a Judas na cena do relato da paixão no jardim usada pelo evangelista, enquanto a referência a Judas no v. 3 representa uma adição introdutória composta pelo evangelista. WINTER, *Trial*, p. 45, pensa que todas as referências a Judas nesta cena são secundárias. Seria a segunda menção a Judas um eco da tradição sinótica onde Judas tem um papel mais importante? Para a possibilidade de adições menores da tradição sinótica, veja vol. 1, p. 25.

6. *recuaram*. Os relatos sinóticos não registram qualquer hesitação na prisão de Jesus. Não obstante, em outros lugares em João há registros de dificuldade em prender ou em prejudicar Jesus (7,30.44; 8,20.59; 10,39; 12,36; também Lc 4,29-30). J. H. HINGSTON, ET 32 (1920-21), 232, tem tentado resolver a dificuldade, interpretando as palavras neste sentido: "ficaram atrás [dele]", interpretação que requer a omissão da frase seguinte.

e caíram por terra. MEIN, *art. cit.*, é perfeitamente correto em rejeitar a interpretação de BERNARD (II, 586-87) de que as palavras não implicam nada mais senão que os homens que foram fazer a prisão se viram vencidos pela ascendência moral de Jesus e então ficaram "desconcertados". Mas a própria tese de MEIN de modo algum é convincente, a saber, que isto é um eco da LXX de Is 28,13b: "... para que vão, e caiam para trás, e se quebrantem, e se enlacem, e sejam presos". MEIN combina isto com a menção da pedra angular escolhida, três versículos posteriores em Isaías, de modo que na imagem de João Jesus, a pedra angular, se converte numa pedra de tropeço, como em 1Pd 2,6-8. Mas nada existe no Quarto Evangelho a sugerir que este simbolismo da pedra angular exercia algum papel no pensamento joanino. LAGRANGE, p. 457, que toma o relato joanino literalmente, diz que não se deve exagerar o milagre, pois relativamente poucos soldados teriam ouvido as palavras e caído! S. BARTINA, *art. cit.*, que também toma a cena literalmente, pensa que os judeus tinham o hábito de prostrar-se em terra quando Jesus mencionava o nome divino "EU SOU". O último tema está envolvido (veja comentário), mas temos aqui uma construção teológica joanina mais do que uma reminiscência histórica. HAENCHEN, *"Historie"*, p. 59, apresenta a tese de que os salmos, que exerciam um papel tão importante na reflexão da Igreja primitiva sobre a paixão, também penetraram o pensamento joanino nesta cena; por exemplo, Sl 22,2: "Quando os malfeitores vieram para devorar minha carne, meus adversários e meus inimigos é que tropeçaram e *caíram*"; 35,4: "Que sejam recuados e confundidos os que maquinam o mal contra mim". Veja Comentário sobre os salmos ainda mais pertinentes.

9. *Isto foi para se cumprir o que ele dissera.* Como se dá frequentemente em João (nota sobre 15,25), isto é simplesmente uma sentença de propósito *hina*, tendo que suprir o verbo dominante "Isto foi" (MTGS, p. 304). Outros intérpretes oferecem a solução menos plausível de um *hina* imperativo: "O que ele disse se cumpriria" (MTGS, p. 95 – "duvidoso"). Em outros lugares (Mateus, João e especialmente Atos) o verbo *plēroun* é usado para descrever o cumprimento neotestamentário de passagens veterotestamentárias: para se cumprir "o que foi dito pelo Senhor"; "o que foi dito através do profeta"; ou simplesmente "a Escritura". Somente aqui e em 18,32 temos o verbo usado para cumprimento das palavras de Jesus (contudo, veja a teoria de FREED na nota sobre 17,12). Tal uso poria implicitamente as palavras de Jesus no mesmo nível com as palavras das Escrituras judaicas e é o início de uma atitude que levaria ao reconhecimento dos escritos canônicos cristãos lado a lado com os judaicos. Em João, a base para este uso é que as palavras de Jesus, que lhe foram das por Deus (17,8), e aquela revelação de Jesus suplantam a Torá dada através de Moisés (1,17). Notamos que na cena do Getsêmani de Mt 26,54 há uma referência ao cumprimento da Escritura, porém num contexto diferente.

"não perdi sequer um dos que me deste". Não obstante, de fato Jesus não disse isto antes ao pé da letra em João. Esta é uma citação livre do conteúdo

de 17,12, "Eu os guardava em teu nome, que me deste. Eu mantive vigilância e nenhum deles se perdeu"? (A semelhança é muito estreita se tomarmos a redação alternativa desse versículo: "Eu mantive seguros em teu nome aqueles que me deste" – veja notas sobre 17,11 e 12). BULTMANN, p. 495, pondera sobre 6,39: "A vontade daquele que me enviou é que eu nada perca do que Ele me deu" e mantém que o presente versículo foi anexado por um redator que entendeu mal a passagem no cap. 6. Em qualquer caso, o redator final parece ser o mesmo que supriu o comentário parentético, e poderia estar citando as palavras de Jesus tão livremente como fazem os outros autores neotestamentários quando citam o AT. Note a implicação de que Judas, que se perdeu, realmente não foi dado pelo Pai a Jesus. Judas é explicitamente catalogado como uma exceção à regra geral em 17,12, porém não em 6,39.

10. *Simão Pedro... Malco*. Os quatro evangelistas mencionam o incidente da orelha do servo, mas somente João dá os nomes dos envolvidos. Para o que atacou, Mc 14,47 registra "um dos que estavam perto"; Mt 26,51 registra "um dos que estavam com Jesus"; Lc 22,50 registra "um deles". Os quatro evangelistas descrevem a vítima como um servo do sumo sacerdote (portanto, não um da guarda do templo, pois os servos e a guarda são distintos no v. 18). Alguns estudiosos pensam que a presença dos nomes em João reflete a tentativa criativa do evangelista de dar plausibilidade à sua narrativa. Não obstante, visto que a tendência dos criadores de lendas é identificar figuras anônimas com as *mais bem conhecidas*, isto explicaria a presença do nome de Pedro, porém não o de Malco. O nome deste não é incomum na época; ele se encontra cinco vezes em JOSEFO e é conhecido de Palmyrene e nas inscrições nabateanas (donde a sugestão que Malco era árabe). Há quem tenha tentado descobrir um simbolismo por detrás do uso que João faz do nome. GUILDING, p. 165, vê uma referência a Zc 11,6, lê como um *haphtarah*, alguns meses antes da Páscoa, no primeiro ano de um ciclo trienial (vol. 1, pp. 518-521): "Eu entregarei... cada um na mão de *seu rei* [*malkô*]". KRIEGER, *art. cit.*, sugere que Judas era o servo do sumo sacerdote ferido pelo discípulo de Jesus. Tais explicações imaginativas é mais difícil de se aceitar do que a possibilidade de que a tradição de João preservou informação acurada. (Veja também nota sobre 26 abaixo). Quanto a Pedro, a ação se adequa ao seu caráter impetuoso (Jo 13,37). LAGRANGE e TAYLOR, ao discutirem a descrição marcana do discípulo que atacou o servo, encontram vestígio de que este discípulo era conhecido de Marcos. Isto não seria desfavorável à indicação de João, pois a tradição associa Marcos com Pedro.

espada. Em conformidade com Lc 22,38, o grupo possuía duas espadas. A ação imprevisível de Pedro sugere uma arma do tamanho de uma adaga, que podia ser ocultada.

puxou-a. João usa *elkein*; Mc 14,47 e Mt 26,51 também mencionam o desembainhar ([*apo*]*span*) da espada.

decepando. João usa *apokoptein*; os sinóticos usam *aphairein*.

orelha direita. Marcos e as melhores testemunhas textuais de João usam *ōtarion*, um diminutivo duplo, daí nosso "earlobe" [lóbulo da orelha]. Mateus, Lc 22,51 e Jo 18,26 usam *ōtion* (lido no presente versículo de João por P[66], tradição alexandrina e a bizantina), também um diminutivo. Lc 22,50 usa *ous*, "orelha", um classicismo segundo BDF, §111[3]. BENOIT, *Passion*, p. 37[1], entende o diminutivo como a designar a parte externa da orelha.

Somente João e Lucas designam a orelha *direita*, e este detalhe parece ser suprido independentemente, pois os dois evangelhos usam palavras diferentes para "orelha". BENOIT, *Passion*, p. 43, pensa que Pedro, deliberadamente, escolheu o órgão direito, o mais valioso, de acordo com as leis de imunidade do tempo, como uma marca de desafio. Alguns intérpretes engenhosos, observando que um homem destro normalmente ferirá a orelha esquerda de um oponente que ora o enfrenta, extraiu deste episódio a informação vital de que Pedro era canhoto – a menos que Pedro fosse um covarde, que usasse a mão direita para ferir um homem que lhe estava de costas!

11. *Reponha essa espada*. Literalmente, "Mete na bainha". Entre os sinóticos, somente Mateus menciona esta ordem, mas o fraseado é diferente.

    não beberei...? ABBOTT, JG, §2232, pensa que literalmente esta é uma exclamação negativa: "não estou, naturalmente, para bebê-lo [segundo o teu desejo]". A maioria interpreta a frase como uma pergunta retórica com uma implicação afirmativa (BDF, §365[4]).

    copo. Ou "cálice". O simbolismo é de um copo de sofrimento, também mencionado pelos sinóticos na cena do Getsêmani (Mc 14,36 e par.: "Remove de mim este copo").

12. *os soldados*. Literalmente, "a guarda" como em 3.

    tribuno. Literalmente, o grego *chillarchos* é um capitão ou oficial sobre 1.000 homens, mas o termo era usado para traduzir o *tribunus militum* romano, um comandante de uma escolta de 600. WINTER, *Trial*, p. 29, sugere que o relato de João tem o oficial graduado e que mais provavelmente ele fosse um *decurio* ou pequeno destacamento sobre dez homens.

    prenderam Jesus e o manietaram. Segundo Mc 15,46 e Mt 26,50, assenhorearam-se (*kratein*) de Jesus antes do incidente da orelha do servo; João e

Lc 22,54 descrevem a prisão (*syllambein*) como ocorrendo após o incidente. A segunda é a ordem mais lógica. Mc 14,48 e Mt 26,55 usam o verbo *syllambein* quando Jesus indaga "Saístes com espadas e varapaus a prender-me, como a um salteador?"

COMENTÁRIO

A estrutura da primeira seção da narrativa da Paixão

A paixão começa com o relato da prisão de Jesus no jardim rumo ao Cidrom. Em 18,1 se faz uma transição para a Narrativa da Paixão desde o último discurso. Já vimos que há um término de uma forma mais original do último discurso em 14,31, onde Jesus diz: "Saiamos daqui e sigamos nosso caminho", e que o presente arranjo, onde esta terminação é seguida por três capítulos de discurso é um produto redacional (pp. 941-53 acima). Assim muitos sugeririam que em certo momento 14,31 precedeu imediatamente 18,1. Isto é possível, mas a história destes capítulos provavelmente seja mais complexa do que podemos reconstruir hoje. E devemos lembrar que a Narrativa da Paixão bem que pode ter sido uma entidade isolada antes que fosse unida a qualquer forma do último discurso.

A primeira seção da Narrativa da Paixão abarca 18,1-27. Como já mencionamos (pp. 1121-22 acima), Janssens de Varebeke percebe aqui um padrão de sete subdivisões. Por exemplo, ele faz 18,1 uma subdivisão isolada, separada de 2-3. Mais plausivelmente, em nosso juízo, os vs. 1-3 se encaixam como um cenário para os dois episódios em 4-8 e 10-11. Uma vez mais, Janssens de Varebeke trata 12-16a como uma subdivisão, mas devemos considerar 12-13 uma passagem de transição entre a cena no jardim e a cena no palácio do sumo sacerdote. Romper a unidade de 15-18 em 16a também parece prejudicar a estrutura. O autor joanino cerca o interrogatório de Jesus com duas metades de uma cena, onde Pedro nega Jesus (15-18 e 25-27). Parte do argumento de Janssens de Varebeke é baseada no que julgamos ser assonâncias acidentais entre palavras (p. ex., *hestōs* em 18 e 25 e *parestēkōs* em 22). Parte dele é baseada no uso numérico de certas palavras (*erchesthai*) nas várias divisões. Ele também evoca algumas inclusões que só podemos caracterizar como excessivamente forçadas; por exemplo, uma inclusão entre o golpe de Pedro decepando a orelha do servo na Primeira seção e o golpe do soldado que feriu com uma lança o lado de Jesus na Terceira seção. Como fica evidente do esboço que apresentamos na p. 1200 acima, detectamos uma estrutura menos complexa na Primeira seção. Ela consiste de duas unidades: a prisão de Jesus no jardim (vs. 1-11) e o interrogatório de Jesus feito por Anás no palácio do sumo sacerdote (vs. 14-27). A transição entre as duas unidades é efetuada suavemente nos vs. 12-13. (Ao colocar o v. 12 com a primeira unidade e o v. 13 com a segunda, estamos subdividindo por conveniência prática; o autor tencionava que as duas seguissem juntas).

Notamos quão bem as duas unidades equilibram uma à outra: em cada uma o comportamento de Pedro é implicitamente contrastado com o de Jesus. Este mostra que poderia frustrar a prisão com poder divino (v. 6), porém permite ser preso e manietado. Pedro tenta resistir à prisão com poder humano (a espada), mas isso é ineficaz. Jesus se defende bravamente diante de Anás, apelando para o caráter aberto de seu ensino. Entrementes, Pedro, que ouvira tal ensino, nega que conhecesse Jesus. Nos primeiros versículos de cada unidade encontramos os discípulos de Jesus seguindo-o lealmente; mas no final de cada unidade encontramos Pedro, um discípulo representativo, impossibilitado de administrar a situação na qual Jesus demonstra sua fortaleza moral. Aqui se exibe o senso joanino de organização dramática em seu melhor.

A historicidade e independência do relato joanino da prisão

Até mesmo na avaliação mais crítica da evidência evangélica pode haver pouca dúvida de que Jesus foi preso em algum lugar no Monte das Oliveiras, pouco antes da crucifixão e levado de volta à cidade para o julgamento. Este fato básico tem sido objeto de interpretação teológica em todos os evangelhos; como veremos abaixo, a orientação joanina é diferente daquela dos sinóticos e se adequa aos interesses teológicos peculiares encontrados em outras partes do evangelho. Se deixarmos de lado, por um momento, o alcance teológico da cena, notamos que dois pontos maiores de diferença dos relatos sinóticos merecem atenção, a saber, que João omite a cena da agonia no Getsêmani e que João atribui um papel às tropas romanas na prisão de Jesus.

Primeiro, a ausência de uma cena da agonia. Isto costuma ser descartado como um efeito óbvio da teologia joanina. BULTMANN, p. 493, diz que João tinha que omitir esta cena, porquanto Jesus já havia sido descrito como "glorificado". Não obstante, notamos que no cap. 12, depois de Jesus haver proclamado que a hora da glorificação chegara (12,23), ele enfrentou uma conturbação da alma (27) similar à cena sinótica da agonia. Assim, não é comprovado que a glória e a angústia mutuamente se excluam. Não obstante, se pode teorizar que no fluxo do pensamento joanino a nota de angústia ficaria melhor como um prelúdio à hora (12), em vez de vê-la parcialmente (18).

Mas, mesmo então a questão não é tão facilmente resolvida. A maioria dos críticos concorda que a cena da agonia no Getsêmane foi desaparecendo do relato primitivo e consecutivo da paixão (a fonte A marcana – p. 1203 acima). Portanto, sua ausência em João pode não ser o resultado de uma omissão ou rearranjo redacional, mas pode ter-se originado do fato de que, neste detalhe, a tradição joanina pré-evangélica era similar à fonte A marcana. A historicidade da cena da agonia é um problema para estudo sinótico, e não nos preocupa aqui. (É bem possível que o presente relato marcano seja uma fusão de duas formas da narrativa, só uma delas sendo preservada em Lucas [cf. K. G. Kuhn, EvTh 12 (1952-53), 260-85]). Seu aspecto mais difícil é aquele em que se supõe o que Jesus teria dito em sua agonia, ditos para os quais não há testemunhas (os três discípulos estavam dormindo). Teria a tradição B marcana e a tradição lucana (se independentes) preenchido a cena da agonia com ditos que uma vez tiveram outro contexto no ministério de Jesus? Talvez isto explicaria por que João contém ditos dispersos similares aos ditos da cena sinótica da agonia; veja vol. 1, pp. 772-74 e p. 1038 acima; também T. Boman, *"Der Gebetskampt Jesu"*, NTS 10 (1963-64), 261-73.

Segundo, a presença de soldados romanos no jardim. Já mencionamos na nota sobre v. 3 algumas das objeções de detalhe contra a informação de João e temos mostrado que tais objeções podem ser respondidas satisfatoriamente. O problema real se ocupa da probabilidade do envolvimento de Pilatos com o Sinédrio na prisão de Jesus. Tal cooperação poderia ter sido mutuamente benéfica se Pilatos quisesse Jesus fora do caminho temporariamente (veja p. 1220 acima) e se o Sinédrio quisesse o apoio romano no caso de os seguidores de Jesus causasse sublevação em sua prisão. Não há evidência sinótica clara em prol do profundo envolvimento de Pilatos desde o princípio, como se acha implícito em João. H. Conzelmann (*The Theology of St. Lucke* [Nova York: Harper, 1960], pp. 90-91) pensa que em At 3,13-14; 4,27 e 13,28 temos a evidência da fórmula pré-lucana que atribuía a Pilatos grande responsabilidade na morte de Jesus. Ele sugere que em seu próprio evangelho Lucas fracassou por incompreensão em reproduzir este tema. Em Mc 15,2 e Mt 27,11, Pilatos, sem receber qualquer informação, sabia de que Jesus era acusado, isso não significa necessariamente que Pilatos exerceu um papel na prisão; a abreviação de um relato mais longo ou o conhecimento comum sobre Jesus seria uma explicação suficiente. Na tradição pré-marcana das predições da paixão (Mc 8,31; 9,31; 10,33-34) não há indício de envolvimento romano na prisão.

Muitos críticos sugerem que João introduziu soldados romanos na cena do jardim para propósitos teológicos (assim Loisy, Bultmann, Barrett, Lohse). A presença de tropas romanas lado a lado com a guarda judaica pode ter sido um símbolo do "mundo" inteiro sendo perfilado contra Jesus. Barrett nos lembra da oposição entre Roma e o cristianismo no livro do Apocalipse. Há quem sugira que a participação da autoridade romana na prisão tencionava preparar o caminho para a dramática confrontação de Jesus e Pilatos que domina o relato joanino da paixão. Entretanto, temos que admitir que o próprio evangelho não chama a atenção para o valor simbólico dos soldados romanos como representantes de "o mundo"; de fato, a presença dos soldados não é enfatizada nem mesmo como a presença de Roma – só é por dedução que compreendemos que Pilatos e, portanto, a autoridade romana teria sido consultada. Tampouco a cena da prisão prepara realmente o caminho para a confrontação de Jesus e Pilatos. A informação de que Pilatos teve parte na prisão de Jesus vai de encontro a imagem de Pilatos no tribunal onde ele é simpático a Jesus e pensa que o processo judaico contra Jesus não é convincente. Ora, se uma destas duas imagens (Pilatos tramando a prisão de Jesus e Pilatos tramando a soltura de Jesus) é verdadeira e a outra foi remodelada por motivos teológicos, a do Pilatos do tribunal é mais provavelmente a criação teológica. Não é fácil anular um quadro do envolvimento romano na prisão de Jesus como uma invenção do evangelista; e é bem provável que Goguel, Cullmann, Winter, entre outros, estejam certos em pensar que aqui João preservou um detalhe histórico pressuposto nos outros relatos evangélicos. (Cf. nota sobre "armas" no v. 3).

Descobrimos, pois, que nos dois pontos maiores onde João difere dos evangelhos sinóticos no relato da prisão, a informação ou abordagem de João tem considerável plausibilidade como representante da tradição mais antiga. Fixemo-nos agora em um incidente que João partilha com os sinóticos, mas onde há detalhes joaninos peculiares. Nas notas sobre vs. 10-11 pusemos em destaque as similaridades e dissimilaridades entre os relatos joaninos e sinóticos do decepamento da orelha do servo. Naturalmente, ninguém pode estabelecer a veracidade dos detalhes narrados somente por João (Pedro, Malco, orelha direita [Lucas também tem orelha *direita*]); mas não são implausíveis, e as teorias da invenção destes detalhes não são totalmente convincentes.

Isto nos leva à questão da medida a que a Narrativa Joanina da Paixão é dependente dos evangelhos sinóticos ou de suas fontes. Discutimos isto em termos gerais acima (pp. 1202-07), mas prometemos voltar às nossas conclusões mediante estudos individuais. A cena da prisão nos dá uma chance de testar a teoria de Buse de que João se relaciona com a fonte B marcana. João carece de quase todo o material encontrado em B: a agonia no Getsêmani e os incidentes de Mc 14,49-51. (Mc 14,49 tem alguma similaridade com Jo 18,20, mas não pode haver dúvida sobre a dependência). De fato, João partilha com B somente no incidente do decepamento da orelha do servo; e exceto pelas palavras como "ferir" e "orelha", os dois relatos não são absolutamente afins. Nos incidentes narrados, João é bastante mais afim com a fonte A marcana (o relado primitivo da paixão). Benoit pensa que Mateus tem um relato independente da prisão; muitos pensam que Lucas tem uma fonte independente. Não obstante, é digno de nota o quanto João difere dos três (Marcos A, Mateus, Lucas): a descrição que João faz das forças prisionais é diferente; João inclui o detalhe das lanternas e tochas; ele omite o beijo de Judas; ele não menciona o Monte das Oliveiras e descreve a localidade em termos diferentes. Em face destas diferenças, a teoria de Borgen de que os detalhes dos vários relatos sinóticos foram fundidos e anexados a João parece improvável. Se João concorda com Lucas contra Marcos e Mateus em colocar o ataque dos discípulos ao servo do sumo sacerdote antes da prisão de Jesus, João não tem, praticamente, nenhum dos outros detalhes em que Lucas difere de Marcos e Mateus (a pergunta feita pelos discípulos em Lc 22,49; a cura da orelha do servo em 51; a presença dos principais sacerdotes na patrulha que o leva no v. 52). Tampouco João tem os detalhes em que Mateus difere de Marcos e Lucas (p. ex., os ditos de Mt 26,52-54 – veja nota sobre v. 11). Diferenças tais como estas nos levam a favorecer a teoria da independência joanina.

O significado dado à cena no pensamento joanino

Se João recorreu à tradição independente mais antiga, o material dessa tradição foi reelaborado nos interesses da teologia joanina. Em um artigo recente, RICHTER argumentou que o relato joanino da prisão é simplesmente elaboração teológica do relato sinótico ou pré-sinótico, mas ele extrai seus principais argumentos do tipo de material que passamos a discutir a seguir e não dos detalhes que já tratamos. Em nosso juízo, para que se faça justiça a todas as complexidades do relato joanino, é preciso admitir ambas, a tradição independente disponível e uma elaboração altamente teológica.

O v. 2 implica que a traição de Judas consistiu em informar as autoridades onde Jesus poderia ser preso secretamente, à noite, sem o risco de tumultos. João, porém, poderia estar mais interessado no valor simbólico da presença de Judas. Em 13,27.30, quando vimos Judas pela última vez, ele se convertera no instrumento de Satanás e partira noite adentro. Esta foi uma noite ruim da qual Jesus advertira em 11,10 e 12,35, noite em que os homens tropeçam porque não têm luz. Talvez isto seja por que Judas e seus companheiros vieram portando lanternas e tochas. Não aceitaram a luz do mundo, e assim preferiram a luz artificial. Este momento de trevas pode ser contrastado com o triunfo final de Jesus na Jerusalém celestial (Ap 22,5), onde os abençoados não precisarão de lâmpadas, pois o Senhor Deus será sua luz. Há um eco deste mesmo tipo de simbolismo na cena lucana da prisão (22,53), onde Jesus diz a seus captores: "Esta é vossa hora e o poder das trevas". (Se João estava extraindo do relato lucano, a omissão de um dito tão apropriado seria inexplicável).

A confrontação direta de Jesus e as forças das trevas é narrada com instinto dramático. Jesus sabia o que estava para acontecer e saiu ao encontro de seus oponentes. Já ouvimos dizer: "Ninguém a toma [minha vida] de mim; antes, espontaneamente a entrego" (10,18). Jesus dera a Judas permissão de deixar a última ceia a fim de traí-lo (13,27); agora se permitirá a Judas e às suas forças prendê-lo. Para João, a paixão não é um destino inevitável que se assenhoreia de Jesus; ele é senhor de seu próprio destino. (É bem provável que esteja certo o argumento de RICHTER, *art. cit.*, de que esta imagem joanina de Jesus visasse a responder ao tipo de objeções judaicas encontradas mais tarde em ORÍGENES, *Celsus* II 9; GCS 2:135: Se Jesus era divino, como poderiam os homens fazê-lo prisioneiro e matá-lo?) Em João não poderia haver contato físico entre Judas e Jesus, nem beijo como no relato sinótico. (Seria o beijo uma adição simbólica à história original?) Os dois lados estão divididos na pugna. Jesus faz às forças lideradas pelo discípulo renegado uma pergunta semelhante àquela que propusera aos seus primeiros discípulos ("A quem que estais buscando?" [1,38]). Aqueles discípulos o seguiram em busca da vida; o partido de Judas veio em busca da morte de Jesus.

No nível da conversação ordinária, a frase pela qual Jesus responde, "Eu sou [ele]", serve simplesmente para identificar Jesus como o procurado, função exercida pelo beijo de Judas na tradição sinótica. Mas a reação de cair para trás em confusão, à resposta de Jesus, não é simplesmente espanto espontâneo. Os adversários de Jesus estão prostrados sobre seus rostos diante de sua majestade (BARTINA, *art. cit.*), e assim pode haver pouca dúvida de que João tem em vista "EU SOU" como um nome divino (veja vol. 1, Ap. IV). Cair é uma reação à revelação divina em Dn 2,46; 8,18; Ap 1,17. Pode ser que o Sl 56,10(9) tenha entrado na formação da cena: "Então os meus inimigos cairão para trás: isto eu sei, porque Deus é por mim". Um pano de fundo ainda melhor teria sido valioso se a lenda já estivesse em circulação que, quando Moisés pronunciou diante de Faraó o nome secreto de Deus, ele caiu mudo por terra (EUSÉBIO, *Praeparatio evangelica* IX. XXVII. 24-26; GCS 43^1:522, o atribui a ARTAPANUS, um escritor que viveu antes do 1º século a.C.; veja R. D. BURY, ET 24 [1912-13], 232-33). A cena joanina ilustra que Jesus tem o poder de Deus sobre as forças das trevas, porque ele tem o nome divino. Isso reforça a impressão de que Jesus não poderia ter sido preso a menos que o permitisse. A mesma ideia se expressará em palavras diante de Pilatos em 19,11: "Não terias sobre mim nenhum poder, se não te fosse dado do alto".

Mas desta vez não decide Jesus deixar impotentes a seus inimigos. Na cena sinótica da agonia se dá a entender com toda clareza que Jesus não pensa em resistir à vontade seu Pai, também em João permite Jesus ser preso, com tanto que não se cause nenhum dano a seus seguidores. Jesus não usa a proteção do nome divino em seu favor, mas sim em favor daqueles que ele ama. Os discípulos se livram e deste modo se cumpre o tema de 17,12, onde se proclamava a força protetora do nome divino.

[A Bibliografia para esta seção está inclusa na Bibliografia no final do §62.]

62. A NARRATIVA DA PAIXÃO: – PRIMEIRA SEÇÃO (SEGUNDA UNIDADE)

(18,13-27)

O interrogatório de Jesus

18 ¹³Primeiramente, levaram Jesus a Anás, pois era o sogro de Caifás, que era o sumo sacerdote naquele ano. (¹⁴Vale lembrar que foi Caifás quem advertiu aos judeus que "convém ter um só homem morto pelo povo").
¹⁵Ora, Simão Pedro passou a seguir Jesus juntamente com outro discípulo. Este discípulo, que era conhecido do sumo sacerdote, acompanhou Jesus até o palácio do sumo sacerdote, ¹⁶enquanto Pedro foi deixado em pé do lado de fora do portão. Então o [outro] discípulo (o conhecido do sumo sacerdote) saiu e falou à jovem junto ao portão e trouxe Pedro para dentro. ¹⁷Esta serva que guardava o portão disse a Pedro: "Não és tu também um dos discípulos deste homem?" "Não sou", replicou ele. ¹⁸Por estar frio, os servos e os guardas fizeram uma fogueira e se puseram em pé ao redor para se aquecerem; então Pedro também se pôs em pé com eles e se aquentava.
¹⁹O sumo sacerdote interrogava Jesus acerca de seus discípulos e de seu ensino. ²⁰Jesus respondeu:

"Eu tenho falado abertamente a todo mundo.
Eu sempre ensinei numa sinagoga ou nos recintos do templo, onde todos os judeus se reuniam.
Nada houve de secreto acerca do que eu disse.

17: *disse*; *replicou*; 26: *insistiu*. No tempo presente histórico.

²¹Por que me perguntas? Pergunta aos que me ouviam enquanto eu falava. Obviamente, se lembrariam do que eu disse". ²²Ante esta resposta, um dentre a guarda em serviço deu uma bofetada no rosto de Jesus, exclamando: "É dessa maneira que respondes ao sumo sacerdote?" ²³Jesus respondeu: "Se eu disse algo mal, produz alguma evidência disso. Mas se estou certo, por que me feres?" ²⁴Então Anás o enviou manietado a Caifás, o sumo sacerdote. ²⁵Entretanto, Simão Pedro permanecia em pé ali, aquecendo-se. Então lhe disseram: "És também um de seus discípulos?" "Não, não sou", disse negando-o. ²⁶"Não te vi com ele no jardim?", insistiu um dos servos do sumo sacerdote, parente do homem cuja orelha Pedro decepara. ²⁷Pedro negou-o outra vez, e em seguida um galo começou a cantar.

NOTAS

18.13. *Levaram.* Literalmente, "conduziram", *agagein,* como em Lc 22,54. Muitos manuscritos posteriores leem "tiraram", harmonizando com Mc 14,53; Mt 26,57.

Anás. Em conformidade com JOSEFO (*Ant.* 18.2.1; 26), o sumo sacerdote Ananus (gr. *Ananos,* do heb. *Hᵃnanyāh*; a forma neotestamentária *Anás* é uma abreviação) foi designado pelo prefeito romano Quirino em 6 a.C. e deposto por Valério Grato em 15 (48.2.2; 34). Ele permaneceu poderoso, pois seus cinco filhos eventualmente se tornaram sumos sacerdotes (20.9.1; 198). A família de Anás é mencionada diversas vezes nos escritos judaicos posteriores; ela era notável por sua avareza, bem como por suas riquezas e poder. Lucas é o único outro evangelista que associa Anás com o período geral do ministério de Jesus. Lc 3,2 data o sumo sacerdócio de Anás e Caifás com a vinda da palavra de Deus ao Batista no deserto; At 4,6 menciona que Pedro foi conduzido perante "Anás, o sumo sacerdote, e Caifás, e João [talvez Jônatas, filho de Ananus que governou em 36-37, depois de Caifás], e Alexandre [igualmente desconhecido]". A maioria dos críticos presume que Lucas, equivocadamente, cria que Anás ainda era sumo sacerdote ou, ao menos, sumo sacerdote adjunto de Caifás. WINTER, *Trial,* p. 33, pensa que Lucas incorreu em erro ainda mais avultado de antedatar para os anos 30 Ananus II que reinou em 62 d.C. e Tiago, irmão de Jesus, foi apedrejado. Aparentemente, WINTER pensa que o mesmo equívoco foi feito pelo autor de João 18,12-27! Pelo menos no caso de Lc 3,2, esta abordagem minimalista sobre a exatidão lucana pode ser hipercrítica; pois não é impossível que, ao chamar Anás "sumo sacerdote", Lucas está preservando um título de cortesia dado aos primeiros sumos sacerdotes. Temos evidência de tal uso tanto na Mishnah (*Horayoth* 3:1-2,4 – o sumo sacerdote retinha sua santidade e obrigações mesmo depois que não mais estivesse no ofício) e em Josefo (*War*, 2.12.6; 243 – Jônatas é mencionado como sumo sacerdote quinze anos depois de sua deposição). Ainda pode ser que judeus ultra-ortodoxos se recusassem reconhecer a deposição romana dos sumos sacerdotes e considerassem Anás como sendo o sumo sacerdote legítimo visto que o sumo sacerdócio era tido como um ofício vitalício (Nm 35,25). E pode ser que na situação *de facto* o velho e sagaz Anás fosse o sumo sacerdote efetivo, manejando o poder por detrás das cenas enquanto seus parentes retinham o título.

João é nossa única fonte para dois detalhes: que Anás exerceu certo papel no interrogatório de Jesus e que Anás era o sogro de Caifás. Do que temos dito, nenhum detalhe é implausível, a despeito da tendência de muitos críticos de descartá-los. O problema sério é que em 15, 16, 19 e 22 João chama Anás "o sumo sacerdote". Devemos interpretar isto à luz das sugestões feitas acima sobre o uso lucano desse título. (O autor joanino sabia claramente que Caifás era o sumo sacerdote oficial no tempo da morte de Jesus [v. 14; 11,49], e dificilmente podemos imaginar que ele fosse tão ignorante da situação palestiniana para crer que houvesse dois sumos sacerdotes ao mesmo tempo. Os críticos que fazem esta sugestão não podem explicar como um autor que conhecia o AT tão bem pudesse cometer um equívoco tão elementar). Outros têm tentado resolver o problema se valendo da crítica literária. Descobrimos no OS^{sin}, na Filoxenian Syriac, na margem do Evangeliarium Hierosolymitanum, no Greek Cursive 225 e em Cirilo de Alexandria suporte para um rearranjo em que o v. 24 seja lido imediatamente após o v. 13. Isto significaria que, depois de Jesus ser levado a Anás, foi bem rapidamente enviado de Anás para Caifás; e assim o interrogatório ocorreu antes de Caifás que é designado por toda parte de "o sumo sacerdote". Enquanto este rearranjo tem apelado para diferentes estudiosos (Lutero, Calmes, Lagrange, Streeter, Durand, Joüon, Vosté, Sutcliffe) e continua a receber suporte e melhoramento modernos (artigos da Igreja e Schneider), provavelmente seja esta uma antiga tentativa de um copista para melhorar a sequência, em vez de um genuíno eco da ordem original. O OS^{sin}, que é o testemunho básico para o rearranjo, tende a fazer tais "melhoramentos" na ordem; por exemplo, ele coloca 19-23 após 14-15. Se no v. 24 original seguiu o 13, não há explicação racional de como sucedeu a ordem ora encontrada em muitas testemunhas; mas é possível explicar facilmente que um copista removesse 24 e o colocasse depois de 13 para levar João a harmonizar-se com a tradição mateana na qual Jesus foi interrogado por Caifás. Além do mais, o rearranjo torna supérflua a menção de Anás.

Finalmente, alguns têm objetado que os soldados romanos (v. 12) nunca teriam entregado um prisioneiro às autoridades judaicas. Mas esta objeção pressupõe que Pilatos não esteve atuando em cooperação com os soldados do Sinédrio. Deve-se notar que o evangelista não sugere que as tropas romanas entraram na corte do sumo sacerdote; somente a guarda do templo e os servos são colocados ali (v. 18).

Caifás. Entre os evangelhos sinóticos, somente Mateus identifica o sumo sacerdote que interrogou Jesus: "Então os que se apoderaram de Jesus o levaram a Caifás, o sumo sacerdote" (Mt 26,57). Marcos e Lucas simplesmente falam do sumo sacerdote; e WINTER, *Trial*, p. 33, pensa que a tradição cristã não preservou o nome do sumo sacerdote. A menos que acreditemos que João copiou de Mateus, o tal teria que pressupor que os dois evangelistas buscaram, independentemente, informação judaica sobre o sumo sacerdote que teria estado no ofício ao tempo da morte de Jesus. Antes, a omissão do nome, em Marcos e Lucas, poderia refletir as origens e destinação gentílicas desses dois evangelhos; E Mateus e João, neste caso, poderiam ser mais afins à tradição palestinense.

sumo sacerdote naquele ano. Veja nota sobre 11,49. BULTMANN, p. 497, como WELLHAUSEN antes dele, trata de toda a referência a Caifás em 13 e 14 como uma glosa feita pelo evangelista em sua fonte. O v. 14 parece ser uma adição parentética e provavelmente estivesse relacionado com aquele estágio de redação joanina responsável pelas introduções dos caps. 11-12 no esboço do evangelho (vol. 1, pp. 696-07; 711). Mas esta adição poderia ter sido sugerida pelo fato de que o relato do interrogatório identificasse Anás como o sogro de Caifás, e assim não fica claro que a última parte do 13 é também uma adição.

14. *Vale lembrar*. O escritor faz uma referência retroativa a 11,50: "Nem compreendeis que convém ter um só homem morto pelo povo, do que terdes toda a nação destruída".

morto. *Apothanein*; as testemunhas mais tardias leem *apolesthai*, "perecer, ser destruído". Ambos os verbos aparecem em 11,50. É tentador teorizar que o original do presente versículo tinha "alguém pereça", e que copistas inseriram "morto" para fazer a citação harmonizar-se com o original.

15. *Simão Pedro*. Por todas as negações, se utilizará o nome "Pedro" (16,17,18,27); mas quando o discípulo é mencionado pela primeira vez, aqui e outra vez em 25 após o inquérito de Anás, João prefere usar o

nome completo (nota sobre 1,40). Os três evangelhos sinóticos concordam que Pedro *seguiu* Jesus.

outro discípulo. Acaso este discípulo anônimo deva ser identificado com "o outro discípulo" de 20,2, que é o Discípulo Amado? Veja vol. 1, p. 91. Alguns copistas antigos fizeram esta identificação, pois escreveram "*o* outro discípulo" no presente versículo. BULTMANN, p. 499[6], rejeita a identificação, mas há argumentos em seu favor. Este "outro discípulo" está associado com Pedro, uma marca registrada do Discípulo Amado (13,23-26; 20,2-10; 21,7.20-23). O Discípulo Amado teria também seguido Jesus durante a paixão, porque ele aparece ao pé da cruz em 19,25-27. Além do mais, o fato de que este "outro discípulo" acompanhava Jesus ao palácio do sumo sacerdote sugere o profundo apego a Jesus, que é característico do Discípulo Amado. Veremos as dificuldades sobre a identificação nas notas que seguem.

conhecido do sumo sacerdote. SCHLATTER, p. 332, argumenta que *gnōstos* não implica necessariamente amizade, mas apenas que alguém não era desconhecido. Todavia, BARRETT, p. 439, salienta que na LXX *gnōstos* se refere a um amigo íntimo. Esta descrição suscita dois problemas. Primeiro, se este "outro discípulo" era conhecido do sumo sacerdote, seria ele o Discípulo Amado? Não seria também conhecido que ele era o favorito de Jesus e como então podia ser admitido ao palácio do sumo sacerdote sem ser questionado quando Pedro foi interrogado? Temos a impressão de que, se Pedro confessasse ser discípulo de Jesus, não teria sido admitido ou teria sido preso; mas este "outro discípulo" se move livremente. Esta dificuldade leva BULTMANN a sugerir que o discípulo não era um dos Doze e não era do conhecimento que fosse seguidor de Jesus. E. A. ABBOTT (cf. ET 25 [1913-14], 149-50) tem feito a engenhosa proposta de que o discípulo era Judas, um dos membros dos Doze de quem sabemos esteve tratando com o sumo sacerdote e cuja presença no palácio não teria suscitado indagações. Mt 27,3-4 tem uma tradição de que Judas seguiu bem de perto o interrogatório de Jesus. Mas não há evidência de que o quarto evangelista estivesse pensando em um discípulo como Judas na descrição em 15-16. Outra proposta, feita por E. A. TINDALL, ET 28 (1916-17), 283-84, é que o discípulo era Nicodemos, um habitante de Jerusalém (Jo 2,23-3,1) que estava envolvido nos eventos da paixão (19,39) e que, como membro do Sinédrio, teria tido entrada franca ao sumo sacerdote. O segundo problema se origina da possibilidade de uma resposta afirmativa ao primeiro: se o discípulo é o Discípulo Amado, pode o Discípulo Amado ser João filho de Zebedeu? Como poderia um pobre, iletrado, pescador galileu ser conhecido do sumo sacerdote? Todavia, enquanto um relacionamento com o sumo sacerdote pudesse ser mais fácil se o discípulo fosse judeu, e não galileu (Dodd, *Tradition*, pp. 88-89), João, filho de Zebedeu, não é tão facilmente excluído. W. Wuellner, *The Meaning of "Fishers of Men"* (Filadélfia: Westminster, 1967) tem proposto o frágil fundamento subjacente à atitude comum para com a ignorância e pobreza dos discípulos galileus. O fato de que um homem fosse pescador nos diz pouco de sua classe social ou educação. Mc 1,20 apresenta Zebedeu, pai de João, como um homem com servos assalariados, e ambos, João e sua mãe, com ambições de prestígio (Mc 10,35-45; Mt 20,20-28). Tampouco a observação em At 4,13, de que João era iletrado, nos diz muito sobre sua educação, pois esta observação é polêmica e pode ser um vilipêndio. Em um de nossos mais antigos comentários sobre a identificação deste "outro discípulo", Nonnus (meado do 5º século), em sua paráfrase métrica do evangelho, pensa nele como um jovem (um pescador comerciante (cf. W. Drum, ET 25 [1913-14], 381-82). Para outros comentários sobre este versículo, veja vol. 1, p. 103. Obviamente, nenhuma solução definida é possível para ambos os problemas.

no palácio do sumo sacerdote. A palavra *aulē* pode referir-se a um edifício palaciano ou a um átrio aberto. Aparentemente está em pauta o último significado, quando os três evangelhos usam o termo para o local das negações de Pedro. (O "*aulē* do sumo sacerdote" é mencionado em Mc 14,54 e Mt 26,58, enquanto Lc 22,54-55 fala de "a casa [*oikia*] do sumo sacerdote" e se refere a um *aulē* naquela casa). Eles têm posto Pedro assentado no *aulē* com a guarda palaciana, e Marcos e Lucas mencionam uma fogueira no *aulē* para se aquecerem. Em Mc 14,66, o *aulē* é no andar térreo, enquanto o julgamento é mantido em uma sala do andar superior; em Mt 26,58, o *aulē* é do lado de fora; em Lc 22,54-55 é apenas parte da "casa" do sumo sacerdote. Mas, no relato joanino, a questão é mais complexa. Aqui também Pedro é indubitavelmente retratado como do lado de fora do pátio próximo ao portão, enquanto, aparentemente, Jesus é interrogado em outro lugar. João, porém, não usa *aulē* para o lugar onde Pedro está esperando e se aquecendo. O único uso de *aulē*, neste episódio, é preferivelmente traduzido por "palácio", pois normalmente alguém não fala de ter acesso a um pátio.

Onde ficava o palácio do sumo sacerdote? Caifás era o sumo sacerdote oficial; presumivelmente, ele vivia no palácio hasmoneano sobre a Colina Ocidental da cidade, sobranceiro sobre o vale Tyropeon e de frente para o templo. (Posto que no 4º século a casa de Caifás foi localizada na parte sudeste da colina ocidental, justamente fora do portão de Sião e próxima ao cenáculo; mas a historicidade desta tradição é muito duvidosa.

Veja Kopp. HPG, pp. 352-57). Entretanto, no relato de João a referência é ao palácio de Anás, *donde* Jesus foi enviado subsequentemente a Caifás. Anás tinha seu próprio palácio? (No 13º século a tradição local de Jerusalém começou a distinguir entre a "cada de Anás" e a "casa de Caifás"; antes nenhuma atenção foi dada à residência de Anás – Lagrange, p. 460). Anás teria ido ao palácio do sumo sacerdote oficial donde Jesus seria enviado a Caifás, que estava no palácio onde o Sinédrio se reuniu? Esta sugestão concordaria com Lc 22,54.66 onde Jesus é levado de "a casa do sumo sacerdote" para "o Sinédrio". Muitos comentaristas (Agostinho, Zahn, Plummer, Dalman, Blinzler) sugerem que Anás e Caifás viviam em alas diferentes do mesmo palácio, alas circunscritas por um pátio comum através do qual Jesus passou quando foi de um sacerdote para o outro. Muito disto é mera especulação.

16. *Pedro foi deixado em pé do lado de fora*. Nenhum dos sinóticos indica que Pedro teve problema em entrar no pátio.

    o [outro] discípulo. Algumas testemunhas menores leem "aquele discípulo"; P[66] não tem "outro" nem "aquele".

    conhecido do sumo sacerdote. Em 15, *gnōstos* governou um dativo; aqui ele governa um genitivo. Não há diferença aparente de significado, mas pode ser que houvesse uma mão diferente (o redator) que anexou aqui um esclarecimento parentético.

    jovem junto no portão. O substantivo *thyrōros* pode ser masculino ou feminino, de acordo com o sexo do porteiro; aqui o artigo indica que está implícita uma mulher. (Para porteiras, veja a LXX de 2Sm 4,6; At 12,13). Uma redação masculina é refletida em OS[sin], a etiópica e uma testemunha para o texto de Taciano; Benoit, *Passion*, p. 68, pensa que esta pode ter sido a redação original. Veja a nota seguinte.

17. *serva que guardava o portão*. Uma *paidiskē* ou serva aparece em todos os relatos que os evangelhos fazem da primeira negação de Pedro, mas somente João especifica seu trabalho. Marcos, que tem a serva como o indagador também na segunda negação, coloca essa negação em frente ao átrio (14,68: *proaulion* – em Mt 26,71 isto é uma entrada ou *pylōn*); e assim pode haver na tradição sinótica um indício que associa a jovem com o portão para o átrio. Muitos estudiosos (Bultmann, p. 499[7]) têm expresso dúvida se fosse permitido que uma mulher atendesse ao portão do palácio do sumo sacerdote, especialmente à noite. Alguns propõem que o redator joanino converteu o porteiro originalmente indefinido ou masculino de 16 em uma porteira para harmonizar-se com a tradição sinótica de uma serva, e assim a sentença em consideração representa uma combinação redacional das duas ideias. Aqui, o OS[sin] e a etiópica leem "a serva do homem que guardava o

portão"; esta redação implica que um porteiro deixou Pedro entrar, mas sua serva interrogou Pedro. Isto é atraente, mas cabe-nos lembrar que o OS^{sin} se caracteriza por sua tendência por amenizar as dificuldades desta cena.

disse. TACIANO e o OS^{sin} acrescentam que ela cismou com Pedro, um empréstimo de Lc 22,56.

"Não és tu também...?" Uma pergunta com *mē* normalmente antecipa uma resposta negativa. O significado normal seria possível no presente contexto se teorizarmos que a serva poderia estar propensa a pensar em Pedro como um perturbador, já que ele estava sendo apadrinhado por um conhecido da casa. Mas em 25 a mesma pergunta com *mē* reaparece, e ali é mais difícil explicar como uma resposta negativa poderia ser antecipada. É mais simples presumir que algumas vezes *mē* perde sua força nas perguntas joaninas (veja Jo 4,29 e MTHGS, p. 283). Não obstante, a terceira pergunta feita a Pedro (26) emprega um *ouk* (sinal de antecipação de uma resposta afirmativa), e assim há algum contraste tencionado entre os dois tipos de perguntas.

Qual é a função do "também" aqui? Alguns (LAGRANGE, WESTCOTT) pensa que a serva sabia que o outro discípulo era um dos seguidores de Jesus. Mas então por que o outro discípulo foi admitido e por que ele não corria nenhum risco, como Pedro aparentemente teria corrido se fosse confessar a verdade? "Tu também" e "este homem também" aparecem nos relatos sinóticos da acusação de Pedro (Mc 14,67 e par.), onde não há problema de uma comparação com outro discípulo; e "também" implicitamente se refere aos discípulos que estavam com Jesus quando este foi preso. Assim, em João também a ideia pode ser: "És tu também, como aqueles outros, um discípulo?"

Não sou. GRUNDMANN, NovT 3 (1959), 65[1], sugere que o *ouk eimi* de Pedro, aqui e em 25, são as contrapartes negativas do *egō eimi* de Jesus em 5 e 8. Assim GRUNDMANN chega a um interessante contraste entre a confissão de Jesus sobre quem ele é em defesa dos discípulos e a negação de Pedro de ser um discípulo.

18. *frio*. Somente João fornece este detalhe, mas é uma implicação óbvia em Marcos e Lucas que mencionam uma fogueira no pátio. Jerusalém, a 760 metros acima do nível do mar, pode ficar fria nas noites de primavera.

servos e os guardas. Juntamente com as tropas romanas havia servos e os guardas no jardim para a prisão de Jesus (servo, no v. 10; polícia, em 3 e 12). Mc 14,54 e Mt 26,58 mencionam guarda no pátio do sumo sacerdote, embora não os mencionem na cena da prisão.

fizeram uma fogueira. Dos sinóticos, somente Lucas (22,55) menciona o ato de acender fogo (*pyr*; em 56 *phōs*, "luz") tão logo a patrulha chegou na casa do sumo sacerdote. Mc 14,54 fala de um braseiro (*phōs*), mas omite o ato de acender; Mateus omite toda menção de uma fogueira. João fala de *anthrakia* ou carvão aceso (fogo).

se aquecerem. O verbo aparece em TACIANO e em algumas testemunhas siríacas numa forma diferente; está perdido em alguns mss. gregos. Visto que ele ocorre duas vezes neste versículo, uma ocorrência pode representar uma adição de copista.

em pé. Nos três relatos sinóticos, Pedro se assenta com a guarda ou os presentes. Todavia, "em pé" não necessita ser tomado tão literalmente, se julgarmos pelo uso semítico. ZGB, §365: "*Estōs* ocasionalmente significa não mais que mera presença em um lugar.

se aquentava. Somente Marcos (14,54 e 67) menciona isto; João também o tem duas vezes (aqui e 25). BUSE, "Marcan", p. 217, vê uma conexão literária entre este versículo em João e Mc 14,54; todavia, note as diferenças que já temos indicado.

19. *sumo sacerdote*. Veja nota sobre Anás em 13. O v. 24 implicas que Caifás não estava presente.

20. *Jesus respondeu*. Somente com hesitação é que pusemos a resposta de Jesus em formato de versículo; BULTMANN e SB não o fazem. Embora a terceira linha seja mais prosaica, as primeiras duas formam paralelismo, e juntamente com a última linha podem ecoar o tema da Sabedoria falando aos homens em público (Pr 8,2-3; 9,3; Sb 6,14.16; Bar 3,37[38]).

tenho falado abertamente. O tempo é perfeito, enquanto os verbos subsequentes ("eu ensinei"; "eu disse") estão no aoristo. MTGS, pp. 69-70, aponta para isto como um exemplo de um verbo no tempo perfeito funcionando em um sentido aorístico. Estaria Jesus alegando que sua doutrina não é esotérica ou que ela não é subversiva? Historicamente, a última hipótese poderia ter sido o problema se ele foi preso como um revolucionário. Em Mc 14,48-49, Jesus se queixa de que eles saíram armados para prendê-lo como se ele fosse um bandido líder de guerrilha; todavia, "Eu estive convosco diariamente, ensinando nos recintos do templo e não se assenhorearam de mim". O paralelo com João é mais afim se WINTER, *Trial*, p. 49, está certo em alegar que o *kath kēmeran* de Marcos, "diariamente", significa "de dia" e, assim, tem a mesma implicação que o "abertamente" de João. Aqui, a afirmação de Jesus concorda com algumas passagens prévias em João, pois o templo, 7,26, onde o povo de Jerusalém reconheceu que Jesus estava falando em público e indagava se o fato de que as autoridades fracassaram em refreá-lo não significava que o tinham aceitado como o Messias. Veja também 11,54, o qual implica que mover-se "abertamente entre os judeus" era o plano de ação normal de

Jesus até um pouco antes do final de seu ministério. Todavia, em 10,24 "os judeus" desafiaram Jesus: "Se realmente és o Messias, dize-nos com palavras bem mais claras [*parrēsia* = 'abertamente, publicamente']". Assim, para João, em certo sentido Jesus falava aberta e claramente, mas em outro sentido suas palavras eram obscuras. Algumas vezes a obscuridade provinha da indisposição do auditório em crer; todavia, o evangelista também reconhece uma profundidade nas palavras de Jesus que somente o Paráclito pode clarificar (16,12-13). É interessante comparar a resposta de Jesus ao sumo sacerdote com a resposta de Sócrates a seus juízes: "Se alguém disser que sempre tem aprendido ou ouvido algo de mim em privado, que todos os demais não poderiam ter ouvido, então saibas que o tal não fala a verdade" (Platão, *Apologia* 33B).

sempre. Isto não deve ser tomado literalmente demais; obviamente, Jesus falou a Nicodemos e à mulher samaritana em privado.

numa sinagoga. Só um caso disto está registrado em João (6,59).

nos recintos do templo. Veja 2,14; 7,14.28; 8,20; 10,23. Um paralelo com sinagoga foi dado acima; todavia, a imagem do frequente ensino nos recintos do templo não se harmoniza com o esboço sinótico no qual Jesus vai a Jerusalém somente uma vez.

onde todos os judeus se reuniam. Dificilmente Jesus teria dito isso ao sumo sacerdote. Se este versículo preserva um dito original de Jesus, ele foi expandido, de modo que fosse dirigido aos leitores gentílicos do evangelho. Todavia, a segunda e terceira linhas deste versículo são as que Bultmann, p. 500, julga ter vindo da fonte mais antiga da paixão, enquanto a primeira e quarta representam a expansão do evangelista (pois são as mais teológicas).

nada houve de secreto acerca do eu disse. Isto ecoa as palavras de Iahweh em Is 14,19: "eu não disse nada em segredo" (também 48,16).

21. *Por que me perguntas?* O princípio de que é impróprio que uma pessoa acusada condene a si mesma está explícito na lei judaica de tempos posteriores (p. ex., Maimônides) e pode já estar vigente nesse tempo. A tradição bizantina lê um verbo mais forte ("interrogar") em vez de "perguntar".

Pergunta aos que me ouviram. Jesus está reclamando por um julgamento com testemunhas – uma boa indicação de que a audiência perante Anás não era um julgamento formal. Tal auto-presunção perante a autoridade provavelmente fosse surpreendente; pois Josefo, *Ant.* 14.9.4; 172, nos informa que a atitude normal perante um juiz era de humildade, timidez e busca de compaixão.

22. *Um dentre a guarda... deu uma bofetada no rosto de Jesus*. Os evangelhos sinóticos descrevem mais elaboradamente as vexação a que Jesus foi sujeito.

De conformidade com Mt 26,67, na conclusão do julgamento noturno de Jesus diante do sumo sacerdote e do Sinédrio, eles (aparentemente os membros do Sinédrio) lhe cuspiram, o espancaram e o *esbofetearam*, desafiando-o a que profetizasse. É bem provável que o relato mateano seja uma simplificação da forma composta em Mc 14,65, onde dois grupos estão envolvidos: primeiramente, alguns (do Sinédrio) cuspiram no rosto de Jesus, o espancaram e lhe desafiaram a profetizar; então, um dos guardas o levou e o esbofeteou (veja P. BENOIT, "*Les outrages à Jésus prophéte*", in NTPat, pp. 92-110). O relato em Lc 22,63-64 é notavelmente diferente: na casa ou pátio do sumo sacerdote, depois de Pedro haver negado Jesus três vezes, os homens que iam conduzindo Jesus o escarneciam e o feriam, vendando-o e desafiando-a a profetizar. Então falaram contra ele, vilipendiando-o. O relato de João é um tanto mais próximo à última linha de Marcos e a Lucas na questão dos que cometiam as vexações, porém mais afim a Marcos e Mateus na questão do que era feito (Lucas não menciona as bofetadas). O ato de esbofetear era mais um insulto do que pancadas com dano físico.

"*É dessa maneira que respondes ao sumo sacerdote?*" Em Ex 22,28 exigia uma atitude respeitosa: "Não insultarás a Deus nem amaldiçoarás [dizer algo injusto de] o príncipe de teu povo". Não é incomum que um assistente em um tribunal seja levado a agir contra um prisioneiro; cf. a história do julgamento perante o Rabi Papa em TalBab *Shebuoth* 30b.

23. *Jesus respondeu*. Somente em João Jesus responde às vexações.

Se eu disse algo mal. Implicitamente, Jesus cita a lei de Ex 22,28 supramencionada e nega que a tivesse violado.

produz alguma evidência disso. Em 8,46, Jesus exibiu a mesma confiança em sua inocência: "Pode algum dentre vós convence-me de pecado? Se estou dizendo a verdade, por que não credes?" Veja também 15,25: "Odiastes-me sem causa".

feres. Entre os relatos sinóticos das vexações, Lucas (22,63) é o único que usa este verbo *derein*.

24. *Então*. Ou "assim"; talvez porque Jesus estivesse exigindo uma audiência formal e o interrogatório não podia ser formalizado em qualquer lugar.

enviou. Mencionamos acima (nota sobre Anás em 13) as tentativas de mudar este versículo para uma posição imediatamente depois do v. 13 e, assim, fazer Caifás o interrogador em 19. Outra proposta com o mesmo objetivo é entender o verbo aoristo como um mais-que-perfeito (GROTIUS, D. F. STRAUSS, EDERSHEIM), convertendo isto em uma observação parentética que Anás *enviou* Jesus a Caifás, a saber, antes do interrogatório de 19-23.

manietado. Jesus foi conduzido a Anás manietado (12). Foi ele liberado durante o interrogatório, ou LAGRANGE está certo em sugerir que isto significa "ainda manietado"? (Compare At 22,30, onde Paulo fora liberado quando conduzido perante os principais sacerdotes e o Sinédrio, mas este privilégio poderia ter sido acordado com ele por ser um cidadão romano). Ainda em outra tentativa de resolver o problema de um interrogatório de Jesus perante Anás, A. MAHONEY, *art. cit.*, recorre a uma emenda textual: em lugar de *dedemenon*, "manietado", ele lê *menōn*: "Anás, porém, *persistindo* (após a saída de Caifás) o enviou a Caifás". Esta emenda pressupõe detalhes não mencionados: Caifás estava com Anás quando Jesus foi interrogado; mas, depois do interrogatório, ele partiu para onde o Sinédrio estava reunido.

Na tradição marcana/mateana, a primeira menção de Jesus manietado, quando enviado do Sinédrio a Pilatos (Mc 15,1; Mt 22,2). Lucas não tem referência as amarras.

a Caifás. Ao palácio do sumo sacerdote oficial, ou (se Anás já estava lá) a outra ala do palácio, ou a algum lugar em que o Sinédrio se reunia (veja nota sobre "palácio" em 15). Naturalmente, João não menciona o Sinédrio, mas somente Caifás; mas é bem provável que o "eles" de 28 (nota ali) implique os líderes do Sinédrio. Não sabemos onde o Sinédrio se reunia nesta época. Veja BLINZLER, *Trial*, pp. 112-14. Mishnah *Middoth*, 5:4, fala da Sala da Pedra Lavrada do lado sul do átrio do templo; mas, segundo TalBab, *Abodah Zarah*, 8b, o Sinédrio abandonou esta sala quarenta anos (número redondo?) antes que o templo fosse destruído (70 d.C.) e mudou-se para a praça do mercado (veja vol. 1, p. 317s) – assim, aparentemente, mais ou menos no tempo de Jesus.

25. *Entretanto*. Esta é uma tradução livre de *de*; aparentemente, João está retrocedendo-se para contar-nos o que aconteceu enquanto Jesus estava sendo interrogado. Marcos e Mateus deixam claro que Pedro estava do lado de fora ou na parte inferior enquanto Jesus estava sendo interrogado do lado de dentro ou parte superior. Em João, temos a impressão (mas nenhuma afirmação clara) de uma mudança de cena de uma parte do edifício para outra.

Simão Pedro... aquecendo-se. Esta é uma repetição do v. 18, de modo que as duas primeiras negações se acham vinculadas. João concorda com Lucas sobre a localização da segunda negação; veja gráfico à p. 1268 abaixo.

disseram. Presumivelmente, os servos e a guarda mencionados no v. 18.

"És também...?" "Não, não sou". João tem a mesma pergunta e resposta como na primeira negação.

disse, negando-o. Literalmente, "ele o negou e disse" – um hebraísmo; cf. MTGS, p. 156.

26. *parente*. O autor revela um detalhado conhecimento da casa do sumo sacerdote; ele sabia de Malco em 10, e aqui ele sabe do parente de Malco. Alguns explicariam isto com base em que o Discípulo Amado, que é a fonte da tradição do Quarto evangelho, era o "outro discípulo" conhecido do sumo sacerdote (15). Se o nome no v. 10 é fictício, o autor se esforçou por levar avante a ficção.

27. *em seguida um galo começou a cantar*. O canto do galo é associado às negações de Pedro em todos os evangelhos. João não tem o detalhe lucano de que esta foi a segunda vez que o galo cantou, nem o detalhe lucano de que, quando o galo cantou, o Senhor se voltou e olhou para Pedro. Os três sinóticos evocam o aviso de Jesus de que Pedro negaria seu mestre; João não faz isso. Alguns têm questionado se havia galos em Jerusalém; pois a Mishnah, *Baba Kamma*, 7:7, proíbe a criação de galinha em Jerusalém (cf. StB, I, 992-93). Mas não estamos certos que isto fosse estritamente observado; veja J. Jeremias, *Jerusalem in the Time of Jesus* (Filadélfia: Fortress, 1969), pp. 47-48[44] [*Jerusalém no Tempo de Jesus*, Academia Cristã, Paulus/2020]. Bernard, II, 604, endossa de que o que estava envolvido não era o canto de uma ave, e sim o sinal da trombeta feito no final da terceira vigília chamado "canto do galo" (meia-noite às três da manhã). Isto significaria que o interrogatório feito por Anás e as negações de Pedro terminaram às três da manhã. O empenhado estudo que Père Lagrange faz da questão tem produzido a informação de que o natural canto do galo em Jerusalém, em março-abril, ocorre muitas vezes entre três e cinco da manhã, com o mais cedo registrado em 2,30. H. Kosmala, *Annual of the Swedish Theological Institute* 2 (1963), 118-20; 6 (1967-68), 132-34, registra consistente evidência para três distintos cantos do galo noturnos todo o ano na Palestina, de 12,30; 1,30 e 2,30, com o segundo como tradicionalmente o mais importante. Consulte também C. Lattey, *Scripture* 6 (1953-54), 53-55.

COMENTÁRIO

No esboço desta unidade dado à p. 1200 acima, salientamos que, basicamente, ela consiste de um episódio central, o interrogatório de Jesus feito por Anás, cercada de ambos os lados pela negação que Pedro faz de Jesus. O episódio central tem apenas paralelos remotos nos relatos sinóticos; o episódio das negações de Pedro tem paralelos estreitos. Estudemos cada episódio detalhadamente.

O interrogatório de Jesus feito por Anás (vs. 13-14; 19-23)

Os estudiosos encontram grande dificuldade em suas tentativas de estabelecer uma sequência histórica das diversas apresentações evangélicas dos interrogatórios de Jesus feitos pelas autoridades judaicas. Em um gráfico temos esquematizado os dados. Podemos começar nosso estudo catalogando o que parece factual ou plausível nos relatos sinóticos (recorrendo ao problema se a apresentação de Lucas é independente de Marcos – p. 1206 acima):

(1) Uma sessão do Sinédrio (todo ou uma parte) foi convocada para tratar de Jesus e determinar se ele seria entregue aos romanos para julgamento. Os três sinóticos testificam disto (veja também nota sobre "a Caifás" em Jo 18,24); parece ter sido parte do relato primitivo pré-marcano (fonte A de Taylor, 15,1 – p. 1203 acima); e é mencionado em duas das três predições da paixão (Mc 8,31; 10,33), que são, ao menos em parte, de origem pré-marcana.

(2) A sessão matutina descrita em Lucas é uma duplicata da sessão noturna descrita em Marcos/Mateus. A forma lucana, em que não há testemunhas e sem sentença de morte, dá a impressão de um interrogatório em vez de um julgamento e pode ser mais original. Veja pp. 1212-13 acima.

(3) A tradição lucana de apenas uma sessão do Sinédrio é preferível à tradição de duas sessões (noturna e matutina) em Marcos/Mateus. A ideia de duas sessões provavelmente resulta da combinação de fontes. O relato primitivo da paixão pré-marcano (fonte A de Marcos) parece simplesmente ter mencionado uma sessão (Mc 15,1), sem dar seu conteúdo. O relato mais detalhado aparecendo agora em Marcos/Mateus como a sessão noturna provavelmente provenha da fonte B de Marcos (assim Bultmann, enquanto Taylor hesita). Julgamos sem êxito as muitas tentativas de explicar como racional a sequência marcana/mateana; por exemplo: que a sessão matutina era necessária para determinar que os romanos validasse a sentença de morte passada à noite; ou que Mt 27,1 não registra uma nova sessão, porém resume a sessão precedente ("chegando a manhã... formaram conselho contra Jesus para o matarem").

(4) Uma sessão provavelmente ocorreu de manhã muito cedo (Lucas: relato primitivo). Os tribunais reunidos no meio da noite são evitados na jurisprudência de quase todo país, e a sessão noturna teria lançado dúvida sobre a boa fé do Sinédrio. Se o Sinédrio ainda se reunisse nos recintos do templo (nota sobre "a Caifás" em 24), a área do templo estaria fechada à noite. O horário matutino da sessão teria sido ditado pelo conhecimento de que Jesus tinha de ser levado ao prefeito romano que normalmente estaria disponível para questões ao amanhecer (veja nota sobre 18,28). Este fator, mais a compreensão de que todos os processos legais teriam de ser determinados ao cair da tarde (início da Páscoa), estimulou a brevidade.

(5) A narrativa do abuso contra Jesus tinha de ser levada a sério, uma vez que ela existe em relatos independentes (Marcos/Mateus; Lucas; também João). Os quatro evangelhos concordam que ele ocorreu à noite após a prisão de Jesus; visto, porém, que ela não estava no relato primitivo da paixão (fonte A), sua localização é incerta. A tentativa de Marcos/Mateus de anexá-la a um julgamento formal e ter as vexações cometidas pelos membros do Sinédrio é implausível e provavelmente oriundo da apologética anti-judaica.

Estas breves observações não resolvem todos os problemas. Por exemplo, se Marcos combinou dois relatos de uma sessão do Sinédrio, por que não usou o relato mais completo da fonte B para expandir a referência a uma sessão encontrada em A? Por que ele pôs o relato da fonte B como uma sessão noturna reunida antes da sessão matutina do relato A? Havia uma vaga lembrança de duas audiências, uma reunida à noite e a outra de manhã? Esta tese recebe suporte do curioso arranjo em João. Ele registra com detalhes o interrogatório de Jesus à noite por Anás e então menciona sem detalhes que Jesus foi enviado a Caifás e mantido ali até a alva quando foi levado de Caifás para Pilatos. Assim, como Marcos/Mateus, João apresenta uma narrativa em que Jesus aparece duas vezes perante as autoridades judaicas; João descreve uma destas aparições, e a outra simplesmente menciona.

A harmonização de João e dos relatos sinóticos não nos preocupa excessivamente; mas antes de tratarmos das questões propriamente joaninas, pode ser útil apresentar um resumo *modificado* com base na

JESUS PERANTE AS AUTORIDADES JUDAICAS

	MATEUS	MARCOS	LUCAS	JOÃO
	26,57.59-68	14,53.55-65	22,54.63-65	18,13-15.19-24
Noite	Julgamento perante Caifás e o Sinédrio; testemunhas; sentença sobre o templo; "És tu o Messias, filho de Deus?"; acusação de blasfêmia; merecedor de morte.	Julgamento perante o sumo sacerdote e o Sinédrio; testemunhas; sentença sobre o templo; "És tu o Messias, Filho do Bendito?"; acusação de blasfêmia; todos o condenam como merecedor de morte.	Levado à casa do sumo sacerdote (nenhum julgamento registrado).	Interrogatório feito por Anás acerca de seus discípulos e seu ensino; Jesus diz que ensinou abertamente e que interrogassem os que ouviram.
	Eles (o Sinédrio) lhe cospem, golpeiam e lhe dão bofetadas, desafiando-o a profetizar.	Alguns (do Sinédrio) lhe cospem, cobrem seu rosto, o espancam, desafiando-o a profetizar. Os guardas lhe esbofetearam.	Os que o mantêm preso lhe ferem e lhe vendam os olhos desafiando-o a profetizar. Insultam-no com palavras.	Um guarda dá uma bofetada em Jesus, acusando-o de falta de respeito para com o sumo sacerdote. Jesus exige provas de que ele agiu mal. Jesus é enviado manietado a Caifás (nenhum julgamento registrado).

	27,1-2	15,1	22,66-71; 23,1	18,28
Madrugada	Deliberação do Sinédrio contra ele para entregá-lo à morte.	Deliberação de todo o Sinédrio.	Conduzem a Jesus para a casa do sumo sacerdote para a reunião do Sinédrio. (Nenhuma testemunha); Duas perguntas: "Se és o Messias, dize-nos"; "És tu o Filho de Deus?" Não necessitam de mais testemunhas. (Sem condenação)	Levam Jesus de Caifás para o pretório.
	Prendem e levam Jesus, entregando-o a Pilatos.	Prendem e levam Jesus, entregando-o a Pilatos.	Todo o Sinédrio se ergue e leva Jesus a Pilatos.	

harmonização de BENOIT a fim de ilustrar o método aplicado. BENOIT sugere que houve dois procedimentos legais que levaram Jesus perante as autoridades judaicas. À noite, como João relata, houve uma investigação preparatória da parte de Anás, o primeiro sumo sacerdote. Visto que os principais sacerdotes exerciam autoridade sobre a guarda do templo que conduzia Jesus, podemos comparar isto ao interrogatório, no quartel-general da guarda, de um prisioneiro recém-preso (um procedimento que, diferente de um tribunal, costuma ocorrer à noite imediatamente após o prisioneiro ser apreendido). Comumente, o interrogatório se dava no palácio do sumo sacerdote (Lc 22,54), e não no átrio do edifício do Sinédrio (22,66). Enquanto João é a fonte principal para este interrogatório, Lc 22,52 poderia preservar um eco dele, retratando os principais sacerdotes como parte do grupo que prendeu Jesus. Marcos/Mateus poderia preservar uma memória confusa do interrogatório, tendo Jesus sido conduzido perante o sumo sacerdote à noite (embora o que realmente descrevem ocorresse de manhã). Em termos concretos, o sumo sacerdote oficial não estava presente para não comprometer o papel que ele teria de exercer na manhã (uma e única) da investigação no Sinédrio. Mas, certamente, Caifás apreciou toda a informação que seu sogro foi capaz de obter na noite anterior. Caifás poderia ter ficado ansioso para ver que tipo de defesa Jesus apresentaria a fim de saber como apresentar as acusações contra ele. É bem provável que ele estivesse também interessado em quaisquer passos preparatórios que facilitassem a sessão matutina.

No fim da noite de investigação preliminar, Jesus foi espancado pela guarda palaciana que o retinha (Lc 22,63-65; Jo 18,22). Isto não foi feito pelos membros do Sinédrio (Marcos/Mateus) e talvez nem mesmo na presença de Anás (João); pode ser que fosse feito no pátio enquanto seus captores aguardavam pela aurora a fim de levá-lo a Caifás e ao Sinédrio. Os três sinóticos estão certos ao descrever uma sessão matutina do Sinédrio; mas os detalhes da sessão vespertina encontra em Marcos/Mateus pertencem à manhã (como em Lucas). Caifás presidia (Mateus, João). Pilatos tinha cooperado com Caifás organizando a prisão de Jesus, mas agora era tarefa do Sinédrio determinar se o caso contra Jesus era tal que ele fosse levado a julgamento perante o governador pela ofensa capital de traição contra o imperador (p. ex., era ele um revolucionário [*lēstēs*] que pretendia ser "o Rei dos Judeus"?). Neste procedimento do "grande júri", o Sinédrio decidiu afirmativamente e entregou Jesus a Pilatos com um resumo dos procedimentos e uma recomendação que Pilatos o declare culpado.

Tal harmonização é plausível caso se aceite a maior parte da tradição do evangelho como histórica e tente preservá-la com um mínimo de modificação. Não obstante, muitos dos estudiosos críticos duvidariam que a memória histórica da comunidade cristã primitiva foi tão fidedigna.

> Se deixamos a harmonização, três problemas no relato de João merecem mais atenção: a omissão do procedimento do Sinédrio diante de Caifás; o valor da informação sobre o interrogatório feito por Anás; e o valor da descrição que João faz das injúrias a Jesus.

Primeiro, como explicarmos a omissão que João faz da sessão do Sinédrio? A explicação mais óbvia é que a informação pertinente não estava na tradição joanina pré-evangélica. A despeito da dúvida de TAYLOR, provavelmente tenhamos que atribuir à fonte [A] marcana a informação sobre a sessão, a saber: a intimação das testemunhas; a referência à afirmação de Jesus sobre destruir o templo; a questão se Jesus era o Messias; a acusação de blasfêmia; e a condenação à morte. Já vimos o problema de certos detalhes (a intimação das testemunhas, a sentença de morte) que estão faltando na forma da narrativa de Lucas. Muitos estudiosos (p. ex., BULTMANN, DIBELIUS) rejeitariam o relato sumariamente; outros (BENOIT, KÜMMEL) propõem ao menos uma historicidade parcial. Devemos notar que uma avaliação da historicidade do relato é afetada não só pela inclusão de teologia posterior, mas também pela possível abreviação do que teria sido uma sessão bastante prolongada.

Para nossos propósitos, é interessante que, enquanto João omite a sessão, a maioria dos detalhes encontrados nos relatos sinóticos aparecem em outros lugares em João:

- Em 11,47-53 há uma sessão do Sinédrio sob Caifás onde se recomenda que Jesus fosse morto. Expressa-se o medo que ele viesse a provocar os romanos e estes destruíssem "o lugar", isto é, o templo (veja vol. 1, pp. 728-29).
- Em 2,19 encontramos uma afirmação de Jesus sobre a destruição do templo semelhante a Mc 14,58 (veja vol. 1, pp. 319-20).

- Em 10,24-25.33.36 as perguntas, acusações e respostas são semelhantes às perguntas e respostas na sessão do Sinédrio, especialmente como aparecem em Lc 22,67.70 (veja vol. 1, pp. 686-87; 689-90).
- Em 1,51 Jesus faz uma promessa acerca de uma visão futura do Filho do Homem que tem alguma similaridade com a resposta que ele dá ao sumo sacerdote em Mt 26,64 (veja vol. 1, pp. 274).

Assim os temas da sessão do Sinédrio como registrados pelos evangelhos sinóticos são, segundo o testemunho independente de João, realmente temas preservados na tradição comunitária do ministério de Jesus. Mas temos de indagar se, num esforço para preencher o relato da sessão do Sinédrio, as tradições por detrás de Marcos e Lucas têm reunido as acusações feitas acerca de Jesus durante seu ministério sobre o pressuposto de que estas teriam formado o centro da investigação do Sinédrio. Ou a tradição de João dispersou o conteúdo da sessão do Sinédrio de modo que os cristãos entendessem que estas acusações contra Jesus não surgiram de repente no final de seu ministério? (Caso seja assim, então, presumivelmente, não havia necessidade de o evangelista reiterar os incidentes na Narrativa da Paixão. Achamos também muito subjetivas as sugestões de que o evangelista, deliberadamente, abreviou os procedimentos judaicos legais porque estava primariamente interessado na confrontação de Jesus com Roma ou porque ele desejava eliminar a referência apocalíptica ao Filho do Homem encontrada em Mc 14,62 [BULTMANN, p. 498]). Pode ser que ambas as tradições, sinótica e joanina, preservem um elemento histórico: as acusações foram feitas durante o ministério (João) e foram elaboradas outra vez para formar a substância das investigações que o Sinédrio fez de Jesus (sinóticos). Enquanto esta última sugestão é um tipo de harmonização, deve-se admitir que ela não é implausível.

Segundo, que valor se deve atribuir ao interrogatório de Anás a Jesus, a única ação legal descrita na Paixão Joanina? Achamos estranha a confiante afirmação de BULTMANN, p. 500 (seguida por JEREMIAS, EWJ, p. 78[4]), de que João pensa disso, como uma sessão do Sinédrio e um julgamento regular. Somente Anás é mencionado. O v. 24 deixa claro que Caifás não estava presente; e à luz de 45-53 podemos concluir que o autor joanino sabia perfeitamente bem que, se houve uma sessão do Sinédrio, Caifás a teria presidido. Duas vezes no interrogatório (vs. 21,23), Jesus exige de Anás que se produzissem testemunhas e provas – em suma, uma exigência por um julgamento ou audiência. Assim, com a devida vênia a BULTMANN, estamos no ambiente de um interrogatório de um criminoso recém-preso antes que se desse início a quaisquer procedimentos formais.

Teríamos também que discordar de BULTMANN, p. 497, que o interrogatório feito por Anás reproduz uma tradição similar àquela por detrás do interrogatório sinótico do Sinédrio, porém formado de uma maneira diferente. Realmente não há similaridade entre os dois, e cremos que as duas tradições provêm de duas audiências diferentes. Se o interrogatório feito por Anás é histórico, podemos estar certos de que a tradição de João preservou somente um resumo; mas BULTMANN não tem dados para pressupor que a um tempo ela continha material paralelo mais próximo das versões sinóticas da sessão do Sinédrio. Plausivelmente, tal material pertenceria não ao interrogatório feito por Anás, mas à cena do v. 24, na qual Jesus é conduzido perante Caifás e, todavia, de nada somos informados que Caifás o tenha feito.

As duas perguntas que Anás formula a Jesus sobre seus discípulos e sobre seu ensino são mais gerais do que os dois pontos suscitados nos registros sinóticos sobre a sessão do Sinédrio (destruição do templo e messianidade). Todavia, as perguntas são suscetíveis de implicações religiosas e políticas consoantes ao quadro sinótico do que as autoridades temiam sobre Jesus. No nível religioso ou teológico, podem refletir a acusação de que Jesus era falso profeta – acusação vista no relato sinótico do escarnecimento noturno de Jesus após sua prisão (cf. abaixo) e na primeira acusação de Lc 23,2. MEEKS, pp. 60-61, aponta para as duas marcas do falso profeta dadas em Dt 13,2-6; 18,20: extravia outros (a questão sobre os discípulos) e presume falsamente falar em nome de Deus (a questão sobre o ensino de Jesus). Já mencionamos que JEREMIAS, EWJ, p. 79, pensa que, historicamente, a acusação de ser falso profeta era a base da ação dos judeus contra Jesus.

No nível político, a questão sobre os discípulos de Jesus poderia ocupar-se da possibilidade dele causar sublevação e o risco apresentado por seu número crescente (11,4; 12,19). A menos que o evangelista fosse controlado por sua tradição, é difícil explicar por que ele não registra a resposta a esta questão. Em outro lugar ele deixou bem claro que o Jesus joanino não recebeu seguidores que interpretassem seu movimento em termos políticos (6,15; 12,14 – veja vol. 1, pp. 754-57), e assim Jesus poderia ter refutado honestamente as implicações políticas da indagação de Anás sobre seus discípulos. Quanto à questão sobre o ensino de Jesus, poderia ter havido uma preocupação não só sobre sua ortodoxia e propagação (7,15), mas também sobre as possibilidades de subversão (veja nota sobre "tenho falado abertamente", em 18,20).

Assim, o interrogatório perante Anás poderia ter tido um propósito muito prático. Poderia ter refletido a preocupação real dos líderes religiosos sobre se Jesus era falso profeta; e poderia ter significado granjear informação pelos procedimentos de "o grande júri" diante do Sinédrio na manhã seguinte o qual determinaria se havia ou não uma acusação política com base na qual Jesus seria entregue aos romanos para julgamento. HAENCHEN, *"Historie"*, p. 63, declara: "Não esperaríamos achar aqui informação histórica além da encontrada nos sinóticos". Pessoalmente, não estamos convencidos disto. Há dificuldades sobre alguns detalhes, como já mencionamos nas notas, porém não são tão graves que nos levem a desconfiar de todo o relato. Mais importante, não achamos motivo joanino claro e teológico que explicasse a invenção da narrativa sobre Anás. HAENCHEN afirma que a cena foi formada de modo que os procedimentos judaicos na Narrativa da Paixão perdessem toda e qualquer importância e o julgamento de Pilatos se tornasse decisivo. Mas, então, por que preocupar-se em inserir uma narrativa de um interrogatório noturno? A Narrativa da Paixão de Lucas prosseguiu sozinha. Outra sugestão, a saber, que a cena foi criada para ilustrar a independência de Jesus diante de seus captores se adequa melhor com o pensamento joanino atestado, e, indubitavelmente, o autor joanino mostrou um Jesus majestoso, enunciando sua refutação dignificada. Mas não podemos pôr esta cena em pé de igualdade com o incidente "EU SOU" no jardim, onde a narrativa é realmente implausível. Nada há de improvável na ideia básica de que Jesus acusou seus captores de terem adotado uma postura injustificável e sem indagarem daqueles que o ouviram com frequência. Este tema aparece também nos relatos sinóticos (Mc 14,49). Naturalmente, visto que o interrogatório de Anás aparece somente em João, não se pode averiguá-lo com certeza; mas ninguém deve deixar-se dominar por uma atitude *a priori* de que onde João é nossa única fonte a informação tem pouco valor.

Finalmente, que valor se deve atribuir ao relato de João do abuso sofrido por Jesus? Já insistimos que João, Lucas e a última parte de Mc 14,65 são mais verossímeis em atribuir o abuso à guarda (Lc 22,63: "os homens que detinham Jesus"), em vez de aos membros do Sinédrio (Mt e a primeira parte de Mc 14,65). Em Lucas, a cena não está posta no curso de algum procedimento legal, mas então Lucas não registra nenhum interrogatório noturno; mas isto não surpreende, já que João fale apenas de Jesus sendo esbofeteado por um guarda, e não do extenso escarnecimento registrado na tradição (ou tradições – aqui Lucas poderia ser independente de Marcos/Mateus e mais primitivo). Os que pensam em João como dependente dos sinóticos explicam que o quarto evangelista omitiu o escarnecimento por achá-lo inconsistente com seu tema da majestade de Jesus. Mas, então, por que ele também não omitiu a zombaria romana a Jesus (19,1-3)? Sem entrar na discussão se os relatos sinóticos do escarnecimento são históricos, devemos simplesmente salientar que são orientados mais teologicamente do que o relato de João. Se o esboteamente a Jesus registrado por João e por Marcos/Mateus se ajusta bem ao tema de que Jesus morreu como o Servo Sofredor (LXX de Is 50,6: "ofereci minha face aos que me batiam"), este tema é buscado na menção marcana/mateana de ser ele cuspido (a outra metade de Is 50,6: "me afrontavam e me cuspiam"). O registro sinótico do escarnecimento da capacidade de Jesus profetizar concorda com Is 53,3: "Era desprezado e o mais rejeitado entre os homens"; e o silêncio de Jesus ante seu tratamento concorda com 53,7: "em sua aflição, ele não abriu sua boca". Assim, com respeito a este incidente, pode-se alegar com justiça que o relato de João é o mais simples, ao menos teologicamente orientado, e (juntamente com Lucas) tem os detalhes mais verossímeis no tocante ao cenário e atores.

Pedro e suas negações de Jesus (vs. 15-18.25-27)

Os quatro evangelhos colocam as negações de Pedro durante a noite em que Jesus foi preso. No todo, o incidente consiste de uma introdução que leva a Pedro à cena e das três negações, tão somente Lucas (22.54-62) apresenta o relato contínuo a introdução e as negações. Marcos/Mateus separa a introdução (Mc 14,54; Mt 26,58) das três negações (Mc 14,66-72; Mt 26,69-75) inserindo a cena do julgamento noturno de Jesus perante o sumo sacerdote e o Sinédrio.

João coloca a introdução e a primeira negação juntas (18,15-18) e esta combinação é separada da segunda e terceira negações (25-27) inserindo a cena do interrogatório de Jesus perante Anás. Parece claro que em certa época a introdução e as três negações formavam uma unidade, e que nesta questão Lucas é mais original. Os diferentes modos de interromper a cena em Marcos/Mateus e em João têm o mesmo propósito, a saber, indicar simultaneamente o procedimento noturno legal contra Jesus. (Um reconhecimento da unidade primitiva da cena não dá suporte às antigas e modernas tentativas de reorganizar a narrativa de João a fim de restaurar a ordem joanina "original" dentro a da qual a introdução e as negações formariam uma unidade – assim Spitta, Moffatt e a Igreja. A presente interrupção da cena foi, em meu juízo, a obra deliberada do evangelista. Sobre a reorganização, veja vol. 1, p. 8s), com esta ênfase sobre a simultaneidade, Marcos/Mateus e João expressam sua compreensão de que Jesus não estava presente quando Pedro o negou; Lucas (22,61) parece dar a entender que ele estava presente.

O esquema geral das negações é o mesmo nos quatro evangelhos, mas os detalhes variam grandemente, como se pode ver no gráfico pp. 1268-69. Indubitavelmente, algumas das variações representam reorganização deliberada; por exemplo, com respeito às respostas de Pedro, a primeira e a terceira réplica de Lucas parecem ter o inverso de Marcos, de modo que a primeira de Lucas se parece com a terceira de Marcos, e a terceira de Lucas se parece com a primeira de Marcos. Não obstante, uma olhada em 1, 6, 7, 8, 10, 11 e 13 sugerem que dentro dos evangelhos sinóticos Lucas preserva uma tradição independente (Bultmann, HST, p. 269; todavia, Taylor discorda, *Behind the Third Gospel* [Oxford: Clarendon, 1926], pp. 48-49). Somente no v. 3, parte de 10, 11 e 12 é João afim com Marcos/Mateus; em 3, 7, a outra parte de 10 e 12 João é afim com Lucas (cf. também 9 e 13). Assim João parece preservar ainda uma terceira tradição independente (veja Dodd, *Tradition*, p. 85). Torna-se até divertido apresentar algumas das tentativas do passado tratar os detalhes divergentes das três tradições (Marcos/Mateus, Lucas, João); alguns intérpretes literalistas têm concluído que teria havido grupos de três negações, assim fazendo Pedro culpado nove vezes! Ao contrário, as três tradições estão longe de um relato original, e a transmissão não deixou de ter seu efeito nos detalhes. Tem-se sugerido que a forma mais antiga do relato era muito mais simples do que qualquer um dos três e envolvia somente uma negação de Pedro. C. Masson, RHPR 37 (1957), 24-35, propõe a atraente hipótese de que a tríplice negação de Marcos é proveniente da combinação de duplicatas do incidente, uma com uma única negação e a outra com uma negação dupla. Mas, então, se Lucas e João preservam versões independentes, como também encontraram uma negação tríplice? (Benoit, *Passion*, pp. 71-72, realmente encontra alguma confirmação da hipótese de Masson na maneira como João dividiu as negações: uma negação antes da cena com Anás e duas depois dela. Mais provavelmente, porém, isto reflete uma técnica literária e não é o resultado de unir duplicatas de proveniência diferente). G. Klein, ZTK 58 (1961), 309-10, provavelmente esteja certo em insistir que, por mais que recuemos na história, não temos evidência para simplificar a narrativa para menos de três negações (mesmo que *a priori* suspeitemos que o padrão de três é uma elaboração).

O episódio das negações de Pedro não é parte do relato primitivo da paixão (ela provém da fonte B de Marcos no esboço marcano). Que valor histórico anexaríamos a ela? Muitos pensam que a forma marcana do relato veio das reminiscências de Pedro e é basicamente confiável (Loisy, E. Meyer, J. Weiss, Schniewind, Taylor). Outros, porém, têm dúvidas. Goguel pensa que a tríplice negação foi inventada para cumprir a predição de Jesus de que Pedro o negaria. Bultmann descarta a narrativa como lendária. E. Linnemann, ZTK 63 (1966), 1-32, pensa que historicamente todos os discípulos negaram a Jesus e que o relato sobre Pedro simplesmente serve para tipificar a negação geral. G. Klein ZTK 58 (1961), 285-328, e ZNW 58 (1967), 39-44, também nega a historicidade, porém por uma razão distinta. Ele e outros antes dele têm enfatizado que as negações de Pedro formam uma unidade com a predição das negações em Mc 14,29-31 e par. No contexto desta predição, Lc 22,31-32 tem outra predição sobre Pedro: "Simão, Simão, eis que Satanás vos [plural] pediu para vos cirandar como trigo; mas eu roguei por ti, *para que tua fé não desfaleça*; e tu, quando te converteres, confirma teus irmãos". Esta segunda predição é aceita por Klein como muita antiga (mas não as palavras de Jesus). No entanto, as palavras em itálico constituem uma glosa para tornar a predição original, a qual diz que Pedro não desfaleceria, conformando-se à última ideia contraditória de que ele negou Jesus. Além do mais, o relato das negações pressupõe que Pedro seguiu Jesus depois da prisão,

GRÁFICO COMPARATIVO DAS TRÊS NEGAÇÕES DE JESUS POR PEDRO

Primeira Negação:

	Mateus 26,69-70	Marcos 14,66-68	Lucas 22,56-57	João 18,17-18
1. Sequência	após o julgamento de Jesus	após o julgamento de Jesus	no julgamento ou interrogatório	antes do interrogatório de Jesus
2. Local	no *aulē* (pátio)	no *aulē* na fogueira (54)	no meio do *aulē* (55) junto à fogueira	no portão (*thyra*) enquanto entrevam
3. Interrogador	serva	uma das servas	serva	serva que guardava o portão
4. Pergunta ou Acusação	"Também estavas com [*meta*] Jesus o galileu"	"Também estavas com [*meta*] Jesus o Nazareno"	"Este também estava com (*syn*) ele"	"És também um destes discípulos do homem?"
5. Resposta	Ele o negou diante de todos: "Eu não sei do que estás falando"	Ele negou e disse: "Não sei ou não entendo do que estás falando"	Ele o negou: "Mulher, não o conheço"	"Não, não sou"

Segunda Negação

	Mateus 26,71-72	Marcos 14,69-70a	Lucas 22,58	João 18,25
6. Sequência	Depois de Pedro ter saído	após Pedro ter saído	depois de pouco tempo	após o interrogatório de Jesus
7. Local	Fora do *aulē* no pórtico (*pylōn*)	lado de fora do.... diante do átrio (*proaulion*)	no meio do *aulē* (55) junto à fogueira	no *aulē* junto à fogueira
8. Interrogador	outra serva	mesma serva	outro (um homem)	"eles"=servos e guardas (18)
9. Pergunta ou Acusação	"Este homem estava com Jesus de Nazaré"	"Este homem é um deles"	"És também um deles"	"És também um de seus discípulos?"
10. Resposta	Ele o negou outra vez com um juramento:	Ele o negou outra vez		Ele o negou:

Terceira Negação:

	Mateus 26,73-75	Marcos 14,70b-72	Lucas 22,58	João 18,26-27
11. Sequência	depois de pouco tempo	depois de pouco tempo	após um intervalo de cerca de uma hora	imediatamente?
12. Local	nenhuma mudança	nenhuma mudança	nenhuma mudança	nenhuma mudança
13. Interrogador	circunstantes [curiosos]	circunstantes [curiosos]	outro (um homem)	servo do sumo sacerdote, parente do homem a quem Pedro feriu
14. Pergunta ou Acusação	"Realmente és também um deles pois tua fala te trai"	"Realmente és um deles, pois tu és Galileu"	"Na verdade, este também estava com ele, pois é um Galileu"	"Eu não o vi contigo no jardim?"
15. Resposta	Ele começou a amaldiçoar e a jurar: "Não conheço o homem"	Ele começou a amaldiçoar e a jurar: "Não conheço este homem de quem estás falando"	"Não sei do que estás falando"	Ele o negou outra vez
16. O galo canta	Imediatamente um galo cantou e	Imediatamente o galo cantou segunda vez e	Naquele momento o galo cantou enquanto ele falava	Então, o galo cantou
	Pedro se lembrou do que Jesus dissera	Pedro se lembrou do que Jesus dissera	Pedro recordou a palavra do Senhor depois o Senhor olhou para ele	
	Pedro chorou amargamente	Pedro chorou	Pedro chorou amargamente	

e isto é visto como contradizendo Mc 14,27, o qual prediz que os discípulos se dispersariam. Quanto ao senso comum, a objeção de que a comunidade primitiva dificilmente inventaria uma história que lança opróbrio sobre Pedro, uma figura cristã destacada, somos informados de que tal invenção reflete um movimento anti-petrino na história da tradição evangélica (cf. Mc 8,32-33; Mt 14,31; a "supressão" da aparição a Pedro mencionada em 1Cor 15,5).

Ao avaliar-se esta argumentação, é possível indagamos se não haviam se radicalizado até ao ponto de fazê-las contraditórias, sentenças perfeitamente conciliáveis entre si. Não seria mais razoável aceitar o próprio critério de Marcos de que não há contradição entre a fuga geral dos discípulos (14,27.50) e o fato de que Pedro mais tarde conseguiu ver o que estava acontecendo a Jesus? A afirmação de que Lucas acrescentou a sentença que temos posto em itálico em 22,32 não é absolutamente certo. Mas, mesmo sem essa sentença, Lc 22,31-32 necessariamente omite a negação que Pedro fez contra Jesus? Não poderia a adição lucana da sentença, se foi uma adição, ter interpretado o dito corretamente? A ideia poderia ter sido que o teste real da fé de Pedro, onde carecia do especial auxílio divino, foi depois de ter negado Jesus, de modo que não pudesse seguir o curso de Judas, mas pudesse arrepender-se e, assim, deixasse a outros um exemplo que tinham implicitamente negado Jesus pela fuga. Obviamente, a questão da historicidade das negações de Pedro carece de estudo mais detalhado do que o espaço permite aqui, mas algumas destas teorias complexas sobre como uma história fictícia colocam em prova mais nossa capacidade de crer do que a aceitação da narrativa como baseada em uma realidade histórica.

Nosso interesse particular se ocupa do valor ou plausibilidade dos detalhes peculiarmente joaninos. O mais formidável é a afirmação de que Pedro não era o único, mas foi introduzido no térreo do palácio do sumo sacerdote por outro discípulo de Jesus. Alguns veriam isto como uma violação ainda mais flagrante da tradição de que todos os discípulos fugiram, como predito em Mc 14,27 e declarado em 14,50. De fato, João não afirma que todos os discípulos, mas há uma predição para esse propósito (veja pp. 1237-38 acima) em Jo 16,32: "Eis que está chegando a hora.. em que sereis dispersos, cada um por si, me deixando sozinho". (A aparente contradição é mais digna de nota se o discípulo anônimo que acompanhava Pedro não fosse o Discípulo Amado; pois então o Discípulo Amado, presente ao pé da cruz, ainda é o terceiro seguidor de Jesus que não se desertou de seu mestre!) Nas notas temos salientado os muitos problemas que cercam este "outro discípulo", e não são facilmente respondíveis. Nos sentiríamos inclinados a descartar o incidente como imaginativo, se pudéssemos encontrar uma razão inteligível para sua invenção ou inclusão. Certamente, o discípulo não exerce na cena nenhum papel de significância teológica. BULTMANN sugere que o discípulo poderia dever sua existência à necessidade de explicar como Pedro entrou no palácio do sumo sacerdote. Mas, quanta necessidade havia para se explicar isto? Os outros três evangelhos têm Pedro presente no pátio sem oferecer nenhuma explicação de como ele passou pelo portão. Se o autor joanino simplesmente juntou o início do v. 15 com o v. 17 ("Ora, Simão Pedro estava seguindo Jesus... no palácio do sumo sacerdote... mas a serva que guardava o portão disse a Pedro etc".), quem teria tido dificuldade com a narrativa? Inventar um discípulo de Jesus que inexplicavelmente era aceitável no palácio do sumo sacerdote é criar uma dificuldade onde não existe nenhuma. Há muita verdade no juízo de DODD (*Tradition*, p. 86) sobre a cena de João: "Esta vívida narrativa... ou é o produto de um notável gênio dramático, ou repousa sobre informação valiosíssima".

Quanto aos muitos detalhes menores em que João difere de Marcos/Mateus e de Lucas, é arriscado fazer uma avaliação global. Pode muito bem ser que um relato seja mais próximo ao original em um detalhe enquanto outro relato seja mais próximo em outro detalhe. Em Marcos, a terceira resposta de Pedro é climática, sendo uma negação genuína, e não uma alegação de que ele não entendeu. João não tem este drama, pois Pedro nega Jesus desde o primeiro momento. Se João é mais elaborado do que ou Marcos/Mateus ou Lucas na identificação dos interrogadores, João é mais sóbrio do que ambos em descrever a reação de Pedro ao canto do galo. É difícil, pois, justificar a afirmação de que o relato joanino é consistentemente secundário em todos os seus elementos.

Não obstante, João faz uso teológico único da cena das negações de Pedro. Ao fazer as negações de Pedro simultâneas com a defesa de Jesus perante Anás, João construiu um contraste dramático no qual Jesus permanece firme diante de seus questionadores sem negar nada, enquanto Pedro se acovarda diante de seus questionadores e nega tudo. Em nenhum sentido real é a vinda de Pedro após Jesus ao palácio do sumo sacerdote uma contradição da predição de Jesus (16,32) de que todos os discípulos o deixariam sozinho. Jesus nunca esteve mais só, humanamente falando, do que quando Pedro disse três vezes que não era discípulo de Jesus. A tradição joanina representada por Jo 21 encontrou ainda outro tema teológico nas negações de Pedro, a saber, que estas negações só podiam ser expiadas por uma tríplice confissão do amor de Pedro para com Jesus (21,15-17) – uma exatidão teológica não encontrada nos evangelhos sinóticos.

BIBLIOGRAFIA
(18,1-27)

Veja a bibliografia geral sobre a Narrativa da Paixão no final do §60.

BARTINA, S., *"'Yo soy Yahweh'* – nota exegética a Jn. 18, 4-8" in *XVIII Semana bíblica española* (Madrid: Consejo superior de investigationes 1959), pp. 393-416.
BROWN, R. E., *"Incidents that are Units in the Synoptic Gospels but Dispersed in St. John"*, CBQ 23 (1961), 143-52 sobre a agonia no Getsêmani e sobre julgamento por Caifás. Também em NTE, pp. 192-203, or 246-59.
CHURCH, W. R., *"The Dislocations in the Eighteenth Chapter of John"*, JBL 49 (1930), 375-83.
KRIEGER, N., *"Der Kencht des Hohenpriesters"*, NovT 2 (1957), 73-74.
MAHONEY, A., *"A New Look at an Old Problem (John 18, 12-14, 19-24)"*, CBQ 27 (1965), 137-44.
MEIN, P., *"A Note on John xviii. 6"*, ET 65 (1953-54), 286-87.
REYNEN, H., *"Synagesthai, Joh 18, 2"*, BZ 5 (1961), 85-90.
RICHTER, G., *"Die Gefangennahme Jesu nach dem Johannesevangelium (18, 1-12)"*, BiLeb 10 (1969), 26-39.
ROBINSON, B. P., *"Gethsemane: The Synoptic and Johannine Viewpoints"*, ChQR 167 (1966), 4-11.
SCHNEIDER, J., *"Zur Komposition von Joh 18, 12-27. Kaiphas und Hannas"*, ZNW 48 (1966), 111-119.
SCHWANK, B., *"Jesus überschreitet den Kidron (18, 1-11)"*, SeinSend 29 (1964), 3-15.
_____ *"Petrus verleugnet Jesus (18, 12-27)"*, SeinSend 29 (1964), 51-65.

63. A NARRATIVA DA PAIXÃO:
– SEGUNDA SEÇÃO (EPISÓDIOS 1-3)
(18,28-40)

O julgamento de Jesus perante Pilatos

PRIMEIRO EPISÓDIO

18 ²⁸Então, ao romper do dia, levaram Jesus de Caifás ao pretório. Eles mesmos não entraram no pretório, pois tinham que evitar a impureza ritual e poderem comer a ceia pascal. ²⁹Então Pilatos saiu para fora. "Que acusação trazeis contra este homem?". ³⁰"Se este homem não fosse criminoso", responderam, "certamente não o entregaríamos a ti". ³¹Nisto, disse-lhes Pilatos: "Então tomai-o vós mesmos e julgai-o segundo vossa própria lei". Mas disseram-lhe os judeus: "Não nos é permitido matar a ninguém". (³²Isto foi para cumprir-se o que Jesus dissera, indicando que tipo de morte ele havia de morrer).

SEGUNDO EPISÓDIO

³³Então Pilatos foi [tornou] ao pretório e chamou a Jesus. "És tu 'o Rei dos Judeus'?" perguntou-lhe. ³⁴Jesus respondeu: "Tu dizes isto de ti mesmo, ou outros to disseram a meu respeito? "Seguramente, não estás pensando que eu sou um judeu, está?" ³⁵exclamou Pilatos. "É tua própria nação e os principais sacerdotes que te entregam a mim. O que fizeste?" ³⁶Jesus respondeu:

28: *levaram*; 29: *demandaram*. No tempo presente histórico.

"Meu reino não é deste mundo.
Se meu reino fosse deste mundo,
meus súditos estariam lutando
para salvar-me de ser entregue aos judeus.
Mas meu reino não é daqui".

37"Então, és tu rei?" disse Pilatos. Jesus respondeu:

"Tu dizes que eu sou rei.
Eu para isso nasci,
e para isso vim ao mundo,
para dar testemunho da verdade.
Todo aquele que pertence à verdade, ouve minha voz".

38"Verdade?" retrucou Pilatos. "E o que é isso?"

TERCEIRO EPISÓDIO

Depois desta observação, Pilatos saiu outra vez aos judeus e lhes disse: "De minha parte, não acho nenhuma culpa neste homem. 39Lembrai-vos que tendes o costume de eu soltar-vos alguém na Páscoa. Quereis, pois, que vos solte 'o Rei dos Judeus'?" 40Nisto em resposta tornaram a clamar: "Queremos Barrabás, não este". (Barrabás era um bandido).

38: *retrucaram, disseram.* No tempo presente histórico.

NOTAS

18.28. *ao romper do dia. Prōi,* literalmente "quatro da manhã", era a última divisão romana da noite (vinda depois do "canto do galo"), de 3-6. É possível interpretar João no sentido de que o interrogatório feito por Anás e as negações simultâneas da parte de Pedro terminaram cerca de 3 horas (nota sobre 27); que durante o próximo período de três horas Jesus estava com Caifás, e que, finalmente, perto das seis horas Jesus foi levado a Pilatos, onde o julgamento durou até cerca de meio-dia, quando foi sentenciado (19,14). Em conformidade com Mc 15,1 e Mt 27,1, a segunda sessão do Sinédrio ocorreu a "a primeira hora" e imediatamente a seguir Jesus foi levado para Pilatos. Lc 22,66 fala da reunião do Sinédrio "quando já era dia". SHERWIN-WHITE, *"Trial"*, p. 114, salienta que o dia de trabalho de um oficial romano começava à primeira hora da aurora e que, por exemplo, o imperador Vespasiano terminava seu trabalho de escrivaninha antes do amanhecer. (SHERWIN-WHITE usa isto como argumento pela validade de uma sessão noturna do Sinédrio, mas o costume romano pode ser conciliado também com uma sessão do Sinédrio na primeira hora da manhã).

Levaram. Nos casos de levar Jesus do jardim ao palácio ou casa do sumo sacerdote e de levá-lo de Caifás a Pilatos, João (18,13.28) e Lucas (22,54; 23,1) usam o verbo *agagein*, "tomar, levar"; Marcos (14,53; 15,1), seguido por Mateus, usa *apagagein*, "levar embora". O último verbo aparece em Lc 22,66 para a condução de Jesus da casa do sumo sacerdote para o Sinédrio.

Eles. Quem? A última sentença em referência a Jesus foi em 24: "Anás o enviou manietado a Caifás". João não menciona uma sessão do Sinédrio enquanto Jesus estava com Caifás; mas o "eles" pode bem incluir algumas das autoridades do Sinédrio, se levarmos em conta que João nos informa dos acusadores de Jesus durante o julgamento romano. No v. 35, Pilatos identifica os principais sacerdotes como estando entre os que lhe entregaram Jesus; cf. também "os judeus" (31,38 etc.) e "os principais sacerdotes e a guarda do templo" (19,6).

de Caifás. Do palácio do sumo sacerdote ou do local de reunião do Sinédrio (nota sobre 24)? Uns poucos mss. e o OL leem equivocadamente "a Caifás" sob a influência de 24.

ao pretório. Originalmente, este termo designava aquela tenda dentro de um acampamento militar onde o pretor romano erigia seu quartel-general. Ele veio a denotar o lugar da residência do oficial chefe em território romano subjugado. Na Palestina, a residência permanente do governador romano ficava em Cesareia (veja At 23,33-35 que coloca o governador romano no pretório de Herodes, isto é, em um palácio herodiano adaptado). Aqui estamos preocupados com a residência do governador em Jerusalém, ocupada durante as festas ou em tempos de perturbação. Mc 15,16 (cf. Mt 27,27) coloca o "pretório" em oposição ao *aulē*, "palácio, átrio"; e parece claro que os três evangelhos que usam o termo "pretório" (Lucas não) visualizassem um grande edifício com um pátio externo onde a multidão se reuniria. Teria havido salas interiores, inclusive quartos (Mt 27,19 menciona a presença da esposa de Pilatos) e barracas para os soldados. Mc 15,8 tem a multidão "subindo" a Pilatos, talvez refletindo uma tradição de que o pretório ficava na seção superior da cidade.

Naturalmente, não podemos estar certos se tal informação reflete a imaginação do evangelista ou uma reminiscência histórica.

A localização do pretório em Jerusalém é incerta, mas entre as fortalezas herodianas da cidade há duas prováveis candidatas, ambas mencionadas por Josefo, *Ant.* 15.5; 292. (1) A fortaleza de Antônia, um castelo hasmoneano remodelado por Herodes o Grande, c. de 35 a.C., e usado por ele por doze anos tanto como castelo e palácio. Este ficava na Colina Oriental bem ao norte dos recintos do templo, e a escolta pretoriana a protegia durante os tempos festivos precisamente por causa de sua proximidade com o palácio onde sublevação era mais provável eclodir. A tradição cristã tem honrado este local como o pretório desde o 12º século. Em 1870, a tradição recebeu suporte da descoberta na área de um pavimento de lajes de pedra maciça. Subsequente escavação tem levado Père Vincent a identificar isto como o *Lithostrotos* ou "Pavimento de Pedra" mencionado em 19,13 (veja nota ali). Para detalhes, veja a tese de Mather Aline de Sião *La Forteresse Antonia et la question Du Prétore* (Jerusalém, 1955). (2) O Palácio Herodiano sobre a Colina Oriental (hoje próxima ao portão Jaffa) dominando toda a cidade. Herodes o Grande construiu isto como uma habitação de muita grandeza e mudou da Antônia para cá em 22 a.C. À luz da evidência em Josefo e Filo, isto serviu como a residência usual em Jerusalém para os procuradores romanos (Kopp, HPG, pp. 368-69). Segundo Filo, *Ad Gaium* 38; 299, Pilatos erigiu ali algumas placas douradas, talvez como uma renovação da residência do governador. A palavra *aulē*, usada por Mc 15,16 para descrever o pretório aparece com frequência nas referências de Josefo ao palácio herodiano, mas nunca em referência à fortaleza de Antônia. Numa discussão com Vincent, P. Benoit, RB 59 (1952), 513-50), argumenta que a evidência antiga favorece conclusivamente este local como o pretório. Assim também E. Lohse, ZDPV 74 (1958), 69-78.

evitar impureza ritual. At 10,28 diz que era ilícito para os judeus associar-se com ou visitar alguém de outra nação, e alguns estudiosos têm interpretado isto no sentido de que no 1º século a.D. os judeus palestinianos pensavam que todos os gentios eram leviticamente impuros (Schürer, 2,1, p. 54). Em um cuidadoso estudo no *Jewish Quarterly Review* 17 (1926-27), 1-81, A. Büchler tem mostrado que isto não procede. Embora as atitudes mais estritas dos fariseus exercessem certa predominância, até mesmo os fariseus não consideravam os gentios automaticamente impuros. Nos primórdios do século, as mulheres gentílicas eram tidas como impuras, porque ignoravam as leis de Lv 15,19-24 que envolviam impureza pós-menstruação (os hilelitas eram mais austeros do que os shamaítas nesta questão), e se julgava que esta impureza era comunicada aos esposos gentílicos. Um pouco mais tarde, os hilelitas, contra a oposição shamaítas, quiseram declarar os gentios sujeitos a contaminação por um cadáver (Nm 19,16; 31,19); e isto teria significado quase um estado permanente de contaminação, já que os gentios amiúde sepultavam os mortos debaixo de suas casas. O "Rolo do Templo" de Qumran, do 1º século a.C. expressa desgosto pelo costume gentílico de sepultar "os mortos em qualquer lugar, inclusive em suas casas" (Y. YADIN, BA 30 [1967], 137). Que causa de impureza o evangelista tem em mente no presente caso? Pilatos estava impuro por causa de sua esposa? Normalmente, a esposa do governador não teria vindo com ele de Cesareia a Jerusalém, porém Mt 27,19 (de valor histórico duvidoso) registra sua presença. Estaria o pretório imundo sobre as bases gerais do costume gentílico de sepultamento? Todavia, ambos os locais possíveis para o pretório, supramencionados, foram construídos ou reconstruídos por Herodes o Grande, de modo que quaisquer sepulturas ali teriam vindo após os gentios tomarem posse. Ou a impureza se baseava na pressuposta presença de fermento na casa de um gentio? No período da Páscoa (a Festa dos Pães Asmos), os israelitas que não tinham contato com fermento (Dt 16,4) no início da tarde de 14 de Nisan.

e poderem comer a ceia pascal. Se um judeu se contaminasse por impureza e não pudesse comer a ceia pascal no tempo regular, ele tinha que prorrogar a celebração por um mês (Nm 9,6-12). BÜCHLER, p. 80, salienta que a contaminação pela impureza levítica do gentio, onde ela existisse, era um perigo prático somente para o sacerdote no cumprimento do dever no templo e para o judeu ordinário que fosse purificado pela participação de uma refeição sacrificial. As circunstâncias visualizadas em João vêm precisamente na área onde a contração da impureza tinha de ser evitada: os sacerdotes normalmente tomavam parte na matança dos cordeiros pascais na tarde (veja nota sobre 19,14) e na refeição após o pôr do sol. Todavia, se já tinham contraído impureza por entrarem no pretório, por que a impureza temporária não poderia ter sido removida antes da refeição mediante um banho vespertino (Nm 19,7)? Talvez isto pudesse ser respondido se conhecêssemos a mente do evangelista sobre a causa da impureza. A impureza provinda do contato com um cadáver era uma contaminação de sete dias (Nm 19,11). É interessante que, segundo JOSEFO, *Ant.* 18.4.3; 93-94, os judeus que saíam para receber as vestimentas do sumo sacerdote sob a custódia romana eram cuidadosos em fazer isso sete dias antes da festa. (Mas em 15.4.4; 408, o próprio JOSEFO fala somente de um dia antes da festa).

A referência a posterior da ceia pascal deixa claro que para João Jesus foi examinado por Pilatos e crucificado no dia antes da Páscoa. JEREMIAS, EWJ, pp. 80-82, tenta atenuar várias outras passagens joaninas que endossam esta cronologia, mas admite que aqui João não é ambíguo. Ao descrever a refeição que ocorreria naquela noite, João usa a mesma expressão grega, *phagein to pascha*, que os sinóticos usam para descrever a última ceia da noite anterior (Mc 14,12; Mt 26,17; Lc 22,15).

29. *Pilatos*. Embora esta não seja a primeira menção do nome do homem em João, ele não é identificado para o leitor como o governador (contraste Mt 27,2). Provavelmente, os cristãos conheciam o nome de Pilatos desde a primeira vez que ouviram o querigma. Ele é mencionado nos sermões de Atos (3,13; 4,27; 13,28), e encontrou um espaço no credo (já nos credos romanos de c. 200: DB §§10, 11). Marcos, Mateus (veja, porém, variante em 27,2) e João se referem a ele somente por seu cognome; Lucas (3,1; At 4,27) usa o padrão de nome e cognome, Pôncio Pilatos, e é introduzido assim por JOSEFO, *Ant.* XVIII.2.2; 35. Seu prenome é desconhecido. Ele era de categoria equestre, isto é, da nobreza inferior, quando contrastada com a categoria senatorial. Ele governou a Judeia desde 26 a 36 d.C. A Judeia era uma província imperial menor: desde o tempo de Cláudio (41-54), o título dado aos oficiais governantes de tais províncias era *procuratores Caesaris pro legato*. (As legiões só podiam ser comandadas pelos legados que eram senadores; a designação *pro legato* era uma forma de dar a um menos nobre o poder de dispor dos legionários). Assim Pilatos é geralmente identificado como o procurador (assim Tacitus); mas a inscrição de Pilatos descoberta em 1961 em Cesareia se refere a ele como um prefeito, præfectus Iudaææ (JBL 81 [1962], p. 70). Isto parece confirmar a tese mantida por alguns estudiosos de que antes do tempo de Cláudio uma província como a Judeia tinha um prefeito em vez de um procurador. Veja D. HIRSCHFELD, *Die Kaiserlichen Verwaltungsbeamten* (Berlin, 1905) e A. M. JONES, "Procurators and Prefects in the Early Principate", *Studies in Roman Government and Law* (Oxford, 1960), pp. 115-25.

A importância razoável sobre Pilatos é conhecida à luz das informações judaica e o quadro não é muito favorável. FILO, *Ad Gaium* 38; 302, atribui a Pilatos roubo, homicídio e desumanidade. (A exatidão do registro de FILO tem sido questionada por P. L. MAIER, HTR 62 [1969], 109-21, o qual pensa que o perfil mais simpático do NT pode ser mais genuíno do que até então suspeitado). JOSEFO, *Ant.* XVIII.3.1-2 e 4.1-2; 55-62,85-89, escreve de forma vívida sobre seus erros crassos e atrocidades (cf. também a matança dos galileus mencionada em Lc 13,1). Sua ação contra Jesus é um dos poucos detalhes evangélicos que têm atestação antiga não cristã, pois

TÁCITO, *Annals* 15,44, registra: "Cristo foi executado no reinado de Tibério pelo procurador da Judeia, Pôncio Pilatos". Como já mencionamos anteriormente, um perfil tendenciosamente favorável de Pilatos foi pintado na tradição cristã.

saiu para fora. Somente João menciona isto, e de fato o quadro de movimento dentro e fora do edifício durante o julgamento é joanino. Os sinóticos parecem pressupor que todo o julgamento se deu em público, pois as multidões adiantavam-se e gritavam suas opiniões (veja Mc 15,8). Somente depois de Jesus ser sentenciado, Mc 15,16 e Mt 27,27 registram que ele foi introduzido no pretório. Deste versículo em João se pode ter a impressão de que Pilatos estava esperando a delegação (uma atitude bem explicável, se os soldados romanos estavam envolvidos na prisão).

Que acusação? Em Lc 23,2, os membros do Sinédrio começam a acusar Jesus antes mesmo de Pilatos dizer qualquer coisa; em Mc 15,2 e Mt 27,11, Pilatos não precisa de informações, mas imediatamente surge a questão da realeza. Se estamos certos em sugerir que as autoridades judaicas tinham conduzido os procedimentos do "grande júri" contra Jesus (p. 1215 acima), Pilatos deveria ter esperado receber os resultados da investigação deles. Todavia, VERDAM, p. 285, salienta que a pergunta de Pilatos se enquadra também na ideia de um julgamento judaico formal de Jesus. Se o tivessem examinado, teriam vindo a Pilatos esperando obter licença para prosseguirem com a sentença (um *exsequatur*); mas Pilatos trata sua decisão meramente como uma acusação (*katēgoria*) e planeja ver Jesus pessoalmente.

30. *este homem.* Este parece ser um uso desprezível de *houtos* (BAG, p. 601).

não fosse... criminoso. Literalmente, "fosse... alguém fazendo o mal", uma construção perifrástica do verbo "ser" e um particípio presente a governar um substantivo. A estranheza deste semitismo provocou tentativas de copistas para melhorarem o texto, como é atestado pelas redações variantes. Não fica claro que mal ou crime preciso se conclui que as autoridades tivessem em mente. Em um nível histórico, era um crime político, provavelmente o de ser revolucionário (ele foi preso como um *lēstēs*: Mc 14,48); mas no conceito do evangelista o motivo real era teológico (19,7; cf. 10,32).

entregaríamos. O verbo *paradidonai* (também "trair") já foi usado previamente no evangelho oito vezes para identificar Judas; agora o ônus de entregar Jesus passou para as autoridades judaicas.

a ti. Acaso há um tom de insolência aqui?

31. *julgai-o.* Esta afirmação pressupõe que não houve julgamento judaico formal sobre Jesus; o oposto se encontra em Mc 14,64 e, numa extensão menor, em Mt 26,66. Veja pp. 1212-15 acima. Há quem entenda Pilatos

como a falar ironicamente: ele sabe que as autoridades judaicas queriam matar Jesus e sabe que eles não têm poder para tal; e assim ele lhes traz à memória, sarcasticamente, a impotência deles. Outros pensam que o evangelista é vítima de um equívoco um tanto grosseiro: apresenta Pilatos como a ignorar que as autoridades judaicas não têm qualquer poder de executar. Ainda outros levam a sério a afirmação de Pilatos: ele não sabe o que as autoridades judaicas têm decidido sobre Jesus; então solicita deles os resultados de suas deliberações e eles não lhos entregou; e assim ele lhes informa que não pode conduzir o julgamento sob tais circunstâncias e eles mesmos terão de fazê-lo.

Deixaremos para outra nota, o problema se o Sinédrio tinha o poder de executar uma *sentença de morte*, indagamos aqui: que competência o Sinédrio tinha sob os governadores romanos? Com base em outra evidência de Josefo e das afirmações na Mishnah de um período posterior, muitos estudiosos pensam que o Sinédrio tinha ampla competência em ambas as questões, civil e religiosa, de modo que somente ofensas políticas muito sérias, que autorizassem uma sentença capital, eram reservadas ao governador. Outros, recorrendo à investigação de R. W. Husband (*The Prosecution of Jesus* [Princeton, 1916], afirmam que na administração provincial romana, um tribunal local, tal como o Sinédrio, só teria sido incumbido de casos menores, e que um caso civil ou criminal, de alguma importância, tinha de ser submetido aos romanos. A incerteza da ampla competência do Sinédrio é ecoada por Danby, JTS 21 (1920) 56-57. Estudos recentes da questão, feitos por A. N. Sherwin-White, têm por base investigações mais detalhadas da administração provincial romana que têm sido possíveis, no ínterim, desde o tratado clássico de Theodor Mommsen sobre o sistema judicial romano, publicado em 1899. Sherwin-White salienta que um prefeito equestre, numa província menor como a Judeia, não tinha assistentes romanos de alto posto que pudessem partilhar com ele os deveres importantes da administração e jurisdição. A presença romana era de natureza militar, e o governador sobrecarregado de obrigações tinha de depender de oficiais locais para questões cívicas. Mas os "governadores mantinham em suas próprias mãos os poderes essenciais dos quais dependia a manutenção da ordem, e deixavam as coisas de somenos importância para as municipalidades. Todos os crimes para os quais a penalidade fosse trabalho forçado em minas, exílio ou morte, eram reservados pelos governadores" (*"Trial"*, p. 99). Na administração dos julgamentos criminais, o prefeito não estava vinculado pela lei de Roma que era aplicada somente aos cidadãos romanos e às cidades romanas. E assim não havia código criminal universal para julgamentos provinciais, o qual era conhecido como *extra ordinem* ou "julgamentos fora do sistema". Embora ele seguisse um padrão costumeiro na condução dos julgamentos, o prefeito era livre para fazer suas próprias regras sobre quais acusações ele aceitaria para consideração ou rejeitar. Admitindo esta situação, vemos quão difícil é reconstruir, com alguma certeza, os motivos de Pilatos em concordar em devolver o caso às autoridades judaicas (caso João, aqui, preserve uma reminiscência histórica). No nível teológico, João poderia estar esclarecendo que desde o primeiro momento Pilatos não queria envolver-se e assim a total responsabilidade recaísse sobre "os judeus".

disseram-lhe. Isto é omitido em algumas testemunhas importantes, inclusive o Codex Sinaiticus* e P[66]. Pode bem ser um esclarecimento de copista.

os judeus. Indubitavelmente, aqui o termo tem sua referência joanina especial às autoridades, especialmente as de Jerusalém, que eram hostis a Jesus (vol. 1, p. 67); e nos lembramos que comumente ela abrange tantos os fariseus como os sacerdotes.

"*não nos é permitido matar a ninguém*". Em Marcos/Mateus não fica claro por que as autoridades judaicas levam Jesus a Pilatos, em vez de executá-lo eles mesmos, especialmente já que o tinham achado culpado de blasfêmia, um crime religioso punível de morte. Somente João oferece uma explicação razoável: o Sinédrio não podia executar uma sentença capital. Se Jesus deve morrer, então terá de ser sentenciado e executado pelos romanos. Isto também esclarece por que uma acusação não religiosa ou política tinha de ser levada adiante. (Já sugerimos acima [pp. 1217-21] que, ainda que concordemos que houvesse oposição religiosa real a Jesus da parte do Sinédrio, a acusação política pode ter sido feita honestamente – uma possibilidade não considerada nos evangelhos). Seria essa explicação razoável de João uma invenção imaginativa do evangelista a fim de resolver uma dificuldade, ou somente João preservou uma reminiscência de vital importância dos procedimentos judiciais na Palestina antes dos anos 70? Uma obra da autoria de JEAN JUSTER, *Les juifs dans l'Empire romain* (Paris, 1914), tem exercido muita influência ao estabelecer o ponto de vista de que o poder do Sinédrio não era limitado com respeito a sentenças capitais, para que estudiosos como GOGUEL, LIETZMANN, BURKITT e WINTER pensem que João está equivocado. Todavia, outros, como BÜCHSEL, BLINZLER, BENOIT e JEREMIAS afirmam que João está certo.

Naturalmente, não há dúvida de que o governador romano tinha o poder de punição capital (JOSEFO, *War* II.8.1; 117) ou que ele tivesse dado ao Sinédrio este poder para ofensas específicas, especialmente de natureza religiosa (a pena de morte automática para gentios apanhados em ato de transgressão nas partes internas dos recintos do templo é atestada por uma inscrição). Mas o Sinédrio tinha competência de executar prisioneiros considerados culpados em casos religiosos, civis e criminais sérios? Os que pensam assim apontam para o número de execuções efetuadas pelas autoridades romanas, algumas precisamente afetando cristãos. Estêvão foi apedrejado nos anos 30 (At 7,58-60); Tiago, o líder da igreja hierosolimitana, foi apedrejado nos anos 60 (Josefo, *Ant.* 20.9.1; 200). A relutância de Paulo ao ser examinado pelo Sinédrio em Jerusalém (At 25,9-11) é mais inteligível se aquele tribunal tinha poder de pronunciar sentença capital (veja também At 22,30; 23,20). O relato da mulher adúltera em Jo 8,3-5 pode ser interpretado como uma indicação de que as autoridades judaicas podiam executar réus (vol. 1, p. 595). Entretanto, os que pensam que o Sinédrio não tinha a competência geral de executar oferecem outra explicação para cada caso. Por exemplo, sugerem que o caso de Estêvão era a "lei do linchamento", e que, como Josefo o indica, Tiago foi executado no ínterim entre os termos de dois governadores romanos, com o resultado de que o sumo sacerdote envolvido foi subsequentemente punido. Há uma tradição judaica de confiabilidade incerta de que a jurisdição sobre a vida foi tirada de Israel há quarenta anos (número redondo?) antes que o templo fosse destruído (TalJer, *Sanhedrin*, 1,18a, 34; 7,24b, 41; veja Barrett, p. 445). Para discussão detalhada deste material e para conclusões discrepantes, pode-se consultar Blinzler, *Trial*, pp. 157-63, e Winter, *Trial*, pp. 11-15, 76-90. Embora não seja possível uma conclusão sólida sobre o presente estado da investigação, são muito convincentes nos argumentos que Wherwin-White têm apresentado em apoio da exatidão geral de João. De seu detalhado estudo da estrutura provincial romana, ele conclui que os romanos zelosamente mantinham o controle da punição capital; pois nas mãos locais o poder de uma sentença de morte podia ser usado para eliminar facções pró-romanas. A turbulenta Judeia era o último lugar onde os romanos provavelmente teriam feito uma exceção (*Roman Society*, pp. 36-37). Verdam, pp. 279-81, assume uma posição afim, salientando que mesmo um autoritário como Herodes o Grande se recusava a dar sequer um passo contra seus filhos sem autorização romana. Tem havido algumas tentativas, não particularmente bem-sucedidas, de contornar a dificuldade, interpretando a afirmação de João de uma maneira limitada. Agostinho (*In Jo.* 44,4; PL 35:1937), seguido por Belser, entende João como a significar que aos judeus não era permitido, por sua própria lei, apedrejar alguém *em dia de festa*. Esta interpretação poderia ser mais plausível se o dia envolvido no relato joanino fosse a Páscoa, enquanto que aqui só temos a véspera da Páscoa; além do mais, Jeremias, EWJ, p. 78, mostra que de fato certos crimes graves podiam ser punidos com a pena de morte em dias festivos. HOSKYNS, p. 616, sugere que há uma limitação implícita acerca da *maneira de execução*: João tem em vista que os judeus não podiam derramar sangue, embora pudessem apedrejar. Em apoio, salienta-se que o v. 32 vêm na afirmação uma implicação sobre o tipo de morte que Jesus estava para sofrer. DÖLLINGER pensa que a limitação se ocupa com *o crime envolvido*: João tem em mente que às autoridades judaicas não era permitido executar [alguém] por crimes políticos, e Jesus era acusado de um crime político. Entretanto, o texto joanino não dá indício de limitação ou qualificação com respeito ao tempo, modo ou crime.

32. *Isto foi*. Temos suprido estas palavras; o grego simplesmente tem uma construção elíptica *hina*. (nota sobre 15,25; 18,9).

para cumprir-se. Uma vez mais (nota sobre 15,9), João usa o termo em referência às palavras prévias de Jesus. A passagem em mente é 12,32: "Quando eu for levantado da terra...", pois a observação redacional em 12,33 deixa claro que esta afirmação indicava que tipo de morte ele estava para morrer.

indicando. Veja nota sobre 12,33.

tipo de morte. Temos explicado que a resposta judaica em 31 clarifica *para nós* por que as autoridades judaicas conduziram Jesus a Pilatos. Mas note que o evangelista não está interessado na resposta como um esclarecimento histórico; ele está interessado em sua implicação teológica. Se as autoridades judaicas não podiam executar Jesus, então ele morreria nas mãos dos romanos pela crucifixão, e então ele seria *levantado* da terra numa cruz (veja comentário). Evidentemente, o evangelista pensa na crucifixão como sendo uma penalidade romana, e não como uma penalidade judaica normal. E. STAUFFER, *Jerusalem und Rom* (Bern: Francke, 1957), pp. 123-27, mantém que os judeus amiúde praticavam a crucifixão, mas WINTER, *Trial*, pp. 62-66, certamente está quase certo em refutar os argumentos de STAUFFER. Os incidentes onde a crucifixão era praticada eram contemplados como horror; por exemplo, quando Alexandre Jannaeus crucificou os fariseus (JOSEFO, *War*, 1.4.6; 97; 4QpNahum 1:7). Aos olhos judaicos, a execução de Jesus numa cruz lhe traria ignomínia. Era considerada como equivalente a enforcamento (At 5,30; 10,39), e Dt 21,23 enuncia o princípio: "Um homem enforcado é maldito de Deus" (veja Gl 3,13). No tocante a como o próprio Sinédrio teria executado Jesus, não estamos totalmente certos do que *os saduceus* teriam considerado como formas aceitáveis da punição capital. Das quatro formas mencionadas na lei farisaica posterior (Mishnah *Sanhedrin* 7:1), a saber, apedrejamento, fogueira, decapitação e estrangulamento, as três primeiras eram reconhecidas no AT e teriam sido aceitáveis aos saduceus (veja nota sobre 8,5).

Nos evangelhos, a acusação judaica mais comum contra Jesus é blasfêmia, para a qual a execução por apedrejamento é a penalidade especificada no AT (Lv 24,16), no NT (Jo 10,33; At 7,57-58), e na Mishnah (*Sanhedrin* 7:4, 9:3).

33. [*tornou*]. As melhores testemunhas estão divididas sobre onde localizar esta palavra (*palin*), e algumas testemunhas menores a omitem.

chamou a Jesus. Não fica claro se Jesus já estava dentro do pretório.

"*És tu 'o Rei dos Judeus'?*" Em todos os relatos dos evangelhos, estas são as primeiras palavras de Pilatos dirigidas a Jesus. Nos lábios de Pilatos, a expressão "os judeus" não tem seu sentido joanino especial, como uma designação das autoridades judaicas hostis (como no v. 31), mas se refere à nação judaica. (O mesmo vale dizer quando outro estrangeiro, a mulher samaritana, falou dos judeus em 4,9.22). "O Rei dos Judeus" poderia ter sido um título específico usado pela primeira vez pelos reis sacerdotes hasmoneanos, na verdade os últimos governantes independentes da Judeia antes do surgimento de Roma na Palestina. JOSEFO, *Ant.* 14.3.1; 36, cita uma passagem de Strabo (não preservada) de que uma videira dourada foi dada a Pompeu por Alexandre, filho de Alexandre Jannaeus, e que foi mais tarde foi posta no templo de Júpiter Capitolino em Roma; ela portava a inscrição: "De Alexandre, o Rei dos Judeus". Mais tarde JOSEFO aplica o título a Herodes o Grande (*Ant.* 16.10.2; 311). Pode ser que o título tenha se mantido vivo durante o domínio romano como uma designação para o libertador esperado. (Vimos que algumas das imagens usadas para saudar Jesus em sua entrada em Jerusalém foi a evocativa panóplia macabeia/hasmoneana: vol. 1, p. 754). Quanto à pergunta de Pilatos, é possível que o "tu" seja enfático (assim BERNARD, II, 609, mas MTGS, p. 37, duvida disto), expressando incredulidade. Pilatos, tendo ouvido do esperado aparecimento do libertador nacional, "o Rei dos Judeus", teria ficado atônito ante o semblante de Jesus que tem sido acusado de reivindicar o título. O título mais antigo, "o Rei de Israel", era também usado no tocante a Jesus (veja vol. 1, p. 278).

34. *Jesus respondeu*. Nos evangelhos sinóticos, a resposta de Jesus à pergunta de Pilatos sobre ser ele o Rei dos judeus é "Tu dizes assim [*legein*]"; veja nota sobre 37 abaixo. Segundo os sinóticos, isso é tudo o que Jesus diz em todo o julgamento perante Pilatos!

tu dizes isto de ti mesmo. SCHLIER, "*Jesus*", p. 61, pensa que, se Pilatos dissesse isto de si mesmo, ele estaria enunciando uma profecia inconsciente com respeito a Caifás em 11,49-52.

35. "*Seguramente, não estás pensando que eu sou um judeu, está?*" Literalmente, "Eu sou um judeu?", pergunta introduzida por *mēti* e que espera

uma resposta negativa. Muitos comentaristas veem aqui uma entonação de desdém romano pelos judeus. É bem provável que seja assim; mas Haenchen, *"Historie"*, p. 68, está certo em insistir que a única implicação clara da observação de Pilatos é que ele não alega ter nenhum outro conhecimento real de Jesus senão o que as autoridades judaicas lhe reportaram.

nação e os principais sacerdotes. Compare Lc 23,13: "*os principais sacerdotes, os líderes e o povo*". Já que nem João nem Lucas introduzem explicitamente uma multidão judaica na cena (Marcos e Mateus o fazem), estas referências a "a nação" e "o povo" são sua única indicação da participação de um grupo mais amplo do que as autoridades do Sinédrio.

36. *Meu reino*. Jesus não responde à última pergunta de Pilatos: "O que tens feito?", e sim à pergunta formulada em 33: "Tu és 'o Rei dos Judeus'?" Mesmo então sua resposta é em termos de reino, em vez de título de realeza.

não é deste mundo. Literalmente. Isto tem certa semelhança com a resposta que supostamente os netos de Judas, o "irmão" do Senhor, teriam dado à pergunta de Domiciano sobre o reino de Cristo: "Disseram que ele não era mundano ou da terra, e sim celestial e angélico, e que seria estabelecido nos confins do mundo" (Eusébio, *Hist*. 3,20:4; GCS 9¹:234). Uma versão do apócrifo *Atos de Pilatos* afirma que o reino de Jesus não é deste mundo; mas a maioria dos comentaristas interpreta o pensamento de João à luz de 17,11.16: o reino de Jesus, como seu discípulo, está no mundo, porém não é dele. Por exemplo, Schlier, *"Jesus"*, pp. 61-62, cita a interpretação de Agostinho: "Seu reino está *aqui* até o fim dos tempos... mas não é daqui, porque só está no mundo como peregrino" (*In Jo*. 45,2; PL 35:1939). Não obstante, não devemos esquecer que no pensamento joanino o alvo último dos discípulos é ser afastados do mundo (cf. 14,2-3; 17,24).

Se meu reino fosse deste mundo. A primeira e a segunda linhas deste versículo estão em um tipo de paralelismo em forma de escada (vol. 1, p. 189), onde a segunda linha assume uma expressão da primeira. Mas Schlier, *"Jesus"*, p. 61¹, exagera, comparando o formato deste versículo com a poesia mais consistentemente cuidadosa de Jo 1,1.

meus súditos. A palavra é *hypēretēs*, a qual João tem usado para a guarda do templo, e talvez haja um contraste deliberado com os que prenderam Jesus. Na LXX, o termo pode referir-se ao ministro ou oficial de um rei (Pr 14,35; Is 32,5; Dn 3,46; Sb 6,4). A maioria dos comentaristas entende Jesus como a afirmar que seu reino tem súditos. Há quem tome Mt 26,53 como um paralelo: "Ou pensas tu que não poderia agora orar a meu Pai, e que ele não me daria mais de doze legiões de anjos?"; e Bernard pensa que a referência em João é a anjos. Entretanto, João é um evangelho que dá pouca ênfase aos anjos; e como a hipótese diz respeito a um reino deste mundo, alguém esperaria mais logicamente que os súditos sejam deste mundo. Schlier, *"Jesus"*, p. 64, identifica os súditos com os que ouvem a voz de Jesus (v. 37). Devemos notar, contudo, que os "súditos" só são mencionados na parte correspondente a uma condição irreal da afirmação de Jesus – se seu reino fosse deste mundo, ele teria súditos. Não somos informados explicitamente que um reino que não é deste mundo tem súditos. Jesus não pensaria em seus discípulos como súditos no sentido de serem seus servos, pois em 15,15 ele recusou-se a chamá-los de servos. Se a palavra "súdito" for aplicável dentro do reino de Jesus, ela tem passado por tanta interpretação como a própria noção de reino.

estariam lutando. Há uma ambiguidade no tempo imperfeito usado aqui; BDF, §360³, oferece esta tradução: "Teriam lutado e continuado a lutar". É verdade que Pedro tinha lutado, mas Jesus lhe ordenou que embainhasse a espada (18,10-11).

de ser entregue aos judeus. Agora Jesus foi entregue aos romanos (palavras de Pilatos em 35), mas serenamente ignora a importância dos romanos. Os inimigos reais são "os judeus".

mas. Literalmente, "agora" – a situação real quando oposta à condição contrária ao fato que tem precedido.

meu reino não é daqui. A frase "ser de" ("pertencer") indica não só a origem, mas também a natureza do que está envolvido.

37. *Então. Oukoun* ocorre somente aqui no NT; como *oun*, o termo tem a função de volver a conversação para o tema principal depois de um parêntese (BDF, §451¹), e assim Pilatos está retrocedendo à sua pergunta de 33. MTGS, p. 337, declara: "O *oukoun* interrogativo pode ser o *ipsissimum verbum* de Pilatos". O presente escritor não está seguro sobre o que isso significa, mas resistiria qualquer tese de que Pilatos falava a Jesus em um grego que foi preservado literalmente.

tu és rei. Pilatos não repete "o Rei dos Judeus"; pode ser que ele tenha entendido que este título não é aceito por Jesus que fala de "os judeus" como seus inimigos. A repetição da pergunta não é incomum; porque, pela prática romana, quando o réu não se esforça em defender-se, a pergunta direta lhe era expressa três vezes antes que seu caso fosse ignorado (Sherwin-White, *"Trial"*, p. 105).

Tu dizes que eu sou rei. Isto é uma variante do "tu o dizes" pela qual Jesus responde a Pilatos nos relatos sinóticos (primeira nota sobre 34 acima). Com bastante frequência (Bultmann, p. 506⁷), isto é tratado como uma resposta afirmativa: "Sim, tu o dizes corretamente, eu sou rei". Dodd, *Tradition*, p. 99¹, salienta que há pouco suporte para esta interpretação no uso rabínico; ele só acha válido um dos exemplos apresentados por StB. Costuma-se buscar evidência em Mt 26,64, onde, em resposta à pergunta do sumo sacerdote sobre se ele é o Messias, Jesus responde: *"Tu o disseste, porém vos digo que vereis...".* O paralelo em Mc 14,62 diz: "Eu o sou, e vereis...". A ideia de que o "Eu sou" de Marcos é equivalente ao "assim o disseste" tem por base a perigosa pretensão de que os dois evangelistas entenderam a resposta no mesmo sentido, pretensão esta questionável pelo fato de que Mateus a segue por uma adversativa "mas", enquanto Marcos a segue pelo "e". Em conformidade com a tendência cristã de identificar Jesus como o Messias, Marcos pode estar simplificando uma compreensão mais matizada da atitude de Jesus em que ele não aceitou irrestritamente essa designação. Também em João, a afirmação que segue "Eu te digo que sou rei" pode ser de tonalidade adversativa: a razão de Jesus entrar no mundo não é para que fosse rei, e sim para testificar da verdade. O. MERLIER, *Revue dês Études Grecques* 46 (1933), 204-9, provavelmente esteja certo em interpretar a frase de Jesus não como uma afirmativa, e sim como uma resposta qualificada: "Tu é que dizes, não eu"; assim também BDF, §§277², 441⁸; MTGS, p. 37; BENOIT, *Passion*, p. 106 ("Em aramaico, como em grego, esta é uma resposta evasiva"). Jesus não nega ser rei, porém este não é um título que espontaneamente escolheria para descrever seu papel. Para esta atitude para com a realeza, veja 6,15; também comentário sobre 12,12-16 no vol. 1, pp. 752-57.

Há pouco para se recomendar as sugestões de que a crase deva ser lida como uma pergunta ("Tu o dizes...?" – WESTCOTT-HORT, *Greek NT*, à margem) ou que fosse pontuado diferentemente ("Tu o dizes. Porque eu sou rei, eu nasci...").

Eu para isso nasci, e para isso vim ao mundo. LAGRANGE, p. 477, nega corretamente qualquer sugestão de que o primeiro verbo se refere ao nascimento de Jesus enquanto o segundo se refere ao seu ministério público. Ao contrário, formam um paralelismo e ambos se referem à mesma coisa. João em outros lugares usa o verbo *gennan*, "ser gerado, nascer" em referência a Jesus (vol. 1, pp. 182), e no presente caso ele usa paralelismo para deixar bem claro que o nascimento de Jesus foi o ingresso da verdade no mundo.

para dar testemunho da verdade. Em 9,39 Jesus disse: "Eu vim a este mundo para juízo"; visto que a revelação da verdade tem o efeito de juízo, nada há de contraditório nos propósitos enunciados para a vinda de Jesus ao mundo. Em 5,33 (veja paralelo em Qumran na nota ali) ouvimos que João Batista testificou da verdade; agora a mesma linguagem é usada por Jesus em referência a si mesmo. Jesus pode dar testemunho da verdade porque ele pertence ao que é de cima (8,23) e é o único que desceu do céu (3,13); assim ele tem visto o que o Pai faz (5,19) e tem ouvido o que o Pai tem dito (8,26). Aliás, ele é a incorporação da verdade (14,6), de modo que os feitos e palavras de seu ministério constituem o testemunho da verdade. Schlier, *"Jesus"*, p. 64, vê aqui um indício de que a morte de Jesus será o supremo testemunho.

Todo aquele que pertence à verdade, ouve minha voz. O verbo *akouein*, "ouvir", é aqui construído com o genitivo e se refere a ouvir com entendimento e aceitação; contraste a construção com o acusativo (nota sobre 8,43; ZGB, §69). Em 10,3 fomos informados que as ovelhas ouvem ou dão atenção à voz do pastor. (Este paralelo é interessante, porque, como vimos no vol. 1, p. 674, o tema do pastor tem seu pano de fundo no perfil que o AT tem do rei, e aqui Jesus está respondendo a uma pergunta sobre sua realeza). Assim, os que pertencem à verdade são as ovelhas dadas a Jesus pelo Pai; mas os que não ouvem ou não dão atenção não pertencem a Deus (8,47). 1Jo 3,18-19 dá um modo prático de testar quem pertence à verdade, a saber, se os homens exibem por seus feitos que seu amor é genuíno, e não meramente expressando com palavras. Obviamente, Jesus está falando em linguagem dualística e não está se referindo simplesmente a uma disposição moral (pondo a vida de alguém em harmonia com a verdade revelada), mas ao status de ser chamado por Deus para aceitar Seu Filho. Veja M. Zerwick, VD 18 (1938), 375. Meeks, p. 67, vê no tema de ouvir a voz de Jesus outro eco do tema Profeta-como-Moisés: "O Senhor teu Deus te levantará um profeta do meio de ti... como eu; a ele ouvirás" (Dt 18,15).

38. *Não acho nenhuma culpa neste homem.* Este juízo "nenhuma culpa" será dado mais duas vezes (19,4.6); um juízo bem similar se encontra também três vezes em Lucas (23,4.14.22). A primeira ocorrência em ambos os evangelhos vem logo depois da pergunta sobre a realeza. Para "culpa", Lucas usa *aition*, enquanto João usa o cognato *aitia* (= crime de que um prisioneiro é acusado).

39. *tendes o costume de eu soltar-vos alguém na Páscoa.* Não há confirmação extra-bíblica para este costume ao qual dos evangelhos testificam (Lucas sozinho é ambíguo, já que 23,17 pode ser uma adição de copista); e a exatidão histórica dos registros do evangelho é calorosamente debatido (veja Blinzler, *Trial*, pp. 218-21, versus Winter, *Trial*, pp. 91-94). Que tipo ou prática os evangelistas tinham em mente? Os sinóticos descrevem isto como uma prática de Pilatos (Mc 15,6; [Lc 23,17]) ou do governador (Mt 27,15); João o descreve como um costume judaico. Para João, é um costume pascal (donde o nome *privilegium paschale*); e, presumivelmente, isto é o que os sinóticos também significam, quando usam a expressão

"na festa". (Não é impossível que o costume existisse também nas outras festas de peregrinação; mas a anistia se enquadra bem ao tema geral da libertação do Egito que dramatiza a Páscoa). Então devemos pensar em uma anistia anual peculiar à Palestina e reconhecida por todos os governadores romanos, ou devemos pensar em uma prática peculiar ao reinado de Pilatos, visando a aprimorar sua relação com seus súditos judeus? Dos evangelhos temos a impressão de que a anistia não se limita a uma determinada classe de crimes, pois Barrabás que é solto é descrito como assassino e revolucionário! R. W. HUSBAND, *American Journal of Theology* 21 (1917), 110-16, tem tentado reduzir a implausível amplitude da anistia, sugerindo que Barrabás não foi achado culpado, mas foi acusado e aguardava julgamento – assim ele e Jesus, os dois candidatos à anistia, estariam no mesmo estágio de procedimentos legais. Todavia, o fato de que dois bandidos revolucionários foram executados juntamente com Jesus sugere que o destino dos envolvidos na recente insurreição (Mc 15,7; Lc 23,19) já estava decidido. O frenético interesse em ter Barrabás solto seria mais explicável se ele já estivesse a caminho da morte.

C. B. CHAVEL, JBL 60 (1941), 273-78, entre outros, tem buscado substanciar a existência de uma anistia pela referência na Mishnah *Pesahim* 8:6, que fala da necessidade de matar um cordeiro pascal por um a quem "prometeram libertar da prisão" (na véspera da Páscoa). CHAVEL argumenta que a referência é a prisioneiros políticos no tempo do domínio romano e que os romanos poderiam ter assumido o costume dos hasmoneus (os sacerdotes governantes da Palestina no 2º e 1º séculos a.C.). Mas, obviamente, esta passagem é passível de explicações que nada têm a ver com um *privilegium paschale*. Alguns têm encontrado uma analogia no registro de LIVY (*History* V 13) do *lectisternium*, uma festa religiosa de oito dias, sendo uma das características a soltura de prisioneiros. Uma analogia mais provável é o incidente que ocorreu no Egito em 85 d.C., quando o governador soltou um prisioneiro ao povo (DEISSMANN, LFAE, p. 269). Não obstante, muitos concordariam com H. A. RIGGS, JBL 64 (1945), 419-28, no julgamento negativo que ele passa sobre o valor dos paralelos propostos. Enquanto há considerável evidência na antiguidade em prol de anistias ocasionais, fica faltando a evidência de uma anistia para crimes sérios em uma festa anual.

soltar-vos. O "vos" é omitido em TACIANO e aparece em algumas testemunhas como um genitivo, não como um dativo. É possível que seja original.

'*o Rei dos Judeus*'. Veja nota sobre v. 33. Agora Pilatos entende que Jesus não reivindica realeza política, pois percebe que Jesus é inocente. Por que, então, *como concebido pelo evangelista*, Pilatos persiste em dar a Jesus este título? Alguns têm sugerido que ele está sendo sarcástico, mas dificilmente decidisse ser ofensivo se sinceramente está tentando ver Jesus solto. (Mesmo que o evangelista não tivesse interesse em escrever um estudo psicológico do prefeito, devemos presumir que Pilatos é apresentado como a agir racionalmente). Outros têm pensado que Pilatos está usando o título para apelar ao senso nacionalista da multidão – a multidão estava interessada em revolucionários como Barrabás, e Pilatos está salientando que Jesus é também um herói. Esta explicação pode enquadrar-se a Mc 15,9 onde Pilatos se dirige a uma multidão que subiu em busca da libertação de uma prisioneiro preso por insurreição; porém não se enquadra a João onde Pilatos tem declarado que Jesus é inocente de crime político e onde está se dirigindo não a uma multidão que poderia ser convencida, e sim a "os judeus" que são inimigos de Jesus. Pode ser que Pilatos previsse que não optariam pela soltura de Jesus e quer fazer "os judeus" renunciar implicitamente sua expectativa de "o Rei dos Judeus". Este motivo certamente está envolvido em 19,15. Em qualquer caso, o presente episódio põe mais ênfase sobre o que "os judeus" são forçados a fazer do que na motivação de Pilatos: "os judeus" são forçados a preferir um bandido ao seu rei.

40. *tornaram a clamar*. Clamar se enquadra melhor no relato marcano/mateano, onde há uma multidão, do que em João, onde "os judeus" (autoridades judaicas) estão envolvidos – uma prova mais clara de que o evangelista joanino reescreveu a tradição à luz de sua hostilidade para com os judeus (a sinagoga) de um período posterior. Alguns mss. posteriores trazem "todos gritaram", talvez uma tentativa de copista de converter o auditório em uma multidão; veja também 19,6, onde João apresenta gritando os principais sacerdotes e a guarda do templo. A palavra *palin* significa "tornar" ou "outra vez". O último significado no presente caso implicaria que gritaram previamente, e há quem pense que João está condensando e selecionando um relato mais longo que retratava uma multidão gritando mais cedo no julgamento. BLINZLER, *Trial*, p. 212[20], suscita a questão se o clamor era um voto oral genuíno.

Barrabás. Em Mateus (27,17) é Pilatos quem menciona Barrabás pela primeira vez, enquanto nos outros três evangelhos Barrabás é sugerido pelos judeus (as autoridades ou a multidão) no lugar de Jesus. Nada sabemos dele além da evidência do evangelho. "Barrabás" não é um nome pessoal, e sim um patronímico identificador (como Simão *Barjonas*) que ocorre também no *Talmude*. Presumivelmente, ele significa "filho de *abba*", isto é, "do pai". Mas se alguém aceita a variante que soletra Barrabbás encontrada em algumas testemunhas, ele pode significar "filho de *rabban*", isto é, "de nosso mestre" (assim JERÔNIMO). Algumas das testemunhas textuais a Mateus apresentam o nome do homem como Jesus Barrabás, uma antiga redação já dos dias de ORÍGENES. Neste caso, Pilatos estaria tratando de dois homens chamados Jesus ao mesmo tempo. WINTER, *Trial*, p. 99, dá rédeas à conjetura de que Pilatos não sabia qual Jesus estava processando e quis saber da multidão. Por conseguinte, quando descobriu que Barrabás não era esse, então o soltou. Nesta conjetura, o *privilegium paschale* se torna uma explicação errônea desenvolvida pelos evangelistas que se esqueceram por que Barrabás fora liberado. Outros têm pensado em Barrabás como uma criação fictícia. RIGGS, JBL 64 (1945), 417-56, pensa que, originalmente, Jesus Barrabás ("Filho do Pai") era outra designação de Jesus o Messias, e que os dois nomes expressam as acusações religiosas e políticas contra Jesus. LOISY é um dos que têm recorrido à informação de FILO (*In Flaccum* 6; 36-39) que, quando o rei judeu Agripa I visitou Alexandria no tempo da Páscoa, a plebe vestiu de rei um louco, rendeu-lhe homenagem desdenhosa e então o espancou. O louco era chamado *Karabas*, e LOISY toma Barrabás como outra forma do título para tal papel. Recentemente, BAJSIĆ, *art. cit.*, argumentou que Barrabás era um perturbador notório a quem Pilatos temia e que Pilatos estava usando Jesus para impedir que a anistia se estendesse ao perigoso Barrabás.

bandido. Cf. J. J. TWOMEY, *Scripture* 8 (1956), 115-19, com esta observação. *Lēstēs* pode referir-se a um simples ladrão ou assaltante, como distinto de um gatuno (*kleptēs*) que conta com a esperteza e não na violência. Com frequência (p. ex., *War*, 2,13.2-3; 253-54) JOSEFO usa *lēstēs* para descrever o bandido revolucionário ou guerrilha de guerreiros que, com variados motivos de pilhar e de nacionalismo, mantinha-se no campo em constante insurreição. K. H. RENGSTORF, TWNTE, IV, 258, observa: "É constantemente usado para os zelotes que... suscitam conflito armado contra os romanos por exercerem total domínio sobre a vida deles e por isso estão preparados a arriscarem tudo, mesmo a própria vida, para conseguirem a liberdade nacional". Não estamos certos como João entendia a palavra, mas a tradição sinótica entendeu claramente Barrabás como um revolucionário. Mc 15,7 diz que ele era um dos que foram presos por cometerem homicídio numa insurreição; Lc 23,19 o descreve como um homem que fora lançado na prisão por ter movido insurreição na cidade e por homicídio. O fato de ser ele o único dos revolucionários a quem a multidão indica para a anistia pressupõe que poderia ter sido o líder e bem conhecido. Mt 27,16 o caracteriza como *epismōs* ou "notório", palavra usada por JOSEFO (*War*, 2,21.1; 585) para descrever os líderes zelotes;

e umas poucas testemunhas textuais menores deste versículo em João leem *archilēstēs* ou "bandido ou caudilho". Caso ele tenha cometido homicídio, então, segundo a lei israelita, não se teria permitido nenhum perdão (Nm 35,31), e o fato de que as autoridades e o povo queriam que ele fosse solto indica que consideravam seu homicídio mais em termos de patriotismo do que de crime.

COMENTÁRIO: GERAL

Por todo este comentário nos sentimos compelidos a reconhecer dois aspectos conflitantes do Evangelho de João: de um lado, ele preserva um núcleo de tradição histórica que exige mais respeito do que se lhe tem dado em anos recentes; do outro lado, o evangelista reelabora radicalmente todo o seu material tradicional por razões teológicas e dramáticas. Em parte alguma a interação entre tradição histórica e os interesses da teologia e do drama se torna mais aparente do que na cena do julgamento perante Pilatos que constitui a Segunda Seção da Narrativa da Paixão. BLANK e HAENCHEN têm insistido recentemente sobre a predominância dos temas teológicos aqui. BOISMARD, JANSSENS DE VAREBEKE, entre outros, têm comentado sobre a cuidadosa organização dramática do material. DODD tem enfatizado a presença de uma tradição histórica. Comecemos estudando a interação de todos estes fatores.

O arranjo dramático da cena

A cuidadosa montagem do cenário do relato joanino do julgamento suscita a questão da historicidade. O relato marcano/mateano do julgamento é muito simples enquanto ao conteúdo e consiste de três episódios: (a) Jesus é conduzido a Pilatos para ser interrogado sobre sua reivindicação de ser rei, mas se recusa a responder; (b) quando a multidão se reúne para solicitar a soltura de Barrabás, Pilatos lhes oferece Jesus, porém rejeitam; (c) ante sua insistência, Pilatos entrega Jesus para ser crucificado. Toda a cena ocorre em um cenário público, e só depois que Jesus é entregue para ser crucificado é que ele é trazido de dentro do pretório para ser escarnecido. A cena lucana é quase a mesma, embora seja interrompida por um episódio em que Jesus é enviado a Herodes (23,6-12), e não há episódio final de escarnecimento dentro do pretório. Em todas as versões sinóticas do julgamento Jesus permanece em silêncio.

O cenário joanino é muito mais complexo e dramático. Há dois cenários dramáticos: o pátio exterior do pretório onde "os judeus" se reúnem; a sala interior do pretório onde Jesus é mantido prisioneiro. Pilatos vai e vem de um lado para o outro, em sete episódios cuidadosamente balanceados. A atmosfera interior é de calma, e a razão por que o inocente Jesus está ali fica bem clara a Pilatos; fora há gritos frenéticos de ódio quando "os judeus" pressionam a Pilatos que declare Jesus culpado. A constante passagem de Pilatos de um cenário a outro dá expressão externa a luta que se passa em sua alma, pois sua certeza da inocência de Jesus aumenta na mesma proporção que a pressão política o força a condenar Jesus. Vários episódios na narrativa joanina têm toques dignos de um grande drama; por exemplo, o incidente *ecce homo*, e o clímax onde "os judeus" se veem forçados a proclamar que aceitam o imperador como seu rei.

Tem-se proposto diferentes esquemas para dividir a cena. BULTMANN, p. 501, reconheceria seis episódios distribuídos em dois grupos, o primeiro grupo (18,28-19,7) consistindo de quatro episódios, o segundo grupo (19,8-16) consistindo de dois episódios. Em geral concordamos com seu delineamento dos episódios, embora achemos sete, em vez de seis, pois dividimos 19,1-7 em dois episódios (veja p. 1331 abaixo). Mas não achamos convincente seu agrupamento desconexo dos episódios nem o argumento de que o primeiro grupo leva a um com "Eis o homem" (19,5) e o segundo grupo, com "Eis vosso rei" (19,14). Ao contrário, como muitos outros estudiosos, achamos aqui outro exemplo de um padrão quiásmico joanino visto várias vezes antes (vol. 1, p. 515; acima, pp. 1053 e 1129).

A organização não é perfeita; por exemplo, alguns dos movimentos fora e dentro não são expressamente indicados mesmo quando sejam claramente implícitos (notas sobre 19,4.9.12). Mas há um equilíbrio muito cuidadoso dos episódios, 1 e 7, 2 e 6, 3 e 5 – um equilíbrio no cenário, conteúdo e inclusive em extensão (1=7; 2+3=5=6). O único episódio em que Pilatos não figura proeminentemente é 4, o episódio do centro. Obviamente, a mão de um planejador meticuloso esteve em ação aqui, e neste caso encontramos divisão justificada e sétupla que JANSSENS DE VAREBEKE imporia em todas as três divisões da Narrativa da Paixão (p. 1221 acima).

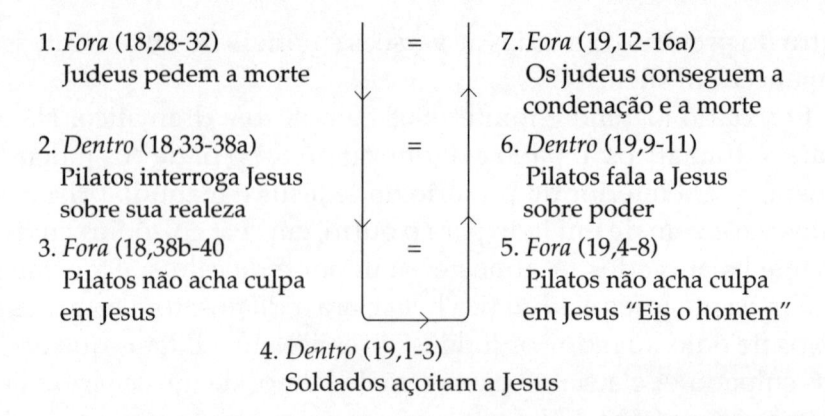

1. *Fora* (18,28-32) = 7. *Fora* (19,12-16a)
   Judeus pedem a morte   Os judeus conseguem a
                               condenação e a morte

2. *Dentro* (18,33-38a) = 6. *Dentro* (19,9-11)
   Pilatos interroga Jesus   Pilatos fala a Jesus
   sobre sua realeza   sobre poder

3. *Fora* (18,38b-40 = 5. *Fora* (19,4-8)
   Pilatos não acha culpa   Pilatos não acha culpa
   em Jesus   em Jesus "Eis o homem"

4. *Dentro* (19,1-3)
   Soldados açoitam a Jesus

Para conseguir esta organização, sem dúvida o evangelista teve que efetuar considerável mudança no material tradicional que chegou a ele dentro da escola joanina. Por exemplo, ele tomou a liberdade de mudar o açoitamento do fim do julgamento para o centro. Ele expandiu episódios adicionando diálogo e poderia ter abreviado episódios mais longos (Notas sobre 18,40; 19,8). HAENCHEN, *"Jesus"*, p. 96, objeta que João, implausivelmente, apresenta Pilatos como se este fosse um cidadão privado entrando e saindo de sua casa. Mas é possível pressupor que um quadro mais complexo foi simplificado e que alguns dos intermediários e mensageiros foram removidos para não se distraírem da confrontação entre Pilatos e os dois partidos conflitantes. Entretanto, visto que, como salienta SHERWIN-WHITE (veja nota sobre 18,31: "julgai-o"), havia escassez de assistência administrativa no governo provincial romano, João poderia ter corrigido perfeitamente, descrevendo Pilatos como a conduzir pessoalmente o interrogatório.

A questão da historicidade

A reelaboração dramática foi numa escala tal que permanece pouco material histórico? Nenhuma resposta simples a esta questão é possível. Mas tampouco há de se apoiar demasiadamente das afirmações no sentido de que o quadro joanino é impossível sobre bases psicológicas; por exemplo, HAENCHEN, *"Historie"*, p. 64, argumenta que um governador romano jamais teria se rebaixado em sair às autoridades judaicas caso se recusassem a entrar no pretório. Como é possível estar tão seguro disso? Nunca houve momentos em que Pilatos, como outros políticos, engolisse seu orgulho a fim de esquivar-se de problema pior?

63 • A narrativa da paixão: – Segunda seção (episódios 1-3) 1295

Mas, mesmo que deixemos de lado as objeções que estão fora do escopo de prova, aí permanecem dificuldades bem fundamentadas sobre o relato de João.

Em conformidade com os evangelhos sinóticos, o julgamento parece ter-se realizado em público (e este era o costume romano); todavia, os evangelhos nada registram praticamente do conteúdo do julgamento. João dá muito mais detalhe das conversações que foram conduzidas em privado no recinto do pretório! BARRETT, p. 443, julga ser altamente improvável que informação confiável concernente a tais conversações tivesse chegado ao evangelista. Quando se propôs o problema similar de como os cristãos teriam obtido informações sobre o conteúdo do interrogatório de Jesus, poderíamos dizer com alguma plausibilidade que os seguidores de Jesus poderiam terem sido consultado nos arquivos do Sinédrio e entre os sacerdotes poderiam ter sido capazes de descobrir o que aconteceu; mas aqui nenhuma resposta desse tipo é possível. A tese de que um registro escrito do julgamento foi mais tarde consultado nos arquivos romanos não passa de ficção. Alguém pode especular que teria havido outros presentes; por exemplo, intérpretes; mas não há no NT evidência do acesso de cristãos na casa de Pilatos. À dificuldade de como a conversação poderia ter-se tornado conhecida, alguém adicionaria o problema do notável caráter joanino do diálogo entre Pilatos e Jesus. Este fala no estilo semi-poético dos discursos joaninos. Suas palavras soam em grande medida como o que teria sido a apologética padrão da Igreja em face da suspeita romana de traição na última parte do 1º século (nota sobre "não é deste mundo" em 18,36). Vimos que no relato joanino do ministério público alguns dos detalhes entre Jesus e "os judeus" refletiram as controvérsias posteriores entre a igreja e a sinagoga. Aqui, as respostas de Jesus ao governador romano refletem as respostas posteriores dos cristãos às autoridades do Império Romano.

Se temos razão em pensar que o diálogo entre Jesus e Pilatos não é histórico, o que diríamos do perfil geral que João forma de Pilatos? Já salientamos a tendência cristã para com o "lavar as mãos" de Pilatos que aparece em todos os relatos dos evangelhos (pp. 1211-1212 acima); mas João, mais que os demais evangelhos, insiste no desejo de Pilatos em fazer o que era certo com respeito a Jesus. Se podemos crer em JOSEFO e em FILO, quase certamente João chega a ser ingênuo em atribuir a Pilatos essa sensibilidade moral. Todavia, João e os outros evangelhos poderiam estar certos em sua reminiscência de que Pilatos buscava soltar Jesus. BAJSIĆ, *art. cit.*, tem sugerido que Pilatos fez este esforço não por amor à justiça, mas porque não queria soltar Barrabás, um insurreicionista notório e perigoso. BAJSIĆ conjetura que Pilatos ardilosamente julgou ser Jesus politicamente inofensivo e esperava que o populacho se deixasse persuadir em aceitar a soltura de Jesus. Esta motivação política, que concorda com implicações nos fatos bíblicos, teria se enquadrado com o calejado déspota descrito nas fontes judaicas. Enquanto tal teoria não puder ser provada, nos aconselhamos a considerar a possibilidade de que João estivesse preservando as reminiscências históricas às quais se tem dado nova diretriz.

Muitos dos detalhes do julgamento peculiares ao relato de João não podem ser averiguados, mas não são implausíveis. Não é improvável que Pilatos quisesse interrogar privativamente um prisioneiro político potencialmente perigoso enquanto as autoridades judaicas permaneciam do lado de fora. Mesmo que Pilatos cooperasse com o Sinédrio ou inclusive tivesse suprido o ímpeto na prisão de Jesus, não poderia estar exageradamente confiante na informação do Sinédrio sobre Jesus e, assim, pretendesse descobrir por si mesmo sobre o homem. Algumas das informações que João dá sobre o pretório têm boas chances de serem exatas (nota sobre "Pavimento de Pedra" em 19,13). Enquanto reconhecemos a remodelação joanina do diálogo entre Jesus e Pilatos, é bem provável que João seja histórico quando rememora que Jesus respondeu a Pilatos durante o julgamento. Suspeita-se que, ao retratarem Jesus como silencioso durante o julgamento, os sinóticos refletem a teologia do Servo Sofredor (nota sobre 19,9). Alguns têm pensado que em 1Tm 6,13 temos uma confirmação independente do Jesus joanino mais loquaz. Esta passagem, que provavelmente ecoa um credo batismal primitivo, menciona Jesus "que fez a mesma nobre confissão diante de Pilatos [ou: no tempo de Pilatos]". A epístola se reporta a testemunho verbal? O contexto não é desfavorável a isto, pois ele se refere à nobre confissão de Timóteo na presença de muitas testemunhas, aparentemente uma confissão verbal no batismo ou diante de um magistrado. Não obstante, a epístola pode significar simplesmente que Jesus deu testemunho, *morrendo* sob o Pôncio Pilatos.

Além do mais, o relato de João do julgamento não é facilmente descartado como um remanejamento do material sinótico de segunda mão (DODD, *Tradition*, p. 120). Paralelos substanciais com os relatos sinóticos só se encontram em episódios 3 e 4, e mesmo então há consideráveis divergências (veja gráficos à pp. 1308-09 abaixo). No segundo episódio, somente a pergunta "És tu o Rei dos Judeus?" e parte da resposta "Tu o dizes...". em 18,37 são similares ao que se encontra nos sinóticos. Os outros episódios consistem grandemente de material propriamente joanino. Notamos que em algum destes materiais João faz parelha com uma tradição refletida em Lucas (que, com vênia a BULTMANN, parece ter tido uma fonte independente para o julgamento de Pilatos). Por exemplo, João e Lucas têm em comum o seguinte: Pilatos diz três vezes que não acha culpa em Jesus, e a sequência em que as três afirmações aparecem é em boa medida a mesma (notas sobre 18,38; 19,4.6); o escarnecimento de Jesus ocorre em meio ao julgamento e não no final; Jesus é entregue aos judeus para ser crucificado e não especificamente aos soldados romanos. As similaridades não são verbalmente tão estreitas que pensemos que um evangelista copiou do outro, e podemos pressupor que tais detalhes vieram a ambos os evangelistas de tradições mais antigas. Isto não faz os detalhes necessariamente históricos, mas acautela contra assumir com extrema facilidade que o material, que em grande parte é peculiar a João, representa a criação do evangelista.

Com todo seu drama e sua teologia, o relato que João faz do julgamento é o mais consistente e inteligível que temos. Somente João deixa claro por que Jesus foi conduzido a Pilatos no primeiro local e por que Pilatos cedeu e deixou Jesus ser crucificado. A cronologia de João, onde o processo judicial se dá no 14º dia de Nisan, é mais crível do que o dos sinóticos, onde se dá na festa da Páscoa. João deixa lucidamente claro que em princípio Pilatos está indagando a Jesus sobre a acusação *política* que foi formulada contra ele, acusação que faria dele uma ameaça ao imperador. O perfil de Pilatos se rendendo à sutil reciprocidade das forças políticas acarreta certa convicção. SHERWIN-WHITE, *Roman Society*, p. 147, depois de rever cuidadosamente as práticas provinciais romanas, conclui que os detalhes legais e administrativos peculiares a João de modo algum são implausíveis. DODD, *Tradition*, p. 120, argumenta que um escritor no final do 1º século e num ambiente helenista não podia ter inventado um relato tão persuasivo de um julgamento conduzido sob condições que há muito se passara. Ele pensa que o autor tinha um vívido senso da situação na Palestina antes da extinção da autonomia judaica local. A suma do julgamento feita por DODD é expressa assim: "Enquanto há evidência de algum grau de elaboração pelo autor, a conclusão mais provável é que, em substância, ela representa uma classe independente de tradição, que teria sido formada num período muito mais próximo aos eventos do que o período quando o Quarto Evangelho foi escrito, e em alguns aspectos parece ser mais bem informada do que a tradição por detrás dos sinóticos, cujo relato confuso ela clareia". Pessoalmente, enfatizaríamos com mais vigor os esforços elaborativos do escritor joanino, mas no todo preferimos a avaliação de Dodd à contundente afirmação de Winter (*Trial*, p. 891): "De Jo 18,20 em diante, o Quarto Evangelho não contém nada que possa nos servir para a valoração dos fatos históricos".

Se cremos que em João temos detalhes de uma tradição primitiva reelaborada em um todo teológico e dramático, não obstante evitamos uma tentativa de determinar com certeza ou grande precisão o que vem da tradição e o que representa elaboração da parte do evangelista. (Mesmo Bultmann, pp. 502-3, que comumente escreve com segurança sobre tais assuntos, acha esta seção difícil de analisar; ele detecta Fonte da Paixão em João particularmente em 18,39-19,6 [veja Smith, p. 49]). Algumas elaborações são mais ou menos óbvias, mas somos sempre limitados em detectar a mão do evangelista mediante nossa discussão de que a fonte de tradição não era estranha à escola joanina. Temos proposto (vol. 1, p. 6) que a modelagem da tradição em um evangelho ocorreu depois de um período de anos e num vivo contexto de pregação e ensino. As teorias que retratam o evangelista fazendo adições a um documento escrito fixo que fora recentemente colocado à sua disposição, inevitavelmente são mais otimistas sobre a capacidade moderna da erudição em distinguir entre o evangelista e a tradição.

O julgamento romano como um veículo da teologia joanina

João omite um relato do interrogatório de Jesus diante do Sinédrio sob Caifás. Mesmo quando detalhes desse procedimento estejam dispersos por todo o Quarto Evangelho, o efeito da omissão dá uma orientação peculiar à Narrativa Joanina da Paixão. Os procedimentos judaicos legais têm sido reduzidos a uma pergunta feita a Jesus por Anás, e assim o processo judicial romano se torna *o* julgamento de Jesus. Há uma razão teológica para a ênfase de João sobre o julgamento romano?

63 • A narrativa da paixão: – Segunda seção (episódios 1-3)

Talvez a atmosfera secular do julgamento permitisse ao escritor joanino usá-la mais efetivamente do que poderia ter usado os procedimentos judaicos para explicar a realeza de Jesus. BLANK, p. 62, está certo em insistir que a realeza é o tema teológico que domina os episódios do julgamento. O segundo episódio discute a natureza da realeza de Jesus, realeza esta que Pilatos proclama duas vezes (terceiro e sétimo episódios). O quarto episódio descreve a vexatória entronização de Jesus como rei, e no quinto episódio Jesus é conduzido e apresentado a seus súditos que o aclamam com brados de crucifixão. Note que João vincula o tema de sofrimento com o de realeza. A adição do incidente *ecce homo* faz a dura experiência de Jesus durante o julgamento mais aparente em João do que é nos evangelhos sinóticos. Assim não há necessidade de imaginar que, ao enfatizar a realeza, João atenuou inteiramente o quadro do Servo Sofredor. Temas adicionais do julgamento que podemos mencionar incluem a inocência de Jesus e Jesus como o verdadeiro juiz que expõe seus adversários a julgamento.

Outros intérpretes têm encontrado a chave para a importância teológica do julgamento romano para João na ênfase sobre Pilatos. Alguns apontam para o Sl 2,2 (citado em At 4,25-26) como um tema dominante: "Levantaram-se os reis da terra, e os príncipes se ajuntaram à uma, contra o Senhor e contra seu ungido". Não obstante, os relatos sinóticos do julgamento de Pilatos preencheriam este texto precisamente como faz o relato de João. Se João fosse ampliar o escopo do julgamento romano à luz deste texto, esperaríamos que ele o citasse explícita ou implicitamente. Outra sugestão é que o evangelista focalizou o julgamento de Pilatos porque ele queria retratar Jesus em direta confrontação com Roma. No ministério, Jesus teve que enfrentar a oposição de "os judeus"; agora ele está diante da encarnação romana do poder mundano. É possível ver aqui um duelo entre as esferas religiosa e secular em que a secular tem o poder bruto sobre a religiosa, mas a religiosa domina pela força de sua integridade. Todavia, num exame estrito descobrimos o tema de poder levado avante somente no Sexto episódio (19,10-11) e talvez até certo ponto no segundo episódio; de modo que o conflito entre o religioso e o secular dificilmente seja um tema dominante. A variação desta tese em que Pilatos se torna uma personificação de uma Roma que é hostil ao cristianismo reflete o Livro do Apocalipse e não o Quarto Evangelho. Admitimos que em João uma escolta romana é parte do partido que prende

Jesus e que os soldados romanos motejam de Jesus durante o julgamento; mas o próprio Pilatos é apresentado como favorável a Jesus. A malevolência de "os judeus" permanece uma nota dominante, e Jesus é entregue aos judeus para a crucifixão.

Ainda em outra interpretação teológica do papel de Pilatos, ele se torna o representante do Estado com a incumbência de decidir entre o mundo e a verdade. João está usando Pilatos para mostrar que o Estado não pode permanecer neutro à verdade, pois a neutralidade forçará o Estado a temporizar mesmo nas questões mais elementares da justiça e a agir contra seus auto-interesses reais. Ao não decidir contra o mundo, o Estado logo se vê sujeitado ao mundo. Esta interpretação tem sido popular entre escritores alemães (SCHLIER, BULTMANN) e compreensivelmente reflete a angústia teológica sobre o papel do Estado inspirado pela experiência nazista. Mas VON CAMPENHAUSEN, HAENCHEN, entre outros, têm sabiamente questionado se isto não é uma reinterpretação de João à luz de um problema teológico moderno em vez de uma exposição do próprio ponto de vista do evangelista. Na verdade, a luta entre Jesus e "os judeus" é uma luta entre a verdade encarnada e o mundo, mas a abstração "o Estado" é um conceito posterior.

Enquanto João tem retratado "os judeus" como dualisticamente oposto a Jesus e se recusando totalmente a crer nele, ele também nos tem dado exemplos de outras reações para com Jesus em que os homens não se recusam a crer nem aceitam plenamente a Jesus pelo que ele realmente é (vol. 1, pp. 838-39). Nicodemos, a mulher samaritana, o homem curado no Poço de Betesda vêm à mente. Devemos olhar para o Pilatos joanino não como uma personificação do Estado, e sim como outro representante de uma reação para com Jesus que nem é fé nem rejeição. Pilatos é típico, não do Estado que permaneceria neutro, mas dos muitos homens honestos, bem dispostos que tentariam adotar a posição média num conflito que é total. Ao estudar o relato da mulher samaritana (vol. 1, pp. 390), vimos quão artisticamente João descreveu uma pessoa que, a despeito das tentativas de escapar às decisões, pôde ser levada a crer em Jesus. O relato de Pilatos nos dá o outro lado da moeda, pois ele ilustra como uma pessoa que recusa decisões é levada à tragédia. Em umas poucas palavras, Jesus dissipa o temor sincero de Pilatos do perigo político (18,36); mas Jesus não se contenta em deter-se aí: ele desafiaria Pilatos a reconhecer a verdade (18,37).

Pilatos não encarará o desafio de decidir por Jesus e contra "os judeus"; ele pensa que pode persuadir os judeus a aceitarem uma solução que se lhe tornará desnecessário decidir em favor de Jesus. Primeiro, Pilatos lhes oferece uma escolha entre os prisioneiros: Jesus ou Barrabás (18,39-40). Quando isso falha, ele começa a render-se ao mundo, fazendo Jesus ser açoitado e motejado, esperando que isto fosse suficiente (19,1-6). Quando isso falha, ele oferece a entrega de Jesus à vontade de "os judeus" sob o que ele considera uma condição impossível. Se eles querem Jesus crucificado, ele os fará requerer de tal modo que terá de negar todas as suas esperanças messiânicas e proclamar que o Imperador é seu único rei (19,14-15). Mas "os judeus" não titubearão nem mesmo diante desta blasfêmia; pois sabem que esta é uma luta até a morte, e que, se seu Jesus não morrer, o mundo será vencido pela verdade. E assim Pilatos, o homem pseudo-neutro, é frustrado pela intensidade dos participantes. Tendo fracassado em ouvir a verdade e decidir em seu favor, ele e todos os que o imitam inevitavelmente acabam ao serviço do mundo. Em nosso juízo, esta é a profunda compreensão joanina de Pilatos. Se a dramatização de tal compreensão requereria habilidade e esforço da parte do evangelista, deve-se admitir que o resultado é digno de sua concepção: muitos são os que podem achar retratados em Pilatos sua própria e trágica história de contemporização e indecisão.

E assim havia razões teológicas para João enfatizar o julgamento romano de Jesus, mas não devemos supor ingenuamente que as razões teológicas explicam cada faceta do julgamento romano. Não é inconcebível que João enfatizou o julgamento romano também porque sua tradição preservou uma reminiscência histórica correta no fato de que esse era o mais importante dos procedimentos legais contra Jesus e de fato o único julgamento real. É possível que Pilatos realmente exercesse um papel dominante na paixão de Jesus (veja pp. 1218-19 acima). Os discursos de Pedro e de Paulo em Atos, os quais podiam conter tradição primitiva, proporcionalmente *enfatizam* o envolvimento romano (At 2,23: "matastes pelas mãos de homens iníquos"; 3,13: "na presença de Pilatos"; 13,28: "pediram a Pilatos que ele fosse morto"). E assim encerramos a discussão sobre a nota com que a começamos: o delicado amálgama joanino da história e teologia.

COMENTÁRIO: DETALHADO

Primeiro episódio: As autoridades judaicas solicitam que Pilatos condene a Jesus (18,28-32)

Primeiramente, compararemos este episódio com a narrativa sinótica. A abertura do julgamento romano em Marcos (15,2-5) é composta, recorrendo a duas fontes marcanas (p. 1204 acima). Da fonte B marcana vem 15,2 que discutiremos em relação ao segundo episódio em João. Da fonte A marcana ou relato primitivo consecutivo procede 15,3-5: os principais sacerdotes acusaram Jesus de muitas coisas; Pilatos se viu surpreso ante o número de acusações e interrogou Jesus sobre elas; Jesus permaneceu em silêncio. A sequência marcana é estranha, pois os vs. 3-5 fariam um melhor início do que com o v. 2. Lucas tem apenas um paralelo parcial com o material A marcano. Em 23,2, talvez refletindo uma fonte independente, Lucas registra que os membros do Sinédrio catalogaram três acusações contra Jesus: induzir ao erro a nação; proibir que impostos fossem pagos ao imperador; reivindicar ser o Messias-Rei. Lucas não registra que Pilatos interrogou Jesus sobre as três acusações ou que Jesus permaneceu em silêncio. O presente episódio em João discute a acusação lançada contra Jesus por "os judeus"; o silêncio de Jesus é mencionado em outro contexto no sexto episódio (19,9). É difícil crer que João tenha tomado do material A marcano e o reescrito totalmente; as diferenças são muito mais proeminentes do que as similaridades. Além do mais, algo do material que se encontra somente em João é da máxima importância; por exemplo, a explicação de que as cortes judaicas não podiam executar sentenças de morte. Se essa informação for correta (nota sobre 18,31), então João está claramente recorrendo a uma tradição histórica independente de Marcos e das fontes marcanas.

Temos discutido nas notas os problemas históricos detalhados. Aqui, nos ocuparemos com a sequência lógica da narrativa *como o evangelista a apresenta* e com a implicação teológica que o evangelista extrai do que ele descreve.

A cena se abre no romper do dia – uma indicação cronológica comum às tradições do evangelho sobre o julgamento romano. Mas exegetas como BULTMANN e BLANK acham implicação teológica no emprego que João faz: a noite do mal mencionada em 13,30 estava passando, e o dia raiava quando a luz do mundo venceria a trevas (1,5).

Na verdade, João não menciona a luz aqui, e não há indicação clara de que ele tivesse em mente algum simbolismo, mas que isso se harmonizaria com a teologia joanina.

A confrontação inicial de Pilatos e "os judeus" é descrita com uma ironia sutil. Tendo cinicamente decidido sobre a morte de Jesus, visto que era mais vantajoso que alguém morresse em vez de toda a nação ser destruída (11,50), as autoridades judaicas são, não obstante, escrupulosamente corretas em sua observância da pureza ritual. Não hesitam em fazer uso dos gentios para a anulação de seu adversário, mas não entrarão na casa do gentio. Implicitamente, pode haver outro elemento de ironia: temem que a impureza ritual impedisse que comessem o cordeiro pascal, mas inconscientemente estão entregando à morte aquele que é o Cordeiro de Deus (1,29) e assim estão tornando possível a verdadeira Páscoa.

A apresentação inicial de Pilatos apresenta um problema na lógica da narrativa joanina. Se as tropas romanas foram enviadas para a prisão de Jesus, e assim Pilatos estava cooperando com Caifás, por que a questão da interrogação de Pilatos que acusação estava sendo lançada contra Jesus? Todavia, a questão é inteligível como parte do sistema provincial de administrar justiça através do *cognitio* pessoal do governador romano (veja SHERWIN-WHITE, *Roman Society*, p. 17). Enquanto acusações e penalidades eram livremente formuladas, eventualmente uma acusação peculiar e formal tinha de ser feita ao mantenedor do *imperium*, de modo que ele pudesse investigar e adquirir conhecimento (*cognitio*) pessoal. Pilatos poderia ter cooperado com o Sinédrio em pôr um possível perturbador sob prisão temporária durante um perigoso período festivo; aliás, ele poderia ter sido o motivo impulsionador por detrás da prisão de um homem sobre quem ouvira ser revolucionário e sua intenção poderia ser que o Sinédrio investigasse se convinha submeter-lhe a julgamento. Mas agora as autoridades do Sinédrio estavam entregando um prisioneiro para um julgamento oficial, e Pilatos tinha que seguir o formato legal. Um registro deste julgamento teria de ser guardado, e Pilatos não podia propiciar a seus inimigos evidência de irregularidades legais. Vista desse modo, a pergunta inicial de Pilatos é a esperada formalidade legal: ele deseja conhecer os resultados dos procedimentos do "grande júri" contra Jesus.

Muito embora HAENCHEN, *"Historie"*, p. 65, pense que a resposta das autoridades judaicas não deve ser interpretada psicologicamente, achamos difícil não ver aqui um tom de insolência. E insolência não deve ser tão inesperada se o Sinédrio estivesse agindo sob as ordens de Pilatos, e consequentemente as autoridades se sentiam seguras de que Pilatos teria de aceitar sua decisão. Mas Pilatos responde à insolência insistindo em corrigir o procedimento. Se ele ordenasse ou lhes permitisse conduzir um inquérito, não teria cedido seu direito de julgar. As autoridades judaicas seriam aptas a julgar Jesus culpado sobre bases religiosas e segundo suas próprias leis, e Pilatos os convida a fazer isso. Unicamente em resposta à sua repulsa a "os judeus" indica que Pilatos percebe que eles estão acusando Jesus de uma ofensa capital de cunho civil, implicitamente a ofensa de que Pilatos suspeitava: Jesus é um revolucionário com pretensões monárquicas. Os rumores que chegaram aos ouvidos de Pilatos e o levaram a enviar tropas romanas para prenderem Jesus provavam ser isto um fato: Jesus está reivindicando ser "o Rei dos Judeus". Temos apresentado uma reconstrução que parece dar sentido à narrativa de João, reconstrução na qual Pilatos assume um caso judicial semelhante ao dos oficiais romanos descritos em At 18,14-15 e 23,28-29. Naturalmente, não podemos estar seguros de que a reconstrução interpreta corretamente a intenção do evangelista. Como em outras narrativas (vol. 1, p. 296), temos de fazer conjeturas e ler nas entrelinhas para completar a sequência. Entretanto, no percurso tal reconstrução parece menos implausível do que a pressuposição de que nesta cena de julgamento criteriosamente calculada o evangelista comete erros ingênuos; por exemplo, o erro de pensar que Pilatos não saberia que os tribunais judaicos não podiam executar uma sentença capital e isso teria de ser lembrado por seus súditos.

A resposta dos judeus, "A nós não nos é permitido matar ninguém", serve a vários propósitos teológicos. Visto que João não descreveu um Sinédrio processando na noite anterior, até então não fomos informados que a decisão de 11,53 ("planejavam matá-lo") ainda está em vigor. Obviamente, é: os inimigos de Jesus têm não só de fugir da luz, mas estão determinados a extingui-la. A ironia é que através da morte se verá a vitória da luz. Além do mais, seus inimigos já determinaram que Jesus deve morrer de uma maneira particularmente romana, a saber, numa cruz; pois a seus olhos isto o mergulhará na desgraça. Mas não sabem que Jesus é senhor de sua própria vida e morte (10,17-18) e que, se está para morrer numa cruz, esta é a forma de morte que ele mesmo predisse e escolheu (12,32-33). Sua elevação à cruz não será uma desgraça, mas será um passo avante em sua volta a seu Pai. "Os judeus" estão impelindo Jesus à morte numa cruz para impedir que todos os homens passem a crer nele (11,48), mas ironicamente estão levantando-o para que possa atrair a si todos os homens.

Segundo episódio: Pilatos interroga Jesus sobre a realeza (18,33-38a)

Vimos que o primeiro episódio se assemelha vagamente ao material em Mc 15,3-5 da fonte A ou do relato primitivo da paixão. O material no segundo episódio é construído em torno da pergunta de Pilatos: "És tu 'o Rei dos Judeus'?", que aparece em Mc 15,2 da fonte B (também em Lc 23,3). BULTMANN, que suspeita do material B marcano, visualiza isto como uma adição a expressar o ponto de vista cristão de que Jesus foi executado por suas reivindicações messiânicas (HST, p. 272). Entretanto, LOHSE, *History*, p. 89, indica corretamente que não encontramos "o Rei dos Judeus" como uma formulação cristã messiânica. Ela não aparece na pregação cristã primitiva, e sugerimos na nota que ela tinha uma conotação política nacionalista e, assim, teria se adequado plausivelmente ao julgamento histórico. Entretanto, enquanto consideramos a questão básica encontrada nos quatro evangelhos como histórica, reconhecemos que a amplificação desta questão no segundo episódio é em grande parte uma reconstrução do escritor joanino ou de seus predecessores (p. 1296 acima).

Se houve mais de uma acusação política apresentada contra Jesus (Mc 15,3; Lc 23,2), somente uma é registrada como a ocupar a atenção de Pilatos, a acusação de que Jesus reivindicava ser "o Rei dos Judeus". Somente João se dá ao trabalho de responder à acusação e explicar que a realeza de Jesus não era política. Entre os vs. 33 e 37a (os dois versículos que têm paralelos sinóticos) há um bloco de material peculiarmente joanino (34-36), o que BENOIT, *Passion*, p. 147, caracteriza como "uma exposição teológica em que João põe palavras na boca de Pilatos que não poderiam ser pronunciadas como se encontram e, acima de tudo, faz Jesus dizer coisas que Pilatos não poderia ter entendido". Todavia, se concordarmos que este diálogo reflete a apologia da Igreja ante ao Império nos anos 70 e 80, não podemos excluir a possibilidade de uma vaga reminiscência de um fato histórico, a saber, que Pilatos considerou a alegação de que Jesus era um pretenso revolucionário e que um dos sinais negativos era que seus seguidores não fizeram resistência armada quando ele foi preso (v. 36 – desconsideramos o ato de Pedro de ferir um escravo, pois isso dificilmente seria interpretado como uma revolta).

Seja como for, João nos dá uma esplêndida exposição teológica da realeza de Jesus, e tudo isso tanto mais interessante, porque João não insistiu explicitamente sobre o tema do reino de Deus tão proeminente nos evangelhos sinóticos (vol. 1, p. 120). O Jesus joanino começa por distinguir entre "rei" usado no sentido político o qual os romanos entenderiam, e "rei" no sentido judaico com implicações religiosas (v. 34). Note que o criminoso acusado formula perguntas como se ele mesmo fosse o juiz, e a partir das primeiras palavras de Jesus é o prefeito que está sentado no banco dos réus! Pilatos é um homem que está encarando a luz e que tem de decidir se preferirá a luz ou as trevas (3,19-21). Pilatos responde que está simplesmente repetindo o que lhe foi passado, e com a aspereza romana pergunta o que Jesus tem feito. (A pergunta, "Que mal tens feito?", aparece depois nos lábios de Pilatos no julgamento em Mc 15,14; Lc 23,22). Isto informará Pilatos se o "Rei" constitui alguma ameaça à hegemonia romana.

A resposta de Jesus é formulada em expressões solenes e poéticas. Nas cinco linhas de 36, a afirmação absoluta da primeira linha é reformulada e reiterada na última linha, enquanto as linhas intermediárias 2-4 oferecem uma explicação. Jesus não fala de si mesmo, e sim de seu reino. Notamos que, para João, esta é uma questão do reino de *Jesus*, enquanto os sinóticos geralmente preferem falar do reino *de Deus* (também Jo 3,3). Mas esta não é uma diferença significativa, pois no pensamento joanino o que pertence a Deus pertence a Jesus e vice-versa (17,10). Jesus não nega que seu reino ou realeza afeta este mundo, pois o mundo será vencido pelos que creem nele (1Jo 5,4). Mas ele nega que seu reino pertença a este mundo, como ele mesmo vem de cima. Ele pertence à esfera do Espírito, e não à esfera da carne. BLANK, p. 69, enfatiza a imparcialidade com que Jesus aqui proclama seu reino; em face da morte, não há como isso ser mal-entendido. (Não obstante, dificilmente se pode comparar a situação em João com aquela em Marcos, onde nos julgamentos judaico e romano se ergue o véu messiânico – o Jesus joanino tem sido mais direto em suas proclamações durante o ministério).

Pilatos parece perder o teor das observações de Jesus; ele tem ouvido a palavra "reino", e para ele isto é uma entidade política; e assim ele tenta arrancar uma confissão (37). Jesus não se recusará categoricamente ser reconhecido como um rei (veja nota), porém indica que prefere descrever seu papel em termos de dar testemunho da verdade. João não tem retratado Jesus como pregador do reino, e sim como o único revelador e o único que pode falar e exibir a verdade acerca de Deus. Jesus não tem súditos reais como se daria se seu reino fosse como os demais reinos; ao contrário, ele tem seguidores que ouvem sua voz como sendo a verdade. Somente os que pertencem à verdade podem entender em que sentido Jesus tem um reino e é um rei. A razão real de Jesus ser entregue a Pilatos é precisamente porque ele tem dado testemunho da verdade: "o mundo... me odeia por causa do testemunho que trago contra ele" (7,7).

De certo modo, a afirmação de Jesus permite que Pilatos se tranquilize: a realeza de Jesus não apresenta nenhum risco aos genuínos interesses políticos de Roma. Todavia, de outra forma, a afirmação de Jesus deixa Pilatos desconfortável, pois Jesus implicitamente desafiava Pilatos a reconhecer a verdade. Todo aquele que pertence à verdade dá ouvidos a Jesus – Pilatos pertence à verdade? Deste momento em diante, o tema do julgamento já não é se Jesus é inocente ou culpado; Pilatos admite isto proclamando imediatamente que Jesus não é culpado (v. 38b). Agora, o tema do julgamento é se Pilatos responderá ou não à verdade. Vemos um indício da direção que Pilatos tomará em sua resposta: "Verdade? E o que é isso?" Esta pergunta já foi interpretada de muitas maneiras; por exemplo, como uma expressão de ceticismo mundano ou inclusive como ponderação filosófica. Porém, não é provável que João tenha pintado um político venal como um filósofo. Ao nível da progressão do julgamento, o evangelista poderia ter em mente a questão de explicitar o fracasso de Pilatos em entender, ou talvez a impaciência do político com jargão teológico judaico. Mas, ao nível teológico, o evangelista usa a questão para mostrar que Pilatos está se esquivando da verdade. Ele não aceita as acusações de "os judeus", mas nem dará ouvidos à voz de Jesus. Ele não reconhece a verdade.

Terceiro episódio: Pilatos busca soltar Jesus; "os judeus" preferem Barrabás (18,38b-40)

Neste episódio, se faz necessária uma comparação detalhada de João e os sinóticos; veja o gráfico abaixo. O relato marcano é extraído da fonte B. Não é certo se Lucas tem uma tradição independente, pois as diferenças de Marcos podem ser o resultado de trabalho redacional.

GRÁFICO COMPARATIVO PARA O INCIDENTE DE BARRABÁS
(Mc 15,6-11; Mt 27,15-21; Lc 23,18-19; Jo 18,38a-40)

(a) *Sequência*
Marcos, Mateus, João: logo depois da pergunta se Jesus é "o Rei dos Judeus".
Lucas: Depois que Pilatos enviou Jesus a Herodes e este o enviou de volta àquele.

(b) *O grupo abordado por Pilatos*
Marcos, Mateus: Uma multidão que subiu para a soltura do prisioneiro (Mt 27.20: "multidões"). Entre a multidão estão os principais sacerdotes (e os anciãos – Mateus).
Lucas: Os principais sacerdotes, os líderes e o povo* (cf. At 3,13, onde Pedro fala *ao povo* que negou a Jesus na presença de Pilatos).
João: "Os judeus", i.e., as autoridades hostis.

(c) *O privilegium paschale*
Marcos, Mateus: Descrito pelo evangelista como uma prática ou costume do governador.
Lucas: Descrito pelo evangelista como uma obrigação do governador, mas 23,17 está ausente em muitos mss. e provavelmente não é autêntico.
João: Descrito por Pilatos como um costume judaico.

(d) *A iniciativa*
Marcos: A multidão pede a Pilatos que solte um prisioneiro.
Mateus: Enquanto a multidão está ali em busca da soltura do prisioneiro, não se faz nenhum pedido específico, de modo que Pilatos menciona primeiro a soltura, perguntando se a multidão quer Barrabás ou Jesus.

---

* Este versículo (Lc 23,13) é o único caso na Narrativa Lucana da Paixão onde o evangelista apresenta "o povo" como hostil a Jesus. Em outros lugares, Lucas contrasta "[todo] o povo", que é favorável a Jesus, com as autoridades que o odeiam (Lc 19,47-20,1; 20,6.19.26.45; 21,38; 23,27.35.48; 24,19-20). G. Rau, ZNW 56 (1965), 41-51, argumenta em prol da tese de Winter que 23,13 deve ser lido "os líderes do povo". Em qualquer caso, Lucas sabe de uma multidão hostil a Jesus (22,47; 23,4).

Lucas: Os principais sacerdotes, os líderes e o povo pedem a soltura de Barrabás.
João: Pilatos lembrar aos judeus seu costume para que ele solte alguém.

(e) *Pergunta de Pilatos*
Marcos, João: "Quereis [Marcos: *thelein*; João: *boulein*] que eu vos solte "o Rei dos Judeus"?
Mateus: "Quereis que vos solte (Jesus) Barrabás ou Jesus chamado Messias?"
Lucas: nenhum.

(f) *A resposta*
Marcos, Mateus: Os principais sacerdotes (e anciãos) incitam a(s) multidão(s) a pedir a soltura de Barrabás (e a morte de Jesus – Mateus).
Lucas: Os principais sacerdotes, os líderes e o povo gritam numa só voz (*anakrazein*): "Fora com este sujeito e solta-nos a Barrabás!"
João: "Os judeus" por sua vez tornaram a clamar (*kraugazein*): "Queremos Barrabás, não este".

(g) *Incidentes posteriores*
Marcos: Pilatos pergunta o que faria com "o Rei dos Judeus", e a multidão grita que o crucificasse. Barrabás é solto enquanto Jesus é sentenciado.
Mateus: O governador pergunta outra vez: "Qual dos dois quereis que eu vos solte?" Eles dizem: "Barrabás". O restante é como em Marcos.
Lucas: Pilatos lhes fala outra vez, desejando soltar Jesus, mas eles gritam que o crucificasse. Barrabás é solto, enquanto Jesus é sentenciado.
João: Sequência diferente: Barrabás nunca é mencionado outra vez.

Enquanto Mateus é próximo a Marcos, usualmente há uma porcentagem de diferenças maior que o habitual. Quando comparamos João com os sinóticos, descobrimos que, embora João concorde com Lucas (23,14) na declaração "não vejo culpa" que introduz o episódio; por outro lado, João concorda somente com Lucas em (b) e (f). Onde Mateus é diferente de Marcos, João concorda com Mateus somente em (d), e mesmo que a similaridade seja apenas parcial. João concorda com Marcos em (a) e especialmente em (e). O relato que João faz do episódio é o mais breve. Visto que certo efeito dramático é alcançado pela brevidade (veja abaixo), é bem provável que João tenha abreviado um relato mais antigo, mais afim com o presente relato de Marcos.

O episódio de Barrabás aparece na fonte B de Marcos, e assim não nos surpreende descobrir que BULTMANN (HST, p. 272) o caracteriza como lendário. Todavia, visto que o relato joanino e talvez o relato lucano podem proceder de uma tradição independente de Marcos, parece exigir-se cautela. Há razão legítima para incerteza sobre o *privilegium paschale* (nota sobre 39), e assim se pode indagar se houve escolha entre Jesus e Barrabás. Mas cremos que a evidência aponta ao menos para a historicidade da soltura de um bandido chamado Barrabás na época em que Jesus foi condenado. De outro modo, é muito difícil explicar por que a história foi inventada e como ela achou seu caminho, independentemente, nas diversas tradições pré-evangélicas.

Já mencionamos a tese de BAJSIĆ de que, uma vez que Pilatos descobriu que Jesus era politicamente inofensivo, buscou até o fim do julgamento fazer com que o povo escolhesse Jesus em vez de Barrabás, porque bem sabia que o último era um perigoso revolucionário. Se for correta essa teoria (a qual obviamente depende da historicidade do *privilegium paschale*), então o relato de João não é tão afim com o que aconteceu como o é o relato de Marcos. A descrição marcana/mateana de uma multidão subindo para solicitar a soltura de um prisioneiro se enquadra bem a essa tese. Pilatos teria também uma melhor chance de forçar a escolha de uma multidão do que das autoridades judaicas que figuram no relato de João. É crucial para a tese de BAJSIĆ de que a decisão de soltar Barrabás não aconteceu até o final do julgamento (igualmente os três sinóticos). Assim, ao omitir qualquer menção ulterior de Barrabás depois de 18,40 (veja nota sobre "tomou" em 19,1), João pode ter obscurecido a motivação para o contínuo esforço de Pilatos em favor de Jesus.

Se o relato que João faz do incidente de Barrabás deixa algo a desejar do aspecto de completude, sua brevidade, não obstante, é dramática. "Os judeus" já apresentaram Jesus a Pilatos como revolucionário, um pseudo-rei; mas agora a impostura se torna evidente. Ainda quando Pilatos acha Jesus inocente, "os judeus" prefeririam a soltura de alguém que realmente é revolucionário. João capta a ironia da situação com a cáustica observação: "Barrabás era um bandido". (João parece evocar implicitamente o contraste que 10,1-10 formou entre o bom pastor, cujas ovelhas ouvem sua voz [note o final de 19,37], e o ladrão que entra sorrateiramente no aprisco).

Ao mesmo tempo, vemos a futilidade da tentativa de Pilatos para evitar uma decisão entre a verdade e o mundo. O mundo representado por "os judeus" não está interessado em um compromisso: a verdade deve ser exterminada. Ironicamente, ao deixar de propiciar justiça a Jesus e soltá-lo após declarada sua inocência, Pilatos se vê forçado a fazer pseudo-justiça, soltando um que é culpado. Ao não proteger os interesses de Jesus, Pilatos agora se vê compelido a agir contra seus próprios interesses. Pilatos não aceitou o desafio de ouvir a voz de Jesus (v. 37; veja nota); agora ele ouviria a voz de "os judeus" quando exigem a soltura de um bandido. Debilitado por seu fracasso em decidir, Pilatos se vê reduzido de uma posição onde poderia ter ordenado a libertação de Jesus a uma posição onde ele barganharia por ela.

[A Bibliografia para esta seção está inclusa na Bibliografia no final do §64].

64. A NARRATIVA DA PAIXÃO:
– SEGUNDA SEÇÃO (EPISÓDIOS 4-7)
(19,1-16a)

O julgamento de Jesus perante Pilatos (continuação)

Quarto episódio

19 ¹Então Pilatos tomou Jesus e o mandou açoitar. ²E os soldados teceram uma coroa de espinhos e a fixaram na fronte de Jesus, e lhe vestiram com um manto de púrpura régia. ³Vezes e mais vezes o rodeavam, dizendo: "Salve, 'Rei dos Judeus!' E davam-lhe bofetadas.

QUINTO EPISÓDIO

⁴Uma vez mais, Pilatos saiu fora e lhes disse: "Eis aqui, vo-lo trago para fora para que saibais que não acho nenhum motivo [contra ele]". ⁵ Quando Jesus saiu portando a coroa de espinho e o manto de púrpura, Pilatos lhes disse: "Eis o homem!" ⁶Tão logo os principais sacerdotes e os guardas do templo o viram, gritaram: "Crucifica-o" Crucifica-o!" Pilatos lhes disse: "Tomai-o vós mesmos e crucificai-o; eu não acho nele crime nenhum". ⁷"Temos nossa própria lei", replicaram os judeus, "e segundo essa lei ele deve morrer, porque pretendia ser Filho de Deus". ⁸Quando Pilatos ouviu esse tipo de palavra, ficou ainda mais atemorizado.

4: *disse*; 5: *disse*; 6: *falou*. No tempo presente histórico.

SEXTO EPISÓDIO

⁹Voltando ao pretório, disse Pilatos a Jesus: "De onde vieste?" Mas Jesus não lhe deu resposta. ¹⁰"Tu te recusas falar-me?" perguntou Pilatos. "Não sabes que tenho poder para soltar-te e poder para crucificar-te?" ¹¹Jesus respondeu:

> "Não terias sobre mim nenhum poder,
> se não te fosse dado do alto.
> Por essa razão, aquele que me entregou a ti
> tem maior culpa de pecado".

SÉTIMO EPISÓDIO

¹²Depois disto Pilatos procurava soltá-lo; mas os judeus gritavam: "Se libertares este, não és 'amigo de César'. Qualquer que pretenda ser rei se torna rival de César". ¹³Assim que ouviu o que estavam dizendo, Pilatos trouxe fora a Jesus e assentou-se na tribuna do juiz no lugar chamado "Pavimento de Pedra" (sendo seu nome hebraico *Gabbatha*). (¹⁴Esse era o dia da Preparação para a Páscoa, e a hora era cerca de meio-dia). Então ele disse aos judeus: "Vede, eis aqui o vosso rei!" ¹⁵Nisto eles gritaram: "Fora com ele! Fora com ele! Crucifica-o!" "O que!", exclamou Pilatos. "Hei de crucificar o vosso rei?" Os principais sacerdotes replicaram: "Não temos outro rei senão César". ¹⁶Então, finalmente, Pilatos lhes entregou Jesus para ser crucificado.

9: *disse*; 10: *exigiu*; 14: *disse*; 15: *exclamou*. No tempo presente histórico.

NOTAS

19.1. *Então*. Esta não é uma indicação exata de tempo, mas estabelece um contraste com o episódio precedente (BDF, §459²).
tomou. A soltura de Barrabás não foi mencionada (e nos relatos sinóticos ele não é solto até que Jesus fosse sentenciado), mas alguns interpretariam este verbo no sentido de Pilatos manter Jesus enquanto ao mesmo tempo soltava Barrabás (A. MAHONEY, CBQ 28 [1966], 297²⁶).

o mandou açoitar. Literalmente, o grego diz que Pilatos açoitou Jesus, mas o v. 2 deixa claro que isto foi feito por outros sob sua ordem. Veja o emprego similar em 19,19. Mc 15,15 e Mt 27,26 usam o verbo latinizado *fragelloun* ("flagelar"), enquanto João usa *mastigoun*. (De acordo com Lc 23,16.22, Pilatos entregou Jesus para ser castigado [*paideuein*]). Aqui e no v. 3, a palavra escolhida por João ("esbofetear") pode refletir o vocabulário de Is 50,6: "Eu dei minhas costas aos açoites e minha face às bofetadas"; veja p. 1265 acima.

Os romanos usam três formas de castigo físico com varas ou chicotes: *fustigatio* (fustigar), *flagellatio* (flagelar) e *verberatio* (açoitar) – em grau ascendente. A flagelação era usada como uma punição em si mesma corretiva, mas punição mais severa, os açoites, fazia parte da pena capital.

2. *os soldados.* João deixa o número indefinido, porém Mc 15,16 e Mt 27,27 falam de "toda a escolta" (600 soldados!). Em João, nada se diz sobre onde ocorreu o escarnecimento; mas visto que no v. 5 Jesus é conduzido fora depois do escarnecimento, podemos presumir que ele ocorreu do lado de dentro. Isto é especialmente afirmado em Marcos e Mateus.

uma coroa de espinhos. Provavelmente o escarnecimento tem por base a coroa como geralmente representante de realeza, embora alguns tenham pensado mais especificamente em um escarnecimento da coroa de louros usada pelo imperador. É bem provável que o tipo de coroa fosse o radiante diadema que serve como adorno do governador em muitas das moedas do tempo de Jesus (veja CAMPBELL BONNER, HTR 46 [1953], 47-48). Diversos tipos de árvores poderiam ter fornecido os espinhos. Em RB 42 (1933), 230-34, E. HA-REUBENI sugere o arbusto comum *Poterium spinosum L.* (heb. *sīrāh*, "arbusto espinhoso" – Is 34,13; para espinhos trançados, veja Na 1,10). Em JTS N.S. 3 (1952), 66-75, L. ST. JOHN HART sugere a época em que a palmeira tem espinhos próximos às suas bases; e lembramos que os ramos da palmeira foram mencionados na cena da entrada de Jesus em Jerusalém apenas cinco dias antes (todavia, veja nota sobre 12,13). E. R. GOODENOUGH e C. B. WELLES, HTR 46 (1953), 241-42, sugere ser bem provável que a coroa fosse de acanto, e não de espinhos.

um manto de púrpura régia. Nesta cena, somente João e Mateus mencionam especificamente a roupa. Mt 27,28 menciona um *clâmide* vermelho ou capa externa; isto era usado pelo imperador, por oficiais menores e pelos soldados. João usa a palavra *himation*, "roupa" em geral, ou, mais precisamente, "roupa externa, túnica". João e Marcos (15,17) dão a cor como sendo púrpura, a cor imperial (veja Ap 17,4; 18,16). Um genuíno manto de púrpura não teria sido tão facilmente adquirível como um manto vermelho, pois a tinta púrpura obtida de moliscos era dispendiosa.

3. *Vezes e mais vezes o rodeavam*. O tempo imperfeito é usado para indicar repetição. MTGS, p. 66, cataloga isto entre os exemplos de um imperfeito usado para fazer a narrativa contínua e interessante. A sentença é omitida em algumas testemunhas importantes, aparentemente por meio de homoioteleuton, pois há duas sentenças breves com "e" em sequência.
Sauve! Os soldados imitavam a saudação *"Ave Caesar"* atribuída ao imperador.
Rei. O nominativo com o artigo é usado por João (uso classificado como semitizante pó BDF, §147³), enquanto Marcos e Mateus usam o vocativo mais clássico. BARRETT, p. 449, concorda com MOULTON de que o nominativo tem aqui uma nuança apropriada: "Salve, tu, ó Rei!"
4. *saiu*. Em 18,38, Pilatos tinha saído. Não somos informados que ele entrasse outra vez; mas, obviamente, implica pressupor que ele fez isso durante o açoitamento.
não acho nenhum motivo. P⁶⁶ e o Codex Sinaiticus rezam: "Não acho acusação". No segundo julgamento, "nenhuma culpa" (nota sobre 18,38), ocorre em João depois que Jesus foi escarnecido pelos romanos; o segundo em Lucas (23,14) ocorre justamente depois que Jesus foi escarnecido pelos soldados de Herodes.
[*contra ele*]. Isto é omitido no Sinaiticus, e se encontra numa sequência diferente em outro grupo de testemunhas.
5. *portanto a coroa de espinho e o manto de púrpura*. No v. 2, João registrou "uma coroa de espinhos", que não é a mesma expressão empregada em Mt 27,29; aqui João usa a expressão grega encontrada em Mc 15,17. Marcos e Mateus indicam que, no fim do escarnecimento, os soldados tiraram a roupa que puseram em Jesus e devolveram suas próprias roupas; naturalmente, nestes evangelhos o escarnecimento ocorre antes da crucifixão e depois da sentença de morte. João indica que a coroa e o manto foram mantidos durante a última parte do julgamento e, de fato, nunca menciona que a Jesus se permitiu usar outra vez suas próprias roupas. É em razão da evidência de João que na arte popular o Jesus crucificado é retratado como ainda usando uma coroa de espinhos.
Pilatos lhes disse: "Eis o homem!" Isto é omitido por P⁶⁶, OL e a Cóptica sub-achimimic – uma importante combinação. "Eis" é *idou* no original, em contraste com "Eis, aqui está vosso rei!" no v. 14 abaixo, o qual emprega *ide*. João usa *ide* quinze vezes e *idou* somente quatro vezes; em particular, *ide* é comum (seis vezes) quando segue um objeto nominal – este é o único caso de *idou* em tal construção. G. D. KILPATRICK, JTS 18 (1967), 426, leria *ide*. Em si, nada há de particularmente significativo sobre o uso de "o homem" (*ho anthrōpos*; cf. Pedro "não conheço o homem" em Mt 26,72.74),

mas o contexto dramático lhe confere certa importância. Buscando a inteligibilidade desta afirmação como reportada dos lábios de Pilatos, alguns comentaristas interpretam o *ecce homo* como equivalente a "Eis o pobre homem!", ou, à maneira de provocar piedade (BERNARD), ou, à maneira de enfatizar o ridículo de levar a sério uma figura tão desamparada (BULTMANN), ou, à maneira de menosprezo com o propósito de incitar a multidão a exigir a soltura de Jesus (BAJSIĆ). LOHSE, *History*, p. 93, toma isto como uma indicação da forte impressão que Jesus causou em Pilatos: "Eis um homem!" Outros comentaristas estão interessados nas implicações teológicas do pronunciamento. A tese de que o evangelista tem em vista enfatizar a encarnação é improvável. BARRETT, p. 450, pensa nos mitos judaicos e helenistas do homem primitivo; ele vê também um contraste entre o título "o homem", usado aqui, e o título o "Filho de Deus" o qual nos é dito que Jesus reivindicou (v. 7). Tem-se proposto uma equiparação com o "Filho do Homem" ou com o "homem de dores" (o Servo de Is 53,3). Mais plausível é a sugestão de MEEKS (pp. 70-71) de que "Homem" era um título escatológico em Zc 6,12: "*Eis um homem* [LXX: *anēr*] cujo nome é Renovo... ele edificará o templo do Senhor". "O Renovo" passou a ser entendido em termos messiânicos; e no TM de Zacarias a segunda parte do versículo evoca o oráculo de Natã a Davi: "Ele edificará uma casa para o meu nome" (2Sm 7,13). Na LXX, a palavra para "Renovo" é *anatolē* (do verbo "levantar-se, aparecer", daí "brotar"), e isto é reminiscente da forma na LXX do oráculo "messiânico" de Balaão (Nm 24,17): "Uma estrela procederá [*anatelein*] de Jacó e *o homem* [*ho anthrōpos*] subirá de Israel". Assim, no pensamento de João, Pilatos poderia estar apresentando Jesus ao povo sob um título messiânico. (Notamos que nos relatos marcano/mateano da sessão do Sinédrio, a questão se Jesus é o Messias se relaciona com a questão de seu ato de edificar do templo – um tema também encontrado em Zc 6,12).

6. *os principais sacerdotes e os guardas do templo*. A repetição do artigo definido antes do segundo substantivo preserva a separação dos dois grupos (MTGS, p. 182); juntos, constituem "os judeus" mencionados no versículo seguinte. O brado para crucificar, em Marcos/Mateus, vem da multidão; e, em Lucas, vem de "os principais sacerdotes, dos líderes e do povo".

gritaram. (nota sobre 11,43); Marcos/Mateus usam *krazein*; Lucas usa *epiphonein*.

"Crucifica-o! Crucifica-o!" Literalmente, "Crucifica! Crucifica!"; contraste o v. 15 onde o "o" é expresso. Aqui também algumas testemunhas têm suprido o "o", enquanto outros leem somente um "Crucifica!". Estas são assimilações de copistas às formas sinóticas do grito: Mc 15,13:

"Crucifica-o!"; Mt 27,22: "Que seja crucificado"; Lc 23,21: "Crucifica, crucifica-o!". O duplo clamor reflete intensidade; e os dois evangelhos que trazem o duplo clamor neste primeiro caso de um clamor por crucifixão (cf. nota sobre 15 abaixo) apresentam os inimigos de Jesus como persistentemente hostis (veja Lc 23,23; Jo 19,12-15). Nos relatos sinóticos da paixão, este clamor é a primeira indicação de que Jesus tem de ser crucificado; em 18,32, João preparou o caminho. Nos três evangelhos sinóticos, o clamor segue bem de perto a escolha entre Jesus e Barrabás.

Tomai-o vós mesmos e crucificai-o. Alguns comentaristas entendem Pilatos como a oferecer seriamente aos sacerdotes uma alternativa. SCHLIER, *"Jesus"*, p. 68, pensa que o controle de Pilatos está tão debilitado que seu desejo é deixar aos judeus o ato de crucificar Jesus, mesmo quando vê em Jesus um inocente. Por este prisma, a afirmação ou deve ser uma exceção, ou uma contradição direta da afirmação em 18,31, de que os judeus não têm poder para matar ninguém. Parece incrível que o redator joanino não teria visto uma contradição tão espalhafatosa, e assim parece mais provável pensar que Pilatos não fala a sério. (Além do mais, dificilmente João poderia significar que Pilatos pensava que os líderes judeus pudessem efetuar uma *crucifixão*, pois esta forma de punição não era aceitável entre os judeus – veja nota sobre 18,32). A afirmação é simplesmente uma expressão da exasperação de Pilatos; ele está rechaçando "os judeus" e se recusando a ter algo a ver com o ato de crucificar Jesus, dizendo-lhes que fizessem o que ambas as partes sabiam ser impossível. Notamos que "os judeus" entenderam que ele não falava a sério, porquanto não correram a apoderar-se de Jesus e a executá-lo eles mesmos. Antes, continuaram a pressionar Pilatos a ordenar a execução, porquanto essa era a única maneira dela ser efetuada.

Não acho nele crime nenhum. Este é o terceiro e último pronunciamento "sem culpa" em João (18,38; 19,4). O terceiro pronunciamento correspondente em Lucas (23,22) também segue imediatamente o brado por crucifixão.

7. *Segundo essa lei ele deve morrer.* ORÍGENES (*In Jo.* 28,25[20]; GCS 10:423) salienta que este raciocínio ilustra Jo 16,2: "Está chegando a hora quando o homem que vos matar pensará estar servindo a Deus". A lei evocada é Lv 24,16, a qual impõe a pena de morte por blasfêmia; cf. Jo 10,36 que associa a pretensão de ser Filho de Deus com a blasfêmia. Sobre nossa incerteza acerca das normas relacionadas com a blasfêmia nos dias de Jesus, veja vol. 1, p. 689.

porque pretendia ser Filho de Deus. Literalmente, "se fez"; veja 5,18; 8,53. Em todos os três relatos sinóticos do julgamento perante o Sinédrio, formulou-se a pergunta se Jesus era o Filho de Deus (em Mc 14,61 e Mt 26,63, este título está em aposição a "Messias"), e em Marcos/Mateus a resposta de Jesus acarreta uma acusação de blasfêmia e uma sentença de morte. Mesmo quando o Quarto Evangelho não registre este julgamento (veja, porém, vol. 1, pp. 689-90), o evangelista reflete a tradição cristã comum de que a reivindicação de Jesus da relação com Deus foi o fator decisivo na hostilidade das autoridades para com ele. Aqui, "Filho de Deus" é sem artigo, um fator que leva Dodd, *Tradition*, p. 114, a negar que João tomasse diretamente dos relatos sinóticos do julgamento, pois nestes o artigo aparece antes de "Filho". (Literalmente, Mc 14,61 tem "o Filho do Bendito").

8. *ficou ainda mais atemorizado*. Até então não ficou registrado que Pilatos tivesse medo, e alguns acham prova aqui de que um relato mais longo foi abreviado (nota sobre 18,40, "tornaram a clamar"). Na verdade, esta teoria não é necessária; Bultmann, p. 511[5], está perfeitamente correto em observar uma insinuação de medo na hesitação já exibida por Pilatos. Além do mais, aqui o comparativo pode ter a função de um conclusivo e indicativo, e não que ele teve muito medo. A raiz do temor intensificado de Pilatos não é clara (veja P. P. Flourney, BS 82 [1925], 314-20). Pode ser supersticioso; pois para uma mente helenista "Filho de Deus" seria traduzido em termos de um *theos anēr*, um homem divino com poderes mágicos de origem oculta (Dodd, *Tradition*, pp. 113-14; Bultmann, p. 512[1] – há na reação da esposa de Pilatos, em Mt 27,19, uma nota de superstição). Ou a raiz do medo pode ser política, se entendermos "os judeus" acusando-o de algo que poderia reportar-se a Roma, a saber, que ele estava violando o costume estabelecido no qual os administradores provinciais romanos respeitavam as práticas religiosas locais. Ainda outra possibilidade é que, tendo agora compreendido que "os judeus" estavam determinados a matar Jesus por uma razão religiosa, e sabendo que nunca abalaria a fanática determinação deles, Pilatos foi tomado pelo medo de não bem sucedido em seu plano de impedir a soltura de Barrabás, aplicando a Jesus a anistia.

9. *Voltando ao pretório*. No v. 4, Pilatos trouxera Jesus fora, mas ali não houve menção de enviar Jesus de volta para dentro. Presumivelmente, devemos pensar que ele assim se deparou com a frenética gritaria.

"De onde vieste?" É bem provável que o evangelista interpretasse esta pergunta à luz da reivindicação de Jesus de ser Filho de Deus; e assim seria equivalente perguntar se Jesus vem do céu ou é humano. O silêncio de Jesus seria então inteligível: se Nicodemos e os judeus não puderam entender como ele viera de cima, dificilmente se esperaria que um romano entendesse. Todavia, em um estágio mais antigo da tradição (ou em outro nível da narrativa), a questão poderia ter representado a busca de Pilatos

por uma saída jurídica. Em Lc 23,6, encontramos Pilatos indagando se Jesus era galileu e usando esta informação para enviar Jesus a Herodes sob cuja jurisdição Jesus estaria. Há em Josefo, *War*, 6.3; 305, um interessante paralelo com este episódio, na interrogação ao profeta Jesus, filho de Ananias, feita pelo procurador romano Albinus. Porque o profeta estivera proclamando a destruição de Jerusalém e do templo, o procurador o trouxe e lhe perguntou quem ele era e *de onde veio*.

Mas Jesus não lhe deu resposta. Encontramos uma referência similar ao silêncio de Jesus em Mc 15,5 e Mt 27,14, porém não em Lucas. (O silêncio de Jesus é mencionado também pelos sinóticos nas interrogações perante o Sinédrio [Mc 14,61; Mt 26,63] e perante Herodes [Lc 23,9]). Em João, o silêncio é momentâneo, pois em 11 Jesus falará outra vez; nos três sinóticos, Jesus permanece calado durante todo o julgamento, exceto para uma resposta à pergunta de Pilatos sobre ser ele rei. O tema do silêncio ecoa o tema do Servo Sofredor em Is 53,7: "assim como uma ovelha, muda perante seus tosquiadores, ele não abriu sua boca". Este tema é elaborado em relação à morte de Jesus em 1Pd 2,22-23.

10. *poder*. Ou "autoridade"; veja nota sobre 1,12
11. *do alto*. *Anōthen*; veja nota sobre 3,3. Obviamente, isto não significa do Imperador Tibério, e sim de Deus; cf. 3,27: "Ninguém pode receber algo, a menos que do céu lhe seja dado". (At 4,27-28 fala de Pôncio Pilatos como um instrumento de Deus). Qualquer poder sobre Jesus tem de vir de Deus, pois somente o Pai é maior que Jesus (14,28). A lógica deste versículo é difícil (cf. R. Thibaut, NRT 54 [1927], 208-11). Alguns têm ainda argumentado que as últimas duas linhas só fazem sentido se aqui Jesus estiver dizendo que a Pilatos foi dado poder sobre ele por meio de "os judeus" que o entregaram nas mãos de Pilatos (18,35). Veja referências em Bultmann, p. 513[1].

aquele que me entregou a ti. Ou "me traiu"; o tempo presente, em vez do aoristo, aparece em muitos mss., uma variação que ocorre em outras passagens joaninas onde esta expressão descreve Judas (notas sobre 6,64.71; 18,2). Entretanto, aqui não há referência a Judas, mesmo quando ele entregasse Jesus aos soldados romanos. João atribui à nação judaica e aos principais sacerdotes, ou a "os judeus", a entrega de Jesus a Pilatos (18,35-36). Não é certo se o singular "aquele" deva ser tomado como uma referência a Caifás (como representante de "os judeus") ou como uma referência geral a "os judeus" (Bultmann, p. 513[2]). Von Campenhausen, col. 390, cita Lc 17,1 onde *"aquele* através *de quem* vem o escândalo" é genérico.

tem maior culpa de pecado. Já mencionamos a lógica difícil: porque Pilatos não tem poder sobre Jesus exceto aquele que vem de Deus, aquele que entregou Jesus tem maior culpa de pecado. A implicação parece ser que, visto que a Pilatos foi dado por Deus um papel na paixão, ele está agindo contra Jesus inconsciente ou involuntariamente, mas aquele que entregou Jesus está agindo deliberadamente. Bultmann, p. 511, interpreta o versículo em termos do Estado e do Mundo: o Estado pode brincar com seu poder, porém age assim sem o ódio pessoal para com a verdade que caracteriza o Mundo. Ao matar Jesus, o Estado (Pilatos) está servindo ao Mundo ("os judeus", e culpa mais grave repousa sobre o Mundo. Com um propósito similar, Schlier, *"Jesus"*, p. 71, escreve: "Quando o poder político age contra a verdade, ele é sempre menos culpado do que as forças intelectuais e espirituais do mundo". Tais interpretações, contudo, realmente são aplicações teológicas da ideia de João, e não uma exegese literal.

12. *Depois disto*. Literalmente, "desde isto". O significado parece ser temporal, mas pode ser causal ("por esta razão"). Pilatos é implicitamente retratado como tendo saído fora outra vez, pois fala a "os judeus".

Pilatos procurava soltá-lo. Ou "se esforçava"; o conativo imperfeito implica uma série de tentativas as quais "os judeus" vociferavam. Há em Lc 23,20 um paralelo (ocorrendo após o episódio de Barrabás, mas antes de "Crucifica, crucifica-o!"): "... desejando soltá-lo". Note também At 3,13: "... Jesus, o qual entregastes e negastes na presença de Pilatos, quando ele decidira soltá-lo".

gritaram. Alguns mss. têm o imperfeito: "continuaram gritando".

este. O uso desprezível de *houtos* como em 18,30.

"amigo de César". Seria este um título que fora concedido a Pilatos ou simplesmente uma expressão geral significando "leal ao Imperador"? Em emprego romano tardio, "amigo de César" era um título honorífico em reconhecimento de serviço, mas Bernard, II, 621, diz que o título oficial não se encontra antes do tempo de Vespasiano (69-79 d.C.). Outros argumentos em prol de um uso mais antigo e pensam que aqui a referência é ao título (assim BAG, p. 396; Deissmann, LFAE, p. 378). E. Bammel, TL77 (1952), 205-10, tem dispostos os argumentos em prol do último ponto de vista, e são impressionantes. Nos tempos helenistas, os "amigos do rei" constituíam um grupo especial honrado pelo rei pela lealdade e amiúde ele os investia com autoridade (1Mc 2,18; 3,38; 10,65; 3Mc 6,23; Josefo, *Ant*. 12,7.3; 298). No amanhecer do Império, os "amigos de Augusto" formavam uma sociedade bem conhecida. As moedas de Herodes Agripa I (37-44 d.C.) muitas vezes portavam a inscrição *Philokaisar*, "amigo de César", uma designação que também Filo (*In Flaccum* 6; 40) lhe dá. Sherwin-White, *Roman Society*, p. 47[1], sustenta que durante o Principado ou antigos tempos imperiais o termo "amigo" é frequentemente usado pelo representante

oficial do Imperador, e ele compara o uso que João faz do termo ao uso de Filo. Assim, a objeção de que o título não foi usado no tempo de Pilatos é, ao contrário, fraca. Quanto à probabilidade de que o título teria sido outorgado a Pilatos, ele era da ordem equestre e, portanto, elegível para tal honra. Além do mais, o todo-poderoso Aelius Sejanus parece ter seu patrono em Roma; e Tacitus (*Annals* 6.8) diz: "Quem quer que fosse associado a Sejanus tinha a pretensão de ter *a amizade de César*".

qualquer que. O "porque" introdutório que se encontra em algumas testemunhas da tradição ocidental dá expressão à lógica implícita da sentença.

ser rei. No Oriente, às vezes o Imperador era tido como rei. Júlio (Gaius Julius Caeser) e o nome adotado de Augusto (sobrinho-neto por meio do casamento de Júlio) e dos sucessores de Augusto. Quando "Caesar" muda de conotação de um nome próprio para um título equivalente a "Imperador"? Não pode haver dúvida de que a mudança ocorreu no tempo de Vespasiano e dos imperadores flavianos que não tinham relação familiar com Júlio, mas provavelmente veio bem antes. Por exemplo, enquanto por adoção Tibério e Calígula eram descendentes legais de Augusto, e podiam reivindicar o título César, Cláudio não foi adotado assim, e então em seu caso "Caesar" era mais um elemento na titularidade do que um nome familial. E deveras um uso ambivalente de "Caesar" pode muito bem retroceder ao tempo de Augusto. A cunhagem do procurador (ou prefeito) da Judeia sob Augusto já portava somente o nome *kaisaros* e uma data – possivelmente um reflexo de uma atitude em que "Caesar" era considerado como o título de governador.

13. *ouviu*. Aqui o verbo *akouein* é seguido do genitivo (nota sobre "ouvir" em 18,38), uma construção que implica a compreensão de Pilatos e aceitar a pressão das considerações de "os judeus". Em 19,8, *akouein* foi seguido do acusativo: ele os ouviu, mas ainda estava disposto a fazer-lhes oposição. Agora, porém, sua oposição foi rompida.

assentou-se. O verbo grego *kathizein* algumas vezes é transitivo (fez assentar-se) e algumas intransitivo; e tem havido um vigoroso debate se João tem em mente que Pilatos fez Jesus assentar-se no banco ou que Pilatos assentou-se. Estudiosos como Von Harnack, Loisy, Macgregor e Bonsirven têm argumentado em prol da tradução transitiva, uma posição ora eloquentemente defendida por I. de la Potterie, *art. cit.* Há algum suporte antigo para a tradução transitiva no *Evangelho de Pedro*, 7, e em Justino, *Apologia* 1,35.6, onde os judeus (note: não Pilatos) fazem Jesus assentar na cadeira dos réus e escarnecem dele. Mas o argumento mais forte para esta tradução procede de sua adequação na estrutura da teologia joanina. Para João, Jesus é o verdadeiro juiz dos homens, pois ao condená-lo estão julgando a si mesmos; portanto, é justo que ele esteja na tribuna do juiz.

Não obstante, há dificuldades (veja J. BLINZLER, MüTZ 5 [1954], especialmente 175-82). Embora *kathizein* possa ser transitivo, esperaríamos que ele fosse seguido de um objeto pronominal se significasse "*o* assentou". (DE LA POTTERIE, pp. 223-25, se opõe a esta objeção, insistindo que o substantivo "Jesus", que vem entre os dois verbos "trouxe fora" e "assentou-se", é o objeto de ambos). Mais importante, o uso intransitivo de *kathizein* com "banco do juiz, tribunal" é bem atestado. Por exemplo, a mesma expressão que aparece em João (aoristo ativo de *kathizein* com *epi bēmatos*) é usado na descrição que JOSEFO faz de Pilatos onde ele claramente significa "ele assentou-se no tribunal" (*War*, 2,9.3; 172). Finalmente, devemos perguntar-nos se João está continuando a apresentar sua teologia em termos de uma narrativa histórica plausível. É mais difícil crer que o governador romano pusesse um prisioneiro na tribuna do juiz – a seriedade da lei romana milita contra tal zombaria. E assim, se a afirmação de João significa que Pilatos põe Jesus no banco do juiz, o evangelista abandonou seus esforços para apresentar-nos uma história aceitável. Não podemos desconsiderar esta dificuldade tão facilmente como faz MEEKS, p. 75, que pensa que não há evidência de que o relato joanino busca relacionar as ocorrências factuais como tais. Enquanto o interesse primário de João indubitavelmente está nas implicações teológicas da narrativa, temos tido razão de crer que o evangelista respeitou a tradição histórica que chegou até ele. Alguns buscaram escapar à dificuldade neste versículo teorizando que o verbo *kathizein* visava a ter um duplo significado: intransitivo no nível histórico, transitivo no nível teológico. Entretanto, nos casos joaninos anteriores de duplo significado (vol. 1, p. 153), o fenômeno não tinha por base a ambiguidade sintática, nem é usual para o segundo significado ser o oposto do primeiro.

na tribuna do juiz. DE LA POTTERIE, que mantém a interpretação transitiva do verbo, sugere que aqui o *bēma* sem artigo não é a tribuna do juiz, mas outro assento na plataforma do magistrado (todavia, veja a referência de JOSEFO acima). *Bēma* significa "plataforma", mas no contexto de um julgamento usualmente ele se refere ao banco do juiz, como em Mt 27,19. O *bēma* ou *sella curilis* normalmente teria permanecido no átrio da residência do procurador, elevado com degraus que levam a ele para que o juiz pudesse visualizar os espectadores. O *bēma* do procurador Florus é assim descrito por JOSEFO, *War*, 2,14.8; 301. No relato de Mateus, todo o julgamento parece ter ocorrido com Pilatos assentado no banco do juiz e Jesus em pé diante dele. Tal procedimento teria sido normal como podemos ver dos relatos de julgamentos diante do governador Festus (At 25,6.17) e Florus (Josefo, *loc.cit.*). Entretanto, não era absolutamente necessário que o governador se assentasse no banco do juiz, enquanto pronuncia a sentença, exceto no caso de sentenças capitais. Assim, o relato de João não é necessariamente inexato, e Mateus poderia estar nos dando uma generalização.

no lugar. Literalmente, "para [*eis*] o lugar". Caso se creia que esta frase é uma sequência do verbo "levou fora", não há problema; no entanto, de fato a frase segue o verbo sentar. J. O'Rourke, CBQ 25 (1963), 124-26, discute o problema, salientando que numa série de dois verbos, quando uma frase segue o segundo verbo, geralmente deve ser construída com o segundo verbo. É estranho que uma frase indicando movimento seguisse o verbo intransitivo "sentar", e alguns estudiosos evocam o uso de *eis* aqui como um argumento em prol da interpretação transitiva do verbo, argumento particularmente persuasivo para De la Potterie que crê que em João *eis* sempre tem o sentido de movimento (uma convicção que, em nossa opinião, requer traduções extraordinárias – veja nota sobre 1,18). O problema desaparece se reconhecermos que algumas vezes *eis* significa não mais que *en*, "em, a" (BDF, §205). Meeks, p. 75, que também é favorável à tese de De la Potterie, caracteriza isto como o argumento mais fraco em prol da tese, "já que *kathizein* é frequentemente usado abundantemente com *eis* e o acusativo não só no grego helenista, mas também em poesia clássica".

"Pavimento de Pedra". Benoit, RB 59 (1952), 547, diz que *lithostrotos* é um termo genérico aplicável a diferentes tipos de pavimentos de pedra, fileiras de lajes simples e uniformes àquelas de mosaico fino. Uns poucos estudiosos têm imaginado que aqui está implícito um pavimento de mosaico, embora seja difícil visualizar um pavimento artístico no átrio de um palácio onde havia um grande movimento. J. A. Steele, ET 34 (1922-23), 562-63, argumenta que o *bēma* de um oficial romano às vezes era fixado em um pavimento transportável de tesselas ou cubos coloridos intercalados em um desenho retratando os deuses. (E assim ele vê a cena como uma confrontação entre Jesus e Júpiter!). Mais amiúde, estudiosos têm visualizado um pavimento de pedras grandes. Por exemplo, na LXX de 2Cr 7,3, *lithostrotos* descreve o pavimento do templo de Salomão, uma construção monumental. Nos níveis inferiores da fortaleza de Antônia, um dos dois candidatos para identificação como o pretório (cf. nota sobre 18,28), tem-se escavado um átrio pavimentado, cuja área central mede cerca de 50 x 45 metros. Os blocos maciços deste átrio medem mais de um metro quadrado e 30 cm de espessura.

É bem provável que esse piso chegasse a ser famoso como "Pavimento de Pedra". Não obstante, não estamos certos se o pavimento escavado era parte da fortaleza de Antônia nos dias de Jesus – Kopp, HPG, pp. 372-73, dá as razões arqueológicas para pensar que ele não fora posto ali até cerca de 135 d.C.

Gabbatha. Isto não é o equivalente aramaico ("Hebraico" = aramaico; nota sobre 5,2) de *lithostrotos*, e notamos que João dá os dois nomes sem dizer que um é a tradução do outro. Tem-se sugerido muitas interpretações de *Gabbatha*, mas o mais provável envolve derivações da raiz *gbh* ou *gb'*, "ser alto, projetar-se". Uma designação como "lugar elevado, cume, protuberância" (significado dado a *Gabbatha* por Josefo, *War*, 5,2.1; 51) poderia adequar-se a ambas as localizações sugeridas pelo pretório. Vincent tem demonstrado que a fortaleza de Antônia se apoiava em uma elevação rochosa, e o palácio de Herodes ficava sobre os altos da cidade superior. O termo pode também referir-se à elevação do *bēma* sobre uma plataforma recuada.

14. *Dia da Preparação*. Este é o sentido da palavra grega *paraskeuē*, embora a palavra semita a que provavelmente ela representa (heb. *'ereb*; aram. *ᵃrubâ*) tem uma conotação mais estrita de "vigília, dia anterior". O termo, que aparece em todos os evangelhos, estava associado na tradição com o dia em que Jesus morreu. Era aplicável à sexta-feira, dia anterior ao sábado (Josefo, *Ant.* 16,6.2; 163), e esta é a maneira como os sinóticos a entenderam (Mc 15,42; Mt 27,62; Lc 23,54). Mas, para João, este é não só dia anterior ao sábado, mas também o dia anterior à Páscoa; e, em João, "o Dia da Preparação para a Páscoa" reflete a expressão hebraica '*ereb pesaḥ* (StB, II, 834ss.). A teoria de Torrey (JBL 50 [1931], 227-41) de que se deve entender a Páscoa como o período festivo de sete dias e que João está falando de sexta-feira dentro da semana pascal tem sido refutada por S. Zeitlin, JBL 51 (1932), 263-71.

meio-dia. Literalmente, "a hora sexta". Algumas testemunhas, inclusive o Sinaiticus corretor, leem "à terceira hora" (as nove da manhã). Ammonius (início do 3º século) tem esta redação; e S. Bartina, VD 36 (1958), 16-37, a mantém com base em que, quando as letras eram usadas para números, um antigo digama original (= 3), pode ser que fosse confundido com o sigma aberto ou *episēmon* (= 6). Embora tal confusão fosse possível (e, de fato, tem-se apresentado outras explicações para a confusão), pensamos ser mais provável que a redação "nove da manhã" fosse uma harmonização de copista com a afirmação de Mc 15,25, de que Jesus foi crucificado às nove da manhã. Em tudo isto, presumimos que João estava computando as horas a partir do romper da manhã em vez de meia-noite (nota sobre 1,39), de modo que hora sexta era meio-dia, e não seis da manhã. Alguns têm favorecido a última hipótese como um meio de conciliar a informação de João com o horário de Marcos para a crucifixão. Mas Jesus dificilmente teria sido levado a Pilatos ao romper do dia (perto das seis da manhã – nota sobre 18,28), e tenha suportado um extenso julgamento, inclusive açoitamento e escarnecimento, e ainda ter recebido sua sentença às seis da manhã. (Para uma recente defesa de nossa compreensão da computação do tempo feita por João, veja J. E. BRUNS, NTS 13 [1966-67], 285-90).

Somente Marcos fixa a crucifixão às nove da manhã. Visto a referência de João ao meio-dia tem significação teológica (veja comentário), alguns estudiosos têm rejeitado a ideia de que o julgamento levou toda a manhã e têm aceitado o horário de Marcos como historicamente correto. Mas o horário de Marcos significa uma manhã incrivelmente tumultuada, visto que a (segunda) sessão do Sinédrio não é tida como tendo iniciada mais ou menos às seis da manhã. Além do mais, os três evangelhos sinóticos (Mc 15,33; Mt 27,45; Lc 23,44) declaram que houve trevas sobre toda a terra desde meio-dia até as três da tarde, uma afirmação que pareceria designar o período em que Jesus estava na cruz. (Teria Marcos inconscientemente combinado duas fontes com as indicações contraditórias de tempo?) A. MAHONEY, CNQ 27 (1965), 292-99, tem tentado contornar a dificuldade, explicando que a referência às seis da manhã, em Marcos, se aplica somente ao lançar a sorte pelas roupas de Jesus que correu quando Jesus foi despido para ser açoitado – obviamente, uma hipótese que não pode ser provada. Alguns têm pensado que Marcos estava computando períodos de três horas, de modo que "à terceira hora" poderia significar o período que começa com a terceira hora, i.e., 9-12 da manhã. E. LIPINSKI (veja NTA 4 [1959-60], 54) observa que Mc 15,21 descreve Simão de Cirene como vindo dos campos – um detalhe que favoreceria meio-dia como o tempo da crucifixão, pois todo o trabalho se interrompia cerca de meio-dia à véspera da Páscoa (exceto que, para Marcos, o dia já seja a própria Páscoa).

O horário de meio-dia, no Dia da Preparação, era a hora de começar a matança dos cordeiros pascais. A antiga lei de Ex 12,6 exigia que o cordeiro pascal fosse mantido vivo até ao dia 14 de Nisan e, então, fosse morto à tarde (literalmente, "entre as duas tardes", frase às vezes interpretada como significando entre o pôr do sol e o anoitecer). Nos dias de Jesus, a matança já não era feita em casa pelos chefes das famílias, e sim nos recintos do templo pelas mãos dos sacerdotes. Um grande número de cordeiros tinha de ser morto para mais de 100.000 participantes da Páscoa em Jerusalém (cf. nota sobre 11,55), e assim a matança já não podia ser feita à noite, no sentido técnico de após o pôr do sol. Em termos casuísticos, a "noite" era interpretada como sendo o início do meio-dia, quando o sol começava a declinar, e assim os sacerdotes tinham toda a tarde do dia 14 para a realização dessa tarefa. Veja Bonsirven, *art. cit.*, para as citações rabínicas – ele salienta que a regra pela qual somente o pão asmo podia ser comido também entrava em vigor ao meio-dia. A referência joanina parentética ao meio-dia provavelmente esteja em pauta para indicar o tempo para toda a ação descrita nos vs. 13-16, inclusive a sentença de morte.

"Vede, eis aqui o vosso rei!" Isto traduz *ide*; veja nota sobre "Eis o homem" no v. 5. Alguns relacionariam esta proclamação zombeteira com a interpretação transitiva do v. 13, de modo que Pilatos, tendo feito Jesus sentar na tribuna, aponta para ele entronizado como rei (embora dificilmente um *bēma* seja um trono). No entanto, a proclamação é perfeitamente inteligível sem esta interpretação; pois provavelmente devamos pensar em Jesus ainda usando a pseudo-insígnia da coroa de espinho e o manto de púrpura (v. 5) e, assim, apresentando um patético quadro de realeza. Achamos implausível a proposta de E. E. Jensen, JBL 60 (1941), 270-71, de que o Pilatos joanino não está falando zombeteiramente, mas tem reconhecido como razoável a reivindicação de Jesus de ser rei em um sentido espiritual e está buscando a aprovação judaica disto. Todavia, o evangelista pode ter visto no escárnio de Pilatos uma proclamação inconsciente da verdade.

15. *gritaram*. Há umas poucas testemunhas textuais importantes que trazem "disseram", e é possível que esta redação menos dramática fosse original.

fora com ele! O "ele" não é expresso no grego. Um grito semelhante, "Fora com este homem", ocorre uma vez em Lc 23,18, no início do incidente de Barrabás; veja também At 21,36.

Crucifica-o! Aqui o "o" [ele] é expresso, diferente do v. 6 onde o grito de crucifixão foi ecoado pela primeira vez. Ao ter um segundo grito por crucifixão, João concorda com Marcos e Mateus. Embora Lc 23,23 afirme que gritaram por crucifixão uma segunda vez, ele não fornece as palavras do grito como fazem os outros evangelhos. A fraseologia de João é a mesma de Mc 15,14, enquanto Mt 27,23 tem "que seja crucificado".

"Não temos outro rei senão César". J. W. Doeve, *Vox Theologica* 32 (1961), 69-83, argumenta que este grito pode muito bem adequar-se com a atitude de alguns judeus que estavam saturados de movimentos nacionalistas e sublevações, e prefeririam o domínio romano às lutas constantes dos tempos hasmoneanos em que os judeus tinham um rei.

16a. *entregou Jesus*. Os quatro evangelhos usam este verbo para descrever a ação final de Pilatos. O verbo visa a ter o valor judicial de uma condenação, e isto se torna mais claro nos evangelhos tardios. Por exemplo, ambos, Mateus e João, têm Pilatos no banco do juiz quando faz isto, e Lc 23,24 especifica que Pilatos pronunciou sentença (*epikrimein*). A forma usual da sentença de morte era: *Ibis in crucem* (Tu irás para a cruz – Petronius *Saturae* 137); a descrição indireta na literatura latina usualmente é: *Iussit duci* (Ele lhe ordenou que seguisse em frente – SHERWIN-WHITE, *Roman Society*, p. 27). De acordo com uma resolução promulgada em 21 d.C. tinha de haver um intervalo de dez dias entre uma sentença de morte pelo Senado e sua execução (TACITUS, *Annals* 3,51; SUETÔNIO, *Tiberius* 75), mas isto não afetava um tribunal do governador onde a execução imediata era frequente.

lhes. O último antecedente é "os principais sacerdotes". Mc 15,15-20 e Mt 27,26-31 têm Jesus sendo entregue aos soldados romanos que o flagelam e o escarnecem antes da crucifixão, mas nem João nem Lucas contêm uma cena neste momento. Lc 23,25 registra que Pilatos "entregou Jesus à vontade deles", com o último antecedente sendo "os principais sacerdotes, os líderes e o povo" (v. 13). Em seguida, ambos os evangelhos falam dos soldados romanos que tomam parte na crucifixão (Lc 23,36; Jo 19,23); não obstante, eles dão a impressão inicial que Jesus foi entregue às autoridades judaicas para ser crucificado. Isto poderia ser um descuido ou escrito displicente, porém mais provavelmente reflita a tendência tardia de desculpar os romanos e culpar os judeus (pp. 1211-15 acima). Em At 2,36; 3,15; 10,39 encontramos o tema de que *os judeus* crucificaram Jesus; e ele tem sequência em JUSTINO, *Apologia* 1,35.6; PG 6:384B. Somos informados por TERTULIANO, *Apologia* 21.18; CSEL 69:57, que os judeus extorquiram de Pilatos uma sentença entregando Jesus "*a eles* para ser crucificado".

ser crucificado. Os evangelhos usam esse termo quando descrevem Pilatos não só declarando Jesus culpado, mas também como fixando sua punição exata. Nos julgamentos romanos, em que prevalecia o *ordo* legal, havia penalidades fixas para crimes específicos; mas nas províncias os julgamentos eram *extra ordinem*, e a penalidade ficava reservada ao governador. LIETZMANN discute que, se Pilatos aceitara a acusação religiosa judaica contra Jesus, ele o teria sentenciado para a execução na forma judaica – por apedrejamento. Todavia, SHERWIN-WHITE, *Roman Society*, p. 35, sustenta que, do que sabemos do procedimento *cognitio* romano, teria sido mais incomum para o governador romano assinar uma punição não romana.

COMENTÁRIO

Como temos insistido (p. 1294), os sete episódios do julgamento perante Pilatos formam uma compacta unidade dramática – nossa divisão da cena em duas partes realmente tem sido uma questão de conveniência, para não termos também uma longa seção sobre a qual comentar. Não obstante, a tonalidade muda nos episódios 4-7. A acusação política contra Jesus se desvanece rapidamente e passa a segundo plano. Agora Pilatos sabe que Jesus não é um revolucionário perigoso, e "os judeus" já não tentam persuadi-lo seriamente ao contrário. Em 19,7, confessam que a verdadeira acusação contra Jesus é de caráter religioso. Desistindo de conquistar Pilatos para seu lado, recorrem a um tipo de chantagem que o force a agir contra seu julgamento mais apurado. Pilatos deve tratar "os judeus" não como querelantes humildes em um caso em que ele fica livre para decidir, mas como adversários que têm o poder de destruí-lo. Ele tenta estratégia e mais estratégia para derrotá-los, mas no fim ele é vencido e tem de entregar-lhes Jesus.

Quarto Episódio: Os soldados romanos açoitam e escarnecem de Jesus (19,1-3)

Os evangelhos estão em divergência sobre o cenário em que fornecem o(s) incidente(s). De acordo com Marcos e Mateus, houve açoites e escarnecimento de Jesus no final do julgamento: Pilatos entregou Jesus para ser açoitado e crucificado, e os soldados romanos o levaram para o pretório a fim de escarnecê-lo. A sentença que Jesus fosse açoitado (Mc 15,15) vem da fonte marcana A ou o relato primitivo da paixão (p. 1207 acima), enquanto a descrição do escarnecimento (15,16-20) vem da fonte marcana B. São dois incidentes envolvidos? BULTMANN, HST, p. 272, considera o escarnecimento como uma elaboração secundária da flagelação. TAYLOR, p. 584, rejeita isto como carecendo de provas e afirma que são descritas duas ações diferentes. O último ponto de vista obtém algum suporte em Lucas. De acordo com Lc 23,11, o escarnecimento de Jesus ocorreu no percurso do julgamento romano, mas foi obra de Herodes e seus soldados. Após Jesus retornar de Herodes, Pilatos disse duas vezes (16,22) que açoitaria Jesus e o liberaria, mas nunca somos informados que isto aconteceu. (Em Lucas, a única ação feita contra Jesus pelos soldados romanos foi escarnecimento dirigido a ele quando já pendurado na cruz [36-37]).

Como Marcos e Mateus, João registra ambos os açoitamentos e um escarnecimento feitos pelos soldados romanos; como Lucas, João coloca o episódio no centro do julgamento.

GRÁFICO COMPARATIVO DO ESCARNECIMENTO DIRIGIDO PELOS SOLDADOS A JESUS

Mateus 27,27-31	Marcos 15,16-20	Lucas 23,11	João 19,1-3
1. Soldados romanos; toda a escolta	Soldados romanos; toda a escolta	Herodes e seus soldados	Soldados romanos; veja 18,3
2. no pretório	dentro do pátio [ou palácio], i.e., o pretório	na residência de Herodes	presumivelmente, dentro do pretório
3. tendo tecido uma coroa de espinhos, puseram-na em sua cabeça	fixaram-lhe uma coroa de espinhos que tinham tecido		tendo tecido uma coroa de espinhos, puseram-na sobre sua cabeça (coroa de espinho: 11)
4. puseram uma cana em sua mão direita			
5. tiraram suas roupas			
6. vestiram-no com um manto escarlate	vestiram-no com púrpura	vestido com roupas esplêndidas	envolveram-no com um manto
7. ajoelhando-se diante dele, o escarnecem	dobrando seus joelhos, prestavam-lhe homenagem	trataram-no com desdém e o escarneceram	rodeavam-no continuamente
8. "Salve [vocativo] Rei dos Judeus"	"Salve [vocativo] Rei dos Judeus"	Veja 23,37 quando Jesus está na cruz	"Salve [nominativo] Rei dos Judeus"
9. cuspiram nele	cuspiram nele		
10. esbofeteando-o, tomaram a cana e lhe bateram na cabeça	batiam-lhe na cabeça com uma cana		esbofeteavam-no
11. despiram-lhe do manto e vestiram-no com suas roupas	despiram-no da púrpura e vestiram-no com suas roupas		Jesus continuou usando a coroa de espinhos e o manto de púrpura (19,5)

O gráfico acima nos capacita a estudar em detalhes o escarnecimento. O relato lucano parece ser independente dos outros, e aqui João não tem nenhuma afinidade particular com Lucas. Embora não sejamos aptos a indicá-lo no gráfico, alguns dos detalhes em Mateus estão em ordem distinta daqueles em Marcos (Mateus põe todas as ações não violentas antes das violentas); porém, além do mais, os dois relatos são bem similares. Teria João dependido de um ou de ambos? BUSE, *"Marcan"*, p. 218, de acordo com sua tese de que João extraiu da fonte marcana B, vê grande similaridade entre João e Marcos. Não obstante, se tomarmos [3] no gráfico como um exemplo, o vocabulário de João difere do de Marcos e é quase literalmente o mesmo que o de Mateus (embora Mateus coloque o coroar de espinhos depois do vestir do manto, enquanto João o precede). João difere de Marcos em 7, 10 e 11; João é semelhante a Marcos, porém não totalmente o mesmo em 1, 2, 3, 6 e 8. E assim não é fácil estabelecer uma tese em prol da dependência joanina de Marcos ou a fonte marcana P. BORGEN, p. 252, sugere que aqui João "consiste quase só de combinações e concordâncias com Mateus e Marcos", e que em João a omissão de detalhes reflete reestruturação redacional. É verdade que dos sete episódios no julgamento de Pilatos, este se pende mais para uma teoria de dependência joanina. Todavia, exceto pelos detalhes 3 e 8, João mostra divergência suficiente para que se possa argumentar com igual plausibilidade em prol de uma tradição joanina independente.

Prosseguindo agora com a discussão à parte dos detalhes, quão plausíveis são os incidentes do açoitamento e escarnecimento de Jesus pelos soldados? Primeiro, consideraremos a questão da motivação e então a questão da sequência. Para Marcos e Mateus, a flagelação e o escarnecimento são parte da punição de crucifixão. Para Lucas, o escarnecimento é uma expressão do menosprezo de Herodes. É João quem suscita o problema, pois aqui o açoitamento e a escarnecimento parecem ser parte do plano benevolente de Pilatos para a soltura de Jesus! Antes e depois deste episódio, Pilatos afirma que Jesus é isento de culpa; portanto, devemos pressupor que Pilatos pretende reduzir Jesus a uma figura ensanguentada e deplorável a fim de aplacar "os judeus" e persuadi-los de que Jesus está em extremo desamparado para ser considerado como uma ameaça. HAENCHEN, *"Historie"*, p. 71, sugere que João tomou o que era originalmente uma ação hostil contra Jesus e o elaborou confusamente em seu quadro de um Pilatos que pessoalmente está interessado em Jesus. No entanto, devemos reconhecer que em parte a apresentação que Lucas faz da motivação de Pilatos é bem próximo a João: Pilatos oferece Jesus para ser maltratado antes de soltá-lo (cf. o mesmo tratamento dos apóstolos em At 5,40). De fato, SHERWIN-WHITE, *Roman Society*, p. 27, salienta que o quadro lucano pode ser perfeitamente correto, visto que *espancamento* (como distinto do açoitamento mais sério mencionado por João – veja nota sobre 19,1) em si mesmo era usado como punição; ele cita um exemplo de Callistratus onde os que instigavam o populacho foram espancados e despachados. Portanto, esta interpretação benevolente, por mais inverossímil que pareça, não é uma criação original do quarto evangelista, mas tinha uma circulação mais ampla nos círculos cristãos. Se há alguma verdade na teoria de BAJSIĆ de que Pilatos estava ansioso por ver Jesus solto simplesmente para evitar a soltura de Barrabás, então se pode dar outra interpretação à violência física ou ao ultraje feito a Jesus: Pilatos estava tomando-o como exemplo da brutalidade romana a fim de irritar o povo e levá-los a pedir sua soltura. Mas isto permanece no campo da mera especulação, e haveria que se pressupor que João ou sua tradição pré-evangélica, confundiu espancamento com açoitamento.

Se crermos ser improvável a interpretação que João faz da motivação de Pilatos, como vamos resolver o problema da sequência em que o açoitamento e o escarnecimento ocorreram? O açoitamento é mais bem colocado com a sequência da crucifixão como em Marcos/Mateus. A crucifixão não prejudicava a parte vital do corpo, e assim a morte da vítima se dava lentamente (desde a sufocação, abandono, fadiga, fome, sede), às vezes depois de muitos dias. Para apressar o processo – talvez no presente caso, porque a Páscoa ou o sábado se aproximavam –, o prisioneiro costumava ser severamente açoitado. JOSEFO, *War*, 2,14.9; 306, cita um exemplo de açoitamento antes da crucifixão sob o procurador Florus.

O escarnecimento apresenta um problema mais grave. Alguns têm duplicado a evidência marcana/mateana, salientando que houve pressão para que os prisioneiros fossem executados e os corpos retirados da cruz antes do pôr do sol, de modo que dificilmente se teria permitido que os soldados gastassem tempo se divertindo com Jesus. BENOIT pensa que o escarnecimento é mais típico dos soldados de Herodes e favorece a teoria de que, enquanto se processava o escarnecimento em meio ao julgamento (Lucas, João) no átrio de Herodes (Lucas). Então teria havido uma tendência de juntar e confundir ações similares que levaram Marcos/Mateus a colocar equivocadamente o escarnecimento no final do julgamento e João, equivocadamente, a colocar o açoitamento no meio do julgamento. Reiterando, estamos na esfera da conjetura.

Ainda outros têm descartado o escarnecimento de Jesus pelos soldados como uma duplicata do escarnecimento de Jesus perante as autoridades judaicas. WINTER, *Trial*, p. 105, pensa que a influência foi vice-versa: o escarnecimento no átrio ou palácio do sumo sacerdote era uma tradição secundária. Entretanto, em nosso juízo, os detalhes das duas cenas são completamente diferentes, e cremos que a tradição preservou desde os tempos primitivos a história de dois diferentes escarnecimentos de Jesus. (Notamos que ambos os escarnecimentos estão na fonte marcana B, de modo que não podemos propor uma duplicata resultante da combinação de fontes). A guarda do templo escarneceu de Jesus antes de tudo como profeta; os soldados (herodianos ou romanos) zombaram dele como rei. O paralelismo entre os dois é intensificado no *Evangelho de Pedro*, 7, onde os soldados dizem: "Julga com justiça, ó Rei de Israel" – compare Mt 26,68: "Profetiza-nos, ó Messias".

Ao escarnecer Jesus como rei, tudo indica que os soldados seguissem um ritual estabelecido, e algumas ações costumeiras estão envolvidas. Encontramos detalhes similares no registro que FILO faz do escarnecimento que a plebe lança contra Karabas em Alexandria (nota sobre "Barrabás" em 18,40): em estilo régio, um homem usava em sua cabeça um diadema de papiros e como cetro uma cana de junco em sua mão; ele recebia homenagem enquanto alguns o saudavam como rei. FILO salienta que isto era uma imitação de pantomimas familiares. De modo semelhante, ao escarnecer de Jesus, os soldados provavelmente estavam imitando práticas que com frequência eram vistas no palco dos circos romanos (WINTER, *Trial*, p. 103). Muitos estudiosos fazem alusão ao jogo de "salve o rei" praticado por soldados durante a Saturnalia Romana, e é interessante que no pavimento de pedra da fortaleza de Antônia (cf. nota sobre 19,13) há desenhos pertinentes a este jogo feito pelos legionários romanos aquartelados ali. Nenhum desses paralelos é perfeito, porém indicam que o escarnecimento descrito nos evangelhos não teria sido estranho.

Finalmente, podemos volver-nos ao papel particular que o episódio exerce no desenvolvimento do relato joanino do julgamento romano. Encarado com o fracasso de seu primeiro esforço em conseguir a soltura de Jesus (Terceiro episódio), agora Pilatos volta à ação. Enquanto suas intenções são boas, o senso de justiça de Pilatos se torna mais e mais deformado. No episódio precedente, ele fracassou em soltar Jesus mesmo quando não visse culpa nenhuma. Agora manda açoitar o inocente Jesus. A fraqueza exibida na concessão de Pilatos será reconhecida instintivamente pelos inimigos de Jesus quando Pilatos lho traz no próximo episódio. Em um nível teológico, o relato abreviado de João e a localização do escarnecimento fazem o tema da realeza de Jesus mais central do que nos relatos sinóticos. No terceiro episódio, Pilatos escarnecera dos procedimentos, falando de Jesus como "o Rei dos Judeus"; agora, os soldados romanos retomam o escarnecimento. Jesus já foi aclamado rei; eles o coroarão. Talvez, admitida a inclinação de João por certo tipo de ironia, onde os protagonistas falam a verdade ignorada por eles mesmos, podemos ver aqui um sinal de que os gentios finalmente confessarão a realeza de Jesus.

Quinto Episódio: Pilatos apresenta Jesus a seu povo; "os Judeus" bradam por crucifixão (19,4-8)

BULTMANN, p. 510[2], considera os vs. 1-7 como um episódio contínuo, e certamente há uma estreita continuidade entre o escarnecimento de Jesus e sua apresentação a seu povo. Entretanto, cremos que em 19,4 ("Uma vez mais, Pilatos saiu fora e lhes disse") o evangelista tem em vista começar um novo episódio, de modo que o início do quinto episódio é o mesmo que o início do terceiro episódio (18,38b: "Pilatos saiu outra vez aos judeus e lhes falou"). De modo semelhante, as primeiras palavras de Pilatos são as mesmas em ambos os episódios: "Não acho nenhum motivo [contra ele]". Este paralelismo está perdido, a menos que 19,1-3 seja tratado como um episódio separado – o ponto central do julgamento (diagrama p. 1294 acima). Quanto a se o quinto episódio termine no v. 7 (BULTMANN) ou no v. 8, não temos certeza. Todavia, visto que o terceiro episódio termina com o comentário do evangelista sobre Barrabás, o comentário do evangelista sobre Pilatos, no v. 8, pode ter pretendido concluir o segundo episódio. Além do mais, se o v. 9 começa o sexto episódio, então as linhas iniciais dos episódios 2 e 6 (18,33; 19,9) são paralelas.

O único aspecto que este episódio partilha com o relato sinótico geral do julgamento romano é a gritaria para que Jesus fosse crucificado.

Entre João e Lucas, contudo, há uma similaridade; pois o incidente no v. 4, onde Pilatos traz Jesus fora a "os judeus" e diz que ele não é culpado, lembra o incidente em Lc 23,13-16, onde, quando Jesus foi trazido de volta de Herodes, Pilatos reúne os principais sacerdotes e o povo para informá-los de que Jesus não é culpado. Ambos os incidentes seguem imediatamente após Jesus ser ridicularizado pelos soldados.

Em João, o episódio desenvolve o tema da realeza de Jesus. Reconhecido por Pilatos como "o Rei dos Judeus" (terceiro episódio), coroado e investido pelos soldados (quarto episódio), agora Jesus enfrenta outra cerimônia no ritual de coroação: ele é trazido fora, regeamente adornado com púrpura, é apresentado a seu povo com aclamação. Aos olhos de João, a longa espera de Israel por seu rei messiânico chega assim a um cumprimento irônico.

O cenário dramático da apresentação de Jesus a "os judeus" é tipicamente joanino, mas podemos perguntar se o senso criativo do evangelista não foi controlado por alguns detalhes que encontrou em sua tradição. Se ele estivesse inventando com plena liberdade, este teria sido o momento perfeito de fazer Pilatos dizer: "Eis o Rei!" (como no v. 14). Em vez disso, encontramos o enigmático "Eis o homem!" Enquanto esta designação é passível de ser entendida como um título messiânico (veja nota para significados possíveis), é por demais ambígua para ser a óbvia escolha de um evangelista dotado de tão grande criatividade. É mais provável que ele tomasse uma expressão de desdém que entrou na tradição e a reinterpretou como um título de exaltação.

Tudo o que Pilatos tencionava com sua designação de Jesus, seu empenho de apresentá-lo a "os judeus" fracassa. Eles perceberam a fraqueza de Pilatos nesta segunda tentativa de chegarem a um acordo, e assim saúdam seu rei com uma estranha aclamação: "Crucifica-o!" Talvez ao usar o verbo "clamar", o evangelista deseja que nos lembremos, à maneira de contraste, que apenas cinco dias antes outra multidão bradou: "Hosana!... Bendito é o Rei de Israel" (12,13). Podemos notar que na teoria de Bajsić o brado pela crucifixão de Jesus não é uma expressão do sentimento popular contra Jesus, e sim uma rejeição do estratagema de Pilatos.

A irritada resposta de Pilatos, "Tomai-o vós mesmos e crucificai-o" (veja nota), leva "os judeus" a começarem uma guerra psicológica contra ele. Se Pilatos não cedesse ao desejo expresso deles, eles o cansariam com um tipo de chantagem: insinuariam que sua conduta neste caso o levaria ao desfavor de Roma. Os evangelhos sinóticos nunca explicam satisfatoriamente por que Pilatos se rendeu às importunações da multidão e dos sacerdotes. Mc 15,15 diz que Pilatos desejava satisfazer a multidão; Mt 27,24 diz que Pilatos viu que nada lucrava e que estava para irromper-se uma sublevação; Lc 23,23 simplesmente sublinha a urgência da exigência por crucifixão. Mas estas descrições dificilmente se harmonizariam com os relatos de JOSEFO sobre Pilatos: um Pilatos que interrompia as sublevações e era renitente em face das imposições judaicas. O quadro de João de um Pilatos preocupado com o que se poderia dizer em Roma tem uma boa chance de ser histórico. Segundo FILO, *Ad Gaium* 38; 301-02, Pilatos era naturalmente inflexível e resistia obstinadamente quando os judeus clamavam contra ele, até que mencionassem que o Imperador Tibério não aprovaria que ele violasse seus costumes. "Este era o ponto final que era particularmente certeiro, pois ele temia que, se atualmente enviassem uma embaixada, também exporiam o resto de sua conduta de governador". (Note, contudo, que a historicidade do registro de FILO tem sido questionada por P. L. MAIER, HTR 62 [1969], 109-21). Além do mais, no exato momento em que Jesus estava diante de Pilatos, é bem provável que a posição de governador fosse mais vulnerável do que como nunca antes em Roma. Muitos teorizam que Pilatos devia sua designação na Palestina a Aelius Sejanus; e foi no ano 31 que Sejanus perdeu seu favor perante Tibério. Talvez os temores que pressagiavam a queda de Sejanus já eram sentidos por observadores políticos sensíveis, e Pilatos temia que logo ele não mais teria protetor na corte. Um astuto político eclesiástico como Caifás estaria bem ciente da vulnerabilidade do prefeito e se propunha prová-lo. (Esta sugestão é incerta, pois não sabemos o ano exato da crucifixão de Jesus; ela ocorreu entre 27 e 33 d.C. Veja P. L. MAIER, *"Sejanus, Pilate, and the Date of the Crucifixion"*, Church History 37 [1968], 3-13).

Em qualquer caso, é precisamente sobre a questão de Pilatos não respeitar os costumes locais que "os judeus" desferem seu ataque aberto. Pilatos descobriu que Jesus era inocente e se recusa a continuar o julgamento civil contra ele, porém tem ignorado o fato de que Jesus, sendo ou não revolucionário, tem violado as leis religiosas judaicas. Sob esta afirmação está implícito que os administradores romanos, caracteristicamente, respeitavam as práticas religiosas regionais. Se esta tese for aceita, Pilatos se retira temeroso (veja nota sobre "mais atemorizado" em 8). É irônico que o representante da poderosa Roma agora se vê reduzido a um estado de apreensão acerca de Jesus, similar àquela que caracterizou a liderança do Sinédrio em 11,47-53. No pensamento de João, nenhum líder, secular ou religioso, pode escapar ao poder de Jesus. Pilatos tentou ser neutro em relação à verdade, a verdade que liberta os homens (8,32); e agora ele se vê escravizado por seus próprios temores.

As últimas linhas deste episódio contêm, respectivamente, implicação teológica e política para a compreensão da narrativa. No mínimo, o motivo real de "os judeus" em quererem Jesus morto foi trazido à luz: eles não podem tolerar ele "fazer-se" Filho de Deus. SHERWIN-WHITE, *Roman Society*, pp. 46-47, acha ser perfeitamente possível "no costume romano que, quando Pilatos recusou um veredicto ante uma acusação política, eles recorreram a uma acusação religiosa a qual Pilatos finalmente aceitou sob... pressão política". Para João, esta acusação só é falsa no sentido de que Jesus não *se fez* Filho de Deus – ele era o Filho de Deus. Temos afirmado nossa convicção (pp. 1216-21 acima) de que a oposição judaica a Jesus era não só política, mas também religiosa. João simplesmente deu a esta oposição religiosa posteriormente uma forma de expressão mais apropriada para o tempo e substância das lutas acrimoniosas entre a Sinagoga e a Igreja. Vimos que no início do ministério, em 1,35-51, à medida que a fé dos discípulos crescia, eles foram dando títulos a Jesus (vol. 1, pp. 263); estes incluíam Filho de Deus, Rei de Israel e Filho do Homem. Já no fim de sua vida, num *crescendo* de incredulidade, Jesus é chamado, no espírito de escárnio e incredulidade, "o Rei dos Judeus" (18,39), "o homem" (19,5) e "Filho de Deus" (19,7).

Sexto episódio: Pilatos fala com Jesus sobre poder (19,9-11)

Temos salientado que este episódio é marcantemente paralelo ao segundo episódio. Ambos começam com o retorno de Pilatos ao pretório para interrogar Jesus – sobre, respectivamente, acusações políticas e religiosas. São os únicos dois episódios em que Jesus fala. Em cada um, a primeira pergunta de Pilatos não consegue qualquer resposta, e somente sua segunda e mais excitante pergunta exige de Jesus uma explicação. Em cada caso, a explicação está no solene estilo didático e enfatiza que os interesses de Jesus se convergem com o que é de cima, e não com o que é deste mundo. Pilatos interroga em um nível; Jesus responde em outro –

uma técnica muito parecida à da "incompreensão" (vol. 1, p. 153). Estes são os dois episódios no julgamento romano em que a elaboração joanina é a mais óbvia e provavelmente a mais extensa. O sexto episódio só partilha com a tradição sinótica o tema do silêncio de Jesus (nota sobre v. 9), e obviamente este tema significa menos para João do que para os sinóticos. BARRETT, p. 451, observa: "Ao provocar a próxima pergunta, o silêncio dá sequência à conversação tão eficazmente como uma resposta".

Presumivelmente, o interrogatório a que Pilatos sujeita Jesus constitui outro desesperado esforço para efetuar a soltura de Jesus, mas as intenções de Jesus são menos transparentes aqui (nota sobre "De onde vieste?"). Tem-se a impressão de que a exasperação deixou o prefeito agarrando-se a palhas, e que ele mesmo não sabe como proceder. Agora ele está tratando com uma acusação religiosa além de sua compreensão. Ironicamente, o medo o leva a vociferar sobre seu poder, e é evidente que Pilatos já perdeu a paciência com o espírito não cooperativista do homem a quem está tentando proteger. (Note a dramática caracterização que João faz de Pilatos). Os esforços prévios de Pilatos de achar um meio termo na luta entre a verdade e o mundo têm sido frustrados pela intransigência do mundo; agora ele se encontra com a verdade, que tão pouco está disposta a se acomodar. Ele está falando com um Jesus que consistentemente tem repelido propostas ainda mais sérias de amizade ou aprovação quando se encontrava com falta de fé (2,23-25; 3,2-3; 4,45-48).

O cerne do episódio é a afirmação de Jesus sobre o poder ou autoridade. Pilatos tem falado de seu poder físico sobre Jesus – ele pode tirar a vida de Jesus. Este lhe fala em outro nível, o nível da verdade e do "genuíno" poder. Que genuíno poder do alto Pilatos possui sobre Jesus? A maioria dos comentaristas interpreta João à luz de Rm 13,1, onde Paulo insiste que os governantes civis têm sua autoridade procedente de Deus. Os que pensam que Pilatos representa o Estado (p. 1298 acima) veem isto como um versículo-chave na interpretação da relação entre os poderes legítimos do Estado e as exigências da verdade. Não obstante, concordamos com VON CAMPENHAUSEN, *art. cit.*, de que o Jesus joanino não está prelecionando para Pilatos sobre os direitos do ofício dos prefeitos outorgados por Deus, nem, *a fortiori*, sobre as relações de Igreja e Estado. (A interpretação de João à luz da ideia de Paulo veio mais tarde durante o período donatista e foi desenvolvida por AGOSTINHO). Ao contrário, devemos entender o dito de Jesus à luz de 10,17-18:

ninguém pode tirar a vida de Jesus; somente ele tem o poder de entregá-la e retomá-la. Entretanto, agora Jesus adentrou voluntariamente "a hora" designada por seu Pai (12,27), quando entregará sua vida. Portanto, no contexto de "a hora", o Pai permitiu aos homens o poder sobre a vida de Jesus. Embora Pilatos não o compreenda, a razão de ele ter o poder de que se vangloria não é simplesmente porque possui legionários à sua disposição. O poder é seu porque Deus lhe designou um papel em "a hora". João declarou que Caifás pôde profetizar que Jesus havia de morrer pela nação porque ele era o sumo sacerdote em "aquele ano" (11,51 – veja vol. 1, pp. 727-28); assim também Pilatos tem poder sobre Jesus porque ele é o prefeito da Judeia em "aquele ano".

Pilatos tem tentado usar este poder sobre Jesus para libertá-lo. Ele não será bem sucedido, porque não se confiou totalmente à verdade e em vão tem buscado a neutralidade; todavia, ele não odeia instintivamente a verdade, e assim seu pecado é menor que o de Caifás e "os judeus" que querem matar Jesus. O interesse real do Jesus joanino não é explicar a culpa menor de Pilatos, e sim de acusar os que realmente são responsáveis. A cena de Mateus (27,24-25), onde Pilatos lava as mãos do sangue de Jesus contém muito da mesma implicação.

Sétimo Episódio: Pilatos se rende à exigência judaica para a crucifixão de Jesus (19,12-16a)

O episódio final de João só tem paralelos com os relatos sinóticos no reiterado clamor por crucifixão e no resultado pelo qual Jesus é entregue para a crucifixão. Em termos gerais, o relato que João faz da condenação é mais detalhado, mais dramático e mais teológico. O cenário meticuloso do episódio no "Pavimento de Pedra", ao meio-dia, não só dá um toque dramático, mas também é indicativo do interesse do autor no clímax do julgamento. Visto que o nome do lugar não tem simbolismo óbvio, é possível que seja histórico; o tempo constitui um problema maior (veja nota). O evangelista pode ser também historicamente acurado na motivação dada para a decisão de Pilatos, mas seu real interesse é teológico: converteu a decisão em um drama da rejeição judaica da aliança davídica.

Quando o episódio se abre, Pilatos ficou atônito pela acusação de Jesus de que ele é culpado de usar mal o poder outorgado por Deus; e assim ele tenta outra vez conseguir a soltura de Jesus. Isto impele "os judeus" recorram de novo a chantagem política, lançando contra ele, implicitamente, a ameaça de denunciá-lo a Roma. No quinto episódio vimos a reação terrificada de Pilatos à implicação de que ele estava exposto a culpa por não respeitar os costumes judaicos locais; agora sua lealdade ao Imperador é fortemente questionada. Se estão certos os que sugerem que Pilatos detinha o privilegiado título de "amigo de César", então "os judeus" podem estar insinuando que seu título lhe será tirado. Isto acarretaria severa punição, pois o Imperador era inclemente em tratar a deslealdade daqueles a quem ele favorecia. Seria compreensível que Pilatos sentisse arriscada sua posição como "amigo de César" se, como supramencionado, houvesse sinais da queda de seu patrono Sejanus. (HAENCHEN, *Historie*, p. 74, descarta com convicção qualquer comprometimento do evangelho com a bem-conhecida história sobre as bases de que o evangelista certamente não esquadrinhou os detalhes da política romana, e que este pano de fundo político não teria sido do interesse dos leitores de João. Muito embora isso possa ser procedente, aí permanece a questão se a tradição histórica elaborada pelo evangelista reteve válidas as memórias da situação política na Palestina em torno do ano 30 d.C, mesmo quando o evangelista não investigasse as implicações). Mas se não quisermos depender excessivamente do "amigo de César" como um título do qual Pilatos pudesse ser privado, a ameaça de ser acusado de benevolência para com um rival do Imperador ainda tem verossimilhança no reinado de Tibério. Aquele Imperador, recolhido em Capri durante a sua velhice, era hipersensível a crimes de lesa majestade; e SUETÔNIO, *Tiberius* 58, nos informa que ele reforçou a lei contra eles com brutalidade. De acordo com BLINZLER, *Trial*, p. 213, foi precisamente de tal crime que Jesus deveria ser declarado culpado – uma violação da *lex Iulia maiestatis* decretada por Augusto. Independentemente de João, temos em At 17,7 uma indicação de que mesmo em perigo menor os oficiais romanos reagiriam fortemente a uma reivindicação de realeza. Lemos ali que os judeus de Tessalônica arrastaram alguns dos cristãos perante as autoridades da cidade, acusando-os de agirem contra os decretos do Imperador, "dizendo que há outro rei, Jesus"; e isto perturbava as autoridades.

Pilatos permanece convicto de que Jesus é inofensivo, mas "os judeus" estão forçando sua mão. O prefeito que acabara de blasonar-se diante de Jesus que tinha o poder de soltá-lo e o poder de crucificá-lo, agora se vê privado do verdadeiro e livre exercício desse poder. Se uma acusação de lesa majestade fosse arquivada em Roma contra Pilatos por haver soltado um rei que é uma potencial ameaça ao Imperador, Pilatos seria examinado exaustivamente e todas as suas deficiências, como governador, viriam à luz. Possível desgraça é também um elevado preço a pagar pela defesa da verdade. Pilatos se rende aos "judeus" e monta o cenário para declarar a sentença. Assentado na cadeira do juiz, com um gesto final de desafio e talvez até mesmo com uma mórbida esperança de poder obter clemência, Pilatos exibe Jesus para "os judeus" como seu rei. Quando persistem em exigir crucifixão, Pilatos toma sua vingança, humilhando o espírito nacionalista deles. Em seu pedido de ter Jesus condenado, "os judeus" exibiram um toque de lealdade ao Imperador – isso significa que renunciaram sua esperança no rei esperado? Nenhum preço é alto demais a pagar na luta do mundo contra a verdade: "os judeus" pronunciam as fatídicas palavras: "não temos nenhum outro rei senão César". O verdadeiro julgamento está consumado, pois na presença de Jesus "os judeus" julgam a si mesmos; pronunciam sua própria sentença.

Israel orgulhosamente confessava que Iahweh era seu rei (Jz 8,23; 1Sm 8,7). Desde o tempo da promessa de Natã a Davi (2Sm 7,11-16), de acordo com a teologia de Jerusalém, a realeza de Deus se fez visível no governo do rei davídico a quem Ele tomou como seu filho (Sl 2,7). Nos tempos pós-exílicos, uma mística se desenvolveu em torno do único rei ungido da Casa de Davi, o futuro Messias, que havia de vir e estabelecer o governo de Deus sobre a terra. Somente aquele erguido por Deus poderia ser o verdadeiro rei do povo de Deus – não o persa, nem Ptolomeu, nem sírio, nem os suseranos romanos cujas tropas marchavam pela terra. "Ó Senhor Deus nosso, outros senhores têm tido domínio sobre nós; porém, por ti só, nos lembramos de teu nome" (Is 26,13). Agora, porém, centenas de anos de espera foram abandonados: "os judeus" tinham proclamado um meio louco exilado de Capri como sendo seu rei. Por todo o ministério João descreveu Jesus como a substituir as instituições judaicas, as festas e os costumes. Agora, na interrupção da aliança pela qual Deus ou seu Messias era o rei de Israel, o movimento de substituição chega a um clímax, pois "os judeus" renunciaram seu status como o povo de Deus. A cena de João tem um impacto similar àquele de Mt 27,25, onde todo o povo diz: "Seu sangue caia sobre nós e sobre nossos filhos". Obviamente, aqui ambos os evangelhos estão refletindo teologia apologética, e não histórica – eles estão tomando o auditório do julgamento como a voz de uma interpretação cristã da história da salvação do final do 1º século. A tragédia da morte de Jesus é composta como é vista através do véu da hostilidade entre a Igreja e a Sinagoga dos anos 80 e 90 (ver vol. 1, p. 72). E a tragédia será composta ainda mais através dos séculos como as apresentações teológicas joaninas e mateanas da crucifixão, tiradas de suas perspectivas históricas e absolutizadas, servirão, respectivamente, de acicate e de escusa para o ódio anti-judaico.

O tempo em que esta renúncia fatal do Messias ocorre é à véspera da Páscoa, a mesma hora em que os sacerdotes começavam a matança dos cordeiros pascais nos recintos do templo. É um toque irônico do escritor joanino ter "os judeus" renunciando a aliança no momento em que seus sacerdotes estão começando as preparações para a festa que anualmente recorda o livramento que Deus fez a seu povo. Pelo sangue do cordeiro, ele os marcava para que fossem poupados como pertencentes a Ele, e agora não conhecem nenhum rei senão o Imperador romano. Quando citam a *Haggadah* da Páscoa, quão vazio soará o frequente louvor ao soberano reinado de Deus! Pensam na Páscoa como um tempo tradicional para o juízo de Deus sobre o mundo (Mishnah *Rosh Hashanah* 1:2) e na véspera da Páscoa eles têm julgado a si mesmos, condenando aquele a quem Deus enviou ao mundo, não para julgá-lo, e sim para salvá-lo (3,17 – para outras referências possíveis aos temas da Páscoa, nesta cena, ver MEEKS, p. 77).

No início do evangelho, o Batista apontou para Jesus como o Cordeiro de Deus que tira o pecado do mundo (1,29). À maneira de inclusão, esta profecia agora se cumpre; pois no momento em que os cordeiros pascais estão sendo mortos, o julgamento de Jesus também chega ao fim, e ele sai para o Gólgota a fim de derramar o sangue que purificará do pecado de seres humanos (1Jo 1,7). De fato, como João o vê, Deus planejou "a hora" com todo o cuidado.

BIBLIOGRAFIA
(18,28-19,16A)

Veja a Bibliografia geral sobre a Narrativa da Paixão no final do §60.

BAJSIĆ, A., *"Pilatus, Jesus und Barabbas"*, Biblica 48 (1967), 7-28.

BLANK, J., *"Die Verhandlung vor Pilatus: Joh 18, 28-19, 16 im Lichte johanneischer Theologie"*, BZ 3 (1959), 60-81.

BONSIRVEN, J., *"Hora Talmudica: La notion chronologique de Jean 19, 14, Aurait-elle un sens symbolique?"* Biblica 33 (1952), 511-15.

DE LA POTTERIE, I., *"Jésus, roi et juge d'après Jn 19, 13: ekathisen epi bēmatos"*, Biblica 41 (1960), 217-47. Abbreviated Eng. Trans. In Scripture 13 (1961), 97-111. English digest in TD 11 (1963), 21-26.

HAENCHEN, E., *"Jesus vor Pilatus (Joh 18, 28-19, 15)"*, TLZ 85 (1960), cols. 93-102. Reimpresso em *Gott und Mensch* (Tübingen: Mohr, 1965), pp. 144-576.

MOLLAT, D., *"Jésus devant Pilate (Jean 18, 28-38)"*, BVC 39 (1961), 23-31.

SCHLIER, H., *"Jesus und Pilatus nach dem Johannesevangelium"*, in *Die Zeit der Kirche* (Freiburg im Breisgau: Herder, 1956), pp. 56-74.

_____ *"The State accordin to the New Testament"*, in *The Relevance of the New Testament* (Nova York: Herder & Herder, 1968), pp. 215-38.

SCHWANK, B., *"Pilatus begegnet dem Christus (18, 28-38a)"*, SeinSend 29 (1964), 100-12.

_____ *"Der Dormengekrönte (18, 38b-19, 7)"*, SeinSend 29 (1964), 148-60.

_____ *"Der königliche Richter (19, 8-16a)"*, SeinSend 29 (1964), 196-208.

VON CAMPENHAUSEN, H., *"Zum Verständnis von Joh. 19, 11"*, TLZ 73 (1948), cols. 387-92.

65. A NARRATIVA DA PAIXÃO:
– TERCEIRA SEÇÃO (INTRODUÇÃO; EPISÓDIOS 1-4)
(19,16b-30)

A execução de Jesus na cruz

INTRODUÇÃO

19 [16b]Então eles assumiram a custódia de Jesus; [17]carregando ele mesmo a cruz, saiu para o que é chamado "O Lugar da Caveira" (sendo seu nome em hebraico, *Golgotha*). [18]Ali eles o crucificaram juntamente com outros dois – um de cada lado e Jesus no meio.

PRIMEIRO EPISÓDIO

[19]Ora, Pilatos também havia escrito um letreiro e colocado sobre a cruz; ela continha as palavras:

> JESUS O NAZOREANO
> O REI DOS JUDEUS

[20]Este letreiro, que estava em hebraico, latim e grego, era lida por muitos judeus, pois o lugar onde Jesus foi crucificado ficava bem próximo à cidade. [21]E então os principais sacerdotes dos judeus tentavam dizer a Pilatos: "Não deixes escrito: 'O Rei dos Judeus'; em vez disso, escreve: Este homem reivindicou ser "O Rei dos Jesus'". [22]Pilatos respondeu: "O que escrevi, escrevi".

SEGUNDO EPISÓDIO

²³Assim que os soldados crucificaram Jesus, tomaram suas vestes e as repartiram em quatro partes, uma para cada soldado. Havia também sua túnica, mas esta túnica era tecida com uma só peça, de alto a baixo, e não tinha costura. ²⁴Então disseram uns aos outros: "Em vez de rasgá-la, lancemos sorte para ver com quem ela fica". (O propósito disto era para que a Escritura se cumprisse:

"Repartiram entre si minhas roupas,
e sobre minha vestidura lançaram sorte").
E isso é o que os soldados fizeram.

TERCEIRO EPISÓDIO

²⁵Entrementes, em pé junto à cruz de Jesus estava sua mãe, a irmã de sua mãe, Maria, esposa de Clopas, e Maria Madalena. ²⁶Quando Jesus viu sua mãe ali com o discípulo a quem ele amava, disse a sua mãe: "Mulher, eis o teu filho". ²⁷Em seguida, disse ao discípulo: "Eis a tua mãe". E desde então, o discípulo a tomou sob seu cuidado.

QUARTO EPISÓDIO

²⁸Depois disto, sabendo que tudo estava agora consumado, a fim de conduzir a Escritura ao seu pleno cumprimento, Jesus disse: "Tenho sede". ²⁹Perto dali estava um jarro cheio de vinagre; então eles embeberam uma esponja deste vinho, em certo hissopo, e a ergueu até seus lábios. ³⁰Quando Jesus tomou o vinho, exclamou: "Está consumado"; e encurvando a cabeça, entregou o espírito.

26: *disse*; 27: *disse*; 28: *disse*. No tempo presente histórico.

NOTAS

19.26b. *eles assumiram a custódia de Jesus*. Em estrita sequência, o "eles", aqui e no v. 18 ("eles o crucificaram"), se referiria ao último sujeito plural mencionado, a saber, os principais sacerdotes (v. 15). Não obstante, em 23 se torna claro que os soldados (romanos, sob a jurisdição de Pilatos: vs. 31-32) foram os únicos que crucificaram Jesus. Para uma explicação, veja a nota sobre "lhes" em 19,16a. Aqui, o aspecto abrupto do fraseado levou algum copista à tentativa de melhorar fazendo algumas adições: "e lhe puseram a cruz"; "e o levaram" (a última é em imitação dos sinóticos, particularmente de Mt 27,31; Lc 23,26).

17. *carregando ele mesmo a cruz*. O pronome *heautō* usualmente é entendido como um dativo de proveito ("para si mesmo": BDF, §188²); mas D. TABACHOVITZ, *Eranos* 44 (1946), 301-5, argumenta que ele é um dativo instrumental, equivalente a *di' heautou* ("por ele mesmo"). O verbo é *bastazein*; presumivelmente, "a cruz" significa apenas a peça da cruz ou viga transversal (*patibulum*), visto que a viga-mestra, com cerca de três metros de altura, usualmente era deixada na posição como um permanente aspecto no lugar da execução. Que o criminoso carregasse o *patibulum* até o lugar da execução era plenamente normal, e BULTMANN, p. 517⁴, nada vê de enfático ou simbólico em "por ele mesmo" (veja comentário). Mc 15,21 e Mt 27,26 registram que os soldados compeliram Simão a carregar (*airein*) a cruz; Lc 23,26 registra que a cruz foi posta sobre Simão para que fosse levada (*pherein*) após Jesus. (Enquanto Lucas poderia ter sido uma tradição independente acerca de alguns dos incidentes que ocorreram na via para o Calvário, V. TAYLOR, NTS 8 [1962], 333-34, considera esta descrição particular como sendo uma adaptação de Marcos). A representação popular de Jesus carregando a parte dianteira da cruz e Simão carregando a parte traseira usa o vocabulário de Lucas como um guia na combinação do quadro joanino e o de Marcos/Mateus. Outra harmonização pressupõe que Jesus carregou a cruz enquanto tinha forças e então os soldados compeliram Simão a ajudá-lo. Comentaristas do calibre de DODD e TAYLOR julgam a última solução uma interpretação da evidência perfeitamente razoável.

saiu. Que o lugar da crucifixão de Jesus de fato ficava fora da cidade é afirmado explicitamente no v. 20; está implícito nos prefixos adverbiais dos verbos usados pelos quatro evangelhos, ao descreverem o processo de levar Jesus ao Calvário (*apagein, exagein, exerchesthai* – veja também Mt 21,39; Hb 13,12). De acordo com os costumes israelitas, os apedrejamentos se davam fora do acampamento ou da cidade (Nm 15,35; At 7,58) e, aparentemente, este costume era observado também na crucifixão. Certamente, o lugar para os sepultamentos judaicos (Jo 19,41) não teria sido na cidade. Marcos e Lucas mencionam que Simão estava vindo do campo ou da zona rural quando se deparou com a procissão da crucifixão; isto concorda com a informação no v. 20 abaixo de que o local da execução ficava perto de onde a estrada entrava na cidade. JEREMIAS, *Golgotha*, p. 3, pensa que o local ficava tão perto da cidade, que podia ser visto pelas pessoas em pé sobre os muros da cidade.

A Igreja do Santo Sepulcro, contendo os locais tradicionalmente venerados como o lugar da crucifixão e o túmulo, fica dentro dos muros da atual cidade. Isto tem levado alguns a rejeitar a identificação, porquanto pensam que a linha nordeste dos muros da atual cidade coincide estritamente com a linha dos muros nos dias de Jesus (o segundo dos três muros da cidade, na enumeração que JOSEFO faz das defesas construída ao longo da história de Jerusalém: *War*, 5,4.2; 142ss.). Outros teorizam que o Segundo Muro ao Norte corria consideravelmente para o sul dos atuais muros da cidade, de modo que o Calvário poderia ter ficado fora dos muros, nos dias de Jesus, e, todavia, dentro dos muros da atual cidade. A última teoria é fortemente endossada pela recente escavação de Jerusalém feita por MISS K. KENYON (PEQ 96 [1964], 14-16; veja R. H. SMITH, BA 30 [1967], 74-90; E. W. HAMRICK, BASOR 192 [1968], 21-25). A despeito da evidência bíblica, MELITO de Sardes, em sua homília da páscoa (72, 94), afirma que Jesus foi morto no meio de Jerusalém, talvez porque, em seu tempo (c. 170) o local tradicional do Calvário ficasse do lado de dentro dos muros de Aelia Capitolina, a cidade que Adriano construiu acima de Jerusalém (veja A. E. HARVEY, JTS 17 [1966], 401-4).

o que é chamado "O Lugar da Caveira" (sendo seu nome em hebraico Golgotha). Não há artigo definido antes de "Caveira", de modo que se pode traduzir "Lugar de uma Caveira", como faz NEB em Mt 27,33 e Mc 15,22, porém não aqui. Há variantes textuais menores, p. ex., Codex Vaticanus e o Sahidic leem *Golgoth*. A palavra aramaica *Gulgoltâ* e a hebraica *Gulgōlet* significam "caveira, crânio"; *calvaria* é o equivalente latino. Marcos/Mateus falam de "um lugar chamado *Golgotha* que significa '"O Lugar da Caveira'", dando aos termos aramaico e grego uma ordem que é o inverso de João – note também o duplo uso de "lugar". Lucas não dá a forma aramaica do nome, porém fala de "o lugar que é chamado 'A Caveira'". JEREMIAS, *Golgotha*, p. 1[1], argumenta que o vocabulário de João também deve ser traduzido "ao lugar que é chamado 'A Caveira'", porquanto ele pensa que o genitivo funciona como apositivo (BDF, §167). Isto é possível, e deveras é favorecido pela ordem da palavra em P[66], onde "lugar" precede "chamado".

Usualmente, conjetura-se que o nome provém da topologia do lugar, a saber, que ele ficava em uma colina com uma tosca semelhança de caveira – talvez uma pedreira abandonada onde cavernas feitas pelo homem eram usadas para sepultamento. (Os árabes frequentemente denominam uma colina de *rās*, "cabeça", mesmo quando não haja qualquer semelhança com uma caveira). Estritamente, os evangelhos não mencionam uma colina; mas os peregrinos do 4º século falavam de um *monticulus* ou "pequeno outeiro" (o local venerado como o Golgotá na Igreja do Santo Sepulcro fica cerca de dezesseis pés de altura). JEREMIAS, *Golgotha*, p. 2, argumenta que a topografia da área tem mudado tanto que se torna difícil formarmos algum juízo; porém admite que algumas vezes se usam colinas, pois as execuções tinham o propósito de serem vistas. Outra explicação do nome recorre à pia tradição atestada por ORÍGENES (*In Matt.* 27,33; GCS 38:265 e 41^1:226) de que Adão foi sepultado aqui. Um século depois, o Pseudo-BASÍLIO menciona a *caveira* de Adão (*In Isa.* 5,1, 14; PG 30:348C), e assim obtemos a imagem da cruz de Jesus tendo sido erigida sobre a caveira de Adão. Embora alguns tenham argumentado ser possível que esta lenda seja pré-cristã, é muito improvável que Pilatos tivesse crucificado um criminoso em um local venerado pelos judeus. (Uma tradição rival de que o corpo de Adão foi sepultado na área do templo ou na caverna de Macpela tem melhor chance de ser autenticamente judaica). Ainda outra explicação do nome é que "Colina da Caveira" era um lugar de execução pública, onde as caveiras pudessem ser encontradas na ou perto da superfície. A proximidade do túmulo de José (19,41) e a aversão judaica por restos expostos tornam esta teoria também improvável.

18. *o crucificaram*. Todos os evangelhos se contentam com esta descrição lacônica sem entrar em detalhes horripilantes. O prisioneiro condenado foi pregado ou atado à transversal da cruz com seus braços estendidos; a transversal era deixada no lugar sobre a viga vertical; os pés eram firmados com pregos ou corda; o corpo se apoiava sobre uma cavilha (*sedile*) que se projetava do poste. JOSEFO, *War*, 7,6.4; 203, chama a crucifixão de "a mais miserável das mortes"; e CÍCERO, *In Verrem* 2,5.64; 165, fala dela como a "mais cruel e terrível penalidade".

outros dois. Marcos/Mateus identificam estes como sendo bandidos (*lēstai*); Lucas os denomina de criminosos (*kakourgoi*). Provavelmente devamos pensar neles como prisioneiros pegos na mesma insurreição em que Barrabás foi preso (Mc 15,7). Talvez Is 53,12, descrevendo o Servo Sofredor como "contado entre os transgressores [*anomoi*]", exercesse influência na preservação da memória destes prisioneiros parceiros de Jesus. (A passagem isaiana é citada no relato da última ceia de Lucas [22,37]). Somente Lc 23,39-43 registra que Jesus tratou bondosamente um dos dois que exibiu sinais de arrependimento e de sentimentos nobres. Desde os últimos tempos, ao menos quatro grupos diferentes de nomes têm sido dados aos dois; por exemplo, Dimas ou Titus para "o Bom Ladrão", e Gestas ou Dumachus para o outro. Uma lei judaica tardia proibia a condenação de dois homens no mesmo dia (StB, I, 1039), mas não sabemos se esta lei estava em vigor nos dias de Jesus ou que ela fosse honrada pelos romanos. O sumo sacerdote judeu Alexandre Janeus (88 a.C.) crucificou oitocentas pessoas ao mesmo tempo (Josefo, *War*, 1,5.6; 97).

um de cada lado. Todos os evangelhos concordam sobre a posição relativa dos três homens crucificados, embora a tradição sinótica use diferentes palavras: "um à direita e o outro à esquerda" (Mc 15,27 e par.). A expressão de João parece ser semítica (veja Nm 22,24). Os evangelhos poderiam estar evocando o Sl 22,17(16): "um ajuntamento de malfeitores [*ponēreuomenoi*] me cercou".

19. *Pilatos tinha também um letreiro escrito*. Enquanto todos os evangelhos mencionam a inscrição, somente João a atribui à ordem de Pilatos. Temos entendido o grego de João (literalmente "Pilatos escreveu") em um sentido causativo, i.e., que ele obrigou outros a preparar o letreiro (cf. nota sobre "açoitou" em 19,1). Mas alguns estudiosos pensam que João atribui o escrito diretamente a Pilatos, de modo que, ao afirmar vigorosamente, durante o julgamento, que Jesus não era culpado, agora, ironicamente, Pilatos compôs com sua própria mão o crime de que Jesus é culpado. O termo que João usa para "letreiro" é *titlos*, um latinismo que reflete *titulus* (ou latim vulgar *titlus*: BDF, §5[1]), a designação romana técnica para a tábua que porta o nome do condenado ou seu crime, ou ambos. Aparentemente, *titulus* poderia também referir-se à *inscrição* colocada sobre a placa – veja F. R. Montgomery Hitchcock, JTS 31 (1930), 272-73. Somente João (também v. 20) usa este termo técnico; Mc 15,26 fala de uma "inscrição [*epigraphē*; também Lc 23,38] gravada com seu crime"; Mt 27,37 fala simplesmente da acusação escrita. Suetônio, *Caligula* 32, menciona a exposição pública do título indicando o crime do réu. Entretanto, enquanto temos evidência de que o criminoso porta o título pendurado em torno de seu pescoço ou tendo-o levado diante de si rumo ao lugar da execução, não temos evidência do costume de afixá-lo à cruz.

sobre a cruz. Mc 15,26 não menciona onde a inscrição foi posta; Mt 27,37 diz que foi colocada sobre a cabeça de Jesus (Lc 23,38; "acima dele") – é à última informação que devemos a comum representação pictórica de uma cruz em que a transversal é inserida ao comprido da viga vertical (*crux immissa*), em vez de ser posta no topo da viga vertical (*crux commissa*). Tudo indica que a *crux immissa* foi a forma mais comum.

continha as palavras. Literalmente, "foi escrito", um particípio passivo perfeito empregado também por Mateus.

Jesus o nazoreano, o Rei dos judeus. A formulação desta inscrição varia nos quatro evangelhos – uma interessante atestação da liberdade do registro evangélico, mesmo quando, supostamente, todos eles estão recorrendo à memória de algo escrito. (Julgamos fantasiosa a tese de P.-F. REGARD, *Revue Archéologique* 28 [1928], 95-105, de que Mateus preserva na tradução literal a forma hebraica da inscrição, que Lucas preserva a forma grega e João, a forma latina). O fraseado é como segue:

Mt 27,37: Este é Jesus, o Rei dos Judeus
Mc 14,26 (cf. Jo 19,21 abaixo): O Rei dos Judeus
Lc 23,38: Este é o Rei dos Judeus

Mateus e João partilham da peculiaridade de mencionar, respectivamente, a pessoa e a acusação. A forma de Marcos é a mais breve, e o fato de que ela aparece na segunda referência de João ao título pode significar que ela é a forma original. LOISY, p. 484, por exemplo, pensa que o autor joanino adicionou aqui "Nazoreano" como um toque irônico: os líderes judeus haviam escarnecido do fato de que Jesus era da Galileia (equivalentemente, Nazaré: Jo 7,41), e, no entanto, o homem de Nazaré é seu rei. Não obstante, se "Nazoreano" significa "de Nazaré" (cf. nota sobre 18,5), João pode simplesmente estar nos dando a identificação legal completa de Jesus, algo que seria apropriado na afirmação de uma acusação criminal.

20. *hebraico, latim e grego*. Algumas testemunhas ocidentais trazem "grego" antes de "latim", com o fim de dar ao idioma dos conquistadores romanos o lugar de dignidade no final. Somente João menciona os idiomas da inscrição, embora esta informação se encontre numa forma ligeiramente diferente numa adição a Lc 23,38, que aparece em muitas testemunhas textuais. Inscrições poliglotas não eram infrequentes na antiguidade (BARRETT, p. 457), e lápides judaicas em Roma algumas vezes eram inscritas nestes três idiomas. O túmulo de Gordiano III, erigido por soldados romanos, estava inscrito em grego, latim, persa, hebraico e egípcio a fim de que pudesse ser lido por todos.

próximo à cidade. Ver nota sobre "saiu" em 17.

21. *os principais sacerdotes dos judeus*. Isto é quase tautológico, posto que, para João, "os judeus" normalmente significam as autoridades hostis em Jerusalém. "Dos judeus" seria um acréscimo para intensificar a ironia de que Jesus foi intitulado "O Rei dos Jesus"?

tentaram dizer. O tempo imperfeito parece ter função conativa (BDF, §326).

Não o deixes escrito. O presente imperativo com *mē* tem o sentido de proibir a continuidade de um ato (ZGB, §246). MTGS, p. 76, sugere a tradução: "Altera o que escreveste".

Este homem. Talvez um uso desdenhoso de *ekeinos* (MTGS, p. 46).

reivindicou ser 'O Rei dos Judeus'. Esta é a única vez que o título aparece em João sem o artigo definido antes de "Rei", mas a diferença não é significativa. Seguindo a investigação que E. C. COLWELL faz do uso do artigo com determinados substantivos, ZGB, §175, mantém que a ausência do artigo, aqui, é plenamente normal, porque o substantivo "Rei" precede o verbo.

22. *"Tudo que temos determinado a vosso respeito permanece firme".* Ambas as formas verbais estão no tempo perfeito; o primeiro perfeito é o equivalente de um aoristo; o segundo conota um efeito duradouro (BDF, §342⁴). Descobrimos em 1Mc 13,38 uma expressão similar usada pelo rei selêucida Demetrius, "As coisas que te temos garantido fora garantidas" (veja também StB, II, 573). BERNARD, II, 628-29, enfatiza o respeito romano por um documento escrito – o pedido judaico no tocante a uma decisão legal não podia ser alterado.

23. *os soldados.* Ver nota sobre "a eles" em 19,16a. Estes são soldados sob a jurisdição de Pilatos (19,31-32).

crucificaram Jesus. Enquanto isto pode ser entendido como tendo função continuativa, é um tanto tautológico depois do "eles o crucificaram" do v. 18. (A tradução inglesa da SB evita a tautologia mediante uma adição: "quando os soldados *terminaram* de crucificar Jesus"). BULTMANN, p. 515, detecta aqui um sinal de que os vs. 20-22 constituem uma adição do evangelista para sua fonte à qual ele agora retorna em continuação do v. 19.

tomaram suas vestes. Himatia se refere às roupas externas. Este despir pode ter deixado Jesus nu, como era o tratamento romano normal do crucificado; mas muitos teorizam que na Palestina os romanos teriam respeitado a aversão judaica pela nudez e teriam deixado ao prisioneiro suas roupas internas. (A Mishnah, *Sanhedrin* 6:3, registra uma disputa sobre se um homem que vai ser apedrejado ficaria completamente despido). Todavia, ou uma túnica, ou um calção era a veste interna usual e somos informados que Jesus usava uma túnica que lhe foi tirada. Na prática romana, os soldados tinham o direito às roupas do prisioneiro como suas gratificações. Marcos/Mateus concordam com João em associar os incidentes da inscrição no cimo da cruz e o despir, mas sua junção dos dois incidentes é o inverso da de João.

repartiram-nas em quatro partes. João dá detalhes não mencionados pelos evangelhos sinóticos que registram simplesmente: "Repartiram suas roupas, lançando sortes sobre elas" (Mc 15,24 e par.). Alguns estudiosos engenhosos tentaram identificar a roupa sobre o princípio de que cada parte consiste de um item. Por exemplo, A. EDERSHEIM, *The Life and Times of Jesus the Messiah* (Nova York: Longmans, 1897), I, 625, e A. R. S. KENNEDY,

ET 24 (1912-13), 90-91, concorda que três das peças tinham de ser (a) adornos da cabeça ou turbante; (b) um *tallith*, capa externa ou manto (veja Jo 13,4); e (c) uma faixa ou cinto. Discordam sobre se Jesus teria usado sandálias (EDERSHEIM) ou se teria caminhado para a crucifixão descalço, de modo que a quarta veste poderia ter sido uma camiseta (*ḥālūq*) usada debaixo da túnica (KENNEDY).

uma para cada soldado. Somente João especifica que a esquadra executora era composta de quatro [soldados]; e realmente a distribuição em quatro parece ter sido costumeira, pois At 12,4 fala de quatro esquadras de quatro. Não sabemos se outras esquadras se ocuparam com a crucifixão dos dois bandidos: Mc 15,27 parece atribuir aos mesmos soldados as outras crucifixões, enquanto Mt 27,38 é mais vago. Os evangelhos sinóticos mencionam um centurião (Mc 15,39 e par.).

túnica. O *chitōn* era uma veste longa usada bem junto à pele (Colonel Repond, "Le costume du Christ", *Biblica* 3 [1922], 3-14).

tecida como uma só peça... e não tinha costura. Uma roupa sem costura protegia de qualquer risco de dois materiais serem misturados, algo que era proibido. Para uma discussão sobre a técnica de tecer usada para fazer uma roupa sem costura, veja H.-TH. BRAUN, *Fleur bleue, Revue des industries du lin* (1951), pp. 21-28, 45-53. Esse tipo de roupa não era necessariamente um item de luxo, pois podia ser tecida por um artesão que não tivesse habilidade excepcional.

24. *em vez de rasgá-la.* Literalmente, "não a rasguemos". É interessante que Lv 21,10 proíbe ao sacerdote rasgar suas vestes.

lancemos. Um elemento coloquial é justificado pela situação visualizada na passagem. A palavra grega, *lagchanein*, que comumente significa "obter por sorte", neste caso significaria "lançar sortes". Os sinóticos usam a expressão mais normal para isto: *ballein klēron* (aparecendo na citação que João faz do AT). O *Evangelho de Pedro*, 12, e JUSTINO, *Trifo* XCVII; PG 6:705A, trazem *ballein lachmon*, que é uma combinação entre as expressões joaninas e sinóticas.

O propósito disto era. Ver nota inicial sobre 18,9. A mesma estrutura gramatical aparece na Narrativa Marcana da Paixão em 14,49.

a Escritura. O Sl 22,19(18) é citado por João de conformidade com a LXX. Embora os sinóticos não citem explicitamente o salmo em referência a este incidente (umas poucas testemunhas textuais têm uma citação em Mt 27,36), seu palavreado do incidente é influenciado pelo salmo. Tem-se sugerido que a citação explícita de João constitui uma tentativa de aperfeiçoar a citação implícita nos sinóticos. Entretanto, DODD, *Tradition*, p. 40, pensa que temos exemplificadas duas maneiras independentes de usar o Sl 22, o qual, juntamente com Is 52-53, constituía a principal fonte da qual a tonalidade do AT foi dada à Narrativa da Paixão. (Para uma diferença similar entre citação explícita e implícita, ver Jo 13,18 e Mc 14,18 – p. 932 acima). Algumas testemunhas ao texto de João adicionam a cláusula explanatória "que diz" depois de "Escritura".

Isso é o que os soldados fizeram. Para o uso conclusivo de *men oun*, ver MTGS, p. 337. O fraseado deste sumário tem sugerido a alguns que a intenção de João era contrastar o que os soldados fizeram com o que os amigos de Jesus estavam fazendo, o que será descrito nos vs. 25-27. Pensamos ser isto inteiramente improvável, pois não há evidência de que João pensasse na ação dos soldados em dividir as roupas como sendo particularmente hostil. DAUER, p. 225, vai consideravelmente além da evidência quando afirma que o contraste entre os soldados e as mulheres constitui um caso da reação dualística produzida pelo Jesus joanino. Esta sentença pode simplesmente significar este desfecho: "Lancemos sortes para vermos quem ganhará", após a citação parentética da Escritura. Ou, caso se refira à Escritura, enfatiza que os soldados inconscientemente fizeram exatamente como fora profetizado.

25. *em pé junto à cruz.* Somente após registrar a morte de Jesus (e, portanto, mais em relação ao sepultamento), os três sinóticos (Mc 15,40 e par.) mencionam a presença das mulheres galileias. Afirmam claramente que as mulheres tinham visto tudo a certa distância; de fato, Lc 23,49, "Elas se puseram à distância", é quase uma contradição direta de João. (Os escritores sinóticos não explicam como, sob estas condições, conjeturam que as palavras de Jesus na cruz foram ouvidas e preservadas). É possível harmonizar alegando que, durante a crucifixão, as mulheres se puseram junto à cruz (João), mas quando a morte se aproximou elas se viram forçadas a retirar-se (sinóticos). P. GAECHTER, *Maria im Erdenleben* (Innsbruck, 1954), p. 210, supõe que os amigos de Jesus conseguiram chegar junto à cruz (João) durante as trevas que cobriram a terra (sinóticos). Outros rejeitam a historicidade do relato joanino. BARRETT, p. 348, duvida que os romanos tivessem permitido que os amigos de Jesus se aproximassem da cruz; mas E. STAUFFER, *Jesus and His Story* (Londres: SCM, 1960), pp. 111, 179[1], cita evidência no sentido de que o crucificado às vezes era cercado por parentes, amigos e inimigos durante as longas horas desta agonizante pena. É digno de nota que o quadro sinótico tem uma orientação rumo ao cumprimento do Sl 38,12(11): "Meus parentes se põem longe de mim" (também Sl 88,9[8]). KERRIGAN, p. 375, sugere que, para João, as mulheres junto à cruz são testemunhas, vendo e ouvindo o que acontecia; mas, na verdade, somente a mãe de

Jesus exerce um papel no episódio, e as testemunhas do Discípulo Amado são suficientes (19,35).

sua mãe, e a irmã de sua mãe, Maria esposa de Clopas, e Maria Madalena. Quantas mulheres estão em pauta: duas, três, ou quatro? A tese de que duas mulheres se acham envolvidas significaria que lemos: "sua mãe e a irmã de sua mãe, a saber, Maria de Clopas e Maria Madalena". A improbabilidade de que João identifica a mãe de Jesus como sendo Maria de Clopas faz desta interpretação do versículo a menos plausível de todas. A tese de que três mulheres estão envolvidas significaria que lemos: "sua mãe, a irmã de sua mãe (Maria de Clopas) e Maria Madalena". Embora gramaticalmente isto seja possível, há alguma improbabilidade de que Maria, mãe de Jesus, teria uma irmã também chamada Maria. A Siríaca Peshita e TACIANO pensam definidamente em quatro mulheres, pois inserem "e" entre a segunda e a terceira designações: "a irmã de sua mãe *e* Maria esposa de Clopas". Mesmo sem este esclarecimento, a estrutura da sentença pareceria favorecer quatro mulheres: "A e B, C e D". (Então, enquanto pensamos que estão em pauta quatro mulheres, duvidamos que houvesse uma tentativa deliberada da parte do evangelista de contrastá-las com os quatro soldados, vênia a HOSKYNS, p. 530; pois em cada caso o fato de que há quatro só é indicado indiretamente). Evidentemente, o evangelista deixa sem nome as primeiras duas mulheres, enquanto menciona nominalmente as duas segundas. Uma explicação pode ser que a mãe de Jesus fosse bem conhecida entre os cristãos e não necessitasse que seu nome fosse mencionado, enquanto as duas últimas mulheres, ambas portando o nome Maria, e por isso tinham de ser distinguidas com mais clareza ("de Clopas"; "Madalena"). No entanto, por que a irmã da mãe de Jesus não é mencionada nominalmente? Talvez seu nome não fosse dado na tradição, ou talvez ela fosse bem conhecida no círculo ao qual o evangelista escreveu (veja abaixo para a sugestão de que ela era Salomé, mãe de João, filho de Zebedeu). Em qualquer caso, o fato de que o evangelho, nos versículos subsequentes, se ocupará somente da mãe de Jesus torna improvável que a menção das outras três mulheres fosse uma criação do evangelista – sua presença era mencionada em sua tradição, mesmo quando fosse parte da(s) tradição(ões) por trás dos evangelhos sinóticos. (O fato de que cada um dos evangelhos sinóticos mencione nominalmente três mulheres sem mencionar Maria mãe de Jesus pode ser usado como argumento de que João se refere a quatro mulheres incluindo Maria).

Comparemos as três mulheres mencionadas em João (além da mãe de Jesus) às mulheres mencionadas nos sinóticos. Mc 15,40 (ver 15,47; 16,1) e Mt 27,56 dão os nomes de três mulheres que se puseram à distância da cruz; Lc 24,10 (ver 23,49.55) menciona três mulheres que visitaram o túmulo. A tábua abaixo segue a ordem marcana/mateana na listagem das mulheres.

	Mateus	Marcos	Lucas
1	Maria Madalena	Maria Madalena	Maria Madalena
2	Maria mãe de Tiago e José	Maria mãe de Tiago e Joset	Maria (mãe) de Tiago
3	A mãe dos filhos de Zebedeu	Salomé	Joana

Não há problema acerca do nome na *primeira* posição, pois os quatro evangelhos associam Madalena com o Calvário e o túmulo vazio. Para seu nome "Maria", ver nota sobre 20,16. Há um pequeno problema acerca do nome na *segunda* posição. Obviamente, Marcos e Mateus estão se referindo à mesma mulher; é bem provável que fosse a mãe de dois dos "irmãos" do Senhor, pois a variação que ocorre entre "José" e "Joset" aparece também na respectiva listagem dos "irmãos": Mt 13,55 tem "*Tiago* e *José* e Simão e Judas", enquanto Mc 6,3 tem "*Tiago* e *Joset* e Judas e Simão". (Visto que Maria, que é mãe deles, certamente não é Maria mãe de Jesus, há razão bíblica interna para se questionar a tese de que estes "irmãos" eram irmãos uterinos de Jesus – ver nota sobre "irmãos" em 2,12. Daí a objeção de BARRETT, p. 459, de que Jesus não teria confiado sua mãe ao cuidado do Discípulo Amado, quando um de seus próprios irmãos estivesse disponível como o protetor mais óbvio, também não é persuasivo). Parece bem provável que a "Maria de Tiago" em Lucas seja a mesma mulher chamada Maria mencionada em Marcos/Mateus.

Quanto ao nome na *terceira* posição, admitida a afinidade de Mateus e Marcos, não é improvável que Salomé seja a mãe dos filhos de Zebedeu (Tiago e João). Mas Salomé não é a mesma Joana, pois Joana, mencionada somente no Evangelho de Lucas, é a esposa de Cuza, administrador de Herodes (8,3).

Seria "Maria de Clopas", mencionada por João, a mesma Maria (mãe de Tiago e Joset/José) mencionada na segunda posição em nosso quadro sinótico? (Muitas das versões leem Cleopas, aparentemente identificando Clopas com o Cleopas de Lc 24,18, um dos discípulos de Jesus que estavam na estrada para Emaús. Na verdade, os dois nomes são diferentes: "Clopas" parece ter sido um nome semítico, porém pode ter servido como equivalente ao genuíno nome grego "Cleopas" [Cleopatros – BDF, §125²]). Se as duas Marias são uma só, então pode ser que dois dos "irmãos" do Senhor fossem os filhos de Clopas (e assim temos outro bom argumento contra a fraca tese que identifica Tiago o "irmão" de Jesus com Tiago filho de Alfeu, um dos Doze). Hegesippus (c. 150 d.C.) diz que Clopas era o irmão de José, pai adotivo de Jesus (Eusébio, *Hist.* 3,11 e 32:1-5; GCS 9¹:228, 266-68); isto faria os dois "irmãos" primos de Jesus por parte do pai da família. Temos assumido que a frase "Maria de Clopas" se refere à esposa de Clopas (BDF, §162⁴); mas E. F. Bishop, ET 73 (1961-62), 339, defende que isso significa "filha de Clopas" (BDF, §162¹); poderia ainda significar "mãe de Clopas" (BDF, §162³).

Seria a irmã da mãe de Jesus, mencionada por João, a mesma Salomé, mãe dos filhos de Zebedeu (uma combinação da informação marcana e mateana)? Isto significaria que Tiago e João, dois filhos de Zebedeu, fossem primos de Jesus (ver nota sobre "estava ali" em 2,1), uma relação que explicaria melhor por que o Jesus moribundo confiou sua mãe ao Discípulo Amado (presumivelmente, João filho de Zebedeu). Assim, um grupo de parentes de Jesus, seus "irmãos", não teria crido nele (Jo 7,5), enquanto outro grupo teria se constituído em membros dos Doze discípulos! A íntima relação dos filhos de Zebedeu com Jesus explicaria também por que sua mãe ou os próprios filhos esperassem favores especiais (Mt 20,20; Mc 10,35). Se a mãe de João era irmã de Maria, então a falha do Quarto Evangelho em dar o nome pessoal da "irmã da mãe" de Jesus seria consoante com esta reticência do evangelho sobre mencionar nominalmente os membros da família de Zebedeu. Em contrapartida, alguns estudiosos identificariam a "irmã da mãe" de Jesus, mencionada por João, com a mulher mencionada na segunda posição no quadro sinótico, "Maria mãe de Tiago e Joset/José", pois então ficaria mais claro de que maneira Tiago e Joset/José eram "irmãos" de Jesus, a saber, que eram primos da parte da mãe da família.

Obviamente, muito embora tal especulação sobre a família e amigos de Jesus seja interessante, é muito incerta. Entretanto, nossa própria dificuldade em decidir se as mulheres mencionadas por João são as mesmas mulheres mencionadas pelos sinóticos é eloquente argumento contra a tese de que a lista que João faz das mulheres foi emprestada das listas sinóticas.

26. *o discípulo a quem ele amava.* Para sua identidade, ver vol. 1, pp. 97-110. Esta é a única vez que ele não aparece na companhia de Pedro. Lucas (23,49) é o único sinótico a indicar a presença no Calvário da companhia feminina de Jesus: "E todos os seus conhecidos, e as mulheres". A concordância

de João e Lucas sobre este ponto deve ser avaliada à luz do fato de que estes são os dois evangelhos que mencionam as aparições aos discípulos em Jerusalém no sábado imediatamente após a sexta-feira da crucifixão. Mc 14,50 e Mt 26,56 registram que todos os discípulos fugiram quando Jesus foi preso; correspondentemente, Marcos e Mateus indicam que a aparição do Jesus ressurreto aos discípulos ocorreria ou ocorreu na Galileia (ver pp. 1435-40 abaixo).

Mulher. Este discurso é omitido pelas versões cópticas e um ms. da OL. Ver nota sobre 2,4.

Eis o teu filho. Ide aparece nas melhores testemunhas gregas, mas há um forte endosso para *idou* (ver nota sobre "Eis o homem" em 19,5). BARRETT, p. 459, e DAUER, p. 81, salientam a similaridade a uma adoção de fórmula; todavia, aparentemente não há paralelo preciso onde a mãe é abordada primeiro. De fato, a adoção de fórmulas que encontramos na Escritura geralmente tem um padrão "tu és", diferente do "eis" em João (Sl 2,7: "Tu és o meu filho; hoje te gerei"; 1Sm 18,21: "Hoje tu serás meu genro"; Tb 7,12 [Sinaiticus]: "Doravante és seu irmão e ela é tua irmã"; para o Código de Hamurabi, ver R. DE VAUX, *Ancient Israel* [Nova York: McGraw-Hill, 1961], pp. 112-13). LAGRANGE, p. 494, comenta que, ordinariamente, na antiguidade uma pessoa moribunda recomendava sua mãe a outro com uma comissão ou incumbência direta: "Eu te deixo minha mãe para que cuides dela".

27. *desde então, o discípulo a tomou sob seu cuidado*. Literalmente: "desde aquela hora". Testemunhas textuais um pouco menores trazem "dia" em vez de "hora". Devemos compreender que a mãe de Jesus e o Discípulo Amado deixaram o Calvário imediatamente, antes de Jesus morrer? É possível encontrar apoio gramatical para essa interpretação segundo JOÜON (BLACK, p. 252) de que a expressão "daquela hora" é um aramaísmo frequente nos escritos rabínicos, significando "naquele exato momento". Não obstante, se à luz da teologia de João entendermos "aquela hora" como sendo a hora do retorno de Jesus ao Pai, não temos que supor uma indicação precisa de tempo para a partida do Discípulo. Mais adiante, no v. 35, o Discípulo Amado parece ainda estar presente. CEROKE, pp. 132-33, toma a frase "daquela hora" como a implicar a perpetuidade do cuidado do Discípulo por Maria; mas isto é outra vez ler demais. A verdade em tudo isto é que nesta metade do versículo o escritor volta sua atenção do Calvário para algo futuro (DODD, *Tradition*, p. 127) – somente Mateus, entre os sinóticos, interrompe semelhantemente a sequência na Paixão para conduzir à sua conclusão uma história sobre alguns dos personagens envolvidos (morte de Judas em 27,3-10; também 27,52-53).

sob seu cuidado. Literalmente, "ao seu próprio [neutro]", uma frase usada em outro lugar em João (1,11: "ao seu próprio [país]"; 16,32: "dispersos, cada um para seu próprio"). Aqui tem a conotação "para sua própria casa", como em Est 5,10; 3Mc 6,27; At 21,6. Todavia, a frase implica também cuidado. Em harmonia com o sentido amplo que sugerimos acima para "daquela hora", não carece que pensemos que o Discípulo Amado tivesse lar *em Jerusalém* para onde levar Maria do Calvário. Hoskyns, p. 530, vê um possível contraste entre o Discípulo Amado que toma Maria "para si próprio" e os discípulos que se dispersaram "cada um por si próprio".

28. *Depois disto.* Para o problema se *meta touto* é cronologicamente preciso, como distinto de *meta tauta*, ver nota sobre 2,12. Por exemplo, Kerrigan, p. 373, toma *meta touto* como uma indicação de que este incidente seguiu imediatamente o incidente anterior.

sabendo. Para a mesma fraseologia, ver 13,1. Algumas testemunhas menores rezam "vendo"; P[66] endossa a redação das testemunhas mais importantes.

tudo estava agora consumado. "Agora" é omitido em muitas das versões, ou é lida outra palavra ("eis"). O "tudo" significa tudo o que o Pai dera ao Filho para fazer: "Deus lhe entregou todas as coisas" (13,3; também 3,35; 15,15). Aqui e no v. 30, o verbo empregado é *telein*, "conduzir a um fim". Tem a conotação de completude bem como a de simples término. Ocasionalmente, tem implicações sacrificiais; e Dodd, *Interpretation*, p. 437, sugere uma conexão com o uso de "consagrado" em 17,19; a saber, se naquele versículo (p. 1177 acima) Jesus aparece como um sacerdote a oferecer-se como uma vítima por aqueles a quem Deus lhe deu, aqui vemos que sua morte é a completude do sacrifício. Não obstante, as conotações sacrificiais de *telein* é uma tese frágil para servir de único suporte desta interessante hipótese (que se adequaria muito bem com nossa interpretação do simbolismo sacerdotal da túnica no segundo episódio – ver comentário). Seguramente, temos de relacionar *telein* com o *telos* de 13,1: "como havia amado os seus, que estavam no mundo, amou-os *até o fim*". No restante da cena da crucifixão veremos que João relaciona a consumação da obra e vida de Jesus com a completude do plano preordenado de Deus dado na Escritura. É interessante que At 13,29 use o verbo *telein* para o cumprimento da Escritura através da morte de Jesus: "pediram a Pilatos que ele fosse morto [v. 28]. E, havendo eles *cumprido* todas as coisas que dele estavam escritas...". *Telein* aparece no relato lucano da última ceia em referência ao discípulo de posse de uma espada: "Eu vos digo que a Escritura tem de se *cumprir* em mim, ... pois o que está escrito sobre mim tem de seu cumprir [*telos*]" (Lc 22,37; ver também 18,31; Ap 17,17). P. Ricca, *Die Eschatologie des Vierten Evangeliums* (Zurique: Gotthelf, 1966), pp. 63ss., vê aqui uma tentativa de relacionar a crucifixão com "o princípio" mencionado no Prólogo: entre o princípio (Jo 1,1) e o fim "21,28.30) se concretizou a carreira da Palavra que se fez carne. Ricca sugere ainda uma conexão com 5,17 onde Jesus diz: "Meu Pai trabalha até agora, e eu também trabalho". Agora a obra está consumada, e o sábado que tem início após a morte de Jesus (19,31) é o sábado do repouso eterno (ver vol. 1, p. 441s.). Finalmente, por causa do frequente paralelismo entre Jesus e Moisés no Quarto evangelho, podemos chamar a atenção para Ex 40,33: "Assim Moisés completou a obra" – uma referência ao término do Tabernáculo (ver vol. 1, p. 209s.).

a fim de. Normalmente, uma cláusula final se relaciona a um verbo dominante que a precede; isto significaria que tudo o que "agora terminou a fim de levar a Escritura ao seu cumprimento pleno" inclui o incidente anterior (terceiro episódio), onde Jesus dá sua mãe ao Discípulo Amado. O. M. Norlie, *Simplified New Testament* (Grand Rapids: Zondervan, 1961), traduz assim: "Jesus, sabendo que tudo havia sido feito para cumprir a Escritura, disse...". Bampfylde, p. 253, tem uma tradução similar: "Jesus, sabendo que agora tudo estava consumado a fim de que a Escritura fosse conduzida à fruição, disse...". Entretanto, a maioria dos gramáticos (BDF, §478; MTGS, p. 344) cita este versículo como exemplo onde a cláusula final precede a cláusula principal, de modo que o cumprimento da Escritura se relaciona com o dito de Jesus "Tenho sede" (quarto episódio). Pode ser que as duas possibilidades não sejam incisivamente separadas, e transformamos, deliberadamente, nossa tradução em algo ambíguo. Salientaremos no comentário possível pano de fundo bíblico para ambos: terceiro e quarto episódios.

conduzir a Escritura ao seu pleno cumprimento. O verbo normal no NT para o cumprimento da Escritura é *plēroun*, usado nos vs. 24 e 26. Aqui João emprega *teleioun*, um verbo usado não diferentemente no NT em referência à Escritura (no entanto, notamos supra tal uso de *telein*, um verbo relacionado). C. F. D. Moule, NTS 14 (1967-68), 318, sugere que o emprego joanino de *teleioun* em vez de *plēroun* é simplesmente uma variação estilística. Em 17,4.23 João usa *teleioun* para a consumação da obra de Jesus (veja nota sobre 17,4); seu uso no presente versículo presumivelmente implica que o cumprimento da Escritura é conduzido à completude quando Jesus passa desta vida para o Pai. Na verdade, esta não é a última referência joanina ao cumprimento da Escritura na vida e obra de Jesus (veja vs. 36,37).

"Tenho sede". Estas palavras são encontradas somente em João. A última vez que ouvimos que Jesus teve sede foi em 4,6 (veja nota ali) quando se assentou junto ao poço de Samaria ao meio-dia (cf. 19,14).

29. *um jarro*. Mencionado somente em João.

vinho. O *oxos*, mencionado também nos relatos sinóticos da segunda bebida oferecida a Jesus (ver comentário), foi *posca*, um vinho diluído, vinagre, bebido por soldados e operários. Seu único propósito poderia ter sido para aplacar a sede, e não se deve confundir com o narcótico (?) uma mistura de vinho (*ainos*) e mirra ou fel, mencionado no relato marcano/mateano da primeira bebida oferecida a Jesus. Uma combinação confusa dos dois é um eco que vem do *Evangelho de Pedro*, 16, e a *Epístola de Barnabé* 7,3. Curiosamente, Hoskyns p. 531, vê aqui um gesto de crueldade a agravar a sede, enquanto o *Evangelho de Pedro* parece beber da mistura de fel e vinho comum como um veneno para acelerar a morte de Jesus.

eles. Os agentes não são definidos, mas provavelmente devamos pensar nos soldados recém-mencionados em 24. Em Lc 23,36, os agentes são soldados; Mt 27,47-48 fala de um dos expectadores, se 36a deva ser relacionado com 35 (Taylor, *Mark*, pp. 594-95, nega a relação e sugere que Marcos está se referindo a um soldado). Naturalmente, somente um indivíduo teria fornecido o vinho a Jesus, de modo que o plural joanino inclui os que sugeriram a ideia e ajudaram.

embeberam uma esponja deste vinho. Lucas não menciona esponja; Mc 15,36 tem alguém que "embebe a esponja deste vinho"; algumas testemunhas do texto de João trazem variantes influenciadas pela fraseologia marcana e mateana.

em certo hissopo. Marcos/Mateus falam de uma cana, seguramente um caule forte e longo. O que João quer dizer com "hissopo"? Usualmente, o hissopo bíblico (heb. *'ēzōb*; gr. *hyssōpos*) é uma pequena planta copada que pode crescer nas fendas dos muros, planta essa que 1Rs 4,33 classifica como o mais humilde dos arbustos (= *Origanum Maru L.*; Syriam marjoram; uma planta da família das labiadas, relacionada com a hortelã e o tomilho). Enquanto a variedade palestinense de hissopo tem uma haste relativamente grande, os ramos são adaptados para aspergir (Lv 14,4-7; Nm 19,18), porém dificilmente poderia suportar o peso de uma esponja úmida. Alguns têm sugerido que neste caso "hissopo" se refere ao *Sorgum Vulgare L.* (a cana de Marcos/Mateus); e embora tal harmonização seja forçada, temos de admitir que a identificação do hissopo não é certa, pois tem-se sugerido ao menos dezoito diferentes plantas como correspondentes à sua descrição, e o termo bíblico pode cobrir diversas espécies (J. Wilkinson, ScotJT 17 [1964][, 77).

Um ms. cursivo (476) do 11º século trás *hyssos*, "javelin", para *hyssōpos*. É interessante que, sem conhecer este ms., J. CAMERARIUS (d. 1574) sugeriu a emenda. Ele tem sido aceito por LAGRANGE, BERNARD e os editores da NEB. HOSKYNS, p. 531, propõe a possibilidade de que o próprio evangelista, encontrando *hyssos* na tradição que lhe chegou às mãos, lhe trazia à mente *hyssōpos* e introduziu essa palavra para propósitos simbólicos. Em nossa opinião, o apoio textual para *hyssos* é muito fraco, e quase certamente estamos tratando de uma engenhosa tentativa de copista de melhorar uma redação difícil. (Quando João fala de uma arma semelhante à lança, ele usa *logchē* [v. 34], não *hyssos*). Ao falar de hissopo, João alterou a cena histórica em favor de simbolismo (ver comentário).

a ergueu. Lucas e João usam *prospherein* para descreverem a ação.

até seus lábios. Literalmente, "boca"; mencionado somente em João.

30. *tomou o vinho*. Somente João nos informa que Jesus aceitou a bebida produzida.

"Está consumado". Ver nota sobre "agora tudo estava consumado" em 28. Marcos/Mateus registram que antes de Jesus morrer ele proferiu um brado, porém não especificam o conteúdo. Lc 23,46 registra que as últimas palavras de Jesus foram "Pai, em tuas mãos confio [*paratithenai*] meu espírito" (do Sl 31,6[5]).

curvando sua cabeça. Somente João menciona este detalhe. Diversos autores modernos (p. ex., LISY, BRAUN) têm seguido AGOSTINHO, *In Jo*. CXIX 6; PL 35:1952, ao comentar que esta é a ação de um homem que está indo dormir, e não a de um homem que sofre a agonia da morte – e assim a ação simboliza o senhorio de Jesus sobre a morte. Esta é uma interpretação mais imaginativa do que com base nos próprios dados.

entregou o espírito. O mesmo verbo *paradidonai* ("entregar, confiar") é usado em 16a: "Pilatos lhes entregou Jesus para ser crucificado". Podemos comparar o fraseado de João com o dos sinóticos: Mc 15,37: "Ele deu seu último suspiro [*ekpnein*]"; Mt 27,50: "Ele rendeu [*aphienai*] espírito"; Lc 23,46 é o mesmo que Marcos, mas veja o dito que Lucas atribui a Jesus, citado duas notas acima. Houve duas maneiras tradicionais de descrever a morte de Jesus: (a) Ele deu seu último suspiro – Marcos, Lucas; (b) Ele rendeu/confiou/entregou seu espírito – Mateus, Lucas e João. No uso que João faz de *paradidonai*, BERNARD, II, 641, vê um elemento de doação voluntária. É o verbo usado por Is 53,12 para descrever a morte do Servo Sofredor: "Sua alma foi entregue à morte... e ele a entregou por causa dos pecados deles". Notar-se-á que, diferente de Lucas que especifica que foi nas mãos de seu Pai que Jesus entregou o espírito; João não identifica ao receptor (ver comentário). Nos *Atos de João*, oriundo do 2º século, a morte de João é descrita em termos que lembram a descrição que ele mesmo faz da morte de Jesus.

COMENTÁRIO: GERAL

A estrutura da cena

Enquanto a cena de Jesus na cruz não é tão precisa ou dramaticamente organizada como a cena de Jesus diante de Pilatos, detectamos também aqui um padrão quiasmático, como indicado no diagrama abaixo.

A estrutura que temos proposto rejeita implicitamente dos pontos de vista correntes sobre o arranjo desta cena. MEEKS, p. 62, trata 19,17-22 como um oitavo episódio das relações entre Pilatos e Jesus, e então como pertencente à prévia Divisão da Narrativa da Paixão. É verdade que a figura de Pilatos é fortemente proeminente nestes versículos, e que ainda é possível ter-se a impressão de que Pilatos estava no Calvário (p. 1371 abaixo).

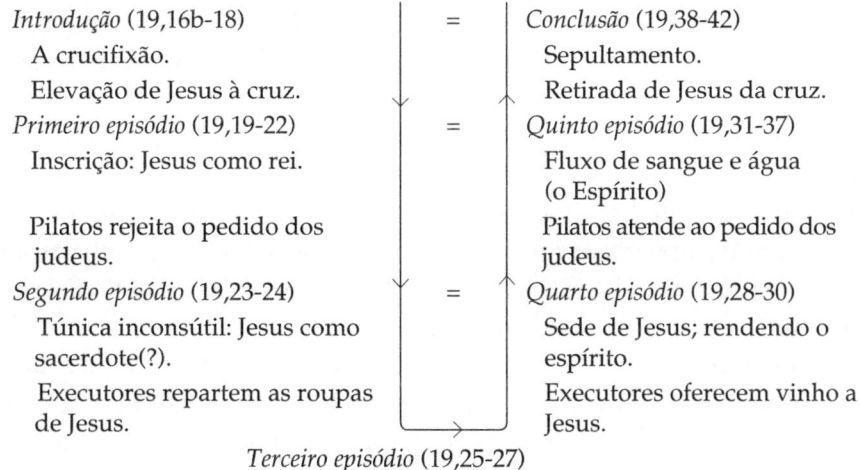

Introdução (19,16b-18)	=	*Conclusão* (19,38-42)
A crucifixão.		Sepultamento.
Elevação de Jesus à cruz.		Retirada de Jesus da cruz.
Primeiro episódio (19,19-22)	=	*Quinto episódio* (19,31-37)
Inscrição: Jesus como rei.		Fluxo de sangue e água (o Espírito)
Pilatos rejeita o pedido dos judeus.		Pilatos atende ao pedido dos judeus.
Segundo episódio (19,23-24)	=	*Quarto episódio* (19,28-30)
Túnica inconsútil: Jesus como sacerdote(?).		Sede de Jesus; rendendo o espírito.
Executores repartem as roupas de Jesus.		Executores oferecem vinho a Jesus.

Terceiro episódio (19,25-27)
A mãe de Jesus e o Discípulo Amado.
Provisão de Jesus para o futuro.

Não obstante, a cena anterior teve sua própria concordância quiasmática, sintonizada ao movimento de Pilatos fora e dentro do pretório.

A introdução e adição de um episódio que ocorreu no Calvário equivaleria a romper toda a organização. Além do mais, a presença de Pilatos no que consideramos o primeiro episódio da crucifixão tem importância para a organização da presente Divisão da Narrativa da Paixão, visto que ela é equilibrada pela presença de Pilatos no quinto e último episódios da crucifixão. O outro ponto de vista que temos rejeitado é o de Janssens de Varebeke (p. 1221 acima), o qual uma vez mais introduz um padrão de sete episódios (ele junta nossa introdução ao primeiro episódio e seus sexto e sétimo episódios são conseguidos pela divisão do que chamamos a conclusão aos vs. 38-40 e 41-42). É verdade que em nosso próprio arranjo há algo como um padrão sétuplo se adicionarmos a introdução e conclusão aos cinco episódios. Os episódios estão centrados em torno do simbolismo teológico; a introdução e a conclusão não têm este simbolismo, ao menos com a mesma extensão, pois servem mais para estabelecer a cena (em cada uma se descreve o lugar onde Jesus foi crucificado – vs. 17-18a e 41).

O diagrama que apresentamos realça os paralelos mais óbvios da estrutura quiasmática; note também que há certo paralelismo nas colunas verticais entre primeiro e segundo episódios (concernentes ao papel de Jesus) e os quarto e quinto episódios (concernentes ao Espírito). O terceiro episódio, no qual Jesus mesmo fala em maior extensão do que nos outros episódios, é o episódio central. Há quem tenha sugerido uma alternação de bom e mau tratamento dado a Jesus por toda a cena (bom, em 1, 3 e a conclusão; mau, na introdução, 2 e 5). Não obstante, é difícil decidir se o quarto episódio (e inclusive o segundo episódio) é mau tratamento. Em nosso juízo, João não categoriza a ação dos soldados como realmente hostil a Jesus – "os judeus" são seus inimigos. Finalmente, podemos observar que alguns dos episódios têm inclusões internas: O primeiro episódio começa e termina com o tema do escrito de Pilatos; o segundo episódio começa e termina com uma referência aos soldados; o quarto episódio começa e termina com o tema de tudo sendo consumado. Há certa unidade entre o quinto episódio e a conclusão, pois ambos descrevem o que aconteceu após a morte de Jesus; o tema do Dia da Preparação que começa no quinto episódio termina a conclusão. Não obstante, nossa decisão de tratar a introdução e os episódios 1-4 na presente seção, enquanto reservamos o quinto episódio e a conclusão para a próxima seção, é primariamente uma questão de conveniência determinada pela extensão.

Temas joaninos dominantes na cena da crucifixão

Vimos que o tema da realeza de Jesus foi dominante em seu julgamento perante Pilatos. Visto que uma falsa reivindicação à realeza foi a acusação pela qual Jesus foi julgado e condenado, naturalmente este tema dominou o interrogatório. No entanto, mais que isto, o tema da realeza afetou o que foi feito a Jesus: ele foi adornado como rei e saudado pelos soldados com escárnio; ele foi apresentado por Pilatos ao povo como rei. Não surpreende, pois, achar certa continuidade do tema na cena da crucifixão. A própria crucifixão, descrita na introdução, é uma entronização de Jesus, como deixa claro o primeiro episódio, quando seu título régio é proclamado em três idiomas e, portanto, internacionalmente. Além do mais, o sepultamento de Jesus, descrito na conclusão, tem aspectos sugestivos de realeza (p. 1424 abaixo). É bem provável que B. Schwank esteja certo ao enfatizar que os principais episódios da crucifixão se ocupam dos dons que o rei entronizado dá aos que aceitam seu reino, pois certamente estes episódios têm como tema o que Jesus faz pelo crente. A cena joanina da crucifixão, de certa maneira, se ocupa menos com o destino de Jesus do que com a significação desse destino para seus seguidores. A crucifixão é o cumprimento da promessa de Jesus em 13,1 de que em "a hora" ele mostraria até o fim seu amor pelos seus. Jesus morre como o bom pastor que renuncia sua vida por suas ovelhas (10,11.14-15), isto é, por aqueles que ouvem sua voz e o conhecem.

Talvez fosse proveitoso resumir aqui nossa compreensão das principais ideias encontradas nos episódios da cena da crucifixão, pois muitas delas são propostas através de simbolismo e não são imediatamente evidentes a primeira vista. (No comentário detalhado indicaremos os graus variantes de probabilidade com que estas interpretações podem ser propostas). O primeiro episódio proclama ao mundo inteiro civilizado a realeza de Jesus. "Os judeus" rejeitam esta reivindicação, mas o governador gentílico insiste em sua proclamação multilíngue. O segundo episódio se ocupa com o simbolismo da túnica inconsútil, uma veste sacerdotal. Jesus é não só rei, mas também sacerdote cuja morte é uma ação oferecida por outros. Nas próprias palavras de Jesus: "é por eles que eu me consagro" (17,19). O terceiro episódio é centrado na perene preocupação de Jesus pela comunidade daqueles a quem ele deixa para trás (ver também 17,9-19). À sua mãe, o símbolo do novo Israel, foi negado um papel em Caná porque ainda não havia chegado a hora. Agora que sua hora já chegou, é-lhe dado um papel como a mãe do Discípulo Amado, isto é, do cristão. Estamos sendo informados figurativamente que Jesus se preocupava pela comunidade dos crentes que seriam atraídos a ele agora que seria elevado da terra à cruz (12,32). O quarto episódio mostra a morte de Jesus como a consumação de tudo o que o Pai lhe deu para fazer, uma tarefa descrita de antemão nas Escrituras. Este episódio termina descrevendo a morte de Jesus como sua entrega do espírito – aparentemente um modo simbólico de indicar que o próprio Espírito de Jesus agora consumaria sua obra. "Se eu não for, o Paráclito não virá a vós" (16,7). O quinto episódio dá seguimento ao simbolismo proléptico da doação do Espírito; pois o fluir da água tingida com o sangue do Jesus moribundo cumpre a promessa de 7,38-39: "No dizer da Escritura, 'do seu interior fluirão rios de água viva'. (Aqui ele estava se referindo ao Espírito...)". Em um nível secundário, o fluir de sangue e água, simbolizando a origem dos sacramentos da Eucaristia e do Batismo através da vida de Jesus, é comunicado ao cristão. É importante lembrar que, durante este episódio, Jesus já está morto. No pensamento de João, o drama da cruz não termina na morte, e sim no fluir da vida que vem da morte: a morte de Jesus é o início da vida cristã.

O tema do cumprimento da Escritura é também mui proeminente na cena da crucifixão. Nos episódios 2 e 5 são citadas passagens específicas; e declara-se que o quarto episódio ocorreu para que a Escritura fosse levada ao seu completo cumprimento. O tema Messias-rei do primeiro episódio e o simbolismo da Mãe de Sião e a Nova Eva do terceiro episódio são também plenamente bíblicos. Nesta preocupação com o pano de fundo veterotestamentário para a paixão, provavelmente João esteja refletindo a preocupação cristã primitiva geral de mostrar aos judeus que a crucifixão não eliminou a possibilidade de que Jesus era o Messias prometido, mas antes cumpriu as palavras de Deus na Escritura. Não obstante, a seleção das passagens específicas do AT e os temas como pano de fundo para a crucifixão parecem ter sido formulados à luz do interesse teológico joanino.

Comparação com os relatos sinóticos da crucifixão

É difícil detectar alguma organização ou padrão teológico na sequência do cenário sinótico do Calvário. Somente no escarnecimento

65 • A narrativa da paixão: – Terceira seção (introdução; episódios 1-4) 1365

lançado em Jesus que nos percebemos algum planejamento, pois tanto em Marcos/Mateus como em Lucas há uma sequência nas zombarias pelos vários grupos (curiosos, autoridades, soldados [Lucas] e criminosos crucificados). Alguns dos detalhes que são narrados parecem ser meramente factuais e sem implicação teológica óbvia. Portanto, João é singular na organização quiasmática dos episódios e na concentração exclusiva nos episódios de implicação teológica. Cada um dos quadros literários joaninos é cuidadosamente delineado, e a narrativa é despida de tudo o que poderia distrair. É interessante fazer uma lista dos detalhes das narrativas sinóticas *não* encontrados em João:

> Simão de Cirene (os três)
> O lamento das mulheres a caminho do Calvário (Lucas)
> Oferecimento de vinho misturado (Marcos/Mateus)
> Oração de Jesus pelo perdão de seus executores (Lucas)
> Indicações de tempo, p. ex., 9 horas (Marcos); meio-dia às 3 (os três)
> Vários escarnecimentos (os três)
> Arrependimento do "bom ladrão" (Lucas)
> Trevas sobre a terra (os três)
> O brado "Eloi, Eloi, lama sabactáni" (Marcos/Mateus)
> A sugestão de que ele busca livramento de Elias (Marcos/Mateus)
> O grito final de Jesus (os três)
> As palavras "Pai, em tuas mãos entrego meu espírito" (Lucas)
> A cortina do templo se rasga (os três)
> O terremoto e a abertura dos túmulos (Mateus)
> Reação do centurião (os três)
> A multidão volta arrependida para casa (Lucas)
> Investigação de Pilatos para confirmar a morte de Jesus (Marcos)
> O corpo envolto em linho (os três)
> A presença das mulheres junto ao túmulo (os três)
> Compra de especiarias pelas mulheres (Lucas)

Todas estas omissões joaninas dificilmente podem ser explicadas como eliminações deliberadas, pois detalhes tais como o escarnecimento dos sacerdotes, as trevas sobre a terra e a cortina do templo sendo rasgada teriam servido como veículos admiráveis para a teologia joanina. O fato de que a tradição lucana da paixão, aparentemente independente, omite detalhes encontrados em Marcos/Mateus sugere a possibilidade de que ao menos algumas omissões joaninas podem ser explicadas sobre as bases de que a tradição independente sobre a qual o Quarto Evangelho está baseado ficou sem certos detalhes encontrados nas tradições pré-sinóticas. Podemos notar que João omite detalhes tanto da fonte marcana A como do relato marcano B, embora no que ele inclui, João possa ser um tanto mais afim ao relato marcano A [como entendido por Bultmann, e não por Taylor]. João mostra pouco conhecimento do material particularmente lucano.

Quando voltamos a considerar os incidentes que João inclui, há um paralelo sinótico parcial para a introdução, a conclusão e quatro dos cinco episódios; somente o quinto episódio não tem eco nas tradições sinóticas. Todavia, praticamente em todos estes casos, o aspecto que João enfatiza é a mesma parte do incidente que não tem contraparte sinótica. Na introdução, João concorda com os sinóticos sobre o lugar da crucifixão e a relativa posição de Jesus e os outros dois homens crucificados; mas o único elemento aqui que se presta ao interesse teológico joanino é que Jesus carregou sua própria cruz, e este é o único ponto em que a introdução de João difere dos relatos sinóticos. No primeiro episódio João concorda com os sinóticos sobre o fato e o conteúdo substancial do título na cruz; mas o interesse de João está no caráter internacional da proclamação e no papel de Pilatos em fazer e manter a proclamação – pontos sobre os quais os sinóticos mantêm silêncio. No segundo episódio João concorda com os sinóticos sobre os soldados repartindo as roupas de Jesus por meio de sortes; mas o simbolismo do episódio joanino parece estar centrado na túnica inconsútil, uma veste não mencionada pelos sinóticos. No terceiro episódio João concorda com os sinóticos sobre a presença de mulheres galileias junto ao Calvário; mas João está particularmente interessado nas palavras de Jesus à sua mãe e ao Discípulo Amado, e nada disso é mencionado nos relatos sinóticos. No quarto episódio João concorda com os sinóticos de que se ofereceu vinho ao Jesus crucificado; mas João enfatiza que a sede de Jesus deu cumprimento às Escrituras e conduziu sua obra à consumação, e este elemento está totalmente ausente das descrições sinóticas do incidente. Tampouco os sinóticos descrevem a morte de Jesus de uma maneira que favoreça o destaque de João de que ao morrer Jesus transferiu seu Espírito para seus seguidores.

Na conclusão, João concorda com os sinóticos sobre a urgência no sepultamento, sobre o papel de José de Arimateia e sobre o uso de um novo túmulo; mas, se aqui existe alguma ênfase teológica, ela se centra na grande quantidade de mirra e aloés trazida por Nicodemos – uma vez mais, os sinóticos mantêm silêncio sobre este detalhe. Assim, mesmo nos incidentes que têm em comum, as diferenças entre João e os sinóticos são muito substanciais.

Uma solução seria que João extraiu dos evangelhos sinóticos, ou das tradições pré-sinóticas, alguns fatos básicos e então expandiu estes adicionando detalhes que se prestam à teologização joanina. Substancialmente, esta é a avaliação de BARRETT (p. 455): "É bem provável que João dependa de Marcos, mas ou ele, ou a tradição imediata, modificou notavelmente sua fonte". Entretanto, há duas objeções a esta teoria. Primeiro, quando João tem material em comum com os sinóticos, as descrições paralelas frequentemente exibem notáveis diferenças em vocabulário; por exemplo, veja a nota sobre 19,25 acerca dos nomes das mulheres presentes no Calvário. Além do mais, neste material comum, a sequência não é a mesma. A ordem marcana é: (1) a crucifixão, (2) a divisão das roupas, (3) a inscrição, (4) a menção dos dois bandidos; a ordem lucana dos mesmos eventos é 1, 4, 2, e depois de um ínterim, 3; a ordem joanina é 1, 4, 3, 2. A segunda objeção é que é muito difícil dizer se os detalhes propriamente joaninos constituem adições imaginativas ou são tradicionais. Se a plausibilidade for algum guia, às vezes estes detalhes joaninos apresentam um quadro tão plausível quanto fazem os detalhes da tradição sinótica contraditórios ou diferentes. O que é implausível sobre a posse de uma túnica inconsútil de Jesus ou seu grito "tenho sede"? Os mais peculiares dos incidentes propriamente joaninos, o fluir de sangue e água, é um pelo qual o autor reivindica enfaticamente o apoio de testemunho ocular! Portanto, a partir de uma consideração total, tanto das omissões joaninas como do problema dos paralelos sinóticos parciais nos incidentes da crucifixão que João narra, concordaríamos com DODD (*Tradition*, pp. 124-39) em propor a existência de uma tradição joanina independente, deixando aberta a possibilidade de que o evangelista completara essa tradição mediante imaginação criativa.

COMENTÁRIO: DETALHADO

Introdução: A caminho da cruz e a crucifixão (19,16b-18)

Estes versículos servem como uma transição dos episódios onde Jesus é julgado por Pilatos aos episódios que ocorrem enquanto Jesus está na cruz. Embora tenhamos rejeitado a sugestão de que esta Introdução seria mais bem classificada como parte do julgamento de Jesus por Pilatos, reconhecemos que João atou a crucifixão ao julgamento mais solidamente do que qualquer outro evangelista. O caminho da cruz é descrito laconicamente; e não se permite nenhuma cena de comiseração, tal como a encontrada em Lc 23,27-31, que distraia o leitor. Um mínimo de detalhe é dado – o suficiente para pôr a cena para o Primeiro episódio onde Pilatos fala mais uma vez.

É mui notável que João não preserve reminiscência do papel de Simão de Cireneu em carregar a viga da cruz, como registrado nos três evangelhos sinóticos. Em particular, Marcos (15,21) revela conhecimento especial de Simão, a saber, que ele era o pai de Alexandre e Rufus, dois homens que possivelmente eram bem conhecidos da comunidade cristã em Roma para quem Marcos estava escrevendo (Rm 16,13?). Embora alguns estudiosos (p. ex., S. Reinach) tenham proposto que o papel de Simão foi uma dramatização imaginativa do dito em Mc 8,34, "Se alguém deseja vir após mim, que negue a si mesmo, tome sua cruz e siga-me", há muita razão para se pensar que aqui os sinóticos tenham uma tradição confiável. Admitidamente, era normal que o criminoso carregasse, ele mesmo, a viga da cruz, mas talvez o próprio desvio do padrão normal reforce a probabilidade histórica. Se o papel de Simão não for histórico, por que seu nome deva ser lembrado ou introduzido? Então ele não serve a nenhum propósito teológico óbvio.

Que sentido, pois, daríamos à afirmação de João de que Jesus carregou pessoalmente a cruz? Se aceitarmos ou não uma harmonização engenhosa nos relatos sinóticos (ver nota), ainda devemos decidir se a omissão que João faz de Simão foi por supressão deliberada ou por ignorância. A sugestão de que foi por ignorância, porque a tradição que veio às mãos do evangelista não mencionava Simão, corre contra a objeção de que a Narrativa Joanina da Paixão depende professamente do testemunho de uma testemunha ocular que estava junto ao

Calvário (19,35). Naturalmente, é sempre possível responder que a testemunha ocular não viu necessariamente o que aconteceu no caminho para o Calvário ou que não considerou suficientemente importante o papel de Simão para justificar inclusão; mas nenhuma dessas respostas é realmente satisfatória.

A maioria dos estudiosos pensa que houve uma supressão deliberada da memória de Simão. Alguns têm encontrado uma razão teológica para tal supressão em uma apologética anti-gnóstica. IRINEU (*Contra Heresia* 1,24:4; PG 7:677) registra que os gnósticos do 2º século, especialmente BASILIDES, como parte de sua cristologia docética, propôs que Simão de Cirene, e não Jesus, foi crucificado. No entanto, não temos certeza sobre quão forte fator anti-docético jazia no Quarto Evangelho (vol. 1, p. 75) e estamos longe de saber positivamente que tal interpretação do papel de Simão estava em circulação no tempo em que o evangelho foi escrito.

Uma razão muito mais provável para a omissão de Simão é o desejo de João de continuar o tema de que Jesus seguiu rumo à sua morte como o único senhor de seu próprio destino. Ouvimos previamente que Jesus entregaria sua própria vida e que ninguém a tomaria dele (10,18). Jesus instruiu permissivamente a Judas que se apressasse na concretização da traição (13,27). Jesus mostrou que podia ter resistido à prisão, tornando seus inimigos impotentes (18,6), e permaneceu destemidamente ante Anás (18,20-23) e ante Pilatos (19,9-11). Assim agora ele segue rumo ao Calvário sem nenhuma ajuda humana.

Outra possível razão teológica para a ênfase de João de que Jesus carregou sua própria cruz poderia ter sido o desejo de introduzir a tipologia de Isaque que carregou a lenha para seu próprio sacrifício (Gn 22,6). Esta interpretação foi frequente entre os Padres da Igreja, p. ex., JOÃO CRISÓSTOMO, *In Jo.* Hom. 85,1; PG 59:459. Por certo que as alusões veterotestamentárias nos relatos evangélicos da crucifixão são frequentes, e o tema de Isaque era popular nos círculos judaicos e aparentemente também nos círculos cristãos (GLASSON, p. 98, pensa que Rm 8,32 alude à LXX de Gn 22,12; ver também Hb 11,17-19; e note J. E. WOOD, *"Isaac Typology in the New Testament"*, NTS 14 [1967-68], 583-89). Estudo detalhado do desenvolvimento primitivo do tema de Isaque tem sido feito por G. VERMES, *Scripture and Tradition in Judaism* (Leiden: Brill, 1961), pp. 193-227, e por R. LE DÉAUT, *La nuit pascale* (Analecta Biblica 22; Rome: Pontifical Biblica Institute, 1963), especialmente pp. 198-207. No 1º século d.C., Isaque era descrito como um adulto que voluntariamente aceitou a morte (uma combinação do relato em Gn 22 com o tema do Servo Sofredor de Is 53). Além do mais, estabeleceu-se uma relação entre o cordeiro pascal (um tema joanino na Narrativa da Paixão) e o sacrifício de Isaque, visto que o sacrifício foi datado em 15 de Nisan. VERMES, *op. cit.*, p. 216, cita um texto da Mekilta do Rabino Ishmael: "E quando eu vir o sangue, passarei sobre vós [Ex 12,13] – eu vejo o sangue da atadura de Isaque". Em relação à passagem joanina que ora consideramos, o comentário sobre Isaque carregando a lenha na Midrash Rabbah LVI 3 (uma obra tardia) é muito interessante: "... como aquele que *carrega a cruz* [ou estaca de execução] sobre o próprio ombro".

Podemos notar entre parênteses que o simbolismo de Isaque é apenas um fator que nos leva a pensar que João contemplou Jesus como uma vítima sacrificial que morreu no exato momento em que os cordeiros pascais estavam sendo mortos no templo (ver pp. 1413-15 abaixo; também 1Jo 2,2; Ap 1,5). Não obstante, rejeitamos a tese de MIGUENS, pp. 9-10, de que Jesus era a vítima *oferecida por Caifás* que era "sumo sacerdote naquele ano" (Jo 11,51; 18,14). Na teologia joanina, Jesus renuncia sua própria vida (10,18) e se consagra (17,19). Veremos no comentário sobre 19,23 que Jesus caminha para sua morte vestido de uma veste simbolicamente sacerdotal – uma túnica inconsútil reminiscente da veste do sumo sacerdote. Como Isaque no pensamento judaico popular, ele é uma vítima que oferece a si mesmo.

Ainda outra sugestão para por que João insiste que Jesus carregou sua própria cruz foi formulada por DODD, *Tradition*, pp. 124-25. Ele salienta a similaridade entre a ação de Jesus como descrita em João e o dito registrado em Lc 14,27: "Aquele que não leva sua própria cruz e vem após mim não pode ser meu discípulo". No entanto, é difícil pensar que a cena de João é descrita como o cumprimento deste dito, pois o quadro sinótico em que Simão carrega a cruz após Jesus cumpre-o mais literalmente. Além do mais, a forma joanina do dito (12,26; ver vol. 1, p. 771) não menciona o carregar a cruz.

Quando passamos da descrição joanina da trajetória da cruz para a própria crucifixão, notamos que o evangelista faz menção, mas não mostra nenhum interesse nos dois homens que foram crucificados com Jesus. Ele não registrará que insultaram Jesus (Mc 15,32; e, diferentemente,

Lc 23,39-43); ele os menciona apenas porque figurarão no último episódio da quebra das pernas (Jo 19,32).

Primeiro episódio: Pilatos e a inscrição régia (19,19-22)

O primeiro incidente real na crucifixão de Jesus mantém certa continuidade com o que aconteceu no pretório; pois os antagonistas no julgamento, os líderes judeus e Pilatos, se deparam outra vez com Jesus. À maneira de drama, esta confrontação restaura a dignidade de Pilatos e se adequa ao simpático perfil que o evangelista traça do prefeito. Pilatos tem-se mostrado fraco, porém não mais se encurvará. Se Pilatos se viu forçado a render-se a "os judeus" na questão da crucifixão, suas palavras finais no evangelho são palavras de desafio. Teria algum dramaturgo dado a Pilatos um contorno mais eficiente ou um final mais impressivo?

Quando se tenta avaliar o episódio como histórico, ele encontra dificuldades. Alguns fazem as dificuldades quase intransponíveis, pressupondo que João tem em mente que Pilatos escreveu a inscrição com sua própria mão (ver nota sobre v. 19) e realmente foi ao Calvário para testemunhar a crucifixão. A última tese tem por base o fato de não lermos que alguma das delegações que falam a Pilatos fosse a ele (vs. 20,31,38), e assim ele estaria bem perto. É bem provável que isto seja o mesmo que basear-se demasiadamente em um argumento do silêncio. Pode bem ser que João esteja empregando outra vez a técnica do cenário duplo para mostrar o que está acontecendo simultaneamente em dois diferentes lugares. Uma objeção mais séria contra a narrativa de João se centra na mentalidade de "os principais sacerdotes dos judeus". Em Mc 15,32 e Mt 27,42 os próprios principais sacerdotes chamam Jesus de "Rei de Israel". Por certo que o estão ridicularizando; mas esta tradição milita contra o fato de que se sentem profundamente perturbados sobre o uso do termo "O Rei dos Judeus numa afirmação oficial do crime dele. DODD, *Tradition*, p. 122, diz que as apresentações sinóticas e joaninas desta cena refletem as tendências dos diferentes canais da tradição, pois elas põem em relevo a ambivalente reação do judaísmo oficial antes da queda de Jerusalém às reivindicações messiânicas populares: algumas autoridades judaicas falam das reivindicações messiânicas zombeteiramente, enquanto outros sentem que a honra nacional proíbe inteiramente o uso de títulos messiânicos por criminosos revolucionários. Seja como for, dificilmente podemos imaginar que os sacerdotes pensassem que pudessem forçar o prefeito romano a mudar uma inscrição oficial que muitos já haviam visto. BULTMANN e outros resolvem o problema levando em conta somente o v. 19 como vindo ao evangelista de sua tradição, enquanto os vs. 20-22 representam uma amplificação imaginativa do evangelista.

Em qualquer caso, o motivo primário do evangelista, neste episódio, é teológico. A queixa dos sacerdotes reintroduz o tema da realeza tão proeminente no julgamento. Todos os evangelhos concordam que a acusação de ser um pretendente régio foi inscrito contra Jesus; Mateus e Lucas concordam com João de que a acusação foi colocada na cruz; Mas somente João converte a acusação numa proclamação universal da entronização. Ao discutirmos o julgamento perante Pilatos, rejeitamos as teses de que em 19,13 João descreve Jesus como sendo colocado na cadeira do juiz como parte da entronização ritual (ver nota sobre o "assentou-se"). A entronização real vem agora na cruz quando a realeza de Jesus é reconhecida pela proclamação aráutica ordenada por um representante do maior poder político sobre a terra e expressada nos idiomas sacros e seculares do tempo. A confrontação entre Pilatos e os sacerdotes realça a profundeza e a seriedade da proclamação (mesmo como a confrontação entre Jesus e Pilatos durante o julgamento ressaltou o real significado da realeza de Jesus – uma adaptação do uso joanino do diálogo para resolver um mal-entendido). A recusa de Pilatos de mudar o título significa que a realeza de Jesus é afirmada a despeito de todas as tentativas de "os judeus" de erradicá-la. De fato, a insistência de Pilatos pode ser um modo irônico de insinuar que eventualmente os gentios reconhecerão a realeza que "os judeus" negam (uma sugestão que fizemos previamente em referência à proclamação que os soldados romanos fizeram de Jesus como rei durante o julgamento). Este pode ser o primeiro exemplo de um tema que encontraremos diversas vezes na narrativa da crucifixão: agora que Jesus foi levantado da terra, ele está começando a atrair a si todos os homens (12,32). Como observa DODD, *Interpretation*, p. 437, o perfil que João forma do Jesus crucificado está em harmonia com a famosa interpolação cristã no Sl 96,10: "O Senhor reina *desde o lenho* [da cruz]" (uma redação não encontrada em TM ou na LXX, porém conhecida de JUSTINO, TERTULIANO e da tradição latina).

65 • A narrativa da paixão: – Terceira seção (introdução; episódios 1-4)

Segundo episódio: Os executores repartem as roupas de Jesus; a túnica inconsútil (19,23-24)

Embora os outros evangelistas mencionem o lançar sorte para repartir as vestes de Jesus, somente João traça uma distinção entre as roupas (externas) e a túnica inconsútil que não haveria de ser dividida. A distinção é vista como o cumprimento do Sl 22,19(18). Na verdade, as duas linhas do versículo do salmo estão em paralelismo sinonímico poético onde a mesma coisa é dita duas vezes em diferentes palavras; pois o salmista, "dividindo as roupas [TM: *beged*; LXX: *himatia*]" e "lançando sortes sobre a roupa [*lābūš*; *himatismos*]" constituiu uma ação pertinente a um conjunto de ornamento. João, porém, tem em mente duas ações distintas (dividindo; lançando sortes a fim de não dividir) pertinente aos itens separados do ornamento (vestes externas; túnica interna). Esta divisão de paralelismo sinonímico do AT parece ser também atestada em Mt 21,2-5 (ver nota sobre 12,14). Há uma leve possibilidade de que um targum em aramaico do salmo propiciou mais justificativa à interpretação de João do que o texto hebraico (em referência a este fenômeno, veja vol. 1, pp. 336s, 576); pois a tradição do targum tardio dá as duas palavras para ornamento como *lᵉbûšâ*, "roupas", e *pᵉtāgâ*, "manto".

Muitos estudiosos têm proposto que o incidente da túnica é o produto da interpretação fantasiosa ou errônea que o evangelista faz do salmo, uma referência ao que lhe veio da tradição. Entretanto, parece mais provável que a interpretação do salmo se estende para cobrir um incidente que o evangelista encontrou em sua tradição, e não vice-versa. Por exemplo, se o evangelista estava inventando com base no salmo, a saber, "lançar sortes" em vez de "arremessar" (ver nota). Além do mais, como a segunda palavra para ornamento no salmo (*lābūš* ou *himatismos*) teria sugerido a túnica (*chitōn*, a qual não traduz *lābūš*, e sim *kᵉtonet*)?

Não importa de onde veio a ideia da túnica, este item é o centro do simbolismo teológico no episódio. Uma sugestão popular é que a túnica inconsútil tecida em uma só peça se destina a lembrar o leitor da vestimenta do (sumo) sacerdote, e assim proclamar que Jesus morreu não só como rei, mas também como sacerdote. Ex 28,4 e Lv 16,4 usam *chitōn* (heb. *kᵉtonet*) em referência a uma das vestimentas do sumo sacerdote. A palavra inconsútil (*arraphos*) não se encontra na LXX; mas Josefo, *Ant.* 3,7.4; 161, descreve a túnica do sumo sacerdote que desce até o tornozelo como sendo uma longa roupa tecida [de alto a baixo], não composta de duas peças. Ex 39,27 (LXX: 36,35) fala da túnica de linho dos sacerdotes como "uma peça tecida". O tema de que Jesus era sacerdote e rei parece surgir em Ap 1,13, onde ele usa as vestes dos dois ofícios. Naquela passagem se usa *podērēs* para retratar o manto longo que vai até seus pés; e esta palavra se encontra na forma adjetiva com *chitōn* numa descrição em Ex 29,5 da túnica do sumo sacerdote que desce até o tornozelo. Certamente a ideia de Jesus se encaminhando rumo à sua morte como sacerdote era conhecida nos tempos do NT. Ela é particularmente proeminente em Hebreus, uma obra com muitas afinidades joaninas (ver C. Spicq, *L'Épître aux Hébreux* [Paris: Gabalda, 1952], I, 109-38; também *"L'origine johannique de la conception du Christ-prêtre dans l'Épître aux Hébreux"*, em *Aux sources de la tradition chrétienne* [Goguel volume; Neuchatel, 1950], pp. 258-69). Que a túnica inconsútil do sumo sacerdote seria de grande importância nas mentes do povo é sugerido pelo cuidado que Herodes e os romanos, respectivamente, exerciam em manter o controle das vestimentas sacerdotais. Que não seria incomum ver um simbolismo teológico na túnica é sugerido pela alegoria que Filo, *de fuga* 20; 110-12, constrói em torno do fato de que o sacerdote não podia rasgar suas vestes: a roupa sacerdotal lembra um dos ornamentos que o *logos* faz para si da contextura do universo (vol. 1, p. 813).

Enquanto que para alguns estudiosos o simbolismo sacerdotal da túnica é plausível, que ele não explica plenamente a cena joanina, pois ele não oferece explicação por que os soldados não dividiram a túnica. Portanto, ou como um substituto para o simbolismo sacerdotal ou em adição a ele, alguns desejam ver uma referência simbólica à unidade de Jesus e seus seguidores. Por exemplo, Cipriano, *On the Unity of the Catholic Church* 7; CSEL, 3/1:215, vê nas vestes que foram divididas em quatro partes um símbolo dos quatro cantos da terra, enquanto a túnica inconsútil representa a Igreja indivisa. Recorrendo a uma leitura do v. 23 onde a túnica "foi tecida desde a parte superior totalmente sem costura", Cipriano interpreta "desde a parte superior" no sentido em que a unidade da Igreja vem de Deus e não deve ser destruída ou eliminada pelos homens. Se Cipriano se rende a uma teologização que vai além do significado óbvio do texto, não obstante o tema da unidade não estaria fora de lugar em João (10,15-16; 11,51-52; 17,11.21-23). Hoskyns, p. 529, salienta que o verbo grego "rasgar", usado na conversação dos soldados, aparece em outro lugar em João em referência à divisão do povo em facções (7,43; 9,16; 10,19 etc. – ver também a implicação simbólica do rasgar das roupas em 1Rs 11,29-31). Ao avaliar esta interpretação de João, é muito difícil traçar a linha entre exegese e eisegese. Bultmann, p. 519[10], salienta ainda as possibilidades simbólicas ulteriores à luz da ideia rabínica de que ambos, Adão e Moisés, receberam de Deus uma túnica inconsútil. B. Murmelstein, *Angelos* 4 (1932), 55, lembrando que no pensamento judaico popular o patriarca José foi uma figura salvífica, aponta para a longa (?) túnica de José em Gn 37,3.23, da qual ele foi despido e pela qual se lançaram sortes (*Midrash Rabbah* 84,8). Naturalmente, não temos como saber se tais referências estavam na mente do evangelista.

Terceiro episódio: Jesus dá sua mãe ao discípulo amado (19,25-27)

Já ressaltamos nas notas que não só ao mencionar a mãe de Jesus e o Discípulo Amado (vs. 26-27), mas também ao listar as mulheres no v. 25, João difere significativamente dos registros sinóticos. Porque os sinóticos não mencionam as mulheres até o final da cena da crucifixão, após a morte de Jesus, ambos, Bultmann, pp. 515, 520, e Dauer, pp. 224-25, sugerem que originalmente a menção das mulheres se introduziu em João mais tarde, e que ela só foi alterada para antes da morte de Jesus quando se adicionaram as observações de Jesus à sua mãe e ao Discípulo Amado. Certamente, de fato não há como determinar isto, e sua plausibilidade depende de quão estreita é a conexão que fizermos entre o v. 25 e os vs. 26-27. Por exemplo, a referência à "sua mãe", inserida na lista das mulheres no v. 25, foi feita para facilitar a adição dos vs. 26-27, ou era parte da lista original? Se o evangelista estava simplesmente expandindo o v. 25 para preparar o caminho para os vs. 26-27, por que ele não adicionou também o Discípulo Amado? Enquanto os vs. 26-27 certamente são joaninos em estilo e se prestam à teologização joanina, nem todos os estudiosos os considerariam como uma invenção do evangelista. Barrett, p. 455, pensa que o interesse teológico da cena é frágil demais para a presença de Maria e do Discípulo Amado ter sido inserida pelo evangelista – era parte de sua tradição mesmo quando neste caso a tradição fosse incorreta. Loisy, p. 387, pensa que a presença de Maria e do Discípulo Amado era parte da tradição joanina tradicional, enquanto os nomes das demais mulheres foram agregados por um redator para deixar João em harmonia com os sinóticos (a despeito do fato de que os nomes diferem dos nomes sinóticos!). Nosso ponto de vista pessoal é que Maria foi especialmente mencionada na tradição que chegou ao evangelista, como visto no v. 25, mas que a referência ao Discípulo Amado, aqui como em outros lugares, é um complemento à tradição. (Se a comunidade joanina recorre a uma tradição que veio do Discípulo Amado, seu papel em várias cenas pode bem ser que fosse parte do conhecimento geral da comunidade, mesmo quando, por um tipo de reticência, ele não fosse mencionado na tradição oficial pré-evangélica, pregada e mais tarde escrita – em outras palavras, se a presença do Discípulo Amado foi adicionada pelo evangelista a uma cena tradicional na qual ele não era mencionado, tal tradição não é necessariamente não histórica). Todos os que negam a presença de Pedro no pátio do sumo sacerdote como sendo contraditória a Mc 14,27 (ver pp. 1267-72 acima) negarão *a fortiori* a possibilidade de que um discípulo de Jesus estivesse presente no Gólgota. Como indicamos nas notas, não é certo que o quadro sinótico das mulheres à distância deva ser preferido ao quadro joanino.

Embora a questão histórica provavelmente seja insolúvel, estamos muito mais interessados com a implicação que o episódio tem para João. Recentemente, Dauer, *art. cit.*, argumentou que o principal propósito do evangelista era destacar a importância do Discípulo Amado, a testemunha por detrás do evangelho. Ele era tão importante, que Jesus o ergueu à posição de seu próprio irmão. Isto pode ter sido um tema subsidiário na mente do evangelista, mas duvidamos que fosse primário. Algumas das pressuposições de Dauer são abertas a dúvida, p. ex., a que extensão "Eis aqui teu filho" é uma fórmula de adoção (ver nota); como indicaremos abaixo, pensamos nisto muito mais enfaticamente como uma fórmula revelatória. Também questionamos a afirmação de Dauer de que o Discípulo Amado é mais importante neste episódio do que a mãe de Jesus. Depois de tudo, a mãe de Jesus é abordada primeiro; e seu futuro, e não o do Discípulo Amado, é considerado no final do v. 27. Além do mais, a interpretação de Dauer separa desta cena desde a do primeiro sinal em Caná, onde a mãe de Jesus apareceu previamente;

enfatizaremos que as similaridades entre as duas cenas são fortes demais para serem ignoradas.

Outra explicação da intenção do evangelista, neste episódio, tem a vantagem da simplicidade: o evangelista só está interessado em relatar o fato de que o Jesus moribundo fez provisão para a proteção de sua mãe após sua morte. Muitos dos Padres da Igreja (ATANÁSIO, EPIFÂNIO, HILÁRIO) assim interpretaram o episódio, usando esta interpretação como um argumento para provar a perpétua virgindade de Maria: se ela tinha outros filhos, então Jesus não a teria confiado a João, filho de Zebedeu, o Discípulo Amado. Aliás, uma tradição ainda evocada no cume da colina de Panaya Kapulu, na moderna Turquia, uns 5 km de Selçuk (Éfeso), mantém que Maria, subsequentemente, residiu com João, mesmo quando ele se mudou para Éfeso. Pondo de lado os desenvolvimentos apologéticos populares, duvidamos que a solicitude filial de Jesus seja a principal implicação da cena joanina. Tal interpretação não teológica faria deste episódio um tema em meio aos episódios altamente simbólicos que o envolvem na narrativa da crucifixão. Além do mais, o evangelho dá várias indicações de que algo mais profundo está em mente. O fraseado "Eis aqui teu filho" e "Eis aqui tua mãe" é outro exemplo da fórmula revelatória que DE GOEDT tem detectado em outros lugares em João (vol. 1, p. 240). Nesta fórmula, aquele que fala está revelando o mistério da missão salvífica especial que o referido empreenderá; assim, a filiação e a maternidade proclamadas desde a cruz são de valor para o plano de Deus e se relacionam com o que está sendo realizado na elevação de Jesus à cruz. Sugere-se também um significado mais profundo pelo versículo que segue este episódio em João: "Depois disto, [Jesus estava] sabendo que tudo estava agora consumado". A ação de Jesus em relação à sua mãe e ao Discípulo Amado completa a obra que o Pai lhe deu para fazer e cumpre a Escritura (ver nota sobre "a fim de" em 19,28). Tudo isto implica algo mais profundo do que o cuidado filial (ainda que, se a cena é histórica, o cuidado filial pode ter sido sua implicação original).

A maioria dos comentaristas encontra uma implicação teológica, ao interpretar a mãe de Jesus e o Discípulo Amado como figuras representativas ou simbólicas de um grupo maior. R. H. STRACHAN, *The Fourth Gospel* (3rd ed.; Londres: SCM, 1941), p. 319, pensa que Maria representa a herança de Israel que agora está sendo confiada aos cristãos (o Discípulo Amado). E. MEYER, *art. cit.*, salienta que, justamente como os irmãos incrédulos de Jesus (7,5) agora cederam lugar a um novo irmão (o Discípulo Amado), assim o cristianismo judaico está sendo substituído pelo cristianismo gentílico. BULTMANN, p. 521, pensa em Maria como a cristandade judaica e o Discípulo Amado como a cristandade gentílica: os judeus cristãos encontram um lar entre os cristãos gentílicos. ORÍGENES, *In Jo.* 1,4(6); GCS 10:9, vê na cena uma lição para o cristão perfeito: "Todo aquele que se torna perfeito já não vive sua própria vida, mas Cristo vive nele, "Eis aqui teu filho, Cristo'". Obviamente, não podemos discutir seriamente tal riqueza de possibilidades figurativas. Apresentaremos abaixo a interpretação que pensamos ser a mais plausível, extraindo os artigos de KOEHLER e LANGKAMMER para informação histórica, e das obras de BRAUN, GAECHTER e FEUILLET para sugestões sobre o simbolismo.

Há pouca dúvida de que no pensamento joanino o Discípulo Amado possa simbolizar o cristão; ORÍGENES é uma testemunha da antiguidade desta interpretação. O problema real diz respeito ao valor simbólico da mãe de Jesus. Há no 4º século evidência de que Maria, ao pé da cruz, foi tomada como uma figura da Igreja. EFRAEM, o sírio, declara que, assim como Moisés designou a Josué em seu lugar para cuidar do povo, assim Jesus designou a João em seu lugar para cuidar de Maria, a Igreja (KOEHLER, p. 124). No Ocidente, cerca do mesmo tempo, AMBRÓSIO mantinha que em Maria temos o mistério da Igreja, e que a cada cristão e que Jesus pode dizer em referência à Igreja: "Eis aqui tua mãe" – ao ver Cristo vitorioso na cruz, o cristão se torna um filho da Igreja (*In Luc.* 7,5; PL 15:1700C). Esta interpretação do 4º século a respeito de Maria aos pés da cruz como a Igreja pode relacionar-se à compreensão do 2º século (e mais cedo) de Maria como a Nova Eva (vol. 1, p. 302s.). Agora temos de indagar de nós mesmos quão bem esta interpretação se ajusta à mentalidade joanina.

Fazendo um parêntese, antes de seguirmos em frente, temos de fazer duas observações por amor à clareza. Primeiro, não pretendemos que a interpretação que vê Maria aos pés da cruz como a Igreja seja a exegese predominante do 4º século ou mesmo de séculos subsequentes. Segundo, esta interpretação simbólica do papel de Maria é muito distinta da teoria de que Maria, como *um indivíduo*, se torna a mãe de todos os cristãos. Como se dá com o incidente em Caná, há um grande volume da literatura católico-romana que tem se preocupado com a cena ao pé da cruz, muitas vezes buscando neste episódio as bases para a teologia da maternidade espiritual de Maria. Os artigos de CEROKE e KERRIGAN, citados na Bibliografia, são exemplos de estudos sérios neste sentido (como distinto do escrito meramente pio e meditativo). Sobre as bases de que as citações papais da passagem constituem uma interpretação autoritativa, D. UNGER, *art. cit.*, manteria que a maternidade espiritual é uma *doutrina* mariana católico-romana. Todavia, muitos exegetas católicos, por exemplo, TILLMANN, WIKENHAUSER veem tal interpretação como o fruto de um labor teológico tardio sobre o texto, uma teologização que vai consideravelmente além de qualquer intenção provável do evangelista; e certamente esse é o ponto de vista do presente escritor. (Comentaristas protestantes, talvez em reação ao pensamento católico, têm variado bastante sobre dar importância à figura de Maria nesta passagem joanina; HOSKYNS e THURIAN são exceções notáveis). Muito embora a interpretação de Maria como símbolo da Igreja seja bem antiga, o conceito da maternidade espiritual pessoal de Maria faz sua aparição em relação à cena ao pé da cruz no 9º século, no Oriente, com JORGE de Nicomedia (Jesus fez de Maria a mãe não só de João, mas também dos demais discípulos) e no 11º século, no Ocidente, com o Papa GREGÓRIO VII (KOEHLER, *art. cit.*, pp. 141-45; LANGKAMMER, *art. cit.*).

Voltando agora à nossa busca pelo tema de João no episódio, pensamos estar claro que tudo o que o simbolismo envolve estaria centrado na mãe de Jesus em vir a ser a mãe do Discípulo Amado. (Talvez seja também importante a abordagem "Mulher"; ver nota sobre 2,4). Solicitamos ao leitor que recorra ao que dissemos sobre o simbolismo da mãe de Jesus em Caná (vol. 1, pp. 302-04) e da mulher sobre dar à luz em 16,21 (pp. 1133-35 acima). O episódio ao pé da cruz tem estes detalhes em comum com a cena de Caná; as duas cenas são os únicos lugares no evangelho em que a mãe de Jesus aparece; em cada uma ela é abordada como "Mulher"; em Caná, sua intervenção é rejeitada sobre as bases de que a hora de Jesus ainda não havia chegado, mas aqui estamos no contexto da hora de Jesus (a "hora" é mencionada no v. 27 – a única vez que a palavra ocorre em sentido teológico nos caps. 18-19); em ambas as cenas, os discípulos de Jesus se figuram proeminentemente. A cena ao pé da cruz tem estes detalhes em comum com 16,21: o uso das palavras "mulher" e "hora"; o tema da maternidade; e o tema da morte de Jesus. No vol. 1, p. 302s., sugerimos que, se a Maria se recusou um papel durante o ministério de Jesus quando iniciado em Caná, finalmente ela recebeu seu papel na hora da paixão, morte e ressurreição de Jesus. Nesta hora culminante, os homens devem ser recriados como filhos de Deus quando o Espírito lhes sopra (pp. 1386, 1482 abaixo). A dolorosa cena ao pé da cruz representa as dores de parto pelas quais o espírito de salvação é produzido (Is 26,17-18) e entregue (Jo 19,30). Ao tornar-se a mãe do Discípulo Amado (o cristão), Maria, simbolicamente, evoca a Sião que, depois das dores de parto, dá à luz um novo povo com alegria (Jo 16,21; Is 49,20-22; 54,1; 66,7-11) – ver Feuillet, *"Leds adieux"*, pp. 477-80; *"L'heure"*, pp. 361-80. Seu filho natural é o primogênito dos mortos (Cl 1,18), aquele que tem as chaves da morte (Ap 1,18); e os que creem nele são nascidos de novo à sua imagem. Como irmãos de Jesus, eles a têm por mãe.

A mãe de Jesus é a Nova Eva que, em imitação de sua protótipa, a "mulher" de Gn 2-4, pode dizer: "Com o auxílio do Senhor gerei um homem" (cf. Gn 4,1 – Feuillet, *"Les adieux"*, pp. 474-77). Talvez possamos também relacionar Maria, Nova Eva, com Gn 3,15, uma passagem que descreve uma luta entre a progênie de Eva e a progênie da serpente, pois "a hora" de Jesus é a hora da queda do Príncipe deste mundo (Jo 12,23.31). O simbolismo do Quarto Evangelho tem certa semelhança com o de Ap 12,5.17, onde uma mulher dá à luz ao Messias na presença do dragão satânico ou antiga serpente de Gênesis; e, no entanto, tem outra progênie que é o alvo da ira de Satanás depois que o Messias for arrebatado para o céu. É interessante que a progênie da mulher do Apocalipse é descrita como "os que guardam os mandamentos de Deus"; pois em Jo 14,21-23 somos informados que os que guardam os mandamentos são amados pelo Pai e pelo Filho, de modo que o discípulo amado é aquele que guarda os mandamentos.

À maneira de resumo, pois, podemos dizer que o quadro joanino da mãe de Jesus se tornando a mãe do Discípulo Amado parece evocar os temas veterotestamentários de Sião dando à luz um novo povo na era messiânica, e de Eva e sua progênie. Esta imagem nos leva à imagem da Igreja que gera filhos modelados segundo Jesus, e a relação do amoroso cuidado que deve jungir os filhos à sua mãe. Não desejamos forçar os detalhes deste simbolismo ou pretender que ele seja sem obscuridade. Mas há suficientes confirmações para dar razoável certeza de que estamos na direção certa. Tal simbolismo torna inteligível a avaliação de João (19,28) de que este episódio ao pé da cruz é a consumação da obra que o Pai deu a Jesus para fazer, no contexto do cumprimento da Escritura. Certamente, o simbolismo que temos proposto é bíblico (e assim este episódio da crucifixão se encaixa com os outros episódios que enfatizam a Escritura com tanto vigor). E visto que o simbolismo está centrado em certas previsões de Jesus para o futuro dos que creem nele, de muitas maneiras ele completa sua obra. Ele mostra até o fim seu amor para com os seus (13,1), pois simbolicamente ele agora provê um contexto de aconchegante amor mútuo em que viverão depois que ele tiver partido. A fórmula revelatória "Eis aqui...", sobre a qual temos comentado, é realmente apropriada nesta cena, visto que a mãe de Jesus e o Discípulo Amado estão sendo estabelecidos numa nova relação representativa daquela que congraçará a Igreja e o cristão.

À maneira de observações complementares, notamos que aqueles estudiosos que interpretam o episódio joanino precedente da túnica inconsútil como símbolo da Igreja indivisa acham este tema reforçado no simbolismo da estreita relação entre Maria e o Discípulo Amado. Não achamos persuasiva a objeção de BULTMANN, p. 521, de que a mãe de Jesus não pode representar a Igreja, pois (no Livro do Apocalipse) a Igreja é a noiva de Jesus. O simbolismo é muito plástico, especialmente nos diferentes contextos: em Os 2,18(16), Israel é a esposa de Iahweh, enquanto em 11,1 Israel é o filho de Iahweh. LOISY, p. 488, captou um elemento de verdade na comparação do episódio joanino ao pé da cruz com o incidente em Mc 3,31-35, onde Jesus diz que sua verdadeira mãe e seus verdadeiros irmãos são os que fazem a vontade de Deus. A Maria foi negado um papel em Caná quando ela interveio simplesmente como a mãe biológica de Jesus; ela é mais verdadeiramente sua mãe nesta "hora" do plano de Deus quando gera filhos cristãos à imagem de seu filho. Menos satisfatório é o paralelo sinótico sugerido por BARRETT, p. 459, a saber, o cumprimento da promessa de que os cristãos que deixam casa e mãe os receberão na era por vir (Mc 10,29-30).

Quarto episódio: Jesus grita de sede; os executores lhe oferecem vinho; ele rende o Espírito (19,28-30)

Podemos começar com um estudo da complexa relação deste episódio com dois incidentes envolvendo vinho encontrado na narrativa sinótica da crucifixão.

(1) O relato marcano A e Mateus, porém não Lucas, registra que a Jesus se ofereceu uma bebida tão logo ele chegou no Gólgota e antes de ser crucificado. Marcos a descreve como sendo vinho (*oinos*) com uma mistura de mirra e diz que Jesus não o quis beber. O contexto sugere que a bebida visava a ser anestésico para ajudar o condenado a suportar a dor de ser pregado na cruz (cf. StB, I, 1037, para o costume de dar narcótico para aliviar o sofrimento). Não obstante, nem no fato nem no que sabemos da farmacologia antiga a mirra serve como anódino ou narcótico. Talvez a mirra fosse apenas condimento e o próprio vinho visasse a entorpecer (ver Pr 31,6-7). Mt 27,34 descreve o vinho como uma mistura com fel (*cholē*) e registra que Jesus o provou antes de recusá-lo, e assim parecendo implicar que Jesus não soubesse o que lhe estava sendo oferecido. Embora as diferentes redações, "mirra" e "fel", possivelmente surgissem de uma confusão (respectivamente, os termos hebraicos são *mōr* e *mārāh*; os termos aramaicos são *mūrâ/mōrâ* e *mārâ*), mais provavelmente Mateus escolhesse sua descrição para mostrar a referência à LXX do Sl 69,22(21):

Para minha comida me deram *fel* (*cholē* – algo amargo)
e para minha sede me deram *vinagre* (*oxos* – vinho azedo)

O paralelismo significa que o salmista está descrevendo a mesma ação hostil sob dois aspectos; Mateus, porém, evidentemente pensa em dois incidentes, nenhum deles realmente hostil: neste incidente ele menciona *cholē*, e no incidente a ser descrito abaixo ele menciona *oxos*.

(2) Marcos (relato A, segundo TAYLOR; relato B, segundo BULTMANN) e Mateus registram que se ofereceu a Jesus uma segunda bebida já na cruz, quando sua morte se aproximava. Depois que Jesus pronunciou suas últimas palavras em hebraico ou aramaico, um dos curiosos correu e encheu uma esponja de vinho comum (*oxos*), a fixou numa cana (*kalamos*) e o ofereceu a Jesus para beber (Mc 15,36; Mt 27,48). Não somos informados se de fato Jesus bebeu. Lucas menciona apenas um episódio envolvendo vinho, um episódio que ocorre em meio à narrativa da crucifixão, antes das últimas palavras de Jesus. Lc 23,36 registra: "Os soldados também o escarneciam, adiantando-se e oferecendo vinho comum (*oxos*) e dizendo: 'Se és o Rei dos Judeus, salva-te a ti mesmo'". Evidentemente, o motivo é escarnecer, motivo esse que não é claro na descrição marcana/mateana onde a ação

poderia ser um gesto de compaixão (cf. BLINZLER, *Trial*, p. 255[37]). Embora estejam envolvidos diferentes agentes (soldados vs. curiosos – ver nota sobre "eles" no v. 29), e embora Lucas não mencione uma esponja, seguramente estamos tratando com duas versões sinóticas do mesmo incidente.

A narrativa joanina nos dá uma terceira versão deste segundo incidente. Estranhamente, FREED, OTQ, p. 105, parece relacioná-lo com o primeiro incidente sinótico e o caracteriza como "um dos exemplos mais claros do uso criativo que o escritor [joanino] faz de suas fontes sinóticas". Além do mais, FREED pensa que João poderia ter inventado toda a cena por ser o "primeiro intérprete dos sinóticos a ver em Mc 15,23 e paralelos uma alusão à Escritura do AT" e a pôr esta alusão nos lábios de Jesus. Consideramos esta tese duplamente improvável. Primeiro, tal processo de composição teria produzido uma narrativa mais clara do que ora encontramos em João (ver nossa dificuldade abaixo em identificar a passagem). Segundo, a teoria não explica as diferenças entre a versão de João e as dos sinóticos. Nas notas fazemos uma comparação detalhada, mas aqui podemos resumir. João concorda com o segundo incidente em Marcos/Mateus contra a versão lucana em situar o incidente justamente antes da morte de Jesus, em mencionar a esponja e, talvez, em não ver o gesto como escárnio. Em contrapartida, João concorda com Lucas contra Marcos/Mateus em descrever apenas um incidente envolvendo uma bebida oferecida a Jesus, em ter soldados (aparentemente) fazendo o gesto e em não associá-lo com um dito sobre Elias. João é o único a mencionar o grito de sede, o jarro, o hissopo e o fato de que Jesus bebeu. Realmente desafia a imaginação detectar um padrão ou motivação nessa seleção e adição de detalhes (somente a sede e o hissopo têm simbolismo discernível). As variações são mais convincentemente explicáveis se propusermos uma tradição não sinótica por detrás do Quarto Evangelho.

Quando nos volvemos para a implicação teológica do episódio, evocamos a observação de LOISY (p. 489): "Podemos presumir que Jesus realmente está sedento; mas está sedento somente por sua própria volição, por causa de sua consciência de que há uma profecia a ser concretizada". A este episódio precede em João uma observação introdutória "[Jesus era] cônscio de que agora tudo estava consumado", uma afirmação evocativa de 13,1, a linha inicial do Livro da Glória: "Jesus estando ciente que chegara a hora para ele passar deste mundo para o Pai".

Assim, o grito de sede de Jesus e a oferta do vinho devem ser relacionados com a consumação da grande obra de "a hora". Devem ser relacionados com sua morte que é o ato final da obra que lhe foi confiada pelo Pai, como fica claro em 3,16: "Deus amou o mundo de tal maneira que deu [i.e., para a morte] o Filho unigênito". Neste contexto do pensamento, João descreve de tal modo a sede de Jesus e o ato de beber o vinho que deixa a impressão de que Jesus não morreria até que fizesse isto. A razão aparente é que em sua sede e a resposta a ela Jesus cumpre a Escritura que predizia sua morte (ver nota sobre "a fim de" no v. 28). O ato que encerra (*telein*) sua obra traz a Escritura ao cumprimento (*teleioun*), pois tanto sua obra quanto o plano contidos na Escritura vêm de seu Pai.

Que Escritura está envolvida? Talvez seja uma questão do testemunho total do AT do sofrimento do Messias (como entendido pela comunidade cristã primitiva e não como entendido pelos padrões críticos modernos). Lc 24,25-27 mantém que a Escritura predizia que o Messias morreria (também At 13,29). Paulo tem a mesma ideia em 1Cor 15,3: "Cristo morreu por nossos pecados em concordância com as Escrituras". Em contrapartida, é possível que João tenha em mente um texto específico. Neste caso, o Sl 69,22(21), supracitado em relação ao primeiro incidente marcano/mateano, é o candidato mais provável. (É digno de nota que esta passagem seja também citada pelo salmista de Qumran em 1QH 4,11). Uma objeção a esta identificação é que a oferta de vinagre ou vinho azedo é, para o salmista, um gesto hostil que expressa o ódio dos inimigos do salmista; e esta não parece ser a compreensão que João tem do motivo dos soldados ao oferecerem a Jesus vinho comum. Todavia, o NT amiúde usa o AT de uma maneira não literal. Favorável a esta identificação é o fato de que o Sl 69 é citado duas vezes em outros lugares no Quarto Evangelho: Jo 2,17 cita o v. 10(9) do salmo e Jo 15,25 cita o v. 5(4). Embora João não se deixe enredar no estranho duplo cumprimento do Sl 69,22(21 em Mateus – como discutido acima), a seu próprio modo a narrativa joanina cumpre o versículo com exatidão; pois somente João menciona tanto a sede quanto o vinho comum: "Para *minha sede* me deram *vinho azedo*".

Outro notável candidato para a identificação de como a passagem bíblica tencionada por João é o Sl 22,16(15), versículo da fonte mais bem conhecida do AT para a Narrativa da Paixão: "Minha língua se me apega ao céu da boca; e me puseste no pó da morte". Enquanto aqui a sede só é expressa pela circunlocução da língua ressequida, a sede é estreitamente justaposta com morte, como em João. HOSKYNS, p. 531, sugere um número de outras passagens do saltério (Sl 42,3[2]; 63,2[1]. BAMPFYLDE, *art. cit*., argumenta a Escritura em Jo 19,28 é aquela citada previamente em 7,37, a saber, Zc 14,8 (em conjunção com Ez 42), e relaciona seu cumprimento com Jesus entregando o espírito em Jo 19,30 (ver abaixo). É suficiente manter que o grito de Jesus "tenho sede" cumpre a Escritura, ou João atribui à frase seu próprio simbolismo? LOISY, p. 489, vê nela uma expressão do desejo de Jesus de ir a Deus e assegurar a salvação do mundo. Outros veem aqui uma expressão da ironia joanina: Jesus, que é a fonte da água viva (7,38), grita de sede – assim significa que ele morreria antes que a água viva fosse dada, e no próximo episódio de seu corpo fluirá água (19,34). Talvez o simbolismo mais plausível seja vincular o episódio com 18,11: "Acaso não beberei eu do cálice que o Pai me tem dado?" O cálice era o do sofrimento e morte; e agora, tendo consumado sua obra, Jesus tem sede de beber aquele cálice até a última gota, pois somente quando tiver provado o amargo vinho da morte, a vontade do Pai se cumprirá.

A menção de hissopo (ver nota sobre v. 29) provavelmente deva ser explicada em termos de simbolismo teológico. Ex 12,22 especificou que se usasse hissopo para aspergir o sangue do cordeiro pascal sobre os umbrais das casas israelitas. Ao descrever como a morte de Jesus ratificou uma nova aliança, Hb 9,18-20 evoca o uso que Moisés faz de hissopo para aspergir o sangue de animais a fim de selar a primeira aliança. (Precisamos lembrar que esta concepção que a epístola formula de Jesus como sacerdote propiciou um paralelo com o simbolismo da crucifixão na segunda Epístola de João). Ao discutirmos Jo 19,14, notamos que Jesus foi sentenciado à morte na mesma hora em que começou a matança dos cordeiros pascais nos recintos do templo, e encontraremos abaixo mais simbolismo do cordeiro pascal, no quinto episódio da crucifixão. Assim, no contexto do pensamento joanino, a menção de hissopo pode muito bem evocar simbolicamente a morte de Jesus como o cordeiro pascal da nova aliança. No Egito, o sangue do cordeiro aspergido por meio de hissopo poupou os israelitas da destruição; Jesus morre como o "Cordeiro de Deus que tira o pecado do mundo" (vol. 1, pp. 245-47). Certamente, há diferença entre usar hissopo para aspergir sangue e usar hissopo para sustentar uma esponja embebida de vinho, mas João mostra considerável imaginação na adaptação de símbolos. (De certo modo, não é menos imaginativo ver uma referência ao cordeiro pascal no fato de que os ossos de Jesus não foram quebrados, mas Jo 19,36 não hesita em fazer a conexão). É difícil aplicar ao simbolismo lógica rigorosa.

O grito "está consumado" (v. 30), que constitui as últimas palavras de Jesus em João, tem sido com frequência contrastado com o agonizante "Deus meu, Deus meu, por que me desamparaste?" que constitui as últimas palavras de Jesus em Marcos/Mateus. (João está mais próximo ao menos em tonalidade com as últimas palavras registradas por Lucas: "Pai, em tuas mãos entrego meu espírito"). Loisy, pp. 489-90, enfatiza que o Jesus joanino aceita deliberadamente a morte, porque ela constitui a consumação do plano de Deus, e enquanto a morte não vier, ele significa sua prontidão (ver 10,17-18). "A morte do Cristo joanino não é uma cena de sofrimento, de ignomínia, de desolação universal [como nos sinóticos] – é o começo de um grande triunfo". Assim, para Loisy e outros, "está consumado" é um grito de vitória que substitui o grito de aparente derrota em Marcos/Mateus. No entanto, uma abordagem como essa demarca as diferenças com extrema inclemência, não fazendo justiça à nota implícita de agonia no brado de sede do Jesus joanino (Spurrell, *art. cit.*, vê isto como parte do tema do Messias sofredor), e talvez exagerando o elemento de derrota na cena sinótica. Hoskyns, p. 531, rebate esta abordagem, se bem que um tanto romanticamente, relacionando ambos, o grito marcano/mateano e o joanino, com o Sl 22, e vendo um elemento de triunfo em ambos. Ele sustenta que, se Marcos/Mateus citam as primeiras palavras do salmo, o "está consumado" de João sumaria o significado de todo o salmo; pois no final do salmo (v. 28[27]) ouvimos que todos os confins da terra se volverão para o Senhor. Na teologia de João, agora que Jesus consumou sua obra e é levantado da terra à cruz na morte, atrairá a si todos os homens (12,32). Se "está consumado" é um grito de vitória, a vitória que ele proclama é a de cumprir obedientemente a vontade do Pai. É similar ao "está feito" de Ap 16,17, pronunciado do trono de Deus e do Cordeiro, quando o sétimo anjo derrama a taça final da ira de Deus. O que Deus decretou foi consumado.

As próprias palavras finais do v. 30 são exprimidas de tal modo que sugerem outro tema na teologia joanina. Embora Mateus e Lucas

65 • A narrativa da paixão: – Terceira seção (introdução; episódios 1-4) 1387

também descrevam a morte de Jesus em termos de entregar o espírito de sua vida (ver nota), é como se João fizesse uso da ideia de que Jesus cedeu o Espírito (Santo) àqueles ao pé da cruz, em particular à sua mãe que simboliza a Igreja ou o novo povo de Deus e ao Discípulo Amado que simboliza o cristão. Em 7,39, João afirmou que os que cressem em Jesus haviam de receber o Espírito assim que Jesus fosse glorificado, e então não seria inapropriado que neste momento culminante, na hora da glorificação, houvesse uma referência simbólica à doação do Espírito. Se essa interpretação de "entregar o espírito" tem alguma plausibilidade, enfatizaríamos que esta referência simbólica é evocativa e *proléptica*, lembrando o leitor do propósito último para o qual Jesus foi levantado na cruz. No pensamento joanino, a doação real do Espírito não veio naquele momento, mas em 20,22 depois da ressurreição.

[A Bibliografia para esta seção está inclusa na Bibliografia para a totalidade de 19,16b-42, no final do §66].

66. A NARRATIVA DA PAIXÃO: – TERCEIRA SEÇÃO (EPISÓDIO 5 E CONCLUSÃO)

(19,31-42)

A remoção e o sepultamento do corpo de Jesus

QUINTO EPISÓDIO

19 ³¹Visto ser o Dia da Preparação, os judeus não queriam que os corpos ficassem na cruz durante o sábado, pois aquele sábado era um solene dia de festa. Então pediram a Pilatos que as pernas fossem quebradas e os corpos retirados. ³²Por conseguinte, os soldados vieram e quebraram as pernas dos homens crucificados com Jesus, primeiro de um, e então do outro. ³³Mas quando vieram a Jesus e viram que já estava morto, não quebraram suas pernas. ³⁴Entretanto, um dos soldados trespassou o lado de Jesus com uma lança, e imediatamente jorraram sangue e água. (³⁵Este testemunho foi dado por uma testemunha ocular, e seu testemunho é verdadeiro. Ele está contando o que sabe ser verdadeiro, para que também tenhais fé). ³⁶Estes eventos ocorreram a fim de que a Escritura se cumprisse:

"Nem sequer um osso há de ser quebrado".

³⁷E ainda outra passagem da Escritura afirma:

"Eles verão aquele que trespassaram".

CONCLUSÃO

³⁸Depois disto, José de Arimateia, já que era um discípulo de Jesus (embora secretamente por medo dos judeus), pediu permissão a Pilatos para remover o corpo de Jesus. Pilatos o permitiu, e então ele veio e levou o corpo. ³⁹Nicodemos (aquele que antes viera a Jesus de noite) também veio e trouxe um composto de mirra e aloés, pesando cerca de cem libras. ⁴⁰Então levaram o corpo de Jesus; e, em conformidade com o costume judaico de sepultamento, o envolveram em faixas com óleos aromáticos. ⁴¹Ora, no lugar onde Jesus foi crucificado havia um jardim, e no jardim um túmulo novo no qual ninguém havia sido sepultado. ⁴²E assim, por causa do Dia da Preparação dos judeus e porque o sepulcro estava próximo, sepultaram ali a Jesus.

NOTAS

19.31. *Visto ser o Dia da Preparação*. Aqui, o termo parece referir-se primariamente à véspera do sábado (c. das seis da tarde de quinta-feira até c. das seis da tarde de sexta-feira), e não à véspera da Páscoa. Esta é uma ocorrência diferente do termo em 19,14 (ver nota ali). BULTMANN, p. 524⁵, pensa que este versículo reflete uma tradição em que Jesus morreu no dia 15 de Nisan (a posição sinótica – ver pp. 912-13 abaixo), de modo que o dia seguinte, um sábado, teria sido o dia 16 de Nisan, um dia particularmente solene, pois na tradição farisaica era o dia de ofertar o primeiro feixe (cf. Lv 23,6-14). Não temos como decidir sobre a base de um versículo isolado; mas observamos que no v. 36 há uma comparação da morte de Jesus com a condição do cordeiro pascal, de modo que, plausivelmente, pode-se manter que esta cena ocorria no dia 14 de Nisan, dia em que os cordeiros eram mortos. Talvez a composição da frase sob discussão seja dependente de Mc 15,42 (o qual introduz o incidente da solicitação do corpo por José): "*Visto ser o Dia da Preparação*, isto é, o dia anterior ao sábado". A despeito da diferença de contexto, esta frase constitui uma das raras concordâncias verbais entre as narrativas joanina e marcana da crucifixão. Nas diferentes testemunhas ao texto de João, a frase aparece em diferentes lugares no versículo – algumas vezes um indício de adição redacional.

os judeus. No v. 21, imediatamente após Jesus ter sido crucificado, "os principais sacerdotes dos judeus" se dirigiram a Pilatos para protestarem contra a inscrição colocada na cruz; evidentemente, o mesmo grupo está envolvido aqui. Somente João tem uma confrontação entre Pilatos e os líderes judeus nesta sexta-feira após o julgamento matutino. Mt 27,62 tem os principais sacerdotes e os fariseus reunidos perante Pilatos *no dia seguinte* em referência à guarda do túmulo. O *Evangelho de Pedro* parece ter um eco confuso deste episódio em João ou de alguns dos elementos que lhe foram introduzidos. Naquele relato, mesmo antes de Jesus ser crucificado, José solicita de Pilatos o corpo do Senhor; enquanto que Herodes reconhece a urgência de sepultar Jesus "posto que o sábado já despontasse" (3-5; mas veja v. 27, onde este evangelho poderia implicar um período mais longo entre a crucifixão e o sábado). Quando "os judeus" crucificam Jesus entre dois malfeitores, um dos malfeitores fala em favor de Jesus, chamando-o o "salvador dos homens". Isto enfurece os judeus que ordenam que as pernas deste homem *não* fossem quebradas para que morresse em tormentos (10-14); a implicação parece ser que as pernas de Jesus e do outro malfeitor fossem quebradas. Então, perto de meio-dia, quando as trevas descem sobre a terra, começam a temer que o sol se ponha enquanto Jesus ainda está na cruz, então dão de beber a Jesus o fel com vinagre (15-16). E então, depois de o Senhor ser "erguido" (19), tiram os pregos de suas mãos e deitam o corpo na terra. O sol brilha outra vez, e se sentem felizes ao descobrirem que são apenas três da tarde. Entregam o corpo a José para o sepultamento (21-23).

não queriam que os corpos ficassem na cruz. A prática romana era deixar o cadáver na cruz como um aviso aos pseudo-criminosos; mas FILO, *In Flaccum* 10, 83, menciona que às vezes, especialmente durante as festas, os corpos eram descidos e dados aos parentes. A prática judaica era governada por Dt 21,22-23 (Js 8,29) que preceituava que os corpos de criminosos enforcados não permanecem numa árvore durante a noite. (O *Evangelho de Pedro*, 5, cita esta lei deuteronômica). JOSEFO, *War*, 4,5.2; 317, nos conta que os judeus estenderam a prática deuteronômica que se cobrissem os crucificados cujos corpos fossem descidos antes do sol posto. É interessante que Gl 3,13 também considera a lei acerca de criminoso enforcado como aplicável a Jesus na cruz.

pois aquele sábado era um solene dia de festa. O 15 de Nisan, o primeiro dia da Páscoa, era um dia *santo* (LXX de Ex 12,16), e o fato de que, neste ano particular, ela caiu em um sábado ele veio a ser ainda mais solene. Não obstante, não temos a atestação judaica primitiva da palavra "solene" (literalmente, "grande") sendo usada para designar um sábado que é também um dia festivo (I. ABRAHAMS, *Studies in Pharisaism and the Gospel* [Nova York: KTAV reimpresso, 1968], II, 68). A designação "grande sábado" para um sábado em fevereiro aparece no 2º século,

Martyriom of Polycarp 8,1, mas talvez em dependência de João. BARRETT, p. 461, sugere que João poderia ter entendido erroneamente a proibição sobre deixar os corpos na cruz durante a noite e tenha pensado que a lei só se aplicava porque o dia seguinte era sábado. É mais simples interpretar João no sentido de que a iminência de um dia festivo duplamente santo aumentava o desejo ordinário de se ter os corpos removidos antes de cair a noite (quando se começava o dia festivo) e ofereceram um motivo para que os romanos respeitassem. É possível também que fosse parte da preocupação o perigo de violar a sacrossanta ordenança sabática contra o trabalho.

pediram a Pilatos. Não lemos que *fossem* a Pilatos, uma omissão enfatizada pelos que pensam que, segundo João, Pilatos estava no Gólgota.

que as pernas fossem quebradas. Entre os evangelhos canônicos, somente João menciona isto; sua expressão *katagnynai ta skelē* se contrasta com *skelokopein* do *Evangelho de Pedro*, 14, suscitando a questão se o relato confuso no evangelho apócrifo tem uma fonte independente. O *crurifragium* era feito com uma marreta pesada; usualmente, somente as pernas eram quebradas, mas ocasionalmente também outros ossos. Originalmente, por si só, a cruel punição capital, o *crurifragium*, a despeito da crueldade, era um ato de misericórdia quando acompanhava a crucificação, pois apressava a morte. É digno de nota que no caso dos restos esqueléticos recém-descobertos de um homem crucificado na Palestina, no 1º século (ver primeira nota sobre 20,20), ambas as pernas foram quebradas. Visto que o pedido de "os judeus" se aplica aos três corpos, aparentemente pensaram que Jesus ainda estava vivo; talvez devamos pensar que, enquanto Jesus ainda era moribundo, deixaram o Gólgota e foram a Pilatos e lhe apresentaram o pedido.

e os corpos retirados. Literalmente, estes termos dizem: "que suas pernas sejam quebradas e que sejam retirados". A redação é estranha, pois sintaticamente o sujeito do segundo verbo é "suas pernas", embora obviamente João tenha em mente os corpos. O verbo é *airein*, não o mais técnico *kathairein*, "descer", encontrado em Mc 15,46 e Lc 23,53. Em parte alguma João descreve explicitamente a descida do corpo de Jesus da cruz.

32. *Por conseguinte*. Está implícita a aquiescência de Pilatos.

primeiro de um, e então do outro. Por que Jesus foi omitido e os criminosos de ambos os lados mencionados primeiro? Talvez porque Jesus já aparentasse estar morto, e os soldados quisessem cuidar primeiro dos criminosos que obviamente estavam vivos. Ou, mais provavelmente, temos um arranjo literário para realçar Jesus.

33. *viram*. O Codex Sinaiticus, e as versões Cóptica e OL trazem "encontraram", e SB aceita esta redação.

já estava morto. *Ēdē tethnēkota* – a posição de *ēdē* varia nas testemunhas textuais. No relato marcano (15,44) do pedido de José pelo corpo de Jesus, Pilatos se admira de Jesus já estar morto (*palai apethanen*) e intima o centurião que se assegure de que Jesus de fato está morto. Entre os sinóticos, somente Marcos tem um soldado averiguando a morte de Jesus (o relato marcano A, segundo Taylor; adição B, segundo Bultmann). Às vezes uma pessoa crucificada pendia na cruz por vários dias antes de consumar-se a morte.

34. Este versículo aparece no final de Mt 27,49, no Sinaiticus, Vaticanus e algumas testemunhas textuais importantes, provavelmente copiado de João por um antigo copista na tradição textual alexandrina (ver Bernard, II, 644). Curiosamente, esta localização do versículo em Mateus significa que o arremesso da lança vem antes da morte de Jesus, no mesmo instante que o transeunte ponha a esponja numa haste a oferecer vinho a Jesus! Pode ser um *golpe de misericórdia* ou um ato final de hostilidade.

um dos soldados. O nome Longinus lhe tem sido dado por causa do *logchē* (latim, *lancea*, "lança, espada longa e delgada) que ele usava. Já em vários mss. dos *Atos de Pilatos* (cópias feitas no 5º e 6º séculos), o lanceiro de João é identificado com o centurião da tradição sinótica que proclamou Jesus como inocente (Lc 23,47) e como Filho de Deus (Mc 15,39). Michaels, *art. cit.*, leva a sério esta identificação.

trespassou. O verbo *nyssein* tem a conotação de picar ou espetar, algumas vezes levemente (suficiente para despertar um homem adormecido), algumas vezes profundamente (a ponto de causar uma ferida mortal). A tradução inglesa comum "pierce" [penetrar] representa mais exatamente o verbo *ekkentein* do v. 37. A sequência da narrativa sugere que o soldado deu um golpe exploratório a ver se o corpo aparentemente morto reagiria e, assim, ainda vivia; não há razão inteligível para ele querer causar uma ferida se fosse positivo que Jesus já estava morto. A Vulgata e a Peshita trazem "abriu" em vez de "trespassou", provavelmente refletindo uma leitura errada do grego (*ēnoixen* por *enyxen*); esta tradução facilitou uma interpretação em que o Batismo e a Eucaristia, e inclusive a Igreja, são vistos como produzidos do lado trespassado de Jesus. Agostinho, *In Jo.* 60,2; PL 35:1953, comenta: "Ele não diz 'perfurado', ou 'ferido', ou algo assim, mas 'aberto', a fim de que a porta da vida fosse amplamente escancarada donde emanam os sacramentos da Igreja".

lado de Jesus. As versões etiópicas especificam que foi do lado direito, uma especificação que aparece também nas obras apócrifas (*Atos de Pilatos*) e têm guiado a reprodução artística da cena. LAGRANGE, p. 499, pensa em uma ferida profunda alvejada no coração como um golpe mortal, mas esta percepção do arremesso da lança favoreceria localizar a ferida do lado esquerdo, mais próximo ao coração. A palavra para lado, *pleura*, usada aqui no singular, é mais comum no plural. Alguns, inclusive FEUILLET, "*Le Nouveau*", p. 328[33], tem sugerido que João está evocando o uso (singular) em Gn 2,21-22, onde Deus toma uma *pleura* de Adão para formar a mulher.

imediatamente. A posição em que esta palavra se encontra varia nas testemunhas textuais.

sangue e água. A ordem "água e sangue", como em 1Jo 5,6.8, aparece em umas poucas testemunhas textuais (a maioria das versões ou da patrística; somente um ms. grego), e também na adição a Mt 27,49 supramencionada. BOISMARD, RB 60 (1953), 348-50, argumenta que poderia ter sido original, mais tarde vindo a ser transformada por copistas na ordem mais corrente, "sangue e água".

35. Embora algumas testemunhas latinas omitam o versículo, não há dúvida séria sobre sua autenticidade, a despeito da implicação em BDF, §291[6]. O versículo é parentético, provavelmente redacional, mas completamente joanino.

testemunha ocular. Dificilmente há dúvida de que na mente do autor esta testemunha fosse o Discípulo Amado mencionado nos vs. 26-27. Em 21,24, que pode ser um esclarecimento deste versículo, o Discípulo Amado é identificado como uma testemunha ocular cujo testemunho é verdadeiro. MICHAELS, p. 103[8], argumenta que a similaridade entre 19,35 e 21,24 não é conclusiva, porque a literatura joanina fala de outras testemunhas verdadeiras além do Discípulo Amado; por exemplo, o escritor de 3Jo 12 diz: "Sabeis que o nosso testemunho é verdadeiro". Entretanto, numa questão como esta, nosso argumento deve restringir-se ao conteúdo do evangelho. O Discípulo Amado é o único seguidor masculino de Jesus mencionado como presente ao pé da cruz; ele é uma verdadeira testemunha ocular de quem o autor depende (21,24). Devemos pensar que ao pé da cruz houvesse outro discípulo, outro não mencionado, que também era uma verdadeira testemunha de quem o autor joanino depende de uma maneira especial?

seu testemunho é verdadeiro. Ele está contando o que sabe ser verdadeiro. O "seu" é *autou*, enquanto o "ele" que dá início à próxima sentença é *ekeinos*, "aquele" (literalmente, "Aquele que sabe que o que diz é verdade"). Gramaticalmente, muitos têm achado estranho que *ekeinos* se refira à testemunha ocular sobre quem o escritor já esteve falando; por exemplo,

Bultmann, p. 526, diz que *ekeinos* se referiria a alguém mais além da testemunha ocular. Entre as sugestões possíveis estão: **(a)** *ekeinos* é o autor joanino (seja o evangelista ou o redator): "O autor sabe que a testemunha ocular está dizendo a verdade". Esta tradução é favorecida por muitos que desejam distinguir entre o autor joanino e o Discípulo Amado. No grego, temos exemplos em que um autor se refere a si mesmo como *ekeinos*; por exemplo, Josefo, *War*, 3,7.16; 202: "Tudo isto fizeram, não posso pensar em ajudar, não porque lhe [*ekeinos* = Josefo] dessem de má vontade uma chance de segurança, mas porque pensavam em seus interesses pessoais". (Para exemplos hebraicos de uma tendência similar, ver Schlatter, p. 353). Naturalmente, na maioria desses casos, o contexto ajuda a clarificar o significado peculiar de *ekeinos* – algo que não ocorre em João. Uma variante desta teoria é a sugestão de Torrey de que *ekeinos* reflete o aramaico *hāhū gabrâ*, "aquele homem, um certo homem", que serve como uma circunlocução de "Eu". Uma importante objeção contra a interpretação de *ekeinos* como uma referência ao autor é que em 21,24 alguém pode ver como um autor joanino realmente escreveu de si mesmo como distinto da testemunha ocular – ele não usou "aquele" (*ekeinos*), e sim "nós": "É ele [o Discípulo Amado] que escreveu estas coisas; e seu testemunho, bem sabemos, é verdadeiro". **(b)** *ekeinos* é Jesus Cristo: "Jesus sabe que a testemunha ocular está dizendo a verdade". Erasmus, Sanday, Abbott, Lagrange, Strachan, Hoskyns e Braun estão entre os que seguem esta interpretação (ver E. Nestle, ET 24 [1912-13], 92). O uso de *ekeinos* para Jesus é bem atestado em João (3,28.30; 7,11; 9,28), mas usualmente em um contexto onde a referência é clara. **(c)** *ekeinos* é Deus: "Deus sabe que a testemunha ocular está dizendo a verdade". O uso de *keinos* para Deus é igualmente bem atestado em João (5,19; 6,29; 8,42), mas outra vez em casos esclarecidos pelo contexto.

Provavelmente, a melhor explicação é que, a despeito da objeção, *ekeinos* se refere à testemunha ocular. (Para facilitar isto, alguns têm tentado modificar a sentença, p. ex., Nonnus de Panópolis [meados do 5º século], seguido por Bultmann, p. 526: "Nós o conhecemos [*ekeinon*, em vez de *ekeinos*], que ele diz a verdade"; mas essa modificação não é necessária). Ambos, BDF, §291[6] e MTGS, p. 46, reconhecem o uso anafórico de *ekeinos*, significando simplesmente "ele". Devemos acrescentar que, se *ekeinos* é a testemunha ocular e, subsequentemente, o autor joanino está falando da testemunha ocular/Discípulo Amado, na terceira pessoa, isto não significa necessariamente que o autor e o Discípulo Amado *não* sejam a mesma pessoa, ainda que certamente não estejam implícitos em 21,24. No vol. 1, p. 106, defendemos a tese de que realmente eles não são o mesmo, e que o Discípulo Amado é a fonte da tradição que veio ao(s) autor(es) joanino(s).

para que também tenhais fé. É bem provável que a frase final modifique toda a ideia no versículo, e não simplesmente o verbo mais próximo – a testemunha ocular não só está *dizendo a verdade* para que tenhais fé; mais importante ainda, ele está dando testemunho do que viu para que vós tenhais fé. O "também", omitido na tradição textual bizantina, significa que a própria testemunha ocular é um crente e deseja, com seu testemunho, assegurar que os leitores do evangelho sejam também crentes. Embora o subjuntivo aoristo do verbo "ter fé" apareça em algumas testemunhas, o subjuntivo presente tem a melhor atestação (ver também 20,31); este tempo implica uma continuação e aprofundamento da fé, e não uma conversão. O objeto imediato da fé envolve a morte de Jesus na cruz e seus efeitos – uma verdade em que está subordinada toda a revelação de Jesus. Os leitores são convidados não só a terem fé no que a testemunha ocular viu, mas também em suas implicações teológicas (ver comentário).

36. *Estes eventos.* Logicamente, isto se refere a dois incidentes: que as pernas de Jesus não foram quebradas (v. 33) e que seu lado foi trespassado por uma lança (v. 34).

"Nem sequer um osso há de ser quebrado". Literalmente, "Seu osso não será quebrado"; com o fim de preservar a ambiguidade do grego, não usamos nenhum possessivo. Há diversos candidatos para a identificação que passagem bíblica João tem em mente, candidatos que não são mutuamente exclusivos: (**a**) uma das descrições do cordeiro pascal: "nenhum osso dele será quebrado" (LXX, Codex Vaticanus de Ex 12,10); "Não quebrareis nenhum osso dele" (Ex 12,46); "Não quebrareis um osso dele" (Nm 9,12). João está mais próximo à primeira forma desta norma pascal (FREED, OTQ, p. 113). Das várias passagens bíblicas citadas diretamente no Relato Joanino da Páscoa, esta seria a única extraída do Pentateuco. (**b**) Sl 34,21(20): "Ele [o Senhor] vela sobre todos os seus ossos [i.e., o homem justo]; nenhum deles será quebrado". Aqui o verbo passivo está próximo da redação de João, mas "os ossos" (note o plural) não constituem diretamente o sujeito do verbo "quebrar". Enquanto as citações do salmo são comuns no Relato da Paixão, este salmo não é citado em outro lugar em relação à paixão (cf. 1Pd 2,3; 3,10-12). B. WEISS, TORREY e DODD estão entre os que têm argumentado em prol do salmo como sendo a fonte mais plausível da citação de João. BULTMANN, p. 524[8], pensa que na fonte de João a citação era do salmo, mas o evangelista viu nela uma referência a Ex 12,46. BARTON, *art. cit.*, cita alguns paralelos egípcios sobre a proibição de se quebrar os ossos de um cadáver.

37. *E ainda outra passagem da Escritura afirma.* SCHLATTER, p. 355, salienta que esta é uma fórmula rabínica fixa para introduzir outra citação.

"Eles verão aquele que trespassaram". Citação que João faz de Zc 12,10 não segue verbalmente ou o TM ou a redação da LXX mais comum. O TM tem: "Olharão para mim a quem trespassaram". No contexto, o "mim" é Iahweh; a implicação é estranha e pode bem ser que o texto esteja corrompido, talvez explicando as tentativas de tradutor antigo para melhorá-lo. Visto que todas as sentenças seguintes se referem a "o/ele", pelo que tanto os copistas (quarenta e cinco dos mss. hebraicos confrontados por KENNICOTT e DE ROSSI) como os comentaristas têm lido "o/ele" por "mim". O Codex Vaticanus e a maior parte de outras testemunhas da LXX leem: "Eles têm olhado para mim porque têm dançado insultuosamente [= escarnecido]", refletindo uma forma verbal da raiz hebraica *dqr*, "trespassar", lendo equivocadamente como uma forma de *rqd*, "saltar sobre/omitir". Todavia, há uma redação grega no Codex de Viena (L) do 5º ou 6º século que é muito mais próximo da tradução literal do TM. Quase certamente a redação do Códice de Viena oriunda de uma recensão primitiva (proto-teodociônico), conformando a LXX ao que era então (1º século d.C.) conveniente ao texto hebraico padrão. Podemos estar razoavelmente certos de que a citação de João vem dessa recensão grega primitiva, talvez na sua forma abreviada, "Olharão para quem eles têm trespassado". (Na verdade, no texto de João não há "o/ele", mas este é requerido pelo sentido; compare a citação de Zacarias em Ap 1,7: "Cada olho o verá, todos quantos o trespassaram"). Ver S. JELLICOE, *The Septuagint and Modern Study* (Oxford, 1968), p. 87.

38. *Depois disto.* Este conectivo (*meta tauta*) é tão vago que BERNARD, II, 653, prefere a explicação de que a petição de José a Pilatos foi apresentada a um só tempo com a petição de "os judeus". A interpretação mais óbvia é que um episódio seguiu ao outro. É bem provável que estejamos lidando com uma ilação redacional entre dois itens independentes de tradição (ver comentário).

José de Arimateia. Ele é mencionado em todos os quatro evangelhos em conexão com o sepultamento de Jesus, porém em nenhuma outra parte do NT. Há muita razão em se pensar que a reminiscência de seu papel no sepultamento seja histórica, visto que não havia razão para inventá-la. (Sem informação em contrário, teria sido natural pressupor-se que os parentes de Jesus o sepultaram, especialmente já que, segundo João, sua mãe estava presente). Arimateia, a qual Lc 23,50 chama "uma cidade dos judeus", era seu lugar de nascimento ou a primeira residência; mas seu papel no Sinédrio e a informação que ele era proprietário do túmulo justamente do lado de fora de Jerusalém (Mateus) sugerem que agora era residente na Cidade Santa. Pensava-se que Arimateia fosse a Ramataim-zofim de 1Sm 1,1. Eusébio fixa a localidade em Remftis ou Rentis, uns 15 km a nordeste de Lídia (1Mc 11,34 associa Ramataim e Lídia como distritos); mas W. Fl Albright, ASSOR 4 (1922-23), 112-23, objeta que esta localidade é longe demais de Silo, o destino da família de Samuel na narrativa de 1 Samuel. Ele propõe identificação com Ramalla. Outra sugestão é Beit Rimeh, a leste de Rentis e uns 8 km a nordeste de Betel. Nenhuma dessas localizações fica na Galileia, de modo que José teria sido um dos discípulos judaítas de Jesus (Jo 7,1; ver nota sobre "Judas" em 6,71).

um discípulo de Jesus. Uma designação similar de José, mas em grego diferente, se encontra em Mt 27,57, enquanto Mc 15,43 e Lc 23,51 o descrevem como aceitando o reino de Deus. A informação adicional sobre os antecedentes de José, oferecida pelos sinóticos, são estas: (a) ele é um homem rico, segundo Mt 27,57; (b) ele é um respeitado membro do concílio (Sinédrio), segundo Mc 15,43 e Lc 23,50; (c) ele é um bom e piedoso homem que não consentiu no que estava sendo feito a Jesus, segundo Lc 23,50-51. João não traz nenhuma destas informações, embora associe José com Nicodemos que era membro do Sinédrio, talvez em implícita concordância com (b). O *Evangelho de Pedro*, 3, tem José se dirigindo a Pilatos antes da crucifixão para pedir o corpo de Jesus e identifica José como amigo de Pilatos; mas isto é quase certamente uma dedução da tradição de que Pilatos acedeu ao pedido de José. O fato de que João não identifica José como um homem rico, como em (a), milita contra a sugestão de Loisy, p. 497, que o sepultamento pode ser outra alusão ao tema de o Servo Sofredor (Is 53,9: "puseram sua sepultura... com o rico").

secretamente. Os discípulos secretos eram julgados duramente e com desdém (12,42), mas, evidentemente, a vinda de José para solicitar o corpo de Jesus chegou a conquistar a estima do autor joanino. (Mc 15,43 especifica que este foi um ato ousado). Ou, ainda, mais simplesmente, João menciona o detalhe meramente para explicar por que Pilatos acedeu ao pedido: o prefeito romano dificilmente teria concedido favores a um confesso seguidor de um homem executado como revolucionário.

pediu permissão a Pilatos para remover o corpo de Jesus. Os evangelhos sinóticos (Mc 15,43 e par.) descrevem José *indo* a Pilatos para pedir o corpo de Jesus. Uma vez mais (ver nota sobre "pediram a Pilatos" no v. 31), a omissão que João faz de um verbo de movimento tem sido citada para provar que João retrata Pilatos como presente no Gólgota. Notamos que o vocabulário de João e dos sinóticos é diferente: o verbo "pedir", nos sinóticos, é *aitein*, enquanto aqui e no v. 31 acima João usa *erōtan*.

Pilatos o permitiu. Reiterando, há diferença de vocabulário: Marcos usa *dōrein*, "dar"; Mateus tem "ele ordenou que fosse dado" [*apodidonai*]; João usa *epitrepein*. João é mais próximo de Mateus na sequência de pedir e conceder, pois Mc 15,44-45 interrompe esta sequência mediante uma descrição da tentativa de Pilatos de descobrir se realmente Jesus estava morto (aparentemente, um tema apologético). Lucas não dá nenhuma resposta da parte de Pilatos.

então ele veio e levou o corpo. Nenhum destes verbos (*erchesthai, airein*) é usado nos relatos sinóticos paralelos; Marcos e Lucas se referem ao ato de José "descê-lo" (*kathairein*); Mateus ao seu ato de "levar [*lambanein*] o corpo" (ver v. 40a abaixo para um paralelo joanino com Mateus). No texto de João, verbos plurais ("vieram"; "levaram") são lidos por Sinaiticus, Taciano e alguns mss. o OL, Saídico, Siríaco e testemunhas armênias. Sobre as bases de se preferir a redação mais difícil, pode-se favorecer o plural como original, como fazem SB e Bultmann. Entretanto, há várias explicações possíveis de como um plural tenha sido introduzido no texto: por exemplo, uma contaminação do verbo plural usado no v. 40; ou um reflexo do v. 31, onde os soldados têm que levar o corpo. Se o plural for aceito, quem seria o "eles"? Talvez José e Nicodemos – o último é mencionado primeiro no versículo seguinte. Talvez haja um eco da tradição em Mc 15,47 e par. de que mulheres galileias estavam presentes no sepultamento. Talvez haja uma indicação implícita de que José não cumpriu a tarefa sozinho, mas chamou servos e amigos. Gaechter, *"Begräbnis"*, p. 222, argumento que José e Nicodemos tiveram que usar escravos; pois se conduzissem o corpo pessoalmente, teriam sido ritualmente impuros durante sete dias (Nm 19,11) e, assim, incapacitados de celebrar a festa pascal (cf. Jo 18,28) – uma dificuldade que João não leva em conta. Literalmente, "o corpo" é "seu corpo"; algumas testemunhas textuais trazem "o corpo de Jesus", provavelmente em imitação da ocorrência desta frase mais antiga no versículo; outras testemunhas trazem "o/ele".

39. *Nicodemos*. Ele é mencionado somente em João (3,1; 7,50). Não há razão aparente para João ter inventado um papel para ele aqui, a menos que a tradição preservasse a memória de que um membro do Sinédrio se deixou envolver, e o único membro do Sinédrio favorável a Jesus conhecido do autor era Nicodemos. Tem-se sugerido que, já que Nicodemos era fariseu, sua presença garantiria a exatidão do ritual de sepultamento.

(*aquele que antes viera a Jesus de noite*). Um lembrete identificador é o estilo típico joanino. Esse lembrete é com muita frequência suprido para aquelas figuras que são peculiares à tradição joanina ou que exercem um papel especial naquela tradição, p. ex., Maria de Betânia (11,2), Lázaro (12,1), Filipe (12,21), Natanael (21,2), o Discípulo Amado (21,20) – uma exceção seria Judas Iscariotes (12,4). Em geral, estes lembretes são mais comuns em passagens que já consideramos como inseridas durante os últimos estágios na redação do evangelho (11-12; 21). O lembrete anterior sobre Nicodemos em 7,50 foi simplesmente: "o homem que foi ter com Jesus".

veio e trouxe. Literalmente, "veio trazendo"; umas poucas testemunhas, inclusive o Sinaiticuss*, têm "veio trazendo". João quer que pensemos que Nicodemos trouxe uma pequena porção deste composto, ou que ele já tinha uma boa quantidade? BERNARD, II, 654, favorece a primeira [hipótese], enquanto LAGRANGE, p. 503, pensa que José e Nicodemos dividiram as tarefas: um foi a Pilatos, enquanto o outro foi comprar o necessário para o sepultamento. GAECHTER, *"Begräbnis"*, pp. 221-22, propõe que as compras foram feitas enquanto Jesus ainda estava na cruz – José comprou as faixas, enquanto Nicodemos comprou as especiarias. Não obstante, é bem provável que o problema deva ser resolvido levando em conta o v. 39 como uma tradição que foi anexada aqui.

um composto. Na maioria dos mss., lemos *migma*, embora diversas testemunhas importantes, inclusive o Vaticanus e o Sinaiticus*, trazem *heligma*, "pacote, rolo". O último constitui a redação mais difícil e pode bem ser favorecida se realmente fosse significativa. BERNARD, II, 653, oferece uma explicação de como poderia ter ocorrido confusão ao copiar um *smigma* original, redação esta encontrada em dois mss. cursivos.

de mirra e aloés. Esmirna ou "mirra" é uma resina odorífica usada pelos egípcios em embalsamamento (ver vol. 1, p. 736); *aloē* é um pó aromático de sândalo usado para perfumar roupas de cama ou vestimentas, mas, normalmente, não para sepultamento. (Por esta razão, muitos pensam que João tinha em mente aloé amargo, uma planta usada pelos egípcios para embalsamamento). É bem provável que o propósito do aloés fosse amenizar odor desagradável e evitar deterioração. (Achamos a sugestão de HOSKYNS, p. 536, um tanto forçada, dizendo que esta especiaria tem o simbolismo de fazer o sacrifício de Jesus um aroma suave). A combinação de mirra e aloés aparece no Cântico dos Cânticos 4,14. Nenhum dos evangelhos sinóticos menciona que especiarias para embalsamamento foram postas no túmulo na sexta-feira; e, enquanto Marcos e Lucas (mas não Mateus) mencionam especiarias em outro contexto, o vocabulário não é o mesmo. Mc 15,1 diz que na manhã da ressurreição mulheres trouxeram óleos aromáticos (*arōma*) para ungir Jesus. Lc 23,56 diz que sexta-feira, *depois* do sepultamento, mulheres prepararam óleos aromáticos (*arōma*) e perfumes (*myron*); e Lc 24,1 diz que na manhã da ressurreição mulheres vieram portando os óleos aromáticos que haviam preparado. O *Evangelho de Pedro*, 24, diz que José lavou o corpo antes do sepultamento.

cerca de cem libras. A libra romana [peso] era cerca de 326 gramas, de modo que isto seria o equivalente de cerca 11 kg; essa quantidade é bastante extraordinária. Sem evidência textual, LAGRANGE, p. 503, suscita a possibilidade de erro de copista. BARRETT, p. 465, evoca a imensa quantidade de vinho em Caná (2,6); e DODD, *Tradition*, p. 139², aponta para os 153 peixes em 21,11. Esta predileção joanina por números extravagantes se explica nos outros casos em termos de simbolismo, e que pode ser o caso também aqui (ver comentário).

40. *Levaram o corpo de Jesus*. Isto parece duplicata do final do v. 38, ainda quando os verbos sejam diferentes (aqui se usa *lambanein*, como em Mt 27,59).

em conformidade com o costume judaico de sepultamento. Literalmente, "costume para sepultar". É verdade que o verbo *entaphiazein* significa "preparar para sepultamento", mas dificilmente o autor tem em vista que estivessem preparando naquele momento um sepultamento para três dias depois, como defendem os que pensam que João descreve apenas um sepultamento provisório e que as mulheres estavam vindo no domingo para completar o que haviam começado. Ao sepultar, os judeus não evisceravam o cadáver, como faziam os egípcios na mumificação. Ao contrário, os judeus simplesmente lavavam o corpo, ungiam-no com óleo e o vestiam. 2Cr 16,14 descreve o sepultamento do rei Asa: "E o sepultaram em seu sepulcro, que tinha cavado para si na cidade de Davi, havendo-o deitado na cama, que se enchera de perfumes e especiarias preparadas segundo a arte dos perfumistas". Ver também Jo 11,44, onde lemos das mãos e pés sendo atados com tiras de linho, e o rosto envolto num lenço.

o envolveram. João usa *dein*; Mc 15,46 usa *eneilein* ("enfaixar ou atar"); Mt 27,59 e Lc 23,53 usam *entylissein* ("enrolar, envolver"). O último verbo aparece em Jo 20,7 (ver nota ali) para descrever o pano que envolveu a cabeça ferida de Jesus. O *Evangelho de Pedro*, 24, diz que José enfaixou (*eilein*) o corpo de Jesus.

em faixas. Se deixarmos de lado Lc 24,12 (um versículo sobre o qual há alguma dúvida textual; ver pp. 1473-74 abaixo), somente João usa *othonion* (no plural) ao descrever a indumentária fúnebre de Jesus. Somos informados com frequência que *othonion* é um diminutivo de *othonē*, "roupa de linho, camisa"; e crê-se que o uso do plural é indicativo de que tiras de roupas ou bandagens eram envolvidas (BAG, p. 558, col. 1).

Entretanto, esta compreensão cria um duplo problema. Primeiro, não se harmoniza com a descrição sinótica (e a do *Evangelho de Pedro*), onde lemos que Jesus foi enfaixado em um *sindōn* que José tinha levado. *Sindōn* é uma grande peça de linho; em Mc 14,51 o jovem que fugiu no jardim está usando um *sindōn* como sua única roupa. Segundo, a interpretação de *othonia* como sendo tiras de linho apresenta uma dificuldade para muitos estudiosos católico-romanos que aceitam a autenticidade do santo sudário de Turim como a veste fúnebre de Jesus. O sudário tem cerca de 4 metros de comprimento e menos um metro de largura. As manchas no tecido possuem a qualidade de um negativo fotográfico; e quando fotografado, produzem uma imagem positiva de uma forma humana. Uma análise médica tem levado alguns a concluir que só por uns poucos dias o sudário foi estendido por extenso sobre um corpo que fora sepultado com aloés – um corpo que fora açoitado, coroado com espinhos, trespassado com pregos como em crucifixão, e teve o coração aberto após a morte. O linho do sudário pode ser remontado a 1353 e à igreja de Lirey em Troyes, França, porém ouvimos de um sudário similar um século antes em Constantinopla. Porque o sudário fez sua aparição na história registrada em um tempo em que as cruzadas inundaram a Europa com relíquias fraudulentas oriundas do Oriente, *a priori* ele é suspeito, especialmente já que o Papa (ou anti-papa) CLEMENTE VII permitiu que ele fosse exposto ao público em 1389, unicamente sob a condição de que se declarasse abertamente que ele não era o sudário real de Cristo. (Para um relato sóbrio, veja JOHN WALSH, *The Shroud* [Nova York: Doubleday Echo, 1965]; para as objeções da crítica bíblica moderna, veja J. MICHL, *Theologische Quartalschrift* 136 [1956], 129-73, especialmente 142ss. – como BRAUN, BLINZLER, GAECHTER e outros exegetas católicos contemporâneos, J. MICHL rejeita a autenticidade do sudário; para uma discussão do sudário à luz da evidência joanina, veja F.-M. BRAUN, NRT 66 [1939], 900-35, 1025-46). Um estudo lexicográfico muito cuidadoso do significado de *othonion* foi feito por A. VACCARI, "*Edēsan auto othoniois* (Joh. 19, 40)", em *Miscellanea biblica*, por B. UBACH (Montserrat, 1953), pp. 375-86, bem como por C. LAVERGNE in *Sindon* 3, nos. 5-6 (1961), 1-58. O resultado é que, mesmo quando não sejamos compelidos a harmonizar João com os sinóticos e não tenhamos o menor interesse em defender o sudário de Turim, não podemos saltar para a conclusão de que João tinha em mente "bandagens". No grego koinê, às vezes as formas diminutivas não têm uma função realmente diminutiva (BDF, §111³); e é ainda questionável se *othonion* é um diminutivo, pois *othonē* pode designar o material e *othonion* pode denotar um artigo feito desse material. O plural pode ser um plural de categoria designadora não mais que um objeto, ou um plural de extensão que indica o tamanho de uma peça (ver BDF, §141). A tradução de *othonia* como "tiras de linho" ou "bandagens" é relativamente moderna (c. de 1879 em diante); anteriormente, a palavra era entendida genericamente como "roupas de linho". Na verdade, não há papiros antigos que endosse a compreensão do termo como se referindo a tiras de pano, e não há evidência de que os judeus enfaixassem seus mortos com faixas ou tiras similares às usadas pelas múmias egípcias. Alguns termos talmúdicos comuns para vestes fúnebres são *sādīn* ("camisa de linho") e *takrīkīm* (plural, "sudário"). Há um papiro do 4º século d.C. na coleção de Rylans (vol. IV, n. 627) onde *othonion* parece ser uma classificação geral sob a qual *sindōn* é uma especiaria. Admitida a obscuridade do termo, seria preferível traduzirmos o termo vagamente como "invólucros de pano".

com óleos aromáticos. Aqui João usa *arōma*, palavra encontrada nas narrativas marcana e lucana sobre da tentativa das mulheres de ungirem Jesus (nota sobre v. 39 acima). A palavra pode significar "especiarias" em cujo caso provavelmente seja outra maneira de descrever a mirra e aloés previamente mencionados. Não obstante, era costume dos judeus usarem óleo, de modo que um terceiro elemento na preparação fúnebre pode estar sendo introduzido.

Como João vê o uso das especiarias e do óleo? Eram usados separadamente, por exemplo, a mirra e o aloés aspergidos entre os invólucros, enquanto o óleo era friccionado no corpo ou derramado sobre o cadáver já enfaixado? Ou eram combinados, de modo que a mirra e o aloés pulverizados eram misturados no óleo vegetal neutro para criar um unguento líquido? O último concorda melhor com a insistência sobre a unção nos procedimentos judaicos para o sepultamento.

41. *no lugar onde Jesus foi crucificado*. Somente João especifica que o túmulo ficava nas proximidades do Gólgota. Na Igreja do Santo Sepulcro (ver nota sobre "ele saiu" no v. 17), o local do túmulo fica apenas a uns 38 metros do Calvário. Teria sido uma conveniência óbvia manter um local de sepultura perto do local da execução (Mishnah *Sanhedrin* 6:5 especifica que haveria dois locais de sepultura para diferentes tipos de criminosos executados), e não é muito difícil, se cavernas, em uma pedreira, eram usadas para túmulos. Todavia, os evangelhos deixam claro que Jesus não foi sepultado em um túmulo comum; e, naturalmente, não estamos certos se o Gólgota era um lugar habitual para execução. Nas proximidades do túmulo, Loisy, p. 498, vê outro possível eco do tema do cordeiro pascal, pois Ex 12,46 enfatiza que o cordeiro tinha de ser comido no local e nada da carne era levada – esta interpretação tem base muito débil.

havia um jardim. Este termo (*kēpos*) foi usado em 18,1 para pomar (bosque da oliveira?) onde Jesus foi preso; e aqui, como lá, alguns veriam um jogo simbólico com o jardim do Éden, se bem que Gn 2,15 usa *paradeisos*, não *kēpos*. Os evangelhos sinóticos não designam o lugar de sepultamento como um "jardim"; mas esta descrição se encontra no *Evangelho de Pedro*, 24, onde somos informados que José levou o corpo "para seu próprio túmulo, chamado 'o jardim de José'" – um dos poucos casos em que este evangelho apócrifo concorda com a informação encontrada somente em João. Não estamos certos que tipo de jardim João tem em vista, pois a lei judaica tardia desencorajava o plantio de árvores frutíferas nas proximidades de um local de sepultura. Aqui, a menção do jardim deve relacionar-se com a confusão que Maria Madalena fez de Jesus com o jardineiro em 20,15, e é interessante que no 2º século a apologética judaica contra a ressurreição via este jardineiro como um cultivador de hortaliças (ver nota ali).

A informação de que o túmulo ficava perto do Gólgota e em um jardim concorda com a especulação de que o local da execução ficava um pouco fora (talvez 100-125 metros) do segundo muro ao norte da cidade (nota sobre 19,17, "ele saiu"); pois um dos quatro portões no muro norte era o Portão do Jardim ("Gennath": Josefo, *War*, 5,4.2; 147). Os túmulos dos sumos sacerdotes hasmoneos, João Hircano e Alexandre Janeus, ficavam ao norte (*War*, 5,6.2 e 7.3; 259, 304), de modo que poderia ter sido um lugar prestigioso para sepultamento. Cirilo de Jerusalém (c. 350 d.C.) registra em *Catechesis* 14,5; PG 33:829B que em seu tempo os restos de um jardim eram ainda visíveis, bem adjacentes à Igreja do Santo Sepulcro que Constantino construíra recentemente no local tradicional do túmulo de Jesus.

um túmulo novo no qual ninguém havia sido sepultado. O verbo é *tithenai*, "pôr, depositar". Para "túmulo", João usa *mnēmeion*, empregado também pelos três evangelhos sinóticos (Marcos e Lucas também falam de um *mnēma*). Marcos não faz referência ao até então prístino caráter do túmulo; Mt 27,60 o denomina de "um túmulo novo"; Lc 23,53 faz referência a ele como um túmulo "onde ninguém ainda fora colocado [*keimai*]". Os três sinóticos suprem a informação adicional de que o túmulo foi talhado da rocha. Somente Mateus, seguido pelo *Evangelho de Pedro*, extrai a inferência de que ele era o túmulo do próprio José.

42. *dos judeus*. Omitido pelo OL e algumas testemunhas siríacas.

Dia da Preparação. Aqui não fica claro se o termo se refere primariamente ao dia anterior ao sábado ou ao dia anterior à Páscoa (nota sobre v. 31 acima). Taciano e algumas testemunhas siríacas esclarecem a situação, lendo: "porque o sábado havia começado". Não se teria permitido sepultamento no sábado, embora o corpo pudesse ser lavado e ungido (Mishnah *Sabbath* 23:4-5). Mc 15,42 menciona o Dia da Preparação no início da narrativa do sepultamento; Lc 23,54 faz referência a ele mais ou menos no mesmo ponto da narrativa, onde se encontra a narrativa de João.

COMENTÁRIO

Quinto Episódio: Pilatos e a quebra das pernas de Jesus; fluxo de sangue e água (19,31-37)

Como temos salientado, este último episódio na narrativa da crucifixão corresponde ao primeiro. Em ambos "os judeus" fazem uma solicitação a Pilatos concernente a Jesus na cruz; se bem que Pilatos recusou a primeira solicitação dele acerca da mudança do título, tacitamente atente a esta solicitação sobre a retirada dos corpos. A despeito do fato de que o episódio começa com esta solicitação, ele não se interessa com a retirada do corpo, mas, antes, com a observação dos soldados de que não era necessário quebrar as pernas de Jesus porque ele já estava morto e com os soldados comprovando isso perfurando o lado de Jesus com uma lança, o que flui sangue e água.

   Esta é a única parte da narrativa da crucifixão que aparentemente não tem paralelo, mesmo parcial, nos evangelhos sinóticos. Não obstante, alguns comentaristas detectam uma equivalência; pois ao descrever o interlúdio entre a morte de Jesus e o momento que seu corpo foi descido da cruz para o sepultamento, todos os evangelhos narram os incidentes ilustrando uma fé que tem sua origem na morte de Jesus. Na tradição sinótica (Mc 15,38-39 e par.), o cenário é nitidamente miraculoso: a cortina do templo se rasga de alto a baixo (Marcos/Mateus; cf. Lc 23,45); ocorre um terremoto que abre túmulos e libera os corpos dos santos (somente Mateus). A expressão de fé vem de um centurião romano (e de "aqueles que estavam com ele": Mt 27,54) que proclama que Jesus era Filho de Deus (Marcos/Mateus) ou que era inocente (Lucas). Em resultado, as multidões se arrependem quando deixam o Gólgota (Lucas). O episódio joanino é bem diferente. BULTMANN, pp. 516, 523, o caracteriza como relativamente tardio, em parte porque não se centra no cumprimento da Escritura. Todavia, o elemento notoriamente miraculoso está ausente (embora alguns considerem miraculoso o fluxo de sangue e água, como veremos); e não há confissão implausível de fé por parte dos soldados romanos. Aqui os soldados têm a tarefa mais natural de terminar a execução, apressando a morte dos criminosos através do *crurifragium*, uma prática atestada. A fé que é fortalecida por ou nascida do episódio joanino é a fé do Discípulo Amado (nota sobre "testemunha ocular" em 35) e dos leitores de João que aceitam o testemunho do Discípulo.

A ideia de que João substituiu o episódio sinótico com uma dramatização que melhor se adaptasse ao seu propósito teológico não só vai além da evidência, mas é implausível, pois elementos tais como o rasgar-se a cortina do templo na morte de Jesus e a confissão de fé de um romano teria sido bem nos moldes da teologia joanina. Uma tese mais matizada é a de MICHAELS, *art. cit.*, o qual pensa que Marcos e João estão oferecendo diferentes interpretações de um mesmo conjunto de eventos históricos que deram origem a ambas tradições. Ele pensa que o lanceiro de João é o mesmo centurião marcano (nota sobre "um dos soldados" em 34); e ao combinar Jo 19,34 e 1,34, MICHAELS relaciona o verdadeiro testemunho da testemunha ocular com uma confissão de que Jesus é o Filho de Deus. Visto que para João o corpo de Jesus é o templo (2,21), uma interpretação figurativa do ato marcano de rasgar a cortina do templo pode relacionar-se com a abertura do lado de Jesus. Entretanto, tais ralações são altamente especulativas, e mais provavelmente o produto da engenhosidade do intérprete do que do plano que traçou o evangelista. Os episódios sinóticos e joaninos que seguem a morte de Jesus possuem certa similaridade de função teológica; mas não há evidência real de que um foi substituído pelo outro, ou que são reflexos distintos de um único acontecimento.

A narrativa joanina apresenta os seguintes problemas: a questão de adições redacionais nos vs. 34-35; a historicidade e significado do fluxo de sangue e água; a razão para apelar para o testemunho no v. 35; e a intenção teológica do escritor ao citar duas passagens da Escritura nos vs. 36-37.

Comecemos com a questão de *adições redacionais*. BULTMANN pensa que, em geral, 31-37 veio ao evangelista modelados já por uma tradição comunitária, pois não há temas teológicos peculiarmente joaninos, e o motivo dominante é o cumprimento da Escritura. (Ao contrário, trataremos o episódio como dominado por temas teológicos joaninos)!

Ele propõe que 34b ("e imediatamente fluíram sangue e água") e 35 são uma contribuição do Redator Eclesiástico. (WELLHAUSEN e LOISY tratam também 34a e 37 como redacionais). BULTMANN salienta que o tema do fluxo de sangue e água não é interrompido nas citações bíblicas de 36-37, pois essas citações se relacionam com os temas de 33 (o ato de quebrar as pernas) e 34a (o arremesso da lança) – assim, a um só tempo, 36-37 seguiram imediatamente 33-34a. A adição de 34b é atribuída ao Redator Eclesiástico, e não a uma nova redação do evangelista, por ser o sangue e água uma referência aos sacramentos da Eucaristia e Batismo; e o evangelista não estava interessado em sacramentalismo. A adição do v. 35 é atribuída ao Redator Eclesiástico por lembrar 21,24, e o último é parte de um capítulo anexado pelo redator. No vol. 1, pp. 11s, indicamos nossa dificuldade sobre a compreensão que BULTMANN tem da redação; em nossa opinião, em parte alguma sua teoria é mais colocada em dúvida do que aqui. Obviamente, o v. 35 é uma adição parentética. Não obstante, como SMITH, p. 233, salienta, 21,24 é mais claro do que 19,35, de modo que é bem provável que em 21,24 tenhamos um melhoramento feito pelo redator vindo de uma observação feita pelo evangelista em 19,35. A análise que BULTMANN faz de 34b é ainda mais problemática. Se a menção de sangue e água tem referência sacramental, em nosso juízo isto não é um indicador infalível de que o redator em esteve em ação, pois vemos na obra do evangelista um traço secundário de sacramentalismo (vol. 1, p. 122). E com respeito a 34b, como veremos abaixo, qualquer referência sacramental é secundária a um simbolismo teológico que está em perfeita harmonia com o pensamento joanino. Além do mais, pensamos que a citação bíblica em 37 é uma referência à totalidade de 34 (p. 1418 abaixo), e então 34b é uma parte integrante do episódio.

Isto nos leva ao nosso segundo problema: *a historicidade e significado do fluxo de sangue e água*. Não temos confirmação para este detalhe na tradição sinótica; mesmo Lc 24,39, que menciona feridas nas mãos e pés de Jesus, mantém silêncio sobre uma ferida no flanco. Não obstante, nada há intrinsecamente improvável ou no *crurifragium* ou em provar se um aparente cadáver está de fato morto, especialmente se a morte é prematura. O surpreendente detalhe é a insistência de que sangue e água fluíram do corpo morto de Jesus. É conhecimento comum que corpos mortos não sangram, visto que o coração já não está bombeando sangue através do sistema. Enfatizando este ponto,

HULTKVIST, *op. cit.*, tem buscado mostrar que Jesus não estava morto, e sim em um coma resultante de severa hemorragia. (Ele continua a teorizar que Jesus reviveu no túmulo, mas que seu corpo ainda estava afetado pelas feridas dois dias depois – eis por que [vs. 20,17] ele disse a Maria Madalena que não o tocasse)! A maioria dos médicos que têm estudado a questão (ver as discussões de BARBET e SAVA) não encontra dificuldade para uma hemorragia tão grande, pois um fluxo de sangue estancado através de uma ferida recebida *logo* depois que a morte já não é percebida, especialmente de um cadáver que se acha na posição vertical. A real dificuldade se centra no fluxo de água do cadáver. Mesmo que aceitemos a sugestão comum de que "água" é uma descrição popular do autor de um fluído físico incolor ou quase incolor, por exemplo, soro, é difícil conceber por que o sangue e este fluído estavam tão incisivamente separados.

Podemos começar com explicações que pressupõem que João está descrevendo algo que realmente aconteceu, seja natural ou miraculosamente. Os médicos têm oferecido diversas teorias que explicam o fluxo de sangue e "água" como fenômeno natural. Em 1847, J. C. STROUD, M.D., publicou *The Physical Cause of the Death of Christ* (ed. rev., 1871), propondo o que veio a ser uma tese clássica de uma violenta ruptura do coração de Jesus – uma tese conveniente que dá aos pregadores a oportunidade de enfatizar que, literalmente, o Senhor morreu de um coração trespassado. STROUD teorizou que, após uma hemorragia proveniente da parede cardíaca na bolsa pericárdica, houve um coágulo de sangue, separando-o do soro. A lança abriu a bolsa pericárdica, liberando as duas substâncias. A teoria é mantida por poucos hoje; de pouco vale a experiência subsequentemente adquirida de que tais rupturas cardíacas não ocorrem espontaneamente ou sob a pressão de agonia mental, mas são o resultado de uma condição previamente infectada do músculo cardíaco. Além do mais, a coagulação do sangue no pericárdio teria requerido mais tempo depois da morte do que o evangelho o admite. Algumas investigações médicas recentes que analisam os evangelhos preferem falar do fluxo de sangue do próprio coração (em vez da bolsa pericárdica) e do fluxo do líquido aquoso da bolsa pericárdica (BARBET) ou mesmo do estômago dilatado por impacto. Nesta tese, o arremesso da lança teria aberto ao mesmo tempo dois órgãos, e os dois líquidos teriam que passar através de um espaço relativamente grande, separando esses órgãos da área do corpo e ainda sair separadamente. Sava, *art. cit.*, tem proposto uma teoria mais simples. Ele cita boa evidência em prol da tese de que o açoitamento de Jesus poderia ter produzido, várias horas antes de sua morte, uma hemorragia na cavidade pleural entre as costelas e os pulmões. Este fluído hemorrágico, que em alguns casos é de volume considerável, poderia ter separado em fluído seroso claro acima e fluído vermelho escuro abaixo, uma separação favorecida pela posição rígida em que o corpo de Jesus foi mantido na cruz (tão rígido que alguns pensam que morrera de sufocação relacionada com falha circulatória – ver V. Marcozzi, *Gregorianum* 39 [1958], 440-62). Visto que a cavidade pleural está precisamente dentro da abertura da costela, mesmo um furo causado pela lança poderia tê-la aberto e as duas partes do sangue teria saído relativamente sem mistura. Todavia, aparentemente, o máximo que se pode coligir de tais discussões médicas é que a descrição que João faz do fluxo de sangue e água não é impossível, e assim um fenômeno natural não pode ser descartado.

Um ponto de vista mais comum, em tempos passados, foi que João pensava no fluxo de sangue e água como um milagre, e essa é a razão por que o testemunho da testemunha ocular do evento é sublinhado. Orígenes, Tomás de Aquino, Cajetano, Cornélio a Lapide e Lagrange estão entre os que têm sustentado esta interpretação. Todavia, nada há na narrativa do fluxo de sangue e água que subentenda o miraculoso; e, como veremos, a ênfase sobre o testemunho da testemunha ocular pode estar relacionada mais com implicação teológica da cena do que com seu teor miraculoso.

Antes de discutirmos a possibilidade de que o episódio seja uma criação fictícia, podemos mencionar uma solução intermédia, a saber, que João está descrevendo algo que realmente aconteceu, mas está usando linguagem imaginativa para o conseguir. Alguns sugerem que ele está falando à luz do conhecimento médico de seu tempo; por exemplo, uma obra tardia, a Midrash Rabbah 15,2 sobre Lv 13,2ss., diz: "O homem é todo bem equilibrado: metade dele é água, e a outra metade é sangue". O pensamento grego de Heráclito para Galeno enfatizava que as devidas proporções de sangue e água no homem garantia a saúde. Ao descrever a morte do mais velho dos sete filhos, 4Mc 9,20 registra que seu *sangue* manchou a roda enquanto os *fluídos* de seu corpo apagavam as chamas dos carvões. Ainda outra teoria é que, ao descrever o sangue e água, João está enfatizando a origem divina de Jesus. Havia uma antiga lenda homérica de que os deuses não tinham sangue em suas veias, mas um tipo de sangue misturado com água; por exemplo, somos informados que Afrodite verteu sangue linfático diluído com água (ver P. HAUPT, *American Journal of Philology* 45 [1924], 53-55; E. SCHWEIZER, EvTh 12 [1952-53], 350-51). É interessante notar que esta possibilidade foi apresentada já no tempo de CELSO (c. de 178 d.C.); pois ele zombeteiramente indagava se Jesus tinha o líquido divino que era o sangue dos deuses, e ORÍGENES respondeu que o incidente era um milagre (*Celsus* 2,36; GCS 2:161-62). A principal objeção a essas teorias é o versículo parentético 35: quem quer que adicionou esse versículo dificilmente teria enfatizado a importância do testemunho da testemunha ocular, se soubesse que o que aconteceu não estava sendo descrito como de fato ocorreu.

O apelo ao testemunho da testemunha ocular permanece um sério argumento também contra as teses de muitos estudiosos de que João simplesmente inventou o incidente do sangue e água para propósitos teológicos. Naturalmente, se alguém aceita o argumento de que o versículo parentético 35 não provém do evangelista, mas de um redator que não sabia que o evangelista inventara a cena, a objeção é vencida. Alguns ainda têm argumentado que a própria necessidade de um apelo ao testemunho da testemunha ocular é indicador de que o incidente do sangue e água é algo novo acerca do qual os ouvintes da mensagem evangélica poderiam ter alguma dúvida – uma compreensão altamente disputável da função do v. 35, como veremos abaixo. Estas sugestões implicam uma maneira de entender o método do evangelista e/ou do redator que achamos difícil de verificar em outras passagens do evangelho.

Para concluir a discussão da historicidade de 19,34b, enquanto reconhecemos a dificuldade de tomar a descrição de João em face do valor, indagamos se não é mais plausível fazer assim do que julgar que a descrição é uma ficção deliberadamente pressuposta, citando falso testemunho ou testificando que o autor não sabia ser verdadeiro, mesmo quando ele afirmou de outra maneira. BARRETT, p. 461, formula bem o problema: "Parece, se julgarmos pelo caráter desse evangelho como um todo, improvável que João esteja simplesmente elaborando um evento por causa de sua significação alegórica" (também DODD, *Tradition*, p. 143).

Temos agora que voltar ao significado que João atribui ao incidente. É simplesmente um modo dramático de mostrar que, sem dúvida, Jesus estava morto quando seu corpo foi descido da cruz – possivelmente contra uma teoria que explicaria a ressurreição em termos do despertar de um coma? Outra interpretação apologética é sugerida por D. DAUBE, *The New Testament and Rabbinic Judaism* (London University, 1956), pp. 325-29: no pensamento judaico, a desfiguração era um obstáculo à ressurreição, e essa é a razão por que João é cuidadoso em enfatizar que nenhum osso foi quebrado. Uma apologética anti-docética foi proposta (já por IRINEU, *Contra Heresia* 3, 22:2 e 4, 33:2; SC 34:376; 100:806). Os docetistas que negavam que Cristo era realmente humano consideravam a crucifixão uma ilusão. No 2º século, em *Atos de João*, 101, Jesus é representado como negando que o sangue saiu de seu corpo. Contra tal teorização, a afirmação de João em 34b seria uma refutação. Entretanto, o docetismo do 1º século não é bem conhecido, e temos de admitir que 1Jo 5,6 é mais claramente anti-docético do que Jo 19,34b (ver também vol. 1, p. 74s). Além do mais, a peculiaridade do incidente evangélico não é tanto que o sangue emanou de Jesus (pois sangue é associado com morte), mas que emanou água; e o fluxo de água não só não possui tema anti-docético discernível, mas poderia inclusive obscurecer a humanidade de Jesus.

Em qualquer caso, o propósito de João não é meramente apologético, pois o v. 35 enfatiza que o incidente está sendo registrado a fim de aprofundar a fé cristã existente (nota sobre "para que também tenhais fé" em 35). A referência ao testemunho concernente ao sangue e água como "verdadeiro" (*alēthinos*) indica que o verdadeiro significado da cena não está no nível material e visível, e sim no que ela nos diz do mundo do espírito (ver vol. 1, pp. 797-99). Se a testemunha ocular do v. 35 é o Discípulo Amado de 26-27, como cremos, então não devemos esquecer que no primeiro episódio ele foi identificado com a fórmula revelatória "Eis o teu filho". Aqui ele fala como uma testemunha de uma revelação que é importante para todos os cristãos a quem ele simboliza. Assim, temos toda a razão de buscar um profundo simbolismo teológico no fluxo de sangue e água.

Tem-se sugerido muito pano de fundo veterotestamentário como guia de possível simbolismo. Em Is 53,12 somos informados que o Servo Sofredor *derramou* sua alma na morte (se essa é a imagem implícita no hiphil de *'rh*). Muitos Padres da Igreja (veja Hoskyns, pp. 534-35) relacionam o incidente joanino com Gn 2,21, onde Eva é tomada do lado de Adão, e veem aqui a emergência da Nova Eva, a Igreja. Esta interpretação, que é anterior ao 4º século (Braun, *JeanThéol*, 3, 168²), recebeu a aprovação do concílio de Viena (1312 – o décimo quinto concílio ecumênico na computação católico-romana) onde, contra os erros de Peter John Olivi, foi confirmado que Cristo "portou em seu lado a ferida da lança, de modo que, com as afluências de água e sangue que fluíam, pôde formar uma imaculada e virginal santa Mãe Igreja, a esposa de Cristo, justamente como do lado do primeiro homem, enquanto dormia, foi formada Eva como uma parceira matrimonial" (DB, §901; esta exegese tomou como alvo a disputa de que a verdadeira Igreja só veio à existência na Idade Média com o advento dos espiritualistas). Nos tempos modernos, esta interpretação tem sido esposada por Loisy, p. 492. Enquanto ela se harmonizaria bem com algum do simbolismo que sugerimos para os vs. 26-27 (ver pp. 1378-80 acima), achamos pouca evidência de que o relato do Gênesis estava na mente de João aqui (ver notas sobre "trespassou" e "lado" no v. 34).

Uma chave preferível ao significado do simbolismo jaz no âmago das próprias obras joaninas. Em Jo 7,38-38, Jesus citou uma passagem da Escritura: "De seu interior fluirão rios de água vida". (No vol. 1, p. 575, sugerimos que o provável pano de fundo da Escritura era a cena onde Moisés feriu a rocha e emanou água [Nm 20,11]. É interessante que no pensamento judaico posterior, como exemplificado em Midrash Rabbah 3,13 sobre Ex 4,9, era mantido que ele feriu a rocha duas vezes porque primeiramente ele produziu sangue e água). O evangelista se interrompeu para observar que por água Jesus estava se referindo ao Espírito, que teriam que receber os que cressem em Jesus, pois o Espírito ainda não se manifestara, já que Jesus ainda não fora glorificado. Cremos ser mais provável que neste fluxo de água do lado de Jesus (de seu interior), João vê o cumprimento da própria profecia de Jesus, ocorrendo na hora da glorificação de Jesus (cf. 12,32). O parentético v. 35 insiste triunfantemente que isto realmente aconteceu justamente como Jesus predisse e que houve uma testemunha ocular para afirmá-lo. Assim, para João, o fluxo de água é outro símbolo proléptico da doação do Espírito, recorrendo ao tema do v. 30: "Ele entregou o espírito". Eis por que o v. 35 diz que se dá testemunho do incidente "para que também vós tenhais fé" – o incidente não é meramente uma demonstração da exatidão do pré-conhecimento de Jesus, mas também para assegurar ao cristão que realmente Jesus deu o Espírito que é a fonte da fé. (É digno de nota que esta interpretação da água que flui do lado de Jesus aparentemente retrocede ao 2º século: IRINEU, *Contra Heresia* 4, 14:2; SC 100:544, diz que em muitas passagens a água representa o Espírito de Deus; ver também 3, 24:1; SC 34:400).

Para entender por que o sangue é também mencionado, provavelmente tenhamos de voltar a 1Jo 5,6-8: "Este é aquele que veio através da água e sangue, isto é Jesus Cristo; não só por água, mas por água e por sangue. E o Espírito é o que testifica, porque o Espírito é a verdade... e estes três concordam em um". Alguns estudiosos, como BULTMANN, fazem objeção ao uso de 1 João para interpretar João; porque as duas obras nem sempre têm a mesma ênfase teológica. Mas tudo indica que temos aqui duas passagens estreitamente relacionadas da mesma escola de composição literária: partilham os mesmos temas de água e sangue, o Espírito e testemunho. Quando abordarmos as Epístolas joaninas no nosso próximo volume, discutiremos detalhadamente o significado de 1Jo 5,6-8, mas uma interpretação muito difundida veria ali um contraste entre o batismo de Jesus, por João Batista, e a crucifixão. O batismo pelo Batista não comunicou o Espírito, pois só batizava com água (1,31); o verdadeiro nascimento por meio de água e o Espírito (3,5) foi algo que não viria até que Jesus fosse glorificado (7,39). O Espírito não poderia vir até que Jesus partisse (16,7), isto é, até que ele derramasse seu sangue. Na linguagem poética da Primeira Epístola, a água tinha de misturar-se com o sangue de Jesus antes que o Espírito pudesse dar testemunho: "não só por água, mas por água e por sangue. E o Espírito é que testifica". Assim, pareceria que na descrição evangélica de um fluxo de sangue e água emanando do lado de Jesus, João está dizendo que agora o Espírito pode ser dado, porque Jesus, obviamente, está morto e através da morte ele conquistou a glória que era sua antes que o mundo viesse à existência (17,5). O Espírito é o princípio da vida que vem do alto, e agora Jesus está de caminho para habitar com o Pai nas alturas. A lança do soldado se destinava a demonstrar que Jesus de fato estava morto; mas esta afirmação da morte é paradoxalmente o princípio da vida, pois do homem morto ali flui água viva que será uma fonte de vida para todos os que creem nele em imitação do Discípulo Amado. Bem observou ORÍGENES que isto constitui um novo tipo de homem morto (*Celsus* 2, 69; GCS 2:191). O fato de que através do discípulo os efeitos do fluxo de sangue e água alcançaram a todos os que têm fé significa que há uma dimensão eclesiástica para a passagem, mesmo sem depender da óbvia alusão a Eva sendo tomada do lado de Adão, em Gênesis. ("Pois todos nós fomos batizados em um Espírito", diz Paulo em 1Cor 12,13). Uma vez mais, ao avaliarmos 19,30, não pensamos que nesta cena João está se referindo à atual doação do Espírito, pois isso é especificamente descrito em 20,22. Aqui, o simbolismo é proléptico e serve para clarificar que, enquanto somente o Jesus ressurreto dá o Espírito, esse dom flui de todo o processo da glorificação em "a hora" da paixão, morte, ressurreição e ascensão.

MIGUENS, pp. 13-16, e FORD, *art. cit.*, sugerem outro fator que pode explicar por que João enfatiza que o sangue fluiu *imediatamente* da ferida da lança no lado de Jesus (e de que menciona o sangue antes de água). Já vimos que João parece pensar em Jesus caminhando rumo à sua morte como uma vítima sacrificial (pp. 1369-70 acima). Um dos requerimentos estritos da lei sacrificial judaica era que o sangue da vítima não fosse coagulado, mas que fluísse no momento da morte, de modo que pudesse ser aspergido (Mishnah *Pesaḥim* 5:3,5). MIGUENS, pp. 17-20, aponta ainda para a similaridade entre a ideia de que o soldado abriu o lado de Jesus com uma lança e a insistência da lei judaica de que o sacerdote dividisse o coração da vítima e fizesse o sangue borbotar (Mishnah *Tamid* 4:2). Assim, o episódio final na cruz poderia destinar-se a enfatizar o tema de que Jesus morreu como uma vítima sacrificial.

Até aqui temos discutido o significado teológico primário do fluxo de sangue e água. Aqui haveria também um simbolismo sacramental secundário? (Ver S. TROMP, *Gregorianum* 13 [1932], 523-27, para uma breve história da exegese deste versículo). TERTULIANO (*De Baptismo* 41,2; SC 35:89), seguido por CIRILO de Alexandria e TOMÁS DE AQUINO, via em João uma referência aos dois diferentes tipos de batismo: batismo por meio de água e batismo por meio de sangue (i.e., martírio pela fé). Outra interpretação antiga, recuando ao 2º século, tem melhor chance de estar dentro da intenção do evangelista, a saber, que os dois sacramentos se relacionam mui estreitamente com a morte do Senhor, o Batismo e a Eucaristia, são prefigurados pela água e o sangue. CULLMANN adota esta interpretação em ECW, pp. 114-16; e BULTMANN, p. 525, declara que o fluxo de sangue e água constitui um milagre que "dificilmente pode ter algum outro significado senão que na morte de Jesus na cruz os sacramentos do batismo e da ceia do Senhor têm sua origem". Todavia, não é fácil provar à luz da evidência interna que João intentava uma referência aos dois sacramentos. Não há muita dificuldade sobre uma referência secundária ao batismo, como indica toda a nossa discussão anterior de água e o Espírito (ver vol. 1, pp. 346, 394). Mas, no "sangue" há uma referência à Eucaristia? É verdade que a outra única menção ao sangue de Jesus, em João, é em 6,53-56, a passagem eucarística. *Se* há uma referência secundária à eucaristia em Caná (vol. 1, pp. 305s), então a presença da mãe de Jesus ao pé da cruz pode contribuir para a interpretação sacramental, evocando a cena de Caná à atenção do leitor. 1Jo 1,7 diz que o sangue de Jesus nos purifica de todo pecado (ver também Ap 7,14); mas esta concepção é mais em termos do ritual sacrificial judaico do que em termos de sacramentalismo eucarístico. (Entretanto, é digno de nota que, se evocarmos 1Jo 1,7, então ambos, sangue e água, podem significar o poder purificador da morte de Jesus. Em um fragmento dubiamente atribuído ao tempo de Claudius Apollinaris de Hierápolis [c. 170 d.C.; ver Bernard, II, 648], lemos que "de seu lado saiu as duas purificações [*katharsia*], água e sangue, palavra e espírito"). Assim, o muito que podemos fazer é dar uma probabilidade à dupla referência sacramental de 19,34b (em um nível secundário), com melhor prova para a referência batismal do que à eucarística (ver Costa, *art. cit.*).

Agora passamos rapidamente a outro problema neste episódio: a relação entre o fluxo de sangue e água em 34b e *o apelo ao testemunho no v. 35*. É interessante que 1Jo 5,6-8, o qual, como já vimos, menciona água e sangue, também enfatiza o testemunho; mas ali é o Espírito que testifica, enquanto em Jo 19,35 é o Discípulo Amado. Mas, para João, o testificar do Espírito e o testificar de um discípulo de Jesus constituem duas facetas da mesma realidade. Em 15,26-27, o testemunho do Paráclito e o testemunho dos discípulos são justapostos, porque é através dos discípulos que o Paráclito fala. Assim, pode haver uma íntima conexão entre o fluxo de sangue e a água e o dar testemunho glorificado. Se estivermos certos em manter que este fluxo simboliza proleptiamente a efusão do Espírito mediante o Jesus morto e glorificado, então é o Espírito que torna possível tanto ao Discípulo Amado testificar quanto àqueles que o ouvem e creem.

Lançando mão de simbolismo adicional, alguns têm proposto que, se o Discípulo Amado é João, filho de Zebedeu, há uma inclusão com o início do evangelho. Em 1,19, ouvimos do testemunho dado pelo

Batista em prol de Jesus; Em 19,35, ouvimos do testemunho dado por *João* o Discípulo Amado. Pintores medievais não perderam esta possibilidade, pois nos trípticos os dois Joães são frequentemente apresentados em ambos os lados da cruz. Todavia, o fato de que o Discípulo Amado não seja nomeado faz uma inclusão com o Batista de maneira sutil. Se há alguma inclusão com o Batista em 34,35, é mais provável em termos de uma comparação entre seu batismo com água e o batismo cristão simbolizado pela água acompanhada de sangue.

Nosso último problema no quinto episódio diz respeito às *citações bíblicas* nos vs. 36 e 37, as quais oferecem uma inclusão mais clara com o início do evangelho do que as propostas recém mencionadas. Na nota sobre v. 36 discutimos duas possíveis identificações veterotestamentárias para a citação: "Nenhum osso será quebrado". Uma referência às provisões do cordeiro pascal é a mais provável das duas por causa de outras alusões ao tema cordeiro na Narrativa da Paixão (a data é a véspera da Páscoa; Jesus é sentenciado por Pilatos na hora vespertina quando tinha início a matança dos cordeiros pascais; a menção de hissopo em 19,29). Quanto às passagens veterotestamentárias mencionadas nas notas, Miss Guilding, p. 170, salienta que Ex 12,46 era lido nos lecionários da sinagoga na Páscoa do segundo ano do ciclo de três anos, e Números 9,12 no terceiro ano (ver vol. 1, pp. 518-21). Assim, qualquer associação que João fizesse entre Jesus e o cordeiro pascal não seria tão estranha aos leitores cristãos do pano de fundo judaico. Estamos incertos se o tema do cordeiro pascal também ecoa de uma maneira secundária na urgência de ter o corpo de Jesus removido antes do dia seguinte (Páscoa, 15 de Nisan) que começaria ao pôr do sol; pois, como já afirmamos, enquanto esta atitude era ditada pela lei de Dt 21,22-23, em Ex 12,10 se prevê também que, quando despontasse o dia seguinte, nada deveria restar do cordeiro que fora morto "entre as duas tardes" (i.e., à tarde que encerra o dia 14 de Nisan e inicia o dia 15). Em qualquer caso, a evocação do tema do cordeiro pascal em Jo 19,36 forma uma excelente inclusão com o testemunho do Batista dado no início do ministério de Jesus (1,29): "Eis o Cordeiro de Deus que tira o pecado do mundo". Pois esta é a hora em que, nas palavras de 1Jo 1,7, "O sangue de Jesus, Seu Filho, nos purifica de todo pecado". Alguns estudiosos têm sugerido também que, ao apresentar Jesus como o cordeiro pascal, João está atribuindo caráter sacrificial à morte de Jesus. Certamente isto é possível, pois salientamos acima

(p. 1369s) que, ao descrever Jesus carregando sua própria cruz, João poderia estar introduzindo a tipologia de Isaque e no antigo pensamento judaico estabeleceu-se uma relação entre o sacrifício de Isaque e o cordeiro pascal. Além do mais, vimos o tema de Jesus como sacerdote no simbolismo da túnica no segundo episódio. Em adição à evocação do tema do sacrifício, o simbolismo do cordeiro pascal poderia também evocar a ideia de aliança, da qual já encontramos traços no último discurso (pp. 985, 1022, 1035, 1062, 1096s acima).

Até aqui, tomamos a citação "Nenhum osso será quebrado" como uma alusão às normas para o cordeiro pascal. Mas não podemos excluir a possibilidade de que seja *também* uma alusão ao Sl 34,21(20), um salmo que trata dos inocentes servos sofredores de Deus. No salmo, este versículo constitui uma promessa de que Deus não permitirá que seus ossos fossem quebrados; e assim, segundo (o último?) o pensamento judaico, evitar uma mutilação que impeça a ressurreição. DODD, *Interpretation*, p. 234[1], associa estes salmos do justo sofredor com os poemas do Servo Sofredor em Deuteroisaías. E assim é bem provável que em Jo 19,36 haja uma dupla inclusão com a referência ao Cordeiro de Deus no início do evangelho (1,29); pois no vol. 1, pp. 240s, vimos que o Cordeiro de Deus referia-se não só ao cordeiro pascal, mas também ao Servo Sofredor. Jesus é o inocente sofredor que toma sobre si os pecados de outros; e mesmo que ele seja conduzido ao matadouro como um cordeiro (Is 53,7), Deus não permitirá que seus ossos sejam quebrados e, assim, não o privará da vitória da ressurreição.

A segunda citação que João vê cumprida neste episódio da cruz se encontra no v. 37: "Eles verão aquele que trespassaram". Esta é uma variante de Zc 12,10, e os caps. 9-14 de Zacarias constituem uma importante fonte veterotestamentária para as citações sobre Jesus. Em Jo 7,37, o tema de chuva e água exerce um papel no que Jesus diz na festa dos Tabernáculos, e isto está relacionado com a visão de Zacarias do que sucederá na festa dos Tabernáculos nos dias messiânicos (cp. 14; ver vol. 1, pp. 575-78, 581). O tema do bom pastor em Jo 10 também se encontra em Zc 11. Jo 12,15 cita Zc 9,9 acerca da vinda do rei assentado sobre um jumento (vol. 1, pp. 739, 751). Na narrativa da paixão, Mt 26,15 toma de Zc 11,12 a ideia de trinta moedas de prata, enquanto Mc 14,27, "Ferirei o pastor e as ovelhas ficarão dispersas" (e aparentemente Jo 16,32), ecoa Zc 13,7. A passagem que ora analisamos,

Zc 12,10, é também citada em Ap 1,7 em relação à parousia: "Eis que vem com as nuvens, e todo olho o verá, até os que o traspassaram; e todas as tribos da terra se lamentarão sobre ele. Sim. Amém". (A passagem é usada de uma maneira singular por JUSTINO, *Apologia* 1,52).

Como João interpreta Zc 12,10? No contexto do AT, a vista daquele que é traspassado está associada com um espírito de compaixão, de modo que os observadores "lamentam por ele, como quem lamenta por um primogênito, e choram amargamente sobre ele". No episódio na cruz, talvez João estaria pensando nos observadores como sendo "os judeus" do v. 31 (e talvez os soldados romanos de 32-34) que, contemplando Jesus trespassado por uma lança por instigação deles mesmos, se arrependem e choram por ele? Embora isto concorde com o contexto do AT e com o tema de Lc 23,48, na descrição de João nada há que pressuponha arrependimento; "os judeus" continuam sendo hostis (19,38; 20,19). Outra interpretação possível é que, ao usar um verbo futuro, "Verão", João alude à parousia, justamente como faz o autor do Apocalipse. Entre os que pensam que, enquanto a citação no v. 36 se refere ao que já aconteceu, a citação de Zacarias em 37 não será concretizada até a parousia, podemos citar LAGRANGE, LOISY (hesitantemente), WIKENHAUSER e SCHLATTER. O versículo, pois, se torna uma ameaça de juízo sobre os que trespassaram Jesus. Entretanto, à luz da ênfase do evangelho sobre a escatologia realizada, é bem provável que o autor estivesse pensando não em uma parousia futura, e sim em um tipo de juízo que já se concretizara. Com alguma hesitação, sugerimos que o "eles" que contemplam Jesus como trespassado consistem de dois grupos. Primeiro, "os judeus", que são seus inimigos, são derrotados pelo próprio ato que instigaram; pois como contemplaram o Jesus que morreu na cruz, dali emana, juntamente com o sangue de sua vida, um manancial de água que gera vida. Os fariseus tinham decidido matar Jesus porque o mundo inteiro estava correndo após ele (12,19); mas, ironicamente, ao crucificá-lo, cumpriam sua profecia de que, quando fosse levantado da terra, atrairia a si todos os homens (12,32). Eles fizeram com que ele fosse levantado na cruz; por seu pedido a Pilatos, ocasionaram que uma lança abrisse a fonte de água viva. Agora está sendo dado o Espírito que gerará homens (3,5) para que sejam seguidores de Jesus, o mesmo Espírito/Paráclero que vindicará Jesus contra os que criam que o estavam destruindo (16,8-11). Entretanto, um segundo grupo também contempla o Jesus trespassado, já que na pessoa do Discípulo Amado os que têm fé em Jesus (19,35) contemplam a cena. Para eles, a confrontação não é ocasião de condenação, e sim do dom da vida (3,18; 5,24). Para eles, Jesus está suspenso da cruz em cumprimento de suas palavras em 3,14-15: "E assim como Moisés levantou a serpente no deserto, também o Filho do Homem será levantado, para que tantos quantos creem nele tenham a vida eterna". Assim, o Jesus morto permanece sendo o ponto focal do juízo justamente como fez o Jesus vivo: ao pé da cruz permanecem os que rejeitam a luz, e também os que se deixam atrair por ela (3,18-21). Os primeiros contemplam o Jesus trespassado para serem condenados; os últimos o contemplam para serem salvos.

Notar-se-á que temos conectado intimamente a citação de Zc 12,10 com a totalidade de Jo 14,34: não só com o golpe da lança, mas também com o fluxo de sangue e água. Esta foi uma das razões por que rejeitamos a tese de BULTMANN de que o v. 34b é uma adição, porquanto não é citada no v. 37. Encontramos justificativa para nosso procedimento no contexto imediato da citação de Zacarias – aqui como em outro lugar, o autor neotestamentário está citando um versículo como evocativo de todo um contexto (ver também vol. 1, p. 324). Em Zc 12,10, justamente antes das palavras citadas por João, Iahweh diz: "Derramarei sobre a casa de Davi e os habitantes de Jerusalém *um espírito* de compaixão". Uns poucos versículos depois (13,1), Zacarias nos fala da promessa de Deus de abrir uma fonte para a casa de Davi e para Jerusalém, *a fim de purificar seus pecados*. Todos os temas italicados têm figurado em nossa interpretação de Jo 19,34b como o cumprimento de Jo 7,38-39. (Talvez possamos adicionar mais adiante descreve em Zc 14,8 as águas vivas emanando de Jerusalém podem ser um desenvolvimento de Ez 42,1-12, onde o templo é a fonte da água que flui de Jerusalém. Temos que lembrar que para João o corpo de Jesus substitui o templo de Jerusalém [2,21]. Outra obra joanina, Ap 22, foi influenciada, respectivamente, por Zc 13,1 e 14). E assim a citação de João, no v. 37, reflete toda a soteriologia e a cristologia, precisamente como a citação no v. 36. Eis por que as duas estão intrinsecamente entrelaças.

Na nota sobre o v. 37 salientamos que o TM de Zc 12,10 difere da citação feita em João, pois parece falar que o próprio Iahweh é trespassado. Para evitar esta dificuldade, extraímos aí uma interpretação messiânica, a saber, que o Messias seria trespassado e os homens olhariam para Iahweh. Em particular, o Messias da tribo de José foi retratado em algumas especulações judaicas sobre este texto (TalBab *Sukkah* 52a; StB, II, 584; S. MOWINCKEL, *He That Cometh* [Nova York: Abingdon, 1954], p. 291). Se esta tradição era conhecida nos dias de João, não é inimaginável que João encontrou no cumprimento de Zc 12,10 uma confirmação de que Jesus era o Messias (cf. Jo 20,31). Alguns relacionariam a figura trespassada anônima de Zc 12,10 com o Servo Sofredor de Is 53,5.10, que foi esmagado e açoitado. Reiterando, se esta conexão foi feita no tempo de João, é possível que ele confirmasse que Jesus era o Servo, um tema que sugerimos como possível na citação do v. 36. Em contrapartida, rejeitamos a sugestão de O'ROURKE, ScEccl 19 (1967), 441, de que, visto que no TM o próprio Iahweh é trespassado, possivelmente João esteja aplicando texto a Jesus para significar a sua divindade. O fato de que João não cita o texto de acordo com o TM mostra que ele não está pensando desta maneira.

Conclusão: O sepultamento de Jesus por José e Nicodemos (19,38-42)

Embora a deposição da cruz não seja explicitamente mencionada nestes versículos, ela está implícita no relato do cuidado gasto com o corpo de Jesus; e assim a conclusão da cena da crucifixão está contraposta à Introdução onde fomos informados que Jesus foi posto na cruz. Ver também o tema comum do lugar onde ele foi crucificado em 19,17-18 e 41. Ao comparar a conclusão com os vários episódios da crucifixão, HOSKYNS, p. 536, nota uma interessante progressão nas respostas de Pilatos às solicitações que recebe acerca do Jesus crucificado: no primeiro episódio, ele recusa a primeira solicitação de "os judeus" de mudar o título (19,22); no quinto episódio, ele atende tacitamente a segunda solicitação de "os judeus" de apressar a remoção dos corpos (o "Por conseguinte" de 19,32); aqui, ele atende explicitamente a solicitação do discípulo clandestino de Jesus de remover o corpo (v. 38). E assim o último aparecimento de Pilatos no evangelho é de caráter positivo.

Salientamos que, exceto a frase inicial, o quinto episódio não teve paralelos sinóticos. Na conclusão, como no restante da narrativa da crucifixão com a exclusão do quinto episódio, há um paralelo sinótico parcial (embora, o simbolismo caracteristicamente joanino não seja construído sobre os detalhes que tem os paralelos sinóticos). João participa com os sinóticos da solicitação feita por José de Arimateia a Pilatos, e o levar o corpo para sepultá-lo em um túmulo até então sem uso, porque era o Dia da Preparação antes de um dia santo que já se aproximava rapidamente. Uma comparação do quinto episódio e a conclusão suscita uma dificuldade: em cada solicitação que a Pilatos se apresenta é para retirar o corpo; tacitamente, Pilatos atende a primeira solicitação a "os judeus" e explicitamente concede a José a segunda solicitação; porém nada se diz para resolver a duplicação óbvia. (Estudiosos como BALDENSPERGER têm contado com isto para construir uma teoria de um duplo sepultamento de Jesus: primeiro, pelos judeus [ver At 13,39]; e, então, um segundo sepultamento por José. Essa teoria tem sido usada para modificar o túmulo vazio, a saber, o primeiro túmulo). Certamente, com muita imaginação, alguém pode harmonizar, por exemplo, alegando que a primeira solicitação emitiu uma ordem aos soldados que apressassem a morte e descessem os corpos da cruz, enquanto a segunda solicitação levou a uma permissão de dispor o corpo uma vez descido dela. Um crítico tão competente como BULTMANN, p. 516, mantém que ambas as cenas estavam lado a lado na fonte de João e, consequentemente, nenhuma representa uma adição feita pelo evangelista (que só era responsável pelo v. 39a: o aparecimento de Nicodemos). Entretanto, muitos duvidam que as duas cenas eram consecutivas na tradição e pensam que o escritor reuniu versões variantes, porém sobrepondo parcialmente, de como Pilatos fez a disposição do corpo de Jesus – sendo a primeira versão (quinto episódio) um relato inteiramente joanino, a segunda (a conclusão) representando um empréstimo da tradição sinótica. Um refinamento desta abordagem é a tese de LOISY (p. 496) de que os vs. 40a,41-42 em algum momento foram a conclusão da primeira versão, e que esta versão foi absorvida pela adição do v. 38 da tradição sinótica, e então absorvida de novo pela adição dos vs. 39 e 40b (o relato de Nicodemos e as preparações fúnebres).

Nenhuma solução simples é possível. Se há na conclusão paralelos sinóticos claros, ninguém pode manter com seriedade ser possível que toda a narrativa da conclusão possa remontar aos sinóticos. O relato de Nicodemos e a preparação do corpo com mirra e aloés é um problema mais grave na discussão. (Se os "óleos aromáticos" do v. 40b [ver nota] não são os mesmos mirra e aloés do v. 39, então se pode pensar que a referência a Nicodemos consiste de apenas um versículo, a saber, o v. 39, inserido na narrativa do sepultamento e acompanhado do v. 40a que serve como um conectivo ao que se segue. O "em conformidade com" do v. 40b continuaria a narrativa do v. 38). Obviamente, o relato de Nicodemos é independente da tradição sinótica, pois dificilmente ele se concilia com a afirmação de Mc 16,1 e Lc 24,1, a saber, que as mulheres foram ao túmulo de manhã com óleos aromáticos (para ungir Jesus, segundo Marcos). Tem de se rejeitar a teoria de harmonização que as preparações na sexta-feira, descritas por João, eram provisórias e as mulheres foram para completar a tarefa no domingo. João não fornece indicação de que houvesse mais procedimentos fúnebres; e certamente a impressionante quantidade de especiarias e óleos usados na sexta-feira tornava desnecessário trazer óleos no domingo. Em particular, a tradição independente de Lucas (23,55-56) de que as mulheres observaram o sepultamento do corpo na sexta-feira e então imediatamente foram e compraram óleos aromáticos e perfumes é uma contradição implícita da tradição de João de que o corpo foi preparado com óleos aromáticos antes do sepultamento. A sugestão de LAGRANGE (p. 504) de que as mulheres só viram o túmulo e não o processo de sepultamento e, consequentemente, não sabiam o que José e Nicodemos fizeram é uma harmonização ainda mais estranha. Uma harmonização mais sutil entre João e os sinóticos é possível caso se postule que a tradição marcana/lucana combina duas narrativas independentes e um tanto contraditórias: *uma narrativa do sepultamento*, a qual com seu silêncio sobre o tema implícito de que os costumeiros procedimentos fúnebres foram seguidos (e assim estava em concordância com a tradição de João), e *uma narrativa de um "túmulo vazio"*, a qual pressupunha que os costumeiros procedimentos fúnebres não foram seguidos e o corpo de Jesus não foi ungido. Alguém teria que presumir que Marcos não viu a contradição em combinar essas narrativas divergentes. Essa solução é tão especulativa que provavelmente seja preferível encarar o problema de discordância entre João e os sinóticos.

Não é fácil estabelecer a questão quanto a qual das duas descrições dos ritos fúnebres é mais plausível: a apresentação (marcana/lucana) no domingo, ou a apresentação (joanina) na sexta-feira. Em razão da enorme quantidade de mirra e aloés em Jo 19,39, muitos estudiosos apoiam a apresentação no domingo; por exemplo, BULTMANN, p. 516, caracteriza o relato de João como uma edificante construção lendária.

No entanto, BENOIT, *Passion*, p. 225, apoia a apresentação na sexta-feira. Visto que a apresentação no domingo está estreitamente vinculada com a historicidade da narrativa do encontro do túmulo vazio, deixaremos suas dificuldades até discutirmos Jo 20,1. O relato que João faz da preparação fúnebre na sexta-feira não tem relação com a narrativa da ressurreição; aliás, um sepultamento tão elaborado não mostra antecipação de ressurreição iminente. Se deixarmos de lado a quantidade de especiarias, a maior dificuldade na apresentação joanina é a aparente contradição entre os elaborados ritos fúnebres e a urgência ditada pela aproximação do dia festivo. Entretanto, não devemos subestimar a insistência judaica de que um corpo tem de ser preparado devidamente para o sepultamento. A Mishnah *Sanhedrin* 6:5 diz que ainda se pode permitir que um corpo morto permaneça durante a noite sem sepultamento caso se requeira esse tempo para preparar uma mortalha ou um caixão para ele.

Se sairmos do relato de Nicodemos e as especiarias, que é um material peculiarmente joanino, ainda nos deparamos com um problema, quando analisamos as origens do relato joanino de José de Arimateia e o túmulo. Mesmo quando isto tenha paralelos sinóticos, fica longe de ser claro que João tenha recorrido aos evangelhos sinóticos e suas fontes; nas notas sobre os vs. 38,41-42 salientamos numerosas diferenças de vocabulário e detalhes. DODD, *Tradition*, pp. 138-39, provavelmente está certo em insistir uma vez mais que João está recorrendo a uma tradição independente similar àquelas por detrás dos evangelhos sinóticos, e não aos evangelhos sinóticos ou às próprias tradições pré-evangélicas.

Então, à maneira de resumo, o relato joanino do que aconteceu após a morte de Jesus combina material de dois tipos: primeiro, material que não tem paralelos sinóticos nos vs. 31b-37 (quinto episódio) e os vs. 39-40; segundo, material que é mais afim com a tradição sinótica nos vs. 31a,38 e 41-42. Esta divisão é similar, porém não tão em ordem como a de BENOIT, *art. cit.*, pela qual um relato joanino sem paralelos sinóticos (31-37) se junta a outro relato original com paralelos sinóticos (39-42) por meio de um versículo conectivo (38) emprestado da tradição sinótica. (Na realidade, o v. 38 não é muito próximo da tradição sinótica do que são os vs. 41-42; e não há boa razão para propor diferentes origens para estes versículos). Os sinais de que dois tipos de material foram combinados são mais claros: como mencionado, não só o pedido a Pilatos no v. 38 duplica o do v. 31b, mas também o recebimento do corpo de Jesus no v. 38 é duplicado no v. 40. Todavia, não há evidência suficiente que nos capacite a elaborar uma teoria exata sobre como ou por que tal combinação ocorreu.

Qual é o propósito ou tema da conclusão, especialmente das partes peculiarmente joaninas? Alguns dos detalhes da narrativa podem ter tido suas origens nas exigências da apologética (se o autor joanino as usou ou não apologeticamente). BULTMANN, p. 527[10], pensa que a ênfase sobre o caráter do túmulo até então não usado ("novo"; "no qual ninguém ainda fora sepultado") se propõe a sublinhar sua santidade – o túmulo nunca se prestou ao uso secular. Parece-nos mais provável que ele reflita apologética – não houve confusão no registro do túmulo vazio, pois Jesus não foi sepultado em um túmulo comum onde seu corpo pudesse misturar-se com outros, e o túmulo estava em um lugar facilmente identificável nas proximidades do bem conhecido local de execução pública.

Há aqui algum simbolismo teológico? Hesitamos sobre se classificamos 19,38-42 como sexto episódio, na narrativa da crucifixão, ou como a conclusão. Nossa decisão de não tratá-lo como outro episódio teve por base o fato de que não podíamos ver maior ênfase ou simbolismo teológico que colocasse a descrição do sepultamento num plano com os episódios 1-5. Nas notas, rejeitamos o que consideramos tentativas forçadas para ler-se simbolismo nestes versículos: por exemplo, referências adicionais ao cordeiro pascal ou Servo Sofredor; um jogo de palavras sobre o Jardim do Éden; e o tema de um sacrifício de aroma suave. Francamente, estamos incertos se algum tema teológico sublinha uma possível conexão entre as preparações para o funeral nos vs. 39-40 e a insistência de João em 12,3.7 de que Maria de Betânia já havia ungido o corpo de Jesus para o sepultamento (vol. 1, p. 744 – teria se esperado que depois de tal insistência o Quarto Evangelho não narrasse qualquer preparação adicional para o sepultamento, e, todavia, ele é o único evangelho a fazer isso). Estamos também bem duvidosos sobre a tese de R. MERCURIO, CBQ 21 (1959), 50-54, de que a descrição que João faz do sepultamento tem um tema batismal especial; por exemplo, o uso de especiarias é reminiscente do batismo como unção pelo Espírito Santo, e a presença de Nicodemos evoca o tema batismal do diálogo no cap. 3 (vol. 1, pp. 348-51).

Mas aí restam duas possibilidades para encontrar simbolismo teológico menor nessas passagens que são dignas de consideração. A primeira é uma continuação do tema de que Jesus, tendo sido levantado, ele atrai a si todos os homens (12,32). Vimos este tema em ação no quinto episódio, no testemunho que o Discípulo Amado dá sobre o fluxo de sangue e água, pois esse testemunho foi dirigido a todos os que tenham fé em Jesus. Mas pode ser que na conclusão João esteja voltando sua atenção para outro tipo de crente, exemplificado em José e Nicodemos. Na introdução ao evangelho (vol. 1, p. 71ss) propusemos que João tinha em mente ao menos um duplo auditório: os que já eram plenamente cristãos crentes, e os que já eram crentes em Jesus mas que ainda permaneciam na Sinagoga, porém não tinham coragem de professar esta convicção publicamente e ainda estar em risco de receber a excomunhão. Se o quinto episódio visualiza o primeiro grupo, representado pelo Discípulo Amado, a conclusão poderia visualizar o segundo. José era um discípulo secreto que agora teve a coragem de exibir sua adesão, sepultando o corpo de Jesus. Nicodemos veio secretamente a Jesus de noite, mas agora traz uma enorme quantidade de especiarias com o fim de preparar o corpo de Jesus para o sepultamento. (Com menos certeza poderíamos teorizar que, já que Jesus falou a Nicodemos sobre a necessidade de ser gerado da água e do espírito [3,5], agora ele reaparece por causa da doação do Espírito prefigurada no fluxo de água do lado de Jesus). Pode ser que João esteja insinuando que os crentes de seu tempo que ainda não haviam se desligado da Sinagoga seguissem o exemplo de José e Nicodemos.

O segundo simbolismo possível é uma continuação do tema de que Jesus é rei. O grande gasto em especiarias poderia ter em mente sugerir que a Jesus era dado um funeral régio, pois temos conhecimento dos gastos com os reis. Josefo, *Ant.* 17,8.3; 199, nos informa que no funeral de Herodes o Grande quinhentos servos carregaram os óleos aromáticos ou especiarias (*arōma*). Há uma tradição preservada em um "tratado menor" do Talmude (TalBab, *Ebel Rabbathi* ou *Semahoth*, 8:6 – uma obra medieval, porém contendo materiais mais antigos) que na morte do Rabi Gamaliel o Ancião (provavelmente c. de 50 d.C.), o prosélito *Onkelos*, queimou mais de 36 kg de especiarias. Quando perguntaram por que, ele citou Jr 34,5 como um exemplo onde se queimaram especiarias na morte de reis, e afirmou que Gamaliel era superior a cem reis. A menção de um jardim pode apontar na mesma direção, pois as referências do AT a sepultamentos em jardins dizem respeito aos sepultamentos dos reis de Judá

(2Rs 21,18.26). Do texto na LXX de Ne 3,16 aprendemos que o túmulo popular de Davi (ver At 2,29) ficava em um jardim. Obviamente, a evidência está longe de probatória, e confessamos incerteza sobre seu valor; mas o tema de que Jesus foi sepultado como rei conclui adequadamente uma narrativa da paixão quando Jesus é coroado e aclamado como rei durante seu julgamento e entronizado e aclamado publicamente como rei na cruz. Tal pensamento concordaria com a observação de BULTMANN de que em João o sepultamento não é propriamente uma transição ou prelúdio para a ressurreição, como é nos sinóticos onde as mulheres observam cuidadosamente o túmulo para que possam voltar e ungir Jesus após o sábado. João não menciona o fechamento do túmulo com uma pedra, como fazem Marcos/Mateus com o propósito de preparar para a cena da Páscoa onde a pedra será rolada de volta. Para João, o sepultamento é o fim da cerimônia: os que estão presentes não são mulheres que darão testemunho do Senhor ressurreto na Páscoa, e sim homens que aceitaram Jesus parcialmente durante seu ministério, mas que por sua morte foram levados a mostrar seu amor para com ele. Assim, se há um tema teológico simbolicamente oculto na narrativa, este seria o estágio final de um tema, tal como realeza, que exerceu uma parte proeminente na crucifixão.

BIBLIOGRAFIA
(19,16B-42)

Ver a bibliografia geral sobre a Narrativa da Paixão no final do §60.

BAMPFYLDE, G., *"John XIX 28, a Case for a Different Translation"*, Novt 11 (1969), 247-60.
BARBET, P., *A Doctor at Calvary* (Nova York: Kenedy, 1953), pp. 113-27 sobre 19,34.
BARTON, G. A., *"'A Bone of Him Shall Not Be Broken', John 19:36"*, JBL 49 (1930), 12-18.
BENOIT, P., *"Marie-Madeleine et les disciples au tombeau selon Joh 20, 1-18"*, in *Judentum, Urchristentum, Kirche* (J. Jeremias Festschrift; Berlin: Töpelmann, 1960), pp. 146-48 sobre 19,31-42.
BRAUN, F.-M., *"Quatre 'signes' johanniques de l'unité chrétienne"*, NTS 9 (1962-63), 150-52 on xix 23-24.

_____ *Mother of God's People* (Staten Island, N.Y.: Alba, 1968 – tradução do livro citado no vol. 1, p. 110), pp. 74-124 sobre 19,26.27.

_____ *"L'eau et l'Esprit"*, RThom 49 (1949), 5-30, especialmente 15-20 sobre 19,34.

CEROKE, C. P., *"Mary's Maternal Role in John 19, 25-27"*, Marian Studies 11 (1960), 123-51.

COSTA, M., *"Simbolismo battesimale in Giovanni"*, RivBib 13 (1965), 347-83, especialmente 359-69 sobre 19,31-37.

DAUER, A., *"Das Wort des Gekreuzigten an seine Mutter und den 'Jünger den er liebte',"* BZ 11 (1967), 222-39; 12 (1968), 80-93.

DE GOEDT, M., *"Un schème de révélation dans le Quatrième Évangile"*, NTS 8 (1961-62), 142-50, especialmente 145ss. sobre 19,26-27.

DE TUYA, M., *"Valor mariológico del texto evangélico: 'Mulier, ecce filius tuus',"* Ciencia Tomista 255 (1955), 189-223.

FEUILLET, A., *"L'heure de la femme (Jn 16, 21) et l'heure de la Mère de Jésus (Jn 19, 25-27)"*, Biblica 47 (1966), 169-84, 361-80, 557-73.

_____ *"Leds adieux du Christ à sa Mère Jn 19, 25-27) et la maternité spirituelle de Marie"*, NRT 86 (1964), 469-89. Condensado em inglês em TD 15 (1967), 37-40.

_____ *"Le Nouveau Testament et le coeur du Christ"*, L'Ami du Clergé 74 (May 21, 1964), 321-33, especialmente 327-33 sobre 19,31-37.

FORD, J. M., *"'Mingled Blood' from the Side of Christ (John xix. 34)"*, NTS 15 (1968-69), 337-38.

GAECHTER, P., *Maria im Erdenleben* (Innsbruck: Tyrol, 1953), pp. 201-26 sobre 19,26-27.

_____ *"Zum Begräbnis Jesu"*, ZKT 75 (1953), 220-25.

HULTKVIST, G., *What Does the Expression "Blood and Water" mean in the Gospel of John 19, 34?* (Vrigstad, Sweden, 1947).

KERRIGAN, A., *"Jn. 19, 25-27 in the Light of Johannine Theology and the Old Testament"*, Antonianum 35 (1960), 369-416.

KOEHLER, Th., *"Les principales interprétations traditionnelles de Jn. 19, 25-27, pendant les douzes premiers siècles"*, Études Mariales 16 (1959), 119-55.

LANGKAMMER, H., *"Christ's 'Last Will and Testament' (Jn 19, 26.27) in the Interpretation of the Fathers of the Church and the Scholastics"*, Antonianum 43 (1968), 99-109.

MEYER, E., *"Sinn und Tendenz der Schlussszene am Kreuz im Johannesevangelium"*, Sizungsberichte der Preussischen Akademie der Wissenschaften (1924), pp. 157-62.

MICHAELS, J. R., *"The Centurion's Confession and the Spear Thrust"*, CBQ 29 (1967), 102-9.

MIGUENS, M., *"'Salio sangre y agua' (Jn. 19, 34)"*, Studii Biblici Franciscani Liber Annus 14 (1963-64), 5-31.

MORETTO, G., *"Giov. 19, 28: La sete di Cristo in Croce"*, RivBib 15 (1967), 249-74.

SAVA, A. F., *"The Wound in the Side of Christ"*, CBQ 29 (1957), 343-46.

SCHWANK, B., *"Der erhöhte König (19, 16b-22)"*, SeinSend 29 (1964), 244-54.

_____ *"Die ersten Gaben des erhöhten Königs (19, 23-30)"*, SeinSend 29 (1964), 292-309.

_____ *"'Sie werden schauen auf ihn, den sie durchbohrt haben' (19, 31-42)"*, SeinSend 29 (1964), 340-53.

SPURRELL, J. M., *"An Interpretation of 'I Thirst',"* ChQR 167 (1966), 12-18.

THURIAN, M., *Mary, Mother of All Christians* (Nova York: Heerder & Herder, Unger, D., *"The Meaning of John 19, 26-27 in the Light of Papal Documents"*, Marianum 21 (1959), 186-221.

ZERWICK, M., *"The Hour of the Mother – John 19:25-27"*, BiTod 1, no. 18 (1965), 1187-94.

O LIVRO DA GLÓRIA

Terceira Parte: A Ressureição de Jesus

ESBOÇO

TERCEIRA PARTE: A RESSURREIÇÃO JESUS
(20,1-29)

A. 20,1-18: *Primeira Cena*: No túmulo (§68)

    (1-10) *Primeiro episódio*: Visitas ao túmulo vazio.
        1-2: *Contexto*: No domingo bem cedo, Madalena encontra o túmulo aberto e notifica aos discípulos.
        3-10: *Ação principal*: Pedro e o outro discípulo correm ao túmulo e veem as vestes fúnebres; o outro discípulo crê.
    (11-18) *Segundo episódio*: Jesus aparece a Madalena.
        11-13: *Transição*: Madalena olha para dentro do túmulo e vê anjos.
        14-18: *Ação principal*: Jesus aparece a Madalena e é reconhecido com dificuldade; Madalena proclama o Senhor aos discípulos.

B. 20.19-29: *Segunda Cena*: O lugar onde os discípulos estão reunidos. (§69)

    (19-23) *Primeiro episódio*: Jesus aparece aos discípulos.
        Contexto: No domingo à tarde Jesus aparece e saúda os discípulos que se alegram ao ver o Senhor.
        Mensagem: Jesus envia os discípulos do mesmo modo que ele foi enviado; sopra sobre eles o Espírito Santo; dá-lhes poder para perdoarem pecados.
    (24-29) *Segundo episódio*: Jesus aparece a Tomé.
        24-25: *Transição*: Tomé, que estava ausente, se recusa a crer que os outros viram o Senhor.
        26-29: *Ação principal*: No domingo seguinte, Jesus aparece aos discípulos com Tomé presente e o convida a tocá-lo. Tomé proclama Jesus como Senhor e Deus. A bem-aventurança dos que creem sem ver.

67. A RESSURREIÇÃO:
OBSERVAÇÕES GERAIS

Uma análise crítica do NT mostra que a fé cristã na vitória de Jesus sobre a morte tem sido expressa de várias maneiras. Em Hebreus cap. 9 temos uma descrição de Jesus como sumo sacerdote que entrou no santo dos santos celestial com seu próprio sangue que foi derramado em sacrifício – assim, aparentemente, uma progressão direta da crucifixão à ascensão, sem um episódio intermediário de ressurreição (também 4,14; 6,19-20). Não obstante, a ressurreição é a maneira muito mais comum na qual a vitória de Cristo é descrita. Enquanto a ressurreição em si nunca é retratada no NT (ver, porém, o *Evangelho de Pedro*, 39-42, o qual descreve como Jesus saiu do túmulo), há dois tipos de material mais pertinente à ressurreição. Primeiro, há fórmulas breves, amiúde de natureza confessional, oriunda da pregação, da catequese e da liturgia da Igreja primitiva. Estas fórmulas variam em estilo; abaixo discutiremos as fórmulas em Atos e em 1Cor 15,3-7, mas o leitor deve consultar também outros exemplos tais como Rm 1,4 e Mc 13,31. Segundo, nos evangelhos e Atos há narrativas desenvolvidas ao achar-se o túmulo vazio e das aparições do Jesus ressurreto. Em geral, estudiosos afirmam que as fórmulas nos fornecem nossa informação mais antiga sobre a ressurreição.

Embora muitos comecem suas análises destas fórmulas em 1Cor 15,3-7, P. Seidensticker, TGl 57 (1967), 286-323, especialmente 289-90, defende com bons argumentos a tese de que se pode extrair dos sermões em Atos (2,23-24; 4,10; 5,30-31; 10,39-40) uma formulação mais antiga consistindo de dois membros. O primeiro proclama a morte de Jesus ("Vós o crucificastes"; "Jesus a quem matastes pendurando-o em um madeiro"); o segundo proclama que Deus o ressuscitou dentre os mortos. No querigma paulino refletido em 1Cor 15,3-7 (escrito c. de 57 d.C.), porém proveniente de uma tradição primitiva em meado dos anos trinta – JEREMIAS EWJ, pp. 101-3), a formulação tem sido expandida para quatro membros ou dois grupos de dois: Cristo morreu e foi sepultado; ele ressuscitou e apareceu (ver abaixo p. 1442). Também se inclui uma lista de aparições. Alguns argumentam que as "aparições" eram originalmente revelações dadas por Deus em vez de manifestações do corpo de Jesus. Enquanto uma discussão da natureza das aparições está além do escopo deste comentário, salientaríamos que Paulo, que se apresenta como testemunha de uma aparição de Jesus, distingue entre esta aparição e todas as revelações e visões subsequentes que lhe foram concedidas. Em qualquer caso, as fórmulas não mencionam o túmulo vazio e não tentam localizar as aparições de Jesus. Estes aspectos só aparecem nas narrativas subsequentes pertinentes à ressurreição.

O fato de que há um desenvolvimento dentro das fórmulas e também das fórmulas para as narrativas surge uma questão óbvia sobre a historicidade das narrativas. Ao discutir as narrativas em geral e, posteriormente, ao discutir as narrativas joaninas em particular, nos ocuparemos de isolar o material mais antigo nestas narrativas; mas não cremos que nossa tarefa em um comentário é ir além e especular sobre se a ressurreição física é ou não possível. Objeções à *possibilidade* da ressurreição têm sua origem na filosofia e ciência e não na exegese, a qual é tarefa nossa. (Não obstante, notamos que tais objeções têm sua força contra uma compreensão crassamente física da ressurreição que consideraria essa como uma reanimação; são menos insistentes contra o tipo mais refinada de entender a ressurreição proposta por Paulo em 1Cor 15,42ss.: "Semeia-se corpo natural, ressuscitará corpo espiritual"). Não pode haver dúvida de que os próprios evangelistas pensavam que o corpo de Jesus não permaneceu no túmulo, mas ressuscitou para a glória. Todavia, mesmo que por meio de exegese comparativa remontemos esta ideia aos primeiros tempos, não podemos provar que esta compreensão cristã correspondia ao que realmente aconteceu. Aí já entramos no terreno da fé.

Antes que possamos tratar das narrativas do evangelho sobre a ressurreição e suas divergências, devemos esclarecer ao leitor três suposições da crítica bíblica que afetam nossa tarefa. *Primeiro*, os versículos que concluem o Evangelho de Marcos na maioria das bíblias (Mc 16,9-20, chamado o Apêndice Marcano ou a Conclusão mais Longa de Marcos) não eram a conclusão original do evangelho, senão que foram anexados por causa do final abrupto em 16,8. (Os estudiosos estão divididos sobre se Marcos terminou originalmente em 16,8 ou se houve uma narrativa ulterior que se perdeu; é bem provável que a última seja a opinião da maioria, embora o presente escritor se inclina para a primeira). O Apêndice Marcano está ausente nos Códices Vaticanus e Sinaiticus; de fato, testemunhas textuais menores de Marcos preservam para nós outras tentativas de completar o evangelho. A data do Apêndice é difícil de determinar com precisão, mas é posterior aos relatos do evangelho. Alguns estudiosos não dão muita importância à sua evidência sobre a ressurreição, pois acreditam que se trata de uma refundição secundária do material já encontrado nos evangelhos canônicos (ele é mais afim a Lucas e Mateus). Mas uma estreita comparação de vocabulário sugere que, ao menos em parte, o autor do Apêndice pode ter recorrido a fontes similares aos evangelhos canônicos e não aos próprios evangelhos; e assim pensamos valer a pena, em nossas comparações, incluir informação tomada do Apêndice. (Assim, no que segue, "Marcos" se refere a Mc 16,1-8, e nos reportaremos aos versículos restantes como o Apêndice Marcano).

Segundo, a Narrativa da Ressurreição, em Lc 24, contém os versículos (3,6,12,36,40,51 e 52) que são textualmente duvidosos. Estes versículos se encontram na maioria das testemunhas textuais importantes, mas geralmente estão ausentes do Codex Bezae e da forma itálica do OL – duas testemunhas ocidentais que usualmente são caracterizadas por interpolações ou adições e não por omissões. A ausência destes versículos no próprio tipo de testemunhas ocidentais que se poderia esperar contê-los tem granjeado para si a peculiar designação negativa de "Não Interpolações Ocidentais". Embora na primeira parte do século fosse moda descartar estes versículos como adições de copista, sua presença no recentemente descoberto P^{75} (vol. 1, p. 148) tem levado muitos a repensarem esta posição. Por exemplo, é possível que estes versículos fossem adicionados a Lucas por um redator do evangelho, mas foram omitidos pelos copistas ocidentais precisamente com base na ideia de que pareciam ser uma adição.

AS VARIANTES DAS NARRATIVAS DO EVANGELHO DAS APARIÇÕES PÓS-RESSURREIÇÃO

Marcos 16,1-8	Mateus 28	Lucas 24	Marcos 16,9-20	João 20	João 21
	Às mulheres que voltam do túmulo E abraçaram seus pés Ele reitera a mensagem sobre a Galileia		Primeiramente a Maria Madalena	Junto ao túmulo com Maria Madalena "Não me impeças" Ele fala da sua ascensão	
		A Simão (v. 34)			
		A dois discípulos na estrada para Emaús	A dois deles caminhando pelo campo		
		Aos Onze Na refeição na noite da Páscoa	Aos Onze Mais tarde à mesa	Aos discípulos menos Tomé, um dos Doze Em refeição na noite da Páscoa	
				Aos discípulos com Tomé Uma semana depois	
					A sete dos discípulos Junto ao mar de Tiberíades
Ver promessa em 16,7	Aos Onze Sobre um monte				

Em qualquer caso, consideraremos os versículos coletando evidências sobre a ressurreição, porém mantendo na memória do leitor o problema textual.

Terceiro, teremos que antecipar nossas conclusões nas pp. 1570-86 abaixo, pressupondo que o cap. 21 de João foi escrito por um outro autor, e não pelo evangelista que foi o responsável pelo corpo do evangelho. Ele representa a tradição joanina agregada ao evangelho pelo redator, seu testemunho das aparições pós-ressurreição é diferente e independente do testemunho preservado no cap. 20. Como resultado destas suposições críticas, podemos falar de seis relatos do evangelho como fontes para nosso conhecimento da ressurreição: Marcos, Mateus, Lucas, Jo 20, Jo 21 e o Apêndice Marcano. Ao compararmos os gráficos, sumariamos as evidências destes relatos em referência aos dois modelos de narrativas que discutiremos: as narrativas das aparições pós-ressurreição e as narrativas do túmulo vazio.

As narrativas das aparições pós-ressurreição

É totalmente óbvio que os evangelhos não concordam quanto a onde e a quem Jesus apareceu após sua ressurreição. Marcos não menciona nenhuma aparição de Jesus, embora 16,7 indique que Pedro e os discípulos o verão na Galileia. Mateus menciona uma aparição às mulheres em Jerusalém (28,9-10) que, aparentemente, contradiz a instrução de ir para a Galileia onde Jesus será visto (28,7). Para Mateus, a principal aparição é na Galileia, onde Jesus é visto pelos onze discípulos sobre um monte (28,16-20). Lucas narra várias aparições na área hierosolimitana: a dois discípulos na estrada para Emaús (24,13-32), a Simão (34) e aos onze e outros reunidos em Jerusalém (36-53). Todas estas são descritas por Lucas como tendo ocorrido no mesmo dia, na própria Páscoa; e Jesus é retratado como finalmente partindo de seus discípulos (para o céu – Não Interpolação Ocidental do v. 51) na noite da Páscoa (contudo, veja At 1,3). Em Jo 20, como em Lucas, encontramos aparições na área hierosolimitana: a Maria Madalena (20,14-18), aos discípulos sem Tomé (19-23) e a Tomé uma semana depois (26-29). Finalmente, no Apêndice Marcano há um grupo de aparições, todas, aparentemente, na área hierosolimitana: a Maria Madalena (16,9), a dois discípulos no campo (12-13) e aos onze à mesa (14-19). No final destas Jesus é levado para o céu. Podemos resumir isto assim:

Aparições na área de Jerusalém (principalmente Lucas, Jo 20, Apêndice Marcano):

- a Maria Madalena: Jo 20, Mateus (várias mulheres), Apêndice Marcano
- a Pedro: Lucas, Paulo (1Cor 15,5 – lugar não especificado)
- a dois discípulos no caminho de Emaús: Lucas, Apêndice Marcano
- aos onze reunidos juntos: Lucas, Jo 20, Apêndice Marcano

Aparições na Galileia (Marcos? Mateus, Jo 21)
- aos onze em um monte (Mateus)
- a sete discípulos junto ao Mar de Tiberíades (Jo 21)

É possível que indaguemos como essas tradições diversas, cada uma aparentemente alheia à outra, vieram à existência. Comparemos esta informação ao que encontramos no testemunho mais antigo de 1Cor 15,5-8:

Ele apareceu (1) a Cefas;
(2) então aos Doze;
(3) então apareceu a mais de quinhentos irmãos. ...
Então apareceu (4) a Tiago;
(5) então a todos os apóstolos;
(6) depois de todos, ele apareceu a mim [Paulo]. ...

E. BAMMEL, TZ 11 (1955), 401-19, argumenta que a fórmula paulina representa, em parte, uma combinação de dois registros das mesmas aparições: um registro foi que ele apareceu a Cefas e aos Doze; o outro foi que ele apareceu a Tiago e a todos os apóstolos. Não obstante, Paulo foi bem informado sobre os principais personagens da igreja hierosolimitana e certamente tinha toda condição de saber se havia uma tradição de que Jesus aparecera, respectivamente, a Pedro e a Tiago. No Novo Testamento está independentemente testemunhado a aparição a Pedro, e provavelmente alguém postularia uma aparição a Tiago, para explicar o fato de que um "irmão" incrédulo do Senhor (descrente em Jo 7,5; Mc 3,21 combinado com 31) veio a ser seguidor de Jesus. Todavia, se tivermos dúvida de que estamos tratando de dois registros das *mesmas* aparições, BERNARD e outros podem estar certos em pensar que a fórmula de Paulo representa uma combinação de dois registros diferentes.

Esta possibilidade nos adverte em aceitarmos tão facilmente a ideia de que a lista paulina é cronológica (Von Campenhausen, p. 45[6]). Além do mais, sugere-se que várias comunidades preservaram reminiscências de diferentes grupos de aparições, de modo que possivelmente a Igreja primitiva nunca aceitou universalmente uma lista sequencial de todas as aparições de Jesus. E assim questionamos a pretensão de Von Campenhausen (p. 51) de que a lista de Paulo exclui automaticamente a historicidade de uma aparição a Madalena. Paulo evoca a tradição das aparições de Jesus para mostrar que, mesmo fora de tempo e sendo o último de todos, ele viu o Jesus ressurreto, precisamente como ocorreu aos outros apóstolos bem conhecidos. Não há razão para que tal tradição tivesse incluído uma aparição a uma mulher que dificilmente poderia ser apresentada como ou uma testemunha oficial da ressurreição ou como um apóstolo. Notamos ainda que a lista paulina não contém indicações sobre onde as aparições ocorreram, também porque considerações geográficas não eram pertinentes ao propósito para o qual a lista foi composta ou lembrada.

As dificuldades na lista paulina podem ajudar a explicar as variações entre as narrativas do evangelho, pois nos evangelhos temos preservadas reminiscências independentes de comunidades individuais. V. Taylor, *The Formation of the Gospel Tradition* (Londres: Macmillan, 1953), pp. 59-62, tem salientado por que o relato da ressurreição tomaria forma diferentemente do relato da paixão e não emergiria necessariamente em sequência uniforme. Os detalhes da paixão seriam sem sentido a menos que desde o ponto de partida se adequassem a uma sequência ordenada da prisão à crucifixão. Dificilmente alguém poderia falar da prisão de Jesus sem falar do resultado; a sentença tinha de preceder à execução etc. Mas as aparições da ressurreição foram registradas primeiramente para radicar a fé cristã no Jesus ressurreto e justificar a pregação apostólica. Para fazer isto, seria suficiente registrar uma ou duas aparições de Jesus e sem necessidade de fornecer uma concatenação sequencial destas aparições. E, obviamente, as aparições que foram registradas seriam aquelas feitas às mais importantes figuras conhecidas dos cristãos; por exemplo, Pedro, os Doze e Tiago as aparições a mulheres e a discípulos menores seriam introduzidas no pano de fundo e não formariam parte do querigma. As importantes comunidades palestinianas de Jerusalém e da Galileia poderiam reter a memória de aparições com associações locais. Se no estágio da pregação evocado por Paulo a localização geográfica de uma aparição não era uma questão importante, este fator se tornaria importante quando os evangelistas tentaram justapor aparições numa narrativa contínua começando com o túmulo vazio em Jerusalém. Às vezes o relato que chegou a um evangelista pode ter tido um local fixo que ele preservou; em outras vezes, pode ter adaptado o relato e o fez apropriado para um local ditado por seu propósito em escrever. Não é acidental que Lucas e João cap. 20 favoreçam a tradição das aparições em Jerusalém. João enfatizou Jerusalém ao descrever o ministério público de Jesus; e Lucas (9,51; 13,33) fez de Jerusalém o alvo da vida de Jesus e o lugar de onde a mensagem cristã foi difundida ao mundo (24,47; At 1,8).

Assim, a divergência quanto ao local e sequência encontrados nas narrativas evangélicas das aparições de Jesus pós-ressurreição não é necessariamente uma refutação da historicidade destas aparições, mas pode ser o resultado do modo como e o propósito para o qual os relatos foram contados e preservados. Podemos hoje olhar para trás e visualizar as divergências e construir uma sequência de aparições, e assim resolver o problema se originalmente se imaginou que Jesus tivesse aparecido *aos discípulos*, primeiramente na Galileia ou em Jerusalém? O fato de que um redator adicionou um capítulo das aparições galileias (Jo 21) a um capítulo das aparições hierosolimitanas (Jo 20) certamente guiou as tentativas de harmonização. Veio a ser costumeiro pensar que Jesus primeiramente apareceu aos doze (onze) em Jerusalém, que subsequentemente foram para a Galileia onde Jesus lhes apareceu outra vez, e que, finalmente, voltaram para Jerusalém onde Jesus lhes apareceu mais uma vez antes de ascender (At 1). Porém essa sequência causa extrema violência à evidência evangélica. *Se* alguém se aventura a ir além da evidência para estabelecer uma sequência de aparições aos discípulos, então provavelmente colocaria as aparições na Galileia antes das aparições em Jerusalém. O ponto de vista Marcano/Mateano, expresso nas palavras do anjo às mulheres junto ao túmulo, é que os discípulos fossem para a Galileia a fim de verem Jesus (Mc 16,7; Mt 28,7). Tal ordem não deixa espaço algum às aparições hierosolimitanas imediatas. Além do mais, se Jesus apareceu imediatamente aos discípulos em Jerusalém e os comissionou, por que então teriam voltado para a Galileia e reassumido suas ocupações normais (Jo 21,3)? Em contrapartida, se admitirmos que a datação lucana e joanina das aparições hierosolimitanas no Domingo da Páscoa provavelmente foi ditada por interesses teológicos, nada há nas próprias aparições que milite contra situar estas aparições após as aparições na Galileia. Se Jesus primeiramente comissionou os discípulos na Galileia, bem que eles poderiam ter voltado a Jerusalém para começar seu ministério de pregação, e ali Jesus ter-lhes aparecido uma última vez. Mas tal reconstrução é altamente especulativa e representa um interesse não partilhado pelos próprios evangelistas de um modo marcante.

Uma abordagem mais bíblica é pressupor que uma aparição básica sublinha todos os principais relatos evangélicos das aparições aos Doze (Onze), não importa em que tempo ou lugar as aparições são situadas pelos evangelistas (A. DESCAMPS, *Biblica* 40 [1959], 726-41). DODD, *"Appearances"*, fez um estudo da crítica textual das narrativas das aparições de Jesus e notou padrões comuns. Ele distingue dois tipos gerais, a saber, as narrativas concisas e as narrativas circunstanciais, juntamente com narrativas que contêm características de ambas. (BENOIT prefere outra designação para os dois tipos: narrativas que contêm uma missão e narrativas que contêm um reconhecimento).

(A) Narrativas concisas. Apresentam um esquema composto de cinco elementos:

1. Uma situação é descrita em que os seguidores de Jesus sofrem sua ausência.
2. A aparição de Jesus.
3. Ele saúda aos seus seguidores.
4. Eles o reconhecem.
5. Sua palavra de ordem ou missão.

Como meros exemplos desse tipo, DODD classifica os relatos da aparição às mulheres quando deixaram o túmulo (Mt 28,8-10), a aparição aos onze em um monte na Galileia (Mt 28,16-20) e a aparição aos discípulos em Jerusalém na manhã da Páscoa (Jo 20,19-21).

(B) Narrativas circunstanciais. Estas são narrativas cuidadosamente compostas e dramáticas que servem de veículo para reflexões sobre o significado da ressurreição. O reconhecimento de Jesus é o ponto central da narrativa, e às vezes não há uma ordem clara. Como meros exemplos deste tipo, DODD classifica os relatos da aparição aos discípulos a caminho de Emaús (Lc 24,13-35) e a aparição aos discípulos na praia do Mar de Tiberíades (Jo 21,1-14).

(C) Narrativas mistas. Estas são basicamente narrativas concisas com alguns desenvolvimentos evocativos das narrativas circunstanciais. Aqui, DODD classifica a aparição aos onze e a outros em Jerusalém (Lc 24,36-49), e a aparição a Tomé (Jo 20,26-29). DODD acha a aparição a Maria Madalena em Jo 20,11-17 totalmente singular e difícil de classificar.

Se nos concentrarmos nas aparições aos doze (onze; discípulos como grupo), estão todas inclusas nas narrativas concisas e mistas com a exceção de Jo 21,1-14. Isto significa que Mateus, Lucas, Jo 20 e o Apêndice Marcano seguem todos eles um padrão básico em descrever esta aparição de Jesus aos doze. Quando os discípulos se acham reunidos, não sem temor, Jesus aparece e é reconhecido (algumas vezes depois de uma saudação inicial). Então ele lhes dá um solene mandamento missionário. Esta aparição contém muito mais do que assegurar aos discípulos a vitória de Jesus sobre a morte; ela os comissiona a pregar, a batizar e a perdoar pecados – em suma, a levar aos homens as boas novas de Jesus e da salvação realizada por ele. (A ideia de que a visão do Jesus ressurreto é parte essencial do que converte um homem em apóstolo é muito parecida com a ideia veterotestamentária de que uma visão da corte celestial converte um homem em profeta, capacitando-o a falar a palavra de Deus: Is 6,1-13; Jr 1,4ss.; 1Rs 22,19-22; Ez 1-2). E assim faz pouco sentido construir uma série dessas aparições aos doze; cada testemunha evangélica está registrando uma versão ligeiramente diferente de uma aparição que era constitutiva da comunidade cristã.

Deixando de lado a aparição aos doze, que basicamente é um tipo de narrativa concisa, podemos considerar por um momento a conversação e detalhes que aparecem nas narrativas mistas e circunstanciais e indagar o que inspirou a adição ou preservação de tal material. Parte desse material adicional procede dos esforços composicionais do evangelista que fez uma aparição servir de veículo para ênfases teológicas. Assim, o diálogo de Jesus com dois discípulos de caminho para Emaús (Lc 24,13-35) e com os onze na mesma tarde (especialmente 44-49) é quase uma suma do querigma Lucas dá maiores

AS NARRATIVAS EVANGÉLICAS VARIANTES DA VISITA DAS MULHERES AO TÚMULO

	Marcos 16,1-8	Mateus 28	Lucas 24	João 20
Tempo	Bem cedo do primeiro dia da semana Nascer do sol	Primeiro dia da semana Ao surgir a luz	Primeiro dia da semana Romper da aurora	De manhã Primeiro dia da semana Ainda escuro
Mulheres	Maria Madalena Maria mãe de Tiago Salomé	Maria Madalena Outra Maria	Maria Madalena Maria mãe de Tiago Joana Outras	Maria Madalena (Note "nós" no v. 2)
Propósito	Levaram óleos aromáticos Foram para ungir	Foram ver o túmulo	Tinham óleos aromáticos de sexta-feira Levaram óleos aromáticos	
Fenômeno Visual	Pedra já revolvida Jovem assentado dentro à direita	Terremoto Anjo desceu Revolveu a pedra Assentou-se sobre a pedra (lado de fora)	Pedra já revolvida Dois homens em pé (dentro)	Pedra já revolvida (A seguir) dois anjos assentados dentro
Conversação	Disse o jovem: Não temais Jesus não está aqui Ele ressuscitou Dizei aos discípulos que ele está indo para a Galileia Lá o vereis	Disse o anjo: Não temais Jesus não está aqui Ressuscitou Dizei aos discípulos que ele está indo para a Galileia Lá o vereis	Os homens perguntaram: Por que buscais o vivo entre os mortos? Jesus não está aqui Ressuscitou Como vos disse enquanto ainda na Galileia	(A seguir) anjos perguntaram: Por que chorais? (A seguir) Maria respondeu: Levaram meu Senhor (A seguir) Jesus dá a Maria mensagem para os discípulos
Reação	Mulheres fugiram tremendo, atônitas Não contaram a ninguém	Mulheres se foram apressadamente com medo, grande alegria Para contar aos discípulos	Mulheres deixaram Contaram aos Onze e ao restante	Maria correu a Pedro e ao Discípulo Amado Disseram-lhes que o corpo fora levado

detalhes em Atos. Jo 20,17 usa as palavras de Jesus a Madalena para expor a tese de que a ressurreição de Jesus é parte de seu retorno ao Pai que agora gerará os discípulos como seus próprios filhos, outorgando o Espírito através de Jesus. A afirmação de Jesus a Tomé em Jo 20,29 reflete o interesse joanino na relação da visão com a fé. Se pudermos traçar tais expansões à obra redacional do próprio evangelista, há outros desenvolvimentos, frequentemente de natureza apologética, que poderia ter sido parte das narrativas quando chegaram ao evangelista. A tradição hierosolimitana de aparições parece ter enfatizado a realidade do corpo de Jesus, e isto aparece de diferentes maneiras nos diferentes relatos: por exemplo, o Jesus ressurreto podia comer (Lc 24,41-43; At 10,41) e suas feridas podiam ser vistas (Lc 24,39; Jo 20,20 – desenvolvido e extendido nos vs. 25 e 27). Pode ser também que algo do drama do reconhecimento nas narrativas circunstanciais seja mais o produto de refletida recitação do que do próprio gênio dos evangelistas. Embora estes detalhes e conversações adicionais tenham ocasionalmente entrado na narrativa da aparição aos doze (especialmente em Lucas), certamente foi dado um papel mais importante nas descrições das aparições que tinham menos função constitutiva para a comunidade cristã.

As narrativas de encontrar o túmulo vazio

Há também algumas observações sobre este tipo de narrativa que são importantes antes de voltar ao nosso comentário sobre João. A narrativa do túmulo se encontra nos quatro evangelhos, mas obviamente não no apêndice marcano e Jo 21 que foram adicionados aos relatos que já contam do túmulo vazio. Há mais uniformidade nas narrativas do encontro do túmulo vazio do que há nas narrativas das aparições de Jesus. Não obstante, a maioria dos críticos designa as narrativas do túmulo vazio a um último estrato de tradição do qual vem as principais narrativas das aparições, e alguns estudiosos as consideram como meramente criações apologéticas. Em parte, esta atitude procede do fato de que não há menção específica do túmulo vazio nas fórmulas primitivas; por exemplo, em Atos ou em 1Cor 15. Além do mais, as narrativas do túmulo como ora se encontram contêm aspectos tais como aparições angélicas, que podem refletir contos populares. BULTMANN, HST, pp. 287-90, reduz em um todos os relatos, a saber, o relato básico de Mc 16,1-8; e caracteriza isto como uma lenda apologética contada para provar a realidade da ressurreição. Ele afirma que só secundariamente o relato do túmulo se relacionava com as futuras aparições de Jesus (na Galileia).

No juízo de outros estudiosos se requer mais cautela. É interessante que numa recente coleção de artigos sobre a ressurreição (SMRFJC), três dos cincos escritores, C. F. D. MOULE, U. WILCKENS e G. DELLING, não estão absolutamente dispostos a descartar o relato do túmulo vazio ou como mais tardio ou meramente apologético. Ver também os artigos de W. NAUCK e H. VON CAMPENHAUSEN para uma crítica detalhada favorecendo a historicidade do relato. Temos de fazer duas importantes distinções em consideração da evidência. Primeiro, temos de reconhecer que uma coisa é julgar que o relato do túmulo vazio não era parte da pregação primitiva sobre a ressurreição e outra coisa é alegar que o fato do túmulo vazio não foi pressuposto por esta pregação. Segundo, temos de distinguir no próprio relato entre a narrativa básica e os acréscimos posteriores destinados a explicar a narrativa.

Portanto, nossa primeira questão é se a pregação primitiva pressupunha ou não o fato de que o corpo de Jesus já não estava no túmulo. O argumento mais frequentemente citado ainda está em vigor: como a pregação de que Jesus foi vitorioso sobre a morte granjearia credenciais se seu cadáver ou esqueleto jazesse em um túmulo conhecido de todos? Seus inimigos certamente teriam apresentado isto como objeção; todavia, em toda a argumentação anti-ressurreição refletida indiretamente nos evangelhos ou nos apologetas cristãos do 2º século nunca encontramos uma afirmação de que o corpo estivesse no túmulo. Há argumentos cristãos que demonstram que o corpo não foi roubado ou confundido em um sepultamento comum, mas os oponentes parecem aceitar o fato básico de que o corpo não mais foi encontrado. Mesmo na lenda judaica de que um jardineiro chamado Judas levou o corpo só para trazê-lo de volta mais tarde, há um reconhecimento de que o túmulo estava vazio. Além do mais, a memória cristã de José de Arimateia, que só com grande dificuldade pode ser explicada como uma invenção, seria antes sem sentido a menos que o túmulo que ele ofereceu tivesse significação especial.

Além desta consideração prática, se pode perguntar se o relato do túmulo vazio era meramente de origem apologética, como tantos têm alegado. R. H. FULLER, BiRes 4 (1960), 11-13, sugere que houve uma estreita relação entre o relato do túmulo vazio e o querigma primitivo. A fórmula paulina em 1Cor 15,3-5 consiste de dois grupos de dois membros:

Ele morreu por nossos pecados segundo as Escrituras,
  e foi sepultado.
E ressuscitou ao terceiro dia segundo as Escrituras,
  e apareceu (a Cefas e outros).

FULLER analisa o terceiro membro que é antecedente à aparição de Jesus, precisamente como sua morte é antecedente ao sepultamento. As aparições de Jesus a seus discípulos deram origem à confissão de que ele foi visto, mas que deu origem também à confissão de que ele ressuscitou? Visto que nos evangelhos é o relato do túmulo vazio que se relaciona com esta proclamação (angélica), FULLER propõe que este relato não teve sua origem em apologetas, mas como pano de fundo para a formulação querigmática, "Ele ressuscitou". (Podemos adicionar de passagem que a contenda de que o relato foi formado meramente para propósitos apologéticos é difícil de se aceitar, pois então por que alguém decidiria tomar como testemunhas do túmulo vazio *mulheres* cujo testemunho na estima contemporânea seria de menos valor do que o de *homens*)? Muitos argumentam que as referências paulinas ao *sepultamento* e à ressurreição *ao terceiro dia* também pressupõe o fato do túmulo vazio. A evidência mais antiga não fornece nenhum tempo preciso para a própria ressurreição (a qual não é descrita); o primeiro tempo fixado é manhã de domingo quando as mulheres foram ao túmulo. Foi a descoberta do túmulo vazio, ao terceiro dia, que provavelmente deu origem à ênfase cristã sobre três dias, uma ênfase que foi tida como importante porque podia ser relacionada com algumas passagens veterotestamentárias. (Alguns estudiosos encontram no AT a origem da ideia de três dias, mas as passagens são vagas demais para ter servido mais que confirmação, uma vez que a ideia surgiu dos próprios eventos pascais). Quanto à relação entre a menção que Paulo faz do sepultamento e o fato do túmulo vazio, isto tem alguma força em virtude da compreensão paulina da ressurreição em 1Cor 15,20ss. pressupõe a transformação de um corpo que foi introduzido na terra e não meramente uma vitória metafísica sobre a morte. Há também a imagem de Jesus como o primogênito dos mortos em Rm 8,29. (Ver J. MÁNEK, *"The Apostle Paul and the Empty Tomb"*, NovT 2 [1957], 276-80). Várias outras referências na pregação apostólica da ressurreição que mencionam o sepultamento têm sido também interpretadas como pressupondo o túmulo vazio (Rm 6,4; At 2,29-32; 13,36-37). Estes argumentos não estão destituídos de certas falhas, porém deixam claro que o problema de como a ideia de um túmulo vazio se originou não é facilmente descartado.

A segunda distinção que fazemos diz respeito o ponto central do relato do túmulo e seus acréscimos lendários. O gráfico que apresentamos na p. 1441, mostra uma considerável variação nos detalhes do que as mulheres viram no túmulo, e se pode argumentar plausivelmente que as variadas aparições angélicas e as conversações angélicas representam uma dramatização da implicação do túmulo vazio. Há também aspectos apologéticos secundários; por exemplo, na tentativa de Mateus de fazer de mulheres testemunhas da abertura do túmulo e também toda a narrativa de Mateus sobre a guarda do túmulo. Mas por detrás destas variações há uma tradição básica de que algumas mulheres seguidoras de Jesus foram ao túmulo na manhã da Páscoa e o encontraram vazio – uma tradição que é mais antiga do que qualquer dos relatos preservados.

A questão da antiguidade pode ser estabelecida se pudermos decidir se o relato do túmulo vazio era originalmente parte do relato primitivo da paixão (fonte marcana A à p. 1203). Ambos, BULTMANN e TAYLOR, nutrem dúvida se Mc 16,1-8, em sua presente forma, era parte de A; mas TAYLOR, p. 659, afirma que o relato do sepultamento e alguma referência à ressurreição pertenceram à fonte A. BULTMANN, HST, p. 274, reconhece que o relato do sepultamento é em sua maior parte histórica e sem traços lendários; todavia, ele não está certo em que estágio ele se tornou parte do relato primitivo da paixão (p. 279). Ele nega que a narrativa do túmulo vazio foi sempre parte deste relato primitivo (p. 284). DODD, *Tradition*, p. 143, pensa que o relato tradicional da paixão teria terminado no padrão encontrado em 1Cor 15,3-5: morte, sepultamento, encontro do túmulo vazio de onde Jesus ressuscitara, e as aparições (com o último detalhe exibindo muita variante). WILKENS, SMRFJC, pp. 72-73, argumenta que o relato primitivo da paixão concluiu com o relato do túmulo vazio, mas que não tinha o relato das aparições. W. KNOX, *Sources of the Synoptic Gospels* (Cambridge University, 1953), I, 149, reconstrói uma "fonte dos doze" primitiva, algo parecido com o relato A, o qual continha o relato de que as mulheres encontraram o túmulo vazio e noticiaram aos onze (a frase paulina "ele ressuscitou ao terceiro dia" é um sumário disto). A diversidade de pontos de vista mostra a dificuldade da questão, e pode ser que não haja como resolvê-la, embora seja difícil conceber uma narrativa cristã básica que terminou com a morte e sepultamento sem uma certeza explícita da vitória de Jesus sobre a morte. O fato de que os evangelistas divergem em suas narrativas das aparições é prova suficiente de que nenhuma aparição localizada era parte do relato primitivo da paixão. Correspondentemente, o fato de que concordam em informar-nos que as mulheres seguidoras de Jesus encontraram o túmulo vazio na manhã de domingo pressupõe que no relato primitivo da paixão o relato do sepultamento de Jesus foi seguido por esta indicação de que o sepulcro não era o fim para ele. Então se poderia formular a teoria que no desenvolvimento subsequente do evangelho o relato básico do encontro do túmulo foi expandido pela adição de material interpretativo servindo para clarificar o significado do túmulo vazio (isto teria sido feito um tanto diferentemente na tradição Marcana/Mateana, na Lucana e na Joanina). Finalmente, narrativas das aparições de Jesus teriam sido anexadas, com adaptação correspondente do relato do túmulo. Nessa teoria, se poderia propor que Mc 16,1-8, se nunca teve um final perdido, representa (sem o v. 7) o estágio anterior à adição das narrativas da aparição, e, assim, ainda que expandida, é muito fidedigna ao esboço do relato primitivo da paixão.

Em suma, a alegação cristã de que as mulheres encontraram o túmulo vazio realmente não se tem provado ser de origem tardia; antes, tal alegação poderia ter sido pressuposta já no primeiro momento até onde podemos remontar à tradição da proclamação de que Jesus ressuscitou. É bem provável que Moule, SMRFJC, p. 10, esteja certo em insistir que a ideia de que o corpo de Jesus já não se encontra no túmulo, não é apenas um detalhe interessante acerca de sua vitória sobre a morte, mas é essencial para se compreender um aspecto superior na teologia cristã, a saber, que o que Deus cria não é destruído, e sim recriado e transformado.

[A Bibliografia para esta seção está inclusa na Bibliografia para todo o cap. 20, no final do §69.]

68. A RESSURREIÇÃO DE JESUS:
– PRIMEIRA CENA
(20,1-18)

No túmulo

20 ¹Ao amanhecer do primeiro dia da semana, enquanto ainda era escuro, Maria Madalena foi ao túmulo. Ela notou que a pedra foi removida do túmulo; ²então foi correndo avisar a Simão Pedro e ao outro discípulo (aquele a quem Jesus amava) e lhes disse: "Tiraram o Senhor do túmulo, e nós não sabemos onde o puseram!"
³Pedro e o outro discípulo saíram em direção ao túmulo. ⁴Os dois foram correndo lado a lado; mas o outro discípulo, sendo mais rápido, ultrapassou Pedro e chegou ao túmulo primeiro. ⁵E, abaixando-se, viu os lençóis postos ali, porém não entrou. ⁶Imediatamente, Simão Pedro veio após ele e foi diretamente ao túmulo. Ele observou os lençóis postos ali, ⁷e a peça de roupa que cobria sua cabeça, não estava com os lençóis, mas enrolada em um lugar à parte. ⁸Então, por sua vez, o outro discípulo que chegara ao túmulo primeiro também entrou. Ele viu e creu. (⁹Recordou que ainda não entendera a Escritura de que Jesus havia de ressuscitar dentre os mortos). ¹⁰Com isto, os discípulos voltaram para casa.

¹¹Nesse ínterim, Maria estava em pé (do lado de fora) do túmulo, chorando. Enquanto chorava, abaixou-se para o túmulo, ¹²e observou dois anjos de branco, um assentado à cabeceira e outro aos pés do

---

1: *veio, viu*; 2: *foi correndo, disse*; 5: *viu*; 6: *veio juntamente, observou*; 12: *observou*. No tempo presente histórico.

lugar onde o corpo de Jesus fora posto. [13]"Mulher", perguntaram-lhe, "por que estás chorando?" Ela lhes respondeu: "Porque levaram meu Senhor e eu não sei onde o puseram".

[14]Ela acabara de dizer isso quando se voltou e viu Jesus em pé ali. Todavia, ela não reconheceu que era Jesus. [15]"Mulher", perguntou-lhe, "por que estás chorando? A quem estás buscando?" Pensando que era o jardineiro, ela lhe disse: "Senhor, se és um dos que o levaram, dize-me onde o puseste, e eu o levarei". [16]Jesus lhe disse: "Maria!" Ela voltou-se para ele e disse [em hebraico]: "Raboni!" (que significa "Mestre"). [17]"Não me detenhas", disse-lhe Jesus, "porque ainda não subi ao Pai. Mas vai ter com meus irmãos e dize-lhes: 'Eu estou subindo para meu Pai e vosso Pai, para meu Deus e vosso Deus!'" [18]Maria Madalena foi ter com os discípulos. "Eu vi o Senhor!", ela anunciou, repetindo o que ele lhe dissera.

13: *perguntou, disse*; 14: *ergueu a vista*; 15: *perguntou*; 16: *disse, disse*; 17: *falou*; 18: *foi*. No tempo presente histórico.

NOTAS

20.1. *Ao amanhecer*. O advérbio *prōi*, omitido em algumas testemunhas textuais menores, se encontra também em Mc 16,2 ("bem cedo") e no Apêndice Marcano (16,9). Para a possível posição do tempo, a saber, 3-6 da manhã, ver nota sobre 18,28. Falar dessas horas como no dia bem cedo implica o cálculo romano das horas a partir da meia-noite, pois pela computação judaica o dia começava com a noite do sábado após o pôr do sol.

do primeiro dia da semana. Esta expressão (também v. 19 abaixo), *mia sabbatōn*, empregando um numeral cardinal por um ordinal (semitismo? BDF, §247[1]; MTGS, p. 187), ocorre nos quatro evangelhos com leve variação: Lc 24,1 e João tem expressões idênticas. O Apêndice Marcano (16,9) usa um numeral ordinal; o *Evangelho de Pedro*, 50, fala de "o dia do Senhor". Note que aqui os evangelhos não empregam a expressão querigmática "no terceiro dia" ou "depois de três dias", talvez porque a indicação básica do tempo do encontro do túmulo foi fixada na memória cristã antes que se percebesse o possível simbolismo na contagem dos três dias. A expressão do evangelho é possível em grego, porque nesse idioma *sabbatōn* significa, respectivamente, "semana" e "sábado"; no hebraico do AT *šabbāt* não significa "semana" (E. Vogt, *Biblica* 40 [1959], 1008-11), ainda quando tenha esse significado no hebraico posterior.

enquanto era ainda escuro. Se a expressão "ao amanhecer" nos leva a pensar no período entre três e seis da manhã, os evangelistas não concordam em fixar o momento exato em que as mulheres foram ao túmulo. Em geral, os evangelhos sinóticos favorecem uma hora quando já era dia claro. Lc 24,1 fala de "primeira aurora" (*orthrou batheōs* – o Evangelho de Pedro, 50, usa apenas *orthrou*). Mc 16,1-2 registra que as mulheres levaram especiarias depois de acabar a noite de sábado e chegaram ao túmulo na manhã de domingo "bem cedo... quando o sol despontava", sendo a última frase quase uma contradição direta do registro de João. (Taylor, pp. 604-5, considera esta frase marcana como sendo uma corrupção da indicação de tempo original, mas realmente "quando o sol despontava" não necessita mais do que especificação de "bem cedo"). Mt 28,1 tem a difícil expressão: "Após o sábado [*opse sabbatōn*] nos primeiros raios de luz do primeiro dia da semana [*sabbatōn* outra vez]". (É bem provável que *opse sabbatōn* não deva ser traduzido "depois do sábado"; cf. BDF, §164[4]). Recorrendo ao hebraico da Mishnah, J. M. Grintz, JBL 79 (1960), 37-38, interpreta Mateus no sentido de que as mulheres foram ao túmulo de noite logo depois de terminado o sábado, mas a maioria dos exegetas entende Mateus como estando a referir-se à manhã de sábado.

Alguns tentam harmonizar a discrepância sinótica-joanina mantendo que Maria Madalena, a única mulher mencionada por João, foi adiante das outras mulheres e chegou ao túmulo enquanto ainda era escuro (assim João), mas quando as outras mulheres chegaram ali já era dia claro. Outra interpretação veria um motivo teológico por detrás das respectivas cronologias. Na tradição sinótica, "luz" é apropriada, pois as mulheres encontram um anjo (ou anjos) junto ao túmulo o qual lhes comunica boas notícias de que Jesus ressuscitara, e assim a luz triunfou sobre as trevas do túmulo (G. Hebert, ScotJT 15 [1962], 66-73). Em contrapartida, "trevas" é um termo apropriado para João, pois tudo o que o túmulo vazio significa para Maria é que o corpo de Jesus fora roubado.

Maria Madalena. João menciona somente ela nominalmente (cf. Apêndice Marcano); Mateus menciona nominalmente duas mulheres; Marcos, três; e Lucas (24,10), três e mais "as outras mulheres". O *Evangelho de Pedro*, 51, registra que Maria Madalena levou consigo ao túmulo mulheres amigas. Notamos que, embora os sinóticos mencionem nominalmente outras mulheres, Madalena é sempre mencionada primeiro. Bernard, II, 656, acha a tradição sinótica mais plausível, pois é bem provável que uma mulher não fosse sozinha, ainda escuro, a um lugar de execução fora dos muros da cidade. Com a exceção de Lc 8,2, o qual coloca Madalena no ministério galileu como uma mulher de quem foram expulsos sete demônios, ela só é mencionada em relação à crucifixão e o túmulo vazio. O *Evangelho de Pedro*, 50, a chama "uma discípula [*mathētria*] do Senhor". Seu sobrenome, provavelmente, indica que ela era procedente de Magdala (Tariqueia) no litoral noroeste do Lago da Galileia, cerca de 8 km a sudoeste de Cafarnaum. BERNARD, II, 657, é um dos poucos autores modernos a continuar identificando-a com Maria de Betânia nas proximidades de Jerusalém, e sugere que ela ficou guardando o perfume para o dia do embalsamamento de Jesus (12,3-7; ver vol. 1, pp. 739-41). O OS^{sin} omite "Madalena", aqui e em 18, deixando a ambígua "Maria". Desde o tempo do *Diatessaron* de TACIANO (2º século) há elementos de uma tradição entre os Padres da Igreja, especialmente aqueles que escrevem em siríaco, que era Maria mãe de Jesus que foi ao túmulo. Por exemplo, EPHRAEM, *On the Diatessaron* 21,27; CSCO 145 (Armenian 2):235-36, claramente aplica o relato de João em 20,1-18 a Maria mãe de Jesus. LOISY, p. 504, pensa que tal referência pode ser original e que o relato pode ter sido conformado a Madalena na tradição dos sinóticos. Mas João nunca fala da mãe de Jesus como "Maria"; e, como LOISY o admite, 19,25-27 parece representar o aparecimento final da mãe de Jesus no evangelho.

foi ao túmulo. João não especifica por quê. Marcos e Lucas indicam que as mulheres levaram óleos aromáticos e foram para ungir o corpo de Jesus. Mateus apenas diz que foram ver o túmulo – provavelmente uma modificação ditada pela lógica da narrativa de Mateus; pois Mateus (foi o único que) registrou que o túmulo era guardado, e assim não se teria permitido às mulheres entrar no túmulo para ungir um cadáver. O *Evangelho de Pedro*, 50, diz que Maria foi porque até então ela não fizera o que costumeiramente as mulheres faziam por seu defunto amado, aparentemente para chorar e lamentar (52-54). Se alguém aceita ou não a razão oferecida por Marcos e Lucas dependerá se considera como provável a tradição joanina de que o corpo de Jesus fora preparado para o sepultamento na sexta-feira. Se seguirmos a João, é de se pressupor que o *Evangelho de Pedro*, 50, conjeturou corretamente. O costume de prantear junto ao túmulo é mencionado em Jo 11,31. A Midrash Rabbah C 7 sobre Gn 1,10 registra uma disputa sobre se o pranto intenso poderia ser distribuído em dois dias e dá a opinião do Rabi BAR KAPPARA (c. de 200 d.C.) de que o pranto atingia seu ponto máximo ao terceira dia. Um tratado menor de TalBab, *Semaḥoth* ou *Ebel Rabbathi* 8:1, diz que alguém pode ir ao túmulo e examinar o corpo em um período de três dias após a morte sem ser suspeito de qualquer superstição. Se aceitarmos a tradição sinótica de que as mulheres foram para ungir o corpo, então a omissão de João de tal detalhe provavelmente fosse deliberada, seguida da introdução (inexata) de uma unção antes do sepultamento. Pouco crédito se deve dar à objeção de que em um país quente ninguém iria ungir um corpo que já começara o processo de putrefação. Na verdade, na montanhosa Jerusalém pode ser bem frio no início da primavera. Além do mais, os que recontavam esses acontecimentos presumivelmente conheciam a temperatura e os costumes locais, e dificilmente teriam inventado uma explicação patentemente disparatada.

a pedra. João escreve como se o leitor tivesse conhecimento desta pedra; todavia, ao descrever o sepultamento, João, juntamente com Lucas, não mencionou a selagem do túmulo com uma pedra. Contraste Mc 15,46 com Mt 27,60, onde somos informados que José fez rolar uma grande pedra contra a abertura do túmulo. Aqui, o Quarto Evangelho pode estar preservando a fraseologia de uma tradição mais antiga.

a pedra foi removida. Os sinóticos falam dela sendo "rolada". Em Marcos e Lucas, isto foi feito antes que as mulheres chegassem, presumivelmente pelos anjos que foram ali para saudar as mulheres; Mt 28,2 é mais específico: "Um anjo do Senhor desceu do céu e veio e rolou a pedra". O *Evangelho de Pedro*, 37, registra que a pedra rolou sozinha e correu para o lado. João não dá nenhuma indicação de como a pedra foi removida.

do túmulo. João usa *ek*, "de"; Lc 24,2 tem a mesma frase com *apo*; Mc 16,3 tem "de [*ek*] a entrada do túmulo"; umas poucas testemunhas textuais de João têm a expressão marcana com *apo*. Provavelmente devamos pensar em um túmulo em caverna horizontal, em vez de um túmulo numa fenda vertical (ver nota sobre 11,38). A arqueologia palestinense nos mostra que a entrada desses túmulos ficava no nível do chão através de uma passagem pequena, usualmente menos de um metro de altura, de modo que os adultos tinham que engatinhar (note "abaixando-se" no v. 5). O túmulo podia ser selado com a pedra grande rolada contra a entrada; mas os túmulos mais elaborados tinham uma lâmina de pedra na forma de roda que era rolada num trilho para a entrada, tendo o efeito de uma porta corrediça. (Mt 28,2 aparentemente endossa uma grande pedra em vez de uma na forma de roda; pois diz-se que o anjo rolou a pedra e assentou-se sobre ela, e uma pedra na forma de roda teria sido rolada de volta ao encaixe). Do lado de dentro, alguns túmulos maiores tinham uma ante-câmara, começando daí havia câmaras sepulcrais. Encontramos diversos tipos básicos de acomodações sepulcrais. Havia *kōkīm* ou túneis, cortados em um arranjo de "compartimento", cerca de uns dois ou três metros de profundidade na rocha, aproximadamente sessenta centímetros de largura e de altura. O corpo era inserido começando pela cabeça, preenchendo o túnel. Segundo, havia *arcosolia* ou nichos semi-circulares, formados pelo entalhe na lateral das paredes da caverna para um aprofundamento de cerca de um metro, a partir de um metro do nível do chão. O nicho era de tal modo entalhado que deixava ou uma saliência plana ou um cocho no qual ou ao qual um corpo pudesse ser colocado. Terceiro, havia também "túmulos banco", onde o corpo era posto em um banco que corria em torno dos três lados da câmara sepulcral. Algumas vezes se usava sarcófagos. É interessante que na Igreja do Santo Sepulcro (nota sobre 19,17, "ele saiu") o interior dos túmulos judaicos distantes uns 50 metros do túmulo de Jesus são do tipo *kōkīm*; mas, nas proximidades da área, um túmulo familial do tempo de Jesus consistia de uma câmara com túmulos de gaveta *arcosolia* de ambos os lados. É bem provável que João pensasse no túmulo de Jesus como pertencente ao tipo *arcosolium*, pois no v. 12 ele descreve anjos sentados na cabeceira e ao pés do lugar onde o corpo de Jesus fora colocado. O sentar-se pode implicar também uma gaveta em de um cocho, mas os antigos peregrinos ao túmulo de Jesus na Igreja do Santo Sepulcro viam um cocho (Kopp, HPG, p. 393). A possibilidade de que a descrição de João reflete uma tradição genuína palestinense é aumentada pelas observações de G. Schille e J. Jeremias, como desenvolvidas por Nauck, pp. 261-62. Ele propõe que a comunidade cristã hierosolimitana pode ter ido ao túmulo de Jesus para celebrar a memória da ressurreição, de modo que o túmulo vazio veio a ser um tipo de *weli* ou sacrário. Assim sua descrição poderia ter sido conhecida das gerações posteriores.

2. *então*. Na lógica da presente sequência, somos levados a pensar que Maria olhou para o túmulo, ou ela deduziu pela ausência do corpo o fato de que o túmulo já não estava selado? Enquanto a primeira hipótese é frequentemente pressuposta com base no senso comum, a segunda é pressuposta pela indicação de João de que ainda estava escuro e pelo registro no v. 11 de que ela o percebeu no último momento. Muitos resolvem a dificuldade pela crítica literária, pressupondo que em certo tempo o v. 1 foi seguido pelo 11.

a Simão Pedro. Podemos comparar esse dado com a mensagem angélica às mulheres junto ao túmulo em Mc 16,7: "Ide dizer a seus discípulos *e a Pedro*". Sugere-se com frequência que Maria foi ao encontro de Pedro porque ele era o líder dos discípulos de Jesus; porém, se deve lembrar mais simplesmente que ele não fugiu com os outros e é registrado como estando bem próximo durante a interrogação pelas autoridades judaicas (Jo 18,27).

e ao outro discípulo (aquele a quem Jesus amava). Ele também é registrado como estando presente durante a paixão (19,26-27). Os comentaristas têm notado a repetição da preposição "a". Os que pensam que o Discípulo Amado não foi mencionado na forma original do relato encontram aqui o sinal de uma adição. Outros teorizam que Pedro e o Discípulo Amado não estavam no mesmo lugar (todavia, veja o v. 19 onde os discípulos estavam agrupados desordenadamente); se é assim, este alojamento separado dificilmente pode ser relacionado com 16,32 que fala dos discípulos como sendo dispersos, "cada um para sua própria casa". GRASS, p. 55, pensa que os dois estavam juntos; pode ser que os outros discípulos estivessem ali também, mas somente estes dois se propuseram ou ousaram ir. Em qualquer caso, são retratados como que saindo do mesmo lugar, correndo lado a lado.

Embora tenhamos ouvido falar previamente do discípulo a quem Jesus amava (13,23-26; 19,26-27), esta é a primeira vez que o encontramos identificado com "o outro discípulo" (ver vol. 1, p. 91s; também a nota sobre "outro discípulo" em 18,15). As testemunhas textuais mostram variação na expressão "aquele a quem Jesus amava"; é quase certamente uma inserção redacional parentética, pois nos vs. 4 e 8 este homem é chamado simplesmente "o outro discípulo", a designação mais original. (Concordamos, pois, com BOISMARD, RB 69 [1962], nota de rodapé, de que "o outro discípulo" e "o Discípulo Amado" representam a terminologia de dois diferentes estágios de composição; mas não achamos qualquer evidência real para a afirmação de BOISMARD de que "o Discípulo Amado" só aparece em cenas joaninas que foram redigidas por Lucas). BULTMANN, p. 530³, não concorda que estes sejam dois títulos distintos; ele prefere ler "a outro, a saber, o discípulo a quem Jesus amava".

lhes disse. Se os dois homens são retratados como estando em lugares diferentes, isto deve ser entendido em termos de informação sucessiva.

Tiraram. A menos que se especule sobre a identidade do "eles", pois a terceira pessoa plural indefinida, usada assim, pode ser simplesmente equivalente ao passivo: "O Senhor foi levado" (cf. nota sobre "eles escolheram" em 15,6). Nesta época, o roubo a túmulo era um crime perturbador, como testificado em edito imperial da época. Este edito, publicado pela primeira vez por F. CUMONT, tem sido cuidadosamente traduzido e estudado por F. DE ZULUETA, *Journal of Roman Studies* 22 (1932), 184-97. (Para apenas uma tradução, ver C. K. BARRETT, *The New Testament Background: Selected Documents* [Londres: SPCK, 1956], p. 15). Ele data do início do 1º século d.C.; o "César" que o publicou pode ter sido Augusto, Tibério ou Cláudio. Embora fosse adquirido entre as antiguidades em Nazaré, não estamos certos de que a lâmina de mármore em que foi inscrito de fato permaneceu nessa cidade. Portanto, qualquer conexão com os cristãos ou "nazarenos" e o sepultamento de Jesus é carente de base sólida.

o Senhor. TACIANO e a Siríaca Palestinense trazem "meu Senhor", provavelmente sob a influência do v. 13. Em seu relato do ministério, João evitou o uso de "o Senhor" como título (ver notas sobre 4,1; 6,23; 11,2), um uso lucano comum. Talvez, agora que ele está descrevendo o período pós-ressurreição, o evangelista se torna mais livre, reconhecendo que este título veio a ser comum como expressão da fé da comunidade cristã. Poderia objetar-se que Maria ainda não crê em Jesus como o Senhor, mas esta objeção também se aplica ao uso de "meu Senhor" no v. 13. HARTMANN, p. 199, argumenta que o uso de "o Senhor", no v. 2, é um sinal de que este versículo chegou ao evangelista da tradição (assim também vs. 18, 20 e 25).

nós não sabemos. O "nós" implica uma reminiscência de que outros estavam envolvidos na visita ao túmulo, como na tradição sinótica? (TACIANO e algumas outras versões leem um singular aqui, de novo, provavelmente em imitação do v. 13 que tem "eu não sei"). WELLHAUSEN e SPITTA pensam que o "nós" constitui uma tentativa redacional para harmonizar João e os sinóticos; mas é estranho que, quando tantas diferenças foram deixadas em João, tal harmonização menor e sutil teria sido tentada. BULTMANN, p. 529^4, 530^3, que pensa ser o v. 2 um conectivo redacional, julga que o "nós" é um modo semítico de falar com análogos gregos. É possível encontrar apoio para isto em G. DALMAN, *Grammatik des jüdisch-palästinischen Aramäisch* (Darmstadt, reimpresso em 1960), p. 265: "No aramaico galileu, a primeira pessoa do plural era frequentemente usada para a primeira pessoa do singular". Então alguém indagaria por que o singular aparece no v. 13.

onde o puseram. O verbo é *tithenai*, traduzido como "sepultaram" em 19,41-42.

3. *saíram em direção*. Literalmente, "Pedro saiu... e eles estavam vindo". O verbo singular é salientado por HARTMANN, p. 200, como sinal de que na forma original do relato, Pedro foi o único que acompanhou Maria de volta ao túmulo, de modo que devemos entender que Pedro saiu, e ele e Maria estavam vindo ao túmulo. Se Maria era companheira de Pedro, sua presença no túmulo, no v. 11, não propiciaria dificuldade.

ao túmulo. Literalmente, "para (*eis*) o túmulo". Se os vs. 46a foram adicionados no processo de redação tardia (ver comentário), então o significado literal poderia ter sido pretendido – foram para o túmulo. Mas, como a narrativa ora se encontra, requer-se uma modificação, pois nos vs. 4-5 os dois discípulos ainda não estão dentro do túmulo. Há quem tenha proposto um túmulo com uma antecâmara na qual os discípulos teriam entrado no v. 3. Isto é duvidoso, posto que nos vs. 11-12 Madalena pode ver o lugar fúnebre a partir de sua posição fora do túmulo – no máximo isto permitiria uma ante-sala pequena e aberta. (SCHWANK, "Leere Grab", p. 394, observa que o capítulo é composto e propõe que, possivelmente, nos vs. 3-8 e em 11b-14a podem-se encontrar duas diferentes composições do túmulo, com a última menos exata). Mais simplesmente *eis*, "em", é usado confusamente para *pros*, "a, para", em grego koinê (ZGB, §97). Notamos que *eis* é também usado no v. 1 ("vieram ao túmulo"); e aí é patente que Maria está do lado de fora, pois ela vê que a pedra foi removida da entrada.

4. *Os dois foram correndo*. Lc 24,12a, uma "não-interpolação ocidental", oferece o único paralelo sinótico, com pequena diferença de vocabulário: "Pedro se levantou e correu ao túmulo".

   sendo mais rápido, ultrapassou. A expressão de João é tautológica (BDF, §484), fato este que tem produzido algumas variantes dos copistas. O "mais rápido" deste discípulo tem contribuído para a descrição de João como um jovem e Pedro como mais velho. ISHODAD DE MERV liga o "mais rápido" de João ao fato de que ele era solteiro!

   chegou ao túmulo. Literalmente, "veio para o túmulo"; a preposição é *eis* (ver v. 3 acima) como contrastado com *epi* em Lc 24,12a.

5. *abaixando-se, viu os lençóis postos ali*. Evidentemente, o autor imagina que no momento havia luz suficiente para permitir uma abertura pequena e baixa para servir como a fonte de iluminação para a câmara sepulcral. Já mencionamos o paralelo com o v. 3 em Lc 24,12a; a segunda parte do versículo lucano diz: "[Pedro] encurvou-se e viu apenas os lençóis à parte". Algumas testemunhas textuais de Lucas suprimem o "apenas", enquanto algumas testemunhas de João o contêm. Os "lençóis" são os *othonia* de Jo 19,40 (ver nota ali). A menção de *othonia* em Lc 24,12 indica que este versículo é uma adição, pois a narrativa lucana do sepultura se referiu somente a um *sindōn*, "sudário".

   A expressão "postos ali" traduz uma forma do verbo *keisthai* que, enquanto significa "deitar, reclinar", pode indicar mera presença sem qualquer ênfase sobre a posição (assim, "ali", em vez de "postos ali"). Em qualquer caso, presumivelmente o "ali" é onde o corpo esteve, ou na prateleira ou no cocho do *arcosolium*, embora o fato de que os lençóis podem ser vistos da entrada sugira que o evangelista está pensando numa prateleira. Muitas traduções vertem o grego como "jazendo no chão", mas isto dá uma imagem errônea de onde o cadáver teria sido colocado. BALAGUÉ, pp. 185-86, analisa *keisthai* e argumenta que a palavra significa que os lençóis foram postos abertos ou afastados, uma vez o corpo sucumbido, nada mais continha nele. À maneira de contraste, ele argumentaria que no v. 7 o turbante, que "não estava com os lençóis" (nossa tradução), não estava aberto, e sim enrolado, mantendo certa consistência que o destacava (sob o *sindōn* que Balagué pressupõe ter coberto a totalidade). Auer, *op. cit.*, traça a história da tradução latina do grego, mantendo que o OL *posita*, "colocado ali", era uma tradução deficitária e optou por *jacentia*, "jazendo ali" – tudo isto em apoio da teoria de que os lençóis preservaram a forma do corpo de Jesus.

porém não entrou. No comentário, discutiremos a possível implicação teológica do ato de Pedro entrar antes do Discípulo Amado. Muitos intérpretes oferecem explicações práticas: o Discípulo Amado não entrou porque ele estava surpreso, ou atemorizado, ou quisesse evitar a contaminação ritual que vinha do toque de um cadáver. Tais explicações não estão em harmonia com o perfil idealizado deste discípulo no evangelho.

6. *após ele*. Literalmente, "seguindo-o". Visto que "seguir" é terminologia joanina para discipulado (vol. 1, p. 266), Barrett, p. 468, pensa que o autor poderia estar tentando subordinar Pedro ao Discípulo Amado (ver comentário).

foi diretamente ao túmulo. Em Marcos (16,5 – mesmo vocabulário) e Lucas as mulheres entram no túmulo; em João, somente Pedro e o Discípulo Amado entram.

observou. Enquanto em 5 João usa *blepein* para descrever o Discípulo Amado vendo os lençóis (também Lc 24,12), aqui ele usa *theōrein* para a visão de Pedro. Não se verifica nenhuma progressão enquanto ao significado, como se o ver de Pedro fosse mais demorado ou penetrante. *Theōrein* será usado para a visão que Maria teve dos anjos no v. 12 (uma visão que não a capacitou a entender por que estavam ali) e de sua visão de Jesus no v. 14 (a quem confunde com o jardineiro). O verbo *idein* será usado no v. 8 onde o ver é acompanhado da fé. Ver vol. 1, p. 799s.

7. *a peça de roupa que cobria sua cabeça*. *Soudarion*, palavra emprestada do grego, é uma acomodação do latim *sudarium*, tecido usado para enxugar a transpiração (*sudor*), algo parecido com nossa toalha. Como concebido aqui, provavelmente o tamanho fosse de uma toalha pequena ou um guardanapo grande. Em Lc 19,20, o terceiro servo deposita seu dinheiro em um *soudarion* (ver também At 19,12 – todavia, a palavra em si não especifica o tamanho, e Auer, pp. 30-32, identifica o *soudarion* com o *sindōn* dos sinóticos). Enquanto este tecido não foi mencionado na descrição que João faz do sepultamento, era parte da vestimenta fúnebre de Lázaro: "seu rosto envolto em um lenço" (11,44). Provavelmente passasse por baixo do queixo e atado no alto da cabeça, para impedir que a boca do morto ficasse aberta.

não estava com os lençóis, mas enrolado em um lugar à parte. A tradução desta descrição é grandemente disputada, p. ex., Balagué a traduz: "não estendido como os lençóis, mas, ao contrário, enrolado no mesmo lugar".

É preciso considerar quase cada palavra. Primeiro, a que se aplica a negativa? A negativa não precede imediatamente *keisthai* (ver nota sobre v. 5), como implica a tradução de BALAGUÉ, mas a frase "com [*meta*] os lençóis". Em outras palavras, é possível que o *soudarion* ficasse "estendido", mas não com as outras vestes fúnebres. BALAGUÉ, p. 187, observa que aqui *meta* não significa "com", e sim "como" (como ocasionalmente sua contraparte hebraica *'im*), de modo que a comparação diz respeito à condição das roupas, em vez de sua posição. AUER, pp. 37-38, propõe que *meta* significa "entre, no meio": o *soudarion* (que, para ele, cobria todo o corpo) já não estava misturado com as bandagens. As palavras que seguem são *alla chōris*, que significam "mas separadamente". Entretanto, BALAGUÉ e LAVERGNE sugerem que aqui a expressão se assemelha ao heb. *l^{e}bad min* ("à parte de, além de"), e que *chōris* só serve para enfatizar a adversativa, daí a tradução "mas, ao contrário". As palavras *eis hena topon* significam "em um lugar"; mas BALAGUÉ, p. 189, vê aqui um hebraísmo para "no mesmo lugar". Esta é uma tradução possível (ver 1Cor 12,11; na LXX a tradução de Ecl 3,20), mas, então, por que o autor mencionaria especialmente o lugar do *soudarion*, se ele estava onde estavam as demais roupas? Cremos que a frase deva ser traduzida à luz do *chōris* precedente, e assim está implícito um lugar separado. Não nos impressionamos com a tentativa de BALAGUÉ com *reductio ad absurdum*, a saber, seu argumento de que isto implica que o *soudarion* ficou do lado de fora do túmulo – ficou simplesmente em outra parte da câmara fúnebre. (Evidentemente, alguns copistas antigos sentiram as mesmas dificuldades que encontram estudiosos modernos, pois testemunhas textuais menores omitem uma ou outra palavra ou frase nesta descrição). Em último lugar, devemos notar a expressão verbal "rolou". LAVERGNE afirma que este significado para *entylissein* não é atestado antes do 4º século d.C. (o termo é refletido na Vulgata *involutum*). Em Lc 23,53 e Mt 27,59, o verbo constitui parte da descrição de como José enfaixou o corpo de Jesus em um sudário, e LAVERGNE entende João como significando que o *soudarion* estava "dobrado" com as outras vestes fúnebres. Todavia, João pode simplesmente significar que o *soudarion* estava enrolado em uma laçada oval, i.e., a forma que tinha quando foi passado em torno da cabeça do cadáver.

8. *Então, por sua vez*. Para este uso de *tote oun*, ver BDF, §459².

Ele viu e creu. Isto é difícil em dois fatos. Primeiro, o "ele" não se harmoniza com a observação explicativa, "*eles* não entenderam", no v. 9. Segundo, o Discípulo Amado, se veio à fé, não parece ter partilhado desta fé com Madalena ou com os demais discípulos, pois nos vs. 11-13 ou 19 não se encontra nenhum eco de sua fé. Estas dificuldades têm deixado sua marca, respectivamente, nas variantes textuais e nas diferentes interpretações. O Codex Bezae (suppletor) traz a redação extravagante "ele *não* creu"; OS^sin e uns poucos mss. gregos trazem "eles viram e creram". Visto que o verbo *pisteuein*, "crer", pode ter significado mais profano de "aceitar como verdadeiro, ser convencido", AGOSTINHO, seguido dos comentaristas modernos como OEPKE, VON DOBSCHÜTZ e NAUCK, afirma que o Discípulo não chegou a crer na ressurreição, mas foi convencido de que Madalena falou a verdade quando disse que o corpo já não estava ali. Entretanto, certamente o evangelista não introduziu o Discípulo Amado na cena só para que ele chegasse a uma conclusão tão vulgar. Ao contrário, ele é o primeiro a crer no Jesus ressurreto (compare a combinação de ver e crer no v. 29). Para o uso de *pisteuein* em um sentido absoluto, sem um objeto, ver vol. 1, p. 814; também DODD, *Interpretation*, pp. 185-86.

9. Umas poucas testemunhas textuais menores colocam este comentário entre parênteses depois do v. 11, provavelmente para que o "eles" que não entenderam pudesse incluir Maria Madalena, juntamente com Pedro, e assim não aplicar ao Discípulo Amado. Explicações parentéticas sobre o efeito que a ressurreição/glorificação de Jesus exerceu sobre seus seguidores não são infrequentes no Quarto Evangelho (2,22; 7,39; 12,16).

ainda não entendera a Escritura. A fim de conciliar isto com a afirmação no v. 8 de que o Discípulo Amado creu, Algumas testemunhas no OL trazem "ele" (i.e., Pedro), em vez de "eles". Alguns intérpretes buscam aliviar a dificuldade, mantendo que o evangelho não está oferecendo uma explicação de por que os dois discípulos falharam em crer na ressurreição, e sim por que correram ao túmulo em perplexidade quando ouviram que o corpo de Jesus fora levado. Se isto é o que estava implícito, a explicação foi inserida em um lugar muito estranho. HARTMANN, *art. cit.*, pensa que "eles" originalmente se referiam a Pedro e a Madalena, pois HARTMANN mantém que na forma original do relato ela era companheira de Pedro. Um segundo problema se ocupa ao que "a Escritura" se refere. (Umas poucas testemunhas omitem "a Escritura", e assim evitam o problema). A implicação de João de que somente depois das aparições de Jesus o teor das profecias do AT foi entendido concorda com Lc 24,25-27. Isso corre contrário à tese dos evangelhos sinóticos de que Jesus fez três predições detalhadas de sua ressurreição (vol. 1, p. 352s). Seria a "Escritura" em João uma referência geral semelhante a 1Cor 15,4, "Ele ressuscitou ao terceiro dia segundo as Escrituras"? João tem em mente um número de passagens (ver p. 1384ss. acima em referência a 19,28)? Ou ele tem em mente uma passagem específica, por exemplo, Sl 16,10 (assim BERNARD, HOSKYNS), ou Os 6,2, ou Jo 1,17; 2,1? Não podemos estar seguros da resposta; mas não achamos plausível uma terceira proposta feita por FREED, OTQ, pp. 57-58, de que "Escritura" se refere às próprias palavras de Jesus como escritas em outro evangelho (Lc 24,46). Não temos evidência de que o autor ou redator joanino conhecia o evangelho escrito de Lucas, nem que classificasse as palavras de Jesus como Escritura. BULTMANN, p. 530, considera o v. 9 como uma adição feita pelo Redator Eclesiástico, em parte porque o interesse numa predição da ressurreição é um reflexo da teologia da comunidade. Mas não podemos assumir que os primeiros estágios do evangelho eram desprovidos da influência da teologia da comunidade. O versículo lembra estreitamente 12,14-16, o qual BULTMANN toma como sendo original (ver SMITH, p. 224).

havia de ressuscitar dentre os mortos. A necessidade surge do fato de que a ressurreição cumpre a vontade de Deus, pois a Escritura é um guia para o plano de Deus. O verbo "ressuscitar" e *anistanai*. BULTMANN, pp. 530 e 491, caracteriza isto como uma expressão não joanina, posto que João fala mais tipicamente da ascensão ou partida de Jesus. Todavia, veja 2,22: "depois de sua ressurreição [= ser levantado: *ēgerthē*] dos mortos"; BULTMANN, porém, atribui isto também ao redator.

10. *os discípulos voltaram para casa*. João nada diz da disposição mental deles. A última parte do paralelo em Lc 24,12 nos informa que Pedro "foi para casa, ponderando sobre o que acontecera". Lc 24,24 registra que os discípulos que foram ao túmulo descobriram que o corpo fora levado, como as mulheres disseram, porém não viram Jesus. Aqui, "casa" não é a Galileia, mas onde estavam em Jerusalém quando Madalena os chamou. O propósito real deste versículo é tirar os discípulos de cena e ceder o palco a Madalena.

11. *Maria estava em pé*. O verbo mais que perfeito sugere a LAGRANGE, p. 509, que Maria voltara com os dois discípulos e aguardava do lado de fora do túmulo até que se afastassem. Se for assim, por que o Discípulo Amado não lhe comunicou sua percepção e fé? Além do mais, por que, quando olha para dentro do túmulo, ela vê anjos e não roupas fúnebres? Esta estranheza é um sinal de que temos aqui uma conexão redacional de episódios em outro tempo independentes.

[*do lado de fora*] *do túmulo*. As melhores testemunhas têm *pros* com o dativo, significando "perto em, de" (BDF, §240²). O Sinaiticus lê *en*, "no túmulo", provavelmente um resultado da imaginação de copista de que o túmulo tinha uma antecâmara (ver nota sobre "ao túmulo" no v. 3). *Exō*, "lado de fora", aparece na maior parte das testemunhas, mas em posições diferentes; é omitido por Sinaiticus*, Alexandrinus, OL, OS[sin], a Peshita e algumas testemunhas do *Diatessaron*. Pode bem ser um esclarecimento de copista. Mas, mesmo sem *exō*, é muito evidente que Maria estava do lado de fora do jardim. Na tradição sinótica (Mc 16,5; Lc 24,3), Maria entrou no túmulo.

chorando. Esta não era lamentação ordinária esperada de um parente do sexo feminino ou de um amigo do falecido; ela chorava porque pensava que o corpo de Jesus fora roubado.

12. *observou*. Ver nota sobre este verbo no v. 6. Em João, a aparição angélica não inspira em Maria temor algum, nem espanto e nem prostração que ouvimos nos relatos sinóticos das mulheres junto ao túmulo.

dois anjos. O "dois" é omitido pelo Sinaiticus* e um ms. OL. Ver o gráfico à p. 1441 para a variação no número e designação dos anjos. O fato de que Mc 16,5 e Lc 24,4 falam de homens, em vez de anjos levou os críticos racionalistas mais antigos a assumirem que originalmente estavam envolvidos seres humanos, e não anjos, mas uma aparição celestial está na mente de todos os evangelistas. O desenvolvimento não foi de homens para anjos; ao contrário, porta-vozes celestiais foram introduzidos para esclarecer o significado do túmulo vazio. O *Evangelho de Pedro* tem o quadro mais complexo. Os céus se abriram e dois homens, resplandecentes de luz, desceram e entraram no túmulo que se lhes abriu. Os soldados junto ao túmulo viram esses dois emergirem, sustentando outro (Jesus) cuja cabeça estava acima do céu (36-40). Enquanto os soldados discutiam sobre isto, ainda outro homem desceu do céu e entrou no túmulo (44). Presumivelmente, ele era aquele a quem as mulheres encontraram quando vieram ao túmulo (55). Quanto ao *par* de anjos de João, este não era um conceito incomum (2Mc 3,26; At 1,10).

de branco. Em Mc 16,5, o jovem (anjo) está vestido de um manto branco; em Mt 28,3, o anjo do Senhor tem uma aparência como relâmpago e uma veste branca como a neve; em Lc 24,4, os dois homens (anjos, de acordo com 24,23) usam indumentária reluzente; no *Evangelho de Pedro*, 55, o atraente jovem que as mulheres veem no túmulo está vestido de um manto brilhante. Em geral, os visitantes celestiais se vestem de algo branco ou brilhante, frequentemente de linho (Ez 9,2; Dn 10,5; *1 Enoque* 87,2; 2Mc 3,26; At 1,10) – também o Jesus transfigurado em Mc 9,3.

um assentado à cabeceira e outro aos pés. Para o arranjo do túmulo implícito aqui, ver nota sobre v. 1, "do túmulo". João pode significar simplesmente que havia um anjo em cada extremo da prateleira sepulcral; mas algumas vezes a rocha era de tal modo lavrada que fornecia um apoio para a cabeça do cadáver, de modo que o lugar da cabeça podia ser distinguido. O gráfico à p. 1441 mostra as variações do evangelho quando descreve a posição dos anjos; o *Evangelho de Pedro*, 55, tem o jovem celestial assentado no meio do túmulo. O detalhe em João é o mais elaborado. BERNARD, II, 664, lembra a tese de WETSTEIN de que os dois anjos, guardando o lugar sepulcral, eram a contraparte dos dois bandidos pendurados de ambos os lados do Jesus crucificado. Outro simbolismo proposto lembra os dois querubins de cada lado da Arca da Aliança no Santo dos Santos.

13. *"Mulher"*. Para esta forma de saudação, ver nota sobre 2,4.

    por que estás chorando? Umas poucas testemunhas textuais ocidentais acrescentam "O que estás buscando?" tomado do v. 15. Enquanto a conversação angélica em João é bem diferente daquela nos sinóticos, em ambos, Lucas e João, os dois anjos formulam uma pergunta.

    porque levaram. A afirmação de Maria reproduz a do v. 2, com "meu Senhor" em vez de "o Senhor", e "eu" em vez de "nós".

14. *viu Jesus*. Para o verbo *theōrein*, ver nota sobre "observou" em 6. BERNARD, II, 665, salienta que este verbo foi usado na promessa de 14,19: "O mundo não me verá mais, mas *vós me vereis*". Entretanto, visto que Maria pensava que o homem que vira era o jardineiro, dificilmente esta é a visão que Jesus prometeu.

    ela não reconheceu que era Jesus. Alguns comentaristas têm especulado o não reconhecimento à possibilidade de que Madalena não estava olhando diretamente para ele (uma inferência da afirmação no v. 16 de que ela volveu-se para ele) ou que ainda era muito escuro para ver claramente (todavia, estava suficientemente claro para olhar dentro do túmulo). Outros veem um simbolismo teológico; por exemplo, LIGHTFOOT, p. 334, traz à memória que o Batista não reconheceu Jesus em 1,26.31 (mas aquele incidente envolvia o tema especial do Messias oculto – ver vol. 1, p. 234s). O registro de João deve ser associado aos outros casos no evangelho da impossibilidade de reconhecer o Jesus ressurreto, por causa da transformação que ele sofrera (ver comentário).

15. *Mulher... por que estás chorando?* Jesus repete as palavras dos anjos (13). De modo semelhante, quando Jesus aparece aos homens em Mt 28,9-10, ele reitera a mensagem dos anjos de 28,5.7.

    A quem estás buscando? Esta pergunta é um raro paralelo em João com a tradição sinótica da conversação entre os anjos e as mulheres: "Estais buscando Jesus" (Marcos/Mateus); "Por que buscais entre os mortos ao que está vivo?" (Lucas).

    Pensando que era o jardineiro. Evidentemente, nada havia de espantoso em sua aparência, e assim podemos rejeitar a tese de KASTNER, *art. cit.*, de que o Jesus ressurreto apareceu nu, tendo deixado no túmulo suas vestes fúnebres. BERNARD, II, 666, pondera romanticamente: "Os olhos do amor vestem a visão com vestimentas familiares" – uma solução frágil para um pseudo-problema. Este é o único exemplo bíblico de *kēpouros*, "jardineiro", uma palavra não incomum nos papiros seculares. O relato de João é consoante com a informação, peculiar a ele, de que o túmulo de Jesus ficava em um jardim. Presumivelmente, a tarefa do jardineiro teria sido cuidar das árvores e frutos ou colheitas; não há razão para fazer dele um vigia cuja presença pessoal tornaria auto-contraditório as visitas ao túmulo mencionadas por João. VON CAMPENHAUSEN, pp. 66-67, pensa que João está escrevendo em termos apologéticos para refutar a alegação judaica de que um jardineiro levou o corpo de Jesus. TERTULIANO, *De spectaculis* 30; PL 1:662ª, nos fornece nosso primeiro vestígio desta lenda: o jardineiro agiu assim porque temia que as multidões, vindo ver o túmulo, pisoteassem seus repolhos. Formas posteriores do relato identificam o jardineiro como sendo Judas (confusão com Iscariotes?) e nos informam que subsequentemente ele trouxe de volta o corpo que então fora arrastado pelas ruas de Jerusalém. Outros estudiosos acham igualmente uma tênue explicação teológica para a menção que João faz do jardineiro: o jardim é o Jardim do Éden (nota sobre 19,41) onde Deus mesmo é o jardineiro (HOSKYNS, LIGHTFOOT).

Senhor. Kyrie (nota sobre 4,11).

16. *"Maria!"* Aqui, as melhores testemunhas textuais trazem *Mariam*, em vez de Maria, o que parece ser a forma normal para Maria Madalena. Visto que *Mariam* é mais próximo com o hebraico massorético *Miryam*, há quem proponha que João retrata Jesus como que falando a Maria "em hebraico", mesmo quando João retrate Madalena como a responder a Jesus "em hebraico". Mais precisamente, SCHWANK, *"Leere Grab"*, p. 398, especifica que *Mariam* traduz o aramaico, e não o hebraico, precisamente como *Rabbuni* reflete o aramaico. A teoria em seu todo é duvidosa por vários motivos. *Primeiro*, as testemunhas textuais oscilam grandemente se leem *Maria* ou *Mariam* nos cinco exemplos do nome de Madalena neste evangelho. É bem provável que a forma *Mariam* deva ser lida também no v. 18 onde não há razão especial para João estar traduzindo a forma semítica do nome. Resumimos os dados textuais abaixo: os itálicos indicam a redação preferida no grego crítico do NT de NESTLE (23rd ed.), MERK (7th ed.), TASKER (NEB) e ALAN (Synopsis); os códices são abreviados assim: B=Vaticanus; S=Sinaiticus; A=Alexandrinus.

    19,25 *Maria* B, A   Mariam S
    20,1 *Maria* B   Mariam S, A
    20,11 *Maria* B, A, P^{66*} Mariam S, P^{66c}
    20,16 *Maria* A   Mariam S, B
    20,18 *Maria* A   Mariam S, B, P^{66}

Segundo, o problema do original hebraico do primeiro século subjacente ao nome "Maria" é complexo. É verdade que *Mrym* é a forma consonantal encontrada no TM como o nome da irmã de Moisés; mas no tempo de Jesus *Mryh* também aparece em inscrições, de modo que já não é correto alegar que Maria é necessariamente uma forma helenizada (BDF, §53³). "Maria" pode ter sido uma designação informal para mulheres chamadas "Mariam". *Terceiro*, a alegação de que *Mariam* representa *Maryam*, uma forma aramaica, em vez de *Miryam*, uma forma hebraica, é altamente incerta. No caso de nomes bíblicos, formas hebraicas foram frequentemente retidas em hebraico [aramaico]; assim, o *Targum Onkelos* traduz o nome da irmã de Moisés como *Miryam*, que corresponde a vocalização massorética. No entanto, mais pertinente, a vocalização é tardia e é o resultado de uma dissimilação (tecnicamente chamado *qatqat* para a dissimilação *qitqat*). Esta dissimilação na pronúncia do hebraico não ocorreu até após os tempos do NT, de modo que no tempo de Jesus o heb. *Mrym* era pronunciado *Maryam* (como atestado na transliteração da LXX).

Ela voltou-se para ele. O uso do nome Maria chama sua atenção porque, supõe-se que, o jardineiro a conhece pessoalmente. No entanto, Maria já se voltara para este homem (o mesmo verbo) no v. 14. Os que tentam analisar esta duplicação sem recorrer à crítica literária (i.e., a junção de relatos uma vez independentes) usualmente pressupõem que Maria tinha se afastado nesse ínterim. Em conformidade com sua tese de que Jesus permaneceu ali nu (o novo Adão), KASTNER, *art. cit.*, propõe a decência como o motivo pela qual Maria se afastara! Uma explicação mais comum é que significa que Maria agora volveu sua plena atenção para Jesus (assim LAGRANGE) e (BULTMANN, com base no "Não me detenhas"). Outros propõem que o grego traduz parcamente um original aramaico. O OS^sin e TACIANO têm "reconhecido" (representando o ithpeel de *skl*) em vez de "voltou-se"; e BLACK, pp. 189-90, sugere que a versão grega aceita leu equivocadamente o aramaico. *skl* como *sḥr* sob a influência do v. 14 onde ocorreu uma forma de *sḥr*. BOISMARD, *ÊvJean*, p. 47, anexa a evidência da versão de AMBRÓSIO e de GEORGIANO em apoio desta teoria. Entretanto, a leitura "reconheceu", que elimina a dificuldade, bem que pode representar um melhoramento da lavra de copista.

[em hebraico]. Estritamente falando, a expressão referida, a saber, *Rabbuni*, é aramaico. Esta frase está faltando em uma interessante combinação de testemunhas textuais: algumas das versões ocidentais, a tradição bizantina, a Vulgata e mass. gregos da família Lake. Ela se encontra em referência a nomes aramaicos de lugar em 5,2; 19,13.17; e um copista poderia ter imitado o uso.

"Rabbuni!" A forma grega é *rabboni*, com *rabbōni* como uma variante ocidental; a palavra aparece também em Mc 10,51. A literatura rabínica posterior (p. ex., o *Targum Onkelos*) tem a forma vocalizada *ribbōni*, usada principalmente ao dirigir-se a Deus. Em uma cópia do Targum palestinense mais antiga do Pentateuco, BLACK, p. 21, encontra a forma aramaica vocalizada *rabbūnī* (uma forma que pode ser usada ao dirigir-se a um senhor humano). Embora o uso que João faz de uma transliteração de *rabbūnī*, em vez de *ribbōnī*, tenha sido citada como prova de que João conhecia o uso palestinense do 1º século, J. A. FITZMYER CBQ 30 (1968), 421, mostra a falácia em tal argumento. A forma targúmica antiga teria sido escrita sem a vocalização como *rbwny*, que poderia ser ou *rabbūnī* ou *ribbōnī*; e se argumentarmos partindo da forma vocalizada do Targum, somos induzidos consideravelmente pela evidência tardia.

A forma *Rabbuni* tem sido descrita como uma saudação carinhosa (W. F. ALBRIGHT, BNTE, p. 158), i.e., uma forma diminutiva de afeto: "Meu querido Rabbi [senhor]". Muitos têm ponderado que seu uso expressa a afeição de Maria por Jesus, uma afeição implícita ao longo de toda a cena. (Um romântico como RENAN retratou Jesus como o grande amor de Madalena, deixando aberta a via para se interpretar o "Não me detenhas [ou toques]" do v. 17 como uma indicação de que a relação prévia entre eles cessaria – talvez sob a analogia de Mc 12,25!). Alega-se que *Rabbuni* seria especialmente significativo, pois em outras oito vezes João usa o simples *Rabbi*. Entretanto, João traduz *Rabbuni* para o grego como "Mestre", a mesma tradução dada para *Rabbi* (1,38), de modo que o autor não dá aos seus leitores gregos nenhuma indicação do elemento afetivo. Há ainda menos base para pressupor-se que o autor está deliberadamente usando uma forma dirigida primariamente a Deus, de modo que Madalena está fazendo uma declaração de fé comparável à de Tomé, "Senhor meu e Deus meu" (HOSKYNS, p. 543).

(que significa "Mestre"). Talvez precisamente por causa da simplicidade do discurso, algumas testemunhas ocidentais adicionam "Senhor" ou o substitui por "Mestre". Não obstante, de fato "senhor" é uma tradução mais literal de *rabbi* do que "mestre" (ver nota sobre 1,38). Depois de "Mestre", algumas testemunhas menores acrescentam "e ela correu para tocá-lo". Esta é uma tentativa de copista para fazer uma transição mais fácil para o v. 17. A ideia poderia visar a retratar uma ação similar àquela de Mt 28,9, onde as mulheres correm, abraçam os pés de Jesus e o adoram.

17. *"Não me detenhas"*. O uso do imperativo presente (*mē mou aptou*), literalmente "Para de me tocar", provavelmente implique que ela já está tocando-o e que desistisse; todavia, pode significar que ela esteja tentando

tocá-lo e ele lhe diz que não o fizesse (cf. BDF, §336³). Temos traduzido o aspecto deste imperativo contínuo por "apegar-se" ou "segurar", de modo que Jesus está pedindo-lhe que não o agarre (ver BAG, p. 102, col. 1; ZGB, §247 – talvez se deva dar o mesmo significado ao verbo *aptesthai* em Lc 7,14). Dodd, *Interpretation*, p. 443², afirma que é o aoristo deste verbo que significa "tocar", enquanto o presente significa "deter, agarrar, segurar". B. Violet, ZNW 24 (1925), 78-80, mostra que duas vezes na LXX *aptesthai* traduz formas do hebraico *dābaq* (*dābēq*) que significam "apegar-se a". (É possível aceitar esta observação sem adotar a teoria de Violet de que o significado original, traduzido equivocadamente em João, era "Não me sigas"; cf. F. Perles, ZNW 25 [1926], 287). Lembramos que na cena paralela em Mt 28,9 as mulheres abraçam (*kratein*) os pés de Jesus; e algumas vezes *aptesthai* é intercambiável com *kratein*; por exemplo, compare Mt 8,15 com Mc 1,31.

Os que argumentam em prol do significado "tocar" e que pensam que o conceito que João tem da ascensão era o mesmo de Lucas, a saber, algo que ocorreria em cerca de quarenta dias depois de uma série de aparições, têm encontrado grandes dificuldades extraordinárias para explicarem a ordem de Jesus a Madalena. Não podem entender por que Jesus a proibiria de tocá-lo, quando uma semana depois (e ainda antes de sua ascensão) ele convidaria Tomé a tocar suas feridas. M. Miguens, *"Nota"*, discute ambas as abordagens, patrística e moderna, para este problema; e J. Maiworm, TGI 30 (1938), 540-46, cataloga doze diferentes tipos de explicações. Não se sabe qual é pior: a explicação totalmente banal de que Jesus não quer ser tocado por que suas feridas ainda são sensíveis, ou a tese fantasiosa de Belser de que, tendo ouvido da refeição eucarística da noite de quinta-feira, Madalena vê Jesus ressurreto e está agarrando-se a ele, rogando-lhe que lhe dê a santa comunhão! H. Kraft, TLZ 76 (1951), 570, pensa que Jesus estava alertando Madalena contra a contaminação ritual a que ela incorreria ao tocar um corpo morto; porque, ainda que redivivo, Jesus continuava em um estado de humilhação até que ascendesse ao Pai. Crisóstomo e Teofilato estão entre os muitos que pensam que Jesus está pedindo a Maria que demonstre mais respeito para com seu corpo glorificado. Caso se suscite a objeção que um respeito similar não foi exigido de Tomé, alguns resolveriam a dificuldade, alegando que a um homem, e especialmente um dentre os doze, se podia permitir o que seria inconveniente a uma mulher, especialmente uma mulher com passado pecaminoso. C. Spicq, RSPT 32 (1948), 226-27, recorrendo a Hb 7,26, propõe que, quando Jesus tiver ascendido, ele será sumo sacerdote, santo, imaculado, separado dos pecadores; e assim ele está dizendo a

Madalena que não o macule com contato ordinário. Kastner, *art. cit.*, sempre fiel à sua tese de que o Jesus redivivo estava nu, pensa que ele tem uma explicação óbvia por que o comportamento de Maria fora inapropriado, até que ela também se ascendesse ao céu e não mais incorresse nos perigos da tentação! Ainda outros pensam que Madalena está sendo informada a não provar a realidade física do corpo de Jesus.

Uma abordagem ainda mais frequente é corrigir o texto ou traduzir o grego de uma forma incomum, evitando assim a dificuldade. Bernard, II, 670-71, e W. E. P. Cotter, ET 43 (1931-32), 46, defendem a tese de que o original trás *mē ptoou*, "Não temas". O tema do temor se encontra nas narrativas sinóticas das aparições de Jesus, e o verbo *ptoein* ocorre em Lc 24,37, onde os discípulos estão atemorizados. Entretanto, este verbo não é usado na cena sinótica do túmulo, onde as mulheres mostram medo; em particular, o paralelo mateano (28,10) a esta cena em João tem o imperativo de não temer nas palavras *mē phobeisthe*. Outras emendas (sem endosso textual) eliminam a negativa e leem *mou aptou* ou *sy aptou*, "Toca-me". Entre as traduções não usuais, podemos notar a de F. X. Pölzl e J. Sickenberger, proposta independentemente por Cotter, *art. cit.*, a saber, que a frase significa: "Não há necessidade de agarrar-se a mim, pois não estou partindo imediatamente, mas estarei por perto por pouco tempo [quarenta dias] antes que eu parta". W. D. Morris, ET 40 (1928-29), 527-28, propõe que o grego significa: "Não (temas) tocar-me", já que a ideia de temor está implícita no ver um homem morto que voltou à vida. Lagrange, p. 512, e Barrett, p. 470, buscam evitar a dificuldade assim: "Não insistas em tocar-me; é verdade que ainda não subi para o Pai, mas estou para fazer isso". X. Léon-Dufour, *Études d'Évangile* (Paris: Seuil, 1965), p. 74, defende este uso concessivo de *gar*, que significa "verdadeiro". Por razão diferente, mas com o mesmo resultado prático, Loisy, p. 505, considera as palavras "pois ainda não subi para o Pai" como uma glosa, de modo que o teor original era: "Não me toques, mas vou para meus irmãos; pois de minha parte já estou subindo...". De modo semelhante, ZGB, §476, defende a possibilidade gramatical de que o "porque" que segue "Não me toques" deve ser interpretado não com "ainda não subi", mas com "vou para meus irmãos". No comentário, tentaremos discutir o texto sem emenda ou sintaxe não habitual.

subi para o Pai. P[66], OL, OS[sin] e a Vulg. trazem "meu Pai" – uma interessante combinação de testemunhas. Todavia, é bem provável que a redação tenha sido influenciada por "eu estou subindo para meu Pai" no final do versículo.

vai ter com meus irmãos. Umas poucas testemunhas importantes omitem "meus". Dodd, *Tradition*, p. 147, sugere que os irmãos poderiam ser parentes físicos de Jesus, pois em 1Cor 15,7 há registrado uma aparição de Jesus a Tiago, um dos "irmãos" (ver também At 1,14). Recordemos ainda que em Jo 7,8 foi a seus "irmãos" ou parentes que Jesus disse: "Não estou subindo [*anabainein*] a esta festa, porque para mim o tempo ainda não tem chegado"; e é possível entender que agora ele está dizendo a Madalena que os informasse de que ele está subindo (*anabainein*). Enquanto não se pode excluir esta possibilidade para a tradição pré-evangélica, certamente o evangelista estava se referindo aos discípulos, como vemos no v. 18. O uso do termo "irmãos" para os discípulos se relaciona com a ideia expressa mais adiante na sentença de que agora o Pai de Jesus é o Pai deles. Há um uso similar de "irmãos" em 21,23; cf. também o paralelo mateano (28,9-10), onde Jesus diz às mulheres que abraçavam seus pés: "Não temais; segui vosso caminho e dizei a *meus irmãos* [Mt 28,7 se refere aos discípulos] que estou indo para a Galileia".

estou subindo para meu Pai. Todas as tentativas de fazer isto referir-se a uma ascensão que ocorre muito depois, de forma que as aparições em 20,19ss. seriam anteriores as mesmas vai contra o significado óbvio do texto. O tempo presente aqui significa que Jesus já se acha no processo da ascensão, mas que ainda não atingiu sua destinação (BDF, §323³). Com frequência Jesus tem falado de ir para seu Pai (*hypagein* em 7,33; 16,5.10; *poreuesthai* em 14,12.28; 16,28). O verbo *anabainein* é um dos vários usados no NT para descrever a ascensão, mas numa época posterior dos credos veio a ser o termo por excelência.

meu Pai... meu Deus. Isto quase corresponde à descrição paulina "o Deus e Pai de nosso Senhor Jesus Cristo" (Rm 15,6; 2Cor 1,3 etc.). No v. 28, Tomé chamará Jesus de "Deus" (vol. 1, p. 199); todavia, João mostra Jesus se dirigindo ao Pai como seu Deus. Talvez tenhamos aqui os ecos de vários estágios no desenvolvimento da cristologia.

18. No grego deste versículo há uma combinação de discurso direto e indireto nada elegante, e as várias testemunhas textuais revelam traços de tentativas de copistas de amenizar. LAGRANGE, p. 513, comenta que a pressa de Maria combina com o estilo do escritor. Outros têm buscado uma explicação literária: João está combinando o final da cristofania ("ela anunciou: 'eu vi o Senhor!'") com a terminação original da cena que envolve os anjos no túmulo ("noticiando o que ele [originalmente, eles] lhe dissera"). LOISY, p. 506, comenta que o v. 18 é um reescrito da angelofania em Mt 28,8.

foi ter com os discípulos. O Apêndice Marcano (16,10) também traz Madalena indo aos discípulos depois da cristofania, porém usa *poreuesthai* em contraste ao *erchesthai* de João para o verbo "ir" e chama os discípulos "os que estavam com ele". João nada nos diz da reação dos discípulos.

No Apêndice Marcano, estão lamentando e chorando quando Maria chega; e "quando ouvem que ele estava vivo e fora visto por ela [*theasthai* – um verbo que João não usa para a visão do Jesus ressuscitado], não creem". João não diz onde os discípulos estavam, mas, presumivelmente, estavam onde os encontramos no v. 19.

"*Eu vi o Senhor!*" O verbo é *horan*, comparável a *idein* usado no v. 9 (cf. p. 1516). Para o uso pós-ressurreição de "o Senhor", ver nota sobre o v. 2. Como no v. 2, onde Madalena notifica o túmulo vazio, João é o único evangelho a dar uma citação direta como parte de sua notícia.

ela anunciou. Angellein, um derivativo, *apangellein*, é usado em Mt 28,8.10 e Lc 24,9 para a mensagem que as mulheres levam aos discípulos após sua visita ao túmulo vazio (cf. também o Apêndice Marcano 16,10).

COMENTÁRIO: GERAL

A estrutura de 20,1-18

Na p. 1430 fornecemos um esboço que mostra o cuidadoso equilíbrio neste capítulo que trata do período pós-ressurreição. Notamos que a narrativa do Jesus ressuscitado é dividida em duas cenas ambas as quais começando com um cenário de tempo (vs. 1 e 19). Cada cena consiste de dois episódios. O primeiro episódio em cada cena envolve os discípulos e a que estes creem. (Embora reconheçamos a possibilidade de se subdividir cada um destes primeiros episódios, o cenário nos vs. 1-2 é mais distinto da principal ação em 3-10 do que o cenário em 19-20 da mensagem de Jesus em 21-23). O segundo episódio em cada cena tem como seu ponto principal a aparição de Jesus a um indivíduo, Madalena e Tomé, respectivamente. E nestes segundos episódios há considerável atenção a como este indivíduo chegou a certificar-se de que Jesus realmente estava ali (o reconhecimento). Por sua vez, a vinda à fé dos indivíduos se relaciona com um auditório maior: Madalena sai para informar aos discípulos; Jesus depois de se dirigir a Tomé, se refere à massa dos que não viram, porém creram.

Deixando a equilibrada estrutura do capítulo, devemos ocupar-nos, em particular, de 20,1-18 onde, a despeito da organização que acabamos de expor, há um número extraordinário de inconsistências que delatam a mão de um redator que efetuou a organização, combinando material heterogêneo. Notamos as seguintes dificuldades (para detalhes, ver notas):

- No v. 1, Madalena vai sozinha ao túmulo, porém no v. 2 fala como "nós".
- No v. 2, ela conclui que o corpo foi roubado, mas aparentemente não olha para dentro do túmulo até o v. 11.
- Há duplicação na descrição de Pedro e do Discípulo Amado:
  – duas indicações de direção *"pros"* no v. 2;
  – literalmente, no v. 3 "Pedro saiu... e eles vieram";
  – nos vs. 5 e 6, a repetição em que foi visto;
  – no v. 8, o contraste entre "ele viu e creu" e, no v. 9, "não entenderam.
- A convicção do Discípulo Amado não tem efeito em Madalena nem nos discípulos em geral (19).
- No v. 11, não fica claro quando ou como Madalena voltou ao túmulo.
- Por que no v. 12 ela vê anjos no túmulo, em vez de vestes fúnebres que Pedro e o Discípulo Amado viram?
- No v. 13, sua conversação com os anjos não dá qualquer avanço à ação.
- Lemos duas vezes que ela se volveu para olhar para Jesus (14 e 16).

A possibilidade de detectar a mão de um redator aumenta quando comparamos o material em 20,1-18 com o que encontramos nos relatos sinóticos (LINDARS, *art. cit.*, fornece quadros comparativos do vocabulário). Podemos distinguir três tipos de materiais:

(1) Materiais com paralelos mais estreitos com os três evangelhos sinóticos:
    vs. 1-2a: Madalena vai ao túmulo, encontra a pedra removida e notifica a Pedro.
    vs. 11-12: Madalena vê dois anjos no túmulo. O dado, porém não o conteúdo, da conversação no v. 13 também tem paralelos.
(2) Materiais que se assemelham a notícias mais breves dos sinóticos: parte dos vs. 3-10, especialmente 3, 6-7, 10: Pedro vai ao túmulo, entra, vê os lençóis fúnebres de Jesus e volta para casa, aparentemente não tendo chegado à fé. Isto é semelhante à não interpolação ocidental em Lc 24,12 e a Lc 24,24.

partes dos vs. 14b-18: Jesus aparece a Madalena; ela se abraça a ele; ele lhe passa a mensagem para os discípulos; subsequentemente, ela lhes anuncia. Isto se assemelha a Mt 28,9-10.
(3) Materiais peculiares a João:
vs. 2b: As palavras do anúncio de Madalena a Pedro.
parte dos vs. 3-10: O papel do Discípulo Amado que acompanha Pedro ao túmulo, vê as vestes fúnebres e passa a crer.
v. 13:   O conteúdo da conversação entre Madalena e os anjos.
parte dos vs. 14b-18: Jesus fala a Madalena sobre sua ascensão a seu Pai e suas consequências teológicas.

Poderia formular-se a teoria de que o redator combinou diferentes tipos de materiais de diversos tipos e adicionou alguns pensamentos teológicos propriamente seus. Todavia, curiosamente, notamos que, a despeito da variedade de materiais isolados sobre a base dos paralelos sinóticos, notavelmente, o elevado número de verbos no tempo presente histórico parece ser distribuído de modo homogêneo (com alguma menor frequência nos materiais do tipo 2). BERNARD, II, 665, comenta a falta de conectivos (também frequente em João) nos vs. 14-18.

Teorias sobre a composição

Os estudiosos não estão de modo algum concordes sobre como ocorreu a composição ou redação do material. Um exame dos pontos de vista mais antigos torna detectável certas dificuldades: para WELLHAUSEN e A. SCHWITZER, os vs. 2-10 são uma interpolação; os vs. 2-11 constituem uma interpolação para HIRSCH; para SPITTA, os vs. 11b-13; e para DELAFOSSE, os vs. 5b, 6, 8 e 9. Reportar-nos-emos sucintamente a algumas análises modernas que achamos ser proveitosas para a formação de nossa própria teoria.

LINDARS, *art. cit.*, ainda que não proponha uma teoria integral de composição, ele vê no cap. 20 um conjunto de relações sinóticas que descobrimos ser especialmente de grande ajuda na reconstrução de 20,19-29. *Adaptando* suas observações, podemos distinguir nos relatos sinóticos do que aconteceu no túmulo a seguinte sequência: (a) as mulheres vão ao túmulo e encontram a pedra removida; (b) veem anjos que lhes informam que Jesus ressuscitara; (c) as mulheres correm e contam aos discípulos. Pareceria que em João o membro (b) foi mudado para o final da sequência (20,11-18), expandido e combinado com uma cristofania. Sua primeira posição foi substituída por outro relato (Pedro e o Discípulo Amado correm ao túmulo). LINDARS identifica uma sequência semelhante nos relatos sinóticos da aparição de Jesus aos discípulos: (a) Jesus aparece ao grupo reunido; (b) eles não creem e ele os censura; (c) ele lhes dá sua comissão apostólica, descrevendo alguns dos efeitos de sua missão. Uma vez mais, em João o membro (b) foi mudado para o final da sequência (20,24-29) onde é individualizado no relato da incredulidade de Tomé. Sua primeira posição foi substituída pela doação do Espírito em 20,22. LINDARS conclui que parte do material de João vem das tradições que jazem por detrás dos evangelhos sinóticos; o restante é composto por João, e não extraído de uma fonte pré-joanina, pois seu vocabulário é inteiramente joanino.

Outros estudiosos pensam que há uma narrativa básica subjacente que foi agregada. BULTMANN (ver SMITH, p. 50) propõe um breve relato original por detrás de 20,1-18, consistindo da totalidade ou parte dos vs. 1, 6, 7, 11, 12 e 13. Madalena vai ao túmulo, encontra a pedra removida (e talvez vê as vestes fúnebres). Enquanto chora junto ao túmulo, olha para dentro e vê dois anjos e conversa com eles, indagando quem teria levado o corpo do Senhor. Assim, BULTMANN reduz o relato original praticamente ao material em nosso tipo (1). Uma dificuldade nesta abordagem é que alguns dos outros materiais presumivelmente acrescentados pelo evangelista dificilmente é o resultado de sua livre composição. Por exemplo, a narrativa da visita ao túmulo por Pedro e o Discípulo Amado é fruto de uma composição pessoal (ver as inconsistências que salientamos nos vs. 3-10), e assim proporíamos que parte dela chegou ao evangelista da tradição pré-evangélica.

HARTMANN, *art. cit.*, propõe um relato original consideravelmente mais longo por detrás de 20,1-18 (continuado em 19-29), consistindo da totalidade ou parte dos vs. 1-3, 5, 7-11, 14-18. Madalena vai ao túmulo, encontra a pedra removida e se reporta a Pedro que a acompanha ao túmulo e vê as vestes fúnebres. Pedro volta para casa, sem crer explicitamente, pois nem ele nem Madalena chegaram a compreender a Escritura. Madalena fica junto ao túmulo e encontra Jesus que lhe fala. Ela o reconhece, cai a seus pés e recebe a missão de notificar a seus irmãos. Ela conta aos discípulos que vira o Senhor. A reconstrução de

Hartmann, que cuidadosamente remove quase todas as inconsistências que notamos, na realidade consiste de uma branda combinação de boa parte do material em nossos modelos (1) e (2). Portanto, a redação teria consistido principalmente no material adicionado do modelo (3). A única exceção seria que, para Hartmann, a visão dos anjos em 11b-13 não era parte do relato original.

Outra abordagem é a proposta de que o redator/evangelista joanino combinou duas diferentes narrativas que lhe foram transmitidas, uma narrativa de "tipo sinótica" e uma narrativa não sinótica. Por exemplo, duas narrativas sobre visitas ao túmulo vazio podem ter sido unidas, uma retratando as mulheres (Madalena), a outra retratando os discípulos (Pedro, o Discípulo Amado). Uma importante variação desta teoria foi oferecida por Benoit, *"Marie-Madeleine"*, que pensa em duas narrativas, uma tipicamente sinótica, a outra não sinótica, unidas por versículos tomados diretamente da tradição sinótica. Para Benoit, 20,1-10 é um relato joanino sem paralelo na tradição sinótica (o paralelo em Lc 24,12 é tido como sendo emprestado de uma forma mais antiga da tradição joanina). Um segundo relato se encontra em 20,11a, 14b-18 (a cristofania a Madalena). Foram unidos pelos vs. 11b-14a, emprestados dos relatos sinóticos da visão angélica no túmulo. Lembramos (p. 1421 acima) que Benoit sustenta uma teoria similar sobre a construção de 19,31-42; e enquanto encontramos alguma verdade nela, julgamos que a teoria atenuou algumas dificuldades. Aqui fazemos o mesmo juízo. Por exemplo, vs. 11b-14a só têm similaridade direta com a tradição sinótica no fato de que os anjos estão presentes. É no v. 1 que se têm paralelos em vocabulário com a tradição sinótica.

É difícil avaliar todas estas abordagens. O único relato básico proposto por Hartmann (o de Bultmann é simplificado demais) é atraente; mas não é possível que este único relato fosse resultado da combinação de materiais, de modo que alguém finalmente pudesse reconstituir várias narrativas por detrás dele? Somos inclinados a achar por detrás de 20,1-18 os traços de três narrativas: duas narrativas de visitas ao túmulo vazio, e a narrativa de uma aparição de Jesus a Madalena. Se estas foram combinadas pelo próprio evangelista (assim Benoit) ou chegaram a ele em total ou parcial combinação (assim Hartmann) somos incapazes de dizer. Entretanto, o evangelista fez sua própria contribuição em qualquer caso, pois ele adaptou estas narrativas para que servissem de veículo para sua teologia sobre a fé e sobre o significado da ressurreição.

Análise das três narrativas básicas combinadas em João

(**A**) Um relato de que várias mulheres seguidoras de Jesus foram ao túmulo no domingo de manhã, o encontraram aberto e retornaram aos discípulos com as notícias perturbadoras. Em si mesmo, o fato do túmulo vazio originalmente não comunicava a ideia da ressurreição; as aparições subsequentes de Jesus clarificaram o significado do túmulo vazio. É bem provável que esta seja a razão por que o achar o túmulo vazio não fosse parte da pregação mais antiga da ressurreição, mas apenas um transfundo implícito (ver pp. 1439-46 acima), no sentido que a ausência do corpo ajudou os cristãos a entenderem algo sobre o Jesus que aparecera. Quando o túmulo vazio entrou explicitamente no relato da ressurreição como uma narrativa independente, o significado dado a ela pelas aparições subsequentes de Jesus foi antecipado e fez parte da própria narrativa. Isto foi conseguido pela inserção de um anjo intérprete que proclamou que Jesus ressuscitara e não estava mais ali. Um desenvolvimento ulterior se deu quando a narrativa da visita das mulheres ao túmulo vazio foi unido a ou, ao menos, feito para preparar para a(s) narrativa(s) da(s) aparição(s) de Jesus – o porta-voz angélico agora transmitiu uma promessa de que Jesus seria visto (p. ex., Mc 16,7, provavelmente uma adição à forma mais antiga da narrativa marcana).

O relato da visita das mulheres ao túmulo é preservado em João nos vs. 1-2 e 11-13. Há duas possíveis maneiras de explicar esta separação dos versículos. *Primeiro*, pode-se propor que João nos dá duas formas do relato, os vs. 1-2 sendo uma forma primitiva e os vs. 11-13 sendo uma forma truncada posterior na qual a vinda atual ao túmulo foi interrompida por causa da sequência em que o relato foi colocado. (Carece de base presumir, como faz Loisy, p. 502, que 11-13 apresenta uma forma do relato em que o túmulo foi encontrado fechado). Se alguém aceita esta proposta, os vs. 1-2 preservariam a forma mais antiga do relato do túmulo vazio encontrada em todos evangelhos. Sua única característica não primitiva seria que o grupo original de mulheres foi reduzido a Madalena – esta redução redacional é um exemplo da tendência joanina de individualizar para propósitos dramáticos, e se destina também a preparar o caminho para a cristofania em 14-18. Nos vs. 11-13, o redator mudou o propósito para o qual o porta-voz angélico foi introduzido no relato do túmulo vazio (neste caso, dois anjos, uma duplicação que em si mesma pode ser um desenvolvimento secundário). Os anjos não interpretam o significado do túmulo vazio – isso é feito pela cristofania que segue – e o diálogo entre Maria e os anjos é meramente uma repetição do v. 2. Talvez GRASS, p. 55, esteja certo em ver um aspecto apologético na persistente ênfase sobre o pensamento de Maria de que o corpo fora roubado: quando esta sugestão era feita pelos adversários da ressurreição, os cristãos podiam alegar que eles mesmos tinham pensado nesta possibilidade, mas não era procedente. Ao fazer que a cristofania sirva para interpretar o túmulo vazio, João começa um processo que culmina na *Epistula Apostolorum*, 10, do 2º século, onde a angelofania no túmulo é inteiramente substituída por uma cristofania.

Segundo, pode-se propor que João contém apenas uma forma do relato da visita de mulheres ao túmulo, visto que os vs. 1 e 11-13 iriam originalmente juntos. Então o v. 2 seria um conectivo criado para permitir a inserção da narrativa da visita de Pedro ao túmulo (3-10). HARTMANN, p. 197, objeta contra esta teoria com base em que o v. 11 não faz uma boa sequência depois do v. 1; ele afirma que a mera vista do túmulo aberto não faz Madalena chorar. Mas esta objeção tem pouca força, visto que na presente sequência de 1 e 2 a mera vista do túmulo aberto leva Madalena a concluir que o corpo foi levado, de modo que se pode tratar de lógica igualmente arriscada se o v. 2 ou o v. 11 segue o v. 1. Uma dificuldade mais grave diz respeito ao fundamento lógico por detrás da suposta distribuição de 1 e 11-13 a fim de inserir 3-10. O esquema do capítulo seria menos lógico se 3-10 tivessem seguido 1,11-13? Mas pode-se conjeturar que o redator não queria a visita de Madalena ao túmulo a ponto de remover do relato da aparição de Jesus a ela em 14-18. A objeção mais séria a toda esta tese está centrada no v. 2. Se esta é uma composição livre do redator, criada para propósitos transicionais, por que o estranho "nós" no v. 2 (ver nota)? Isso é mais facilmente explicável como uma reminiscência de um relato original que mencionou várias mulheres.

Para concluir, enquanto a primeira proposta de que duas formas do relato foram preservadas parece complexa, é menos questionável do que a segunda proposta, baseada na suposição de que se tem desmembrado uma só forma do relato.

(B) Um relato de que vários discípulos (Pedro, em particular) visitaram o túmulo depois que ouviram a notícia das mulheres e, encontrando o túmulo vazio, voltaram confusos. Como temos notado, há traços deste relato em Lc 24,12 e 24. A não interpolação ocidental (p. 1435 acima) em 24,12 é obviamente uma adição à narrativa, mas em nossa opinião uma adição redacional, não uma intervenção tardia de copista (JEREMIAS, EWJ, pp. 149-51, a defende como "o texto original de Lucas"). Embora alguns tenham pressuposto que Jo 20,3-10 expandiu a informação em Lc 24,12, BENOIT, *"Marie-Madeleine"*, p. 143, argumenta convincentemente que a dependência é na direção oposta. Muito da linguagem de Lc 24,12 é de estilo não lucano, e o redator poderia tê-la emprestado de uma forma mais antiga da tradição joanina (onde Pedro foi mencionado, e não o Discípulo Amado). Se isto for assim, então Lc 24,12 não constitui uma testemunha independente do relato da visita do discípulo ao túmulo. O outro versículo, Lc 24,24, é mais importante; pois embora apareça no contexto do relato de Emaús, ele é parte de um resumo de acontecimentos posteriores à ressurreição que podem ter chegado a Lucas de forma parcial. Certamente, o que ela diz, "Alguns dos que estavam conosco foram ao túmulo e o encontraram precisamente como as mulheres disseram, mas não viram Jesus", é independente do material no v. 12, "Pedro levantou-se e correu ao túmulo; e inclinou-se e olhou para dentro e viu os lençóis postos ali; e voltou para casa indagando "o que havia acontecido". Deveras, o v. 24 teria sido parte de Lc 24 antes que o v. 12 fosse anexado; pois o compositor original do cap. 24 não sabia que "alguns dos que estavam conosco" incluía Simão Pedro – ele diz que estes discípulos que foram ao túmulo não viram Jesus, todavia no v. 34 ele diz que o Senhor apareceu a Simão. Visto que nada há no v. 24 que sugira que ele foi emprestado de João, este versículo constitui uma testemunha independente do relato de uma visita ao túmulo vazio feita pelos discípulos. Notemos que, onde quer que tal relato ocorre, sempre segue uma referência à visita das mulheres ao túmulo. Portanto, se falamos de dois relatos de visitas ao túmulo vazio, não estamos pensando em relatos rivais ou substitutos; na tradição cristã, o quanto pudermos recuar, a primazia na descoberta do túmulo vazio pertence às mulheres seguidoras de Jesus. Quanto à historicidade de uma visita ao túmulo, pelos discípulos, ainda que pudéssemos ter testemunhas independentes em Jo 20,3-10 e Lc 24,24, ambas são relativamente tardias. Todavia, aceitando o fato de que as mulheres encontraram o túmulo vazio, mui logicamente isso teria produzido um desejo entre os discípulos de verem pessoalmente.

A forma joanina do relato sofreu considerável desenvolvimento. Na forma primitiva do relato fez de Pedro uma figura solitária? Esta seria a implicação óbvia da tese de BENOIT de que Lc 24,12, o qual menciona somente Pedro, foi emprestado de uma forma mais antiga da tradição joanina. Todavia, o redator que introduziu Lc 24,12 pode ter simplificado, e mesmo no estágio primitivo do relato Pedro poderia ter sido acompanhado do outro discípulo anônimo. A presença de vários discípulos concordaria com Lc 24,24 que fala de "alguns dos que foram conosco". Além do mais, a observação parentética em Jo 20,9 parece supor que havia diversos discípulos que viram e ainda não entenderam a implicação do túmulo vazio (como veremos, o "eles" do v. 9 dificilmente incluía o Discípulo Amado). Em qualquer caso, a companhia hipotética de Pedro na forma original do relato joanino não era importante (e assim pôde ser negligenciado por Lc 24,12). João, porém, mudou o relato, identificando-o como sendo o Discípulo Amado e dando-lhe um papel mais importante; ele corre com Pedro ao túmulo; chega primeiro e olha para dentro; finalmente, a vista das roupas fúnebres o leva a crer. (Não significa que excluamos a possibilidade de que o autor joanino identificou corretamente o companheiro anônimo de Pedro; uma adição tardia não tem que ser lendária). É esta introdução do Discípulo Amado que tem causado as inconsistências catalogadas acima na p. 1469. Como salientamos na nota, encontramos vestígios de inserção no v. 2: "o outro discípulo (aquele a quem Jesus amava)"; e sugerimos que a modesta designação "o outro discípulo" descrevia o inconspícuo companheiro de Pedro na forma primitiva do relato. (Em 19,35 há um caso um pouco paralelo da introdução do Discípulo Amado em uma narrativa em que originalmente ele não apareceu). O papel do Discípulo Amado no relato da visita do discípulo ao túmulo é funcionalmente a mesma que o papel do intérprete angélico no relato da visita das mulheres ao túmulo, a saber, ele é aquele que indica o que significa o túmulo vazio, pois ele vê as roupas fúnebres e crê no Jesus ressurreto. Na forma original do relato, Pedro e seu companheiro não chegam a crer porque não entendem ainda a Escritura em que se prediz que ressuscitaria dentre os mortos. (Se a explicação parentética no v. 9 era ou não parte do relato original, ela interpreta corretamente a implicação daquele relato e aparentemente foi anexado antes da figura do Discípulo Amado ser introduzida).

E assim, se estamos certos em propor a existência de dois relatos cristãos sobre as visitas ao túmulo, um pelas mulheres e a outro pelos discípulos, pareceria que em sua forma mais antiga nenhum relato alegou que uma visita ao túmulo produziu fé no Jesus ressurreto. Incidentalmente, isso torna improvável que ambos fossem inventados meramente para propósitos apologéticos. O forte elemento apologético aparece nas inserções posteriores (o intérprete angélico e o Discípulo Amado, respectivamente).

(C) Um relato de uma aparição de Jesus a Maria Madalena. Traços deste relato só são encontrados em testemunhas evangélicas relativamente tardias: Jo 20,14-18; Mt 28,9-10; e o Apêndice Marcano (16,9-11). Este fato lança dúvida sobre se o relato representa uma tradição primitiva. Não obstante, antes de tratarmos dos três relatos, pode valer a pena evocar que no último século um cético como RENAN desse importância e prioridade a este relato. RENAN alegou que a visão alucinatória que Madalena teve enquanto chorava inconsolavelmente por seu amado junto ao túmulo constituía a fagulha real para a fé cristã na ressurreição. Seu amor fez o que argumento lógico jamais poderia fazer: ele ressuscitou Jesus. E assim foi a paixão de uma mulher perturbada (Lc 8,2) que deu ao mundo um Senhor ressuscitado! Na verdade, uma explicação digna do romanticismo francês do século dezenove.

Primeiro, a narrativa em Mt 28,9-10. Quando as mulheres saem apressadamente do túmulo para anunciar aos discípulos o que elas ouviram e viram, Jesus as encontra e diz: "Alegrai-vos!" Correram, abraçaram seus pés e o adoraram. Então Jesus lhes diz: "Não temais. Ide e anunciai a meus irmãos que se dirijam para a Galileia, e lá me verão". (A referência a "irmãos" é o único vocabulário significativo paralelo entre Mateus e João). Há um problema sobre o contexto no qual Mateus coloca o relato. Depois da orientação angélica às mulheres no v. 7, que dissessem aos discípulos que fossem para a Galileia onde veriam Jesus, ninguém teria esperado uma aparição imediata de Jesus. E o que o Jesus ressurreto diz às mulheres simplesmente reitera o que o anjo já lhes dissera. Quando adicionamos a estas dificuldades o fato de que o v. 8 em Mateus dificilmente poderia ser vinculado diretamente ao v. 11, se torna razoável pressupor que a cristofania em 9-10 é uma inserção posterior à narrativa. Embora comentaristas do Evangelho de Mateus tais como W. C. ALLEN e A. PLUMMER pensem que poderia ter havido uma aparição às mulheres na conclusão perdida de Marcos, a maioria dos exegetas julgaria que Mateus não está recorrendo a Marcos aqui. Que o núcleo da inserção mateana teve sua origem em tradição independente, e não na imaginação do evangelista, é sugerido pela estranheza da presente sequência (vênia a NEIRYNCK, pp. 182-84, que mantém que Mateus criou o relato para preparar a aparição aos discípulos na Galileia).

Segundo, a narrativa no Apêndice Marcano (16,9-11). O relato é breve: "E Jesus, tendo ressuscitado na manhã do primeiro dia *da semana*, apareceu primeiramente a *Maria Madalena*, da qual tinha expulsado sete *demônios*. E, partindo ela anunciou-o àqueles que tinham estado com ele, os quais estavam tristes, e chorando. E, ouvindo eles que vivia, e que tinha sido visto por ela, não o creram". Embora o autor do Apêndice algumas vezes recorra aos evangelhos canônicos em busca de seu material, aqui ele não parece ser dependente de Mateus ou de João. A única coisa que ele tem em comum com Jo 20 são as poucas palavras que temos destacado, e ele tem ainda menos em comum com o relato de Mateus da aparição às mulheres. (O Apêndice Marcano recordaria em todo caso nestes três versículos as passagens de Lc 8,2 e 24,11). DODD, *"Appearances"*, p. 33, é quase certo em concluir que aqui o Apêndice Marcano é dependente de uma tradição não preservada nos evangelhos canônicos.

Finalmente, a narrativa em Jo 20,13-18. Se nossas observações anteriores são corretas, este relato mais longo e mais significativo constitui uma terceira forma independente do relato de uma cristofania a Maria Madalena. Portanto, a despeito de ser tardio essas testemunhas, somos inclinados a crer que a tradição da aparição a Madalena poderia ser antiga. A ausência de seu nome nas listas de aparições, citadas pelos primeiros pregadores, na verdade não surpreende (ver p. 1437 acima). Um argumento em favor da antiguidade é a primazia que todos os evangelhos dão a ela entre as mulheres seguidoras de Jesus, sempre que são listadas; isso pode bem ser porque ela foi a primeira a ver o Jesus ressurreto. Portanto, pensamos que João e o Apêndice Marcano são mais corretos que Mateus em fazê-la a única testemunha da cristofania. Se João simplificou o relato das mulheres indo ao túmulo, mencionando somente Madalena, Mateus complicou a cristofania, relacionando-a estreitamente demais com a visita das mulheres ao túmulo e assim fazendo "a outra Maria", tanto quanto Madalena (Mt 28,1), testemunhas. Em nosso juízo, a tese de NEIRYNCK (*art. cit.*) de que João tomou o relato de Mateus (que a inventou) não faz justiça às diferenças de vocabulário e os detalhes entre os dois relatos ou à aparente independência da referência a esta aparição no Apêndice Marcano.

Tal como aparece agora o relato em Jo 20,14-18, passou por certo desenvolvimento. A necessidade de relacionar a cristofania ao que precede explica o v. 14a: "E, tendo dito isto, voltou-se para trás". O ato de volver-se para Jesus é tomado do v. 16 ao qual pertence (ver nota sobre 16). Se nos atermos ao esquema que DODD detectou nas Narrativas Concisas das Aparições (pp. 1439-43 acima), podemos, plausivelmente, isolar na narrativa de João estes elementos originais: Madalena sentiu-se desconsolada porque cria que o corpo fora levado dali; Jesus lhe apareceu, e quando lhe falou ela o reconheceu; ele lhe falou que fosse ter com seus irmãos e ela o fez. Esse padrão pode ser confirmado em grande medida à luz das outras formas do relato em Mateus e no Apêndice Marcano. Seu ato de abraçar seus pés (cf. Mt 28,9), sugerido em "Não me detenhas" de João, pode também ter sido parte do relato original. Ambos, o tempo e o local da aparição, poderiam ter sido mencionados: na manhã pascal, nas proximidades do túmulo. Em qualquer caso, com respeito à localização que João dá da aparição junto ao túmulo e a localização que Mateus dá depois que as mulheres deixaram o túmulo como uma variante sem importância (compare as variações no relato do milagre que menciona Cafarnaum, salientada no vol. 1, p. 412). Na forma mais breve que Mateus dá do relato, as palavras de Jesus a Madalena foram substituídas, reiterando as palavras do anjo; mas o Jesus joanino tem um importante comentário a fazer sobre o significado da ressurreição e suas implicações para os discípulos (ver abaixo, pp. 1488-96). Talvez o relato original não contivesse palavras significativas de Jesus, fato este que forçou o evangelista a preencher como pensava ser melhor. É difícil julgar a procedência da informação de que Madalena tomou equivocadamente Jesus pelo jardineiro (ver nota). Somos inclinados a considerá-la como dramatização joanina; mas não queremos descartar sumariamente a afirmação de DODD (*"Appearances"*, p. 20) de que há "algo indefinidamente de primeira mão" sobre a narrativa joanina da aparição e que pode ter vinda de uma fonte original através de algum canal fortemente individualizado. É interessante que DODD, *Tradition*, p. 149, julgue a forma joanina do relato está melhor preservada do que a forma mateana mais breve.

Em suma, portanto, um juízo qualificado sobre a antiguidade do conteúdo de Jo 20,14-18 é preferível à tese de BULTMANN de que a estranha angelofania dos vs. 11-13 veio a João de sua fonte, mas 14-18 é uma livre criação do evangelista. Pensamos que os vs. 11-13 como uma forma tardia do relato da visita das mulheres ao túmulo vazio, uma forma que é estranha precisamente porque foi profundamente reelaborada para servir de conectivo entre os dois relatos em outro tempo independentes que subjazem nos vs. 3-10 e 14-18.

COMENTÁRIO: DETALHADO

Tendo já tratado da estrutura e desenvolvimento das principais passagens em 20,1-18, aqui nos limitaremos à significação especial que João tem dado a alguns detalhes nas narrativas.

O papel do discípulo amado em 20,3-10 em relação a Pedro

Temos sugerido que o relato da visita dos discípulos ao túmulo terminou originalmente na desorientação deles ante a ausência do corpo de Jesus e que João introduziu o Discípulo Amado para que sua vinda à fé interpretasse a significação do túmulo vazio. Esta introdução tem o efeito secundário de contrastar o Discípulo Amado com Pedro que vê a mesma evidência, porém não chega à crer. Isto não se deve à dureza do coração de Pedro; antes, a fé é possível para o Discípulo Amado porque ele se tornara muito sensível para com Jesus através do amor. (Para ser preciso, enquanto o evangelho enfatiza o amor de Jesus pelo Discípulo, somos levados a pressupor que este amor era recíproco – de outro modo, o Discípulo dificilmente haveria adquirido tanta importância no pensamento joanino, em que se exige que o amor seja mútuo).

Muitos comentaristas não veem nenhum contraste, pois acreditam que o autor joanino tinha em vista que Pedro possuía a mesma convicção do Discípulo Amado. BULTMANN, p. 530, por exemplo, argumenta que de outra maneira o evangelista teria dito especificamente que Pedro não creu (assim também WILLIAM, *art. cit.*). Todavia, tal especificação só teria sido necessária se o autor quisesse o contraste para denegrir Pedro. O propósito do autor não é denegrir Pedro, e sim exaltar o status do Discípulo Amado. Como temos construído o relato original acima, Pedro (e seu companheiro) não chegaram a crer. Se o autor quisesse mudar o relato, de modo que Pedro não chegou a crer, ele não teria tido motivo de introduzir o Discípulo Amado. "Ele viu e creu" se refere somente ao Discípulo Amado. Achamos um estreito paralelo em 21,4.7: quando Jesus se põe à margem do Mar de Tiberíades, o Discípulo Amado é o primeiro a reconhecê-lo, e é ele quem informa a Pedro: "É o Senhor". A lição para o leitor é que o amor por Jesus dá a pessoa a percepção de perceber sua presença. O Discípulo Amado, aqui como em outro o seguidor ideal de Jesus, estabelece um exemplo para todos os demais que o seguissem.

De modo quase parentético, comentaríamos sobre o tipo de fé exibida pelo Discípulo Amado junto ao túmulo. É comum (p. ex., BERNARD, II, 661) ver em sua fé uma antecipação dramática do que Jesus dirá a Tomé em 20,29b: "Bem-aventurados os que não viram e, no entanto, têm crido" – o Discípulo Amado creu no Jesus ressurreto sem tê-lo visto. W. J. MOULTON, ET 12 (1900-01), 382, tem ido longe demais ao sugerir que Jesus olhava para o Discípulo Amado enquanto dizia essas palavras. Alguns adaptam este elogio ao Discípulo Amado à sua tese de que o propósito real do autor joanino era reenfatizar as aparições de Jesus e depreciar a fé que procedia de tais aparições. Questionamos a validade de toda esta linha exegética. Ao estudar 20,29 (pp. 1535-39 abaixo) tentaremos demonstrar que o elogio dos que creem sem ter visto Jesus de modo algum implica uma bem-aventurança menor dos que têm visto e têm crido. Aqui, por mais crucial que seja, negamos que o Discípulo Amado estivesse incluído no macarismo de 29b. Na verdade, ele creu sem ter visto o Jesus ressurreto; mas creu sobre a base do que viu no túmulo, não sobre a base de ouvir, como os visualizados em 29b. O fato de que o v. 8 afirma claramente "Ele viu e creu" faria óbvio que ele não é um dos "que não viram e, todavia, creram". (De fato, O. CULLMANN, *Salvation in History* [Nova York: Harper, 1967], p. 273, evoca este incidente como prova de que em João fé se relaciona intimamente com ver, mas que esse ver sozinho não produz fé: "Ambos os aspectos, a testemunha ocular e a interpretação da fé, são enfatizados em sua *conexão* e *distinção* necessárias"). Aqui, a lição é a do poder do amor e não tem nada a ver com o valor relativo das aparições de Jesus.

Voltando ao contraste implícito com Pedro, perguntaríamos se este contraste se mantêm por toda a narrativa; por exemplo, no fato de que ele corre mais que Pedro e, no entanto, Pedro entra primeiro. A questão deste contraste também entrará em nosso comentário sobre o cap. 21. Infelizmente, muito do que foi escrito sobre o tema leva a marca do debate entre católico-romanos e o restante do cristianismo sobre a primazia de Pedro e de seus sucessores na Sé Romana. Por exemplo, estudiosos católicos amiúde têm argumentado que, ao esperar e permitir que Pedro entre no túmulo primeiro, o Discípulo Amado estava mostrando deferência ao líder dos doze (e assim, tacitamente, reconheceu a supremacia papal). Em contrapartida, alguns anti-romanistas têm encontrado no autor joanino uma alma congênere, ao imaginarem que ele está exaltando o Discípulo Amado como parte de um protesto primitivo contra as reivindicações petrinas; por exemplo, ao fazer do Discípulo Amado o primeiro crente, enquanto Pedro permanece na ignorância. (Algumas vezes, inconsistentemente, esta contenda é acompanhada do argumento de que, em qualquer caso, Pedro não tinha posição especial entre os doze, como se o autor joanino gastasse seu tempo conduzindo uma polêmica contra um homem ou um símbolo que tinha importância). Outros intérpretes não percebem a rivalidade em termos da questão papal (a qual seria anacrônica), mas em termos de uma questão interna na comunidade joanina. Loisy, p. 500, alega que Pedro entrou no túmulo primeiro como o representante da comunidade judaica, enquanto o Discípulo Amado entrou por último como representante do cristianismo gentílico dotada de uma visão mais profunda (assim também, com modificações, Bultmann, p. 531). Ainda outros pensam em Pedro como representante do cristianismo carnal (que não se vê claramente em que consiste) e o Discípulo Amado como representante do cristianismo espiritual. Em nosso juízo, todas estas interpretações enfatizam o contraste além do que o escritor tencionava. Lembramos que Pedro estava na forma original do relato; e assim, enquanto a introdução do Discípulo Amado inevitavelmente criou um contraste, em certa medida esse contraste é acidental e dificilmente é um aspecto mais importante da polêmica joanina. Além do mais, para ser preciso, o Discípulo Amado é posto na companhia de Pedro e não é rival dele. Aliás, por todo o evangelho Pedro e o Discípulo Amado são retratados como amigos e não como rivais (vol. 1, p. 97s). Na última ceia, o Discípulo Amado recebe sinais de Pedro e transmite a Jesus a pergunta de Pedro (13,23-25). Se o Discípulo Amado é a figura anônima em 18,15-16, ele se dá ao trabalho de granjear para Pedro admissão no palácio do sumo sacerdote. E em 21,7 encontraremos os dois homens juntos pescando. Então nos escritos joaninos não identificamos nenhuma atitude depreciativa a Pedro; de fato 21,15-17 presta grande tributo de fazê-lo pastor das ovelhas, papel que o cap. 10 dá ao próprio Jesus. Mas Pedro não é o herói preferido do autor joanino. O Discípulo Amado tem esse papel; e o autor toma especial interesse em mostrar a "primazia do amor" do Discípulo Amado (assim M. Goguel, HTR 25 [1932], 11). Quanto aos incidentes em 20,3-10, a corrida dos dois discípulos ao túmulo é uma expressão de sua preocupação em atentar para a notícia de Madalena; tal preocupação tange o amor tão naturalmente que o Discípulo Amado ultrapassa Pedro – ele ama mais a Jesus. Não podemos excluir a possibilidade de que houvesse alguma deferência para com a memória de Pedro (presumivelmente, morto quando o evangelho foi escrito) em permitir-lhe que entrasse primeiro no túmulo; porém, mais provavelmente o autor quisesse organizar a cena de uma maneira dramática, atrazando a entrada do Discípulo Amado, de modo que seu ver e crer viessem como um clímax. Não vemos base para todas as interpretações polêmicas e simbólicas; o autor está simplesmente nos informando que o discípulo mais íntimo de Jesus em amor era o mais ágil em olhar para ele e o primeiro a crer nele.

O que o discípulo amado viu: as roupas fúnebres (20,5-7)

O Discípulo Amado foi levado a crer vendo os lençóis fúnebres de Jesus jazendo onde o corpo estivera e o pedaço de roupa que cobrira a cabeça (*soudarion*), não jazendo com os lençóis, mas enrolados em um lugar por si próprios. Por quê? Têm-se proposto dois tipos de solução. *Primeiro*, a maioria dos estudiosos pensam que a própria presença das roupas fúnebres no túmulo levou o Discípulo Amado a concluir que o corpo não fora roubado. Ladrões de túmulos não teriam tido tempo de desenrolar o corpo, e assim se dado ao trabalho de carregar um cadáver duro e nu, de um lado para outro. Esta é uma explicação antiga. Grass, p. 55, cita um fragmento apócrifo cóptico no qual Pilatos é chamado pelas autoridades judaicas a ver o túmulo de onde o corpo de Jesus fora levado, mas quando Pilatos vê os lençóis fúnebres, observa que, se houvesse sido roubado o corpo igualmente os lençóis seriam roubados.

CRISÓSTOMO, *In Jo. Hom.* 85,4; PG 59:465, formula bem o argumento: "Se alguém removera o corpo, esse não o teria despido primeiro; nem teria tido o trabalho de remover e enrolar o *soudarion* e pô-lo em um lugar sozinho".

Segundo, um grupo menor de estudiosos opinam que foi a posição ou a forma das roupas, e não sua mera presença, que levou o Discípulo Amado à fé. Os que sustentam este ponto de vista traduzem as palavras-chaves da descrição joanina em termos diferentes (cf. notas sobre os vs. 5 e 7), mas todas essas traduções sugerem que Jesus de tal modo se desprendeu de seus lençóis fúnebres que ficou óbvio que as roupas não foram meramente tiradas dele. (O ponto de vista de que o corpo ressurreto de Jesus passou através de suas roupas fúnebres de uma maneira volátil recua ao menos até o escritor do 5º século, AMMONIUS de Alexandria). BALAGUÉ pensa que os lençóis fúnebres (*othonia*) foram separados e estendidos horizontalmente, o *soudarion* foi enrolado onde a cabeça estivera e tudo mais foi coberto pelo *sindōn* mencionado nos relatos sinóticos, de modo que as vestes preservaram as linhas irregulares da posição anterior do cadáver. Isto levou o Discípulo Amado a perceber que Jesus simplesmente passara através de suas roupas deixando-as para trás. AUER, *op. cit.*, dedica todo um livro, ilustrado por desenhos, para propor a tese de que as bandagens (*othonia*), impregnadas com o óleo aromático de 19,40, permaneceram rigidamente eretas depois que o corpo as atravessou, quase como se de alguma forma alguém deslizasse um corpo de suas faixas múmicas e preservasse a forma corpórea nas faixas. Além do mais, o *soudarion* (= *sindōn*), uma roupa grande que envolvia todo o corpo *dentro* das bandagens, agora estava cuidadosamente enrolado em um canto do lado esquerdo do túmulo. Para variações ulteriores desta tese, ver os artigos de WILLIAM e LAVERGNE; também W. MCCLELLAN, CBQ 1 (1939), 253-55. Todas estas abordagens são baseadas no que está, em sua maior parte, implícito em Jo 20,19, a saber, que o corpo ressurreto de Jesus tinha o poder de atravessar objetos sólidos. Se o escritor joanino descreveu a posição das roupas fúnebres a ponto de deixar implícito que o corpo de Jesus as atravessou e as deixou intatas, teria ele esperado tanto para depois insinuar sutilmente um poder tão inesperado? Além do mais, uma tradução como a nossa, na qual o *soudarion* não está com as outras faixas, milita contra tal teoria – Jesus teria atravessado todas as roupas fúnebres ao mesmo tempo, deixando-as em um só lugar.

Finalmente, essa teoria exige que Pedro também passasse a crer; pois se a posição das roupas preservou miraculosamente a imagem ou localização do corpo, dificilmente Pedro teria perdido a importância. Todavia, Lc 24,12 registra que Pedro "viu os lençóis colocados à parte, e voltou para casa indagando o que tinha acontecido".

Por causa destas dificuldades, parece preferível aceitar a primeira teoria e não atribuir qualquer importância especial à posição ou forma das roupas fúnebres. Se estas vestes figuradas na forma primitiva pré-evangélicas do relato, sua presença só podia ter sido incidental, como em Lc 24,12 – como parte dos detalhes que são de se esperar em um relato que trata de expor a materialidade dos fatos. Mas quando o Discípulo Amado foi introduzido no relato, o autor joanino põe em destaque a presença das vestes fúnebres como uma explicação do que levou o Discípulo Amado a crer. Não estamos certos se o autor também tinha um propósito teológico em mencioná-las, a saber, foram deixadas para trás simbolizando que Jesus não as usaria outra vez. "Sendo Cristo ressuscitado dentre os mortos, jamais morrerá outra vez" (Rm 6,9). Lembramos a sugestão de que Lázaro emergiu do túmulo ainda envolto em suas roupas fúnebres para simbolizar que ele havia de morrer outra vez (nota sobre 11,44).

Maria Madalena reconhece Jesus (20,15-16)

João dedica grande parte da narrativa cristofania ao fato de Madalena não reconhecer Jesus imediatamente e seu súbito reconhecimento quando ele mencionou seu nome. Alguns têm encontrado aqui uma adaptação da cena de reconhecimento que aparece nas histórias dos deuses greco-romanos quando andavam entre os homens (M. Dibelius, BZAW 33 [1918], 137). No entanto, Dodd está certo em afirmar que um reconhecimento demorado é comum nas narrativas circunstanciais das aparições de Jesus (p. 1439 acima). Os dois discípulos de caminho para Emaús caminhavam e falavam com Jesus por algum tempo antes de reconhecê-lo no partir do pão (Lc 24,31.35). Em Jo 21 acharemos Jesus em pé na praia do Mar de Tiberíades e falando com seus discípulos sobre a pesca, antes que, finalmente, o Discípulo Amado o reconhecesse. Reconhecimentos tão difíceis sempre têm um propósito apologético: mostram que os discípulos não estavam credulamente dispostos a reconhecer o Jesus ressurreto. Mas também têm uma dimensão teológica, e é isso que nos diz respeito aqui.

Um importante tema poderia ter sido o de enfatizar que o Jesus ressurreto tinha sofrido uma mudança profunda em relação ao Jesus do ministério. O Apêndice Marcano (16,12) resume o relato (lucano) da aparição de Jesus aos dois discípulos no caminho de Emaús, dizendo que lhes apareceu "em outra forma [*morphē*]". Pode ser que tal transformação seja sugerida nas Narrativas Concisas pela insistência de que, embora os discípulos vissem Jesus, não podem crer que realmente era ele (Mt 28,17; Lc 24,37). Em suas reflexões sobre a ressurreição em 1Cor 15,42ss., Paulo apresenta um duplo aspecto de continuidade e transformação: fala claramente da ressurreição de um corpo que morreu e foi sepultado; todavia, esse corpo é transformado, de modo que já não é físico, e sim espiritual. Aparentemente, os relatos evangélicos preservam o mesmo duplo aspecto: os relatos do túmulo vazio enfatizam continuidade, mas as cenas de reconhecimento enfatizam transformação.

Ainda outro motivo teológico pode estar presente na cena de reconhecimento em João no fato de que Madalena conhece Jesus *depois de ser chamada pelo nome*. Ela tem buscado incansavelmente por Jesus; consultou os discípulos, os anjos e o suposto jardineiro sobre a remoção de seu corpo (vs. 2,13,15). Todavia, quando vê Jesus, ela não o reconhece. A errônea identificação de Jesus como o jardineiro poderia ser uma forma em ação de um mal-entendido joanino (BARRETT, p. 469) para ilustrar que o ver a Jesus ressurreto não leva necessariamente a compreensão ou a fé. Talvez a mesma lição se encontre na narrativa lucana dos discípulos no caminho de Emaús que só reconhecem Jesus no partir do pão. (Com respeito às suas respectivas sequências textuais, esta aparição em Lucas e aquela a Madalena em João têm muito em comum: ambas seguem visitas ao túmulo pelas mulheres e por Pedro; ambas precedem e introduzem a aparição de Jesus ao grupo de discípulos). Lucas pode estar dizendo a seus leitores cristãos que no partir eucarístico do pão eles têm os meios de reconhecer sua presença em seu meio. Igualmente, João pode estar dizendo a seus leitores que na palavra expressa por Jesus eles têm os meios de reconhecer sua presença. Madalena, ao reconhecer Jesus quando a chama "Maria!", exerce um papel afirmado em Jo 10,3: "As ovelhas ouvem sua voz quando as chama pelo nome as que lhe pertencem". O episódio ilustra a reivindicação do Bom Pastor: "Conheço minhas ovelhas e elas me conhecem" (10,14, também 27). Maria Madalena poderia servir como exemplo aos cristãos da comunidade joanina no crepúsculo do

1º século cujo contato com o Jesus ressurreto se dá através do Paráclelo que lhes declara o que recebera de Jesus (16,14).

FEUILLET, *"La recherche"*, pp. 103-7, suscita a possibilidade de que a cena da busca de Madalena por Jesus seja um eco do Cântico dos cânticos cap. 3,1-4. Nessa passagem, a mulher busca pelo homem a quem sua alma ama. Ela se levanta cedo e sai a indagar dos vigias se porventura o viram. Quando o encontra, se apodera dele e não o deixará partir. (Ver também M. CAMBE, *"L'influence du Cantique des Cantiques sur le nouveau Testament"*, RThom 62 [1962], 5-26). Visto que na interpretação de FEUILLET a mulher do Cântico é um símbolo de Israel buscando por Iahweh, este pano de fundo sugeriria que a Madalena joanina é representante da comunidade cristã ou messiânica buscando por Jesus. FEUILLET veria na resposta de Jesus a Madalena uma promessa implícita de sua presença pós-ressurreição, e a Eucaristia é uma forma desta presença. Assim, ele dá à cena possíveis dimensões eclesiásticas e sacramentais. Ficamos na dúvida sobre a dimensão eclesiástica (Madalena mais provavelmente exemplifica a busca individual por Jesus), e não achamos nenhum suporte para a interpretação eucarística – a analogia com a cena lucana de Emaús não pode ser levada tão longe. Quanto ao possível pano de fundo veterotestamentário, Is 43,1 é também citado: "Não temas porque eu te remi; chamei-te pelo teu nome, tu és meu".

Uma observação final diz respeito à resposta de Maria a Jesus quando ela o chama "Rabbuni" ou "meu [querido] Rabbi" (ver nota). Neste episódio, o vocabulário recorda surpreendentemente a cena em 1,38, onde Jesus indaga dos discípulos sobre o Batista: "O que estais buscando?" e lhe falam como "Rabbi". Assim também aqui Maria lhe fala como Rabbi depois que ele lhe perguntou: "A quem estás buscando?" (20,15). O paralelo salienta forçosamente a modéstia do título que Madalena dá ao Jesus ressurreto, título que é característico dos inícios da fé, e não de sua culminação. Certamente, isso se enquadra bem à expressão de Tomé: "Meu Senhor e meu Deus" em 28. Torna-se tentadora a ideia de que, ao usar este "antigo" título, a Madalena joanina está exibindo sua incompreensão sobre a ressurreição, crendo que agora ela pode continuar seguindo Jesus da mesma maneira que o seguira durante o ministério. (Abaixo, veremos que tal conceito pode ter por detrás ela apegando-se a ele e retendo sua presença). Também se pode indagar se seu uso de um título inadequado não implica que só quando o Espírito for dado (v. 22) será possível fé plena no Jesus ressurreto. Entretanto, tal raciocínio se faz menos plausível pelo fato de que no v. 18 Madalena anuncia aos discípulos: "Eu vi *o Senhor*"; e assim ela sabe que foi seu Senhor, e não meramente seu mestre, que tinha diante de si.

A iminente ascensão de Jesus (20,17)

Já temos dedicado uma extensa nota às muitas maneiras como os comentaristas têm tentado explicar a lógica das palavras de Jesus, "Não me detenhas", quando a ênfase real estaria na última parte do versículo, onde se deixa claro que Jesus está indo para o Pai *com um propósito salvífico*. Ele não está indo para contentar-se em preparar habitações celestiais para as quais um dia ele levaria seus discípulos (14,2-3); antes, ele voltará de seu Pai para os discípulos a fim de estabelecê-los em uma nova relação com Deus, dando-lhes o Espírito.

Grande parte da dificuldade está na comparação que muitos comentaristas têm feito entre a instrução de Jesus a Madalena (frequentemente traduzido "não me toques") e seu convite posterior a Tomé para que o tocasse. Nossa convicção é que as duas atitudes de Jesus nada têm a ver uma com a outra, e que a intenção do evangelista não era traçar comparação entre eles, como se Tomé estivesse sendo convidado a fazer o que o que fora recusado a Madalena. Os comentaristas é que têm criado o contraste, falando como se Tomé fosse convidado a "tocar" Jesus; o verbo "tocar", usado na instrução a Madalena, não aparece no episódio de Tomé. Jesus disse a Madalena que não o detesse; ele convidou Tomé a tocar suas feridas – o que há em comum entre as duas ações? E assim rejeitamos o comentário de Hoskyns (p. 543) citado favoravelmente por muitos: "Tão íntima será a nova relação com Jesus que, embora Maria por enquanto cessasse de tocá-lo, porque ele ascenderia e ela anunciaria sua mensagem, todavia, após a ascensão, ambos, ela e os discípulos, estarão concretamente unidos com ele, de tal modo que realmente se pode descrever como 'tocar', e disto a ilustração mais pungente é o comer do corpo do Senhor e o beber de seu sangue". Não só não há evidência de uma alusão eucarística, porém, mais importante, não há razão para falar da nova relação como "tocar". Rejeitamos também a tese de Bultmann (p. 533) de que o "não me toques" é um modo direto de dizer-nos que as aparições do Jesus ressurreto não são tangíveis, de modo que aqui João contradiz a impressão criada por Lc 24,38-43 e Mt 28,9 (e por Jo 20,27!), passagens que indicam que o Jesus ressurreto poderia ser detido e sentido. (Cremos que João não era mais "sofisticado" do que os outros evangelistas que aceitaram a tangibilidade do Jesus ressurreto – outra questão bem diferente é se eles estavam ou não certos no tocante a este ponto de vista). GRASS, pp. 61-65, está certo em julgar que aqui BULTMANN está lendo sua própria demitologização na mente do escritor joanino. Se estivermos certos em propor que Jesus estava dizendo a Madalena que ela não tentasse impedi-lo, suas palavras não tinham referência à uma tangibilidade atual ou futura.

Por que Madalena tentaria deter Jesus, e por que ele lhe disse que não o fizesse com base no fato de que ele *ainda não* ascendera? (Note que ele disse: "porque ainda não subi"; ele não disse: "pois estou para subir", como dão a entender muitas explicações). A atitude de Madalena pode ser interpretada à luz da promessa de Jesus na última ceia: "Voltarei para vós. Ainda pouco tempo, o mundo não me verá mais; mas vós me vereis" (14,18-19). Quando Madalena vê Jesus, ela pensa que ele voltou como prometera e agora ficará com ela e seus outros seguidores, reassumindo as relações anteriores. Ele dissera: "Mas eu vos verei outra vez, e vossos corações se regozijarão com um júbilo que ninguém vos poderá tirar" (16,22). Madalena está tentando reter a fonte de sua alegria, visto que confunde uma aparição do Jesus ressurreto com sua permanente presença com seus discípulos. Ao dizer-lhe que não o detivesse, Jesus indica que sua presença permanente não é de uma mera aparição, mas em conformidade com o dom do Espírito que só pode vir depois que ele ascender ao Pai. (Veremos abaixo que este dom está implícito tanto no conceito de ascensão como na referência a "meus irmãos" no v. 17b). BULTMANN, p. 533, fez uma profunda observação de que o "ainda não" e o "eu ainda não subi" de Jesus realmente é aplicável ao desejo de Madalena – ela ainda não pode ter a presença permanente de Jesus. Em vez de tentar deter Jesus (naturalmente, não que ela realmente pudesse impedir sua ascensão), recebe a ordem de ir e preparar seus discípulos para aquela vinda de Jesus quando o Espírito fosse dado.

Nossa interpretação do v. 17 pressupõe que a compreensão que João tinha da ascensão de Jesus seria distinta do conceito de uma ascensão após quarenta dias encontrada nos Livro de Atos. P. BENOIT, "*L'Ascension*", RB 56 (1949), 161-203, tem formulado uma distinção útil entre a ascensão compreendida como a glorificação de Jesus na presença do Pai e a ascensão compreendida como uma levitação simbolizando o término das aparições do Jesus ressurreto. At 1,3 observa que Jesus apareceu durante quarenta dias, e então foi visivelmente arrebatado de seus seguidores por meio de uma nuvem. Os críticos têm sido severos em seus comentários desta cena, mas a avaliação mais matizada se encontra em P.-H. MENOUD, *"La Pentecôte lucanienne et l'histoire"*, RHPR 42 (1962), 141-47. Lucas não nos está dando uma data da glorificação de Jesus; a própria menção de "quarenta dias" é incidental, como parte da preparação lucana para a festa de Pentecostes que é a data importante. (Quando Lucas não se ocupa do Pentecostes, ele é perfeitamente apto a descrever uma ascensão na manhã da Páscoa, como em Lc 24,51, especialmente se todo o versículo for aceito). Na imagem tradicional, Lucas está dramatizando o fim das aparições terrenas de Jesus; e ele não está sozinho entre os escritores neotestamentários em manter que houve uma *série* de aparições pós-ressurreição por um período de tempo, e que esta série chegou ao fim (que está implícita em 1Cor 15,5-9). Agora João não se ocupa com a ascensão como o término das aparições de Jesus, mas, antes, com o término de "a hora" quando Jesus passasse deste mundo para o Pai (13,1). WELLHAUSEN alegou que as aparições de Jesus em Jo 20,19-28 devem ser secundárias no plano joanino, pois não é possível haver aparições depois da ascensão mencionada em 20,17; mas este é um exemplo da incapacidade em fazer a distinção entre os dois conceitos de ascensão.

É uma compreensão básica neotestamentária que o Jesus ressurreto não é restaurado à vida normal que possuía antes da morte; ele possui vida eterna e está na presença de Deus. O tempo e lugar que caracterizam a existência terrena não mais se lhe aplicam em seu estado escatológico; e assim não podemos imaginar sua habitação em algum lugar na terra por quarenta dias enquanto está fazendo suas aparições e antes de sua partida para o céu. Desde o momento em que Deus ressuscitou Jesus, ele está no céu ou com Deus. Se faz aparições, ele aparece do céu. "Ascensão" é meramente o uso de linguagem espacial para descrever exaltação e glorificação. Muitas das primitivas afirmações neotestamentárias reconhecem a identidade entre ressurreição e ascensão (= glorificação), como tem mostrado BENOIT e o Arcebispo A. M. RAMSEY, "O que era a Ascensão?" em *History and Chronology in the New Testament* (Theological Collections 6; Londres, SPCK, 1965).

At 2,32-33 registra: "Deus ressuscitou Jesus... Sendo por isso exaltado à destra de Deus..." (ver também At 5,30-31). Em Rm 8,34, ouvimos de Jesus Cristo "que ressuscitou dentre os mortos, que está à destra de Deus" (ver também Ef 1,20). Em Fl 2,8-9 o humilhar-se de Jesus até a morte é contrastado com seu exaltar supremamente por Deus. Pedro fala de "a ressurreição de Jesus Cristo que foi para o céu e está sentado à destra de Deus" (1Pd 3,21-22). Lc 24,26 tem Jesus explicando que era "necessário que o Messias sofresse estas coisas e entrasse em sua glória". O Jesus de Mt 28,16-20, que aparece após a ressurreição, é um Jesus a quem foi dado todo o poder no céu e na terra. Ver também o *Evangelho de Pedro*, 56, e a *Epístola de Barnabé* 15,9 (citada em nossa nota sobre 20,26, "uma semana depois").

Este conceito neotestamentário no qual a ressurreição dentre os mortos envolve ascensão à presença de Deus e exaltação à sua destra nos capacita a entender a dramatização de João em 20,17. Na cruz, o Jesus joanino já entrara no processo de exaltação e glorificação, pois a crucifixão é um passo avante no curso de ser elevado ao Pai (12,32-33). Talvez teria sido mais lógico se João se juntasse ao autor da Epístola aos Hebreus em fazer Jesus ir diretamente para o Pai desde a cruz, pois a ressurreição não se adequa facilmente à teologia joanina da crucifixão. Lembramos que, enquanto o Jesus sinótico prediz três vezes sua ressurreição, o Jesus joanino preferiu falar de ser levantado (vol. 1, p. 359). E no último discurso Jesus não descreveu sua vitória em termos de ressurgir dentre os mortos, e sim em termos de sua ida para o Pai (14,12.28; 16,5.28). Não obstante, o Quarto Evangelho não poderia prescindir da ressurreição que era uma parte bastante sólida da tradição cristã. Consequentemente, o evangelista teve de se esforçar muito para adequar a ressurreição no processo da passagem de Jesus deste mundo para o Pai. Se João reinterpreta a crucifixão de modo que se torne parte da glorificação de Jesus, ele dramatiza a ressurreição para que ela seja obviamente parte da ascensão. Jesus é levantado na cruz; ressuscita dentre os mortos; e sobe para o Pai – tudo isso como parte de uma só ação e uma só "hora".

O veículo para esta dramatização reinterpretativa da ressurreição é a aparição a Madalena, um relato que veio desde os tempos primitivos, mas não era parte da pregação oficial. Como temos explicado, ao agarrar-se a Jesus Maria representa a má compreensão de que o Jesus que saiu do túmulo cumpriu o plano de Deus e está pronto a reassumir a intimidade da relação terrena com seus seguidores. Jesus responde, explicando que a ressurreição é parte da ascensão, e sua presença duradoura no Espírito só pode ser dada quando ele ascender ao Pai. E assim, quando na próxima cena ele aparecer aos discípulos, então é o Jesus glorificado que dá o Espírito (20,22 – se acha implícita uma glorificação, pois em 7,39 afirmou que não podia haver dom do Espírito até que Jesus fosse glorificado).

Este uso da aparição a Madalena como um veículo para a reinterpretação teológica joanina cria acidentalmente um problema. João quer dar a entender literalmente que a aparição a Madalena ocorreu antes da ascensão, enquanto as outras aparições ocorreram mais tarde? Tomado em sua devida proporção, essa interpretação negaria paradoxalmente que a ressurreição é o mesmo que ascensão, pois um intervalo separaria as duas. Além do mais, significaria que não foi o Senhor glorificado que apareceu a Madalena e assim lhe foi concedido apenas uma aparição de grau inferior. Muitos autores aceitam esta premissa. Para SCHWANK, *"Leere Grab"*, p. 398, o Jesus da aparição a Madalena é o terreno e a Palavra que se fez carne. Para KRAFT, TLZ 76 (1951), 570, o Jesus desta aparição ainda não está no processo de ser ascendido, mas está nas profundezas de seu aviltamento, pois ainda está de posse de seu corpo morto. Podemos indagar ainda se, ao colocar a ascensão antes da aparição aos discípulos, João não prescinde de um término para as aparições terrenas; pois nenhuma outra ascensão ou partida é descrita no Quarto Evangelho depois das aparições aos discípulos e a Tomé.

Em nosso juízo, todas essas conclusões falham em entender a técnica de João. Ele está adaptando uma teologia da ressurreição/ascensão que, por definição, não tem dimensões de tempo e espaço para uma narrativa que é necessariamente sequencial. Caso o propósito seja esquecido, a tentativa de dramatizar em cenas temporais o que é *sub specie aeternitatis* cria confusão. Quando o Jesus ressurreto teve que explicar a Madalena que ele está para ascender, a ênfase está na identificação da ressurreição e da ascensão, não no tempo acidental em atraso. No pensamento joanino só há um Jesus ressurreto, e ele aparece em glória em todas as suas aparições. Madalena que o vê aparentemente antes da ascensão anuncia "Eu vi o Senhor" (20,18), enquanto os discípulos que o veem depois da ascensão fazem exatamente a mesma proclamação (20,25). Assim, em nossa opinião, a afirmação "eu estou subindo para meu Pai", em 17b, não é uma determinação exata de tempo e não tem implicação para o estado do Jesus ressurreto anterior àquela afirmação. É uma afirmação teológica contrastando a natureza passageira da presença de Jesus em suas aparições pós-ressurreição e a natureza permanente de sua presença no Espírito. Na aparição paralela de Jesus às mulheres em Mt 28,10, ele instrui Madalena e suas companheiras a irem e contarem aos discípulos que ele lhes aparecerá na Galileia. Em vez dessa afirmação concernente ao fato da ressurreição e a sequência e local das aparições, João faz com que Jesus instrua a Madalena sobre o significado da ressurreição. A disposição de negligenciar implicações temporais para significação teológica não é incomum em João. Salientamos que, ao dizer que o Jesus moribundo *entregou* seu Espírito (19,30), é bem provável que o evangelista esteja fazendo uma referência simbólica à doação do Espírito, mesmo quando o evangelista não quisesse implicar que este era o momento exato do dom (um momento descrito em 20,22). Semelhantemente, na próxima seção descobriremos que Tomé não estava presente no momento em que os apóstolos foram comissionados, e quando o Espírito foi dado e conferido o poder de perdoar pecados. Isso tem confundido os teólogos que passaram a especular se mais tarde Jesus favoreceu Tomé privativamente com estas graças. É bem provável que tal consideração nunca esteve no pensamento do evangelista. Ele tinha privado Tomé da aparição geral para que Tomé pudesse exemplificar a dúvida apostólica; ele não se preocupou com a acidental desigualdade da posição apostólica assim criada. Finalmente, tomamos a mesma abordagem geral para a tese de que, ao colocar as aparições depois da ascensão, João não pôs fim às aparições de Jesus. Aqui, a palavra "depois" não tem significado estritamente temporal. João está interessado em mostrar que o Espírito foi dado aos discípulos pelo Jesus ressurreto, e não há um término para a presença do Espírito. Obviamente, o evangelista não podia ter previsto que uma geração depois, tendo lido Atos, pudesse começar a indagar quando naquele período da dispensação do Espírito, Jesus deixou de aparecer aos seus discípulos.

Deixando de lado agora o que consideramos um falso problema, gostaríamos de salientar quão significativa é esta interpretação do v. 17 quando as palavras de Jesus são colocadas no contexto de suas afirmações prévias e no contexto da teologia joanina como um todo. Em 6,62, quando seus discípulos pareciam duvidar de suas palavras,

Jesus disse: "Que seria, pois, se vísseis o Filho do homem subir para onde primeiro estava? É o Espírito quem dá vida". Ele estava fazendo uma conexão íntima entre a ascensão do Filho do Homem e a doação do Espírito. As palavras que Jesus falou na última ceia também se tornam mais claras. Em 16,7, ele disse: "Todavia digo-vos a verdade, que vos convém que eu vá; porque se eu não for o Consolador não virá a vós; mas, quando eu for, vo-lo enviarei". Isto parece significar que a vinda do Parácleto/Espírito seguiria imediatamente sua morte – um significado que é verificado em 20,17 e 22, que associa a ressurreição, a ascensão e a doação do Espírito. Ao falar de sua ascensão em 20,17, Jesus não está chamando a atenção primariamente para sua própria glorificação – esse processo estava em andamento em toda "a hora" –, mais ao que sua glorificação significaria aos homens, a saber, a doação do Espírito que os faria filhos de Deus. DODD, *Interpretation*, p. 442, está certo quando observa: "Não é a ressurreição como a pretensão de Cristo à glória celestial que necessita de ser enfatizada, e sim a ressurreição como a renovação de relações pessoais com os discípulos".

Estas relações estão em mente quando Jesus fala dos discípulos como "meus irmãos" e descreve o alvo de sua ascensão como "meu Pai e vosso Pai, meu Deus e vosso Deus". A exegese tradicional, repetida ainda por estudiosos tão competentes como LOISY, BERNARD, HOSKYNS e LIGHTFOOT, é que Jesus diz "vosso Pai" e "meu Pai", em vez de "nosso Pai", porque ele quer manter a distinção de sua relação especial com o Pai (ele é o Filho natural) daquela de seus seguidores (filhos adotivos). CATHARINET, *art. cit.*, tem provado justamente o oposto. Para entender o padrão "meu Pai e vosso Pai, meu Deus e vosso Deus", é preciso evocar Rt 1,16. Instada por Noemi a volta para Moabe, Rute insiste que, muito embora não fosse israelita, ela ira para Israel com Noemi; pois daquele momento em diante "teu povo será o meu povo e teu Deus, o meu Deus". De modo semelhante, a afirmação do Jesus joanino é a de identificação, e não de distinção. Jesus está subindo para seu Pai *que agora se tornará o Pai de seus discípulos*. No pensamento joanino, eles são os únicos filhos de Deus que creem em Jesus (1,12) e são gerados pelo Espírito (3,5). A ascensão de Jesus tornará possível a doação do Espírito que gerará os discípulos crentes como filhos de Deus – eis por que, em antecipação, Jesus agora se refere a eles como "meus irmãos". Como filhos de Deus, serão enviados como o Filho foi enviado (20,21) e terão o poder sobre o pecado (20,23) que ele tinha (ver BOUTTIER, *"La notion de frères chez Saint Jean"*, RHPR 44 [1964], 179-90, especialmente 187). Esta ideia de que a ressurreição/ascensão/Espírito-doação constitui os homens em irmãos de Jesus se encontra em outros lugares no NT; por exemplo, em Rm 8,29, que caracteriza o Jesus ressurreto como "o primogênito entre muitos irmãos". Depois de falar da morte de Jesus, Hb 2,9-10 diz que "ele conduziu muitos filhos à glória". Na cruz, Jesus fez de sua mãe a mãe terrena, simbolicamente, a mãe do Discípulo Amado, isto é, do representante daqueles discípulos a quem ele teria nesta terra. Sua ascensão tornará possível que seu Pai celestial seja o pai deles. No pensamento gnóstico, a figura redentora guiaria seus seguidores da terra para o céu; depois de sua ascensão ao Pai, o Jesus joanino retornará para santificar seus seguidores enquanto permanecem na terra, e em seu Espírito Jesus será uma presença contínua entre eles. Em um excelente artigo, GRUNDMANN mostra que a referência ao Pai, em 20,17, e a promessa implícita de que uma nova relação será estabelecida para os discípulos pela ressurreição/ascensão está em harmonia não só com outras passagens neotestamentárias (especialmente as que refletem pensamento cristão helenista, p. ex., Ef 2,18, "Através de Jesus temos acesso ao Pai em um só Espírito"), mas especialmente com o pensamento de 1 João que nos mostra como a promessa se cumpre. "Vede quão grande amor nos tem concedido o Pai, que fôssemos chamados filhos de Deus. E, de fato, eis o que realmente somos" (1Jo 3,1).

Notamos que Jesus diz, respectivamente, que seu Pai virá a ser o Pai dos discípulos e que seu Deus virá a ser o Deus deles. Como FEUILLET, *"La recherche"*, pp. 101-2, tem salientado, a última expressão é pactual. O Pai gerará novos filhos, e Deus fará uma nova aliança com um novo povo, a saber, os que creem em Jesus. Ao descrever a aliança renovada, Jr 31,33 reitera a fórmula pentateuca: "Eu serei seu Deus e eles serão o meu povo" (Lv 26,12; ver também Ez 36,28).

A cristofania a Madalena termina com ela indo para os novos irmãos de Jesus (os discípulos) e anunciando: "Eu vi o Senhor". Muitos intérpretes têm proposto que aqui João tem em mente um versículo do maior dos "Salmos da Paixão" (Sl 22,23[22]): "Eu proclamarei o teu nome a *meus irmãos*; diante da congregação eu te louvarei". A possibilidade se torna mais interessante quando refletimos que "Senhor" (*kyrios*) é na verdade o nome do Jesus ressurreto, e que na LXX *kyrios* traduz o tetragrama YHWH, que é o nome próprio de Deus.

"A hora" anunciada em 13,1 para Jesus passar deste mundo para o Pai agora está completa; a oração de Jesus em 17,5 para a glória com o Pai agora está respondida; tudo o que resta é que ele volte a partilhar sua glória com seus discípulos. A primeira metade do que ele disse em 14,28, "Vou indo", se cumpre; agora nos volvemos à metade de sua promessa "Vou e retorno".

[A Bibliografia para esta seção está inclusa na Bibliografia para todo o cap. 20, no final do §69.]

69. A RESSURREIÇÃO DE JESUS: – SEGUNDA CENA
(20,19-29)

O lugar em que estão reunidos os discípulos

20 ¹⁹Agora, chegada a tarde daquele primeiro dia da semana, quando, por medo dos judeus, os discípulos com as portas trancadas do lugar onde estavam, Jesus veio e se pôs diante deles e lhes disse. "Paz a vós". ²⁰E quando ele disse isto, lhes mostrou suas mãos e lado. À vista do Senhor, os discípulos se regozijaram. ²¹"Paz a vós", disse-lhes ele segunda vez:

"Como o Pai me enviou,
assim eu vos envio".

²²E quando ele disse isto, soprou sobre eles, com as palavras:

"Recebei um Espírito santo.
²³Aqueles a quem perdoardes os pecados,
seus pecados têm sido perdoados;
a quem os retiverdes,
eles serão retidos".

²⁴Aconteceu que um dos Doze, Tomé (este nome significa "Gêmeos"), estava ausente quando Jesus veio. ²⁵Então os outros discípulos continuaram, dizendo-lhe: "Vimos o Senhor!" Mas ele lhes respondeu: "Eu jamais

---

19: *disse*; 22: *com as palavras* (= *e disse*). No tempo presente histórico.

crerei sem primeiro examinar a marca dos pregos em suas mãos, e pôr meu dedo direito no lugar dos pregos e minha mão em seu lado".

²⁶Ora, uma semana depois, os discípulos de Jesus estavam outra vez na casa; desta vez Tomé estava com eles. Muito embora as portas estivessem trancadas, Jesus apareceu e se pôs diante deles. "Paz a vós", disse ele. ²⁷Então falou a Tomé: "Estende teu dedo e examina minhas mãos; estende tua mão e põe-na em meu lado. E não persistas em tua incredulidade, mas sê torna crente". ²⁸Tomé respondeu com as palavras: "Meu Senhor e meu Deus!" ²⁹Jesus lhe disse:

"Tu tens crido porque me viste.
Felizes aqueles que não viram e, no entanto, têm crido".

26: *veio*; 27: *falou*; 29: *falou*. No tempo presente histórico.

NOTAS

20.19. *Agora*. *Oun* representa a tentativa do autor de ligar esta narrativa com a que precedeu. Madalena dissera aos discípulos que ela vira o Senhor; agora são eles os que o verão.

chegada a tarde daquele primeiro dia da semana. Desta vez a indicação pode ser também um conectivo redacional, associando a aparição com Jerusalém e o Dia da Páscoa. (Dodd, *Tradition*, p. 197, aponta para a anotação redacional em Mc 4,35: "Quando chegou a tarde daquele dia..."). A aparição paralela aos onze em Lc 24,33-49 é também retratada como ocorrendo à tarde daquele dia; pois já era quase noite quando Jesus ceou com os dois discípulos de Emaús, e estes discípulos tomaram seu caminho de volta a Jerusalém antes que Jesus aparecesse. O Apêndice Marcano (16,14) cataloga uma aparição aos onze à mesa depois de uma aparição aos dois discípulos em uma estrada rural, sem quaisquer indicações de tempo. "Aquele primeiro dia da semana" significa o mesmo primeiro dia mencionado no v. 1. No entanto, alguns têm visto aqui uma alusão do conceito veterotestamentário do dia do Senhor, algumas vezes chamado "aquele dia"; por exemplo, "Meu povo conhecerá meu nome; naquele dia saberão que eu falei" (Is 52,6). Não seria absolutamente improvável que João considerasse este domingo como o dia escatológico no qual, através do dom do Espírito, Jesus faz possível sua presença permanente entre seus seguidores; ver Jo 14,20: "*Naquele dia* reconhecereis que eu estou em meu Pai e que vós estais em mim e eu em vós" (também 16,23.26). Todavia, não podemos concordar com o ARQUIMANDRITE CASSIEN, pp. 267, 276, de que o uso de João é meramente escatológico e não cronológico, de modo que não está se referindo ao domingo que encontraram o túmulo vazio, e sim ao Pentecostes, cinquenta dias depois! (Assim, CASSIEN harmoniza João e Atos com referência à doação do Espírito e também explica por que os cristãos celebram o Pentecostes no domingo).

O fato de que João menciona o primeiro dia da semana, no início de ambas as cenas neste capítulo, e que coloca a aparição a Tomé exatamente uma semana depois (v. 26, sugere que sua apresentação poderia ter sido influenciada pelo costume cristão de celebrar a Eucaristia em "o primeiro da semana" (At 20,7; cf. 1Cor 16,2). Que o domingo teve um significado na comunidade joanina pode ser visto à luz da datação da visão do vidente em Ap 1,10 a "o dia do Senhor", presumivelmente domingo. LOISY, p. 510, propõe que João tem retratado seu perfil da presença de Jesus entre os discípulos reunidos a fim de antecipar a presença eucarística de Jesus nas assembleias cristãs no domingo. BARRETT, p. 477, vê vestígios de uma liturgia em 20,19-29: "Os discípulos reunidos no Dia do Senhor. A benção é impetrada: 'Paz a vós.' O Espírito Santo desce sobre os adoradores e a palavra de absolvição (cf. v. 23) é pronunciada. Cristo mesmo está presente (isto pode sugerir a Eucaristia e a Palavra falada de Deus) portando as marcas de sua paixão; ele é confessado como Senhor e Deus". Aliás, esta passagem em João tem sido citada como a primeira evidência de que a observância cristã do domingo surgiu de uma associação daquele dia com a ressurreição – uma ideia à qual logo depois INÁCIO deu voz: "Não mais vivendo para o sábado, mas para o Dia do Senhor no qual a vida raiou para nós através dele e de sua morte" (*Magnesians* 9,1). Não obstante, é bem provável que H. RIESENFELD esteja certo em alegar que a associação do domingo e a ressurreição fosse um desenvolvimento secundário (*"Sabbat et Jour du Seigneur"*, em NTEM, pp. 210-17). Originalmente, no domingo à noite depois de terminado o sábado (c. seis da tarde), e assim, pela contagem judaica, quando já era domingo, os judeus cristãos que tinham observado o sábado agora se encontram em suas casas para partir o pão eucarístico (cf. At 2,46), como uma prolongação do sábado. Assim, pareceria que as celebrações cristãs mais antigas em "o primeiro dia da semana" não se davam no dia de domingo, e sim no término da tarde da véspera de domingo.

por medo dos judeus. Nos outros evangelhos, fala de medo a propósito dos guardas e das mulheres quando têm a visão angélica junto ao túmulo (Mc 16,8; Mt 28,4.5.8; Lc 24,5), e as mulheres e os discípulos quando veem

Jesus (Mt 28,10; Lc 24,37). Em João, são "os judeus" que causam o medo (também 7,13), não as visões sobrenaturais. Ambos, BULTMANN e HARTMANN, consideram esta referência a "os judeus" como adição do autor joanino à narrativa que chegou a ele. Isto significaria que os discípulos receiavam que fossem executados pelas autoridades judaicas como o foi Jesus? Ou significa que, no despertar dos rumores da ressurreição eles fossem acusados pelas autoridades judaicas de cumplicidade no roubo do corpo (Mt 28,13)? O apócrifo *Evangelho de Pedro*, 26, registra uma busca pelos discípulos sob a acusação de que eram malfeitores e que tentaram queimar o templo.

com as portas trancadas. O evangelista quer que pensemos que as portas trancadas visavam a ser uma barreira ao possível acesso da guarda enviada pelas autoridades judaicas para prenderem os discípulos? Ou é uma questão de ocultação do paradeiro dos discípulos e uma tentativa de evitar que saibam o paradeiro deles? A despeito da razão explícita que João dá para o trancar das portas (i.e., o medo dos judeus), muitos estudiosos veem outro motivo por detrás desta descrição, a saber, que João quer que pensemos que o corpo de Jesus podia atravessar portas fechadas (ver comentário). Tal interpretação recebe mais suporte se dermos função adversativa à construção participial precedente: "Muito embora as portas estivessem trancadas, Jesus apareceu". Esse é o significado no v. 26, onde não se menciona nenhum "medo dos judeus"; mas não cremos ser esse o significado aqui. Alguns encontrariam um paralelo para tal atribuição espiritual ao corpo ressurreto de Jesus na descrição que Lucas faz de seu súbito desaparecimento da vista dos discípulos em Emaús e sua súbita aparição diante dos onze em Jerusalém (Lc 24,31.36), embora Lucas não mencione que os discípulos estivessem trancados. O relato do túmulo vazio pode refletir uma postura mais primitiva ante as propriedades do corpo de Jesus; pois a insistência de que a pedra foi rolada ou removida parece implicar que o corpo de Jesus surgiu através da entrada aberta.

do lugar onde estavam. Algumas testemunhas textuais tardias anexam "reunidos juntos" (em imitação de Mt 28,20?). É bem provável que João tivesse em mente uma casa *em Jerusalém* (onde "os judeus" constituíssem uma ameaça), presumivelmente o mesmo lugar onde os discípulos estavam quando Madalena lhes veio ao encontro no v. 18. Lc 24,33 deixa bem claro que a aparição se deu em Jerusalém. O ponto de vista popular de que isto ocorreu em "sala do piso superior" provém da identificação deste lugar não especificado com o cenáculo (*hyperōon*) de At 1,13, onde os onze permaneceram após a partida de Jesus para o céu, quarenta dias depois, e a identificação ulterior deste composto com o grande cenáculo (*anagaion mega*), onde se realizou a última ceia (Lc 22,12). O Apêndice Marcano de que os onze se reclinavam à mesa, e uma refeição está também ao alcance no relato lucano da aparição.

Jesus veio e se pôs diante deles. Lc 24,36 tem quase a mesma expressão sem o "veio". O uso que João faz de "veio" pode ser acidental, mas muitos comentaristas veem aqui um cumprimento específico da promessa de voltar em 14,18.28 (o mesmo verbo).

e lhes disse: "Paz a vós". Na não interpolação ocidental (p. 1436 acima) de Lc 24,36 encontramos exatamente as mesmas palavras. A Vulgata e a Peshita anexam à passagem de Lucas: "Sou eu, não temais", uma expressão encontrada no relato de Jesus caminhando sobre as águas (Jo 6,20; Mc 6,50; Mt 14,27). No hebraico rabínico, "Paz [seja] a vós [convosco]" veio a ser uma saudação padrão: no plural, é *šālōm 'ălēkem*, menos frequentemente *šālōm l^ekem*. Somente no hebraico bíblico aparece a forma com *l^e* e frequentemente em momentos mais solenes, de modo que o dicionário hebraico KOEHLER (p. 974, col. 2) considera alguns casos de *šālōm l^e*, uma fórmula de revelação". Por exemplo, em Jz 6,23, quando Gideão fica atemorizado quando vê o anjo do Senhor, o Senhor lhe diz: "Paz a ti; não temas; não morrerás". Gideão responde, construindo ali um altar, intitulado "O Senhor é paz". De modo semelhante, uma aparição angélica tranquiliza Daniel amedrontado (10,19) com as palavras: "Paz a ti". Obviamente, em Jo 20,19 estamos tratando também de um contexto solene e não pressupomos que "Paz a ti" seja uma saudação ordinária. Pode ser que, com esse pressuposto, muitas traduções trazem "Paz seja a ti [convosco]", tradução que implica o desejo de que a paz seja restaurada ou granjeada. Neste momento escatológico, contudo, as palavras de Jesus não constituem um desejo, e sim uma afirmação de fato. W. C. VAN UNMIK tem feito um minucioso estudo da fórmula litúrgica similar: "O Senhor convosco" ou *Dominus vobiscum* (em NTEM, pp. 270-305); e salienta (p. 283) que (a) nos casos em que um verbo é suprido, a nota de certeza é mais forte do que quando emprega o subjuntivo, que indica desejo ou possibilidade, e (b) quando um verbo não é encontrado (como aqui), a frase é praticamente "seja". É bem provável que a ideia de que o Jesus ressurreto trouxe paz ecoe na saudação inicial das cartas paulinas onde o uso habitual de "paz" seja mais do que uma formalidade ou uma tradução de *šālōm* das cartas judaicas seculares (ver J. A. FITZMYER, *The Jerome Biblical Commentary* [Comentário Bíblico Jerônimo], ed. por R. E. BROWN et al. [Englewood Cliffs, N.J.: Prentice-Hall, 1968. Em português Paulus Editora, 2019], art. 47, §8A).

20. *lhes mostrou suas mãos e lado.* A posição de "lhes" varia nas testemunhas textuais. A não interpolação ocidental de Lc 24,40 tem uma redação quase idêntica, com "mãos e pés" em vez de "mãos e lado" de João;

Lc 24,39 traz: "Vede minhas mãos e meus pés". No v. 25, João deixará claro que tem em mente as marcas do prego nas mãos ou da lança do lado; Lucas nunca especifica, mas presumivelmente tem em mente as marcas do prego, respectivamente, nas mãos e nos pés. Os quadros lucanos e joaninos têm sido combinados na piedade cristã para produzirem devoção para com "as cinco feridas" de Jesus (duas nas mãos, duas nos pés e uma no lado) e a convicção de que foram usados quatro pregos (em parte um convencionalismo artístico) ou três pregos. (A segunda procede do pressuposto de que as pernas foram trançadas e um só prego prendeu os pés, uma descrição que se relaciona com a ideia de que havia na cruz um *suppedaneum* ou apoio para o pé). É difícil decidir qual é mais original, "mãos e lado" de João ou "mãos e pés" de Lucas. Muitos propuseram que João mudou "pés" para "lado" a fim de harmonizar com sua descrição de uma ferida de lança em 19,34; contudo, BENOIT, *Passion*, p. 284, argumenta em favor de João contra Lucas. Somos inclinados a concordar com HARTMANN, p. 213, de que ambos, Lucas e João, nos apresentam um desenvolvimento e que a afirmação original mencionava somente mãos – um desenvolvimento que não é necessariamente fictício.

Parenteticamente, podemos discutir a alegação de que os dados de Lucas são suspeitos, porque até então temos tido pouco apoio confiável da antiguidade para o costume de pregar os pés na cruz. Enquanto no 2º século indica-se claramente que os pés de Jesus foram pregados à cruz (JUSTINO, *Trifo* 47,3; PG 6:705A; e TERTULIANO, *Adv Judaeos* 13; PL 2:635A), as afirmações patrísticas relacionam especificamente este detalhe com o cumprimento do Sl 22,17(16): "Eles perfuraram [LXX] minhas mãos e pés". E então se pensa que Lucas também pode ter adaptado a memória da crucifixão ao salmo. Esta solução permanece possível; mas a descrição de Lucas de marcas de prego nos pés de Jesus tem granjeado verossimilitude à luz da descoberta na Palestina de um ossuário do 1º século contendo os restos de um homem crucificado, cujos ambos os pés foram trespassados por um prego através dos ossos dos tornozelos. (Referência a esta descoberta foi feita por V. TZAFERIS em um jornal [com um resumo em inglês] dado no Congresso Mundial de Estudos judaicos em Jerusalém em 1969).

Se o relato original pré-evangélico da aparição de Jesus mencionava somente suas mãos, encontramos um problema menor: normalmente, ou os braços eram atados à parte transversal, ou os *pulsos* eram pregados, sendo o último método adotado quando se desejava apressar a morte, como no caso de Jesus. A menção de marcas de prego nas mãos seria então uma inexatidão leve (influência do salmo?), pois os pregos que atravessavam as palmas das mãos não teriam suportado o peso do corpo na cruz. (Ver J. W. HEWITT, *"The Use of Nails in Crucifixion"*, HTR 25 [1932], 29-45). Não é impossível que a dificuldade seja criada por uma tradução excessivamente literal, visto que ambas as palavras, hebraicas e gregas, para "mão" (*yād, cheir*) algumas vezes incluem o braço.

À vista do Senhor. Literalmente, "tendo visto" (BDF, §415). Agora o próprio autor joanino começa a usar "o Senhor", o título pós-ressurreição de Jesus (ver nota sobre v. 2).

21. *"Paz a vós"*. A repetição (ver término do v. 19) provavelmente seja o resultado de adições redacionais, embora alguns comentaristas tenham presumido que os discípulos necessitavam de mais segurança em razão do medo e dúvida (não mencionados).

    enviou... envio. Os verbos, respectivamente *apostellein* (tempo perfeito) e *pempein* (presente), estão aqui em paralelismo não com sinal visível de distinção. No paralelo mais estrito de, 17,18, "Como me enviaste ao mundo, assim eu os enviei", *apostellein* é usado no aoristo em ambas as partes. Embora provavelmente este versículo reflita o comissionamento dos discípulos, não pode ser usado para argumentar que somente os onze estavam presentes, pois uma compreensão mais antiga de "apóstolo" não limitava aquele termo aos doze.

22. *soprou sobre eles*. Para esta ação como evocativa do alento criador de Deus em Gn 2,7, ver comentário. O TM e a LXX daquele versículo têm Deus *soprando* em Adão o *sopro* (*pnoē*) da vida, e alguns têm indagado se João era dependente de uma forma da passagem que lê "espírito" (*pneuma*) em vez de "fôlego". Por exemplo, FILO, *Quod deterius* 22; 80, parece ler *pneuma* em Gn 2,7; todavia, em *Legum allegoria* 1,13; 42, FILO lê *pnoē* neste versículo e ainda comenta sobre o uso desta palavra no lugar de *pneuma* (ver também *De opificio mundi* 46; 134-35 onde se lê *pnoē*, mas é interpretado como *pneuma*). Uns poucos comentaristas têm interpretado a passagem joanina à luz da crença popular do Oriente Próximo de que o fôlego de um homem santo tem poder sobrenatural; por exemplo, a habilidade de curar ou imobilizar uma pessoa. Porque em João este sopro é vinculado com o poder de perdoar pecados, que é um poder sacramental em grande parte do cristianismo (igrejas orientais e catolicismo romano), alguns têm pensado que aqui João reflete um rito de ordenação cristã primitiva (cf. GRASS, p. 67). Outros têm visto na passagem joanina como a origem para a prática posterior de ordenação por insuflação. O exemplo mais famoso disto foi o costume de encher um odre com o sopro santo do Patriarca Cóptico de Alexandria, tentando retê-lo e transportando-o até um rio da Etiópia onde ele foi liberado a

alguém designado a ser o Abuna ou cabeça da igreja etiópica. LOOTFY LE-VONIAN, *The Expositor*, 8th Series, 22 (1921), 149-54, discutindo tais crenças e práticas em relação a Jo 20,22, diz (com segurança) acerca deste último costume: "Ninguém pode duvidar da sucessão apostólica quando ela vem nesta forma". Finalmente, podemos mencionar que uma geração posterior de teólogos ocidentais recorria ao v. 22 como prova de que dentro da Trindade o Espírito Santo procedia via inspiração e que o Filho teve um papel não só na missão, mas também na processão do Espírito (AGOSTINHO, *De Trinitate* 4,29; PL 42:908). A controvérsia não está morta; o moderno escritor ortodoxo russo CASSIEN, pp. 264-65, encontra em João evidência de que a processão do Espírito é exclusivamente do Pai.

Recebei um Espírito santo. Embora nossa tradução preserve o fato de que no grego não há artigo definido, devemos salientar que o artigo está ausente em outros textos bíblicos que claramente se refere ao Espírito Santo na plena compreensão neotestamentária do termo (At 2,4). Ao tentar harmonizar Jo 20,22 com o relato lucano do Pentecostes, alguns têm tentado mostrar, à luz da omissão de João do artigo, de que aqui estava implícito não mais que um dom impessoal do Espírito, enquanto Lucas estava falando do Espírito pessoal (SWETE, pp. 166-396). CASSIEN, pp. 156-59, com razão rejeita essa abordagem, tanto sobre bases filosóficas como teológicas.

23. *Aqueles a quem perdoardes os pecados*. O verbo é *aphienai*, "soltar, liberar". Aqueles que supõem um pano de fundo semítico geralmente sugerem que ele reflete o heb. *naśa'* (o verbo grego tem uma conotação legal, enquanto o verbo hebraico é mais cúltico). A partícula grega inicial *an*, a qual não se reflete em nossa tradução, pode traduzir-se de diferentes modos sem que isso suponha diferenças enquanto ao significado ("se", "quando"; (BDF, §107; MOULE, IBNTG, p. 152), também pode ser traduzido: "Quando perdoardes..."; "cujos pecados sempre perdoardes...". Mais importante é o fato de que um subjuntivo aoristo é usado nesta cláusula, enquanto a cláusula paralela, "se os retiverdes", tem um subjuntivo presente. O aoristo implica um ato que em um momento traz perdão, enquanto o presente implica que o estado de reter ou recusar perdão continua (ZGB, §249). No texto original se fala de "os pecados de alguns [plural]"; todavia, há bastante base textual para ler um singular "de alguém".

seus pecados tem sido perdoados. As testemunhas textuais diferem notavelmente na forma do verbo a ser lido aqui. As melhores testemunhas têm o passivo perfeito, mas também há certa base para ler o futuro ou o presente passivo. Em um artigo professamente escrito para refutar as interpretações sacramentais deste versículo, J. R. MANTEY JBL 58 (1939), 243-49, insiste que o tempo perfeito implica ação pretérita e que as redações no presente e no futuro são tentativas de fazer o versículo adequar-se a uma teologia sacramental. Portanto, o citado autor prefere traduzir como "seus pecados *têm sido* perdoados", com a implicação teológica de que nesta passagem se declara o perdão dos pecados que já tem tido lugar. MANTEY teve a resposta de H. J. CADBURY, JBL 58 (1939), 251-54 que, embora não professe interesse em defender a interpretação sacramental do versículo, mostra que a compreensão de MANTEY do tempo perfeito não se aplica a sentenças condicionais. Um tempo perfeito usado na apódose de uma condição geral não se refere necessariamente a uma ação que é anterior à prótese; ao contrário, tal perfeito pode ter uma referência futura (BDF, §344). Assim, as variantes textuais do v. 23 com tempos presente e futuro (ver BDF, §323[1]) têm exatamente o mesmo significado que a redação com o tempo perfeito, exceto que o tempo perfeito chama mais a atenção para o caráter contínuo da ação: os pecados são perdoados e permanecem assim. O passivo é uma circunlocução para descrever a ação de Deus, de forma que podemos parafrasear a primeira parte do v. 23, assim: quando perdoardes os pecados dos homens, nesse momento Deus perdoa esses pecados e permanecem perdoados. J. JEREMIAS, TWNTE, III, 753, acha aqui a ideia de que no último dia Deus confirmará a remissão, e, ao contrário, os pecados não perdoados serão retidos até o dia do juízo.

a quem os retiverdes. O verbo é *kratein*, "segurar firme, manter, reter". No lugar de "os", algumas testemunhas textuais leem um singular. Não fica absolutamente claro se o objeto retido são os homens que cometeram os pecados (assim, OS[sin]) ou os pecados deles. O último é mais provável por razão de paralelismo com a primeira parte do versículo. A fraseologia "reter pecados" é estranha no grego, provavelmente, foi introduzida como uma contraparte à imagem de liberá-los ou deixá-los ir (*aphienai*). Mc 7,8 contrasta os dois verbos: "Porque, *deixando* o mandamento de Deus (não o observando), retendes a tradição dos homens". Um possível paralelo à ideia envolvida na expressão idiomática de João se encontra no grego de Eclo 28,1: "Aquele que se vinga encontrará a vingança do Senhor que pedirá minuciosa conta de [*diatērein*] seus pecados".

24. *um dos Doze*. Sem Judas, agora resta somente os onze, mas a designação mais tradicional do grupo é mantida. Porque os doze têm um pequeno papel no Evangelho de João, BULTMANN, p. 537, mantém que o evangelista teria encontrado esta frase na tradição pré-evangélica. Todavia, certamente o evangelista conhecia e pôde ter imitado essa determinação padrão; por exemplo, em 6-71 Judas é "um dos doze". O padrão é bem similar a "um dos discípulos" (6,8; 12,4; 13,23).

Tomé (este nome significa "Gêmeo"). A explicação desta designação pode ser encontrada na nota sobre 11,5 – é bastante romântico afirmar que o nome é aqui explicado a fim de preparar para a "duplicidade" de Tomé ou um papel daquele que duvida. Em ambos, 11,16 e 14,5, Tomé exibe uma atitude cética, mas não há base para a conjetura de BERNARD (II, 681) de que o pessimismo de Tomé o afastou da reunião dos discípulos na noite da Páscoa. Na tradição apócrifa, Tomé se tornou o recipiente de revelações maravilhosas. O *Evangelho de Tomé*, no v. 13, tem Tomé professando a Jesus: "Minha boca não é culpável de dizer a quem te assemelhas". Por sua vez, Jesus elogia Tomé por ter bebido da fonte de Jesus e lhe pronuncia três palavras inefáveis.

25. *os outros discípulos*. "Outros" é omitido por uma pequena, mas importante, combinação de testemunhas.

continuaram, dizendo-lhe: Pode ser que o imperfeito seja conativo (BDF, §326): trataram de lhe explicar o ocorrido.

jamais crerei. Na ordem da palavra grega, esta recusa de crer vem no final da sentença; o padrão é: "Se eu não examinar [literalmente, ver]... jamais crerei". A negativa é o *ou mē* forte com o indicativo futuro (BDF, §365).

marca dos pregos... lugar dos pregos. "Marca" é *typos*; "lugar" é *topos*; e as testemunhas textuais exibem uma confusão das duas palavras (e mesmo de formas singulares e plurais). Embora muitos leem *typos* como original em ambas as frases (assim SB, American Bible Greek NT), as redações variantes são mais facilmente explicadas se o original tinha duas palavras diferentes.

e por o dedo direito. A tradução tenta captar o sentido do movimento no verbo *ballein*, "arremessar".

26. *uma semana depois*. Literalmente, "oito dias depois"; como o OS^{sin} deixa explícito, João quer que entendamos isto como o segundo domingo (ver nota sobre v. 19, "daquele primeiro da semana"). Alguns encontram aqui um exemplo da teologia cristã primitiva sobre o oitavo dia (vol. 1, p. 300). A *Epístola de Barnabé* 15,9 parece refletir a sequência joanina dos acontecimentos no domingo da Páscoa, quando diz: "Celebramos com alegria *o oitavo dia* quando Jesus também ressuscitou dentre os mortos e apareceu e ascendeu ao céu". Outro possível simbolismo é que no fim do evangelho João colocou uma semana em paridade com a semana no início do evangelho (vol. 1, pp. 299-300). As duas semanas partilham o tema da criação (exemplificado em 20,22 no soprar criador do Espírito). Interpretações tão imaginativas são difíceis de se provar.

A sequência indicaria que João pressupõe uma presença contínua dos discípulos em Jerusalém. Isto é difícil de conciliar com a perspectiva marcana/mateana em que a mensagem angélica instrui os discípulos a irem para a Galileia onde verão Jesus (ver pp. 1437-39). Consequentemente, alguns partidários da harmonização, por exemplo, ZAHN, pretendem colocar esta cena na Galileia para onde se supõe que os discípulos teriam ido na semana interveniente; acrescentam o argumento de que em 20,1 estão na Galileia, e assim se explicaria a mudança. LAGRANGE, p. 517, presume que os discípulos permaneceram em Jerusalém para a longa semana de celebração da Páscoa/Pão Azímos (Dt 16,3), e agora se reuniram prontos para partir para a Galileia.

outra vez. Dá-se a impressão de que não houve reuniões e daí nenhuma aparição durante a semana transcorrida.

na casa. Literalmente, "dentro", sem menção específica de determinada casa; veja, porém, o grego de Ez 9,6: "dentro, na casa".

Jesus apareceu. O uso do presente histórico aqui (como contrastado com o aoristo na expressão similar no v. 19) sugere a BERNARD, II, 682, uma implicação de que Jesus era esperado. No v. 19, Jesus teria sido menos esperado, após as palavras no v. 17 ditas a Madalena? Não há razão aparente, aparte da estética para tais variações de tempo.

27. *falou a Tomé.* Jesus sabe o que Tomé dissera em sua ausência; mas não estamos certos se tal conhecimento é um privilégio especial do Jesus *ressurreto*, pois mesmo durante o ministério o Jesus joanino fora extraordinariamente perceptivo (ver 1,48).

Estende teu dedo e examina minhas mãos. Literalmente, "Traze teu dedo aqui e vê minhas mãos". Em Lc 24,39, tem, "Vê minhas mãos e meus pés", é similar à segunda parte do convite de João.

estende tua mão e põe-na em meu lado. O fato de que o lado de Jesus podia ser tocado é usado por KASTNER, *art. cit.*, como prova para seu argumento de que o Jesus ressurreto estava nu; mas, à luz do fato de que Jesus não diz "vê" ou "examina" meu lado, como foi o caso com as mãos, outros julgam que seu lado estava coberto com uma veste solta sob a qual se podia alcançar (LOISY, p. 510). Dificilmente o evangelista tencionava fornecer informação sobre artigos de vestuário apropriados para um corpo ressurreto. LOISY qualifica como ingênua a ideia de que havia ainda uma ferida supurando no lado do corpo, mas alguém indagaria se ele não teria julgado também ingênuo se o corpo ressurreto tivesse aparecido com as feridas curadas.

E não persistas em tua incredulidade, mas sê torna crente. Literalmente, "E não te faças [*ginou*] incrédulo, mas crente". WENZ, p. 18, argumenta que a tradução que BULTMANN faz do "e" inicial é inexata, pois BULTMANN faz disto uma cláusula de propósito: "Para que não mais sejas incrédulo". WENZ rejeita a implicação de que o ato de tocar e ver não faça parte da fé de Tomé.

Mas, conquanto não aceitemos a interpretação geral que Bultmann faz deste versículo (ver comentário), concordamos que a exigência de Tomé no v. 25 certamente não é representativa de fé, e se Tomé aceitou o convite de Jesus para examiná-lo e tocá-lo, Tomé não teria sido crente, no sentido joanino. O imperativo presente usado aqui é de duração; seu uso em uma proibição implica que algo já existente há de interromper-se (BDF, §§335, 336³); e assim Tomé está sendo instado a mudar sua atitude. Portanto, não podemos concordar com Barrett, p. 476, que sugere que, possivelmente, Tomé está sendo instado a portar-se como crente e não como incrédulo, sem a implicação necessária de que ele fora incrédulo. Não concordamos com Loisy, p. 511, que enfatiza que o verbo é "fazer-se, chegar a ser" e mantém que Tomé, que é explicitamente firme em sua incredulidade, está sendo instado à fé. Aqui, *ginesthai* significa "ser, mostrar-se" (como implícito na redação variante encontrada no Codex Bezae: *mē isthi*, "não sejas"). Tomé havia manifestado incredulidade e está sendo desafiado a mudar. Em João, este é o único exemplo dos adjetivos *apistos* e *pistos* – João prefere o verbo *pisteuein* (vol. 1, pp. 802) –, mas se usam contudo em Apocalipse. Em outros lugares, os adjetivos ocorrem em Atos e em Paulo; e Dodd, *Tradition*, p. 354, salienta que são contrastados em um sentido ligeiramente diferente na parábola do administrador fiel ou infiel (Lc 12,42-48).

28. *"Meu Senhor e meu Deus"*. Contra a teoria de Teodoro de Mopsuéstia, o Segundo Concílio de Constantinopla (quinto concílio ecumênico, 553 d.C.) insistiu que estas palavras eram uma referência a Jesus e não meramente uma proclamação em honra do Pai (DB, §434). Não há tendência entre os estudiosos modernos de seguir a Teodoro. A expressão, como usada em João, combina evocativo e uma proclamação de fé ("Tu és o meu Senhor e o meu Deus"). Dodd, *Interpretation*, p. 430², sugere que "meu Senhor" se refere ao Jesus da história e "meu Deus" é uma avaliação teológica de sua pessoa; ele cita em favor a paráfrase de F. C. Burkitt: "Sim, é Jesus – e ele é divino". Mas Bultmann, p. 538, está certo em insistir que em combinação com "Deus", "Senhor" deve ser também um título cúltico (ver comentário). O artigo é usado antes de "Deus"; lembramos que ele não foi usado no grego de 1,1 (vol. 1, p. 173). Entretanto, a diferença de significado não deve ser frisada com demasiada insistência, como se 1,1 fosse uma afirmação marcantemente menos exaltada (Moule, IBNTG, p. 116).

29. *tens crido*. Algumas testemunhas siríacas prefaciam isto com um "Agora". A sentença é tomada como uma indagação em muitos mss. minúsculos e por muitos estudiosos modernos (Westcott-Hort, Bernard, Loisy, Tillmann, Lagrange; ver MATGS, p. 345): "Tu creste porque me viste?" Para outros

exemplos onde a primeira parte dessas comparações de dois membros constitui uma pergunta, ver 1,50; 4,35; 16,31-32. Temo-la aceito hesitantemente como uma afirmação, já que essa é a redação mais difícil.

porque me viste. Alguns tomam isto neste sentido: "porque te alegraste em me ver mais do que em me tocar como te desafiei"; mas este não é o significado óbvio.

Felizes. Para a natureza de uma beatitude ou macarismo, ver nota sobre 13,17. A outra única beatitude no NT concernente a crer está em Lc 1,45, onde Isabel fala a Maria: "Feliz é aquela que creu que haveria um cumprimento das palavras que lhe foram ditas da parte do Senhor". Uma referência a Jo 20,29 como a nona beatitude, ainda que engenhosa, tem a infeliz implicação de que o grupo de oito de Mateus (Mt 5,3-11) é uma coleção completa.

e, no entanto, têm crido. Muitos tratam isto como um aoristo gnômico ou atemporal, equivalente a um presente ("e, contudo, creem"). Mas o pretérito não é inapropriado, pois é bem provável que o evangelista estivesse pensando em seu próprio tempo, quando por muitos anos houve um grupo que não vira, porém cria.

COMENTÁRIO: GERAL

Na p. 1430 apresentamos o esboço deste episódio, e na p. 1468s a comparamos com a primeira cena (20,1-18) e notamos as similaridades de organização. Todavia, a história da composição da segunda cena parece ter sido diferente daquela da primeira cena. Se a primeira cena foi unida pela combinação de três narrativas uma vez independentes, a segunda cena é uma amplificação e reorganização de uma narrativa básica concernente à primeira aparição de Jesus aos onze. Lembramos (p. 1436 acima) que duas testemunhas evangélicas, além de Jo 20, colocam esta aparição na área de Jerusalém (Lucas e o Apêndice Marcano), enquanto duas outras testemunhas a colocam na área da Galileia (Mt; Jo 21). Jo 20 se aproxima mais nos detalhes aos relatos do grupo hierosolimitano, especialmente a Lucas, mas encontraremos uma similaridade ocasional aos relatos do grupo galileu.

Análise da narrativa da aparição aos discípulos (20,19-23)

Antes acima (p. 1445) temos afirmado que as narrativas de aparições não foram originalmente unidas às narrativas de visitas ao túmulo, e assim não ficamos surpresos de encontrar indícios de que Jo 20,19-23 foi em outro tempo um relato independente do material contido em 20,1-18. A despeito da tentativa no v. 19 ("agora"; "daquele dia, o primeiro da semana") de enlaçar juntos os dois relatos, a narrativa da aparição aos discípulos poderia seguir diretamente a narrativa da paixão. Se o Discípulo Amado creu com base no que viu no túmulo vazio (v. 8), não há vestígio de sua fé quando os discípulos se reúnem à portas trancadas no v. 19. Nem a fé de Madalena afetou notavelmente este grupo, a despeito de sua mensagem no v. 18.

O episódio nos vs. 19-23 tem as cinco características atribuídas por Dodd às narrativas concisas de aparições pós-ressurreição (p. 1439 acima), embora uma ou outra característica esteja ligeiramente obscurecida. A *situação desolada* dos seguidores de Jesus é descrita no v. 19 numa forma expandida; é bem provável que estavam com medo de "os judeus" fosse um desenvolvimento joanino do motivo da surpresa numa forma mais antiga da narrativa. A *aparição* e a *saudação* no v. 19 são concisas; não obstante, "Paz a vós" reflete um tema teológico joanino, como veremos. O *reconhecimento* consequente de Jesus por seus discípulos no v. 20 é um pouco desajeitado, pois não somos informados como os discípulos reagiram à saudação nem se dá uma razão por que Jesus se sentiu compelido a mostrar suas mãos e lado. (Ao analisarmos a aparição a Tomé, sugeriremos que a expressão de dúvida que ora é dramatizada no relato de Tomé uma vez precedeu o v. 20 e deu ocasião para a ação de Jesus, como também em Lc 24,37-39). O elemento de *comando* aparece explicitamente no v. 21, mas é acompanhado de dois ditos um tanto relacionados nos vs. 22 e 23.

Justamente como houve dois tipos de paralelos lucanos com o relato joanino da visita dos discípulos ao túmulo (pp. 1474-76 acima), assim há dois tipos de paralelos lucanos com a presente narrativa. Um paralelo direto com Jo 20 se encontra nas não-interpolações ocidentais (p. 1436 acima) de Lc 24,36 e 40, a saber, "'Paz a vós', disse ele" e "quando disse isto, mostrou-lhes suas mãos e seus pés". Exceto para a referência aos pés (ver nota sobre v. 20), isto é quase literalmente o mesmo que o final do v. 19 e o começo do v. 20 em Jo 20. Visto que estes versículos são essenciais ao relato de João, mas não são tão essenciais a Lucas, podemos pressupor que no último estágio na redação de Lucas alguém agregou estas palavras tomadas de uma forma primitiva da tradição lucana. Se pusermos de lado estas não-interpolações ocidentais, persiste uma similaridade entre o relato lucano básico da aparição (24,36.39.41.47.49) e o relato joanino básico; é bem provável que sejam desenvolvimentos independentes da narrativa hierosolimitana original da aparição de Jesus a seus discípulos. Ambos descrevem a aparição como ocorrendo na noite de domingo da Páscoa. Em cada um Jesus vem de forma repentina, e somos informados que "se pôs diante deles" (Jo 20,19; Lc 24,36). Há uma ênfase similar sobre a realidade ou tangibilidade do corpo de Jesus, pois em cada relato chama-se a atenção para suas mãos. A alegria dos discípulos é um tema comum; e em cada relato há um tipo de pausa ou transição antes que o Jesus ressurreto emita sua mensagem (cf. Jo 20,21 e Lc 24,44). Ambos os evangelhos mencionam o perdão dos pecados (Jo 20,23; Lc 24,47). Especificamente, João se refere ao envio dos discípulos (v. 21) e a doação do Espírito Santo (22), enquanto as referências lucanas são mais sutis: "*E em meu nome se pregasse* o arrependimento e a remissão [perdão] dos pecados, em todas as nações, começando de Jerusalém" (24,47) e a "promessa de meu Pai" (49). Esta comparação com Lc 24,33-53 não resulta desfavorável a João, pois Jo 20,19-23 preservou melhor o esquema original da cena. João não tem o desenvolvimento apologético sobre a capacidade de comer que possui Jesus encontrada em Lc 24,41-42 (cf. 10,41), nem a longa instrução de Lc 24,44-47, muito da qual tem paralelo com os sermões querigmáticos em Atos. De fato, o relato de João só é um pouco menos conciso do que o da aparição na Galileia em Mt 28,16-20.

Quando consideramos a mensagem de Jesus em Jo 20,21-23, é muito difícil decidir que elementos são os mais antigos. A repetição de "Paz a vós" (o v. 21 duplicando o final do v. 19) e de "E quando ele disse isto" (o v. 22 duplicando o começo do v. 20) pressupõe que uma forma mais antiga da mensagem pode ter sido expandida pelo acréscimo de outros ditos tradicionais de Jesus. A abordagem mais simples do problema seria pressupor que a narrativa original terminasse com a ordem no v. 21, e que os vs. 22 e 23 sejam adições (assim DODD, *Tradition*, p. 144; também LOISY, p. 508, com alguma hesitação sobre o v. 23). Entretanto, porque as palavras no v. 21 são joaninas em estilo (compare o padrão "[justamente] como..., assim" em 6,57; 15,9 e 17,18.22), enquanto as palavras do v. 23 não o são, muitos pensam ser o v. 21 (HARTMANN) ou 21-22 (BULTMANN) que representa a expansão e que o v. 23 é original. Somos relutantes em julgar simplesmente sobre a base de que um determinado versículo apresente ou não estilo ou vocabulário joanino; pois quando isso se torna o único critério para se identificar uma amplificação do evangelista de uma tradição mais original, então se está formulando o pressuposto de que a tradição que veio ao evangelista era alheia ao seu próprio pensamento e formas de expressão. Temos trabalhado com a suposição de que quando o evangelista chegava a conhecer uma tradição que ele mesmo não havia criado (vol. 1, p. 20, Primeiro estágio), esta tradição procedia de seu mestre cujos pensamentos padrões e estilo influenciaram o evangelista. Além do mais, temos discutido que o próprio evangelista pode ter tido um importante papel na forma oral pré-evangélica deste material (*ibid.*, Segundo estágio). Tal avaliação das origens do Quarto Evangelho vai contra qualquer aplicação demasiadamente mecânica de os cânones estilísticos. À parte do critério de estilo, aqui insistimos em comparar os vs. 21-23 com as palavras de Jesus encontradas nos outros relatos evangélicos de sua aparição aos discípulos a fim de isolar os elementos comuns que têm a melhor chance de pertencer à forma mais antiga da narrativa. Tomemos os versículos individualmente.

Primeiro, a missão ou envio dos discípulos no v. 21: "Como o Pai me enviou, assim eu vos envio". Em Mt 28,19 há a ordem: "Ide, portanto, e fazei discípulos de todas as nações, batizando-as"; e, semelhantemente, no Apêndice Marcano de 16,15 a ordem é: "Ide ao mundo inteiro e pregai o evangelho a todas as criaturas". Em Lc 24,47, ouvimos que "se preguem o arrependimento e o perdão dos pecados, em seu nome [de Cristo] a todas as nações". Paulo relaciona o conceito da existência de apóstolos para uma missão dada pelo Cristo ressurreto em suas aparições aos homens (1Cor 15,8-9; Gl 1,16). Portanto, não há razão para se pensar que o relato da aparição que veio ao Quarto Evangelista faltava uma ordem missionária aos discípulos. De fato, em Jo 20,21 a significativa ordem do Senhor é em si mais breve. Todavia, a formulação dela tem sido remodelada, pois o paradigma da missão é agora a relação do Filho com o Pai, um tema teológico joanino. Podemos compará-la com 17,18: "Pois como me enviaste ao mundo, também eu os enviei ao mundo".

Segundo, a insuflação no v. 22 com as palavras: "Recebei um Espírito santo". Uma menção ao Espírito se encontra também em outros relatos da aparição de Jesus a seus discípulos. Em Mt 28,19 ela é incorporada nas palavras do que teria sido uma fórmula batismal relativamente tardia: "Batizando-os no nome do Pai e do Filho e do

Espírito Santo". Lc 24,39 tem Jesus dizendo: "Eu estou enviando sobre vós a promessa de meu Pai" (= o Espírito Santo; cf. At 1,4-5), mas aqui se trata de preparar a cena de Pentecostes narrada em Atos. O máximo que se poderia argumentar, à luz destas referências tardias ao Espírito Santo, é que a tradição primitiva da aparição poderia ter contido uma referência a um derramamento do Espírito (ver BULTMANN, p. 537²), uma referência que os outros evangelhos adaptaram de diferentes maneiras. Todavia, dos três ditos de Jesus em Jo 20,21-23, a menção da doação do Espírito é a que mais se relaciona com o diálogo teológico joanino sobre o propósito da ascensão no v. 17, e assim o v. 22 poderia muito bem representar a expansão que o evangelista faz da narrativa primitiva da aparição. Não achamos convincente a afirmação de DODD (*Interpretation*, p. 430) de que a insuflação do Espírito é uma imagem por demais estranha ao pensamento joanino e que isso indicaria que o evangelista a recebeu de sua fonte. Esta imagem é similar à ideia do Espírito como vento em 3,8 (DODD, *Tradition*, p. 144, modificando sua opinião).

Terceiro, o poder de perdoar pecados no v. 23. Nos outros relatos evangélicos da aparição de Jesus aos discípulos, encontramos uma tendência para especificar a missão geral dos discípulos: em Lucas, a especificação é pregar o perdão dos pecados; em Mateus é batizar; no Apêndice Marcano, é pregar o evangelho e batizar. No Quarto Evangelho, o v. 23 supre os elementos desta especificação. A formulação joanina é elaborada; e da perspectiva da forma, só podemos dizer que Jo 20,23 é para Lc 24,47 como o Apêndice Marcano 16,16 é para Mt 28,19:

Mt 28,19: "Fazei discípulos de todas as nações, batizando-os" – a simples ordem para batizar.
Apêndice Marcano 16,16: "Aquele que crer e for batizado será salvo; mas aquele que não crer será condenado" – um prognóstico das formas como o batismo dividiria os homens.
Lc 24,47: "O arrependimento e o perdão dos pecados seria pregado em seu nome a todas as nações" – a simples proclamação do perdão.
Jo 20,23: "Aqueles a quem perdoardes os pecados, seus pecados tem sido perdoados; a quem os retiverdes, eles serão retidos" – um prognóstico das formas como o poder do perdão dividiria os homens.

Todavia, o vocabulário não joanino e o paralelismo do v. 23 nos adverte contra pressupormos que a formulação elaborada seja a criação do evangelista. Discutiremos abaixo a relação deste versículo com os dois ditos mateanos similares sobre ligar e desligar, e esta comparação nos leva a pensar que João preserva uma forma modificada de um dito de Jesus muito antigo, um dito que pode plausivelmente relacionar-se com as previsões do Jesus ressurreto para a comunidade que ele deixou atrás de si.

Então, somos inclinados a pensar que a narrativa pré-evangélica da aparição continha o tema de pelo menos dois dos três ditos de Jesus nos vs. 21-23 (a saber, os ditos em 21 e 23). Todavia, a presente forma do v. 21 representa uma adaptação à teologia geral do evangelho. Se o v. 22 é a adição do evangelista ao episódio, então algo da estranheza da presente sequência nos vs. 21-23 pode ser explicada, ao menos em parte, da mesma forma o fato de que o início do v. 22 repete o início do v. 20. Estas conclusões não passam de serem uma mera tentativa.

Análise da narrativa da aparição a Tomé (20,24-29)

Há praticamente uma unanimidade no campo da erudição de que esta nunca foi uma narrativa independente e por isso não é comparável, por exemplo, à narrativa de uma aparição a Pedro. O essencial do relato de Tomé se relaciona intimamente com a aparição mais antiga aos discípulos e faria pouco sentido sem a narrativa precedente. Todavia, quando se lê primeiro os vs. 19-23, o mesmo não espera uma nova seção sobre um dos discípulos que estavam ausentes; e o autor tem de inserir o v. 24 para unir as duas narrativas. Como pode alguém conciliar estes fatos, especulando sobre a origem do relato de Tomé?

Com alguma hesitação, BULTMANN propõe que o essencial do relato sobre Tomé (que não tem paralelos sinóticos) foi criado pelo evangelista que tomou e dramatizou um tema de dúvida que originalmente apareceu na narrativa da aparição aos discípulos. Nenhum outro relato evangélico de uma aparição pós-ressurreição presta tanta atenção como faz o relato de Tomé a uma atitude de um indivíduo para com o Jesus ressurreto. Isso se dá porque Tomé se torna aqui a personificação de uma determinada atitude. (Ver vol. 1, p. 713, para nossa sugestão de que a presente localização e uso do milagre de Lázaro representa uma individualização e dramatização um tanto similares). Se voltarmos por um momento à narrativa lucana da aparição aos onze, descobrimos que, quando Jesus de repente se põe diante deles (Lc 24,36 = Jo 20,19), ficaram atônitos, atemorizados e acham que viam um espírito. A referência de Jesus ao ver suas mãos e pés (Lc 24,39) se deu em resposta a isto. O tema da incredulidade também está em Lc 24,41 e se encontra também no Apêndice Marcano 16,14 e em Mt 28,17. Somente João não faz referência a dúvida na narrativa da aparição aos discípulos, e essa é a razão pela qual a afirmação "Ele lhes mostrou suas mãos e lado", em 20,20, parece ilógica. Propomos que esta afirmação, originalmente, foi precedida por uma expressão de dúvida, como em Lc 24,37-39, mas que o evangelista transferiu esta dúvida para um episódio separado e o personificou em Tomé. (HARTMANN tem uma teoria similar, mas presume que a dúvida foi em resposta à notícia de Madalena, e não em resposta à aparição de Jesus – assim, depois do v. 28, e não depois do v. 19). A dúvida ora expressa por Tomé é usada pelo evangelista como um meio apologético de enfatizar o caráter tangível do corpo de Jesus, precisamente como Lc 24,41-43 tem Jesus dando resposta à dúvida contínua dos discípulos, comendo. A dúvida de Tomé constitui uma incompreensão especificada do mesmo modo que a incapacidade de Madalena em reconhecer Jesus.

Há um caráter patentemente secundário em boa parte do cenário que o evangelista teve de criar para que Tomé pudesse dramatizar a dúvida apostólica. O v. 25 recorre ao v. 20, e o v. 26 parafraseia o v. 19. Os três novos elementos constituem a ordem: "E não persistas em tua incredulidade, mas se torna um crente" (27); a confissão de Tomé: "Meu Senhor e meu Deus" (28); e o macarismo ou bem-aventurança concernente a "Aqueles que não viram e, no entanto, têm crido" (29). Os três refletem temas teológicos joaninos distintivos e não têm paralelo nos outros relatos evangélicos das aparições pós-ressurreição. Talvez a ordem no v. 27 seja uma forma concisa de um dito originalmente associado ao ministério de Jesus. Como paralelos, DODD, *Tradition*, p. 355, põe em relevo Mc 4,40 ("Por que sois tão tímidos? Ainda não tendes fé?") e Mt 14,31 ("Homens de pouca fé, por que duvidastes?"). A confissão no v. 28 serve a um claro propósito teológico bem delineado: se Tomé veio a ser o porta-voz da dúvida apostólica, o evangelista não o deixa nesse papel nada invejável, mas o arranja de tal modo que a última palavra dita por um discípulo no evangelho constitui uma plena expressão de fé cristã. A cristologia altamente desenvolvida desta confissão não pertence ao mais antigo, e sim ao estrato mais tardio do pensamento neotestamentário. O dito no v. 29 reflete ainda um problema teológico da última parte do 1º século, quando as testemunhas oculares apostólicas foram saindo de cena; talvez poderia conter reelaborado, um macarismo mais antigo (pp. 1535 abaixo). E assim não há muita probabilidade de que Jo 20,24-29 apresente elementos de uma narrativa primitiva de uma aparição de Jesus. O único fato básico que pode estar por detrás de toda a dramatização é que Tomé era um daqueles que inicialmente descreram quando Jesus apareceu aos discípulos. (Presumivelmente, ele era um dos discípulos mencionados em 20,19, embora seja um dos discípulos a quem Jesus aparece em 21,2). A escolha de Tomé como o elemento de personificação da dúvida é consistente com a caracterização dele em 11,16 e 14,5, e que nos atrevemos em afirmar que tal descrição foi totalmente obra da habilidade do autor.

Finalmente, devemos mencionar a teoria de M.-E. BOISMARD de que Jo 20,24-31 representa uma adição redacional ao Quarto Evangelho feita *por Lucas*. Ele associa esta teoria estreitamente com a afirmação de que Lucas foi o redator que anexou 4,48-49, 51-53 (uma afirmação rejeitada no vol. 1, p. 416), pois ele vê (corretamente) uma similaridade entre 4,48-49 e 20,29. Seus outros argumentos tocam um grande número de macarismos em Lucas (Jo 20,29b é um macarismo), e as peculiaridades do léxico de Lucas que ele detecta nesta seção de João (ver última nota sobre v. 27, concernente a *apistos* e *pistos*). Em nossa avaliação, nenhum destes argumentos é particularmente convincentes; para uma tentativa detalhada de refutar BOISMARD, ver ERDOZÁIN, pp. 39-42.

COMENTÁRIO: DETALHADO

A aparição aos discípulos (20,19-20)

Por um lado, João parece supor que o corpo de Jesus possui propriedades maravilhosas e imateriais (a capacidade de atravessar portas fechadas); por outro lado, ele subentende que pode ser tocado e tem densidade corpórea ("ele lhes mostrou suas mãos e lado"). Não obstante, é difícil estar certo de que, nestes primeiros versículos, João esteja *enfatizando* um ou outro aspecto do corpo de Jesus. Aqui, a possibilidade de Jesus atravessar portas fechadas é mediante inferência (ver nota sobre "tinham trancado as portas" em 19); somente na forma de redatar o v. 26 é que a inferência fica clara. De modo semelhante, no v. 20 há uma implicação de que Jesus pode ser tocado; mas esta implicação fica sem ambiguidade no v. 27, onde mesmo o diferenciar o tamanho das duas feridas é grosseiramente destacado (um dedo pode comprovar uma ferida de prego, mas as mãos para a ferida lateral). Assim, no relato de Tomé há uma concentração mais explícita sobre a natureza do corpo de Jesus do que há na narrativa da aparição aos discípulos. Este fato se adequa à nossa tese de que o relato de Tomé é uma elaboração secundária.

Talvez a significação primária da ênfase sobre as feridas de Jesus no v. 20 seja que elas estabelecem uma continuidade entre a ressurreição e a crucifixão. O Jesus ressurreto que se põe diante dos discípulos é o Jesus que morreu na cruz, e agora irão receber os frutos de sua exaltação. Esta interpretação explicaria a alegria com que os discípulos recebem seu convite para que vejam suas mãos e lado.

Aqueles a quem Jesus aparece nesta cena são chamados por João "os discípulos". Exatamente a quem ele tem em vista? Esta questão é mais do que interesse incidental, pois ela matiza a discussão daqueles a quem se concedeu o poder de perdoar pecados (v. 23). Sequer pode haver dúvida de que veio ao evangelista de fonte pré-evangélica era o relato de uma aparição *aos onze* (os doze menos Judas). Este é um fator comum nos vários relatos evangélicos da aparição (Lc 24,23; Mt 28,16; Apêndice Marcano 16,14). Poderia ter havido alguns outros presentes além dos onze, como em Lc 24,33 ("os onze se reuniram e os que estavam com eles", mais os discípulos de Emaús); mas na tradição das aparições somente os onze eram importantes, e as palavras que Jesus falou foram dirigidas a eles. Todos estes relatos elaboram o que Paulo lembra concisamente em 1Cor 15,5: "Ele apareceu a Cefas *e então aos doze*".

João não menciona os onze na forma atual da narrativa da aparição, embora sua referência a Tomé como "um dos doze" *possa* evocar a situação original. Alguns estudiosos têm argumentado que João evitou deliberadamente mencionar os doze/onze porque queria minimizar a importância deles ou era contra uma teoria da sucessão apostólica. Todavia, João menciona os doze em 6,67 e 70 sem qualquer sinal de desaprovação, e realmente não há razão para se pensar que o evangelista não tomasse por admitido a importância dos doze e nem lhes dá o devido respeito. Outra obra da escola joanina, Ap 21,14, menciona nominalmente os fundamentos do muro da Jerusalém celestial como sendo os doze. A perspectiva caracteristicamente joanina não rebaixa os doze, mas, antes, converte estes discípulos escolhidos em representantes de todos os cristãos que creem em Jesus pela palavra deles. E assim, algumas vezes é muito difícil saber quando João está falando dos discípulos em seu papel histórico, como os companheiros íntimos de Jesus, e quando está falando deles em relação à função simbólica que representam. Por exemplo, em 6,66-67, os doze são distinguidos do restante dos discípulos e mostra uma adesão especial deles a Jesus. Aparentemente, na cena da última ceia, os discípulos focados são principalmente os doze (nota sobre "discípulos" em 13,5); através da maior parte do último discurso, Jesus não está falando somente aos que estão presentes, mas também ao auditório muito mais amplo que eles representam. Somente em 17,20 há uma clara tentativa, no último discurso, de separar os auditórios presente e futuro.

Assim, aqui nosso problema real diz respeito à intenção do evangelista. Enquanto a narrativa pré-evangélica se referia aos onze, agora a intenção do evangelista acerca destes discípulos é que eles representam um auditório mais amplo que também seriam recipientes da missão no v. 21, do Espírito no v. 22 e do poder de perdoar pecados no v. 23? Alguns argumentariam, com base no v. 21 que os discípulos não podem representar todos os cristãos, pois este versículo se refere a uma missão apostólica; e mesmo que historicamente a missão apostólica fosse confiada a um grupo maior do que os doze, não obstante todos os cristãos não eram apóstolos (ver 1Cor 12,28-29). Todavia, no v. 21 João modificou a missão apostólica, fazendo-a dependente do modelo do Pai enviando o Filho, e usualmente, para João, a relação Pai-Filho é mantida para que todos os cristãos a imitem. Podemos estar certos de que João tem mente "Como o Pai me enviou, assim eu vos envio" em um sentido mais restrito do que quando diz "Como o Pai me amou, assim eu vos amei" (15,9)? Não obstante, mesmo que o v. 21 dê algum suporte à ideia de que somente os doze/onze estão diretamente em pauta, o v. 22 aponta na direção oposta. Como veremos, este versículo evoca Gn 2,7 e se destina a simbolizar a nova criação que Jesus efetua nos homens como filhos de Deus pelo dom do Espírito.

Certamente, esta re-criação, esta nova geração, este dom do Espírito se destina a todos os cristãos. Temos sugerido (p. 1512 acima) que o v. 22 representa a adição do evangelista à narrativa original da aparição; e também agora podemos supor que, pela adição deste versículo e pela modificação teológica introduzida no v. 21 (modelando a missão na relação Pai-Filho), o evangelista está ampliando o horizonte da cena da aparição original para incluir não só os doze, mas também aqueles a quem representam. Não obstante, seria arriscado assumir que este mesmo horizonte ampliado está presente no v. 23, o qual é uma forma modificada de um antigo dito de Jesus. Para decidir esta questão será preciso estudá-la mais detidamente.

Antes de deixarmos os vs. 19-20 devemos dar alguma atenção à paz e alegria que a aparição de Jesus proporciona nos discípulos. Na nota sobre o v. 19, salientamos que "Paz a vós" não deve ser confundida com uma saudação ordinária. Como nas aparições de "o anjo do Senhor" no AT, esta fórmula tranquiliza o auditório que nada têm a temer da divina manifestação que ora estão testemunhando. Além disto, no contexto da teologia joanina, o dom da paz do Jesus ressurreto é o cumprimento das palavras ditas no último discurso (14,27-28): "'Paz' é minha despedida a vós. Minha 'paz' é o meu dom a vós, e não vo-la dou como o mundo a dá. Que vossos corações não se perturbem e nem se atemorizem. Vós me tendes ouvido dizer-vos: 'Eu estou partindo', e 'estou voltando para vós'". Em outras palavras, quando os discípulos ficaram atemorizados na última ceia, Jesus lhes assegurou que sua distribuição do dom da paz não seria efêmero; e ele relacionou esta paz com a promessa de que voltaria para eles. Agora que tem voltado para eles, ele concede esta paz, pois no Espírito Santo (v. 22) eles têm a perene presença de Jesus e o dom da divina filiação que é base da paz cristã. (Note que o Paráclito há de ser enviado em nome de Jesus).

O regozijo dos discípulos mencionado no v. 20 deve ser também compreendido como o cumprimento de uma promessa pronunciada no último discurso. Em 16,21-22, Jesus comparou a situação dos discípulos à de uma mulher no processo do parto que sofre intensa dor, mas é recompensada com alegria ao nascer-lhe um filho. "Agora estais tristes; mas vos verei outra vez, e vossos corações se regozijarão com uma alegria que ninguém pode tirar-vos". No pensamento judaico, paz e alegria eram marcas do período escatológico quando a intervenção de Deus haveria de trazer a harmonia à vida humana e ao mundo.

João vê este período concretizado no retorno de Jesus para derramar o Espírito sobre os homens. Outra obra joanina, Ap 19,7 e 21,1-4, associa a alegria, paz e o senso da presença divina escatológicos com a segunda vinda – um bom exemplo de dois tipos de perspectiva escatológica (vol. 1, pp. 126-35) na mesma escola geral do pensamento.

A missão apostólica e o dom do Espírito (20,21-22)

Por todo o relato do ministério de Jesus, João tem evitado designar os discípulos como apóstolos (os enviados) e não descreveu uma ocasião em que foram enviados (cf. Mc 6,7 e par.; todavia, veja vol. 1, p. 400, em referência a Jo 6,38). Mas, no v. 21, João junta à tradição evangélica comum de que o Jesus ressurreto constituiu apóstolos, confiando uma missão salvífica àqueles a quem apareceu. A contribuição joanina especial à teologia desta missão é que o ato do Pai enviar o Filho serve, respectivamente, como o modelo e o embasamento para o envio dos discípulos pelo Filho. Sua missão visa a continuar a missão do Filho; e isto requer que o Filho lhes esteja presente durante esta missão. Jesus disse: "E todo aquele que me vê, está vendo Aquele que me enviou" (12,45); de modo semelhante, os discípulos agora exibiriam a presença de Jesus para que, aquele que vê os discípulos, esteja vendo a Jesus que os enviou. Como se expressa em 13,20, "Todo aquele que recebe a aquele a quem eu enviar, a mim me recebe; e aquele que me recebe, recebe Aquele que me enviou". Isto só se torna possível através do dom do Espírito Santo (v. 22), a quem o Pai envia no nome de Jesus (14,26) e a quem Jesus mesmo envia (15,26).

Como os temas de paz e alegria nos vs. 19 e 20, o tema do envio dos discípulos no v. 21 capta um assunto que já apareceu no último discurso. Em 17,17-19, Jesus orou pelos seus que iriam ficar para trás no mundo: "Consagra-os na verdade – 'A tua palavra é a verdade'; pois como me enviaste ao mundo, também eu os enviei ao mundo. E é por eles que eu me consagro, para que também sejam consagrados na verdade". Quando discutimos essa passagem na oração de Jesus (pp. 1172 acima), vimos que houve uma relação entre o consagrar e o tornar os discípulos santos e serem enviados. Antes que fossem enviados, seriam transformados pela verdade, isto é, através da palavra reveladora de Jesus e também, certamente, através do Espírito da Verdade que é também o Espírito *Santo*. Assim, uma vez mais, há uma estreita relação entre a missão dos discípulos (21) e a doação do Espírito (22), pois é o Espírito que os consagra ou os torna santos, de modo que, consagrados como Jesus foi consagrado, eles podem ser enviados como Jesus foi enviados.

A reflexão sobre as passagens acerca do Paráclito, no último discurso, acarreta ainda mais a relação entre missão e o Espírito. (No Apêndice V reconhecemos que o conceito Paráclito teve uma origem um tanto diferente daquela do conceito cristão mais geral do Espírito Santo e tem sua própria conotação especial. Não obstante, o Quarto Evangelho finalmente identifica o Paráclito com o Espírito Santo, e assim não podemos dissociar a promessa de "o Paráclito, o Espírito Santo", em 14,26 das palavras "Recebei um Espírito" em 20,22). Jesus disse que sua partida tornaria possível o envio do Paráclito aos discípulos (16,7; também 14,26; 15,26). Este envio do Paráclito/Espírito é realizado agora em conjunção com o envio pós-ressurreição dos discípulos. Se eles têm de ir e dar testemunho, isso se deve porque o Paráclito/Espírito a quem recebem dará testemunho (15,26-27). Em 14,17, ouvimos que o Paráclito é o Espírito da Verdade a quem o mundo não pode receber; mas então Jesus diz aos discípulos: "Recebei um Espírito santo", e os envia ao mundo. Sua missão, precisamente como a missão de Jesus, traz uma oferta de vida e salvação aos que creem (6,39-40.57), porque já receberam o Espírito que gera vida (3,5-6) e, por sua vez, podem dar este Espírito a outros que desejam se tornar discípulos de Jesus.

Quando nos volvemos para uma discussão direta do v. 22 e para a insuflação do Espírito, reconhecemos que, para João, este é o ponto máximo da atividade pós-ressurreição de Jesus e que já de várias maneiras a parte mais antiga deste capítulo nos tem preparado para este momento dramático. A associação da ressurreição com a ascensão, no v. 17, e a implicação de que através do retorno de Jesus ao Pai os homens viriam a ser filhos de Deus designados para a obra do Espírito. Pode ser que mesmo a referência sobre o lado de Jesus no v. 20 se destinasse a lembrar secundariamente o leitor do sangue e água que fluíram daquele lado e simbolizasse o Espírito (pp. 1410-15 acima).

Antes de Jesus dizer, "Recebei um Espírito", ele sopra sobre seus discípulos. O verbo grego *emphysan*, "soprar", é um eco da LXX de Gn 2,7, a cena da criação, onde somos informados: "O Senhor Deus formou o homem do pó da terra e soprou em suas narinas o fôlego da vida". O verbo é usado outra vez em Sb 15,11, que parafraseia o relato da criação: "Aquele que o formou e... lhe soprou um espírito vivente". Então, simbolicamente, João está proclamando que, precisamente como na primeira criação, Deus soprou um espírito vivente no homem, também agora, no momento da nova criação, Jesus sopra seu próprio Espírito Santo nos discípulos, dando-lhes vida eterna. (No Prólogo 1,1-5, o evangelho se abriu com o tema da criação – ver também vol. 1, p. 200 – e o tema da criação volta no final). Na impressionante visão do vale dos ossos secos, Deus fala a Ezequiel como "filho do homem" (37,3-5), ordena-lhe que profetizasse aos ossos secos: "Ossos secos, ouvi a palavra do SENHOR... Eis que farei entrar em vós o espírito, e vivereis". Agora, outro Filho do Homem, que acaba de sair da tumba, fala como o Senhor ressurreto e faz com que o fôlego de vida eterna entre nos que ouvem sua palavra. Através do simbolismo batismal secundário de Jo 3,5 os leitores do evangelho são informados que, pela água e pelo Espírito, são gerados como filhos de Deus; a presente cena serve como o Batismo imediato dos discípulos de Jesus e um penhor do gerar divino em todos os crentes de um período futuro representado pelos discípulos. (Não é de estranhar que o costume de soprar sobre o neófito que é batizado tenha encontrado sua via no cerimonial batismal). Agora eles são realmente irmãos de Jesus e podem chamar o Pai dele de Pai nosso (20,17). O dom do Espírito é o "clímax último das relações pessoais entre Jesus e seus discípulos" (DODD, *Interpretation*, p. 227).

Temos comentado sobre a doação do Espírito à luz do pensamento joanino, mas muitos exegetas têm-se deixado incomodar pelo problema de conciliar a datação de João deste evento na noite pascal com o quadro em At 2 do derramamento do Espírito no Pentecostes cinquenta dias depois. Na antiguidade, vemos este problema refletido na ação do Segundo Concílio de Constantinopla (quinto concílio ecumênico, 553 d.C.), o qual condenou o ponto de vista de TEODORO de Mopsuéstia, de que Jesus realmente não deu o Espírito na Páscoa, mas agiu apenas figuradamente e à maneira de promessa (DB, §434). Em uma pesquisa dos pontos de vista conservadores sobre a questão, SCHOLTE, *op. cit.*, encontra poucos estudiosos, nos séculos mais recentes (principalmente GROTIUS e THOLUCK) que seguem os passos de TEODORO, reduzindo a cena de João ao mero simbolismo de uma futura doação do Espírito. A maioria pensa que o Espírito foi realmente dado na Páscoa, mas de uma maneira diferente da doação pentecostal.

Alguns fazem uma distinção qualitativa. Uma forma dessa distinção já se encontra em João Crisóstomo (*In Jo. Hom.* 86,3; PG 59:471), que relaciona o dom do Espírito em Jo 20,22 ao perdão de pecados, e o dom do Espírito em At 2 ao poder de operar milagres e de ressuscitar mortos. Frequentemente se diz que o dom pascal do Espírito se ocupa somente do indivíduo e sua relação com o Pai, enquanto o dom pentecostal é caracterizado como eclesiástico ou missionário. Uns poucos propõem que o dom pascal teve a função imediata e limitada de capacitar os discípulos a reconhecerem e a confessarem o Senhor ressurreto (um conceito baseado em 1Cor 12,3: Ninguém pode dizer "Jesus é Senhor" exceto pelo Espírito Santo). Ver também a nota sobre "Recebei um Espírito santo" no v. 22 para a distinção entre um dom impessoal do Espírito na Páscoa e um dom pessoal no Pentecostes. Outro grupo de estudiosos faz uma distinção quantitativa. O dom do Espírito na Páscoa é transitório ou antecipatório (Bengel fala de um *arrha* ou penhor), enquanto o dom no Pentecostes é completo e definitivo. Swete, p. 167, chama um de potencial e o outro de atual.

Muitos estudiosos críticos abordam o problema diferentemente. Eles salientam que no Evangelho de João nada há que nos leve a caracterizar o dom do Espírito em 20,22 como provisório ou parcial; antes, é o cumprimento total de passagens mais antigas do evangelho que prometeram a doação do Espírito ou a vinda do Paráclito. Tampouco o dom em 20,22 é meramente pessoal ou individual; no v. 21, ele está estreitamente relacionado com o envio dos discípulos ao mundo. Não é boa metodologia harmonizar João e Atos, pressupondo que um trata de um dom anterior do Espírito e o outro, de uma doação tardia. Não há evidência de que o autor de ambas as obras tivessem ciência de ou levasse em conta a abordagem que o outro fez da questão. E assim podemos manter que, funcionalmente, cada um está descrevendo o mesmo evento; um o dom único do Espírito aos seus seguidores pelo Senhor ressurreto e ascendido ao céu. As descrições são diferentes, refletindo os interesses teológicos diversos dos respectivos autores; mas não temos o mesmo fenômeno de variação entre as descrições que o evangelho dá do mesmo evento no ministério de Jesus? Em particular, não há obstáculo intransponível no fato de que João e Atos designam uma data diferente para o dom do Espírito. Como temos reconhecido, a datação que João faz da primeira aparição de Jesus a seus discípulos é artificial, pois a Galileia tem uma preferência melhor que Jerusalém para ser o local original desta aparição, e que, obviamente, excluiria o domingo da Páscoa como a data da aparição (p. 1438 acima). Mas há também muito que é simbólico na escolha de Atos do Pentecostes, pois Lucas está usando o pano de fundo da vinda do Espírito associado com aquela festa em sua descrição da vinda do Espírito (ver vol. 1, p. 426). Todavia, não desconsideramos a possibilidade de que Lucas preserve uma memória cristã autêntica da primeira manifestação carismática do Espírito na comunidade no Pentecostes. O que é interessante é que ambos os autores colocam a doação do Espírito depois que Jesus ascendeu a seu Pai, ainda que tivessem pontos de vista diferentes da ascensão. Para ambos, a tarefa do Espírito é assumir o lugar de Jesus, executar sua obra e continuar sua presença no mundo. Assim, com certa justificativa, podemos juntar-nos a ARCHIMANDRITE CASSIEN, *art. cit.*, ao falar de Jo 20,22 como "o pentecostes joanino", mesmo quando não tentamos datar este evento à festa do pentecostes, como ele faz.

O poder sobre o pecado (20,23)

O último dito de Jesus na aparição pós-ressurreição a seus discípulos às vezes é considerado como uma forma variante do dito registrado em Mt 16,19 e 18,18 (ver DODD, *Tradition*, pp. 347-49):

Mateus	João
"Tudo o que ligares (*dein*) na terra	"Aqueles a quem perdoardes (*aphienai*) os pecados,
será ligado no céu;	seus pecados tem sido perdoados;
Tudo o que desligares (*lyein*) na terra	a quem os retiverdes (*kratein*),
será desligado no céu".	eles são retidos".

A comparação fica mais significativa quando compreendemos que os tempos passivos ("tem sido perdoados"; "são retidos") de João, e a referência que Mateus faz ao céu constituem duas circunlocuções para descrever a ação de Deus. Geralmente se concede que, ao falar de ligar e desligar, Mateus está traduzindo uma fórmula hebraica/aramaica bem atestada nos escritos rabínicos tardios com os verbos 'āsar e nātar ou *šerāh*. A expressão de João, "perdoar pecados", não oferece problema, mas não estamos certos sobre o equivalente hebraico preciso para a estranha expressão "reter [pecados]" (*šāmar* ou *nāṭar*?). J. A. EMERTON, JTS 13 (1962), 325-31, tem feito uma interessante sugestão. Ele salienta que a referência à atar e desatar em Mt 16,19 está no contexto em que Jesus dá a Pedro as chaves, e que toda esta cena é um eco do pensamento em Is 22,22, onde o símbolo de autoridade régia, a chave do palácio, é prometido a Eliaquim, assim o constituindo primeiro ministro do rei: "A chave da casa de Davi – ele abrirá e ninguém fechará; e ele fechará e ninguém abrirá". EMERSON indaga se o dito original de Jesus não foi modelado na imagem isaiana: "Tudo o que fechares será fechado; e tudo o que abrires será aberto". Nessa hipótese, a tradição mateana teria se conformado ao dito de Jesus como sendo uma fórmula judaica legal bem conhecida ("abrir" vindo a ser "desatar"; "fechar" vindo a ser "atar"), enquanto a tradição joanina teria remodelado o dito para aplicar-se ao pecado ("abrir" vindo a ser "soltar, perdoar"; "fechar" vindo a ser "reter"). Em qualquer caso, João faz surgir uma fórmula que aos ouvidos gregos não era mais inteligível do que a fórmula mateana.

O contexto do dito varia nos dois evangelhos. Em João, ele é pós-ressurreição. Mt 28,18 é dirigido aos discípulos como um grupo (ver 18,1) e se acha em um contexto de como as autoridades devem resolver as disputas dentro da comunidade cristã. Todo o capítulo representa uma coleção mateana de materiais que pudessem ser adaptados para a aplicação à vida em comunidades cristãs bem estabelecidas, e assim não temos aqui o contexto original para o dito de ligar-desligar. Mt 16,19 é parte de uma adição mateana especial (vs. 16b-19) à cena de Cesareia de Filipe, uma adição consistindo de uma coleção de materiais pertinentes a Pedro, parte deles sendo pós-ressurreição (ver vol. 1, pp. 548ss; também pp. 1583-86 abaixo). Assim, a localização que Mateus dá ao dito não tem reivindicação autoritativa e, deveras, não é possível que o dito fosse originalmente pós-ressurreição como em João.

Como um possível guia para o significado do dito em João, podemos indagar o que significa o dito em Mateus. A fórmula rabínica de ligar e desligar que Mateus reflete se refere muitas vezes à imposição ou remoção de uma obrigação por uma decisão doutrinal autoritativa. Outro significado, menos frequente, de ligar/desligar é impor ou remover um anátema de excomunhão. Este segundo significado da fórmula afeta as pessoas diretamente; o primeiro significado as afeta indiretamente através de suas ações. Os estudiosos argumentam sobre qual dos dois significados se adequem melhor às passagens mateanas. F. BÜCHSEL, *"deō (lyō)"*, TWNTE, II, 60-61, opta pela excomunhão. K. STENDAHL, *The School of St. Matthew* (Filadélfia: Fortress, 1968), p. 28, argumenta que a promulgação de uma obrigação se ajusta melhor com 18,18. O fato de que o dito mateano pode ter diferentes significados em diferentes contextos nos adverte da possibilidade de que a forma variante do dito em Jo 20,22 pode ter ainda outro significado. Só indiretamente se pode entender a afirmação de João de perdoar e reter pecados como relacionada ao poder de receber de volta à congregação ou expulsar dela; por exemplo, se a pessoa cujo pecado é perdoado está nesse momento fora da comunhão da comunidade (assim DODD, *Tradition*, p. 348). Além do mais, perdoar pecados parece ir mais além de simplesmente declarar que não há obrigação moral relacionada com certa ação. De muitas maneiras, a fórmula joanina é mais querigmática e talvez preserve mais a essência original do dito do que a fórmula jurídica usada em Mateus.

O problema do significado, alcance e exercício do poder de perdoar pecados que se outorga em 20,23 tem sido elementos decisivos no cristianismo. Por exemplo, em relação aos reformadores protestantes, o Concílio de Trento condenou a proposta de que este poder de perdoar pecados foi oferecido a cada um dos fiéis de Cristo; ao contrário, este versículo deve ser entendido como o poder exercido pelo sacerdote ordenado no sacramento da penitência e não simplesmente aplicado ao poder da sua Igreja de pregar o evangelho (DB, §§1703, 1710). Muitos estudiosos modernos católico-romanos não pensam que esta declaração da Igreja diz respeito ou define necessariamente o significado que *o evangelista* anexou ao versículo quando o escreveu; a implicação da declaração é insistir contra a crítica de que o sacramento da penitência é um exercício e especificação legítimos (mesmo que último) do poder de perdão conferido neste versículo. Não obstante, a posição católico-romana reflete uma interpretação na qual o poder mencionado em 20,23 diz respeito ao perdão de pecados cometidos *depois* do batismo e é dado a um grupo específico, os onze, que o passam a outros através da ordenação. Esta interpretação tem sido rejeitada por outros cristãos que mantêm que o poder é dado a um grupo maior simbolizado pelos discípulos e que é um poder de pregar o perdão de pecados concedido por Deus em Cristo e/ou de admitir pecadores ao batismo.

Provavelmente seja impossível resolver esta questão sobre bases meramente exegéticas, pois algumas das pressuposições, de ambos os lados, refletem preocupações pós-bíblicas. Já enfatizamos (p. 1517 acima) que, enquanto na tradição joanina pré-evangélica "os discípulos" a quem o Jesus ressurreto fala eram os onze, não podemos estar certos se o evangelista está falando deles como um grupo histórico ou como símbolos de todos os discípulos cristãos. Quanto ao poder de perdoar/reter pecados, nada há no próprio texto nada que associe o perdão com ou a pregação do evangelho ou admissão ao batismo. Estas ideias vêm de uma harmonização com outros relatos evangélicos da aparição do Jesus ressurreto aos onze. Por exemplo, Lc 24,47 tem Jesus instruindo os onze (e os que estavam com eles), que "em seu nome se pregasse o arrependimento e o perdão de pecados [*kēryssein*, "proclamar"] a todas as nações"; e o Apêndice Marcano 16,15 tem a instrução de pregar o evangelho. A relação do perdão com o batismo é extraída em parte de uma analogia com Mt 28,19, onde Jesus diz a seus discípulos que batizassem todas as nações e do Apêndice Marcano 16,16, onde o duplo efeito da missão de batizar é específico: "Aquele que crer e for batizado será salvo, mas aquele que não crer será condenado". Mas a harmonização, porém, constitui um pobre recurso para resolver o problema do significado joanino do poder de perdoar justamente como também pouco ajuda para resolver o que João tem em mente por "os discípulos". (Curiosamente, muitos que harmonizam para decidir o primeiro problema não se dispõem a harmonizar para resolver o segundo). Há pouco suporte interno na teologia joanina para interpretar o v. 23 como um poder de pregar o perdão dos pecados. Essa ênfase é lógica em Lucas, pois Atos mostra como esta pregação foi efetuada; mas, por essa mesma razão, essa ênfase pode bem ser atribuída ao próprio Lucas e não à tradição pré-evangélica. Há melhor suporte joanino interno para relacionar o perdão de pecados com a admissão ao batismo, pois algumas das passagens joaninas que têm um simbolismo batismal secundário tangem a questão do pecado. Foi o Batista que proclamou Jesus como "o Cordeiro de Deus que tira o pecado do mundo" (1,29). No cap. 9, a abertura dos olhos do cego (batismalmente simbólica; vol. I, p. 655) é contrastada com a permanência dos pecados dos fariseus (9,41). É importante o fato que os

Padres da Igreja dos primeiros três séculos entendessem Jo 20,23 em referência ao perdão de pecados; ver também a fórmula do credo "um só batismo para o perdão de pecados". A falha desses escritores antigos em relacionar o versículo com o problema dos pecados cometidos depois do batismo é ainda mais importante porque a questão se os pecados poderiam ou não ser perdoados foi intensamente discutida naquele período (T. WORDEN, *"The Remission of Sins"*, Scripture 9 [1957], 65-67).

Não obstante, duvidamos se há em João evidência suficiente para dizer que o evangelista pretendesse referir-se exclusivamente ao poder de admitir ou não admitir pretendentes ao batismo. No contexto imediato, a única coisa que é remotamente evocativa do batismo é a ideia de que a doação do Espírito aos discípulos é de certa forma seu batismo. Em vez de tentar interpretar o v. 23 à luz dos paralelos nos relatos dos outros evangelhos e de tênues relações com o simbolismo batismal secundário, vejamos o que resulta se o interpretarmos à luz do contexto imediato e dos temas maiores da teologia joanina.

O v. 23 deve relacionar-se com o v. 21. Os discípulos podem perdoar e imputar os pecados dos homens porque o Jesus ressurreto agora os envia como o Pai o enviou. Assim, o perdão e retenção de pecados seriam interpretados à luz da própria ação de Jesus para com o pecado. Em 9,39-41, Jesus diz que veio ao mundo para juízo: para que alguns vejam e causar cegueira em outros. A cegueira deliberada significa permanecer no pecado; e, implicitamente, a indisposição de ver resulta em ser entregue ao pecado. Jo 3,17-21 descreve uma separação daqueles cujas vidas são dominadas pelo bem e daqueles que levam uma vida dominada pelo mal, e este processo discriminatório se relaciona com o propósito para o qual Deus *enviou* o Filho ao mundo. E assim, se os discípulos são enviados também como o Filho foi enviado, eles continuariam o juízo discriminatório entre o bem e o mal. Já mencionamos que 20,21 é um eco de 17,18 que também trata dos discípulos como enviados ao mundo, e o contexto desta última passagem mostra que a presença dos discípulos provoca o ódio de alguns ("o mundo", 17,14), mas leva outros a crer (17,20). Vemos, pois, que a escatologia realizada e o dualismo joaninos oferecem o pano de fundo para a compreensão do perdão e a imputação do pecado em 20,23. Os discípulos, quer pela ação quer pela palavra, levam os homens a julgarem a si mesmos: alguns vêm para a luz e recebem perdão; outros se afastam e se endurecem em seus pecados.

O v. 23 deve relacionar-se com o v. 22. Os discípulos podem perdoar e reter os pecados dos homens porque Jesus já soprou sobre eles o Espírito Santo. Em seu ministério, Jesus perdoou pecados, mas como este poder continua a operar depois de sua partida? Uma resposta cristã se encontra em 1Jo 2,1-2: Jesus Cristo, nosso intercessor junto ao Pai, "é uma expiação para nossos pecados, e não só por nossos pecados, mas também pelos do mundo inteiro". Entretanto, o evangelho se ocupa mais com a aplicação do perdão sobre a terra, e isto é efetuado em e através do Espírito que Jesus enviou. Se evocarmos as passagens joaninas do Paráclето, então a doação do Paráclето/Espírito reforça a ideia de que os discípulos são o órgão do juízo discriminatório sobre o mundo (ver BEARE, p. 98). Operando através dos discípulos, o Paráclето, como Jesus antes dele, divide os homens em dois grupos: os que creem e podem reconhecê-lo e recebê-lo, e o mundo que não o reconhece nem o vê e que será condenado (14,17; 16,8). Se voltarmos das passagens do Paráclето para ideias joaninas mais gerais sobre o Espírito, então podemos relacionar o perdão de pecados com o derramamento escatológico do Espírito que purifica homens e os gera para uma nova vida (ver comentário sobre 1,33 e 3,5). Em 20,22, o simbolismo primário da doação do Espírito se ocupa da nova criação, uma criação que expurga o mal, pois o Espírito *Santo* consagra homens e lhes outorga, o poder de santificar a outros. Em um artigo importantíssimo, J. SCHMITT demonstrou como Jo 20,22-23 (a justaposição do dom do Espírito e o perdão de pecados) pode relacionar-se com a ideia de Qumran de que Deus derramou seu santo espírito sobre todo aquele que é admitido na comunidade: "Ele será purificado de todos os pecados pelo espírito de santidade" (1QS 3,7-8). Esta purificação escatológica inicial dos pecados, confirmada e evidenciada pelas águas da purificação de Qumran, não exclui a necessidade do perdão contínuo na vida da comunidade. O supervisor ($m^{e}baqq\bar{e}r$ – etimologicamente o equivalente do *episkopos* ou bispo cristão) de CD 13,9-10 deve apiedar-se dos que vivem sob seu cuidado assim como o pai se apieda de seus filhos, e a ele cabe trazer de volta a todos quantos se extraviaram: "Ele soltará todas as amarras que os prendem para que nenhum seja oprimido ou quebrantado em sua congregação". A. DUPONT-SOMMER, *The Essene Writings from Qumran* (Cleveland: Meridian, 1962), p. 157[4], pensa que esta é uma referência às ataduras do pecado, e que o supervisor está recebendo a ordem de soltar essas amarras a fim de que todos os membros da congregação, anteriormente oprimidos por Belial e oprimidos por sua consciência de pecado, conheçam a liberdade e a alegria espiritual. E. COTHENET, em *Les Textes de Qumran*, ed. Por J. CARMIGNAC (Paris: Letouzey, 1963), II, 201, nega que na passagem de Qumran esteja envolvida a absolvição. Ao contrário, o supervisor, pelo exercício paternal da autoridade e ao estabelecer um clima de justiça e fraternidade, permite que os membros recebam o perdão de Deus. Se interpretarmos Jo 20,22-23 à luz deste pano de fundo de Qumran, podemos ver como o poder de perdoar pecados, relacionado com o derramamento do Espírito criador, pode envolver, respectivamente, um perdão inicial mediante a admissão ao batismo e o exercício contínuo do perdão dentro dos laços da vida da comunidade cristã. Assim, nos juntamos a HOSKYNS, BARRETT e DODD (*Tradition*, p. 348[2]) em não achar razão convincente para limitar o perdão para os pecados cometidos antes do batismo. Se Jesus é "aquele a quem Deus enviou" e "verdadeiramente ilimitado é seu dom do Espírito" (3,34), então, presumivelmente, o mesmo caráter ilimitado marca o dom do Espírito por parte daqueles a quem Jesus enviou. GRASS, pp. 67-68, está certo em insistir que aqui João não visualiza uma situação meramente missionária, mas, ao contrário, uma comunidade eclesiástica estabelecida. Essa comunidade necessitaria do perdão não só no momento da admissão, mas também depois dela.

O versículo 23 deve relacionar-se com o que segue em Jo 20, especialmente com 20,29. O relato de Tomé oferece uma transição dos discípulos como testemunhas oculares aos muitos cristãos que creem sem ter visto. Assim como o Espírito Santo, soprado por Jesus sobre os discípulos, por sua vez é dado a todos os crentes através do batismo. Este papel do perdão na vida dos cristãos de uma etapa posterior é atestado em 1Jo 1,7-9, onde o autor informa aos seus companheiros de comunidade que, quando sinceramente reconhecem que continuam pecando, "Ele perdoa os nossos pecados e nos purifica de toda a injustiça" (ver também 2,12). Ora, obviamente isto se refere ao perdão direto dos pecados concedido por Deus; mas a possibilidade de que os cristãos exerçam um papel no perdão dos pecados de algum outro membro, ao menos por meio da oração, é visto em 1Jo 5,16-17, onde há encorajamento à oração pelo perdão de pecados que não são para a morte, porém não por pecados que são para a morte. Poderíamos indagar se alguns dentro da comunidade joanina foram revestidos com poder sobre o pecado (ver GRASS, p. 68), porém é difícil estar certo disto.

Em suma, duvidamos que haja evidência suficiente para limitar o poder de perdoar e reter pecados, concedido em Jo 20,23, a um exercício específico de poder na comunidade cristã, seja isso a admissão ao batismo ou seja o perdão através do sacramento da penitência. Estas são apenas manifestações parciais de um poder muito maior, a saber, o poder de isolar, repelir e anular o mal e o pecado, um poder dado pelo Pai a Jesus em sua missão e, por sua vez, dado por Jesus, através do Espírito, àqueles a quem ele comissiona. É um poder efetivo, não meramente declaratório, contra o pecado, um poder que afeta os novos e antigos seguidores de Cristo, um poder que desafia os que se recusam a crer. João não nos informa como ou por quem este poder era exercido na comunidade para a qual escreveu, mas o próprio fato de ele mencioná-lo mostra que o mesmo era exercido. (Na comunidade de Mateus, o poder sobre o pecado, expresso na frase atar/desatar, teria sido exercido nas decisões formais sobre o que era pecaminoso e/ou em excomunhão). No curso do tempo, este poder tem tido muitas diferentes manifestações, como as várias comunidades cristãs especificavam legitimamente tanto a maneira como os responsáveis pelo seu exercício. Talvez o silêncio de João em especificar pudesse servir como uma orientação: exegeticamente, pode-se evocar Jo 20,23 para assegurar que o poder de perdão foi outorgado; porém não se pode evocar este texto como prova de que o modo como uma comunidade particular exerce este poder não esteja de acordo com a Escritura.

Tomé passa de incrédulo a crente (20,24-27)

Como indicado no esboço (p. 1435 acima), os vs. 24-25 formam a transição entre os dois episódios da segunda cena: o v. 24 se relaciona com o primeiro episódio, o qual explica a ausência de Tomé; o v. 25 prepara para o segundo episódio, o qual explica a recusa de Tomé de crer a menos que examine fisicamente o corpo de Jesus.

Os outros discípulos têm visto e têm crido no Senhor ressurreto, mas Tomé não aceita a palavra deles. Sua obstinação é reminiscente de sua atitude no relato de Lázaro (11,14-16): depois de informar os discípulos sobre a morte de Lázaro, Jesus diz: "Eu estou feliz, por amor de vós, de que eu não estivesse lá, para que acrediteis"; todavia, Tomé não se impressiona um mínimo sequer pela manifestação de Jesus de conhecimento à distância. Ele concorda em subir com Jesus para a Judeia, mas insiste que estão subindo para enfrentarem a morte.

Ao exigir que se lhe deixe examinar o corpo de Jesus com o dedo e a mão, Tomé pede mais do que se ofereceu aos outros discípulos. Jesus lhes mostrou suas mãos e lado (20), e se alegraram à vista do Senhor. Tomé, porém, quer ver e sentir. Literalmente, ele diz: "Se eu não vir... e não puser meu dedo... não crerei" (25). Podemos dizer que o autor joanino reprova a exigência de Tomé, pois ele formula o v. 25 quase nos mesmos termos usados para a atitude que Jesus condenou em 4,48: "Se não virdes sinais e milagres, não crereis". Wenz, *art. cit.*, argumentou que nada há de repreensível no pedido de Tomé de examinar as feridas de Jesus com sua mão, pois de fato o evangelista pensava que o corpo de Jesus era tangível. Entretanto, enquanto o evangelista também pensava que os milagres de Jesus eram visíveis, achou repreensível uma atenção exclusiva na comprovação do miraculoso (2,23-25). Duas diferentes atitudes para com a aparição de Jesus são representadas pelos discípulos e por Tomé. Quando veem Jesus, os discípulos são levados a confessá-lo como Senhor (v. 25); mas Tomé está interessado em examinar o miraculoso como tal.

E assim parece que Tomé tem de ser repreendido por duas razões: por se recusar a aceitar a palavra dos outros discípulos e por insistir em comprovar o aspecto maravilhoso ou miraculoso da aparição de Jesus.

Estudiosos como B. Weiss, Lagrange e Wendt pensam que foi pelo primeiro motivo que Jesus o acusou de ser incrédulo. Entretanto, as palavras de Jesus no v. 27 desafiam a Tomé somente em razão do segundo. Como também no caso do oficial régio a quem é dirigido 4,48, Tomé, a despeito de suas tendências, é passível de deixar-se levar à fé efetiva; os vs. 26-28 descrevem seu avanço efetivo na fé. Quando Jesus aparece e oferece um tanto sarcasticamente a Tomé a crassa demonstração do miraculoso que ele exigia, então Tomé passa a crer sem a necessidade de comprovar as feridas de Jesus. Certamente, essa é a implicação óbvia do relato de João; pois o evangelista não teria considerado adequada a fé de Tomé se o discípulo tivesse aceitado o convite de Jesus e jamais teria posto nos lábios de Tomé a tremenda confissão de fé do v. 28. Nas palavras do v. 27, Tomé não persistiu em sua incredulidade, mas se tornou crente, candidato qualificado a ser incluso entre os outros que viram e creram (29a). Enquanto o evangelista se satisfez em deixar claro que o corpo de Jesus *podia* ser tocado, a geração posterior de autores cristãos perderam de vista a sutileza da distinção que João faz entre os que eram bons e os que eram maus ao verem o miraculoso. Consequentemente, ali se desenvolveu uma tradição de que Tomé ou os discípulos realmente tocaram Jesus. INÁCIO, *Smyrnaeans* 3,2, diz que Jesus veio para os que estavam com Pedro e os convidou a apalpá-lo e ver que ele não era um fantasma: "E imediatamente eles o tocaram e creram". Na *Epistula Apostolorum*, 11-12, do 2º século, diz que Pedro tocou as marcas do prego nas mãos, que Tomé tocou a ferida causada pela lança no lado e que André olhou para as pegadas que Jesus deixou. Incidentalmente, podemos observar que não há base real para essa interpretação errônea de João nas palavras de 1Jo 1,1 que falam de "o que contemplamos e sentimos com nossas próprias mãos". Ali, a referência é à realidade da vida eterna encarnada ou o que o Prólogo do evangelho denominaria a Palavra se fez carne; a passagem nada tem a ver com tocar o Jesus ressurreto.

Se a intenção dele era ou não fazer isso, o evangelista nos deu nos quatro episódios do cap. 20 quatro exemplos ligeiramente distintos de fé no Jesus ressurreto. O Discípulo Amado creu depois de ter visto os lençóis fúnebres, porém sem ter visto o próprio Jesus. Madalena vê Jesus, porém não o reconhece até que ele a chame pelo nome. Os discípulos o viram e creram. Tomé também o vê e crê, porém só depois de ter insistido teimosamente sobre o aspecto maravilhoso da aparição. Esses quatro são exemplos dos que viram e creram; o evangelista encerrará o evangelho em 29b, voltando sua atenção para os que creram sem ter visto.

A confissão de fé de Tomé (2,28)

Quando, finalmente, ele crê, Tomé dá voz à sua fé na confissão definitiva: "Senhor Meu e Deus meu". O Jesus que apareceu a Tomé é o Jesus que foi exaltado na crucifixão, ressurreição e ascensão a seu Pai e recebeu do Pai a glória que tivera com Ele antes que o mundo viesse à existência (17,5); e agora Tomé possui a fé para reconhecer isso. Tomé penetrou para além do aspecto miraculoso da aparição e viu o que a ressurreição-ascensão revela sobre Jesus. A resposta de Jesus no v. 29a aceita como válida a compreensão que Tomé teve do que aconteceu: "Tu tens crido".

A combinação dos títulos "Senhor" e "Deus" aparece na literatura religiosa pagã e é representada no *"Dominus et Deus noster"* pretendido pelo Imperador Domiciano (81-96 d.C.; ver Suetônio, *Domiciano*, 13), que, provavelmente, fosse o imperador reinante quando o evangelho estava sendo escrito e contra cujas pretensões o Livro do Apocalipse foi dirigido. Não obstante, há concordância entre os estudiosos de que a fonte de João para os títulos é bíblica, combinando os termos usados pela LXX para traduzir YHWH (= *kyrios*) e Elohim (= *theos*). Realmente na LXX a tradução usual da combinação *YHWH Elohāy* é "Senhor, meu Deus" (*Kyrie, ho theos mou* – Bultmann, p. 538[8]); o mais próximo que conseguimos assemelhar à fórmula joanina é o Sl 35,23: "Meu Deus e meu Senhor".

Este, pois, é o supremo pronunciamento cristológico do Quarto Evangelho. No cap. 1, os primeiros discípulos deram muitos títulos a Jesus (vol. 1, p. 265), e temos ouvido ainda outros ao longo do ministério: Rabi, Messias, Profeta, Rei de Israel, Filho de Deus. Nas aparições pós-ressurreição, Jesus foi saudado por Madalena e pelos discípulos em grupo como o Senhor. Mas é Tomé que deixa claro que alguém pode dirigir-se a Jesus com a mesma linguagem que Israel se dirigia a Iahweh. Agora se cumpriu a vontade do Pai "... que todos os homens honrem o Filho justamente como honram o Pai" (Jo 5,23). O que Jesus predisse se concretizou: "Quanto levantardes o Filho do Homem, então compreendereis que EU SOU" (8,28). Todavia, notamos que é *em uma confissão de fé* que Jesus é honrado como Deus. Temos insistido (vol. 1, p. 199) que o uso que o NT faz de "Deus" para Jesus ainda não é realmente uma formulação dogmática, mas aparece num contexto litúrgico ou cúltico. É uma resposta de louvor ao Deus que tem se revelado em Jesus. Assim, o "Senhor meu e Deus meu" de Tomé é estreitamente paralelo a "A Palavra era Deus" no verso inicial do hino que foi prefixado ao Quarto Evangelho. Se Barrett está certo em pensar que a aparição de Jesus em 20,19ss. evoca uma liturgia cristã primitiva (ver nota sobre "aquele, o primeiro dia da semana" no v. 19), Tomé pronuncia uma doxologia em nome da comunidade cristã. Encontramos um reflexo dessa aclamação da comunidade na cena descrita pelo autor do Ap 4,11, quando os anciãos se curvam diante do trono de Deus entoando: "Digno és tu, *nosso Senhor e Deus*, de receber glória e honra e poder". No Apocalipse, a aclamação é feita ao Pai; em João, ela é feita ao Filho; mas o Pai e o Filho são um (Jo 10,30).

Não surpreende que a confissão de Tomé constitua as palavras finais ditas por um discípulo no Quarto Evangelho (como foi originalmente concebida, antes da adição do cap. 21) – nada mais profundo se poderia dizer sobre Jesus.

Tendo tratado Tomé, no v. 28, como porta-voz da fé da comunidade cristã em resposta ao querigma proclamado no evangelho, agora nos encontramos numa posição para entender o aspecto pactual de sua confissão. Como salientamos (pp. 1494-95 acima), 20,17 prometeu que, após a ascensão de Jesus, Deus viria a ser *um Pai para os discípulos* que fossem gerados pelo Espírito, e também, de uma maneira especial, viria a ser *o Deus de um povo* aderido a ele por uma nova aliança. As palavras que Tomé fala a Jesus constituem a voz deste povo ratificando a aliança que o Pai fez em Jesus. Como Os 2,25(23) prometeu, o povo que outrora não era povo, agora diz: "Tu és o meu Deus". Esta confissão tem sido combinada com a profissão batismal "Jesus é Senhor", uma profissão que só pode ser feita quando o Espírito for derramado (1Cor 12,3).

A bem-aventurança dos que não têm visto, mas têm crido (2,29)

O tema de uma nova aliança pode conduzir-nos à discussão das últimas palavras de Jesus no evangelho. A aliança básica do AT se estabeleceu no Sinai com o povo que Moisés tirara do Egito. Como aquela aliança incluiu as gerações sucessivas de Israel que não testemunharam o evento do Sinai? Segundo a Midrash Tanhuma (uma obra homilética tardia, citada em StB, II, 586), Rabi Simeon ben Lakish (c. de 250 d.C.) fez a seguinte observação: "O prosélito é mais querido de Deus do que todos os israelitas que estiveram junto ao Sinai. Pois se aquelas pessoas não tivessem testemunhado o trovão, as chamas, o relâmpago, a montanha tremente e os sons de trombeta, não teriam aceitado a lei de Deus. Todavia, o prosélito que não viu nenhuma dessas coisas vem e se rende a Deus e aceita a lei de Deus. Acaso pode haver alguém que seja mais querido que este homem?" Assim também o Jesus joanino agora elogia a maioria do povo da nova aliança que, muito embora não o tenha visto, através do Espírito o proclama como Senhor e Deus. Ele assegura a estes seguidores de todos os tempos e lugares que ele prevê sua situação e os tem em conta como participantes do júbilo proclamado por sua ressurreição.

No v. 29, a afirmação vem apropriadamente no final do evangelho. Somente quando ele tiver relatado o que foi visto pelos discípulos (especialmente pelo Discípulo Amado), o autor se volverá para uma era quando Jesus não mais puder ser visto, mas puder ser ouvido. Até este ponto da narrativa do evangelho, só foi possível um tipo de fé genuína, uma fé cuja origem se deu na presença visível de Jesus; mas, com a inauguração da presença invisível de Jesus no Espírito, emerge um tipo de fé autêntica. O importante, como ambas as partes do v. 29 atestam, é que alguém deve crer, não importa se essa fé vem ou não do ver. Em todo o evangelho, e mais particularmente no último discurso, no qual o evangelista estivera descrevendo o cenário da Palestina do 1º século, ele mantinha em mente um auditório assentado no escuro teatro do futuro, vendo silenciosamente o que Jesus estava dizendo e fazendo. De conformidade com as limitações e lógica do drama no palco imposto pela forma do evangelho, o Jesus joanino só pôde falar àquele auditório indiretamente através dos discípulos que partilharam do palco e deram voz aos sentimentos e reações que foram partilhados também pelo auditório. Agora, porém, como a cortina do drama no palco está prestes a cair, as luzes no teatro de repente voltam a acender. Jesus volve sua atenção dos discípulos no palco para o auditório que se tornou visível e esclarece que sua preocupação última é posta neles – os que chegam a crer nele através da palavra de seus discípulos (17,20). Uns poucos versículos antes (20,21), ouvimos da missão dos discípulos; agora os que são o fruto dessa missão são postos no palco.

Então, as duas partes do versículo 29 formam um contraste entre duas situações: a situação de ver Jesus, e a de não ver Jesus. (Note que, a despeito da suposição de alguns comentaristas, neste versículo não se traça nenhum contraste entre ver e tocar, ou entre ver com tocar e ver). Neste contraste, Tomé já não é aquele que duvida do v. 25, mas o crente do v. 28; como os discípulos seus companheiros, ele é um que viu e creu e, portanto, é um dos bem-aventurados com a alegria da ressurreição. Embora o v. 29a não tenha uma bem-aventurança formal e não chama "felizes" aqueles que veem e creem, sua alegria é pressuposta do v. 20. São aqueles para quem Jesus voltou após a morte para *ver* outra vez, trazendo uma alegria que ninguém lhes pode tirar (16,22). E assim interpretamos o contraste no v. 29 como existindo entre dois tipos de bem-aventurança, não entre bem-aventurança (29b) e um estado inferior (29a). Tudo o que há da adversativa no v. 29b é com o intuito de contradizer a ideia de que somente as testemunhas oculares, ou, de uma maneira marcantemente mais elevada, possuíam a alegria e as bênçãos do Jesus ressurreto. O evangelista deseja enfatizar que, a despeito do que se pode imaginar, os que não veem são iguais, na estima de Deus, aos que viram e até mesmo são, de certo modo, mais nobres. (Lucas parece ter uma ênfase similar na cena de Emaús: os dois discípulos veem Jesus, porém só o reconhecem no partí do pão – a comunidade de Lucas tem uma oportunidade similar de reconhecer a presença do Jesus ressurreto no partir do pão [24,30-31.35]). Se alguém indaga pela situação existencial de sua comunidade que levou o quarto evangelista a enfatizar isto, podemos bem imaginar que foi uma forma mais branda da mesma dificuldade refletida no cap. 21, a saber, a morte das testemunhas oculares e o desaparecimento da geração apostólica. (Para a estima joanina pelas testemunhas oculares, ver 1Jo 1,1-3). Quão lastimável seja este momento, o evangelista poderia estar dizendo a seus leitores: este não é um momento em que a certeza da presença contínua do Jesus ressurreto está perdida, pois Deus já abençoou aqueles que não viram, assim como Ele abençoou os que viram. DODD, *Tradition*, pp. 354-55, sugere que o macarismo ou bem-aventurança de João, em 29b, é uma reelaboração de uma bem-aventurança mais antiga refletida na tradição sinótica: "Felizes são os olhos que veem o que vedes" (Lc 10,23; Mt 13,16). A forma sinótica teria sido apropriada durante o ministério, quando Jesus proclamava a presença escatológica do reino; a forma de João representaria uma adaptação da proclamação da benção escatológica à sua situação da Igreja pós-ressurreição. Vemos a última situação em 1Pd 1,8, uma afirmação que lembra bem de perto Jo 20,29b em pensamento e expressão: "não o havendo visto, amais; no qual, não o vendo agora, mas crendo, vos alegrais com gozo inefável e glorioso".

Temos enfatizado nossa compreensão do v. 29 como um contraste entre ver e não-ver (assim também PRETE, ERDOZÁIN, WENZ) precisamente como uma rejeição da tentativa de encontrar neste versículo um contraste entre ver e crer. Ambos os grupos, no v. 29, realmente creem; e não encontramos respaldo para a tese de BULTMANN (p. 539) de que a fé expressa em 29a, a despeito do fato de que ela deu expressão na confissão "Senhor meu e Deus meu", não é fidedigna, porque ver é percepção sensível e, assim, radicalmente oposta à fé. Este é outro exemplo da tese de BULTMANN de que João apresentou as aparições do

Jesus ressurreto apenas para mostrar sua insignificância. (BULTMANN não crê que as aparições realmente ocorreram; são quadros simbólicos em que o Pai é trazido para junto dos seus). Nesta abordagem, as aparições de Jesus são como seus sinais, concessões à fraqueza dos homens; a palavra de Jesus deveria ser suficiente, e na verdadeira fé não há como recorrer a sinais. Em nosso juízo, este tipo de exegese sobre João reflete a teologia pessoal de BULTMANN, e não o pensamento do evangelista. Em João não há dicotomia entre sinal e palavra; ambas são revelatórias e palavra ajuda a interpretar sinal. No vol. 1, Apêndice III, salientamos que a atitude joanina para com o valor dos sinais e sua relação com a fé é complexa. Há duas diferentes reações em ver sinais e ambas são descritas como fé. Um tipo de fé é insuficiente, pois o "crente" se impressiona superficialmente pelo maravilhoso. Com respeito às aparições do Jesus ressurreto, Tomé representou esta atitude no v. 25 – ele creria se pudesse ver provas tangíveis do milagre envolvido. O outro tipo de fé é adequada, pois ele vê uma realidade celestial por detrás do miraculoso, a saber, o que Jesus revela sobre Deus e ele mesmo. No v. 28, Tomé foi levado a este estágio de fé. Este segundo tipo de fé não descarta o sinal ou a aparição do Jesus ressurreto, pois o uso do visível é uma condição indispensável da Palavra vir a ser carne. Enquanto Jesus permaneceu entre os homens, havia que chegar à fé através do visível. Agora, no final do evangelho, outra atitude se torna possível e necessária. Esta é a era do Espírito ou a presença invisível de Jesus (14,17), e a era de sinais e aparições já passou. A transição de 29a para 29b não é meramente que uma era precede a outra, mas que uma leva à outra. "Senão se chega a ser porque Tomé e outros apóstolos viam o Cristo encarnado, nunca haveria existido a fé cristã" (BARRETT, p. 477). Ou, como o próprio evangelista o formula em 20,30-31, ele narrou os sinais para que os demais viessem a crer – certamente, isto não constitui uma rejeição do valor dos sinais para a fé.

Entre parênteses, podemos mencionar o estranho eco desta passagem joanina na obra gnóstica ou semi-gnóstica do 2º século (?) de CHENOBOSKION (ver vol. 1, p. 45s), *The Apocryphal Letter of James*: "Tendes visto o Filho do Homem e tendes falado com ele e o tendes ouvido. Ai dos que (só) têm visto o Filho do Homem. Felizes [*makarios*] serão os que não viram o homem, não tiveram contato com ele, não falaram com ele, e não ouviram nada da parte dele" (3,13-24). "Felizes serão aqueles que chegarem a me conhecer. Ai dos que ouviram e não creram. Felizes serão os que não viram, porém [creram]" (12,38-13-1).

É oportuno que as últimas palavras no evangelho joanino original sejam precisamente umas palavras de Jesus – do que não se diz que desapareça de entre os seus. (Aqui João difere da tradição encontrada nos outros relatos evangélicos das aparições em Jerusalém: Lc 24,51; At 1,9; e o Apêndice Marcano 16,19 mencionam explicitamente a partida de Jesus). Para João, Jesus *permanece presente* no Paráclcto/Espírito que estará com os discípulos para sempre (Jo 16,19). Suas últimas palavras ostentam o caráter próprio da Palavra atemporal que falou antes que o mundo fosse criado.

BIBLIOGRAFIA
(20,1-29)

(Em referência ao Espírito em 20,22, ver também a Bibliografia para Ap. V).

AUER, E. G. *Die Urkunde der Auferstehung Jesu* (Wuppertal: Brockhaus, 1959). Estudo de 20,5-7.

BALAGUÉ, M., *"La prueba de la resurrección (Jn 20, 6-7)"*, EstBib 25 (1966), 169-92.

BEARE, F. W., *"The Risen Jesus Bestows the Spirit: A Study of John 20:19-23"*, Canadian Journal of Theology 4 (1958), 95-100.

BENOIT, P. *"Marie-Madeleine et les Disciples au Tombeau selon Joh 20, 1-18"*, in *Judentum, Urchristentum, Kirche* (J. Jeremias Festschrift; Berlin: Töpelmann, 1960), pp. 141-52.

_____ *The Passion and Resurrection of Jesus Christ* (Nova York: Herder & Herder, 1969), pp. 231-87.

BOISMARD, M.-E., *"Saint Luc et la rédaction du Quatrième Évangile"*, RB 69 (1962), 200-3 sobre 20,24-31.

CASSIEN (Serge Besobrasoff), *"La Pentecôte Johannique"*, Études Théologiques et Religieuses 13 (1938), 151-76, 254-77, 327-43; 14 (1939), 32-62, 98-106.

CATHARINET, F.-M., *"Note sur un verset de l'évangile de Jean (20, 17)"*, in *Mémorial J. Chaine* (Lyon, 1950), pp. 51-59.

DODD, C. H., *"Some Johannine 'Herrnworte' with Parallels in the Syoniptic Gospels"*, NTS 2 (1955-56), 85-86. Estudo de 20,23, reimpresso em *Tradition*, pp. 347-49.

_____ *"The Appearances of the Risen Christ: An Essay in Form-Criticism of the Gospels"*, in *Studies in the Gospel* (R. H. Lightfoot Volume; Oxford: Blackwell, 1957), pp. 9-35.

ERDOZÁIN, L., *La función del signo en la fe según el cuarto evangelio* (Analecta biblica 30; Roma: Pontifical Biblical Institute, 1968), especialmente 36-48 sobre 20,24-29.

FEUILLET, A., *"La recherche du Christ dans la Nouvelle Alliance d'après la Christophanie de Jo 20, 11-18"*, in *L'homme devant Dieu* (Mélanges H. de Lubac; Paris: Aubier, 1963), I, 93-112.

GRASS, H., *Ostergeschehen und Osterberichte* (3rd ed.; Göttingen: Vandenhoeck, 1964), especialmente pp. 51-73.

GRUNDMANN, W., *"Zur Rede Jesu vom Vater im Johannesevangelium"*, ZNW 52 (1961), 213-30. Estudo sobre 20,17.

HARTMANN, G., *"Die Vortage der Osterberichte in Joh 20"*, ZNW 55 (1964), 197-220.

KASTNER, K., *"Noli me tangere"*, BZ 23 (1915), 344-53.

LAVERGNE, C., *"Le sudarium et la position des linges après la resurrection"*, parte de um artigo publicado em *Sindon* 3, nos. 5/6 (1961), 1-58.

LEANEY, A. R. C., *"The Resurrection Narratives in Luke (xxiv. 12-53)"*, NTS 2 (1955-56), 110-14. Uma comparação com Jo 20.

LINDARS, B., *"The Composition of John xx"*, NTS 7 (1960-61), 142-47.

MICHEL, O., *"Ein johanneischer Osterbericht"*, in *Studien zum Neuen Testament und zur Patristik* (E. Klostermann Festschrift; Texte und Untersuchungen 77; Berlin: Akademie Verlag, 1961), pp. 35-42.

MIGUENS, M., *"Nota exegética a Juan 20, 17"*, *Studii Biblicai Franciscani Liber Annus* 7 (1956-57), 221-31.

NAUCK, W., *"Die Bedeutung des leeren Grabes für den Glauben an den Auferstandenen"*, ZNW 47 (1956), 243-67.

NEIRYNCK, F., *"Les femmes au Tombeau: Étude de la rédaction Mathéenne"*, NTS 15 (1968-57), 221-31.

PRETE, B., *"'Beati coloro che non vedono e credono' (Giov. 20, 29)"*, BibOr 9 (1967), 97-114.

SCHMITT, J., *"Simples remarques sur Le fragment Jo., xx, 22-23"*, in Mélarges en *l'honner de Monseigneur Michel Andrieu* (Strasbourg University, 1956), pp. 415-23.

SCHOLTE, F. E., *"An Investigation and an Interpretation of John 20:22"*, (Dallas Thological Seminary Dissertation, 1953).

SCHWANK, B., *"Das leere Grab (20, 1-18)"*, SeinSend 29 (1964), 388-400.

_____ *"'Selig, die nicht sehen und doch glauben' (20, 19-31)"*, SinSen 29 (1964), 435-50.

_____ *"Die Ostererscheinungen des Johannesevangeliums und die Postmortem-Erscheinungen der Parapsychologie"*, Erbe und Auftrag 44 (1968), 36-53.

VON CAMPENHAUSEN, H., *"The Events of Easter and the Empty Tomb"*, in *Tradition and Life in the Church* (Filadélfia: Fortress, 1968), pp. 42-89.

WENZ, H., *"Sehen und Glauben bei Johannes"*, TZ 17 (1961), 17-25. Estudo sobre 20,29.

WILLIAM, F. M., *"Johannes am Grabe des Auferstandenen (Jo 20, 2-10)"*, ZKT 71 (1949), 204-13.

O LIVRO DA GLÓRIA

Conclusão: Declaração do propósito do autor

(20,30-31)

70. DECLARAÇÃO DO PROPÓSITO DO AUTOR
(20,30-31)

20 ³⁰Na verdade, Jesus também realizou muitos outros sinais na presença de seus discípulos, sinais não registrados neste livro. ³¹Mas estes foram registrados para que tenhais fé que Jesus é o Messias, o Filho de Deus, e que através desta fé tenhais vida em seu nome.

NOTAS

20.30. *Na verdade*. Em João, *men oun* aparece só aqui e em 19,24. A expressão ocorre vinte e seis vezes em Atos e é citada por Boismard como um exemplo do estilo lucano, como parte de sua discussão de que a última parte de Jo 20 foi escrita por Lucas (p. 1486 acima). É difícil dar uma tradução exata destas partículas; Westcott, p. 297, parafraseia: "*Assim, pois*, como se podia esperar que qualquer leitor que haja seguido o curso de minha narrativa...".

muitos outros sinais. O uso de *kai* depois de *polla* para introduzir um segundo adjetivo é mais característico do estilo lucano e joanino (Lc 3,18; At 25,7).

na presença de. No evangelho, *Enōpion* ocorre somente aqui; *emprosthen* se encontra na passagem paralela em 12,37. *Enōpion* é comum em Lucas/Atos, mas é bem frequente também no Apocalipse (também 1Jo 3,22); pode representar a influência da LXX no NT.

seus discípulos. As testemunhas textuais em geral estão divididas sobre se se deve ou não ler "seus".

sinais não registrados. Literalmente, "escritos". A que outros "sinais" João se refere? Hoskyns, p. 549, sugere que ele tem em mente outras aparições pós-ressurreição. Bultmann pensa que esta afirmação em outro tempo fez parte da Fonte dos Sinais que ele coloca no evangelho (vol. 1, p. 12s) e que a implicação original era que o evangelista fizera uma seleção da fonte. Ele concorda com FAURE de que o contexto original do versículo vinha depois de 12,37: "Ainda que Jesus realizasse muitos de seus sinais perante eles, se recusaram a crer nele". (Talvez houvesse então certa distinção entre sinais realizados diante dos inimigos de Jesus, alguns dos quais João registrou, e sinais diante dos discípulos, a maior dos quais não foi registrada). A sugestão de DODD, *Tradition*, p. 216², é mais geral, de que João está se referindo a uma tradição primitiva mais ampla sobre o ministério de Jesus da qual ele extraiu; à pág. 429, DODD reconstrói as linhas gerais desta tradição. Em particular, poderíamos também pensar que, se o evangelista escolheu de um corpo maior de "sinal" (e outro?) material recorrente nos círculos joaninos, talvez parte do qual ele não incluísse no evangelho original foi a que o redator anexou depois (vol. 1, p. 22s, Quinto Estágio). Finalmente, LOISY e BARRETT estão entre os que pensam que no todo ou em parte a referência fosse a material sinótico.

31. *estes*. O plural neutro *tauta* pode referir-se a "sinais" ou, mais geralmente, a todas "as coisas" no evangelho. SCHWANK pensa que o último está implícito, mas o contraste entre sinais não registrados e sinais que foram registrados é igualmente óbvio para não se levar em conta.

para que tenhais fé. Ambas, as testemunhas textuais e as edições críticas do NT grego estão divididas entre um subjuntivo aoristo (assim Bezae, Alexandrinus e a tradição bizantina; VON SODEN, VOGELS, American Bible Society Greek NT) ou um subjuntivo presente (assim Vaticanus, Sinaiticus*, provavelmente P^{66}; WESTCOTT, BOVER, NESTLE, MERK, TASKER NEB, ALAND Synopsis). Alguns contendem que o presente tem sido traduzido à moda de conformidade com o subjuntivo presente na segunda parte da sentença ("tenhais vida"); todavia, o presente aparece como a redação mais bem atestada em uma afirmação similar em 19,35. Além do mais, RIESENFELD, ST 19 (1965), 213-20, argumenta que o uso normal nas cláusulas *hina* joaninas de propósito é o tempo presente. Visto que aqui o presente significaria "continuar crendo", implicaria que os leitores do evangelho já são cristãos crentes. RIESENFELD pensa que João não está tratando primariamente de uma situação missionária, mas sua intenção é assegurar a perseverança; e cita como paralelo 1Jo 5,13: "Estas coisas vos escrevi, a vós os que credes no nome do Filho de Deus, para que saibais que tendes a vida eterna, e para que creiais no nome do Filho de Deus". O aoristo poderia ser traduzido "para virdes à fé", implicando que os leitores ainda não são cristãos; todavia, o aoristo é também usado no sentido de alguém ter sua fé corroborada (Jo 13,15).

Jesus é o Messias, o Filho de Deus. Em 11,27, Mt 16,16, 26,63 há uma justaposição similar. As variantes textuais incluem: "Jesus [Cristo] é o Filho de

Deus". É bem provável que não haja ênfase especial sobre "Jesus", como se o autor estivesse indicando que estes títulos não seriam dados a João Batista (vol. 1, p. 64).

que através desta fé tenhais vida em seu nome. Literalmente, "crendo". Um grande número de testemunhas trazem "vida eterna", mas é possível que isto recebesse a influência de 1Jo 5,13. Esta sequência de "crer" e "vida em [*en*] seu nome" não ocorre em outro lugar em João; e BERNARD, II, 686, mudaria isto para harmonizar-se com o tema em 1,12 e outros lugares que fé em (*eis*, não *en*, como aqui) o nome de Jesus dá vida a alguém. Todavia, uma variação similar da ideia modificada pela frase "em" ocorre em 3,15-16: "... para que todo o que nele crê tenha a vida eterna em [*en*] ele", e: "... para que todo o que crê em [*eis*] ele... tenha a vida eterna". "Em seu nome" pode modificar a esfera da salvação tanto quanto a esfera de crer, como vemos à luz de 17,11-12, "Guarda-os a salvo com o teu nome"; também At 10,43, "... perdão de pecados através de seu nome"; e 1Cor 6,11, "... lavados... santificados... justificados no nome do Senhor Jesus Cristo". Ao prometer vida no nome de Jesus, João está ecoando a ideia de 16,23: "Se pedirdes algo da parte do Pai, Ele vo-lo dará em meu nome".

COMENTÁRIO

O ar de finalidade que envolve esses dois versículos, justifica serem considerados uma conclusão, a despeito do fato de que, na presente forma do evangelho, segue todo um capítulo. Isto tem sido reconhecido até mesmo por alguns que não consideram o cap. 21 como um apêndice; por exemplo, LAGRANGE, p. 520, e L. VAGANAY, RB 45 (1936), 512-28, argumenta que, já que 20,30-31 constitui uma conclusão, estes versículos uma vez estiveram no final do cap. 21 (depois de 21,23, segundo LAGRANGE; depois de 21,24, segundo VAGANAY) e foram mudados para cá quando a extensa conclusão do cap. 21 foi anexada. Não há evidência textual que endosse esta tese. VAGANAY, p. 515, constrói um argumento com base no fato de que, embora TERTULIANO tivesse conhecimento do cap. 21, ele fala de 20,30-31 como a conclusão (*clausula*) do evangelho; mas isto não tem porque significar mais do que dizer que TERTULIANO antecipou à moderna crença de que o cap. 21 foi anexado depois que aparentemente o evangelho foi concluído. HOSKYNS, p. 550, é um dos poucos escritores críticos modernos que se recusa a interpretar 20,30-31 como uma conclusão. Ele se apoia no fato de que um versículo similar em 1Jo (5,13) não é o final da carta; mas algumas observações após a conclusão de uma carta, são mais fáceis de explicar do que um capítulo que segue uma explicação que o autor do evangelho deseja justificar porque ele não inclui outros materiais. Para as dificuldades literárias e históricas que são persuasivas do caráter secundário do cap. 21, ver pp. 1570-74 abaixo.

Se aceitarmos 20,30-31 como a conclusão da forma original do evangelho, notamos que entre os evangelhos somente João apresenta uma conclusão que avalia o que foi escrito e seu propósito. Que o fato de tal conclusão não foi casual, é indicado pela presença de uma conclusão similar em 21,24-25 e em 1Jo 5,13. Há bons paralelos na literatura secular (BULTMANN, p. 540[3]) e nos livros bíblicos deuteronômicos tardios. Após descrever a obra criativa e preservativa de Deus no universo, Siraque 43,28(27) tem uma conclusão para uma seção do livro: "Não carecemos adicionar mais que isto; que a última palavra seja: Ele é tudo em todos". Como em João, a conclusão registra que não foi dito tudo e implicitamente fornece o propósito para o que foi dito. O vocabulário de 1Mc 9,22 é um tanto mais próximo do vocabulário de João: "Ora, o resto dos feitos de Judas não foi registrado... pois foram muitos". Ao analisar as razões especiais por que João anexou o v. 30 como uma conclusão, há quem pense que o evangelista queria deixar bem claro que ele não está dando um relato historicamente completo ou biográfico; outros têm pensado que ele estava tentando proteger-se da crítica daqueles que conheciam a tradição sinótica. BULTMANN, porém, seguramente está certo em insistir que o propósito primário era chamar a atenção para as inexauríveis riquezas do que Jesus fizera (ver também 21,25). Em qualquer caso, não estamos certos da intenção do evangelista se fixarmos unicamente em sua afirmação de que ele não registrara tudo; a principal ênfase na conclusão está no propósito do que ele registrou. Em importância, o v. 30 é subordinado ao v. 31.

O que João tem em mente quando fala dos sinais que ele registrara? Esta é uma questão importante porque ela afeta a perspectiva de alguém sobre a compreensão joanina de "sinal". LAGRANGE e BULTMANN estão entre os que pensam que João se refere ao conteúdo total do evangelho, sinal e palavra. (Parte do propósito de BULTMANN em estender o significado para além de sinais é que ele não quer interpretar João no sentido em que sinais miraculosos podem levar pessoas à fé –

milagres são muletas para o enfermo, e é preciso crer na palavra de Jesus). Muito embora não creiamos que João tem em vista excluir deliberadamente palavra ou discurso, e embora concordemos que todo o evangelho teria o mesmo propósito como o enunciado pelos sinais, cremos que João menciona "sinais" só por causa do contexto em que esta conclusão aparece e não há porque mudar a afirmação, inclusive os discursos. Esta conclusão no final de O Livro da Glória pretende estabelecer um equilíbrio com a conclusão no final de O Livro dos Sinais (12,37 – ou, talvez, o processo equivalente estivesse na outra direção, se os caps. 11-12 foram uma adição tardia ao evangelho). Ali o autor se ocupava com o fato de que Jesus havia realizado tantos sinais diante de "os judeus", e, no entanto, se recusavam a crer nele. Aqui ele está se referindo aos sinais realizados diante de seus discípulos que levaram à fé em Jesus como o Messias, o Filho de Deus. K. H. RENGSTORF, TWNT, VII, 253-54, tentou argumentar que em 20,30-31 o evangelista está se referindo aos sinais realizados no cap. 20. Mas, por que então o evangelista poria esta conclusão aqui e fala de sinais realizados "na presença de seus discípulos"? A conclusão em 12,37 é muito mais apropriada do que 20,30-31 para servir como uma descrição de ambos, o auditório e o resultado dos sinais narrados na primeira metade do evangelho.

Em 20,30-31, é bem provável que João não tivesse em vista excluir os sinais descritos nos caps. 1-12 (especialmente um sinal tal como o primeiro milagre em Caná, o qual foi realizado diante de seus discípulos para que cressem nele [2,11]), mas tinha em vista também incluir as aparições aos discípulos em 20,1-28 que os levaram a confessar Jesus como Senhor. A similaridade entre 20,25 e 4,48 (p. 1531 acima) indica que João pensa nas aparições como sinais. Isso não se deve por ele considerá-los como reais), mas porque são miraculosos e são aptos a revelar a verdade celestial sobre Jesus. Em nosso juízo, é importante o fato de que são miraculosos; pois, a despeito de tantos estudiosos que argumentam ao contrário, realmente não há evidência de que João chama um sinal a tudo o que não é miraculoso ou, ao menos, extraordinário. Como milagres, as aparições apresentam o pseudo-crente com uma escolha, como dramatizado no relato de Tomé, a saber, a escolha de decidir pelo maravilhoso ou de penetrar além dele para ver o que ele revela. Os discípulos que viram o Jesus ressurreto, inclusive o Tomé de 20,28, escolhem o segundo curso: eles penetram além da surpreendente aparição para crer que Jesus é Senhor e Deus. João registrou estas aparições para que o leitor que crê sem ver o Jesus ressurreto também atinja este ponto supremo da fé. Depois de tudo, os discípulos mencionados no v. 30 foram comissionados no v. 21 para levar o desafio de crer aos que não eram testemunhas oculares. Assim, movendo os vs. 30-31 dos sinais operados diante dos discípulos para a fé do leitor, João está recorrendo à sequência de ideias que encontramos em 29a e 29b. Os sinais que Jesus realizou durante seu ministério revelaram de uma maneira antecipatória sua glória e seu poder de dar vida eterna. Os sinais do período pós-ressurreição revelam que a obra da "a hora" foi completada, que Jesus está glorificado e agora dá vida eterna. Ambos, os que viram estes sinais e os que leram sobre eles, devem crer a fim de receber esta vida.

Requer-se uma palavra de esclarecimento. Se cremos que o evangelista pensava nas aparições pós-ressurreição como sinais, não há evidência de que ele pensava na própria ressurreição como um sinal, ou que os principais eventos de O Livro da Glória, a paixão e a morte de Jesus, estavam no nível de sinais. Questionamos a afirmação de LIGHTFOOT, p. 336, "Sem dúvida, a crucifixão era para João o maior sinal de todos", e a de BARRETT, p. 65, "A morte e ressurreição são o supremo *sēmeion*". BARRETT se põe numa base muito mais sólida quando sustenta que a morte e ressurreição não são chamadas sinais porque não são meramente um sinal de algo distinto delas mesmas, mas são a coisa mesma que significam. Da nossa parte afirmamos que em "a hora" de seu retorno para seu Pai Jesus já não está apontando simbolicamente para sua glória, mas está realmente sendo glorificado. Ele já passou da esfera do sinal para a da verdade em sua paixão, morte, ressurreição e ascensão. No máximo, admitiríamos a possibilidade de que os incidentes na descrição deste retorno de Jesus para o Pai eram sinais; por exemplo, a possibilidade do surpreendente fluxo de sangue e água do lado do Jesus morto estava na mente de João como um sinal: é algo extraordinário, testemunhado por um discípulo, o qual era símbolo da doação do Espírito.

Na nota sobre "para que tenhais fé" no v. 31, mencionamos o problema sobre o auditório de leitores visualizados pelo escritor: os que já creem ou os que ainda não creem. Um problema um tanto similar é refletido na discussão dos dois títulos dados a Jesus: "o Messias, o Filho de Deus". Os que pensam no evangelho como primariamente um escrito missionário dirigido aos judeus não crentes costumam argumentar que aqui "Filho de Deus" é inteiramente sinônimo de "Messias", e que João está simplesmente tentando mostrar aos judeus que Jesus é o seu Messias prometido. Em contrapartida, os que mantêm que o evangelho é também ou mesmo dirigido primariamente aos gentios ou aos cristãos já crentes tendem dar um significado mais profundo a "Filho de Deus", tratando-o ou como um título separado de "Messias" ou como uma interpretação especial de "Messias". Em seu juízo, João está enfatizando não só que Jesus é o Messias (davídico) da expectativa judaica, mas também o Filho unigênito de Deus e, portanto, um Messias divino. (Parte da dificuldade nesta questão pode surgir precisamente de igualar Messias como Messias davídico, como tem sido tradicional; recentemente, MEEKS, *The Prophet-King*, tem convincentemente demonstrado que João reflete alguns aspectos da expectativa de um Moisés-Messias mais místico que em si tende mais facilmente para categorias "divinas").

O melhor caminho para solucionar esta questão é considerar a imagem total de Jesus no evangelho, e certamente o evangelista não ficou satisfeito em apresentar Jesus como o Messias em qualquer sentido minimalista. Se em 11,27 Marta confessou Jesus como "o Messias, o Filho de Deus" em que se pudesse aproximar-se de uma compreensão tipicamente judaica de messianidade, todo o propósito do subsequente milagre de Lázaro era mostrar que tal compreensão não era adequada, pois Jesus tinha poder divino para dar vida eterna. Por todo o evangelho, João exige não só a fé de que Jesus é o Messias predito pelos profetas (isto é, como os profetas foram compreendidos nos tempos do NT), mas também a fé de que Jesus saiu do Pai como Seu especial representante no mundo (11,42; 16,27.30; 17,8), que Jesus e o Pai partilham de uma presença especial entre si (14,11) e que Jesus porta o nome divino "EU SOU" (8,24; 13,19). Depois de apresentar Tomé reconhecendo Jesus como Senhor e Deus à modo de exemplo da suprema resposta à presença do Jesus ressurreto através do Espírito, o evangelista dificilmente poderia ter afirmado em 20,31 que escreveu seu evangelho para gerar fé em Jesus simplesmente como o Messias. (Entre parênteses, notamos que uma compreensão própria da unicidade de "Filho de Deus" no v. 31 anula o argumento de que o título "Deus" dado a Jesus no v. 28 não tem significação literal porque João escreveu apenas para provar que Jesus era o Messias. Provavelmente, porque o título "Deus" para Jesus era relativamente recente, João preferiu, em sua afirmação do seu propósito, usar o mais tradicional "Filho de Deus"; mas sua aprovação da profissão "Senhor e Deus" mostra como ele entendia "Filho de Deus").

Então, para concluir, admitimos ser bem provável que haja em 20,31 um tema apologético, visto que João busca através dos sinais provar que Jesus é o Messias esperado pelos judeus – note que dizemos apologético, em vez de meramente missionário, pois no vol. 1, pp. 68-71, temos insistido que o principal interesse de João com respeito aos judeus era provar que estavam errados e que ele não nutria nenhuma esperança real de convertê-los. Não obstante, a maior força da afirmação em 20,31 reflete o desejo do evangelista de aprofundar a fé dos que já eram cristãos, para que valorizassem a relação singular de Jesus com o Pai. Como W. H. G. THOMAS, *"The Purpose of the Fourth Gospel"*, BS 125 (1968), 256-57, salienta, devemos avaliar a afirmação de propósito do evangelista à luz do fato de que ele relaciona o conteúdo do evangelho com os sinais realizados na presença dos *discípulos*. A paráfrase que LOISY faz do pensamento de João (p. 513) é bem exata: "A existência terrena de... Cristo tem servido como um sinal ou como uma série de sinais, aos quais os discursos do evangelho têm sido um comentário – o Cristo joanino, revelando-se a si mesmo como luz e vida, em seu ensino e em sua ação. Uma vez que Cristo tenha sido conhecido como o único revelador de Deus, o único que tem um direito absoluto ao título "Filho de Deus", e uma vez que se tenha reconhecido o Pai em Jesus, então esse mesmo entende precisamente o que são o nome e a qualidade do Filho e, nesta compreensão que constitui a fé, esse alguém possui vida eterna".

É interessante que a declaração de intenção de João no v. 31 termina com uma nota salvífica. Embora o evangelista pede algo equivalente a uma postura dogmática da parte dos leitores que professariam Jesus como o Messias, o Filho de Deus, ele não faz isso simplesmente como um teste de ortodoxia intelectual. Ele faz isso "para que, através da fé, tenhais vida em seu nome". A menos que Jesus seja o verdadeiro Filho de Deus, ele não tem vida divina para dar. A menos que ele porte o nome de Deus, não pode cumprir para com os homens a função divina de doador de vida. Nem a insistência joanina sobre uma correta compreensão e a fé em Jesus se degenera em gnosticismo, pois sempre há a suposição de que somente o homem que age em verdade virá para a luz (3,21).

IV
EPÍLOGO

Um relato adicional de uma aparição pós-ressurreição de Jesus na Galileia, para demonstrar como Jesus provê as necessidades da Igreja.

ESBOÇO
(CAP. 21)

A. 21,1-14: O Jesus ressurreto aparece aos discípulos junto ao Mar de Tiberíades. (§71)

    (1-8)   A pesca.
    (9-13) A refeição em terra.
    (14)   Uma observação parentética: esta foi a terceira vez que Jesus se manifestou aos discípulos.

B. 21.15-23: O Jesus ressurreto fala a Pedro. (§72)

    (15-17) Jesus reabilita Pedro no amor e o comissiona a pastorear as ovelhas.
    (18-23) Jesus fala dos destinos de Pedro e o Discípulo Amado.
        18-19: Pedro seguirá Jesus para uma morte de mártir.
        20-22: O discípulo amado talvez permaneça até Jesus voltar.
        23: Comentário feito pelo autor sobre o real significado de Jesus.

C. 21.24-25: A (segunda) Conclusão. (§73)

    (24)   O testemunho autêntico do Discípulo Amado.
    (25)   As outras muitas obras de Jesus.

71. O JESUS RESSURRETO APARECE AOS DISCÍPULOS JUNTO AO MAR DE TIBERÍADES
(21,1-14)

21 ¹Depois disto, Jesus [outra vez] se manifestou aos discípulos junto ao Mar de Tiberíades, assim foi como que isso ocorreu. ²Estavam reunidos Simão Pedro, Tomé (este nome significa "Gêmeo"), Natanael (aquele de Caná da Galileia), os filhos de Zebedeu e outros dois discípulos. ³Simão Pedro disse aos outros: "Estou indo pescar". "Iremos contigo", replicaram eles; e assim todos se foram e subiram ao barco. Entretanto, naquela noite nada apanharam. ⁴Ora, logo depois de já raiar o dia, Jesus apareceu na praia, mas nenhum dos discípulos sabia que era Jesus. ⁵"Moços", ele os chamou, "Apanhastes alguma coisa para comer, tendes algo?" "Não", responderam. ⁶"Lançai vossa rede à direita do barco", sugeriu, "e achareis alguma coisa". E então lançaram a rede, e o número de peixes era tão grande, que não conseguiam arrastá-la. ⁷Então aquele discípulo a quem Jesus amava exclamou a Pedro: "É o Senhor!" Assim que ouviu que era o Senhor, Simão Pedro prendeu sua roupa externa (pois ele estava quase nu) e saltou ao mar. ⁸Entrementes, os outros discípulos vieram de barco, arrastando a rede cheia de peixe. De fato, não estavam distantes da terra – apenas uns cem metros.
⁹Assim que desceram à terra, viram ali carvões acesos, com um peixe sobre eles, e pão. ¹⁰"Trazei alguns peixes que acabastes de apanhar", disse-lhes Jesus. ¹¹[Então] Simão Pedro saiu e puxou para a praia a rede carregada com grandes peixes – cento e cinquenta e três deles! Todavia, a despeito do grande número, a rede não se rompeu.

3: *disse*; 5: *chamou*; 7: *exclamou*; 9: *viu*; 10: *disse*. No tempo presente histórico.

¹²"Vinde e comei", disse-lhes Jesus. Nenhum dos discípulos ousava inquirir: "Quem és tu?", pois bem sabiam que era o Senhor. ¹³Jesus chegou-se, pois, tomou o pão e lhos deu, e fez o mesmo com o peixe.
(¹⁴Ora, esta foi a terceira vez que Jesus se revelou aos discípulos depois de sua ressurreição dentre os mortos).

12: *disse*; 13: *chegou-se, tomou, deu*. No tempo presente histórico.

NOTAS*

21.1. *Depois disso*. O vago *meta tauta* (ver nota sobre 2,12) é um conectivo estereotipado usado convenientemente para anexar elementos heterogêneos. Depois da conclusão em 20,30-31, seu valor temporal é muito fraco; contraste 20,26 com seu mais preciso "uma semana depois", relacionando duas aparições pós-ressurreição.
[*outra vez*]. Esta palavra joanina frequentemente usada (quarenta e três vezes) é atestada em todas as melhores testemunhas gregas, mas em três diferentes posições na sentença. Ela está ausente em OS^sin, na Sahidic, e em algumas testemunhas gregas menores.
se manifestou. O verbo *phanēroun*, que é usado nove vezes no evangelho, ocorre duas vezes neste versículo e uma vez no v. 14. Ele tem a conotação geral de surgir da obscuridade, e para João envolve uma manifestação concreta do celestial na terra. O único outro exemplo deste verbo usado para descrever uma aparição pós-ressurreição está no Apêndice Marcano (16,12.14).
aos discípulos. O termo "discípulos" também descrevia os que testemunharam a aparição pós-ressurreição em 20,19; e ali sugerimos que, ao menos na forma primitiva do relato, ele se refere aos onze. O autor do cap. 21 implica que o mesmo grupo mencionado no v. 20 está envolvido aqui, mas não sabemos que ele tivesse em mente os discípulos do cap. 20 como sendo os onze. Sete (ou cinco) discípulos serão listados no v. 2; e um deles, Natanael, provavelmente não era membro dos onze (notas sobre 1,45 e 6,60).

---

* Inusitadamente, prestaremos detida atenção às peculiaridades gramaticais ao discutirmos este capítulo em decorrência de sua importância em determinar se ele foi escrito pelo evangelista ou por um redator. BOISMARD, *art. cit.*, é muito valioso neste aspecto.

71 • O Jesus ressurreto aparece aos discípulos junto ao Mar de Tiberíades 1557

junto ao Mar Tiberíades. A preposição é *epi*, a qual, nos escritos joaninos, governa, respectivamente, o acusativo e o genitivo sem aparente diferença de significado (BDF, §233[1]); ver nota sobre 6,19 para esta frase usada no sentido de "sobre o mar". Em 6,1, o corpo de água designado "o Mar da Galileia", é "de Tiberíades" (ver nota ali); o nome "Tiberíades" teria sido mais aceitável para um auditório de fala grega do que "Genesaré", e talvez seu uso seja uma marca do redator. Não somos informados quando os discípulos voltaram de Jerusalém para a Galileia. O *Evangelho de Pedro*, 58-60, que fornece um relato incompleto de uma aparição junto ao lago, diz que os discípulos deixaram Jerusalém indo para casa no último dia do oitavo dia da festa pascal. Relatos de peregrinos medievais associaram o local desta aparição com o local da multiplicação dos pães, a única outra cena do Quarto Evangelho colocada junto ao mar (ver também p. 1598 abaixo).

assim foi como. Usualmente, em João *houtōs* se refere ao que precede; aqui, se refere ao que segue.

ocorreu. Literalmente, "se manifestou (a si mesmo)"; Loisy, p. 515, se queixa corretamente da estranheza desta sentença introdutória.

2. *Simão Pedro*. O nome duplo é tipicamente joanino (nota sobre 1,40). Cinco dos sete discípulos serão nomeados aqui; no *Evangelho de Pedro*, 60, três são nomeados no relato da aparição pós-ressurreição junto ao mar, a saber, Simão Pedro, André e Levi de Alfeu (sic!) – somente Simão Pedro é comum em ambas as listas.

Tomé (este nome significa "Gêmeo"). Sobre o nome, ver nota de 11,16. Aqui, ele é um do grupo geral de discípulos; sugerimos que, originalmente, ele era também um do grupo em 20,19 que testemunhou a aparição, antes de ser separado e feito o sujeito de uma segunda aparição em 20,26 (pp. 1509-10 acima).

Natanael (aquele de Caná da Galileia). Embora o chamado de Natanael fosse descrito em 1,45-50, ali não fomos informados que ele fosse de Caná. É difícil estar certo se esta informação representa conhecimento tradicional ou é uma dedução do conhecimento de Natanael da situação local da Galileia em 1,46, combinado com 2,1.2. Dibelius sugeriu que esta narrativa veio de um círculo em que alguns relatos de Natanael circulavam; todavia, o papel de Natanael aqui é mínimo.

os filhos de Zebedeu. A palavra "filhos" é omitida no texto grego, enquanto ela aparece regularmente nas outras referências do NT à prole de Zebedeu (MTGS, p. 207, considera o frequente uso de *huios*, "filhos", como um produto de influência semítica). Embora proeminentes nos evangelhos sinóticos, Tiago e João, os filhos de Zebedeu, não são mencionados nominalmente em nenhuma outra parte do Quarto Evangelho. Lagrange, p. 523, propõe que o texto original de João mencionaria somente cinco discípulos e que esta frase era uma glosa marginal muito antiga identificando os "outros dois discípulos", uma glosa que achou seu caminho para o corpo do texto. Isto se harmonizaria com a teoria de que João é o Discípulo Amado e que ele e seus parentes sempre são anônimos no evangelho. Na tradição sinótica (Mc 1,16-20 e par.), o quarteto de pescadores entre os doze consiste de Pedro, André, Tiago e João. No relato da pesca miraculosa em Lc 5,1-11, mencionam-se Pedro, Tiago e João.

outros dois discípulos. O partitivo *ek* é tipicamente joanino, bem como é a sequência das palavras (ver o grego de 1,35). Os discípulos anônimos são também um característico joanino: em 20,2.4.8, alude-se ao Discípulo Amado como "o outro discípulo"; e em 1,35 há um discípulo anônimo, como também "outro discípulo", conhecido do sumo sacerdote em 18,15. Caso não se aceite a tese de Lagrange de que estes dois discípulos são "os filhos de Zebedeu", os próximos melhores candidatos são Filipe e André, ambos da vila de Betsaida, os quais aparecem juntos em 6,7-8 e 12,22. (Isto significaria que os discípulos mais destacados no relato joanino do ministério de Jesus são explícita ou implicitamente mencionados no Epílogo, porém numa ordem peculiar: Tomé e Natanael precedendo os filhos de Zebedeu e André e Filipe sucedendo. Nas listas sinóticas dos doze, os primeiros quatro são sempre Pedro e André, Tiago e João, embora dentro do quarteto a ordem de nomes varia). Visto que em seu relato da aparição junto ao mar, o *Evangelho de Pedro*, 60, menciona André e Levi, estes dois nomes têm sido também propostos como candidatos para os "outros dois discípulos", mas o *Evangelho de Pedro* não mostra dependência de Jo 21. Nonnus de Panópolis, em sua paráfrase rítmica do Quarto Evangelho (c. de 450 d.C.), menciona também André, mas não como um dos dois discípulos anônimos (Pedro, André, Natanael e outros dois homens).

3. *Simão Pedro disse..., "Estou indo pescar"*. No *Evangelho de Pedro*, 60, a iniciativa é também dele: "E eu, Simão Pedro, e André, meu irmão, tomamos nossas redes de pescar e saímos ao mar...". O verbo "pescar" tem a forma de um infinitivo de intenção que é raro em João (4,7; 14,2) é mais frequente em Mateus e Lucas; MTGS, pp. 134-35, registra que esta construção ia se tornando crescentemente popular no grego de c. de 150 a.C. em diante. McDowell, pp. 430ss., argumenta que o tempo presente do verbo "ir" expressa mais que intenção momentânea: Pedro está voltando à sua vida anterior e na qual pensa permanecer. A intenção do relato, pois, é que Jesus fez Pedro mudar de ideia, especialmente no v. 15: "Tu me amas mais do que estes [redes, barcos etc.]?" Isto é duvidoso.

"Iremos contigo". A preposição é *syn*, a qual ocorre somente duas vezes em outro lugar em João (*meta*, por outro lado, é frequente), enquanto aparece umas setenta e cinco vezes em Lucas/Atos. Loisy, p. 515, acha o diálogo banal e pensa que ele ilustra a absurda tentativa do autor de criar uma estrutura para o relato que está para narrar. Alguns estudiosos têm achado uma inconsistência no fato de que o redator pensa que estes discípulos são pescadores, algo que o evangelista nunca menciona. Entretanto, é temerário assumir que o evangelista não soubesse disto; algumas vezes ele assume o conhecimento que um cristão tinha acerca de alguns detalhes, como quando fala sobre João sem primeiro chamá-lo de Batista ou Batizador. Outros têm achado uma inconsistência em Natanael ter se juntado na pesca, visto que ele era um homem do campo. Embora nenhuma destas sejam objeções insuperáveis, no comentário propomos que os nomes dos companheiros de Pedro não pertenciam originalmente à narrativa da pesca.

se foram. Embora Westcott, Lagrange e Bernard estejam entre os que descobrem no verbo *exerchesthai* a implicação de que os discípulos saíram da casa onde estavam em Cafarnaum (de Pedro?) ou Betsaida, é mais provável que o verbo seja pleonástico e não tenha significado especial, como amiúde se dá no estilo semítico. O *Evangelho de Pedro*, 60, supracitado, usa *aperchesthai* da mesma maneira.

o barco. O artigo, implica que este é o barco habitualmente usado para pesca (ver nota sobre 6,17), não é necessariamente um sinal de que o autor é dependente da tradição sinótica sobre o barco dos discípulos (Mc 4,1.36); uma vez mais, ele pode estar recorrendo ao conhecimento em todos os ambientes cristãos. Aqui e no cap. 6 se usa *ploion*; mas o diminutivo *ploiarion* ocorre no v. 8 – vimos uma variação similar no cap. 6: *ploion* foi usado nos vs. 17,19,21,22,23(?); e *ploiarion* em 22,23(?),24 (ver nota sobre 6,22). Embora alguns dos comentaristas mais antigos levam em conta o diminutivo, disto nada podemos dizer do tamanho do barco (para a dificuldade de "diminutivos debilitados" no NT grego, ver D. C. Swanson, JBL 77 [1958], 134-51). Certamente, o uso das duas palavras não é prova de que João concorda com o relato lucano da pesca miraculosa onde dois barcos são mencionados especificamente (Lc 5,1-11; ambos são chamados *ploion*, embora uma variante textual tenha *ploiarion*).

naquela noite nada apanharam. O verbo grego *piazein* (aqui e no v. 10), o qual aparece em João seis vezes em referência à prisão de Jesus, às vezes não é usado para apanhar animais ou peixes (todavia, veja Ap 19,20). Lc 5,5 diz, "Embora tenhamos trabalhado toda a noite, nada apanhamos". Aqueles que conhecem os costumes palestinos afirmam que no lago da Galileia pescar à noite é usualmente melhor que pescar de dia; e os peixes apanhados à noite podiam ser vendidos frescos de manhã.

4. *logo depois de já raiar o dia*. Literalmente, "quando a aurora já estava rompendo"; em algumas testemunhas importantes da tradição textual ocidental está faltando o "já"; os Códices Sinaiticus e Bezae e a tradição bizantina trazem "tinha já rompido". *Prōia*, "aurora", nunca ocorre no corpo do evangelho que tem *prōia* duas ou três vezes.

Jesus se pôs na praia. As testemunhas textuais estão divididas sobre se leem *epi* ("sobre") ou *eis* ("para, para com"). É bem provável que a última alternativa seja favorecida como a redação mais difícil e como tendo sido mudada por copistas que esqueceram que o verbo "ficar em pé" era um verbo de movimento no grego clássico e assim podia ser associado com *eis* (ZGB, §103). Ele é usado com *eis* em 20,19 e 26, onde Jesus "se pôs diante de" (no meio de) os discípulos. Na narrativa podemos imaginar que, depois de não apanhar nada, os discípulos estão voltando à praia e estão suficientemente perto para ouvir e ver alguém em pé ali. É provável que a súbita aparição de Jesus na praia pretendesse ser misteriosa, pois nas várias narrativas pós-ressurreição ele se materializa de repente. Não há justificativa para o imaginativo contraste que Westcott, p. 300, sugere entre Jesus em terra firme e os discípulos nas águas agitadas.

nenhum... sabia que era Jesus. Os estudiosos que não consideram o cap. 21 como um apêndice, mas, antes, como uma continuação do cap. 20, têm dificuldade em explicar a falha dos discípulos em reconhecerem Jesus depois de o virem duas vezes antes. A distância e a impressão causada pela deficiência da luz matutina são oferecidas como possíveis explicações; todavia, no v. 12 há ainda a hesitação, mesmo quando ali os discípulos o veem bem de perto e junto ao fogo. Quase certamente estamos tratando da primeira aparição de Jesus a seus discípulos em um relato independente do cap. 20, e este é outro exemplo da aparência transformada do Jesus ressurreto (p. 1485-86 acima).

5. *"Moços"*. Este é o plural de *paidion* (um substantivo diminutivo de *pais*, "menino"; ver nota sobre 4,49.51). No evangelho, ele é empregado somente aqui como uma palavra dirigida aos discípulos; todavia, veja a nota sobre 13,33, onde há um uso similar de *teknion* (um substantivo diminutivo de *teknon*, "menino"). Algumas vezes, *teknion* é considerado um termo mais terno do que *paidion*; mas as duas palavras são aparentemente intercambiáveis em 1Jo 2,12 e 14, onde ambos são mantidos distintos de *neaniskos*, "jovem". Lagrange, p. 524, assume que *teknion* era mais habitual quando Jesus se dirigia aos discípulos e que aqui ele usou o *paidion* menos familiar para que não fosse reconhecido. Não obstante, como

apoio de tal distinção teríamos que conhecer os equivalentes aramaicos exatos; além do mais, *teknion* é usado no evangelho, mas só uma vez e no contexto de um discurso de despedida onde a menção de filhos é normal (p. 964s. acima); e assim dificilmente poderíamos estar certos sobre o costume do Jesus joanino. Quanto a *paidion*, a função diminutiva pode ser completamente enfraquecida – um matiz de diminutivo de *paidarion* é usado em 6,9 para um menino; todavia, em 16,21 *paidion* é usado para um recém-nascido. A atmosfera paterna implícita no uso de *paidion* em 1Jo 2,18 e 3,7 não é apropriada aqui, porque no momento alguém que é presumivelmente estranho está falando aos discípulos. Assim, estamos de acordo com Bernard (II, 696) que *paidion* tem um toque coloquial na presente cena. Como Bernard singularmente o fraseia, "... podemos dizer 'meus jovens' ou 'rapazes', se invocarmos um grupo de estranhos de uma classe social inferior".

"apanhastes alguma coisa para comer... tendes algo?" "Apanhastes" traduz o verbo grego "ter"; mas Bernard, II, 696, cita uma anotação em Aristófanes para mostrar que esta é a maneira de alguém perguntar idiomaticamente a um pescador ou caçador se ele teve algum sucesso. A pergunta é prefixada por *mē* e assim, mediante normas clássicas, antecipa uma resposta negativa. Todavia, muitos comentaristas evitam uma conotação tão incisiva; por exemplo, Bultmann pensa que a pergunta foi formulada da perspectiva de quem abordava, o qual sabia que não tiveram êxito; Barrett encontra uma leve insinuação de dúvida; a nota em BDF, §427², se a entendemos corretamente, vê um implícito "por acaso" e segue Crisóstomo, pressupondo uma oferta implícita de compra, se tivessem apanhado peixes. Muito embora estas interpretações sejam plausíveis, especialmente a última, é bem provável que o autor tencionasse um tom de ironia de que Jesus sabia do estado de desamparo dos discípulos quando lhes deixou. É notável que nos evangelhos os discípulos nunca apanhavam peixes sem o auxílio de Jesus.

tendes algo? Em geral se mantém que *prosphagion*, uma palavra grega helenista, originalmente se referia a uma parte do prato que era deglutida com pão para dar-lhe sabor, e que, visto que o peixe às vezes constituía este prato, a palavra veio a significar "peixe". (Uma explicação similar é proposta para *opsarion*, usada nos vs. 9, 10 e 13; ver nota sobre 6,9). Entretanto, J. H. Moulton e G. Milligan, *The Vocabulary of the Greek Testament* (Grand Rapids: Eerdmans, 1949), p. 551, afirmam: "Ao julgar pela evidência dos papiros *prosphagion* é mais bem entendido de algum artigo básico de alimento do *gênero* peixe, e não de mero 'sabor'". No relato lucano da pesca miraculosa, Jesus não dirige uma pergunta aos discípulos sobre o êxito deles. Todavia, na aparição do Jesus ressurreto, em Lc 24,41-43, ele lhes pergunta: "Tendes algum alimento aqui?" Respondem, dando-lhe um pedaço de peixe cozido (*ichthys*).

6. *Lançai vossa rede*. Em Lc 5,4, Jesus diz: "Faze-te ao mar alto, e lançai vossas redes para pescar". O verbo de João, "lançar" (*ballein*) aparece no relato mateano (4,18) de como Pedro e André estavam pescando quando Jesus apareceu e os chamou. João usa *diktyon* para "rede"; o relato pós-ressurreição no *Evangelho de Pedro*, 60, usa *linon*.

à direita do barco. Uma frase estranha no grego; esta especificação não aparece no relato lucano paralelo da pesca maravilhosa. O lado direito era o lado da boa sorte (ver Mt 25,33; também exemplos em StB, I, 980); de fato, BARRETT, p. 482, salienta que um significado secundário de *dexios*, "direita" era "afortunado". Todavia, certamente o autor não pensava nisto como um caso de sorte; tampouco a sugestão de BERNARD (II, 696) é aceitável, na qual Jesus poderia ter visto um braseiro com peixes e passou a dirigir os discípulos para lá. João implica um conhecimento sobrehumano da parte de Jesus e o dever moral correspondente de obedecer-lhe exatamente se alguém quer ser seu discípulo.

achareis alguma coisa. Depois destas palavras se encontra uma adição em um grupo de testemunhas textuais (P[66], Codex Sinaiticus corretor, Etiópico, alguns textos latinos de descendência irlandesa e CIRILO de Alexandria): "Mas diziam, '[Mestre], trabalhamos a noite inteira e nada apanhamos; mas em teu nome [palavra] lançaremos'". Este é um empréstimo feito por copista de Lc 5,5.

Então. O uso de *oun*, neste capítulo, é tipicamente joanino.

o número de peixes era tão grande. O grego deste versículo envolve um uso causativo de *apo* não encontrado em outro lugar em João (que prefere *dia* – vinte e seis vezes), porém encontrado nove vezes em Lucas/Atos e frequentemente na LXX. Lc 5,6-7 tem um quadro similar, mas expresso em palavras diferentes: "Ajuntaram uma grande quantidade de peixes, e suas redes se rompiam, de modo que fizeram sinal aos seus sócios no outro barco para que viessem ajudá-los".

não conseguiam. Esta é a única vez no evangelho que *ischyein* é usado no sentido de "ser apto"; João prefere *dynasthai* (trinta e seis vezes).

arrastá-la. Este verbo, usado aqui, no v. 11, e três vezes no corpo do evangelho, está sempre na forma tardia *helkyein*, em vez de *helkein*.

7. *aquele discípulo a quem Jesus amava*. Mesmo que sua presença pertença ao último estrato do relato, é óbvio que para o redator ele era um dos seis companheiros de Pedro mencionados no v. 2 e, mais especificamente,

um dos dois filhos de Zebedeu ou um dos "outros dois discípulos". O verbo *agapan* é usado aqui e no v. 20, como em 13,23 e 14,26 (*philein* é usado em 20,2). "Aquele discípulo" pode ser comparado ao uso de *ekeinos* em 19,35 (ver nota ali; também 13,25).

"É o Senhor!" Umas poucas testemunhas ocidentais trazem "nosso Senhor". Este título tem servido de confissão de fé ao Jesus ressurreto em 20,18.25 e 28. BARRETT, p. 483, nota que "É" coincide com a fórmula "Eu sou" (ver vol. 1, p. 841).

Assim que ouviu. Aparentemente, ele ainda não podia reconhecer Jesus visualmente; ver também v. 12.

prendeu sua roupa externa (pois ele estava quase nu). Usualmente, a passagem é traduzida desta maneira: "Pedro vestiu uma roupa, pois estava nu". A ideia, pois, seria que Pedro estava trabalhando com uma roupa fina sobre o corpo (nudez total ofenderia as sensibilidades judaicas e não se adequaria a descrição dele trabalhando numa noite fria), mas, por causa da modéstia e reverência, ele vestiu sua roupa externa antes de nadar para terra ao encontro de Jesus. BARRETT, p. 483, salienta que as saudações eram um ato religioso e não podia ser efetuado sem se estar vestido. Todavia, parece incrível que alguém se vestisse antes de se jogar na água e assim impedir-se de nadar mais livremente. Reconhecendo esta dificuldade, LOISY, p. 518, encontra aqui outro caso de confusão no redator. No entanto, LAGRANGE e MARROW sugerem um significado mais plausível para o grego, um significado que remove muito da dificuldade. O verbo *diazōnnynai*, que significa "atar (roupas) em torno de si", se encontra no NT somente em João (Lucas usa *perizōnnynai* que é a forma da LXX). Pode significar vestir roupas, porém, mais propriamente, significa ajuntá-las e atá-las na cintura, para que alguém possa ter liberdade de movimento para fazer algo. Em 13,4-5 o verbo é usado para Jesus atar uma toalha em torno de si a fim de usá-la enquanto lavava os pés dos discípulos. O item de roupa envolvido na presente cena é um *ependytēs*, uma roupa sobreposta sobre as roupas íntimas. A palavra pode ser usada para descrever a roupa de um trabalhador, e neste caso provavelmente fosse uma blusa de pescador que Pedro estava usando na friagem da manhã. O adjetivo *gymnos*, "nu", pode significar levemente vestido, e MARROW pensa que, visto que Pedro estava usando o *ependytēs*, ele podia ser descrito como levemente vestido. Aqui, preferimos a sugestão de LAGRANGE: o autor quer dar a entender que Pedro estava nu debaixo do *ependytēs* e que essa é a razão por que ele não podia tê-lo tirado antes de saltar na água. Assim obtemos um quadro mais lógico: vestido apenas com sua roupa de pescador, Pedro cingiu-o em sua cintura para que pudesse nadar mais facilmente e mergulhar na água. BERNARD, II, 697-98, parece dar um significado duplo a *diazōnnynai*, a saber, "vestir e prender", mas então alguém se vê ainda enfrentando o absurdo de colocar roupas antes de nadar.

saltou ao mar. Literalmente, "lançou-se". OS[sin] acrescenta: "e passou a nadar, pois não estavam longe da terra seca"; a última parte antecipa a informação sobre distância encontrada no final do v. 8. É mais provável que devamos pensar nele nadando, e não vadeando, pois a terra desaparece rapidamente na maior parte do lago.

8. *vieram de barco*. Estamos tomando o dativo de *ploiarion* (ver nota sobre "o barco" no v. 3) instrumentalmente. LAGRANGE o traduz como um dativo de lugar ("no barco"), mas BDF, §199, nega a existência de tal dativo no NT.

arrastando a rede. Em Lc 5,7, aparentemente as redes são lançadas ao largo, pois os dois barcos estão quase indo a pique com o peso dos peixes na rede.

cem metros. Literalmente, "duzentos cúbitos". O uso helenista de *apo* com o genitivo em lugar de um acusativo de distância é bem joanino (11,18; Ap 14,20; ver BDF, §161[1]; ZGB, §71). Esta informação sobre a distância teria vindo mais naturalmente no final do v. 7, como reconhecido por OS[sin].

9. *desceram à terra*. Em lugar de *apobainein*, umas poucas testemunhas textuais trazem *anabainein*, "foram para a costa", mas é bem provável que isto se deve a uma confusão com o v. 11.

viram ali carvões acesos. Para *keimenēn*, "colocado ali", em alguns mss. do OL parecem ter lido *kaiomenēn*, "aceso". João demonstra uma preferência para carvões acesos; a única vez que aparece, fora este episódio é na negação de Pedro em Jo 18,18.

um peixe... e pão. Como em 6,9, *opsarion* normalmente se refere ao peixe defumado ou em conserva; mas no próximo versículo é usado para descrever peixe apanhado recentemente e, assim, para o redator joanino, ao menos, é intercambiável com o *ichthys* do v. 11 (vênia a BDF, §111[3], que tenta fazer uma distinção abrupta). É possível que, em parte, a variedade do vocabulário joanino para "peixe", nos vs. 5-13 (*prosphagion, ichthys, opsarion*) reflita a combinação de dois relatos (ver comentário), com *ichthys* sendo original no relato da pesca, e *opsarion* no relato da refeição de pescado com pão. Quanto à menção de pão, não fica claro se o pão estava também sobre os carvões acesos. O fato de que o singular é usado, respectivamente, para peixe e para pão, como contrastado, por exemplo, com o plural para peixes no v. 11, tem parecido significativo para alguns: o autor queria ilustrar o tema da unidade numa refeição sacra, referindo-se a um peixe e um pão – mas de fato o autor não diz "um". Isto tem levado alguns à pressuporem que Jesus multiplicou miraculosamente o único peixe e o único pão para alimentar os sete discípulos (assim LAGRANGE, p. 526). Não podemos crer que tão importante milagre teria apenas sido sugerido indiretamente. Deixamos em aberto a possibilidade de que, de fato, houve apenas um peixe ao fogo, visto que Jesus indaga por mais, porém é provável que o pão implicasse coletividade.

10. *Trazei*. Este imperativo aoristo é estranho, pois no restante do NT se usa sempre o imperativo presente de *pherein* (BDF, §336³); de fato, o presente ocorre em 20,27 em um contexto pós-ressurreição.

alguns peixes. O uso partitivo de *apo* se encontra somente aqui em João, como contrastado com cinquenta e um usos do *ek* partitivo. Ao mesmo tempo, o substantivo governado pela preposição, *opsarion*, é peculiarmente joanino no NT. Esta única frase, pois, é um exemplo prático de quão difícil é decidir se o estilo do capítulo é ou não joanino.

11. *[Então]*. Isto está ausente tanto nas testemunhas textuais ocidentais como nas bizantinas.

saiu. Literalmente, "subiu" ou "adiantou-se". ZAHN e LOISY estão entre os que suscitam a possibilidade de que Pedro só estava saindo na praia, vindo de seu nado, e que os outros discípulos chegaram ali remando. Não obstante, visto que o autor nos informa que Pedro saiu primeiro, certamente ele teria mencionado que Pedro chegou primeiro, se isso fosse o que tinha em mente. Antes, temos de pensar que Pedro estivesse na praia, mesmo quando fosse estranhamente comedido, e que se põe em ação ante a solicitação de Jesus. A ideia de que esteve prostrado aos pés de Jesus e agora *se levanta* é injustificada. (Como veremos no comentário, a estranheza sobre o que Pedro esteve fazendo na praia tem por motivo o fato de que dois diferentes incidentes são combinados aqui e que a vinda de Pedro a Jesus originalmente propiciou a ocasião para o diálogo nos vs. 15-17). BULTMANN, p. 544, pensa que o verbo se refere ao ato de Pedro *ficar em pé* na margem para puxar a rede. Entretanto, é mais provável que Pedro seja retratado como a sair do barco. O verbo *anabainein* pode significar "subir" no sentido de embarcar, embora os outros casos disto no NT (Mc 6,51 = Mt 14,32) sejam acompanhados no grego pela frase de esclarecimento "para o barco". A tradição oriunda de copista por detrás do Codex Sinaiticus subentendia desta maneira o pensamento do autor; pois ali é usado o verbo *embainein*, e isto significa claramente que ele foi para o barco. BULTMANN diz que Pedro não poderia ter embarcado, pois a rede cheia de peixes não estava no barco. Todavia, ela foi arrastada após o barco, e Pedro poderia ter voltado ao barco encalhado para ajudar a puxar a rede. LIGHTFOOT, p. 342, vê na ação de Pedro uma manifestação de sua liderança entre os discípulos; este simbolismo é possível, porém, é mais simples concordar com a explicação de Loisy que a lógica da cena é que Pedro agiu de uma forma muito peremptória, porque ele era o dono do barco (cf. Lc 5,3).

puxou para a praia. A despeito do tamanho e número dos peixes, não está implícita nenhuma proeza de força miraculosa; tal milagre teria sido especificado e salientado (Bultmann, p. 548[11]).

grandes peixes. A sugestão de que havia outros peixes menores além dos 153 grandes é improvável. Na pesca dirigida por Jesus tudo é extraordinário.

cento e cinquenta e três. Embora João frequentemente qualifique seus numerais com "cerca de" (1,39; 6,10; 21,8 etc.), aqui não se emprega o mais conveniente "cerca de 150". A ideia de que o autor poderia ter tido um propósito oculto e simbólico, em citar o numeral exato 153 tem levado a um enorme volume de especulação – "tudo, desde a gematria até a progressão geométrica" (Marrow), mas sem aclarar definitivamente em nenhum caso o que Agostinho chama de "um grande mistério". Para essas especulações, ver Kruse, *art. cit.* Mencionemos algumas das teorias mais significativas. (a) Em seu comentário sobre Ez 47,6-12 (PL 25:474C), Jerônimo nos informa que os zoólogos gregos tinham registrados 153 diferentes tipos de peixes; e assim, ao mencionar este número, João poderia estar simbolizando a totalidade e categoria da pesca dos discípulos e antecipando simbolicamente que a missão cristã incluiria todos os homens ou, ao menos, todos os tipos de homens. Poderíamos achar um paralelo na parábola do reino, em Mt 13,47, onde a rede lançada ao mar ajunta peixes "de todo tipo". Não obstante, a interpretação de Jerônimo supõe que o autor joanino teria conhecido os resultados dos zoólogos gregos. Além do mais, Jerônimo cita como fonte de autoridade "o mui erudito poeta" entre os zoólogos opiano da Cilícia (c. de 180 d.C.); e como R. Grant, HTR 42 (1949), 273-75, tem mostrado, a forma da *Halieutica* de Opiano que nos tem alcançado não endossa à afirmação de Jerônimo. Opiano afirma que há incontáveis tipos de peixes e de fato cataloga 157. Plínio (*Natural History* 9,43) conhecia 104 variedades de peixes e crustácios. Grant sugere que Jerônimo estava interpretando a zoologia grega à maneira de João. (b) Agostinho, *In Jo.* 72,8; PL 35:1963-64, nos dá o primeiro exemplo de uma abordagem matemática para 153, na qual o número é visto como a soma de todos os números de 1 a 17. O simbolismo que alguém pode achar em 17 varia, e muito do que é proposto pelos escritos eclesiásticos é anacrônico para o evangelho (10 mandamentos e 7 dons do Espírito; 9 corais de anjos e 8 beatitudes). Hoskyns, pp. 553-54, utiliza a ideia numa direção diferente: 153 pode se dispor em um triângulo equilátero com 17 pontos de cada lado. Números triangulares eram do interesse tanto dos matemáticos gregos como dos autores bíblicos (ver F. H. COLSON, JTS 16 [1914-15], 67-76). Assim, pode-se especular que 17, seu elemento básico, é formado por dois números que simbolizam completude, a saber, 7 e 10 – números importantes no pensamento judaico contemporâneo (*Pirqe Abott* 5,1-11). BARRETT, p. 484, apoia esta sugestão, salientando que um total de 7 discípulos foi mencionado no v. 2 (embora o autor não chame a atenção para este total) e, que no Livro do Apocalipse, 7 é um número simbólico (ver vol. 1, p. 163). A conclusão de tudo isto seria que, para João, o número perfeito, 153, antecipou a plenitude da Igreja. (**c**) Uma abordagem alegórica é proposta por CIRILO de Alexandria (*In Jo*. 12; PG 74:745) que subdivide o número em 100 e 50 e 3. O 100 representa a plenitude dos gentios; o 50 representa o remanescente de Israel; o 3 representa a Santa Trindade. Para RUPERT DE DEUTZ, o 100 representa as casadas; o 50 representa as viúvas; e o 3 representa as virgens. Estas alegorias refletem os interesses teológicos de um período tardio; por exemplo, o autor joanino dificilmente pensaria na Santa Trindade como tal. (**d**) A gematria encontra alguns expoentes modernos. KRUSE, *art. cit.*, enfatiza que 153 representa a soma do valor numérico das letras na expressão hebraica para "a Igreja de amor", *qhl h'hbh*. Não se pode negar que a gematria era conhecida da escola joanina dos escritores (p. ex., o 666 de Ap 13,18, onde, não obstante, chama-se a atenção dos escritores para a gematria), mas é uma mera especulação basear a gematria em uma expressão que nunca ocorre nos escritos joaninos. R. EISLER (citado por BULTMANN, p. 549[1]) engenhosamente salienta que o valor numérico de *Simōn* é 76 e o de *ichthys*, "peixes", é 77. De mais interesse é a gematria proposta por J. A. EMERTON, JTS 9 (1958), 86-89, baseada na passagem de Ez 47 mencionada como o tema das observações na teoria de JERÔNIMO (*a*) acima, a saber, a descrição da nascente de água que flui do templo para o vale do Jordão, que finalmente tem regado de água toda a terra da Palestina. Esta passagem era conhecida nos círculos joaninos, pois ela forma o pano de fundo de Ap 22,1-2 (o rio da vida que flui do trono do Cordeiro) e talvez para Jo 7,37 (o rio de água viva que flui do interior de Jesus – vol. 1, p. 577). Ora, em Ez 47,10 ouvimos que, depois que a corrente tiver regado a terra e se proliferar de peixes de todo tipo, os pescadores penetrarão o mar de En-gedi até o En-eglaim, espalhando suas redes. EMERTON observa que o valor numérico das consoantes hebraicas de (En-)gedi é 17, e o de (En-)eglaim é 153! (Subsequentemente, P. R. ACKROYD, JTS 10 [1959], 153-55, trabalhando com soletrações variantes no ms. da LXX, propôs que, pela gematria baseada no grego, os nomes En-gedi e En-eglaim podem produzir um valor total de 153.

Isto foi contabilizado por EMERTON, JTS 11 [1960], 335-36, que objetou que as duas soletrações dos nomes em que ACKROYD fez seus cálculos nunca ocorrem juntas em qualquer ms. grego). Como um apoio interessante à proposta de EMERTON de que o segredo do número 153 pode estar em Ez 47, reportamo-nos a J. DANIÉLOU, *Êtudes d'exégèse judéo-chrétienne* (Paris: Beauchesne, 1966), p. 136. Ele observa que na arte cristã primitiva Pedro e João (os dois proeminentes discípulos em Jo 21) eram retratados juntos a um manancial de água fluindo do templo (que, por sua vez, pode ser conectado à rocha do sepulcro de Jesus).

Não se pode negar que algumas destas interpretações (que não se excluem mutuamente) são possíveis, mas todas encontram a mesma objeção: não temos evidência de que alguma dessa compreensão complexa de 153 fosse inteligível aos leitores de João. Não sabemos de nenhuma especulação ou simbolismo estabelecido relacionado com o número 53 no pensamento antigo. Sobre o princípio de que onde há fumaça há fogo, devemos conceder às interpretações supramencionadas a probabilidade de que o número pode pretender simbolizar a amplitude ou mesmo a universalidade da missão cristã. Mas somos inclinados a pensar que, visto que este simbolismo não é imediatamente evidente, ele não propiciou a invenção do número; pois certamente o autor, fosse ele decidir livremente, poderia ter proposto um número obviamente mais simbólico; por exemplo, 144. É bem provável que a origem do número esteja na direção de uma ênfase sobre as testemunhas autênticas cujo caráter foi registrado (21,24). O Discípulo Amado está presente. Em 19,35, aparentemente ele era um dos que transmitiram o fato de que fluíram do lado de Jesus sangue e água; em 20,7, ele era a fonte para a descrição exata da posição dos lençóis fúnebres; assim aqui pode ser que devamos pensar que ele esteja registrando o número exato de peixes que os discípulos apanharam. O número teria sido retido no relato porque era muito grande; e quando o relato recebeu uma interpretação simbólica, o número teria sido interpretado como uma indicação figurativa da magnitude dos resultados da missão dos discípulos. Números grandes indicativos de abundância não são estranhos aos escritos joaninos; por exemplo, cerca de 600 litros de água que se transformaram em vinho em Caná (2,6) e os cento e quarenta e quatro mil de Ap 7,4. Para concluir temos que expressar a reserva que a explicação que oferecemos da origem do número não constitui uma solução para o problema da historicidade.

o grande número. Literalmente, "sendo tantos". Lc 5,6 registra que, depois de arrastarem as redes, "reuniram uma grande multidão de peixes"; e 5,7 diz que havia o suficiente para encher ambos os barcos a ponto de quase afundarem. Os que conhecem a Palestina dizem que no Lago da Galileia há densos cardumes de peixes.

a rede não se rompeu. Lc 5,6 registra: "e a rede se rompia", usando o verbo *diarēssein*, enquanto João usa *schizein*. Alguns autores como LAGRANGE, HOSKYNS e BARRETT pensam que na descrição de Lucas as redes se romperam, enchendo os barcos com peixes; mas ZGB, §273, interpreta isto como um exemplo do uso do tempo imperfeito para indicar uma tentativa que não se realizou – as redes quase se romperam.

12. *vinde e comei.* O uso clássico de *aristan* está para a refeição matutina que conclui o jejum noturno; todavia, em Lc 11,37, o outro único exemplo do verbo no NT, se refere a comer a refeição principal do dia (Lucas usa semelhantemente o substantivo *ariston*). A refeição consiste só de peixe (singular ou coletivo?) e de pão já mencionados no v. 9; ou devemos pensar que Pedro trouxera algum dos peixes recém apanhados, como foi instruído a fazer no v. 10 e os adicionou? A última solução é mais fácil, mas a maioria dos intérpretes prefere a primeira e apontam para a ordem aparentemente sem sentido no v. 10, como sinal de que duas narrativas foram combinadas sem qualquer lógica: uma, onde Jesus fornece a refeição (miraculosamente?), e a outra onde a pesca feita pelos discípulos constitui a refeição. LAGRANGE, p. 527, explica que, já que a pesca recente simboliza os conversos resultantes da missão cristã, não podem ser deglutidos – seria um tipo de canibalismo espiritual!

Nenhum. Há considerável suporte textual para a adição de uma conjunção adversativa.

ousava inquirir, "Quem és tu?". Conquanto a aparição de Jesus seja estranha (v. 4), reconhecem-no, porém se sentem confusos e inseguros. O Jesus que conheciam passou por transformação depois de ser o Senhor ressurreto. BERNARD, II, 700, observa que a familiaridade dos dias antigos passara, mas na verdade uma hesitação similar sobre questionar Jesus se encontra em 4,27. BARRETT, p. 484, diz que, agora que Jesus se manifestava aos seus, tais indagações são desnecessárias (16,23); mas, por que então a hesitação dos discípulos? No comentário, propomos que isto foi originalmente uma cena de reconhecimento em um dos dois relatos de aparição pós-ressurreição que foram fundidos no cap. 21 (a cena de reconhecimento no v. 7 pertencia à outro relato). O infrequente verbo *exetazein*, "inquirir" (algumas vezes "interrogar minuciosamente"), não ocorre em nenhum outro lugar em João. A pergunta "Quem és tu?" foi formulada em 8,25 a Jesus por "os judeus".

era o Senhor. Como no v. 7, este título expressa o reconhecimento de Jesus pós-ressurreição.

13. *chegou-se*. Todos os verbos neste versículo estão no tempo presente histórico, como contrastado com os tempos aoristos muito similar a 6,11. O quadro é confuso, pois até agora alguém teria naturalmente presumido que Jesus estava em pé próximo ao fogo que ele acendera. Todavia, pode ser que o verbo seja pleonástico e realmente não indica movimento.

   deu. O Codex Bezae, OS^{sin} e dois mss. OL acentuam a semelhança com 6,11 ainda mais estreita, agregando "deu graças" (*eucharistein*). Visto que, como salientaremos no comentário, o presente versículo contém simbolismo eucarístico, a falta do verbo *eucharistein* é notável. BULTMANN, p. 550², explica que o Senhor ressurreto não deu graças como fizera o Jesus durante seu ministério.

14. *Ora, esta foi a terceira vez*. Com vênia a BERNARD, II, 701, dificilmente esta seja uma tentativa de corrigir a tradição marcana de que Jesus teria aparecido pela primeira vez na Galileia. Constitui a tentativa do redador de ver juntos os caps. 19 e 26, fazendo esta aparição sequencial aos dois em 20,19 e 26. Note que o redator evidencia a perspectiva primitiva, atestada em 1Cor 15,5-8, onde as aparições às testemunhas apostólicas têm uma categoria especial; ele conta apenas as aparições aos discípulos e ignora Maria Madalena. Quanto ao estilo, comparar "Este foi o segundo sinal" em 4,54. GOGUEL, p. 25, acha a analogia entre os dois versículos tão estreita que formula a hipótese que o relato da pesca miraculosa originalmente não se deu pós-ressurreição (não é pós-ressurreição em Lc 5,1-11) e foi o terceiro sinal na Fonte dos Sinais em João depois dos dois milagres em Caná. Muitos estudiosos têm pensado ser possível que este relato em outro tempo pertenceu a uma coleção de sinais, mas dificilmente na sequência imaginada por GOGUEL (BULTMANN, p. 546¹). AGOURIDES, p. 129, pensa que a *terceira* vez é enfatizada porque nos vs. 15-17 haverá uma tríplice indagação restabelecendo Pedro depois de três negações.

   depois de sua ressurreição. Literalmente, "após ser ele ressuscitado"; o uso do passivo de *egeirein* para a ressurreição de Jesus, aqui e em 2,22 (ver nota ali) pode ser contrastado com o único uso de *anistanai* em 20,9.

COMENTÁRIO

A natureza e propósito do capítulo 21

A partir da evidência textual, incluindo a de manuscritos antigos tais como P^{66} e TERTULIANO, o evangelho nunca circulou sem o cap. 21. (um ms. siríaco do 5º ou 6º séculos [British Museum cat. Add. No. 14453], que termina em Jo 20,25, aparentemente perdeu os fólios finais). Isto nos deixa ainda com duas questões básicas. Primeira, o cap. 21 era parte do plano original do evangelho? Segunda, se não, ele foi acrescido antes da "publicação" pelo evangelista, ou por um redator? Com LAGRANGE e HOSKYNS, como notáveis exceções, poucos estudiosos modernos dão uma resposta afirmativa à primeira questão. As principais razões são estas: (a) o final claro em 20,30-31, explicando a razão do autor para o que ele selecionou para narrar, parece excluir qualquer narrativa ulterior. É em reconhecimento desta dificuldade que LAGRANGE tenta mover 20,30-31 para uma posição depois de 21,23. (b) No cap. 20, após descrever as aparições de Jesus a seus discípulos, o autor registra uma bem-aventurança para os que não viram (20,29). Assim, é altamente improvável que ele pretendesse narrar mais aparições aos que viram. (c) O relato no cap. 21 se encontra numa sequência estranha depois do cap. 20, de modo que é difícil crer que os eventos dos dois capítulos estejam em sua ordem original. (Entre parênteses diremos que, descobrimos ser digno de nota que, a despeito das muitas teorias de rearranjos no Quarto Evangelho [vol. 1, pp. 8-15], não tem havido um acordo geral de recolocar a aparição pós-ressurreição do cap. 21 antes das aparições do cap. 20). Depois de terem visto o Jesus ressurreto em Jerusalém e de terem sido comissionados como apóstolos, por que os discípulos voltariam à Galileia e reassumiriam sem propósito suas ocupações ordinárias? Depois de terem visto Jesus duas vezes face a face, por que os discípulos falhariam em reconhecê-lo quando ele apareceu outra vez?

Em defesa da ideia de que o autor planejou incluir o cap. 21, HOSKYNS, p. 550, argumenta que uma conclusão do evangelho incluiria não só uma aparição do Senhor ressurreto, mas também uma missão dos discípulos ao mundo para sua salvação. Ele aponta para Mc 16,20; Mt 28,20; e o Livro dos Atos que ele considera como o final verdadeiro do Evangelho de Lucas; e corretamente encontra uma referência a tal missão no simbolismo da pesca em Jo 21. Não obstante, seu argumento em prol da inclusão do cap. 21 é enfraquecido pelo fato de que há uma referência a uma missão em 20,21: "Como o Pai me enviou, também eu vos envio". A universalidade da missão não fica explícita no cap. 20, mas seu amplo êxito é postulado pela bem-aventurança concernente aos que não viram, mas têm crido (20,29). Se o cap. 21 nunca tivesse sido composto, podemos seguramente presumir que Hoskyns não teria julgado como inadequada a conclusão do evangelho no cap. 20. E assim consideramos certo que o cap. 21 é uma adição ao evangelho, consistindo da narrativa em outro tempo independente da aparição de Jesus a seus discípulos.

Passando agora à segunda questão, suscitamos o problema do nome a ser dado ao cap. 21. Nós o denominaremos de apêndice, suplemento ou epílogo? Se, tão amiúde definido, um apêndice é algo não relacionado com a completude de uma obra, esse não é um termo exato para o cap. 21. Certamente, este capítulo é mais estreitamente integrado ao pensamento joanino do que o "Apêndice Marcano" se integra no pensamento marcano. Veremos, por exemplo, que o cap. 21 formula alguns dos temas do evangelho (negação de Pedro; o cuidado do pastor por suas ovelhas; o papel do Discípulo Amado) e mostra suas conseqüências para a Igreja. Tampouco "suplemento" é uma boa designação para o cap. 21. Um suplemento costuma fornecer informação adquirida depois, e veremos que um pouco da informação em Jo 21 pode antedatar informação no cap. 21, ao menos em origem. Em qualquer caso, ele constitui uma diferença de foco eclesiástico que parte do cap. 21, e não simplesmente uma diferença de tempo. Como indicado no vol. 1, p. 158s, preferimos "epílogo" (assim também Marrow, pp. 43-44) como o termo que tem a nuança inglesa mais exata para a relação do cap. 21 com o evangelho. Um bom paralelo é oferecido pela forma de epílogo literário onde um discurso ou narrativa é anexada depois da conclusão de um drama para completar algumas das linhas de pensamento deixadas inconclusas na própria peça. Além do mais, ter um epílogo no final do evangelho dá equilíbrio à presença de um prólogo no início. Isto é mais do que uma exatidão de nossa classificação, porque, como indicado no vol. 1, p. 19, ambos foram anexados pela mesma mão.

Assim, somos levados à segunda questão: Quem compôs o epílogo? Foi adicionado pelo próprio evangelista numa segunda edição de seu evangelho, ou foi adicionado por um redator que exibiu ou imitou algum dos característicos estilísticos peculiarmente joaninos? Desde o início, fica claro que em pensamento e expressão o cap. 21 pertence ao grupo de escritos joaninos; e, fosse preservado separadamente no NT, todos teriam reconhecido suas estreitas afinidades ao evangelho. (Assim, não só em atestação textual, mas também em estilo, o cap. 21 apresenta um problema inteiramente diferente do apresentado pelo relato da mulher adúltera em 7,53-8,11 – ver vol. 1, pp. 593-94). Se um estudo de estilo for o critério último de se o Epílogo foi composto pelo evangelista ou por um redator, os resultados desse estudo não vão ficar sem ambiguidade; e ambas as respostas contam com importantes apoios por parte dos estudiosos. A questão é tão discutível, que exegetas como BAUER (na 3ª edição de seu comentário) e HOWARD têm mudados suas opiniões no curso de suas carreiras, finalmente aceitando a autoria do evangelista.

É costume catalogar os aspectos estilísticos nos quais o cap. 21 concorda com o corpo do evangelho (aspectos que favorecem a autoria do evangelista) e aqueles nos quais ele não concorda (aspectos que favorecem a autoria do redator) – ver BULTMANN, p. 542; BARRETT, p. 479; e, exaustivamente, BOISMARD, *art. cit*. Todos admitem que algumas das diferenças de estilo são insignificantes. Por exemplo, vinte e oito palavras usadas no cap. 21 não aparecem em outro lugar no evangelho; todavia, visto que esta é a única cena de pesca no evangelho, esperamos uma porcentagem de vocabulário peculiar. Outras diferenças propostas entre o cap. 21 e o restante evangelho têm por base hipóteses um tanto tendenciosas sobre o evangelho; por exemplo, BULTMANN, p. 543, observa que o Discípulo Amado é uma pessoa real neste capítulo, enquanto no corpo do evangelho ele é apenas um símbolo (muitos discordam da última posição); ou, por sua vez, DODD, *Interpretation*, p. 431, alega que 21,22 evidencia uma ingênua expectativa da segunda vinda não encontrada no evangelho (muitos achariam a última afirmação exagerada).

Nas notas, fizemos um esforço para salientar os característicos joaninos e não joaninos no capítulo, e aqui listaremos os mais significativos. Notavelmente, os aspectos joaninos incluem: a designação "Mar de Tiberíades", no v. 1; os nomes Simão Pedro, Tomé o Gêmeo e Natanael de Caná, no v. 2; a palavra *opsarion* para peixe, em 6,9,11; o Discípulo Amado e a interação com Pedro, no v. 7; os carvões acesos, no v. 9; a hesitante pergunta, no v. 12; os ecos de 6,11 e 13; a numeração das aparições, no v. 14; o nome do pai de Simão, no v. 15; algumas das variações de vocabulário e a imagem de ovelhas de 15-17; o duplo "Amém" e o obscuro simbolismo, no v. 18; o parêntese explicativo, no v. 19; o Discípulo Amado, em 20-23; o tema da verdadeira testemunha, no v. 24; a referência a outros feitos, no v. 25. RUCKSTUHL, um especialista em estilo joanino (ver vol. 1, pp. 153-155), acha que a presença de tantos característicos joaninos como prova suficiente da autoria joanina; da mesma forma CASSIANO, *art. cit*. Entre os estudiosos que partilham deste ponto de vista pode-se listar WESTCOTT, PLUMMER, SCHLATTER, LAGRANGE, BERNARD, KRAGERUD e WILKENS. (Alguns excluiriam os vs. 24-25 da autoria do evangelista). Característicos que notavelmente não se adequam ao estilo do Evangelho Joanino incluem: menção dos filhos de Zebedeu, no v. 2; a preposição *syn*, "com", no v. 3; a palavra para "ao raiar o dia", no v. 4; o causativo *apo* e o verbo *ischyein*, "ser apto", no v. 6; o partitivo *apo*, no v. 10; o verbo *epistrephein*, "voltar", no v. 20. BOISMARD, *art. cit.*, que nos tem dado o estudo estilístico mais detalhado do capítulo, tem concluído, com base em tais diferenças, que o evangelista não escreveu o Epílogo. (A princípio, como hipótese, e depois com maior certeza, BOISMARD tem argumentado em prol da autoria lucana). Entre os estudiosos que partilham deste ponto de vista, pode-se listar MICHAELIS, WIKENHAUSER, KÜMMEL, BULTMANN, BARRETT, GOGUEL, DIBELIUS, LIGHTFOOT, DODD, STRATHMANN, SCHNACKENBURG e KÄSEMANN.

Neste comentário, trabalharemos sob a hipótese da autoria da parte de um redator, uma conclusão alcançada por outras razões além do critério incerto baseado no estilo. Apelar para um redator explica melhor por que a(s) aparição(s) no cap. 21, na Galileia, foi (foram) combinada(s) artificialmente na narrativa das aparições em Jerusalém, no cap. 20, e as fez sequenciais ("Depois disso", no v. 1; "terceira vez", em 14). Temos mantido que as aparições que Jesus fez na Galileia aos discípulos precederam em outro tempo as aparições em Jerusalém. Ao reeditar o evangelho, o evangelista teria sido capaz de intercalar sutilmente (se conhecia a sequência); mais provavelmente, um redator teria adicionado. Além do mais, mesmo que o próprio evangelista adicionasse um novo grupo de aparições, teria se sentido livre para mover ou modificar sua conclusão anterior em 20,30-31, enquanto um redator poderia não querer alterar o texto evangélico que chegara a ele.

Todavia, se admitirmos que um redator escreveu o cap. 21, devemos lembrar ao leitor que estudiosos têm concepções muito diferentes desse redator. De fato, o cap. 21 é a principal evidência para fundamentar uma ideia sobre este redator; ele é "a chave e fundamento para qualquer teoria redacional" (SMITH, p. 234). Pensamos nele como sendo discípulo joanino que partilhava do mesmo mundo de ideias que o evangelista e que desejava mais completar o evangelho do que alterar seu impacto. Como mencionamos no vol. 1, p. 14s, não concordamos com BULTMANN em pensar que o redator impôs no cap. 21 e em outros lugares uma perspectiva eclesiástica e sacramental estranha ou ainda contrária ao pensamento do evangelista. Ao contrário, cremos que o redator incorporou aqui algum material antigo que não incluíra na primeira redação do evangelho, inclusive o relato da primeira aparição de Jesus a Pedro pós-ressurreição. (Hoje, poucos concordariam com a tese de LOISY de que o Epílogo é um *pastiche* de elementos extraídos dos evangelhos sinóticos). O fato de que este material vem do mesmo contexto da tradição joanina do qual o evangelista extraiu, mais o fato de que o evangelista e o redator eram discípulos na mesma escola de pensamento, explica as similaridades de estilo entre o evangelho e o cap. 21. O fato de que o material no cap. 21 foi formulado, em sua forma final, por outro autor distinto do evangelista explica as diferenças de estilo.

Um motivo importante, pois, para adicionar o cap. 21 foi o desejo do redator de não perder um material tão importante. O evangelista concluiu o evangelho, dizendo que houve muitos outros sinais que não foram incluídos; agora o redator apresenta um desses sinais, a saber, a aparição de Jesus por ocasião de uma pesca miraculosa. (Discutimos acima, p. 1547s, a possibilidade de aplicar a ideia de "sinal" a uma aparição pós-ressurreição; "sinal" é ainda mais aplicável aqui porque um milagre forma o contexto da aparição). Além do motivo de preservar certo material, a maioria dos comentaristas supõem que o cap. 21 foi acrescentado ao evangelho a fim de enfatizar temas teológicos específicos. Por exemplo, na pesca de 153 peixes e na ordem dirigida a Pedro de cuidar das ovelhas vem ao primeiro plano o tema de uma missão apostólica que conduziria muitos homens a Jesus e os manteria juntos como uma comunidade. Visto que Pedro exerce um papel dominante na cena da pesca e também no diálogo que segue a refeição (21,15-18), alguns têm pensado que o redator estava interessado em chamar a atenção para a reabilitação de Pedro depois de sua negação de Jesus e à sua subsequente proeminência na Igreja. A interação entre Pedro e o Discípulo Amado nos vs. 7 e 20-23 têm chamado a atenção de outros comentaristas que propõem que o capítulo tinha em vista clarificar as respectivas posições na Igreja destes dois homens. DRUMWRIGHT, p. 134, observa que, enquanto o Quarto Evangelho constitui uma interpretação de Jesus,

O Epílogo é mais uma interpretação do significado dos dois discípulos, de modo que a explicação do Epílogo está no valor pessoal do material que ele contém. Mais particularmente, AGOURIDES, p. 127, argumenta que o ponto principal do cap. 21 é responder a uma pergunta que surgiu da comparação das mortes de Pedro e do Discípulo Amado. Certamente, em 21,23 o redator tenta corrigir a interpretação equivocada sobre a relação da morte do Discípulo Amado e a segunda vinda de Jesus. Finalmente, alguns estudiosos pensam que o verdadeiro alvo do Epílogo está expresso no v. 24 que estabelece que o Discípulo Amado, através do testemunho de testemunhas oculares, endossa e verifica o que o evangelista escreveu e o redator agregou. Assim, há uma variedade de temas aos quais o Epílogo parece dirigir-se, temas que serão discutidos com detalhe mais adiante. Provavelmente, é uma perda de tempo tentar determinar a importância relativa destes temas no pensamento do redator. O que é significativo notar, como tem feito MARROW, entre outros, é que estes temas têm um motivo comum, pois todos eles refletem a vida da Igreja. Os temas da reabilitação de Pedro, seu papel como pastor das ovelhas, sua morte como mártir, o papel do Discípulo Amado, sua morte, sua relação com a segunda vinda – estas são questões que afetaram a relação da comunidade joanina com a Igreja em geral. A analogia na qual o cap. 21 é para o Evangelho de João como o Livro de Atos é para o Evangelho de Lucas é incomparavelmente forte, mas certamente este é um capítulo eclesiástico. Ele reflete temas pertinentes ao período entre as aparições do Jesus ressurreto (vs. 1,14) e sua segunda vinda (vs. 22-23) – o tempo da Igreja. Se a concentração sobre a Igreja for mais forte do que outros lugares no evangelho, isto representa um desenvolvimento do que é, ao menos, subentendido no evangelho (vol. 1, pp. 114-22), em vez de a introdução de um tema que é estranho e até mesmo contrário ao evangelho.

A estrutura do Capítulo 21

Diferente do cap. 20 (p. 1468s acima), o Epílogo não tem uma série de aparições que possam ser combinadas em episódios cuidadosamente equilibrados. Toda a ação do cap. 21 se desenvolve no curso de um encontro com o Jesus ressurreto na praia do Mar de Tiberíades. Não obstante, o próprio autor indica estágios na ação, de modo que podemos distinguir três subdivisões dentro do capítulo, como indicado na p. 1554 acima. Deixando de lado a terceira subdivisão (21,24-25), a qual é uma conclusão do redator, descobrimos que o capítulo consiste de duas partes principais, a saber, a primeira subdivisão (21,1-14) descreve uma aparição de Jesus por ocasião de uma pesca miraculosa – uma aparição peculiar não acompanhada de qualquer afirmação significativa ou diálogo teológico prolongado – e uma segunda subdivisão (21,15-23) consistindo inteiramente de ditos do Jesus ressurreto. Geralmente se mantém que os ditos em 15-23 interpretam a aparição em 1-14 e suprem o elemento ausente de mandamento ou diretriz, mas a relação do diálogo com a aparição é mais tênue do que em qualquer outra narrativa pós-ressurreição. Nossa discussão da relação entre as duas subdivisões é complexa pelo fato de que ambas as subdivisões são em si, provavelmente, compostas. A fim de prosseguir efetivamente, deixemos até a próxima seção (§72) o problema da unidade interna de 15-23 e discutamos aqui somente os dois pontos da estrutura: primeiro, a unidade entre a narrativa em 1-14 e o diálogo em 15-17; segundo, a unidade interna de 1-14.

Então, *primeiro*, o tríplice diálogo entre Pedro e Jesus em 15-17 originalmente foi parte do relato da pesca em 1-14? O próprio redator tem dado motivos para duvidar se isto foi inserido no comentário parentético no v. 14 que sugere que a narrativa da aparição de Jesus, em 1-13, uma vez em si formava uma unidade. (Note a inclusão que existe entre os vs. 1 e 14, os quais afirmam que Jesus se revelou). A impressão é reforçada pelo fato de que Lc 5,1-11, que é estreitamente paralelo com Jo 21,1-14, nada contendo similar a 15-17. Se sete discípulos figuram no episódio da pesca de 1-14, somente Pedro e o Discípulo Amado parecem estar presentes em 15-23. Todavia, estes argumentos contra a unidade não são totalmente conclusivos. A despeito da inserção do v. 14, do redator, evidentemente ele pensava nas duas subdivisões como pertinentes à mesma cena, pois introduziu o diálogo do v. 15 mediante uma referência à refeição mencionada no v. 12 ("Depois de comerem"). O paralelo em Lucas deve ser tratado cautelosamente como um guia para o conteúdo original da cena joanina, visto que, ao mover o relato para um novo contexto, como veremos abaixo, Lucas teve que fazer modificações. A ausência dos companheiros de pesca de Pedro em 15ss. não é tão significativa, pois tampouco tem papel importante em 1-14. Antes, Pedro é o elemento unificador entre as duas subdivisões, com o Discípulo Amado como seu único companheiro importante em cada uma delas. Há certo paralelismo entre a forma que Simão Pedro inicia a ação na primeira subdivisão, dirigindo-se aos discípulos no v. 3, e a forma em que Jesus inicia o diálogo, na segunda subdivisão, dirigindo-se a Simão Pedro no v. 15.

Aliás, o papel de Pedro em 1-14 parece incompleto sem algum diálogo conclusivo tal como o encontrado em 15-17 (GRASS, p. 82, reconhece isto, porém propõe que o final original de 1-14, que envolve uma comissão a Pedro, foi substituído pelo que agora se encontra em 15-17). No v. 7, Pedro salta do barco para a praia e se apressa a ir ter com Jesus, e no v. 11 ele responde ao pedido de Jesus por mais peixe, arrastando para a praia o que havia apanhado, mas nestes versículos não há confrontação real entre Pedro e Jesus, nenhum encontro e diálogo significativo. Muitos estudiosos associam a importância de Pedro na Igreja primitiva com a aparição de Jesus a ele (CULLMANN, *Peter*, p. 64), e dificilmente se pode imaginar que um relato pós-ressurreição, na qual Pedro é o centro da atenção chegou a um fim abrupto sem que Jesus falasse a Pedro e lhe desse uma comissão. Essa comissão é suprida por 21,15-17. Por outro lado, visto que estes versículos parecem conter material antigo, em que outra ocasião teriam sido pronunciadas essas sentenças, se agora não estão em seu contexto original? A maioria dos comentaristas interpreta a tríplice interrogação sobre o amor de Pedro por Jesus em 15-17 como uma reabilitação de Pedro depois da tríplice negação, e tal reabilitação logicamente teria ocorrido por ocasião da primeira aparição pós-ressurreição de Jesus a Pedro, a qual é o que parece termos em 21,1-14 (ver abaixo).

Talvez o argumento mais forte contra a unidade de 1-14 e 15-17 é que o simbolismo dos dois é muito diferente: um fala simbolicamente de peixe e o outro de ovelhas. Entretanto, o simbolismo de peixe, muito embora bem adequado ao tema de uma missão cristã nos vs. 1-14, dificilmente poderia ter sido adaptado ao tema do cuidado dos fiéis, que é a ideia central na tríplice ordem de 15-17. (Note que não há redundância no papel designado a Pedro nas duas subdivisões: nos vs. 1-14 ele e os outros discípulos são implícita e simbolicamente feitos missionários pescadores de homens; em 15-17 lhe é dado o cuidado pastoral). Alguém pode pescar, mas pescadores não assumem o cuidado de peixes à moda de pastores que cuidam de ovelhas. Da mesma forma, é digno de nota que 1Pd 5,15 Pedro esteja falando de si mesmo como um dos anciãos que devem cuidar do rebanho, de modo que a associação de Pedro e o simbolismo de pastor não é peculiar a João e plausivelmente poderia ter se originado em conexão com a primeira aparição de Jesus a Pedro. Em suma, pois, não se pode estabelecer com certeza a unidade original de 1-14 e 15-17, mas os argumentos em favor dela parecem mais convincentes do que os argumentos contra ela.

Isto nos leva à *segunda* questão sobre a estrutura: 1-14 é o resultado da composição de cenas diferentes? Embora alguns exegetas se preocupem mais que outros em seguir a lógica da ação nestes versículos (ver nota sobre "subiu" no v. 11), todos reconhecem as dificuldades. No v. 5, Jesus parece não ter peixe; todavia, quando os discípulos vêm para a praia e antes que arrastem sua grande quantidade de peixes, Jesus já tem preparado um braseiro com um peixe sobre ele (9). Jesus pede que alguns dos peixes recém apanhados lhe sejam trazidos (10), mas não fica claro se eles se tornaram parte da refeição (12-13). O grande volume de peixes leva o Discípulo Amado e depois Pedro a reconhecer Jesus (7), mas a seguir os outros discípulos parecem ainda duvidosos sobre a identidade de Jesus (12). Portanto, não surpreende que estudiosos tenham proposto uma história de composição por detrás de 1-14. LOISY, p. 519, expressa bem as alternativas quando diz que ou o autor combinou diversas tradições ou esteve formulando um simbolismo alegórico para o qual ele sacrificou o desenvolvimento lógico da narrativa – ou, talvez, ele esteve fazendo ambas as coisas. WELLHAUSEN e BAUER estão entre os que propõem que dois relatos foram entrelaçados, a saber, 1-8, que é o relato da pesca, e 9-13, que é o relato de uma refeição que, com alguns detalhes, constitui uma variante do relato da multiplicação dos pães e peixes (Jo 6,1-13). Todavia, os vs. 10-11 propiciam uma dificuldade a essa análise, posto que apontem para a pesca, e assim a maioria dos estudiosos optam por uma história mais complexa da composição. Por exemplo, LOISY, p. 521, mantém que, originalmente, o v. 5 levou diretamente ao v. 9 e, então, ao 12-13: quando os discípulos nada apanharam, Jesus fez provisão de alimento, e assim o reconheceram. SCHWARTZ, p. 216, encontra vestígios de um relato original em 1-3, 4a, 9, 12-13, 15-17: o relato pós-ressurreição de uma refeição sem uma pesca miraculosa. BULTMANN, pp. 544-45, encontra o relato original em 2-3, 4a, 5-6, 8b-9a, 10-11a, 12: uma narrativa mais complexa do que a de SCHWARTZ; pois, enquanto ela incorpora a pesca, elimina não só a refeição preparada e pronta, mas também, em parte, o papel especial de Pedro (p. ex., sua primeira vinda para a praia). Para BULTMANN, foi o redator que introduziu o Discípulo Amado e enfatizou o papel de Pedro a fim de preparar para a adição dos vs. 15,23, onde estes dois discípulos figurariam proeminentemente.

Em nosso juízo, estas análises são corretas em postular uma combinação de duas correntes das narrativas, uma se ocupando primariamente de uma pesca e a outra de uma refeição. Todavia, ficamos em dúvida sobre quão bem as narrativas originais podem ser reconstruídas por meio de mera crítica literária, o que aqui é em grande medida um processo de unir inconsistências e fazer um relato sequencial. Se duas narrativas foram combinadas, a junção não foi necessariamente feita pelo redator, o qual, pois, seria culpado de deixar as inconsistências óbvias. As duas narrativas poderiam ter chegado ao redator já unidas e ele mesmo não teria sido apto a resolver as inconsistências. Talvez tudo o que podemos esperar discernir por detrás da narrativa composta são esboços gerais das narrativas originais que eram mais complexas do que possamos reconstruir. Tentemos suplementar os resultados da crítica literária e corrigir algumas de seus pontos fracos, abordando o problema partindo de outra direção, a saber, a dos paralelos neotestamentários com o material encontrado em 1-14 e 15-17. Trataremos dos paralelos com a narrativa da pesca, discutindo a tradição de que Jesus apareceu primeiro a Pedro, e discutiremos os paralelos com a narrativa da refeição, discutindo o que sabemos da primeira aparição de Jesus aos doze na Galileia.

A pesca em Jo 21 e a tradição de uma aparição a Pedro

A. *A evidência direta sobre a aparição.* Nossa primeira informação vem da tradição que Paulo cita em 1Cor 15,5 (ver p. 1436 acima): a primeira das aparições de Jesus pós-ressurreição (i.e., aparições aos que tinham alguma reivindicação a ser consideradas testemunhas ou apóstolos comissionados) foi a Cefas. Paulo não localiza a aparição, mas a maioria dos estudiosos pressuopem que ela ocorreu ou em Jerusalém ou na Galileia. (K. LAKE a situa em Betânia, enquanto BURKITT a situa na estrada de Jerusalém à Galileia – assim também FULLER, p. 314, o qual sugere que ela sublinha a lenda de o *Quo vadis?*). O apoio para uma localização em Jerusalém vem de Lc 24,34: "O Senhor ressuscitou e apareceu a Simão". Com este anúncio são recebidos os dois discípulos que acabaram de retornar de Emaús a Jerusalém, a implicação é que a aparição se deu na área de Jerusalém no dia da Páscoa. (Não consideraremos a possibilidade de que Simão era um dos dois discípulos que foram para Emaús; ver J. H. Crehan, CBQ 15 [1953], 418-26). A suposição de que Lucas e Paulo estão falando acerca da mesma aparição é razoável, já que sua descrição é bem similar e, em alguns outros casos, por exemplo, a fórmula eucarística, dependem da mesma tradição. Não obstante, embora a localização lucana seja aceita por estudiosos como Lohmeyer e Benoit, é suspeita precisamente porque toda a sequência lucana das aparições pós-ressurreição com a prioridade dada a Jerusalém é dúbia (ver pp. 1437-38 acima). A menção da aparição a Pedro é particularmente estranha na narrativa lucana, já que em 24,12 (uma não-interpolação ocidental) Lucas nos informa que Pedro foi ao túmulo vazio e voltou confuso, obviamente sem ter visto Jesus. Assim, é plausível que Lucas não soubesse sob que circunstâncias ocorreu a aparição a Simão e que a mencionou onde ele não tinha na memória a diferença de que esta foi a primeira das aparições pós-ressurreição de Jesus a seus discípulos.

Uma aparição a Pedro na área de Jerusalém é praticamente eliminada por Mc 16,7, onde o anjo instrui as mulheres a informar aos discípulos e *a Pedro* que Jesus está indo adiante deles para a Galileia e o verão ali. Muitos têm sugerido que a razão para Pedro ser omitido era que ele receberia uma aparição especial na Galileia. O *Evangelho de Pedro*, 58-60, ainda que incompleto, retém a tradição de que a primeira aparição do Jesus ressurreto a Pedro ocorreu nas proximidades do lago da Galileia consideravelmente depois da Páscoa. (Não parece valer a pena entrar na especulação de que este evangelho apócrifo e Jo 21 recorreram ao que estava originalmente no final perdido de Marcos – seria conjetura, e a própria existência de um final perdido de Marcos é incerta). Resumindo os dados, enquanto não se pode alcançar nenhuma conclusão sólida, nada se desprende de uma análise crítica do evangelho que nos obrigue a aceitar o Mar de Tiberíades como o local da primeira aparição do Jesus ressurreto a Pedro. Para uma discussão mais detalhada da localização, ver Gils, pp. 28-32.

Outro argumento que tem sido apresentado contra a identificação da cena em Jo 21 com a primeira aparição a Pedro é que ambos, Paulo e Lucas, indicam *prima facie* [a primeira vista] de que Jesus apareceu somente a Pedro, enquanto em Jo 21 Pedro tem companheiros.

Todavia, a informação paulina está longe de ser decisiva. Em 1Cor 15,8 Paulo fala da aparição de Cristo a ele mesmo: "E por derradeiro de todos me apareceu também a mim". Não se deve presumir, com base nessa descrição, que Paulo estivesse acompanhado por companheiros, como Lucas indica três vezes (At 9,7; 22,9; 26,13). Assim, não se pode excluir a presença de semelhantes companheiros "silenciosos" na aparição a Pedro. Em Jo 21, se deixarmos de lado o Discípulo Amado que, evidentemente, é uma adição joanina à narrativa, e se separarmos o relato da pesca daquela da refeição, os companheiros de pesca de Pedro não têm papel importante na aparição de Jesus no v. 7 e desaparece inteiramente no diálogo de 15ss. É verdade que os mencionados são discípulos do Senhor (Tomé, Natanael, os filhos de Zebedeu), porém suspeitamos que isto é uma contaminação oriunda da combinação do relato da pesca que se ocupou de uma aparição a Pedro e o relato da refeição que, originalmente, se ocupou de uma aparição ao grupo dos discípulos. KLEIN, p. 29, provavelmente esteja certo em argumentar que, originalmente, os companheiros de Pedro eram pescadores anônimos como ainda o são em Lc 5,7.9, de modo que Pedro fosse o único discípulo identificado na narrativa (GRASS, p. 76, deixa aberta a possibilidade de que os filhos de Zebedeu estivessem também envolvidos). Caso se objete que esta sugestão de companheiros anônimos é tênue demais, ainda não há nenhum obstáculo intransponível em ser Pedro acompanhado de discípulos desconhecidos por ocasião da primeira aparição do Senhor ressurreto – o *Evangelho de Pedro*, 60, nessa ocasião, apresenta Pedro com André e Levi com Alfeu.

Podemos acrescentar que na narrativa joanina há certos aspectos que são mais bem explicados se esta for a *primeira* aparição de Jesus a Pedro. No v. 3, Pedro volta à sua profissão como se não tivesse consciência de uma vocação superior – certamente ninguém se surpreenderia se Jesus previamente lhe aparecesse e o enviasse à missão apostólica. O aspecto de reconhecer Jesus nos vs. 4-7 implica que o Jesus ressurreto não fora visto antecipadamente. Além do mais, como já mencionamos, a cena da reabilitação nos vs. 15-17, formulada para corresponder às negações de Pedro, é mais inteligível no contexto da primeira aparição de Jesus a Pedro.

B. *A evidência indireta sobre a aparição.* Se a evidência direta propiciada por Paulo, Lucas, Marcos e o *Evangelho de Pedro* nada faz para desaprovar a tese de que Jo 21 contém uma versão da primeira aparição de Jesus a Pedro, evidência confirmatória vem de uma análise de materiais sinóticos dispersos acerca de Pedro. Os sinóticos não descrevem aquela primeira aparição, mas tem-se sugerido que os elementos do relato da aparição foi preservado em fragmentos da descrição sinótica do ministério de Jesus. Discutiremos três cenas.

(1) *Pedro caminha sobre as águas (Mt 14,28-33)*. Depois de descrever a multiplicação dos pães, Mateus, Marcos e João apresentam uma cena noturna na qual os discípulos saem para o mar em um barco e Jesus vem em sua direção caminhando sobre o mar (vol. 1, pp. 486-87). Somente Mateus atribui a Pedro um papel especial nesta cena. Pedro se dirige a Jesus do barco, "Senhor, se és tu, manda-te ir ter contigo por cima das águas". Sob a permissão de Jesus, Pedro sai do barco e anda sobre as águas em sua direção; mas então ele sente medo e começa a afundar. Ao grito lamentoso de Pedro, "Senhor, salva-me", Jesus estende sua mão para segurar Pedro, dizendo: "Ó homem de pequena fé, por que duvidaste?" Então todos no barco adoram a Jesus como o Filho de Deus. Como julgamos este material peculiarmente mateano, parece mais provável que Mateus o adicionasse do que Marcos e João preservassem independentemente uma forma abreviada da cena. Dodd, *"Appearances"*, pp. 23-24, reconhece que na parte da cena que é comum aos três evangelhos há muitos aspectos apropriados à forma literária de uma narrativa pós-ressurreição (p. 1437 acima), e que o relato poderia ter se ocupado originalmente de uma aparição do Jesus ressurreto. Alguma hesitação sobre esta hipótese é causada pelo fato de que nos três evangelhos o ato de Jesus caminhar sobre a água é solidamente vinculado ao contexto da multiplicação dos pães, e esta localização retrocede a um período pré-evangélico. Todavia, mesmo que o relato geral não seja pós-ressurreição, o incidente que Mateus anexou sobre Pedro poderia ter sido pós-ressurreição. Notamos algumas similaridades interessantes entre o material mateano e Jo 21: Pedro vê Jesus longe do barco e hesitantemente o reconheceu; Pedro se dirige a Jesus como Senhor e sai do barco para ir ao seu encontro; Jesus salva Pedro, depois de censurá-lo pela falta de fé. (O último incidente é passível de ser interpretado como uma dramatização da reabilitação de Pedro depois de suas negações de Jesus e, assim, pode ser paralela em tema com Jo 21,15-17). Certamente, em João não há o milagre de Pedro caminhando sobre as águas, senão que o elemento peculiar

de Mateus não poderia dever-se ao fato de que o relato foi colocado no contexto de Jesus caminhando sobre as águas – aqui, provavelmente, João seja mais primitivo do que Mateus. Admitimos que a comparação entre Mt 14,28-32 e Jo 21 está longe de ser perfeita; mas tem alguma força, particularmente à luz da próxima passagem a ser discutida, a qual acharemos mais provas de que o material petrino, peculiar a Mateus, pode ter sido de origem pós-ressurreição.

(2) *Pedro como a rocha fundamental da Igreja (Mt 16,16b-19)*. Enquanto Marcos, Lucas e Mateus têm uma cena durante o ministério onde Simão Pedro confessa Jesus como o Messias (Mc 8,27-29 e par.), somente em Mateus essa confissão inclui o título Filho de Deus, o mesmo título que Mateus tem na cena petrina já discutida. Por outro lado, somente em Mateus Jesus louva Simão por possuir um conhecimento que lhe teria sido revelado pelo Pai. Então Jesus prossegue mudando o nome Simão para Pedro, a fim de fazê-lo a rocha sobre a qual a Igreja será edificada, e dar-lhe as chaves do reino com o poder de ligar e desligar. Hoje há ampla concordância entre os estudiosos, inclusive os católico-romanos como o Cardeal ALFRINK, BENOIT, STANLEY, SUTCLIFFE e J. SMITH, de que Mateus anexou este material à cena original (por razões exegéticas, ver W. MARXSEN, *Der Frühkatholizismus in Neuen Testament* [Neukirchen, 1959], pp. 40-47). Aí permanece a discordância sobre a unidade do material e sobre sua localização original. CULLMANN, *Peter*, pp. 187-90, pensa que o material petrino poderia ter sido originalmente posto no contexto da última ceia onde Lc 22,31-32 tem um dito sobre Pedro, porém um grupo mais amplo de estudiosos opta por um cenário pós-ressurreição (ver FULLER, *art. cit.*). Em nossa opinião, há uma boa chance de que o material mateano seja composto; porque, como salientado no vol. 1, p. 548s, paralelos com Mt 16,16b-19 se encontram espalhados por todo [o Evangelho de] João. Todavia, é muitíssimo provável que o período pós-ressurreição foi o cenário original para algumas das palavras de Jesus nesta passagem mateana; por exemplo, veja pp. 1524-26 acima, onde comparamos o dito de ligar e desligar de Mt 16,19b com Jo 20,23. Aqui, nosso interesse particular é Mt 16,18-19a, onde Pedro é feito a rocha sobre a qual a Igreja será edificada, uma Igreja contra a qual a morte não prevalecerá, e onde a Pedro são dadas as chaves do reino do céu. A última metáfora ecoa Is 22,22 (p. 1525 acima) e certamente implica a ideia de autoridade. Há um paralelo de pensamento entre estas palavras dirigidas

a Pedro e as palavras de Jo 21,15-17, onde Jesus constitui Pedro como pastor sobre o rebanho, comissionando-o a cuidar das ovelhas (para a implicação de exercer autoridade nestas palavras, veja nota sobre o v. 15, "apascenta os meus cordeiros"). Os dois ditos não são tão parecidos para serem considerados duplicatas, mas podem representar fragmentos de uma narrativa original mais longa acerca de uma aparição pós-ressurreição a Pedro na qual lhe foi dada autoridade na Igreja primitiva. (Provavelmente, pode-se considerar Lc 22,31-32 que, notamos, dá a Pedro o papel de fortalecer seus irmãos *depois* que retornasse, isto é, aparentemente depois que se arrependesse de sua negação).

(3) *O chamado de Pedro e a pesca miraculosa (Lc 5,1-11)*. Em Mc 1,16-20 e Mt 4,18-22, o chamado dos primeiros discípulos é narrado em termos muito simples. Jesus vê as duas duplas de irmãos que são pescadores, Pedro e André, Tiago e João; ele insiste com eles: "Segui-me, e eu vos farei pescadores de homens"; eles deixam seus barcos e redes e o seguem. O relato em Lc 5,1-11 é mais complexo. Como Jesus está pregando junto ao Lago de Genesaré, os pescadores de dois barcos estão lavando suas redes. Jesus entra no barco de Simão, se afasta da terra e ensina o povo do barco (paralelo em Mc 4,1-2; Mt 13,1-2). Quando Jesus termina, ele diz a Simão que fosse para mar alto e lançasse as redes para uma pesca. Simão protesta que trabalharam toda a noite e nada apanharam; mas lança a rede e apanha tantos peixes que as redes estão a ponto de se romperem. Quando os pescadores do outro barco vêm em socorro, ambos os barcos ficam tão cheios que estão a ponto de afundar. Pedro cai de joelhos diante de Jesus e diz: "Senhor, afasta-te de mim, pois eu sou homem pecador"; em resposta, Jesus diz: "Não temais; doravante sereis pescadores de homens". Finalmente, os barcos são trazidos para a terra e os pescadores deixam tudo e o seguem. Lucas tem uma forma mais completa do chamado dos discípulos do que encontramos em Marcos/Mateus, ou Lucas anexou ao chamado dos discípulos outra narrativa sobre Pedro e uma pesca miraculosa? De certa maneira, o relato lucano é mais lógico: o milagre oferece uma razão por que os pescadores deixaram tudo e seguiram Jesus. Todavia, há inconsistências reais no relato lucano. Os detalhes dos pescadores na praia e o ensino de Jesus a partir de um barco são encontrados em diferentes lugares em Marcos/Mateus (Mc 1,16-20 e 4,1-2) e é bem provável que sejam artificialmente unidos em Lucas. Visto que Jesus pede a Simão que saia do mar, devemos

presumir que os outros ficaram na praia; mas quando a pesca se concretiza, aparentemente o outro barco está no mar. A ação de Simão de cair de joelhos diante de Jesus seria mais apropriada em terra do que em um barco, de acordo com suas palavras: "Afasta-te de mim". Finalmente, a transição da reação de Simão ao chamado dos discípulos é estranha. E assim, enquanto a evidência de que a pesca é uma tradição lucana não é tão forte como foi a evidência para as duas cenas mateana e petrina que acabamos de ver, a partir unicamente de razões internas a teoria da adição permanece como uma boa probabilidade.

A tese de uma adição lucana se torna mais convincente quando comparamos o relato lucano da pesca com Jo 21. Os seguintes detalhes são partilhados por ambos:

- Os discípulos pescaram a noite inteira e nada apanharam.
- Jesus lhes ordena que lançassem a(s) rede(s) para pescar.
- Suas ordens são seguidas e se consegue uma quantidade extraordinariamente grande de peixes.
- Menciona-se o efeito sobre as redes (ver nota sobre 11).
- Pedro é aquele que reage à pesca (Jo 21 menciona o Discípulo Amado, mas essa é uma adição claramente joanina).
- Jesus é chamado Senhor.
- Os outros pescadores tomam parte na pesca, porém nada dizem.
- O tema de seguir Jesus ocorre no final (cf. Jo 21,19.22).
- A pesca simboliza um empreendimento missionário bem sucedido (especialmente em Lucas; implicitamente em João).
- As mesmas palavras são usadas para lançar ao largo, aportar, rede etc., algumas das quais podem ser coincidentes. O uso mútuo do nome "Simão Pedro", quando responde à pesca (Lc 5,8; Jo 21,7) é significativa, pois este é o único caso do duplo nome em Lucas.

Há dois outros pontos de semelhança, mas ali são duvidosos. Primeiro, Jo 21,2 menciona a presença dos filhos de Zebedeu, como faz Lc 5,10a. Não obstante, este meio versículo em Lucas, que é parentético e interrompe a sequência, não poderia ter sido uma parte do relato original da pesca e poderia pertencer ao contexto do chamado dos discípulos no qual o relato da pesca foi inserido. A menção de Tiago e João em 10a parece ser uma duplicação da referência mais anônima a "todos os que estavam com ele" no v. 9. Segundo, a afirmação de Pedro em Lc 5,8, "Senhor, afasta-te de mim, porque sou pecador", é passível de ser interpretada como uma referência às negações de Pedro e, assim, como um paralelo com a ideia da reabilitação de Pedro em Jo 16,15-17. De fato, muitos comentaristas usam este versículo para mostrar que o relato lucano não está em seu contexto original, pois em seu primeiro encontro com Jesus Pedro não tinha razão alguma de confessar-se pecador. Todavia, a exclamação de Pedro não poderia ser mais que a expressão do senso da indignidade que experimenta um mortal ordinário na presença de alguém que acaba de operar um milagre estupendo.

As semelhanças listadas acima tornam razoável concluir que, independentemente, Lucas e João preservaram formas variantes do mesmo relato de milagre – dizemos independentemente porque há muitas diferenças de vocabulário e detalhes. (Que o evento aconteceu duas vezes não é uma possibilidade tão séria, com vênia a PLUMMER, LAGRANGE, entre outros; pois, caso alguém aceite o ponto de vista histórico por detrás dessa harmonização, esse ainda teria que explicar como em Jo 21 Pedro poderia se encontrar pela segunda vez na mesma situação e participe em um diálogo quase idêntico sem reconhecer Jesus!). Qual evangelho tem a versão mais original do relato, e qual tem o cenário mais original? Aqui nos ocupamos somente da mais antiga forma identificável do relato, não com sua historicidade que não pode ser cientificamente determinada. (Tentativas de modificá-lo inclui: a tese de GOGUEL, pp. 23-24, de que houve uma bem sucedida pesca supersticiosamente interpretada como um milagre; a sugestão de BULTMANN [HST, p. 304] de que a ideia pode ter sido emprestada do helenismo pagão, ou que um relato de milagre pode ter-se desenvolvido de um dito [HST, p. 230]). Que a resposta a estas indagações de originalidade não é simples se pode ver da oscilação de BULTMANN: em HST, pp. 217-18, ele conclui que João tem uma versão posterior que, de alguma maneira, deriva de Lucas; mas, em seu comentário sobre João, pp. 545-46, ele acha João mais original em alguns aspectos e em localização. B. WEISS, VON HARNACK e GRASS favorecem a originalidade joanina, enquanto WELLHAUSEN, GOGUEL, MACGREGOR favorecem a originalidade lucana. Provavelmente, não se pode dar nenhuma resposta absoluta à questão sobre a forma original do relato: em certos detalhes, Lucas parece ter sofrido algum desenvolvimento (redes quase se rompendo; dois barcos quase afundando); em outros, João sofreu desenvolvimento (talvez a menção de 153 peixes).

A questão de localização é mais importante. Pode-se argumentar em prol da localização lucana que os discípulos mais provavelmente teriam se engajado na pesca antes que começassem a seguir Jesus e não depois da ressurreição. Não obstante, se tratarmos Jo 21 como a primeira aparição do Jesus ressurreto, então, depois de achar o túmulo vazio, Pedro poderia ter voltado à Galileia confuso e desencorajado e teria reassumido sua ocupação. O argumento mais convincente em favor da localização joanina é que não há razão aparente para um pregador cristão tomar um relato correspondente à etapa do ministério de Jesus e o situar depois da ressurreição. Como salienta KLEIN, p. 35, todos os nossos exemplos estão na outra direção, a saber, retrospecto do material pós-ressurreição ao ministério. E, deveras, se o relato da pesca envolveu uma aparição do Jesus ressurreto junto ao Lago da Galileia, a tradição lucana dificilmente poderia tê-lo preservado como pós-ressurreição; pois Lc 24 construiu uma sequência onde todas as aparições de Jesus correm em Jerusalém e Jesus ascende ao céu na noite da Páscoa. É possível formular a hipótese que, ao remeter o relato da pesca e a reabilitação de Pedro ao ministério, Lucas pensava ser mais apropriado anexá-lo à narrativa sinótica comum do chamado dos primeiros discípulos e, assim, associar o chamado com o apostolado para o qual finalmente ele se desenvolveu. Portanto, pensamos ser plausível que Lc 5,4-9.10b.11a foi uma vez parte de um relato pós-ressurreição da primeira aparição de Jesus a Pedro (em que seus companheiros de pescas servem de testemunhas, justamente como em Jo 21). É verdade que DODD, *"Appearances"*, p. 23, analisou toda a perícope de Lc 5,1-11 e descobriu que ela é insuficiente nos aspectos da crítica da forma de uma aparição pós-ressurreição (p. 1438 acima). Mas, como ele conjetura, a crítica da forma não é uma ferramenta inteiramente satisfatória aqui; pois, ao recolocar o incidente no ministério, Lucas teria de suprimir alguns dos aspectos da característica pós-ressurreição; por exemplo, a tristeza dos discípulos em virtude de Jesus estar ausente e a aparição de Jesus. Um traço do reconhecimento original poderia ser preservado na exclamação "Senhor" de Lc 5,8, enquanto o equivalente de uma missão apostólica se encontra em 5,10, "doravante serás pescador de homens". (Em virtude de uma afirmação similar, "eu vos farei pescadores de homens", aparecer no chamado marcano/mateano dos discípulos, a maioria dos estudiosos mantém que esta comissão pertence ao chamado, e não à pesca, mas KLEIN, p. 34, argumenta que ela foi parte da pesca e originalmente dirigida somente a Pedro. Pode-se aceitar esta tese sem aceitar a conclusão de KLEIN de que não houve chamado de Pedro durante o ministério de Jesus). Igualmente, o "Não temas" de Lc 5,10 pode ser um eco do cenário original pós-ressurreição onde o Jesus ressurreto é recebido com temor (cf. Mt 28,10; Lc 24,37-38).

Para concluir nosso estudo de Jo 21 à luz dos dados diretos e indiretos pertinente à primeira aparição de Jesus a Pedro, sugerimos que, na tradição, esta aparição ocorreu enquanto Pedro pescava, que ela envolveu uma pesca miraculosa sob a ordem de alguém a quem Pedro passou a reconhecer como o Senhor ressurreto; que Pedro saltou do barco para saudá-lo; que no diálogo resultante Pedro reconheceu seu pecado e foi restaurado ao favor de Jesus; e que Pedro recebeu uma comissão que lhe dava uma autoridade destacada na comunidade. Jo 21 preservou uma forma razoavelmente fiel deste relato, com algumas mesclas de outra cena, como veremos abaixo. (Visto que uma destas mesclas confusas envolve uma refeição de pão e peixe, é difícil certificar se originalmente a aparição a Pedro também continha, como um incidente, uma refeição consistindo do que tinha sido recentemente pescado. É bem provável que KLEIN, p. 32, esteja certo em negar isto, pois não existe nenhum vestígio de uma refeição em qualquer uma de nossa evidência sobre a aparição a Pedro. A pesca não teve como seu tema a provisão de alimento; antes, ela propiciou a possibilidade do reconhecimento de Jesus da parte de Pedro). Nos detalhes de como Pedro reconheceu seu pecado e foi restaurado ao favor de Jesus, há considerável variante no material que temos estudado (Lc 5,8; Mt 14,30-31); e o que agora encontramos em Jo 21,15-17 com sua tríplice pergunta elaborada sobre o amor poderia ter passado por considerável dramatização, mesmo quando era parte do relato joanino ao máximo que podemos retroceder. Quanto à comissão autoritativa de Pedro, temos mencionado a possibilidade de que a imagem de pastor em Jo 21,15-17 e a imagem da rocha fundamental em Mt 16,18 constituem fragmentos do que em outro tempo foi um diálogo mais extenso e que ambas representam um desenvolvimento de umas simples metáforas.

A refeição em Jo 21 e a tradição da aparição aos doze na Galileia

Em 1Cor 15,5 Paulo registra que, depois de Jesus aparecer a Cefas, ele apareceu aos doze. Já vimos que um grupo de autores neotestamentários situa esta aparição em Jerusalém (pp. 1436-38 acima) e que a forma joanina da tradição hierosolimitana se encontra em 20,19ss. A tradição mais original, registrada por Marcos (implicitamente) e por Mateus, localiza esta primeira aparição na Galileia, e a forma joanina da tradição Galileia se encontra no cap. 21. Ora, Mt 28,16-20 tem a aparição se dando sobre "o monte para o qual Jesus disse que fossem". Muitos eventos neotestamentários estão associados a um "monte" (o sermão do monte, a transfiguração, a multiplicação dos pães); e se historicamente alguns destes eventos ocorreram ou não sobre um monte, para os autores do NT "o monte" parece ter assumido um valor simbólico de um Sinai Cristão. Isto suscita uma questão sobre a provável localização de Mateus da aparição Galileia aos doze. Não há razão lógica para os discípulos terem subido a um monte, e essa é a razão por que Mateus adicionou uma cláusula explicativa "para Jesus se dirigir a eles" – uma ação para a qual não há outra evidência no evangelho, nem mesmo em Mateus. Em contrapartida, se os discípulos deixaram Jerusalém sem ter visto o Jesus ressurreto, e inclusive atônitos ante o túmulo vazio, naturalmente teriam voltado para suas casas, e para muitos isto significaria a vizinhança do lago da Galileia. Que pelo menos um deles iria para esta vizinhança está implícito em nossa reconstrução da aparição a Pedro enquanto ele pescava. Assim, pelo menos é possível que a aparição Galileia aos doze ocorreu nas vizinhanças do Lago, e não em um monte, e tal localização ajudaria a explicar por que a narrativa desta aparição foi confundida com a de uma aparição a Pedro na praia do lago.

Quais foram as circunstâncias e os detalhes da aparição na Galileia aos doze? Mateus não dá praticamente nenhuma informação, e assim vale a pena suscitar a pergunta se Jo 21 pode ou não reter vestígios desta aparição. Somos inclinados a atribuir à aparição a Pedro os detalhes do cap. 21 como a atividade pesqueira feita por Pedro e companheiros anônimos, a pesca miraculosa e o subsequente reconhecimento de Jesus como o homem na praia, levando da pesca à terra seca, e o diálogo em 15-17. O que resta é a menção nominal dos discípulos (v. 2) e o relato da refeição quando esses discípulos reconheceram Jesus

(9b,12-13). Alguns estudiosos relacionariam também o v. 5a ao relato da refeição: visto que os discípulos nada apanharam para comer, Jesus lhes ofereceu uma refeição; mas isto pressupõe que a refeição ocorreu na praia do lago – se foi assim, não estamos certos. Enquanto os dados são insuficientes, somos tentados a reconstruir a narrativa pré-evangélica assim: em algum lugar na região do lago, um homem convidou os discípulos famintos a uma refeição de peixe e pão a qual foi preparada sobre um braseiro; embora ele parecesse familiar, ficaram hesitantes e, todavia, não ousavam fazer nenhuma pergunta; finalmente, souberam que era o Senhor quando ele lhes deu pão e peixe da mesma maneira que distribuíra pão e peixe após a multiplicação nesta mesma região (ver abaixo sobre as semelhanças entre 21,13 e 6,11). Tal narrativa teria quatro dos cinco aspectos que Dodd encontra, característico das aparições pós-ressurreição, porém não tem a comissão apostólica, talvez porque na sequência final ela foi substituída pela comissão que pertenceu ao relato da aparição a Pedro (21,15-17).

Há algum apoio neotestamentário para uma narrativa pós-ressurreição? Nas tradições lucanas das aparições hierosolimitanas, refeições figuram com toda proeminência. Em Lc 24,41-43, Jesus aparece aos doze numa refeição na qual se serve peixe (ver também At 10,41; Apêndice Marcano 16,14). Não obstante, este detalhe é usado por Lucas apologeticamente para mostrar que Jesus podia comer e com isso se prova que ele não era um fantasma. Mais pertinente a uma comparação com Jo 21 é o papel da refeição na aparição de Jesus aos dois discípulos na estrada para Emaús (Lc 24,30-31): "E aconteceu que, estando com eles à mesa, tomando o pão, o abençoou e partiu-o, e lho deu. Então se lhes abriram os olhos, e o conheceram, e ele desapareceu-lhes". É interessante que em um fragmento do *Evangelho segundo os Hebreus* (Jerônimo, *De viris illustribus* 2; PL 23:613) somos informados que Jesus apareceu a Tiago (1Cor 15,7) em uma refeição: "Ele tomou o pão, abençoou-o e o deu a Tiago, o Justo, e disse-lhe: 'Meu irmão, come teu pão, pois o Filho do Homem ressuscitou dentre aqueles que dormem'". Quase cada detalhe da narrativa que salientamos de Jo 21 aparece em uma ou outra destas narrativas lucanas e apócrifas pós-ressurreição.

Podemos resumir nossas observações sobre a origem do material contido em Jo 21,1-14 e também nos vs. 15-17, oferecendo uma hipótese um tanto especulativa. Esta parte do capítulo pode consistir de uma combinação do relato da primeira aparição a Pedro em uma cena de pesca e o relato da primeira aparição na Galileia de Jesus aos doze em uma refeição de pão e peixe. Embora adicionado ao evangelho em seu último estágio, Jo 21 aparentemente recorre ao mesmo material antigo da tradição galilaica das aparições pós-ressurreição. A despeito da reelaboração pelo qual os materiais passou e a estranheza produzida pela combinação, estes dois relatos galilaicos parecem ter sobrevivido em Jo 21 numa forma mais consecutiva do que em qualquer outro lugar no NT, pois a aparição a Pedro de outro modo foi fragmentada e seus elementos aparecem dispersos nos relatos sinóticos do ministério de Jesus, e a aparição aos doze, em uma refeição, só é conhecida através de seus paralelos na tradição lucana de Jerusalém. (Estes paralelos em Lucas são importantes, pois encontramos muitas similaridades entre João e Lucas nas narrativas pós-ressurreição). Dos dois relatos, o da pesca é muito mais bem preservado em Jo 21 do que o da refeição. Estes relatos já tinham sido combinados muito antes de chegarem às mãos do redator responsável pelo cap. 21. No curso da transmissão da narrativa combinada, este composto adquiriu um simbolismo eclesiástico e sacramental (a ser discutido abaixo), similar ao simbolismo adquirido pelo material no próprio evangelho, mas com uma orientação ligeiramente distinta. O redator que anexou a narrativa ao evangelho pode ter sido responsável por introduzir a figura do Discípulo Amado ao v. 7 (e também por apensar as palavras de Jesus pertinentes aos destinos de Pedro e do Discípulo Amado nos vs. 18-23 – ver §72 abaixo). Com respeito ao Discípulo Amado como uma adição tardia, não julgamos a possibilidade de que ele pudesse ter-se figurado anonimamente nos relatos originais como um dos companheiros silenciosos de Pedro ou como um dos doze e que, portanto, sua presença aqui não constitui mera ficção.

Alcance e simbolismo eclesiástico do relato em 21,1-14

Até aqui temos analisado estes versículos, detectando os relatos originais que os sublinham. Não obstante, o redator não nos deu os relatos originais, e sim uma narrativa combinada com sua própria sequência e implicação teológicas. É para este produto final que agora nos volvemos. Antes de refletirmos sobre sua implicação, devemos dizer uma palavra sobre sua forma literária. Dodd, *"Appearances"*, pp. 14-15, classifica Jo 21 como um exemplo do relato circunstancial pós-ressurreição (p. 1439 acima), com uma abundância de detalhes, dramatização e diálogos vívidos. "O centro de interesse é o reconhecimento do Senhor ressurreto; aqui, porém, o reconhecimento não é imediato, mas se difunde ao longo de um período notável de tempo". Embora em si mesmo ele não incorpore passagens didáticas, como o relato circunstancial em Lc 24,13-35, é feito para preparar o caminho para o significativo diálogo nos vs. 15-17. Não obstante, enquanto Dodd pode estar certo nesta classificação, Marrow, pp. 13-14 de sua dissertação, está correto em salientar que os cinco aspectos dos relatos concisos aparecem em Jo 21, de modo que pode ser mais de uma forma híbrida do que Dodd quer que pensemos.

Fixando-nos agora no alcance destes versículos, podemos começar com a expressão "Jesus se manifestou" nos vs. 1 (ver nota) e 14, os quais criam um vínculo entre a atividade do Jesus ressurreto e do Jesus do ministério. O verbo é empregado duas vezes em 1Jo 1,2, que sumaria a atividade terrena de Jesus em termos da *manifestação* visível da vida: "vos anunciamos a vida eterna, que estava com o Pai, e nos foi manifestada". No evangelho cap. 1,31, o Batista afirmou que todo seu propósito em vir e batizar era para que aquele que veio se *manifestasse* a Israel. Depois que o Batista indicou Jesus aos discípulos como o Cordeiro de Deus, o processo inicial de revelação se completasse para estes discípulos em Caná, quando Jesus operou o primeiro de seus sinais e lhes *revelou* sua glória (2,11). Em 9,3, fomos informados que a cura operada por Jesus no cego visava a fazer com que a glória de Deus se revelasse nele. Quando Jesus se revelou aos homens através de suas obras, ele estava revelando Deus aos homens: "Manifestei teu nome aos homens que me deste, e os tirei do mundo; eram teus, e tu mos deste, e guardaram a tua palavra" (17,6). A ressurreição é a revelação final, pois ela capacita os homens a ver Jesus como Senhor. "Nisto se manifesta o amor de Deus para conosco: que Deus enviou seu Filho unigênito ao mundo, para que vivamos por ele" (1Jo 4,9), e é o Jesus ressurreto que dá o Espírito que é a fonte da vida. E assim a tarefa do Batista anunciada no primeiro capítulo do evangelho foi levada à completude no último: Jesus se revelou plenamente a Israel, isto é, à comunidade de crentes representada pelos discípulos. Isso pode ter-se dado com a intenção de ecoar o primeiro capítulo que o redator nos deu aqui, isto é, um grupo de discípulos representando os cinco discípulos que figuraram em Jo 1. Entre eles está Natanael, o israelita em que não há dolo (1,47), que agora pode ser tido como sendo as coisas maiores que lhe foram prometidas (1,50). Se o verbo "manifestar" vincula a aparição do Jesus ressurreto com o que ele fez durante o ministério, também antecipa o futuro, pois em 1Jo 2,28 a vinda final é expressa em termos de sua auto-revelação (ver também 1Jo 3,2; 1Pd 5,4; Cl 3,4).

A cena de pesca provê a ocasião para que Jesus se auto manifeste. Após a morte de Jesus, Pedro retornou à ocupação que melhor conhecia; como profetizado em Jo 16,32, ele e seus companheiros se dispersaram cada um para sua casa. Hoskyns, p. 552, descreve a cena como uma apostasia total, mas é antes uma atividade sem objetivo empreendida em desespero. A pesca é malsucedida, pois sem Jesus nada podem fazer (15,5). É nesta atmosfera que Jesus vem e se manifesta. A pesca maravilhosa leva ao reconhecimento – que outro, senão Jesus, poderia operar tal sinal? A implicação da pesca pode ter sido mais óbvia do que suspeitamos, pois o *Testamento de Zebulom* 6,6 implica que uma pesca abundante era tida como um sinal do favor de Deus. No relato original da aparição a Pedro, provavelmente foi Pedro quem reconheceu Jesus, mas esta honra agora pertence ao Discípulo Amado que, visto estar intimamente vinculado a Jesus pelo amor, está mais capacitado a reconhecê-lo. (Ele foi mais perceptivo que Pedro também no relato do túmulo vazio – pp. 1480-83 acima). Com o correr do tempo, como veremos mais adiante, a pesca, que primariamente foi a ocasião para reconhecimento, veio a se converter no veículo de um simbolismo; mas é menos certo que um significado simbólico esteja vinculado à vigorosa ação de Pedro nadando para a praia. O significado óbvio é que o impetuoso Pedro não pode esperar para saudar seu mestre; e assim ele corre para a praia, justamente como se apressou para o túmulo ao ouvir as notícias de que estava vazio (20,3-4). Entretanto, Agourides, p. 128, entre outros, vê um significado mais profundo: a nudez de Pedro no barco simboliza seu estado espiritual depois de seu ato de negar Jesus; seu ato de vestir roupas tem sido interpretado como sua conversão, e seu mergulho na água, como sua purificação. Agourides indaga: "O mergulho na água porventura não insinua um eco da conversa entre Jesus e Pedro concernente ao lavar-se e purificar-se em 13,9-11?" Nós duvidamos disso. Certamente Agourides vai longe demais quando tenta achar nos 200 codos (100 metros; v. 8) um simbolismo relacionado ao arrependimento de Pedro. É verdade que Filo (*Quaestiones et solutiones in Gen.* 1, §83) trata o número 200 simbolicamente; entretanto, João não vincula esse número ao nadar de Pedro, e sim ao remar dos discípulos.

O significado simbólico que se desenvolveu em torno da pesca em Jo 21 é o mesmo que em Lc 5,10: simboliza a missão apostólica como "pescadores de homens". Visto que este simbolismo é nitidamente óbvio, poderia ter-se desenvolvido independentemente nas duas tradições; em qualquer caso, suspeitamos que Klein, p. 34, esteja certo em manter que Lucas o encontrou já presente quando ele conheceu esse relato. Bultmann, pp. 544-45, pensa na alegorização do relato como sendo obra do redator final, mas Klein, pp. 30-31, corretamente argumenta que ele antedata o redator e certamente antedata a introdução do simbolismo sacramental (ver abaixo), pois os dois não se harmonizam. Pode ser que o simbolismo da missão seja concretizado em João mais do que em Lucas. Concordam sobre o grande número a ser introduzido pela missão apostólica, mas somente João (21,11) menciona o número 153 peixes e enfatiza o fato de que a rede não se rompeu. O número 153 (ver nota) significaria, por meio de um simbolismo mínimo, pretender simbolizar o caráter todo universal da missão. O estado integral da rede significa que a comunidade cristã não é rompida pelo cismo, a despeito dos grandes números e diferentes tipos de homens conduzidos a ela. O verbo que traduzimos no v. 11 por "romper" é *schizein*, relacionado com o *cisma* ou divisão sobre Jesus que se faz referência em 7,43; 9,16; 10,19. Foi também usado em 19,24, quando os soldados decidiram não rasgar a túnica de Jesus, entretecida em uma só peça de alto abaixo – aparentemente outro símbolo de unidade. Alguns levam o pedido joanino por unidade a ponto de pensar que a tradição joanina suprimiu os dos barcos encontrados no relato lucano da pesca em favor de *um só* barco, mas isto atinge o limite da fantasia. Mais plausível é a sugestão de que devemos relacionar o uso do verbo *helkein* (*helkyein*), "arrastar", nos vs. 6 e 11 aos exemplos no evangelho nos quais ele é usado para a atração de homens a Jesus (para o pano de fundo no AT, ver nota sobre 6,44). Particularmente pertinente é 12,32: "Quando eu for levantado da terra, *atrairei* todos os homens a mim". No pensamento joanino, a ressurreição pertence ao processo de exaltação de Jesus a seu Pai, e o Jesus ressurreto cumpre sua profecia de atrair todos os homens a si mesmo através do ministério apostólico simbolizado pela pesca e o arrastar para a praia. Alguns autores acham em *helkein* uma sugestão de que a missão encontra resistência que deve ser vencida pelo arrastão na pesca, mas podemos estar certos de que numa missão guiada por Jesus os discípulos vencerão qualquer resistência natural. Notamos que é Pedro que assume a liderança em arrastar as redes para a praia. Se o autor joanino deu ao Discípulo Amado a primazia do amor e de sensibilidade em reconhecer Jesus, ele deixou a Pedro o primeiro lugar no ministério apostólico.

O simbolismo básico da pesca, até então discutido, é amplamente aceito por estudiosos, mas há outras interpretações simbólicas propostas que são menos certas. HOSKYNS, p. 552, salienta que a pesca ocorre na Galileia dos gentios (Is 9,1), um cenário apropriado para o simbolismo de uma missão bem ampla. J. MÁNEK, *"Fishers of Men"*, NovT 2 (1957), 138-41, pensa que o pano de fundo para a ideia de pescadores de homens deve ser buscada em Jr 16,16 (não obstante, onde o simbolismo se refere à perseguição hostil). Por outro lado, ele pensa que a água da qual os peixes são tirados representa o lugar de pecado e morte, uma imagem frequente nas cosmogonias semíticas antigas; consequentemente, o pescador de homens é alguém que resgata homens do pecado. Em uma interpretação quase oposta, alguns têm pensado nos peixes como aqueles que são salvos pelas águas do batismo, de modo que a água tem significado sacramental. Esta imagem é um pouco similar ao pensamento de TERTULIANO (*De Baptismo* 1,3; SC 35:65): "Mas nós, peixes pequenos, que somos assim chamados na imagem de nossos *ichthys*, Jesus Cristo, nascemos na água, e somos salvos somente quando permanecemos na água".

Já notamos que em 21,1-14 não há palavras para a missão apostólica (um aspecto essencial de uma aparição pós-ressurreição aos discípulos) e que esta ausência só é preenchida parcialmente pela comissão a Pedro nos vs. 15-17. Não obstante, o simbolismo que se desenvolveu em torno da pesca agora supre o elemento da missão. Não é um grande exagero dizer que a pesca é o equivalente dramático da ordem dada no relato mateano da aparição na Galileia: "Ide, portanto, fazei discípulos de todas as nações" (Mt 28,19). Assim, embora a cena composta que nos vem de Jo 21,1-14 represente uma reelaboração tardia do formato das aparições pós-ressurreição, a seu próprio modo tem preservado a implicação comum básica às outras narrativas da aparição:

Jesus ressuscitou verdadeiramente e foi visto por testemunhas que, por sua vez, foram enviadas a proclamá-lo a outros homens. Se devemos levar ou não a ideia de missão apostólica à refeição dos vs. 9b,12-13 não é certo. Há intérpretes que pensam no convite à refeição como um ato implícito de perdão que se torna necessário pelo fato de que os discípulos haviam abandonado a Jesus (16,32), mas este significado não é claro no relato.

O simbolismo eucarístico da refeição em 21,19b.12-13

Originalmente, em um dos relatos que jaz por detrás de 21,1-14, a refeição de pão e peixe que Jesus ofereceu a seus discípulos os levou a reconhecê-lo como o Jesus ressurreto. Um elemento disto ainda se encontra no v. 12, porém atenuado pelo fato de que um reconhecimento de Jesus pelo Discípulo Amado e Pedro está registrado no v. 7. Na presente sequência, o segundo reconhecimento hesitante reflete o temor que os discípulos sentem pelo Jesus ressurreto e pressupõe o mistério de sua aparência transfigurada. No entanto, muitos pensam que a refeição assumiu também um simbolismo sacramental e passou a ser evocativa da eucaristia. Aqui se deve enfatizar que não estamos suscitando a questão se a refeição era ou não uma eucaristia real, pois não há como resolver isso. Tampouco há alguma maneira de averiguar a afirmação de GRAY, pp. 696-97, de que o autor joanino está descrevendo uma refeição ágape, com o peixe substituído pela refeição do ágape paulino. C. VOGEL, *Revue des Sciences Religieuses* 40 (1966), 1-26, tem estudado cuidadosamente a evidência pertinente às sagradas refeições cristãs primitivas com peixe; e conclui que não se relacionavam diretamente com a eucaristia, e sim com as refeições judaicas com peixe que tinham uma implicação escatológica, algumas vezes envolvendo a imagem do Leviatã vencedor, monstro marinho primordial. Questões tais como se havia eucaristia que tivesse peixe em vez de vinho está além de nosso interesse aqui, como também o simbolismo proposto por AGOSTINHO em referência a Jo 21 (*In Joh.* 73; PL 35:1966): "O peixe cozido é Cristo que sofreu, e ele é o pão que desceu do céu". Nossa questão é mais modesta: A que extensão a descrição desta refeição se destinava a lembrar o leitor da eucaristia e levá-lo a associar a eucaristia com a presença do Cristo ressurreto na comunidade cristã? Em um estudo sucinto do simbolismo eucarístico de refeições realizadas com a presença do Jesus ressurreto, J. POTIN,

Bible et Terre Sainte 13 (Março 1961), 12-13, salienta que tais refeições podiam ter sido usadas pedagogicamente para mostrar que Jesus desejava partilhar a intimidade de seu banquete messiânico com todos os crentes durante toda a era pós-ressurreição até que viesse outra vez para convidá-los ao banquete celestial. Os relatos das refeições pós-ressurreição são quase dramatizações da ordem vinculada à instituição eucarística em 1Cor 11,25 e Lc 22,19: "Fazei isto em memória de mim".

O simbolismo eucarístico em Jo 21 é intrincado pela história da composição que temos proposto para o capítulo. O simbolismo que se desenvolveu na narrativa da pesca na qual os peixes representam os conversos que tem parecido a alguns estudiosos como a excluir a possibilidade de um simbolismo eucarístico para a refeição de pão e peixe (ver nota sobre "vinde e comei" no v. 12). Contudo, mais provavelmente, os peixes na refeição é um detalhe de outro relato diferente daquele da pesca, e o simbolismo sacramental vinculado a ele vem da narrativa combinada num período maior do que o simbolismo missionário vinculado à pesca.

Há bons argumentos em prol da existência de um simbolismo eucarístico na refeição em Jo 21. A descrição desta refeição no v. 13, na qual Jesus "tomou o pão e lhos deu, e fez o mesmo com o peixe", ecoa a descrição da refeição realizada após a multiplicação dos pães e peixes no v. 6,11: "Então Jesus tomou os pedaços de pão, deu graças e os passou aos que estavam sentados ali; e fez o mesmo com os peixes". (A similaridade é tão estreita que WELLHAUSEN considerou a refeição em Jo 21 como sendo uma variante da refeição na multiplicação). O fato de que as cenas em 6 e 21 são as únicas no Quarto Evangelho a ocorrer junto ao Mar de Tiberíades certamente ajuda o leitor a fazer uma conexão entre as duas refeições. No vol. 1, pp. 479-80, e o gráfico à p. 472, salientamos que em todos os evangelhos o relato da refeição na multiplicação se conformou ao relato das ações de Jesus na última ceia, com o resultado de que se fez uma conexão entre a refeição na multiplicação dos pães e a eucaristia. Em particular, o relato que João faz da refeição na multiplicação houve diversos detalhes peculiares evocativos da eucaristia. Por isso duvidamos que uma refeição tão similar à refeição na multiplicação pudesse ser descrita em Jo 21 sem lembrar a comunidade joanina da eucaristia. Por outro lado, já chamamos a atenção para a semelhança entre a refeição em Jo 21 e a refeição que

Lc 24,30-31.35 descreve no relato da aparição de Jesus aos dois discípulos na estrada de Emaús. A insistência de Lucas de que os discípulos reconheceram Jesus no partir do pão é às vezes tomada como um ensino eucarístico destinado a instruir a comunidade de que podiam também encontrar o Jesus ressurreto em seu ato eucarístico de partir o pão.

A interpretação eucarística de Jo 21 conta com o apoio externo que supõe a afirmação de CULLMANN, ECW, pp. 15-17, de que as comunidades primitivas faziam uma conexão direta entre suas refeições eucarísticas e as refeições do Jesus ressurreto com seus discípulos. Certamente, na iconografia primitiva, as refeições de pão e peixe (em vez de pão e vinho) eram os símbolos pictóricos comuns da eucaristia. Naturalmente, às vezes é impossível estar certo se o artista tinha em mente a refeição da multiplicação dos pães ou em Jo 21. GRAY, p. 699, salienta um interessante esquema artístico em que nas refeições de pão e peixe *sete* homens são participantes, frequentemente reclinados ante uma mesa. É tentador encontrar aqui uma reminiscência dos sete discípulos mencionados em Jo 21,2, mas outros historiadores da arte alegam que o uso de sete participantes constituía uma convenção na iconografia romana. GRAY menciona uma antiga pintura de uma refeição eucarística em que Jesus e Maria, e cinco homens, estão reunidos, aparentemente uma combinação da refeição de pão e peixe na cena de Caná (cinco discípulos são chamados nos dias precedentes à festa em Caná). No vol. 1, pp. 305-06, sugerimos a possibilidade de um simbolismo eucarístico secundário no relato de Caná. Há quem tenha buscado emprestar suporte litúrgico à interpretação eucarística do cap. 21, salientando que esta cena, que se situada ao amanhecer constituiria uma leitura ideal nas vigílias que se celebrava a eucaristia, desconhecemos a existência de provas a favor de um uso antigo do cap. 21 neste sentido.

Se aceitarmos a plausibilidade do simbolismo eucarístico proposto, então o Jesus ressurreto do cap. 21 exerce algo do mesmo papel que exerceu no cap. 20. Em 20,19-23, ele era o despenseiro dos dons, especialmente do Espírito, a fonte da vida eterna. Aqui também o Jesus ressurreto outorga vida: "e o pão que eu darei é a minha própria carne para a vida do mundo" (6,51).

[A Bibliografia para esta seção está inclusa na Bibliografia para todo o cap. 21, no final do §73.]

72. O JESUS RESSURRETO FALA A PEDRO

(21,15-23)

21 ¹⁵Depois de comerem, Jesus se dirigiu a Simão Pedro: "Simão, filho de João, tu me amas mais do que estes?" "Sim, Senhor", disse ele, "tu sabes que eu te amo". Disse-lhe Jesus: "Então, apascenta os meus cordeiros".
¹⁶Jesus perguntou outra vez: "Simão, filho de João, tu me amas?" "Sim, Senhor", disse ele, "tu sabes que eu te amo". Disse-lhe Jesus: "Então, cuida de minhas ovelhas".
¹⁷Jesus perguntou pela terceira vez: "Simão, filho de João, tu me amas?" Pedro ficou triste por Jesus lhe perguntar pela terceira vez: "Tu me amas?" Por isso, ele lhe disse: "Senhor, tu sabes tudo; tu bem sabes que eu te amo". Disse-lhe Jesus: "Então, apascenta as minhas ovelhinhas".

> ¹⁸"Verdadeiramente, eu te asseguro,
> quando tu eras jovem,
> tu prendias teu próprio cinto
> e saías para onde querias.
> Mas, quando fores velho,
> tu estenderás as tuas mãos,
> e outro prenderá o cinto em torno de ti
> e te levará aonde não queres ir".

(¹⁹O que ele disse indicava o tipo de morte pela qual Pedro estava para glorificar a Deus). Depois destas palavras, Jesus lhe disse: "Segue-me".

²⁰Então Pedro se virou e notou que o discípulo a quem Jesus amava estava seguindo (aquele que reclinou-se no peito de Jesus durante a ceia e disse: "Senhor, quem é que está para trair-te?"). ²¹Vendo-o, Pedro se prontificou a perguntar a Jesus: "Mas, Senhor, e quanto a ele?" ²²Replicou Jesus: "Se eu quero que ele permaneça até que eu venha, que te importa? Quanto a ti, segue-me". ²³É devido a esta palavra que circulou entre todos os irmãos, que este discípulo não morreria. Na realidade, Jesus nunca lhe disse que ele não morreria; o que ele disse foi: "Suponhas que eu queira que ele permaneça até que eu venha [o que te importa]?"

NOTAS

21.15. *Depois de comerem*. Muitos estudiosos não tomam isto como uma indicação real de tempo, mas como uma tentativa artificial de fazer uma conexão entre 15-17 e 12-13; notam que os discípulos ("eles") já não exerciam nenhum papel na cena. Não obstante, quando o autor joanino deseja fazer uma conexão vaga, usualmente emprega "algum tempo depois", como no v. 1.

Simão, filho de João. Aqui a palavra grega para "filho" não é usada como o foi em 1,42 (ver nota ali). Somente no Quarto Evangelho o nome do pai de Pedro é dado como João. (SCHWANK, *"Christi"*, p. 532, sugere que o autor poderia estar jogando com a ideia de que Pedro é um discípulo e daí um filho espiritual de *João* Batista; isto é muitíssimo improvável). Alguns estudiosos, por exemplo, LIGHTFOOT, p. 340, têm imaginado que o motivo de Jesus dirigir-se ao apóstolo como "Simão *Pedro*" é um indício de que Pedro já não goza de seu favor depois de negar Jesus; entretanto, exceto Lc 22,34 e o caso em que Jesus muda o nome de Simão, Jesus não se dirige a Simão ou como "Pedro" ou como "Simão Pedro" em nenhum dos evangelhos. Mais plausível é a tese de que, ao dirigir-se a Pedro com o patronímico usado quando se encontraram pela primeira vez (Jo 1,42), Jesus está tratando-o menos familiarmente e, assim, pondo a prova sua amizade.

tu me amas?... eu te amo. Uma variação extraordinária no vocabulário grego aparece nos três versículos repetitivos, 15, 16 e 17. Respectivamente, há dois verbos diferentes para "amar", para "conhecer" e para "apascentar ou cuidar", e dois ou três substantivos diferentes para ovelhas. Com a exceção parcial de ORÍGENES, os grandes comentaristas gregos de outrora, como Crisóstomo e Cirilo de Alexandria, e os estudiosos do período da Reforma, como Erasmo e Grotius, não viram diferença real de significado nesta variação de vocabulário; mas os estudiosos ingleses do último século, como Trench, Westcott e Plumer, observaram matizes sutís de significado. Analisaremos suas teses, porém notamos que a maioria dos estudiosos têm defendido a antiga ideia de que as variações não constituem peculiaridade estilística de sentido (ver Moule, IBNTG, p. 198; E. D. Freed, "Variations in the Language and Thought of John", ZNW 55 [1964], especialmente 192-93). Por que em outro lugar não se introduz consistentemente a variação permanece um enigma; por exemplo, no cap. 10 João usa a mesma palavra para ovelhas quinze vezes, e em 13,34 e 14,21 João usa o mesmo verbo "amar" (*agapan*) três e quatro vezes respectivamente.

Para o verbo "amar", nas perguntas e respostas de 21,15-17, as variações são estas:

15: *agapas me... philo se*
16: *agapas me... philo se*
17: *phileis me... philo se*

Como salientado no vol. 1, p. 794, este é o texto prova para aqueles que desejam distinguir entre *agapan* e *philein*, uma distinção que retrocede ao tempo de Orígenes. Todavia, como vimos de nosso parecer da interpretação de 15-17 oferecida por Trench, Westcott e Evans, os que defendem a distinção entre os verbos não estão concordes sobre as nuanças de significado. Acaso Jesus está solicitando de Pedro uma forma mais nobre de amor (*agapan*) e então fixando a forma inferior de amizade (*philein*) a qual é tudo o que Pedro pode dar? Estaria Jesus pedindo um amor (*agapan*) reverente e então concedendo a Pedro a expressão de afeto (*philein*) pessoal e fervoroso? Ou ainda vice-versa? McDowell, pp. 425-38, insiste sobre a distinção que flui do uso clássico de *agapan* ("estimar, prezar, preferir"): primeiramente, Jesus pergunta a Pedro se ele prefere a estes (barcos, pesca) – estaria ele querendo que eles se tornem pescadores de homens? A resposta de Pedro é não só em termos de estima ou preferência, mas de sentimento (*philein*) real. Em sua obra, *Agape in the New Testament*, III, 95, C. Spicq escreve com plena segurança: "Os comentaristas estão divididos sobre o respectivo valor dos dois verbos, mas, os que os tomam como sinônimos, ou ignoram a semântica de ágape ou minimizam a importância da cena".

A despeito do perigo de ser culpado de um desses dois crimes, o presente autor é obrigado a aceitar a tese dos estudiosos antigos (os tradutores do OL e AGOSTINHO) e modernos (LAGRANGE, BERNARD, MOFFATT, STRACHAN, BONSIRVEN, BULTMANN, BARRETT, entre outros) que não encontram distinção clara de significado na alternação de *agapan* e *philein* nos vs. 15-17. As razões para isto são: (a) parece haver uma intercambialidade geral dos dois verbos em João; ver vol. 1, p. 794; também BERNARD, II, 702-4. (b) Em hebraico e aramaico há um verbo básico para expressar os vários tipos de amor, de modo que toda a sutileza de distinção que os comentaristas encontram no uso dos dois verbos dos vs. 15-17 dificilmente expressa o suposto original semítico. Notamos que a LXX faz uso de ambos os verbos para traduzir o heb. '*āhēb*, embora *agapan* seja vinte vezes mais frequente que *philein*. Nas traduções siríacas dos vs. 15-17, usa-se somente um verbo. (c) Pedro responde "Sim" às perguntas formuladas com o verbo *agapan*, mesmo quando ele expressa seu amor em termos de *philein* e, assim, não mostra a consciência de que está respondendo a um requerimento de um tipo racional mais elevado ou mais espiritual de amor (*agapan*) com um oferecimento de uma forma inferior ou mais fervorosa de amor (*philein*).

mais que estes. Para o comparativo "mais", aqui se usa *pleon*, enquanto em outros quatro casos em João aparece a forma alternativa *pleiōn*. Esta diferença não é tão importante, pois ela ocorre também em Lucas e em Atos; há um caso de *pleon* em cada [ocorrência] como contrastado com oito e dezoito usos, respectivamente, de *pleiōn*. Aqui e em Jo 7,31 um genitivo segue o comparativo; em 4,1 segue a partícula *ē* (BDF, §185[1]). É digno de nota que esta cláusula comparativa aparece somente na primeira das três perguntas sobre o amor de Pedro. A referência exata a "estes" não é certa. BERNARD e McDOWELL estão entre os que tratam "estes" como o equivalente de um complemento neutro do verbo: "Tu me amas mais do que amas estas coisas (i.e., barcos, pesca)?" Como apoio para esta tradução, lembramos que, no final da pesca miraculosa em Lc 5,1-11, Pedro estava entre os discípulos que deixaram todas as coisas para seguir Jesus. Entretanto, seria normal repetir o verbo em tal construção como proposto acima (ver 8,31); e, além do mais, pelos padrões joaninos, a escolha assim oferecida a Pedro entre coisas materiais e o Jesus ressurreto seria antes ridícula, por mais real e difícil que fosse historicamente tal escolha. Outra interpretação é dada por A. FRIDRICHSEN, *Svensk Exegetisk Arsbok* (1940), pp. 152-62, que entende "estes" como o complemento masculino do verbo: "Tu me amas mais do que amas a estes outros discípulos?" Reiterando, é difícil pensar que o autor joanino apresentasse seriamente a oferta de escolha entre os outros discípulos e o Jesus ressurreto. A maioria dos estudiosos toma o "estes" como o sujeito masculino de um verbo implícito: "Tu me amas mais do que fazem estes outros discípulos?" (Compare o grego de 4,1). Esta tradução também não é isenta de dificuldade, pois normalmente se esperaria o grego enfático "tu" não é à maneira de contraste com o "estes". Tem-se proposto que aqui existe certa ironia: Jesus está testando Pedro que se vangloriou na última ceia de um amor maior que o dos outros discípulos. Entretanto, esta vanglória não foi expressa em João, e sim nos relatos sinóticos (Mc 14,29; Mt 26,33: "Ainda que todos se escandalizem, eu não o farei"), a menos que o fato de que somente Pedro afirmara sua lealdade em Jo 13,37 seja equivalente a uma vanglória de um amor maior. A dificuldade real é que uma questão poderia parecer estimular rivalidade entre os discípulos, algo que Jesus rejeita por toda parte (Mc 9,34-35; 10,42-44). Em geral, esta objeção é respondida, alegando-se que se esperaria amor maior da parte de Pedro do que da parte dos demais, porque ele estava sendo perdoado de uma negação mais séria (Lc 7,42-47), ou porque lhe estava sendo oferecida uma liderança como pastor de quem se requeria uma preeminência em amor. Todavia, no Quarto Evangelho é inconcebível que Pedro pudesse ser mantido como o exemplo de um amor maior – que é a prerrogativa do Discípulo Amado. Talvez a melhor solução seja aquela oferecida por BULTMANN, p. 551[1], a saber, que as implicações da frase não deveriam ser consideradas de uma forma tão séria, pois trata-se unicamente de um recurso redacional para introduzir os outros discípulos nesta cena e, assim, estabelecer um nexo entre os vs. 15-17 a 1-13. No OS[sin], esta frase está ausente na primeira pergunta (também em algumas testemunhas gregas menores no OL). Baseando-se nisso, J. A. BEWER, *Biblical World* 17 (1901, 32-34, fez uma interessante tentativa de reorganizar as perguntas (e as respostas) de modo que haja progressão: Tu me amas? Tu me amas muito? Tu me amas mais do que estes? Não obstante, qualquer progressão no diálogo não faz parte da fraseologia, mas da repetição.

"*Sim, Senhor, ... tu bem sabes que eu te amo*". A resposta de Pedro não tem em conta ao "mais do que estes" da pergunta – talvez uma confirmação de que a frase comparativa não é tão importante. A mesma resposta básica será dada outra vez no v. 16 e, com alguma elaboração, no v. 17; as duas primeiras vezes o verbo "saber" é *eidenai* (*oida*), enquanto a última vez é *ginōskein*, que traduzimos "bem sabes", embora *oida* apareça também no v. 17 na frase "tu sabes tudo". Aparentemente, não há distinção de significado (vol. 1, p. 814s). Nestas três respostas, o pronome grego, "tu" aparece explícito, e isto é um sinal de ênfase.

"*apascenta os meus cordeiros*". Nos três casos da ordem de Jesus a Pedro, há uma considerável variedade de vocabulário:

15: "Apascenta os meus cordeiros" = *boskein arnion*
16: "Cuida de minhas ovelhas" = *poimainein probaton*
17: "Apascenta as minhas ovelhinhas" = *boskein probation*

Quanto ao verbo, na LXX ambos, *boskein* e *poimainein* traduzem o heb. *rā'āh*, e assim podemos ter certa dúvida sobre as tentativas de encontrar uma distinção incisiva entre eles (a Vulgata nos vs. 15-17 usa *pascere* para traduzir ambos). Todavia, se são em grande parte sinônimos, *poimainein* abarca um campo bem mais amplo de significado. *Boskein* é usado tanto literal quanto figuradamente (Ez 34,2) para apascentar animais. *Poimainein* inclui deveres para com o rebanho tais como guiar, guardar e apascentar, seja literalmente (Lc 17,7) ou figuradamente (Ez 34,10; At 20,28; 1Pd 5,2; Ap 2,27; 7,17); equivalentemente, ele pode significar "liderar, governar" (2Sm 7,7; Sl 2,9; Mt 2,6). Uma sentença de Fɪʟᴏ, *Quod deterius* 8, §24, capta a nuança dos dois verbos: "Os que apascentam [*boskein*] proveem nutrição..., mas os que cuidam [*poimainein*] têm o poder de líderes ou governadores". Combinados, os dois verbos expressam a melhor redação no v. 15, porém há incerteza sobre qual deve ser lido nos vs. 16 e 17:

16: *probation*; 17: *probation*: Codex Vaticanus, Nᴇsᴛʟᴇ, Aʟᴀɴᴅ Synopsis, Bᴀʀʀᴇᴛᴛ, Bᴜʟᴛᴍᴀɴɴ.
16: *probaton*; 17: *probaton*: Codex Sinaiticus, Mᴇʀᴋ, Bible Societies' NT, Lᴀɢʀᴀɴɢᴇ.
16: *probation*; 17: *probaton*: Lᴏɪsʏ, Bᴜʀᴋɪᴛᴛ, Bᴇʀɴᴀʀᴅ.
16: *probaton*; 17: *probation*: Codex Alexandrinus, Zᴀʜɴ.

Parece que um versículo se deve ler *probation*; a palavra não ocorre em nenhum outro lugar no NT, e um copista não o teria introduzido para substituir o *probaton* mais comum (quinze vezes só em Jo 10). É possível que *probation* ocorresse em ambos os versículos, e os exemplos de *probaton* constituem tentativas de copista para introduzir uma palavra mais comum. Todavia, enquanto é compreensível que um copista substituísse *probation* por *probaton* em ambos os versículos, descobrimos ser mais difícil de ver por que ele teria feito isto somente em um versículo. Temos seguido o Codex Alexandrinus, e sugiro que as redações no Vaticanus e no Sinaiticus são tentativas de copista de conferir conformidade nos dois versículos. As versões exibem muita variedade, e não podemos estar certos quão literalmente seguiram as variações do grego. Algumas testemunhas latinas têm uma só palavra nos três versículos, correspondendo ao Codex Bezae que tem *probaton* em todo ele. Outras testemunhas latinas e a Vulgata empregam dois substantivos, porém não necessariamente na mesma ordem. As testemunhas siríaca, arábica e armênia tendem a ter três substantivos diferentes, com as duas últimas usando a palavra para "ovelhas" (F. MACLER, *Revue de l'Histoire des Religions* 98 [1928], 17-19). Em qualquer caso, aqui somos também inclinados a tratar os substantivos gregos variantes como sinônimos e a variação como estilística, servindo em geral como ênfase de que o rebanho inclui todos os fiéis (LOISY, p. 524). Alguns interpretam os três substantivos como referências a três diferentes grupos na Igreja; por exemplo, os três grupos mencionados em 1Jo 2,12-14, ou (interpretação patrística) a laicidade, os sacerdotes e bispos. Mas o fato de que possivelmente há nos vs. 15-17 três palavras para ovelhas não é mais significativo do que haver nos vs. 5-13 três diferentes palavras para peixes (*prosphagion, ichthys, opsarion*). Nem há muita plausibilidade na tese de que os diminutivos devem ser tomados literalmente e, assim, há uma progressão no tamanho das ovelhas; por exemplo, *arnion, probation, probaton* (BERNARD), com a implicação simbólica de que o rebanho inclui tanto os mais jovens como os mais velhos, ou tanto aqueles de fé mais incipiente e aqueles de fé mais madura. A dificuldade de avaliar os diminutivos do grego neotestamentário é notória, e, por outro lado, *arnion* não implica nenhuma matiz de debilidade se pudermos julgarmos por Ap 6,16 e 17,14. Não importa que função diminutiva possa haver, dificilmente é significativa em referência à constituição do rebanho ou à mansidão a ser esperada do pastor (contra SPICQ, III, 236).

16. *Jesus perguntou outra vez*. Literalmente, "ele lhe disse outra vez uma segunda vez". O *palin deuteron*, um tanto tautológico, ocorre também em 4,54 (ver nota ali); ambos, ele e sua alternativa menos estranha *ed deuterou* (9,24) correm na LXX. Achamos implausível a sugestão de que *palin* se refere ao perguntar de novo, enquanto *deuteron* enfatiza que a indagação se centra em um *agapan* pela segunda vez. Essa tese implica que a escolha do verbo é importante.

17. *Jesus perguntou pela terceira vez*. Enquanto não havia artigo usado com *deuteron*, "outra vez", o artigo definido aparece antes de *triton*, "a terceira vez", com valor enfático. SPICQ, III, 234[4], quer traduzi-lo "esta terceira vez" Pedro se sentira triste em função dessa terceira vez pelo fato de que desta vez Jesus perguntou em termos de *philein*, ainda quando Pedro já afirmara duas vezes seu amor em termos de *philein*. De modo semelhante, WESTCOTT, p. 303, comenta que Jesus parece estar em dúvida sobre o afeto (*philein*) humano de Pedro para com ele. A ideia de que a tristeza se relaciona com a mudança de verbo remonta até ORÍGENES (*In Proverb*, 8,17;

PG 17:184CD). Entretanto, GAECHTER, p. 329, insiste mais plausivelmente que a ênfase real não está no uso de *philein*, e sim em *to triton*: "Jesus pergunta ainda uma terceira vez" – uma tradução que implica a caráter sinonímico das perguntas.

Pedro ficou triste. É notável que depois de Pedro sentir-se triste, Jesus não pergunta outra vez – a cena é dramaticamente bem construída. Embora a tristeza seja baseada em ter ele perguntado três vezes, alguns intérpretes remontariam a tristeza de Pedro também ao fato de que, por suas negações, ele dera a Jesus motivo de duvidar dele. Um interessante paralelo aparece em Mc 14,72 e par. onde, depois do canto do galo, que marca a terceira negação de Pedro, somos informados que Pedro chorou (amargamente).

tu sabes tudo. O verbo é *oida*, enquanto *ginōskein* aparece na frase seguinte: "tu bem sabes" (ver nota sobre "tu sabes que eu te amo" no v. 15). O "tu" pode ser enfático. Que tipo de conhecimento se atribui ao Jesus ressurreto aqui? Mesmo durante o ministério de Jesus João insiste no conhecimento sobrehumano de Jesus (2,25), e em 16,30 isto é expresso em boa medida na mesma linguagem como aqui: "Agora sabemos que sabes tudo". No contexto desta cena, como a reabilitação de Pedro depois de suas negações de Jesus, alguns têm imaginado que, por estas palavras, Pedro estava reconhecendo que Jesus sabia profeticamente que Pedro o negaria três vezes antes do galo cantar (13,38). Ou Pedro está simplesmente apelando para a familiaridade que Jesus tinha para com ele? Ele já não poderia dizer para si mesmo: se Jesus não sabe que Pedro o ama, o que Pedro poderia dizer para se garantir? Como LAGRANGE, p. 530, observa, tal protesto é muito brando para um caráter tão apaixonado.

18. *Verdadeiramente, eu te asseguro*. O cap. 21 preserva a mais joanina das expressões, o duplo "Amém" (nota sobre 1,51); naturalmente, este é um traço estilístico que poderia ser facilmente imitado. Foi dirigido a Pedro em 13,38 quando Jesus predisse as negações de Pedro. Seu uso aqui tem sido citado como um argumento em prol da estreita relação entre os vs. 15,17 e os vs. 18-23; todavia, há no evangelho casos em que se usa como mero recurso para estabelecer um certo nexo (nota sobre 10,1).

eras jovem... quando fores velho. O mesmo contraste de idade se encontra no Sl 37,25. Usa-se o comparativo *neōteros*, "mais jovem"; mas, em razão da natureza tradicional da comparação como o caráter vago dos comparativos do grego coinê (ZGB, §150), não podemos deduzir, com base nisto, acerca da idade de Pedro, exceto que ele estava entre a primeira juventude e a velhice. Seria exagero concluir com LOISY, p. 525, que, partindo do ponto de vista do autor, Pedro já era idoso, mas tratava-se de levar em conta o cenário fictício do dito, que se supõe haver sido pronunciado quando Pedro era mais jovem.

prendias teu próprio cinto. O verbo *zōnnynai* ou *zōnnyein* (BDF, §92), usado duas vezes neste versículo, literalmente é "cingir", isto é, atar o cinto ou em torno da cintura para que as roupas fiquem livres, de modo que se possa mover e agir sem estorvo. Às vezes ele tem o sentido de vestir-se, aqui, porém, neste caso, se refere a uma acepção mais literal a fim de que o mesmo verbo seja aplicável ao ato de cingir um idoso no versículo 6.

tu estenderás as tuas mãos, e outro prenderá o cinto em torno de ti e te levarás aonde não queres ir. Um sujeito plural ("outros") para a segunda e terceira frases se encontra numas poucas testemunhas. Como salienta MARROW, há quatro itens na comparação: (a) jovem-velho; (b) prender teu próprio cinto – outro prenderá o cinto; (c) ir – ser levado; (d) Onde querias – aonde não queres ir. Para o ato de estender os braços do velho não há ação contrastante com o jovem. A linguagem é muito vaga; por exemplo, SCHLATTER, p. 371, mantém que os braços estendidos se referem à posição assumida na oração; e muitos pensam que uma afirmação mais geral sobre o futuro de Pedro tem-se aplicado subsequentemente e *post eventum* à morte de Pedro (v. 19). Em si mesma, a comparação não precisa implicar mais do que, diferente de um jovem, um idoso é ajudado e precisa ser vestido e guiado por outro (embora o "aonde não queres ir" seja estranho). Diversos estudiosos têm suscitado a possibilidade de que um provérbio ou máxima bem notória subjaz à comparação joanina; p. ex., "o jovem vai aonde bem quer; e o idoso permite ser levado" (CULLMANN, *Peter*, pp. 88-89). Mas, o que significaria esse contraste em relação ao futuro de Pedro? SCHWARTZ, p. 217, pensa que algum tipo de emenda se faz necessário para se obter o significado original. Ele propõe esta comparação: Quando tu eras jovem, te cingias e andavas por onde querias, mas agora eu te cinjo e te levarei aonde eu quero. A ideia é que, tendo sido chamado para o apostolado nos vs. 15-17, Pedro já não é seu próprio senhor e se destina a servir Jesus. Não satisfeito com tal reconstrução, outros pensam que a comparação prediz que, quando fosse velho, Pedro seguiria Jesus no sofrimento e prisão (um ideal encontrado, oportunamente, em 1Pd 2,21-23). A imagem de ser cingido com o cinto seria apropriada; pois, quando Jesus foi preso, ele foi atado (18,12,24); e Ágabo representou o drama de atar suas mãos e pés com o cinto de Paulo a fim de predizer a prisão deste (At 21,11-12).

Fica claro que o v. 19 aplica a comparação no v. 18 à morte de Pedro; e a expressão "o tipo de morte pela qual Pedro havia de glorificar a Deus" se refere, em particular, à morte por martírio (ver a nota seguinte).

Não é raro encontrar em João predições vagas e obscuras formuladas por Jesus que seja possível entender o todo senão depois dos acontecimentos preditos (2,19; 3,14; 11,50). Não há paralelos claros nos sinóticos para predições sobre a morte de Pedro, a menos que Lc 22,33 seja interpretado ironicamente como uma predição inconsciente: "Senhor, estou pronto a ir contigo para a prisão e para a morte". Muitos intérpretes têm proposto que, ainda mais especificamente, a comparação joanina no v. 18 se refere à morte por *crucifixão*. A frase-chave para esta interpretação é "tu estenderás as tuas mãos"; pois passagens no AT se referindo ao ato de estender as mãos foram interpretadas pelos escritores cristãos primitivos como prefigurando a crucifixão (*Epístola de Barnabé* 12,4, e os escritos de JUSTINO, IRINEU e CIPRIANO, como citados em BERNARD, II, 709). Que este simbolismo era comum fora dos círculos cristãos é sugerido por EPICTETUS (*Discourses* 3, 26,22): "Tu te estendeste à maneira dos crucificados". Infelizmente, o uso idiomático de "ser cingido ou preso com cinto" como uma alusão ao cingir-se de um criminoso não é atestado, mesmo quando os que endossam a interpretação da crucifixão tenham assumido que "outros prenderão um cinto em torno de ti e te levarão aonde não desejas ir" seja uma referência a atar o criminoso e levá-lo para o lugar de execução. Se isto é assim, a sequência normal do procedimento de execução foi reservada no v. 18, visto que a crucifixão (estender os braços) é mencionada antes de atar (prender o cinto). BAUER tenta resolver o problema, propondo que o estender dos braços não é a crucifixão real, mas o ato de o prisioneiro estender os braços para ser atado à transversal que tinha de ser carregada para o lugar da execução. Entretanto, esta explicação rompe a única parte do simbolismo da crucifixão para a qual temos alguma evidência clara. É preferível sugerir que, por um tipo de *hysteron proteron* [inversão da ordem] o autor joanino colocou o ato de estender os braços primeiro na ordem a fim de chamar a atenção para ele, precisamente porque essa era a chave para toda a interpretação. Se o v. 18 se refere à crucifixão de Pedro, ele constitui nossa evidência mais antiga para esse incidente. Uma referência ao martírio de Pedro se encontra em *1Clemente* 5,4, porém não se especifica a maneira. A tradição da crucifixão de Pedro aparece em c. de 211 d.C. em TERTULIANO, *Scorpiace* 15; PL 2:151B, que faz referência clara a Jo 21,18: "Outro prendeu Pedro com um cinto quando ele foi atado à cruz" (ver também EUSÉBIO, *Hist.* 2, 25:5; GCS 9¹:176). O detalhe de que Pedro foi crucificado de ponta cabeça, o que EUSÉBIO, *Hist.* 3, 1:2-3; GCS 9¹:188, aparentemente atribui a ORÍGENES, é uma elaboração tardia.

19. *indicava o tipo de morte pela qual Pedro estava para glorificar a Deus.* As últimas palavras ecoam a terminologia cristã para martírio ou uma morte

sofrida por amor a Cristo (ver 1Pd 4,16; *Martyrdom of Polycarp* 14,3, 19,2); e muitos estudiosos, por exemplo, Westcott, Loisy pensam que nada mais específico está implícito. A ideia de que o v. 19 se refere à crucifixão vem do paralelismo deste versículo com 12,33 e 17,32, onde uma expressão similar ("indicava o tipo de morte que ele estava para morrer") interpreta o simbolismo do ato de Jesus ser levantado da terra como uma alusão à sua crucifixão.

"Segue-me". Posto que o versículo seguinte pareça retratar Jesus como a caminhar lado a lado com Pedro e o Discípulo Amado, o significado literal de "seguir" não precisa ser excluído. Não obstante, as dimensões figurativas do seguir cristão estão também implícitas, a saber, seguindo no discipulado e para a morte. Ver comentário.

20. *Então*. Enquanto as testemunhas textuais estão uniformemente divididas sobre se se deve ou não ler *de*, um "então" está implícito pelo fluxo do pensamento.

se virou. Quatro vezes em outros lugares João emprega o verbo simples *strephein* (ver 1,38); aqui se usa o *epistrephein* composto. Ambos os verbos ocorrem em Mateus e em Lucas mais ou menos com igual frequência.

estava seguindo. Isto é omitido em algumas testemunhas textuais. É bem provável que é a Jesus, e não a Pedro, que o Discípulo Amado está seguindo; porém duvidamos que o autor tem em mente subentender que o Discípulo Amado já esteja fazendo espontaneamente o que Pedro foi informado que fizesse. Não vemos aqui, *a fortiori*, nenhuma alusão de que o Discípulo Amado também está seguindo Jesus para a morte (Barrett, p. 488). Bultmann, p. 553[5], está certo em sua afirmação, dizendo que não se deve dar força demasiada ao "seguindo", pois ele foi inserido principalmente para suprir um antecedente para a cláusula relativa. Não se joga com a ideia de que tanto Pedro como o Discípulo Amado estivessem seguindo; o contraste é que Pedro há de seguir Jesus enquanto o Discípulo Amado há de ficar aqui. Para fazermos uma ideia da cena, devemos imaginar que, enquanto Jesus disse a Pedro que o seguisse, eis aqui o Discípulo Amado caminhando junto; e então Pedro, naturalmente, pensa no Jesus ressurreto como a agir da mesma maneira que fez durante o ministério, caminhando lado a lado com seus discípulos.

(*aquele que reclinou-se ao peito de Jesus durante a ceia e disse: "Senhor, quem é que está para trair-te?"*). Esta referência é um mosaico formado a partir de 13,2 ("durante a ceia"); 13,21 ("Jesus declarou: 'Um de vós me trairá'"); e especialmente 13,25 (o discípulo a quem Jesus amava "reclinou-se ao peito de Jesus e lhe disse: 'Senhor, quem é?'"). Lembretes entre parênteses são próprios de João (ver nota sobre 19,39); todavia, é curioso que a identificação seja suprida com a *segunda* menção do Discípulo Amado em vez de em 21,7. Seria este um sinal de que o redator atuou com maior liberdade que nos vs. 20-23 do que nos vs. 1-13?

21. *Vendo-o.* Aqui, o verbo é *eidein*; em 20 ("notou") foi *blepein*. Não achamos nenhuma distinção particular (vol. 1, pp. 794-801).

    "Mas... quanto a ele?" O grego *houtos de ti* é elíptico (BDF, §299²); comentaristas suprem vários verbos; por exemplo, "que há de ser dele" (*ginetai* – LAGRANGE).

22. *E se.* Literalmente, "se"; BDF, §373¹, salienta que esse tipo de cláusula condicional poderia apontar para algo que se espera que aconteça no futuro, mas no v. 23 o autor rejeita essa interpretação.

    eu quero. É difícil estar seguro se aqui *thelein* tem a simples conotação de desejo, "quero" (assim nossa tradução) ou a implicação mais soberana de "propósito, vontade", pois esse é o verbo usado para expressar a vontade de Deus.

    permaneça. O verbo *menein* pode significar "ficar vivo", como em 1Cor 15,6, e essa é a ideia aqui; porém é incerto se algum dos significados teológicos joaninos de *menein* (vol. 1, pp. 811-13) seja aplicável – "ficar vivo unido a mim em amor". E. SCHWARTZ, ZNW 11 (1910), 97, propôs a arriscada tese de que *menein* significa "permanecer no túmulo", que originalmente o dito nada tinha a ver com o não morrer do discípulo, e que o v. 23 é uma interpretação errônea em sua totalidade.

    até que eu venha. Mesmo sem a evidência do v. 23, dificilmente esta seja uma referência à vinda de Jesus na morte, pois todo cristão deve permanecer até que Jesus o visite na morte. Muito embora MARROW sugira a possibilidade de hipérbole ("suponhas que eu queira que este discípulo viva perenemente"), a maioria dos comentaristas encontram neste dito uma expectativa de que a segunda vinda de Jesus aconteceria dentro de um curto tempo após a ressurreição. A palavra *heōs*, traduzida "até que", pode significar também "enquanto" (assim J. HUBY, *Revue apologétique* 39 [1924-25], 688-89; e assim alguns traduziriam assim: "enquanto eu vou" (todo o tempo de minha partida) ou "enquanto estou indo" (WESTCOTT, p. 305: a vinda é uma realização lenta e contínua). Traduções como essas podem ser motivadas por um desejo de evitar imputar algum equívoco à segunda vinda.

    que te importa? Literalmente, "o que para ti?"; esta expressão, *ti pros*, com um pronome é clássica (BDF, §127³) e é próxima à expressão usada em 2,4 (onde faltou o *pros*). É também usado em Mt 27,4, onde, depois que Judas se reconhece culpado em trair Jesus, os sumos sacerdotes responderam: "O que isso nos importa?"

Quanto a ti, segue-me. Literalmente, "Tu me segues". Na ordem similar em 19, não se usa o pronome grego "tu", de modo que seu aparecimento aqui é enfático, para contrastar Pedro com o Discípulo Amado que não seguirá Jesus até a morte da mesma maneira que Pedro o seguirá.

23. *É devido a esta palavra que circulou.* Literalmente, "Então esta palavra saiu"; em Mc 1,28 há um fraseado similar ("Se divulgou a notícia [*akoē*]"), e há quem pense que ela é um aramaísmo. *Logos,* "palavra", é com frequência usada para um dito de Jesus em João (2,22; 4,50 etc.). Em linha com a tese na nota sobre "permaneça", em 22, SCHWARTZ pensa que esta explicação, quase um parêntese, constitui uma adição tardia ao evangelho. Não há evidência textual que apoie esta sugestão, e o versículo já era conhecido de TERTULIANO (*De anima,* 50; PL 2:735B).

os irmãos. Em 20,17, vimos este termo aplicado aos discípulos imediatos de Jesus, porque seriam gerados como filhos de Deus através do dom do Espírito e, assim, se tornariam irmãos de Jesus. Aqui, ele se aplica aos cristãos da comunidade joanina (provavelmente com a mesma compreensão teológica), um uso atestado também em 3Jo 5, e em outras passagens do NT (umas cinquenta e sete vezes em Atos; Mt 5,22-24; 18,15 etc.).

não morreria. As tradições fantasiosas aumentaram sobre João, identificado como o Discípulo Amado; por exemplo, que ele havia de peregrinar pelo mundo através de todos os séculos, ou que dorme em seu túmulo em Éfeso e o movimento na superfície da terra, acima dele, atesta sua respiração (AGOSTINHO *In Jo.* 64,2; 35:1970).

Na realidade. O *de* (bem atestado, porém não certo) tem uma posição incomum para o grego joanino (ABBOTT, JG, §2075), e lhe temos dado força. A tradição bizantina e alguns mss. do OL leem *kai* no lugar. Comentários reflexivos não são incomuns em João (2,22; 12,16).

[o que te importa]. Isto se encontra nas melhores testemunhas textuais, mas pode ser uma imitação de copista com base no v. 22.

COMENTÁRIO

"Tu me amas?" – reabilitação de Pedro (vs. 15-17)

Em §71 propusemos a tese de que uma das duas narrativas que foram combinadas para compor os vs. 1-14 dizia respeito à primeira aparição do Jesus ressurreto a Pedro e que esta narrativa concluída com a reabilitação de Pedro e ser-lhe concedido um lugar de autoridade na comunidade cristã. A forma joanina desta reabilitação e comissão se encontra numa forma dramática nos vs. 15-17 – uma forma que pode representar uma considerável reelaboração do diálogo original da cena, especialmente na adoção de um tríplice esquema de pergunta, resposta e reação, um esquema que pode refletir influência litúrgica. É interessante notar que, enquanto por diferentes razões, nem Bultmann e nem Grass pensam que a conexão dos vs. 15-17 com 1-14 é original, ambos concordam que os vs. 15-17 reproduz material tradicional e não é a criação do redator. (Bultmann pensa que o acréscimo dos vs. 15-17 causou ênfase artificial sobre Pedro na narrativa de 1-14; Grass pensa que a presença original de Pedro em 1-14 causou a adição de 15-17 no final). A associação da imagem de pastor com Pedro se encontra independentemente em 1Pd 5,1-4.

A maioria dos comentaristas tem encontrado na tríplice e reiterada pergunta de Jesus "Tu me amas?" e no tríplice "Tu sabes que eu te amo" uma anulação simbólica da tríplice negação que Pedro faz de Jesus. Consequentemente, eles veem em 15-17 a reabilitação de Pedro ao discipulado após sua queda. (É preferível falar de reabilitação ao discipulado do que de apostolado: antes ele era discípulo; agora ele é reabilitado como discípulo e se torna apóstolo – ver nota sobre 2,2). A pergunta de Jesus visava a estabelecer que Pedro tivesse o amor dedicado que é da essência do discipulado. O arrependimento de Pedro estaria implícito em sua patética insistência sobre seu amor e na tristeza que a tríplice e repetida pergunta lhe causa (v. 17). Em vez de gloriar-se de que ama a Jesus mais do que outros (15), um Pedro reabilitado deixa sua causa no conhecimento de Jesus do que está em seu coração (v. 17).

Spitta, Goguel e Bultmann estão entre os que não interpretam a cena como uma reabilitação. Bultmann, p. 551[8], aponta para o fato de que não há no NT outro vestígio real da ideia de que Pedro experimentou a reabilitação. Entretanto, dificilmente isto é provável precisamente porque, fora de Jo 21, o relato da primeira aparição de Jesus a Pedro tem sido preservado somente em parte e em fragmentos dispersos. Por outro lado, se estivermos certos em afirmar que Lc 5,1-11 é um destes fragmentos, então o "Afasta-te de mim, Senhor, pois sou pecador" (v. 8) de Pedro e o "Não temas; doravante serás pescador de homens" (v. 10) de Jesus *poderiam* ser interpretados como uma cena de arrependimento, perdão e reabilitação. Da mesma maneira lemos que o clamor de Pedro, "Senhor, salva-me", e a resposta de Jesus, "Ó homem de pequena fé, porque duvidaste?", quando Jesus salva Pedro em Mt 14,30-31. Também em Lc 22,31-34 se pode deduzir uma reabilitação onde, no contexto de uma referência às negações de Pedro, Jesus prediz que, quando Pedro se *convertesse*, fortalecesse seus irmãos. Além disso, em 21,9 há existe algumas evidências internas que lembram o fato de que havia carvões em brasa na cena do pátio onde Pedro negou Jesus (18,18). Não confiamos demasiadamente no argumento de que no v. 18 houve três negações e que no cap. 21 há três perguntas e respostas, mas de fato estes são apenas três grupos de três relacionados a Pedro no Quarto Evangelho. Em 21,19.22, Pedro recebe duas ordens para seguir Jesus no contexto de um dito referente à morte de Jesus (18-19). Isto é quase uma contraparte do diálogo associado à predição de Jesus da tríplice negação de Pedro em 13,36-38. Ali, em referência à sua própria morte, Jesus disse: "Para onde estou indo, tu não pode seguir-me agora; mas me seguirás depois". Pedro protestou: "Por que não posso seguir-te agora? Por ti estou pronto a dar minha vida". A isto Jesus replicou que, em vez de morrer por ele, Pedro o negaria três vezes. No cap. 21, se entendermos os vs. 15-17 como reabilitação de Pedro, então Jesus prediz a morte de Pedro e insta com Pedro que o siga até o ponto desta morte (crucifixão?). Por fim as palavras de Pedro em 13,37 irão se tornar realidade: ele dará sua vida por Jesus.

Talvez seja bom mencionar a teoria de GLOMBIZA, *art. cit.*, de que, quando Jesus convidou Pedro, juntamente com os demais discípulos, à refeição em 21,12, ele ofereceu um gesto de amizade que pressupõe ou envolve perdão. Enquanto possa haver alguma verdade na ideia de que a questão sobre o amor de Pedro não deve divorciar-se do pano de fundo da refeição como um gesto de amizade, ficamos hesitantes sobre associar perdão com a refeição; parece uma alusão sutil demais. Além disso, na história da composição do capítulo, originalmente a refeição pertencia a outro relato diferente daquele da aparição a Pedro, e o papel de Pedro na refeição permanece demasiadamente insignificante para constituir uma reabilitação correspondente à franca negação que Pedro fez contra Jesus.

Dos que interpretam psicologicamente a cena evangélica, alguns acham trivial e até mesmo mesquinho que Jesus desafiasse o amor de Pedro três vezes a fim de lembrá-lo que ele o negara três vezes. Se alguém aceita esta perspectiva duvidosa, esse terá que ser consistente, salientando que as negações de Pedro não são apresentadas como que ocorrendo casualmente ou em um momento de fraqueza, e sim como predito e se produziram durante um certo lapso de tempo, e, portanto, reflete uma debilidade radical. Além do mais, Jesus se mostra compassivo: a despeito da traição de Pedro, assim que ele professa seu amor, Jesus lhe concede uma posição de confiança e autoridade. Mas, por certo que a melhor abordagem é abster-se de especulação psicológica e se posicionar pela ênfase do próprio texto. Só indiretamente os vs. 15-17 se referem às negações e reabilitação de Pedro; a implicação direta da tríplice pergunta e resposta não é tanto que Jesus duvide de Pedro, mas que o amor de Pedro para com Jesus seja profundo.

"Apascenta meus cordeiros" – Comissão de Pedro (vs. 15-17)

As três perguntas e respostas sobre o amor são acompanhadas por um mandado reiterado três vezes que Pedro apascentasse ou cuidasse das ovelhas. Geralmente se supõe que o mandado é dado três vezes à moda de estilo artístico de contrapor as três perguntas e respostas, cujo número foi determinado pelas três negações. Não obstante, GAECHTER, *art. cit.*, elabora uma interessante tese, considerando separadamente o tríplice caráter do mandado. Ele dá exemplos, antigos e modernos, do costume no Oriente Próximo de dizer algo três vezes diante de testemunhas, a fim de dar solenidade ao que se afirma, especialmente no caso de contrastes que confiram direitos e de disposições legais. Nesta analogia judicial e cultural, GAECHTER propõe que o tríplice mandado de Jesus confere autoridade e importância especiais ao papel de Pedro como pastor (assim também BULTMANN, p. 551[5]).

Acaso este mandado deva ser interpretado como o equivalente da missão apostólica conferida aos outros discípulos nas aparições pós-ressurreição dos outros evangelhos, ou aqui estaríamos tratando de uma comissão autoritativa peculiar a Pedro? No passado, a resposta a esta questão foi matizada pelas disputas entre católico-romanos e protestantes ou ortodoxos sobre a autoridade do papa que pressupõe autoridade especial de Pedro na Igreja primitiva. Hoje há maior tendência de tentar interpretar a Escritura independentemente das disputas doutrinais posteriores, e já não é uma tese peculiarmente católico-romana de que Pedro exerce um papel especial nos tempos neotestamentários.

Dois estudiosos protestantes de tendências diferentes, como CULLMANN e BULTMANN, são bem firmes em interpretar o mandado dos vs. 15-17 em termos de uma comissão autoritativa confiada a Pedro, ponto de vista esse já defendida por VON HARNACK, W. BAUER, LOISY, entre outros. De fato, BULTMANN, p. 552, argumenta que a comissão a Pedro representa um estrato mais antigo do pensamento joanino do que aquele representado pela missão mais ampla dada aos discípulos em 20,21.

Pessoalmente, não cremos que a linha entre a missão apostólica e comissão autoritativa especial necessite de ser traçada tão exclusivamente. CULLMANN, *Peter*, p. 65, expressa contundentemente: "O mandado de apascentar as ovelhas inclui duas atividades que temos mostrado ser as expressões sucessivas do apostolado de Pedro: liderança da Igreja primitiva em Jerusalém e pregação missionária". Em outras palavras, há, respectivamente, missão ou discipulado apostólica geral e comissão autoritativa especial no mandado de Pedro. Por exemplo, há uma forte ênfase sobre a *missão apostólica* no contexto que precede (o simbolismo da pesca), enquanto que, no contexto que segue, a instrução reiterada três vezes "Segue-me" (19 e 22) é a linguagem do discipulado (Jo 1,37.43; 10,27; 12,26; Ap 14,4; Mc 1,18; 2,14; etc.). Se estamos certos em pensar que muito de Lc 5,1-11 forma paralelo com Jo 21 e originalmente era parte de uma aparição pós-ressurreição a Pedro, é interessante observar que a cena termina na nota de Pedro e seus companheiros seguindo Jesus. Esta nota poderia ter pertencido ao chamado dos primeiros discípulos, mas pode servir a um duplo dever de expressar o tema de missão apostólica. Em particular, N. ARVEDSON, como registrado em NTA 3 (1958-59), 77, encontra um paralelismo entre Jo 21,15ss. e a prescrição para o discipulado em Mc 8,34 e par.: "Se alguém deseja vir após mim, que negue a si mesmo, tome sua cruz e siga-me". ARVEDSON sugere que o amor de Jesus exigido de Pedro em 21,15-17 é equivalente à negação de si mesmo; o carregar a cruz é insinuado na profecia da morte de Pedro em 18-19; e a ordem de seguir se torna explícita no v. 19 e no v. 22. Concluindo, podemos acrescentar que o amplo panorama que às vezes é parte da missão apostólica nas aparições pós-ressurreição pode estar implícito no mandado a Pedro em decorrência da noção joanina de que o rebanho contém ovelhas de mais de um aprisco (10,16).

Se há um elemento de missão ou discipulado apostólico no mandado a Pedro de apascentar ou cuidar das ovelhas, há também e até mesmo mais claramente uma *comissão autoritativa*. A imagem do pastor nos tempos babilônios (Hammurabi), que vem através do período veterotestamentário, implica a ideia de autoridade. SHEEHAN, *art. cit.*, ilustra o tema do cuidado do rebanho que forma o povo com autoridade no caso de Juízes (1Cr 17,6) e de Davi e Saul (2Sm 5,2). Cuidar do rebanho significa governar sobre ele (ver observações sobre *poimainein* na nota sobre "apascenta meus cordeiros" em 15); e já que Deus mesmo é o Pastor de Israel (Gn 49,24; Os 4,16; Jr 31,10; Is 40,11; Sl 80,2[1]), esta função sobre o rebanho de Israel é uma autoridade divinamente delegada. SHEEHAN, p. 27, resume assim a situação: "A figura [do pastor] é usada em situações que enfatizam que os líderes de Israel partilham da autoridade divina e agem como delegados de Deus no uso dessa autoridade". Além do uso veterotestamentário da imagem do pastor podemos agora recorrer ao pano de fundo contemporâneo do NT, a saber, o uso que Qumran fez desta imagem para descrever a tarefa do $m^e baqq\bar{e}r$ o supervisor que atua com autoridade (CD 13,9-10) que tinha o poder de examinar, ensinar e corrigir os membros da comunidade. À luz de tudo isto, é muito compreensível que Jo 21,15-17 fosse interpretado como a concessão a Pedro de, respectivamente, a responsabilidade pelo rebanho e a autoridade sobre ele, que pertenciam ao próprio Jesus como o bom pastor (cap. 10). Na aparição pós-ressurreição de 20,21 encontramos Jesus, o enviado pelo Pai, enviando os discípulos precisamente como ele mesmo foi enviado; de modo semelhante, nesta aparição encontramos Jesus, o bom pastor, fazendo Pedro um pastor para dar assistência ao rebanho. É verdade que uns poucos estudiosos, por exemplo, LOISY, p. 523, têm questionado a relação de 21,15-17 com a imagem do pastor no cap. 10 e têm alegado que o redator era mais dependente da imagem sinótica do pastor; CASSIAN, *art. cit.*, porém, mostra a íntima relação das duas passagens joaninas, as quais são os únicos casos da imagem do pastor no Quarto Evangelho. É particularmente significativo que uma referência à morte de Pedro (21,18-19) siga imediatamente o mandado de cuidar das ovelhas; pois entre todos os empregos neotestamentários da imagem do pastor, somente Jo 10 especifica que uma das funções do bom pastor é dar sua vida pelas ovelhas (vol. 1, p. 676).

A interpretação de 21,15-17 em termos de uma autoridade especial conferida a Pedro conta também com o apoio que supõe o fato de que essa passagem é considerada frequentemente paralela de Mt 16,16b-19 que, como temos visto (cf. p. 1584-85) procederia da mesma aparição a Pedro que possivelmente foi a causa de que o nome deste encabece a lista dos apóstolos. Em Mt 16,19 se emprega a imagem da entrega das chaves que converte a Pedro no primeiro ministro do reino, que ideologicamente não se afasta muito da imagem de converter-lhe em pastor do rebanho.

Que tipo de autoridade Pedro possui como pastor? Muitos comentaristas, por exemplo, SPICQ, III, 233-36, propõem que Jesus primeiro questionou o amor de Pedro, porquanto a tarefa de Pedro como pastor teria de ser exercida com amor para com o rebanho. AMBRÓSIO, *In Luc.* 10, 175; PL 15:1848B, observa: "Ele nos estava deixando Pedro como o vigário de seu amor". SPICQ observa que Jesus confia àqueles a quem ele ama alguém que o ama, e o cuidado pastoral de Pedro é a demonstração do amor de Pedro. Não obstante, enquanto ninguém questiona que o cuidado pastoral envolve amor, não estamos certos de que isto pode derivar-se da conexão nos vs. 15-17 entre a questão sobre o amor de Pedro e o mandado de cuidar das ovelhas. O amor exigido de Pedro é para com Jesus, e não explicitamente para com o rebanho; é um amor de completa adesão e serviço exclusivo (cf. Dt 6,5; 10,12-13). A conexão lógica com o mandado dado a Pedro é que, se ele se dedicar totalmente a Jesus, então Jesus pode confiar-lhe seu rebanho com a certeza de que Pedro aquiescerá à vontade de Jesus (cf. Is 44,28). O tríplice mandado de cuidar das ovelhas põe menos ênfase nas prerrogativas que advêm a Pedro do que em seus deveres: enfatiza sua obrigação de cuidar das ovelhas. Na descrição do pastor no cap. 10 não há ênfase na posição superior do pastor, mas, antes, em sua familiaridade com as ovelhas e sua total dedicação ao rebanho até mesmo envolvendo a própria morte. E certamente isto estaria em harmonia com a atitude profética do AT para com os pastores governantes de Israel: há uma dura condenação daqueles pastores que fazem o rebanho servi-los, e há anelo por pastores segundo o próprio coração de Deus que se são capazes de se doarem com sabedoria e dedicação pelo rebanho (Ez 34; Jr 3,15). Se 1 Pedro foi escrita pelo apóstolo ou por algum discípulo petrino desconhecido, o Pedro que fala ali do pastoreio não é desleal para com o ideal joanino. Ele exorta os demais anciãos: "Apascentai o rebanho de Deus, que está entre vós, tendo cuidado *[episkopen]* dele, não por força, mas voluntariamente; nem por torpe ganância, mas de ânimo pronto; nem como tendo domínio sobre a herança de Deus, mas servindo de exemplo ao rebanho" (1Pd 5,2-3). Além do mais, notamos que em Jo 21,15-17 o fato de que o mandado de cuidar das ovelhas segue a reabilitação de Pedro, deixa claro que ao fazer de Pedro o pastor, isso não se deve que houvesse de sua parte mérito especial. A escolha de Pedro é uma demonstração da operação de Deus através das coisas fracas deste mundo. (As outras duas passagens do evangelho que têm referência à posição especial de Pedro, Mt 16,16b-19 e Lc 22,31-32, estão no contexto de uma reprimenda a Pedro por suas falhas).

Como pastor, a autoridade de Pedro não é absoluta. Jesus é o bom pastor a quem o Pai confiou as ovelhas e ninguém pode tomá-las dele. Elas permanecem suas até mesmo quando ele confia a Pedro o cuidado delas: "Apascenta as minhas ovelhas". AGOSTINHO, *In Joh*. 73,5; PL 35:1967, parafraseia: "Cuida das minhas como minhas, e não como tuas". Assim, ninguém pode pensar em tomar o lugar que Jesus deu a Pedro como o pastor das ovelhas. Uma vez mais, 1 Pedro (5,2-4) está em harmonia com o pensamento joanino sobre o pastorado: o rebanho de Deus foi entregue à incumbência dos anciãos cristãos que são pastores sobre ele, mas Jesus permanece o principal pastor (ver também 1Pd 2,25).

Seria Pedro o único pastor a quem Jesus designa? Evidentemente, em outros lugares no NT a imagem do pastor se aplica a vários tipos de líderes cristãos (Mt 18,12-14; At 20,28-29; 1Pd 5,1-5), mas nos ocupamos com o teor de Jo 21,15-17. Alguns autores têm alegado que Pedro é o representante de todos os discípulos e que o mandado de cuidar das ovelhas, dirigido a ele, se destina a eles também. Nossa dúvida se deve ao fato de que nossa reconstrução da história do capítulo onde os vs. 15-17 servem como a conclusão de uma aparição a Pedro, acompanhada só de alguns pescadores anônimos, aparição esta que é distinta da aparição aos doze. Mesmo na mescla de aparições que ora existe no cap. 21, enquanto os outros discípulos figuram em certa extensão na cena da pesca e simbolicamente se tornam pescadores de homens, somente Pedro é abordado na linguagem do pastorado. Os discípulos desaparecem neste contexto e são mencionados somente *por contraste* a Pedro: "Tu me amas *mais do que estes*?" De fato, nem sequer se chega a sugerir que o Discípulo Amado seja pastor. Pareceria que a ideia de 10,16 prossegue no cap. 21: um só rebanho, um só pastor.

Todavia, se pensarmos que somente a Pedro é dado o mandado de apacentar ao rebanho, não concordamos com os que vão ao outro extremo, interpretando os vs. 15-17 no sentido de que Pedro é explicitamente feito pastor sobre os demais discípulos ou sobre os demais membros dos doze. As ovelhas mencionadas nos vs. 15-17 são indubitavelmente os cristãos crentes introduzidos no aprisco pelos esforços missionários simbolizados pela pesca. É muito duvidoso que João quisesse incluir os missionários na imagem do rebanho. Como Mt 16,16b-19, esta passagem diz respeito à relação de Pedro com a Igreja em geral, não interrelações entre Pedro e os outros discípulos em questões de autoridade. A frase comparativa em "Tu me amas mais do que a estes?" não pode ser usada para estabelecer que, posto que Pedro amava mais (que em si mesmo é incerto), então ele possui mais autoridade. O Primeiro Concílio Vaticano em 1870 citou Jo 21,15-17 junto com Mt 16,16-19 em relação à sua definição dogmática de que "Pedro, o apóstolo, foi constituído por Cristo, o Senhor, como *chefe de todos os apóstolos* e como cabeça visível da Igreja na terra" (DB, §§3053-55; itálicos nossos). Isto é frequentemente citado como um dos poucos exemplos em que a Igreja Católica Romana se tem consignado solenemente o sentido literal de um texto bíblico, isto é, sobre o que o autor tinha em mente quando o escreveu. Todavia, esta avaliação tem sido posta em dúvida por V. Betti, *La constituzione dommatica 'Pastor aeternus' del Concilio Vaticano I* (Roma, 1961), p. 592: "A interpretação destes dois textos como prova dos dois dogmas mencionados [primazia petrina; sucessão romana a essa primazia] não se encaixa *per se* sob definição dogmática – não só porque não se faz qualquer menção deles no cânon [a formulação exata do dogma, condensada a partir da exposição], mas também porque não há vestígio de um desejo no Concílio de dar uma interpretação autêntica deles neste sentido". Se Betti está certo, Vaticano I não estava necessariamente definindo para os católicos o significado limitado que a passagem bíblica tinha para seu autor no momento em que ela foi escrita, mas, antes, o significado mais amplo que ela tinha para a Igreja à luz de uma tradição viva e da história eclesiástica. Em nosso juízo, os exegetas que pensam que Pedro tinha autoridade sobre os outros discípulos não podem concluir isto a partir de Jo 21,15-17 *tomado isoladamente*, mas devem recorrer ao contexto mais amplo do NT referente às atividades de Pedro.

Quão duradouro foi o papel de Pedro como pastor do rebanho? Cullmann, *Peter*, p. 214, argumenta a partir da menção da morte de Pedro, em 18-19, que este papel no máximo teria sido limitado à vida terrena de Pedro. BENOIT, *Passion*, p. 307, argumenta que, se Jesus sentia que o papel do pastor era tão importante que designou Pedro como o vigário-pastor, por analogia Pedro teria, na morte, por sua vez, que transferir a função a outro. Obviamente, estas opiniões são moldadas pelas divergências sobre a reivindicação romana à sucessão, uma questão que vai além do horizonte estritos do texto bíblico. Um argumento lógico baseado nas implicações da linguagem figurada é sempre problemático. Uma área mais frutífera de discussão, na qual não pensamos em adentrar, seria a questão de por que era importante que o redator joanino (e, respectivamente, para Mateus e Lucas) lembrar a comunidade de que o papel da autoridade pastoral foi dado a Pedro, quando, presumivelmente, Pedro já havia morrido cerca de vinte ou trinta anos. Isto era apenas um fato interessante, ou a autoridade pastoral de Pedro conservava alguma importância?

Predições sobre os destinos de Pedro e do Discípulo Amado (vs. 18-23)

Os vs. 18-23 pertenciam também às aparições de Jesus a Pedro, ou foram anexados posteriormente? Alguns estudiosos considerariam ao menos 19b ("Depois destas palavras, Jesus lhe disse: "Segue-me") como originalmente pertencente aos 15-17 e, assim, ao relato da aparição. Mas BULTMANN, p. 552[4], é representante de um grupo majoritário ao classificar a totalidade dos vs. 18-23 como uma adição. Nossa outra evidência do evangelho pertinente à aparição de Jesus a Pedro não faz menção de sua morte, tal como ora encontrada em Jo 21,18-19 (a menos que a ideia em Mt 16,18 seja que o Hades [a morte] não prevalecerá contra a Igreja da qual Pedro é o fundamento). Provavelmente, o fato de que os vs. 15-17 trate do futuro de Pedro tornou apropriada a adição de um dito independente acerca da morte de Pedro. Já salientamos acima (p. 1614) que se pode também fazer uma conexão entre o tema da reabilitação de Pedro depois das três negações e a de sua determinação de seguir Jesus até a morte. A morte de Pedro é a prova da sinceridade de sua tríplice profissão de amor para com Jesus, pois "Ninguém tem maior amor do que este, de dar alguém sua vida pelos seus amigos" (15,13).

Seria original a conexão entre os vs. 18-19 e os vs. 20-23? A breve cena no v. 20 vincula dois ditos sobre o destino de Pedro e o do Discípulo Amado; mas a sutura parece artificial, pois a súbita aparição do Discípulo Amado para seguir a Jesus é estranha. (Talvez a concatenação de ideias que acabamos de mencionar siga influenciando aqui: aparentemente foi o Discípulo Amado ["outro discípulo", em 18,15] que introduziu Pedro no palácio do sumo sacerdote onde Pedro negou Jesus três vezes). Já que o autor joanino está primariamente interessado no problema da morte do Discípulo Amado, o dito sobre a morte de Pedro pode ter sido inserido como uma transição conveniente ao dito mais importante sobre o Discípulo Amado. É verdade que na mesma cena Jesus poderia ter falado de ambas as mortes (em um tipo de "último testamento" tratando do destino de seus seguidores – p. 967 acima), porém mais provavelmente dois ditos independentes transmitidos na tradição joanina tenham sido unidos um ao outro e anexados à narrativa pós-ressurreição.

BULTMANN afirma que o material contido nos vs. 18-23 foi composto pelo redator. Em nosso juízo, embora o redator seja o responsável pela junção dos ditos, estes em si são antigos, pois nenhum se presta facilmente à interpretação que lhe foi dada. Em uma nota sobre o v. 18 mostramos a dificuldade de achar na linguagem vaga desse versículo a predição de uma morte por martírio (ou mesmo crucifixão), como foi feito no v. 19. Por certo que, se a afirmação fosse formulada à luz da morte de Pedro, o vocabulário não teria sido tão ambíguo. De modo semelhante, no caso do v. 22, o próprio fato de que o autor alega que o dito foi incompreendido torna crível que o dito tinha sido inventado recentemente, pois neste caso simplesmente teria sido negado. Ambos estes ditos eram bem conhecidos e tradicionais, e não poderiam ser reelaborados para favorecer as interpretações desejadas. O dito sobre o Discípulo Amado pode representar uma especificação de um tipo de dito geral encontrado nos evangelhos sinóticos, predizendo que a vinda do Filho do Homem ocorreria antes que a geração dos discípulos de Jesus desaparecesse; por exemplo, Mt 16,28: "Em verdade vos digo que alguns há, dos que aqui estão, que não provarão a morte até que vejam vir o Filho do Homem no seu reino" (também Mt 10,23; Mc 13,30; 14,62; 1Ts 4,15). No Apêndice V, enfatizaremos que a morte da geração apostólica causou uma crise nas expectativas da Igreja sobre a parousia, e para a comunidade do Discípulo Amado parece ter sido o final da geração apostólica.

Se os ditos básicos nos vs. 18 e 22 são antigos, na época em que o redator estava escrevendo provavelmente ambos, Pedro e o Discípulo Amado, já haviam morrido, e este fato matiza as interpretações dadas aos ditos. No v. 19 fica claro que o redator sabe que Pedro já morrera como mártir e talvez inclusive que Pedro tivesse sido crucificado na colina do Vaticano (para a evidência para o último detalhe, ver CULLMANN, *Peter*, p. 156; D. W. O'CONNOR, *Peter in Roma* [Nova York: Columbia University, 1969]). É mais difícil estar certo que o vocabulário do v. 23 mostre que o Discípulo Amado já houvesse morrido. Visto que o redator é tão enérgico em negar que Jesus tivesse em mente que o Discípulo Amado não morreria antes da segunda vinda, é razoável presumir que esta interpretação veio a ser impossível pela morte do Discípulo. Mas WESTCOTT, ZAHN, TILLMANN, BERNARD, HOSKYNS e SCHWANK estão entre os muitos estudiosos que não estão de acordo entre si. Uma variedade de outras explicações é oferecida. GOGUEL, p. 17[16], supõe que o Discípulo Amado poderia ter deixado o lugar onde residia e desaparecido; então, quando nada mais se ouvira dele, poderia ter surgido a especulação de que estava escondido num lugar distante até a segunda vinda. Muitos têm sugerido que o Discípulo estava a ponto de morrer. Outros têm duvidado inclusive disto e pensam que, como o Discípulo Amado chegara à velhice, ele queria deter o rumor que estava se difundindo e clarificar um dito de Jesus. Em nossa opinião, estas teorias não fazem justiça ao ambiente de crise no v. 23. É difícil crer que o autor chegasse a tal extremo, a ponto de empregar um tipo de casuística, se ainda houvesse a possibilidade de que o Discípulo Amado vivesse até a parousia. Além do mais, a sugestão de que o Discípulo Amado já estivesse morto é frequentemente parte da tese de que o Discípulo Amado fosse o evangelista ou o autor do evangelho, inclusive do cap. 21 – uma tese que consideramos como indefensável por outras razões (vol. 1, p. 106ss).

G. M. LEE, JTS N.S. 1 (1950), 62-63, tem demonstrado que a aplicação do sentido comum aos vs. 20-23 realça grandemente o que sabemos sobre o Discípulo Amado. No pensamento do redator e da comunidade para quem ele escreveu, o Discípulo Amado era uma pessoa real; é possível que fosse idealizado, porém não era um ideal abstrato ou mero símbolo, pois ninguém se angustia pela morte de um ideal. BULTMANN, p. 554, admite que esta foi a mentalidade do redator, porém pensa que o redator se equivocou em identificar algum personagem muito idoso como sendo o Discípulo Amado. Esse tipo de tese só é defensável se presumirmos que o redator tinha pouco conhecimento do evangelho, que não teve associação com o evangelista ou com outros discípulos joaninos, que estava escrevendo para uma comunidade não familiarizada com o verdadeiro pensamento do evangelista e que estava criando artificialmente uma crise sobre a morte de um homem que não era importante para a comunidade joanina (a menos que se queira presumir que realmente não existia nenhuma comunidade joanina ou que o redator fosse um deliberado falsificador). Exige-se muito menos da credibilidade de alguém pensar que o redator registra uma data histórica quando implica que a comunidade sentia-se perturbada pela morte de outro grande mestre já que não esperava que ele morresse. O fato de que no pensamento da comunidade havia uma sentença de Jesus aplicável ao Discípulo Amado significa que ele tinha de ser um homem de quem Jesus pudesse ter feito tal sentença e, portanto, um dos companheiros de Jesus. Se ele chegou a viver até uma idade avançada quando todos os outros notórios discípulos de Jesus já haviam morrido, a ideia de que ele não morreria poderia ter granjeado veracidade. Já mencionamos no vol. 1, p. 101, a tese de que Lázaro era o Discípulo Amado, e DRUMRIGHT, p. 132, salienta ser bem provável que se esperasse que Lázaro não morresse outra vez. Entretanto, ao pôr o Discípulo Amado no barco com Pedro em 21,7, o redator indica que ele identifica o Discípulo com um dos seis companheiros de Pedro mencionados no v. 2, e, mais especificamente, com um dos filhos de Zebedeu ou um dos "outros dois discípulos", a menos que estes dois grupos fossem o mesmo (nota sobre o v. 2). Todavia, LOISY, SCHWARTZ, entre outros, não estão certos quando alegam que o principal propósito do redator é identificar o Discípulo Amado com João, filho de Zebedeu, pois obviamente não se faz nenhuma identificação bem definida. Nossa tendência pessoal é pressupor que a informação sobre o Discípulo Amado que nos é dada pelo redator é genuína, já que pensamos no redator como um discípulo joanino (ver também pp. 1633-34 abaixo); e assim não podemos escapar da implicação de que uma figura venerável apostólica viveu em íntima relação com a comunidade para a qual o Quarto Evangelho foi escrito.

Agora temos de retroceder aos vs. 20-21, os versículos conectivos entre os ditos sobre Pedro e sobre o Discípulo Amado. Já indicamos que pensamos nisto como uma conexão artificial. Não obstante, diante da pergunta que Pedro faz sobre o Discípulo Amado no v. 21 e a recusa implícita que ele recebe de Jesus no v. 22, muitos estudiosos têm encontrado aqui uma rivalidade sobre a importância dos dois homens.

Algumas vezes a rivalidade é vista em termos das mortes que sofreram. BACON, p. 72, afirma que Pedro teria sido honrado como um mártir que deu testemunho "vermelho" de Cristo, e que é possível que o autor joanino quisesse insistir que o Discípulo Amado, que não sofreu uma morte de mártir, era também uma testemunha (o tema de seu testemunho aparece no v. 24). Para fazer isso o redator registra que da mesma forma que Jesus profetizou a morte de Pedro como mártir, assim ele fez uma predição sobre o destino do Discípulo Amado. Por conseguinte, a morte do Discípulo Amado quanto muito era parte do dito de Jesus como o foi a morte de Pedro; ambas deram glória a Deus, porém de um modo diferente.

Outros comentaristas levam a rivalidade além de uma comparação do tipo de morte que os dois homens sofreram, e pensam que o papel do Discípulo Amado nos vs. 20-23 deve ser comparado não só com os vs. 18-19, mas também com os vs. 15-17 e o papel de Pedro como pastor. Por exemplo, BULTMANN, p. 555, propõe que o principal tema dos vs. 15-23 é mostrar que a autoridade eclesiástica de Pedro foi transferida ao Discípulo Amado após sua morte. AGOURIDES, p. 132 (também *"Peter and John in the Fourth Gospel"*, StEv IV, 3-7), pensa que a figura do Discípulo Amado contrapõe uma honra ou autoridade exagerada atribuída a Pedro dentro de certos círculos cristãos na Província da Ásia. Esta é uma tese popular, quase ao ponto do Discípulo Amado tornar-se o herói ancestral de todos os protestos subsequentes contra as usurpações da Sé Romana. Em contrapartida, porém com o mesmo ressentimento subjacente, LOISY, p. 524, argumenta que o redator, diferente do evangelista, entrou em contato com a propaganda e pressão romanas e, consequentemente, apresentou o Discípulo Amado como subordinado a Pedro. Muitos estudiosos católico-romanos pensam que o cap. 21 foi escrito por um discípulo que teve de admitir honestamente que seu mestre, o Discípulo Amado, não era a figura dominante na Igreja. SCHWANK, *"Christi"*, p. 540, propõe que a passagem foi escrita enquanto o Discípulo ainda vivia a fim de ensinar à comunidade joanina que seu afeto por seu mestre não deveria cegá-los para o fato de que é a Pedro e a seus sucessores que foi dada a autoridade de pastor. SCHWANK indaga se a ação de CLEMENTE de Roma (tido como o terceiro papa), ao escrever à igreja de Corinto, c. de 95 d.C., não provocou uma discussão requerendo esta classificação.

Duvidamos de que possa levar-se até os vs. 18-23 o tema pastoral. CULLMANN, *Peter*, p. 31, está certo quando alega que em João os papéis singularmente importantes foram designados a ambos, Pedro e o Discípulo Amado, mas que os respectivos papéis são diferentes e que o pastor é Pedro. Tomar a pergunta de Pedro sobre por que o Discípulo Amado estava seguindo Jesus (v. 21) como base de toda uma teoria de autoridade conflitante é extravagante. Já rejeitamos uma teoria semelhantemente exagerada do conflito em relação a 20,3-10 (pp. 1481-83 acima). Aqui pode haver um eco do possível desejo da comunidade joanina de mostrar que a morte natural de seu apóstolo especial não valia menos do que foi o martírio de Pedro como uma testemunha de Jesus. A constante associação do Discípulo Amado com Pedro, aqui e em outros lugares, pode bem pretender enfatizar que a seu próprio modo o Discípulo não era menos importante do que Pedro, o mais bem conhecido dos discípulos originais de Jesus. No máximo, podemos ouvir um eco da rivalidade não menos fraterna das comunidades cristãs primitivas, associando sua história com figuras proeminentes dos dias primevos nas quais se sentiam orgulhosas. Mas não há um único incidente neste evangelho onde o Discípulo Amado é apresentado como uma figura com autoridade dominante sobre a Igreja ou sobre uma igreja; sua autoridade é como testemunha. Em nossa opinião, todas as tentativas de interpretar a presença do Discípulo Amado lado a lado com Pedro nesta cena como parte de uma apologética *contra ou pró* às reivindicações da primazia petrina ou romana constituem eisegese.

Antes de passarmos à conclusão do Epílogo, há umas poucas observações dispersas que são formuladas sobre pontos nos vs. 18-23. No v. 19, a afirmação sobre "o tipo de morte pela qual Pedro havia de glorificar a Deus" é, como mencionado, a linguagem cristã padrão para o martírio. Não obstante, ela tem certa familiaridade com o pensamento joanino sobre a morte de Jesus na qual Jesus mesmo se glorificou e exibiu a glória de Deus aos homens (7,39; 12,23; 17,4-5). Ao imitar Jesus, seguindo-o até a morte (inclusive morte de cruz), Pedro reconhece a glória de Deus. Tem havido considerável especulação sobre a motivação de Pedro no v. 21 quando ele pergunta sobre o Discípulo Amado. Schwank, *"Christi"*, pp. 538-39, pensa que Pedro está mostrando preocupação por seu amigo e desejoso de que Jesus inclua o Discípulo Amado em seu plano para o futuro. Mas, à luz da aparente censura no v. 22, a maioria dos estudiosos pensam que Pedro era ciumento ou imprudentemente inquisitivo. B. Weiss interpreta a resposta de Jesus a Pedro como uma indicação de que a pergunta de Pedro era injustificada ou intrusa, porém não digna de censura ou culpável. P. N. BUSHILL, ET 47 (1935-36), 523-24, pensa na pergunta de Pedro como meramente uma tentativa de mudar uma conversação que se tornara demasiadamente pessoal em sua referência à morte (compare a manobra da mulher samaritana em 4,19-20 depois de Jesus falar de seu "marido"). Talvez não devêssemos levar essas especulações psicológicas a sério demais se todo o esquema de pergunta e resposta é uma satura secundária entre ditos independentes sobre Pedro e o Discípulo Amado. É interessante que SMITH, pp. 236-37, seguindo E. SCHWEIZER, interpreta o v. 23 como dirigido aos cristãos em conjunto: Não te deves preocupar que venhas a morrer ou sofrer o martírio enquanto outro viva até a parousia; teu chamado é para me seguires, não importa aonde esse seguir te leves. BERNARD, II, 711, tem notado que as últimas palavras do Jesus ressurreto (v. 22) são as de sua diretriz da a Pedro: "A ti cabe seguir-me"; e, depois de tudo, esse é o conceito essencial da vida cristã. À maneira de inclusão entre os caps. 21 e 1, podemos observar que os discípulos iniciaram seu contato com Jesus na ordem de segui-lo (1,37), e que esses mesmos contatos se fecham com a mesma ordem.

DODD, *Interpretation*, p. 431, observa: "A ingênua concepção do segundo advento de Cristo em 21,22 não se parece a nenhuma outra coisa no interior do Quarto Evangelho". Mas, esta concepção seria tão radicalmente diferente da que lemos em 5,27-29 e 14,3? HOSKYNS, p. 559, pensa que, a despeito do desmentido do redator no v. 23, poderia haver um aspecto ainda válido da imortalidade do Discípulo Amado: "Talvez seja arriscada a opinião de que o leitor tinha que entender que o discipulado perfeito do qual o Discípulo Amado é o tipo e origem que nunca haverá de faltar à Igreja". Enquanto a interpretação de HOSKYNS realmente não encontra respaldo, no Apêndice V enfatizaremos que a resposta joanina ao vazio deixado pela morte do Discípulo Amado, a testemunha por excelência, é que o Paráclito que dava testemunho através dele e nele permanece com todos os crentes (14,7; 15,26-27).

[A Bibliografia para esta seção está inclusa na Bibliografia para todo o cap. 21, no final do §73.]

73. A (SEGUNDA) CONCLUSÃO

(21,24-25)

21 ²⁴Este é o discípulo que é a testemunha destas coisas; ele é quem escreveu estas coisas; e seu testemunho, nós sabemos, é verdadeiro. ²⁵Todavia, ainda há muitas outras coisas que Jesus fez. Contudo, se elas fossem contínua e detalhadamente escritas, duvido que haveria espaço suficiente no mundo inteiro para os livros que as registrassem.

NOTAS

21.24. *que é a testemunha... ele é quem escreveu*. As melhores testemunhas textuais gregas coordenam um presente e um particípio aoristo. Literalmente, "que dá testemunho... e que escreveu". O aoristo "escreveu" implica que a tarefa foi completada; e pode ser que, ao fazer a primeira forma verbal pretérita ("deu testemunho"), o OS^sin pode significar não mais que isso – todavia, pode ser que o pretérito reflita a ideia de que a testemunha já estivesse morta (ver pp. 1621-22 acima). Em contrapartida, o presente não significa que ele ainda estivesse vivo, mas apenas que seu testemunho é venerado como uma realidade presente no evangelho que ele escreveu.

Os estudiosos estão divididos sobre como interpretar "escreveu". F. R. Montgomery Hitchcock, JTS 31 (1930), 271-75, tem argumentado de forma decisiva que testemunhos antigos favorecem a implicação de que ele escreveu com sua própria mão. Bernard, II, 713, é um dos muitos que entendem o verbo no que poderíamos chamar um sentido causativo moderado: "Ele tem feito que se escreva estas coisas", conquanto as ditasse a um escriba ou, ao menos, dirigido cuidadosamente a escrita. (O exemplo-habitual para esse sentido causativo está em Jo 19,19, onde parece que Pilatos não escreveu a acusação contra Jesus com sua própria mão – mas, mesmo assim, é difícil de provar). No entanto, outros pensam que "escreveu" pode incluir autoria em um sentido muito mais remoto. G. Schrenk, "*graphō*", TWNTE, I, 743, pergunta se este versículo de João "não pode simplesmente significar que o Discípulo Amado e suas reminiscências estivessem por detrás deste evangelho e constituem a ocasião de sua escrita. Este é um ponto de vista bastante provável contanto que não enfraqueçamos indevidamente o segundo aspecto. Aliás, seria difícil de impor a fórmula para implicar mais do que uma asserção de responsabilidade espiritual para o que está contido no livro". Seguindo a última interpretação, em nossa teoria da composição do evangelho (vol. 1, pp. 19-26) atribuímos ao Discípulo Amado somente o primeiro dos cinco estágios, a saber, que ele foi a fonte da tradição histórica que se junta ao evangelho.

destas coisas. Literalmente, estas coisas; Dodd, "*Note*", sugere que esta frase se refere às palavras de Jesus em 20-23 e à sua interpretação correta, de modo que o autor está corroborando para sua afirmação de que uma notícia inexata foi divulgada entre os irmãos. Entretanto, Dodd admite a possibilidade de que todo o cap. 21 está incluso sob a frase, ponto de vista este mantido por muitos dos que sustentam que o capítulo foi acrescentado ao evangelho como um apêndice. Um ponto de vista mais amplamente mantido é que o v. 24 é um tipo de colofón indicando a perspectiva do autor sobre a fonte (no sentido amplo) de todo o evangelho. O v. 25 implicaria que "estas coisas" do v. 24 incluíam todos os feitos registrados realizados por Jesus.

seu testemunho, nós sabemos, que é verdadeiro. Quem é representado por "nós" nesta afirmação? Dodd, "*Note*", é propenso a interpretá-lo indefinidamente, reduzindo "sabemos" a "como bem se sabe" ou "é uma questão de conhecimento popular". (À maneira de ilustração, ele contrasta o *oidamen* similarmente indefinido de Jo 9,31 com o *hēmeis oidamen* definido de 9,29, mas não consideramos 9,31 como um autêntico paralelo com a presente passagem). No entanto, a maioria dos comentaristas atribui ao "nós" uma referência definida. Um ponto de vista em épocas passadas opinava de que o próprio Discípulo Amado (ainda vivo) usou o "nós" redacional. (De um modo muito interessante, Crisóstomo lia "eu sei" – provavelmente tomando *oidamen* como *oida men*, ou outra leitura por meio de harmonização com o uso de "eu" no próximo versículo). Esse tipo de teoria enfrenta a séria objeção de que o Discípulo Amado estaria se referindo a si próprio na mesma sentença breve tanto na terceira pessoa singular ("seu") como na primeira pessoa plural ("nós"). Chapman, *art. cit.*, tem recolhido impressionante número de provas de que os autores joaninos frequentemente empregavam a primeira pessoa plural, especialmente em referência à testemunha ou testemunho; mas ele não apresenta nenhum exemplo de sua combinação com uma terceira pessoa singular, como aqui. Se o Discípulo Amado estava falando de si mesmo numa circunstância como esta, esperaríamos algo próximo com o que achamos em 19,35: "*Ele* está dizendo o que bem sabe ser verdadeiro". Uma tentativa de ignorar esta dificuldade tem sido propor que o Discípulo Amado usou a terceira pessoa singular para expressar seu testemunho pessoal, isto é, o que ele mesmo viu e ouviu, mas que ele usou a primeira pessoa plural quando se associou com outros e se tornou o porta-voz de um testemunho coletivo. No presente caso, tem-se sugerido que o Discípulo Amado estava se associando ou com a comunidade joanina ou com os apóstolos do Senhor. O segundo ponto de vista (Hoskyns, pp. 559-60) reflete a tradição encontrada no fragmento muratoriano em Clemente de Alexandria, de que João, o Discípulo Amado, se encarregou de escrever por causa dos outros apóstolos que aprovaram sua obra. Há quem até mesmo especificaria que dois apóstolos estavam envolvidos com João no "nós" deste versículo, a saber, André e Filipe, que aparecem várias vezes no Quarto Evangelho. Todavia, esta tradição da aprovação apostólica, embora possa conter indiretamente um elemento de verdade, a saber, que diversos homens estavam envolvidos na composição do Quarto evangelho, é excessivamente simplista e provavelmente representa uma tentativa imaginativa de aplicar ao evangelho o ideal da sua autoria apostólica.

Pensamos ser mais realista excluir o Discípulo Amado do "nós" e deixá-lo ficar como o objeto (falecido) da afirmação feita pelo "nós". Entre as possibilidades para o "nós" estão os líderes da comunidade joanina (algumas vezes chamados os anciãos de eféso), os autores e pregadores joaninos, e inclusive a própria comunidade joanina que muitas vezes ouviram a mensagem do evangelho. Ao avaliarmos estas sugestões, ficamos hesitantes sobre o conceito de que o "nós" representa um grupo autoritativo que não tomou parte na composição, mas agora está adicionando um selo de aprovação. Não sabemos de nenhum testemunho cristão antigo que fale da prática de adicionar tais colofóns no escrito cristão, ao menos antes do 5º século. Mais provavelmente, o autor é parte do "nós". É notável que em 3Jo 12, o Ancião, que em outro lugar escreve como "eu", diz a Gaio, a quem está se dirigindo: "Tu sabes que o nosso testemunho é verdadeiro" – aparentemente porque, neste caso, ele fala revestido de certa representatividade. Em conformidade com a nossa teoria da composição do evangelho (vol. 1, p. 42) o "nós" representa o escritor joanino responsável pela adição do cap. 21 e seus co-discípulos joaninos. Não achamos convincente o argumento de Goguel e Bultmann de que o "nós" não pode representar um grupo fixo, já que, se eram desconhecidos do leitor, não faria bem mencioná-los, e se eram conhecidos, não haveria necessidade de mencioná-los. Precisamente porque um dos autores joaninos assumiu a responsabilidade de adicionar o material a um evangelho já escrito, poderia ter sido bem apropriado, a ele e aos seus co-discípulos, garantir aos leitores que o novo material não era menos autoritativo do que o antigo e tudo o que se originou do Discípulo Amado cujo testemunho era verdadeiro. Além do mais, visto que o testemunho do Discípulo Amado, tomado isoladamente, não era legalmente suficiente (ver nota sobre 5,31), o testemunho adicional dos discípulos joaninos imprime status à sua obra.

A ênfase tanto sobre o testemunho (testemunha) como sobre sua verdade é caracteristicamente joanina. A palavra para "verdadeiro", no presente versículo, é *alēthēs*, enquanto que, no paralelo em 19,35, foi *alēthinos*. Embora haja uma nuança de distinção entre as duas palavras (vol. 1, pp. 797-99), nem sempre ela é observada. Aliás, G. Kilpatrick, JTS 12 (1961), 272-73, vê a diferença como gramatical: *alēthēs* é usada predicativamente, e *alēthinos*, atributivamente. Um pequeno grupo de mss. cursivos da Família Lake coloca o relato da mulher Adúltera depois do v. 24 (vol. 1, pp. 593-94).

25. A conjetura de alguns estudiosos antigos é que este versículo é uma adição anotada na margem preservada em um comentário grego escrito antes do 8º século (Chapman, pp. 386-87). Tischendorf pensava que este versículo foi omitido pelo copista original do Codex Sinaiticus. Todavia, um exame ultra-violeta deste codex, depois que foi adquirido pelo Museu Britânico em 1934, tem clarificado a situação (H. J. M. Milne e T. C. Skeat, *Scribes and Correctors of the Codex Sinaiticus* [Londres: British Museum, 1938], p. 12). A princípio, o copista original levou o evangelho a uma conclusão com o v. 24, como significado por coronis (floreio de caligrafia) e uma subscrição. No entanto, posteriormente o mesmo copista lavou o pergaminho limpo e adicionou o v. 25, repetindo o coronis e subscrição em uma posição mais abaixo na página. A omissão no primeiro caso teria sido um ato de displicência, ou o copista estava copiando de um ms. que não continha o v. 25 (o qual subsequentemente ele obteve de outro ms.)? Mesmo que seja o segundo caso, a evidência textual para tratar o v. 25 como glosa do copista é muito duvidosa.

ainda. Aqui se usa a partícula *de*, enquanto o paralelo em 20,30 tem *men oun*.

há. Este termo se perdeu em algumas testemunhas ocidentais e em Crisóstomo.

muitas outras coisas. A expressão é meia ríspida em grego *alla polla*; em 20,30, a expressão é mais graciosa: *polla kai alla sēmeia*, "muitos outros sinais".

Presumivelmente, a conclusão em 20,30-31 (extraída da Fonte dos Sinais?) foi obra do evangelista, enquanto esta conclusão é obra do redator.

fossem contínua. Literalmente, "as quais coisas fossem continuamente"; esta construção, envolvendo o relativo indefinido no plural não se encaixa com o estilo joanino, e a relação do relativo com o sentença condicional que a segue é estranha (BDF, §294[5]).

detalhadamente. Literalmente, "uma por uma" (cf. BDF, §305); este distributivo *kata* não se encontra em outro lugar em João, exceto no relato (não joanino) da mulher Adúltera.

duvido. Literalmente, "não creio"; entendemos o negativo *oude* como um modificador do verbo principal, em vez do infinitivo do discurso indireto, "não haveria espaço suficiente" (um infinitivo normalmente seria negado por *mē*; BDF, §429). Em João, o verbo *oimai* só é usado aqui. Se os vs. 24 e 25 vêm da mesma mão, o "eu" do v. 25 pode refletir um comentário mais pessoal do que o "nós" do v. 24, caso esse "nós" seja redacional, coletivo ou geral. Alguns observam que isto é a única reflexão pessoal de um escritor joanino no evangelho, mas a sentença como um todo tem um caráter retórico.

não haveria espaço suficiente. Aparentemente, *chōrēsein* é um exemplo de um infinitivo de futuro, extremamente raro no NT (BDF, §350); todavia, poderia ser um infinitivo de aoristo com uma terminação de presente. Muitas das testemunhas bizantinas (seguidas pela Bible Societies' *Greek New Testament*) o têm corrigido para um infinitivo de aoristo regular.

o mundo inteiro. Aqui simplesmente o universo, e não, como é frequente em João (vol. 1, pp. 809-10), uma esfera hostil a Jesus.

que as registrassem. No final do versículo, a tradição textual bizantina e a Vulgata trazem a adição litúrgica "Amém".

COMENTÁRIO

Alguns estudiosos (HOWARD, RUCKSTUHL, WILKENS) que atribuem o cap. 21 ao evangelista, e não a um redator, admitem que os vs. 24-25 foram escritos pelo redator, em parte em decorrência da dificuldade do "nós" no v. 24 (ver nota). Geralmente, estes versículos são considerados como uma conclusão secundária sobre o modelo de 20,30-31, a conclusão original do evangelho; todavia, esta compreensão deve ser matizada. Os dois versículos que terminam o cap. 20 formam um bloco unitário e fornecem dois aspectos de uma mesma imagem. Não existe uma conexão estreita entre 21,24 e 25. O v. 24 lembra 19,35, e somente o v. 25a tem uma similaridade de tema com 20,30-31 (e de fato poderia ser uma imitação pobre dele). Há leve evidência textual para a omissão do v. 25, mas a própria possibilidade da omissão mostra que a conexão com o v. 24 é imprecisa. Uma hipótese engenhosa, porém implausível, é a de L. S. K. FORD, *Theology* 20 (1930), 229, o qual pensa que houve época que o v. 25 precedeu o v. 24, porque o v. 25 é a reflexão do Discípulo Amado depois que o evangelho foi relido para ele, enquanto o v. 24 é a verdadeira conclusão acrescentada pelos anciãos efesinos. Lembramos que LAGRANGE pensava que 20,30-31 originalmente estava onde 21,24-25 ora se encontra, e que somente quando 20,30-31 foi movido para seu lugar atual é que se adicionou 21,24-25. VAGANAY, *art. cit.*, modifica a tese de LAGRANGE, sugerindo que o v. 24 foi originalmente parte de 21,1-23 e que a posição original de 20,30-31 era depois do v. 24, de modo que somente o v. 25 constitui uma adição. VAGANAY tem tido poucos seguidores, mas sua proposta novamente ilustra a conexão imprecisa entre 24 e 25, e também o fato de que o v. 24 se relaciona estreitamente com 21,1-23 (mais estreitamente, em nossa opinião, do que 20.30-31 é com seu contexto imediatamente precedente).

O testemunho verdadeiro do Discípulo Amado (v. 24)

O Discípulo Amado, cuja morte foi discutida em 21-20-23, agora é identificado pelo redator como a testemunha que jaz por detrás da tradição joanina – esta é a avaliação mínima da afirmação de que ele é a testemunha de "estas coisas" e as "escreveu" (ver notas). Antes de discutirmos os pontos de vista sobre por que o v. 24 põe esta ênfase no Discípulo Amado, recordemos a passagem similar em 19,35: literalmente, "Este testemunho foi dado por uma testemunha ocular, e seu testemunho é verdadeiro E ele (*ekeinos*) está contando o que sabe ser verdadeiro". Argumentamos que o discípulo-testemunha mencionado naquele versículo era o Discípulo Amado; e concordamos com SMITH, p. 223, contra BULTMANN, que as diferenças entre 19,35 e 21,24 são tais que ambos os versículos não foram escritos pelo redator (o primeiro não menciona o Discípulo Amado e tem o gramaticalmente estranho "aquele que sabe"). Antes, provavelmente 21,24 seja a tentativa do redator de reescrever com mais clareza a mensagem de 19,35. Se estivermos certos sobre 19,35, então a tese de que o Discípulo Amado jaz por detrás do evangelho como sua autoridade não é peculiar ao redator, mas foi igualmente partilhado pelo evangelista. Na verdade, somente o redator tem atribuído *escrito* ao Discípulo Amado; mas, como temos interpretado "escreveu" (ver nota), esta atribuição significa não mais que a alegação de que o Discípulo Amado é aquele que deu o testemunho reflete no evangelho escrito.

Em um interessante estudo, D. E. NINEHAM, *"Eye-Witness Testimony and the Gospel Tradition, III"*, JTS 11 (1960), 254-64, salienta que, enquanto a dependência do testemunho da testemunha ocular das aparições do Jesus ressurreto é atestada nos primeiros escritos do NT (1Cor 15,5-8), a reivindicação de ter testemunha ocular na retaguarda para um relato do ministério de Jesus só aparece em obras tardias, como Lucas, Atos, João e 2 Pedro. Então, naturalmente surge uma questão quanto a que extensão a reivindicação do testemunho da testemunha ocular tem sido exagerada neste último período a fim de favorecer os apologetas. Em particular, a reivindicação em Jo 21,24 tem constituído um desafio, amiúde sob a presunção de que somente o redator, e não o evangelista, fez isso. E. MEYER, *art. cit.* (acima à p. 1426), p. 161, pensa que o autor do evangelho, seguido do redator, estava tentando introduzir uma nova concepção de Cristo, uma que rejeitava a tradição sinótica. A fim de granjear aceitação, ele pretendia que o evangelho fosse baseado no testemunho ocular do Discípulo Amado, a saber, João, filho de Zebedeu. (Em apoio a esta tese temos de admitir que as comunidades cristãs do 2º século elaboraram reivindicações fictícias ou exageradas da origem ou patrocínio apostólico para suas obras; p. ex., as obras judaico cristãs associadas a Tiago). MEYER afirma que o próprio autor joanino era a testemunha; visto, porém, que ele sentisse que seu testemunho era guiado pelo Paráclcto, então pensou que tinha o direito de afirmar que o evangelho continha testemunho verdadeiro. BACON, pp. 75-80, também afirma que o autor está tentando obter credencial para uma nova tradição que ele está introduzindo: "É a adição do Apêndice [Epílogo] fez que João salvara a distância que existe entre o ser ignorado e o ser tido, mais precisamente, na mais alta estima". Há muitas variações desta abordagem; mas questionamos sua tese fundamental, primeiro porque de fato o Quarto Evangelho preserva alguma tradição realmente antiga sobre Jesus; e, segundo, porque duvidamos se o evangelista e o redator, que respectivamente estavam envolvidos na redação desta obra e que ambos escreveram em momentos distintos no 1º século, pudessem terem tido êxito ao formularem essa reivindicação totalmente fictícia. Deve-se ter em mente que, neste caso, estamos tratando de uma reivindicação sobre uma testemunha ocular que havia morrido a pouco tempo, e que, presumivelmente, estava viva quando a primeira edição do evangelho foi finalizada pelo evangelista. Particularmente, achamos fraca a pretensão de que, visto que o Discípulo Amado é deixado anônimo no Quarto evangelho, provavelmente ele não tenha sido uma figura histórica, e ainda menos provável que tenha sido convincente como testemunha, já que o testemunho anônimo raramente é aceitável. Comparando o Discípulo Amado com o Mestre de Justiça de Qumran, J. ROLOFF, NTS 15 (1968-69), 129-51, salienta que, para a comunidade, a última figura, a despeito de seu anonimato nos escritos sectários, é o principal intérprete dos feitos de Deus e seu testemunho é altamente reverenciado. O fato de que ele é conhecido por um título, e não por um nome pessoal, imprime ênfase ao fato de que ele tinha no plano de Deus um papel designado. O consequente valor simbólico que o Mestre assume no pensamento da comunidade, especialmente após sua morte, não lança dúvida sobre a historicidade da parte que ele exerceu na edificação da comunidade. Há muita razão de se presumir que tanto para as comunidades de Qumran como para as joaninas o anonimato de seus respectivos heróis é apenas literário e simbólico – as pessoas no interior das duas comunidades conheciam perfeitamente bem a identidade de seus heróis.

Se um apologeta fictício não for razão suficiente para um apelo a uma testemunha ocular no v. 24, que outras razões a explicariam? F. W. GROSHEIDE, em uma breve nota em *Gereformeerd Theologisch Tijdschrift* 53 (1953), 117-18, salienta ser bem provável que Jo 21 represente o limiar do período da formação do cânon. Com a passagem da geração apostólica, da qual o Discípulo Amado poderia ter sido um dos últimos membros proeminentes, parece ter surgido na Igreja o desejo de preservar um testemunho que jamais seria dado outra vez; e foi este desejo que levou à coleção de escritos associados (certo ou erroneamente) com a geração apostólica. O propósito do redator ao acrescentar ao evangelho uma miscelânea de material joanino reflete um intento preservativo, e sua insistência que a obra reflete o testemunho de uma testemunha ocular do ministério de Jesus reflete a mentalidade por detrás da formação do cânon. C. MASSON, *"Le témoinage de Jean"*, *Revue de Théologie et de Philosophie* 38 (1950), 120-27, lembra-nos que a totalidade do Evangelho de

João prefere a linguagem da testemunha ou testemunho (*martyrein*) à de proclamação (*kēryssein*; ver Mc 1,4; Mt 3,1; Lc 3,3) ou da evangelização (*euangelizesthai*; Lc 3,18) a fim de descrever o que Jesus estava fazendo. Já vimos que este uso era parte de um uso maior da terminologia jurídica (vol. 1, p. 223); e MASSON comenta que essa preferência está em conformidade com a situação cristã na era joanina. Os tempos missionários primitivos haviam passado; já não era mais suficiente proclamar o evangelho; pois agora o evangelho era sistematicamente desafiado pela Sinagoga e outros, e não havia mais remédio senão defendê-lo. Se o Quarto Evangelho realmente tinha uma base na tradição histórica, essa base agora seria expressa em termos de testemunho de uma figura realmente importante na Igreja primitiva (o Discípulo Amado = João, filho de Zebedeu?). Levaria muito peso e acharia ampla aceitação, especialmente se ela disputasse com outra forma da tradição já bem estabelecida, a saber, a tradição subjacente aos evangelhos sinóticos.

Mesmo que a reivindicação do v. 24 seja levada a sério, não devemos deixar que as exigências históricas modernas nos distraiam da compreensão teológica joanina do testemunho verdadeiro. O testemunho é verdadeiro não só porque ele finalmente se origina de uma testemunha ocular, mas também porque ele diz respeito a Jesus que é a verdade (14,6) e cujo testemunho pessoal era verdadeiro (5,31-32). Ela é *testemunha* não só porque vem de um que estava lá, mas também porque o Paráclito se expressa nas recordações e nas reflexões teológicas que se encontram no evangelho (15,26; ver Ap. V). A noção joanina do testemunho verdadeiro vai além do registro da testemunha ocular do que aconteceu exatamente; ele inclui a adaptação do que aconteceu, de modo que sua veracidade pode ser vista e ser significativa para as gerações subsequentes. O Paráclito é a testemunha de Jesus por excelência, visto que ele é a presença de Jesus e tem estado ativo não só no primeiro estágio do evangelho (a tradição histórica pela qual o Discípulo Amado era responsável), mas também nos estágios 2 a 5 (a tarefa do evangelista e do redator – vol. 1, p. 19).

Os muitos outros feitos de Jesus (v. 25)

Salientamos acima que não há conexão estreita entre 21,24 e 25. Aliás, alguns têm indagado se o v. 25 não poderia ter sido adicionado por algum outro além do redator, por causa das muitas peculiaridades estilísticas do versículo (ver notas) e por causa da mudança de "nós", no v. 24, para "eu". A acumulação de finais nos livros bíblicos não são raras (Dn 12,11 e 12). Não obstante, o implícito "eu" no "duvido" do v. 25 provavelmente seja explicável como um recurso retórico próprio de uma hipérbole literária; e ficamos relutantes sem prova real para postular, além do redator, ainda outro autor joanino que pudesse ter adicionado o versículo (não há dados suficientes para se pensar em uma adição posterior feita por um copista de manuscrito). Parece preferível, pois, olhar para o v. 25 como o último pensamento do redator, sua reflexão final uma vez concluída a obra.

A primeira parte do v. 25, "Há muitas outras coisas que Jesus fez", repete de modo muito estranho 20,30: "Certamente, Jesus também realizou muitos outros sinais na presença de seus discípulos, sinais não registrados neste livro". Por que tal repetição? Talvez o redator sentisse que a repetição de uma conclusão deixasse claro que ele agora está levando à conclusão sua adição pessoal. Ou talvez ele deu a suas as palavras do v. 25a o valor de uma auto-justificação: o que ele fizera foi adicionar uma seção das muitas coisas não inclusas no evangelho.

A segunda parte do v. 25 é uma hipérbole para explicar por que não se fez nenhuma tentativa de incluir todas as demais coisas que Jesus fizera. Alguns comentaristas têm se incomodados com evidente exagero que supõe afirmar que não caberia no mundo inteiro – a biblioteca que seria produzida se fosse registrados todos os feitos de Jesus. Mais provável é que isto fosse um sentimento de que esta sentença não era verdadeira e, portanto, não pertencia à Escritura o fato que explicaria os escassos testemunhos textuais de que alguns preferiram omitir este versículo. No entanto, hoje se reconhece amplamente que esse tipo de hipérbole tão chamativa era uma convenção literária aceita na época, tanto na literatura gentílica quanto judaica. O Eclesiastes (12,9-12) termina com a nota de que havia muitos outros ensinos do Pregador, mas que, embora fosse útil possuir uma coleção dos ditos de um pastor, "fazer livros é um trabalho sem fim". No tratado talmúdico menor, *Sopherim* 16:8, registra-se que o Rabi Johanan ben Zakkai (c. de 80 d.C.) havia dito: "Se todos os céus fossem folhas de papel, e todas as árvores fossem penas para escrever, e todos os mares, tinta, tudo isso não seria suficiente para compor a sabedoria que eu recebi de meus mestres; e, todavia, não recebi da sabedoria dos sábios mais do que faz uma mosca quando se afunda no mar e sorve uma tênue gota". Ao falar das comunicações de Deus aos homens, FILO, *De posteritate Caini* 43, 144, observa: "Fosse Ele querer exibir suas riquezas, mesmo toda a terra, com o mar convertido em terra seca, não as caberiam" (também *De ebrietate* 9,32; *De vita Moysis* 1,38; 213).

Embora o que o autor joanino diz é tecnicamente inexato, talvez ORÍGENES (*Peri archōn* 2,6,1; PG 11:210A) não estivesse longe de interpretar o verdadeiro propósito do autor, aplicando o dito não a um registro dos feitos de Jesus, mas a uma tentativa escrita de explicar o significado de Jesus: "Não é possível colocar por escrito todos os pormenores que pertencem à glória do Salvador". Portanto, Jo 21,25 deveria expressar figurativamente a mesma mensagem encontrada em Cl 2,3: Cristo é aquele "em quem estão ocultos todos os tesouros da sabedoria e conhecimento".

Em qualquer caso, tendo adicionado outro longo comentário à já ampla bibliografia sobre o Quarto evangelho, e ainda sentindo que muito foi deixado sem registro, o presente autor não se inclina sequer um mínimo a cavilar sobe a exatidão da queixa do redator joanino de que nenhum volume de livros exauriria o tema.

BIBLIOGRAFIA
(CAP. 21)

AGOURIDES, S., *"The Purpose of John 21"*, Studies in the History and Text of the New Testament – in Honor of K. W. Clark, ed. By B. L. Daniels and M. J. Suggs (Salt Lake City: University of Utah, 1967), pp. 127-32.

BACON, B. W., *"The Motivation of John 21. 15-25"*, JBL 50 (1931), 71-80.

BENOIT, P., *The Passion and Resurrection of Jesus Christ* (Nova York: Herder & Herder, 1969), pp. 289-312.

BOISMARD, M.-E., *"Le chapitre xxi de saint Jean: essai de critique littéraire"*, RB 54 (1947), 473-501.

BRAUN, F.-M., *"Quatre 'signes' johanniques de l'unité chrétienne"*, NTS 9 (1962-63), 153-55 sobre 21,1-11.

CASSIAN, Bishop (Archimandrite Cassien or Serge Besobrasoff), "John xxi", NTS 3 (1956-57), 132-36.

CHAPMAN, J., *"'We Know That His testimony Is True'"*, JTS 31 (1930), 379-87 sobre 21,24-25.

CULLMANN, O., *Peter: Disciple, Apostle, Martyr* (2nd ed.; Filadélfia: Westminster, 1962).
DODD, C. H., *"Note on John 21, 24"*, JTS N.S. 4 (1953), 212-13.
DRUMWRIGHT, H. L., Jr., *"The Appendix to the Fourth Gospel"*, *The Teacher's Yoke*, ed. By E. J. Vardaman et al. (H. Trantham; Waco, Texas: Baylor Press, 1964), pp. 129-34.
FULLER, R. H., *"The 'Thou Art Peter' Pericope and the Easter Appearances"*, McCormick Quarterly 20 (1967), 309-15.
GAECHTER, P., *"Das dreifache 'Weide meine Lämmer'"*, ZKT 69 (1947), 328-44.
GILS, F., "Pierre et la foi au Christ ressuscité", ETL 38 (1962), 5-43.
GLOMBITZA, O., *"Petrus, der Freund Jesu. Überlegungen zu Joh. xxi 15 ss".*, Novt 6 (1963), 277-85.
GOGUEL, M., *"Did Peter Deny His Lord? A Conjecture"*, HTR 25 (1932), 1-27, especialmente 15-25.
GRASS, H., *Ostergeschehen und Osterberichte* (3rd ed.; Göttingen: Vandenhoeck, 1964), especialmente pp. 74-85.
GRAY, A., *"The Last Chapter of St. John's Gospel as Interpreted by Early Christian Art"*, *Hibbert Journal* 20 (1921-22), 690-700.
KLEIN, G., *"Die Berufung des Petrus"*, ZNW 58 (1967), 1-44, especialmente 24-34.
KRUSE, H., *"'Magni pisces centum quinquaginta tres' (Jo 21, 11)"*, VD 38 (1960), 129-48.
MCDOWELL, E. A., Jr., *"'Lovest Thou Me?" A Study of John 21:15-17"*, RExp 32 (1935), 422-41.
MARROW, S. B., *John 21 – An Essay in Johannine Ecclesiology* (Roma: Gregorian University, 1968). Este é um fragmento de uma dissertação mais extensa não publicada, a qual o autor bondosamente permitiu o uso ao autor.
SCHWANK, B., *"Der geheimnisvolle Fischfang (21, 1-14)"*, SeinSend 29 (1964), 484-98.
_____ *"Christi Stellvertreter (21, 15-25)"*, SeinSend 29 (1964), 531-42.
SCHWARTZ, E., *"Johannes und Kerinthos"*, ZNW 15 (1914), 210-19, especialmente 216-17.
SHEEHAN, J. F. X., *"'Feed My Lambs'"*, *Scripture* 16 (1964), 21-27.
SPICQ, C., *Agapè* (Paris: Gabalda, 1959), III, 230-37 sobre 21,15-17. Uma forma abreviada deste aparece em *Agape in the New Testament* (St. Louis: B. Herder, 1966), III, 94-99. Referências ao francês, a não ser que se indique o contrário.
VAGANAY, L., *"La finale Du Quatrième Évangile"*, RB 45 (1936), 512-28.

APÊNDICES

APÊNDICE V: O PARÁCLETO

No NT, a palavra *paraklētos* é peculiar à literatura joanina. Em 1Jo 2,1, Jesus é um *paraklētos* (entendido não como um título), servindo como um intercessor celestial junto ao Pai. Em cinco passagens em João (14,15-17.26; 15,26-27; 16,7-11.12-14) o título *paraklētos* é dado a alguém que não é Jesus, nem um intercessor, nem se localiza no céu. A tradição cristã tem identificado esta figura como sendo o Espírito Santo, mas estudiosos como SPITTA, DELAFOSSE, WINDISCH, SASSE, BULTMANN e BETZ têm dúvida se esta identificação é genuína para com a imagem original e têm sugerido que o Paráclito foi em outro tempo uma figura salvífica independente, mais tarde confundida com o Espírito Santo. Para verificar esta alegação, começarmos isolando, sob quatro tópicos, a informação que João dá nas passagens do Paráclito, mantendo o quadro resultante distinto do que lemos no NT sobre o Espírito Santo.

(a) A vinda do Paráclito e a relação do Paráclito com o Pai e o Filho:
  • O Paráclito *virá* (mas só quando Jesus partir): 15,26; 16,7.8.13.
  • O Paráclito *procede* do Pai: 15,26.
  • O Pai *dará* o Paráclito em atenção ao pedido de Jesus: 14,16.
  • O Pai *enviará* o Paráclito em nome de Jesus: 14,26.
  • Jesus, quando partir, *enviará* o Paráclito da parte do Pai: 15,26; 16,7.

(b) A identificação do Paráclito:
  • Ele é chamado "outro Paráclito": 14,16 (ver nota correspondente).
  • Ele é o Espírito da Verdade: 14,17; 15,26; 16,13.
  • Ele é o Espírito Santo: 14,26 (ver nota correspondente).

(c) O papel que o Paráclito exerce em relação aos discípulos:
  • Os discípulos o reconhecem: 14,17.

- Ele estará com os discípulos e permanecerá com eles: 14,17.
- Ele ensinará tudo aos discípulos: 14,26.
- Ele guiará os discípulos ao longo de todo o caminho da verdade: 16,13.
- Ele receberá de Jesus o que há de declarar aos discípulos: 16,14.
- Ele glorificará a Jesus: 16,14.
- Ele dará testemunho em favor de Jesus, e os discípulos também devem dar testemunho: 15,26-27.
- Ele lembrará os discípulos de tudo o que Jesus lhes ensinou: 14,26.
- Ele falará somente o que ouve e não dirá nada por sua conta: 16,13.

(d) O papel que o Paráclito exerce em relação ao mundo:
- O mundo não pode aceitar o Paráclito: 14,17.
- O mundo não vê nem reconhece o Paráclito: 14,17.
- Ele dará testemunho de Jesus frente ao ódio do mundo que perseguirá os discípulos: 15,26 (cf. 15,18-25).
- Ele convencerá o mundo do pecado, da justiça e do juízo: 16,8-11.

Assim, as funções básicas do Paráclito são duplas: ele vem aos discípulos e habita neles, guiando-os e ensinando-os sobre Jesus, mas ele é hostil ao mundo e põe o mundo em juízo.

Devemos suplementar a informação dada acima com material tomado do contexto geral das cinco passagens do Paráclito no último discurso. O próprio fato de que aparecem como parte da despedida que Jesus faz a seus discípulos reforça a conexão entre a partida de Jesus e a vinda do Paráclito.

Análise do título paraklētos

O que o nome dado a esta figura salvífica nos informa sobre ela? Os estudos mais detalhados não têm sido capazes de apontar um término hebraico ou aramaico do qual *paraklētos* é claramente uma tradução. (*Mēlīṣ*, "intérprete", uma sugestão frequente em hebraico, p. ex., JOHNSON, p. 32). Aliás, a busca poderia ser vã, pois *prqlyt* aparece como um empréstimo linguístico dos escritos judaicos do 2º século d.C. (*Pirqe Aboth* 14,11); e assim o *paraklētos* de João poderia ter sido simplesmente a retroversão de um empréstimo do grego em vez de ser a tradução de um termo hebraico. Qualquer que seja nossa análise do significado do termo, tem de ser baseado na palavra grega.

Podemos distinguir duas interpretações de *paraklētos* que têm nuança forense e duas interpretações não forenses.

(a) *Paraklētos* como uma forma passiva de *para/kalein* em seu sentido elementar ("chamar ao lado de"), significando "alguém chamado para ajudar outro", assim um advogado (OL *advocatus*) ou advogado de defesa. Há quem aponte para o papel do Espírito Santo como defensor dos discípulos quando são postos à prova (Mt 10,20; At 6,10); mas este não coincide com a descrição do quadro joanino. Seja como for, o papel do Paráclito é o de um advogado que segue provando que o mundo é culpado. Além do mais, nos procedimentos forenses judaicos apenas há lugar para um advogado de defesa, já que era o juíz que dirigia o interrogatório e a defesa contava no máximo com algumas testemunhas. Se o Paráclito tem uma função forense, então seria a de testemunha (15,26).

(b) *Paraklētos* em um sentido ativo, derivado de *parakalein* em seu significado de "interceder, rogar, apelar a", e assim um intercessor, um mediador, um porta-voz. Evidentemente, este é o significado em 1Jo 2,1, mas no evangelho o Paráclito não intercede pelos discípulos ou por Jesus. Tampouco ele é um porta-voz em defesa dos discípulos como em Mt 10,20; antes, ele fala através dos discípulos (15,26-27) em defesa do Jesus ausente. Relacionado a esta interpretação é o significado sugerido de *paraklētos* como "ajudador, amigo". Em parte, esta compreensão do termo se relaciona com a teoria das origens do protomandeanas que serão mencionadas mais adiante. É verdade que o Paráclito ajuda os discípulos, mas isto é geral demais para ser de muito valor. Além do mais, "ajudador" não faz justiça ao papel do Paráclito em relação com o mundo. Podemos mencionar ainda a tese de H. F. Woodhouse, *Biblical Theology* 18 (1968), 51-53, de que *paraklētos* deva ser traduzido como "intérprete".

(c) *Paraklētos* em um sentido ativo, relacionado com *parakalein*, em seu significado de "consolar", portanto um confortador ou consolador (OL *consolator*; *Tröster* em Lutero). Embora Davies tenha argumentado em prol desta tradução com base no uso que a LXX faz de *parakalein* (um verbo que João não usa), nenhuma passagem apresenta o

Parácleto na função de consolar os discípulos. O elemento de consolação se confina ao contexto; por exemplo, 16,6-7 que antecede uma passagem sobre o Parácleto.

(d) *Paraklētos* como relacionado com *paraklēsis*, o substantivo usado para descrever a exortação e encorajamento encontrados na pregação das testemunhas apostólicas (1Ts 3,2; Rm 12,8; Hb 13,22; At 13,15 – ver Lemmonyer, *art. cit.*). At 9,31 fala da Igreja como caminhando na *paraklēsis* do Espírito Santo. O argumento é enfraquecido pelo fato de que João não usa *paraklēsis*, mas esta interpretação concorda com Jo 15,26-27, onde o Parácleto dá testemunho através dos discípulos. (Em At 2,40, "dando testemunho" e "exortando" são combinados). Mussner, *art. cit.*, mostra como as várias funções atribuídas ao Parácleto são realizadas no ministério dos apóstolos. Barrett, *art. cit.*, tem afirmado que o Parácleto é o Espírito que falava na *paraklēsis* apostólica, e certamente esta é uma das funções do Parácleto.

A modo de resumo, diremos que nenhuma tradução de *paraklētos* capta a complexidade das funções forenses ou outras que esta figura tem. O Parácleto é uma *testemunha* em defesa de Jesus e um *porta-voz* que fala em seu nome quando é julgado por seus inimigos; o Parácleto é um *consolador* dos discípulos, pois ele assume o lugar de Jesus entre eles; o Parácleto é um mestre e guia dos discípulos e, assim, seu *ajudador*. Ao traduzir a palavra grega para o latim da Vulgata, Jerônimo fez uma escolha entre essas traduções que oferecia o OL como *advocatus* e *consolator*, e o costume de simplesmente transliterar o termo como *paracletus*. No evangelho, ele assumiu o segundo recurso (*advocatus* aparece em 1 João), o mesmo caminho também seguido nas traduções da Siríaca e Cóptica. Provavelmente seria sábio também nos tempos modernos estabelecer para "Parácleto", uma transliteração aproximada que preserva a unicidade do título e não enfatiza apenas uma das funções em detrimento das outras.

Pano de fundo do conceito

No início deste século, a tentativa da Escola da História das Religiões, especificamente W. Bauer, Windisch e Bultmann, de achar as origens do Parácleto no gnosticismo protomandeano desfrutou de certo prestígio.

Apêndice V: O paracleto 1645

A tese de BULTMANN é que o Paracleto é uma adaptação do Yawar Mandeano (o que ele traduz por "Ajudador"), um entre os vários reveladores celestiais no pensamento mandeano. MICHAELIS e BEHM têm submetido esta teoria a uma dura crítica, e hoje ela tem poucos seguidores. (Para um resumo dos argumentos, ver BROWN, *"Paraclete"*, pp. 119-20). Postula-se em termos mais gerais um pano de fundo judaico. MOWINCKEL e JOHANSSON foram fortes defensores disto mesmo antes das descobertas de Qumran, e F. M. CROSS (*The Ancient Library of Qumran* [Nova York: Doubleday Anchor ed., 1961], pp. 213-15) tem salientado um forte apoio que estes descobrimentos deram às teses do pano de fundo judaico. BETZ, *op. cit.*, tem desenvolvido o tema das contribuições de Qumran neste sentido. Apoiando-se nos dados do AT, dos Apócrifos e dos rolos de Qumran podemos selecionar os quatro seguintes pontos que contribuem para uma melhor compreensão do Paracleto.

(a) No AT achamos exemplos de uma relação sucessiva na qual uma figura principal morre e leva outra a assumir seu lugar, continua sua obra e interpreta sua mensagem; por exemplo, Moisés/Josué e Elias/Eliseu (BORNKAMM, *art. cit.*, acrescenta o Batista/Jesus). Comumente, a segunda figura é estreitamente padronizada na primeira. O conceito do espírito entra nesta relação: Dt 34,9 descreve Josué como estando cheio do espírito de sabedoria quando Moisés estende a mão sobre ele; Eliseu recebe uma dupla participação no espírito de Elias (2Rs 2,9.15); João Batista atua como instrumento na vinda do Espírito sobre Jesus.

(b) No AT, *o espírito de Deus* vem sobre os profetas para que falem aos homens as palavras de Deus; no quadro que Lucas traça do Pentecostes em At 2, a vinda do Espírito de Deus converte os pregadores em apóstolos. Este conceito do espírito profético pode oferecer um pano de fundo para o Paracleto como o mestre dos discípulos que os impulsiona a darem testemunho.

(c) A angelologia judaica tardia oferece o melhor paralelo para o caráter forense do Paracleto joanino. (Nos livros apocalípticos, os anjos também têm funções didáticas, pois guiam os visionários à verdade. O verbo *anangellein* usado em relação ao Paracleto em Jo 16,13-14 é usado nestes livros para descrever o desvendar da veracidade de uma visão; ver nota sobre 16,13, "interpretará"). Lembremo-nos de que os anjos são frequentemente chamados "espíritos". Da antiga imagem dos anjos que formam a corte celestial emergiu dali a figura de um anjo ou espírito especial que protege zelosamente os interesses de Deus na terra, erradicando o mal (o satã de Jó 1,6-12 e de Zc 3,1-5). Mais tarde, sob o impacto do dualismo, houve uma bifurcação desta figura: o satã se tornou o tentador mal, enquanto um anjo "bom" assumiu a tarefa de proteger os interesses de Deus e do povo; por exemplo, Miguel em Dn 10,13. Inclusive no livro de Jó, além do satã que coloca a prova Jó, há referências dispersas e um tanto obscuras a um porta-voz (*mal'ak mēlīṣ*) angélico que se põe ao lado do justo (33,23), uma testemunha celestial (16,19) que depois da morte de Jó promoverá a justiça da causa de Jó (19,25-27). O targum medieval, ou tradução aramaica de Jó lê *prqlyt'* em diversas partes nestas passagens. Notamos que o Paráclito joanino exerce um papel similar em relação a Jesus. Em Qumran, o dualismo angélico é altamente elaborado, e o *Espírito da Verdade* leva os adeptos em sua luta contra as forças do mal que estão sob o Espírito da Mentira. A literatura de Qumran (cf. também o *Testamento de Judá* 20,1-5) fornece os únicos exemplos pré-cristãos do título "Espírito da Verdade" que João usa como sinônimo de "Paráclito". Se o Espírito da Verdade é um anjo, tem-se a impressão que "espírito da verdade" pode também referir-se a um modo de vida ou algo que penetra o próprio ser do homem. Por exemplo, em 1QS 4,23-24 ouvimos: "Até agora os espíritos da verdade e da mentira lutam nos corações dos homens, e caminham, respectivamente, na sabedoria e na loucura". Assim também o Paráclito joanino habita o interior do homem. Indubitavelmente, o conceito do espírito angélico (o anjo porta-voz e promotor, o Espírito da Verdade) era originalmente um conceito diferente daquele do espírito de Deus dado aos profetas, como discutido em (*b*) acima. Mas esta distinção pode ter começado a desaparecer no pensamento tardio. Em Sb 1,7-9, o espírito do Senhor tem quase a função forense do satã celestial, já que persegue o mal no mundo e o condena. Em *Jubileus* 1,24, o perverso Belial é oposto não por um anjo, mas pelo espírito santo de Deus no interior dos homens. Se os adeptos de Qumran eram homens que caminhavam no caminho do Espírito da Verdade, também eram homens que foram purificados pelo espírito santo de Deus que os uniu à verdade de Deus (1QS 3,6-7).

(d) A figura da Sabedoria personificada, que oferece um pano de fundo muito importante para o Jesus joanino, também oferece um contexto para o Paráclito (que é muito familiar a Jesus, como veremos). A Sabedoria vem de Deus para habitar o interior dos escolhidos do Senhor (Sir 24,12) e trazer-lhes o dom do discernimento (26-27). A Sabedoria diz (33): "Derramarei o ensino como profecia e a deixarei a todas as gerações futuras" – um papel não diferente daquele do Paráclito joanino que "vos declarará as coisas por vir" (Jo 16,13). *1 Enoque* 42,2 menciona a rejeição da Sabedoria pelos homens, e isto pode ser comparado com a afirmação de João (14,17) de que o mundo não pode aceitar o Paráclito. Já vimos no comentário uma relação parcial entre a função do Paráclito em Jo 15,26-27 e o do Espírito em Mc 10,19-20, o Espírito do Pai dado aos discípulos para que falassem perante os tribunais hostis. Na passagem paralela em Lc 21,14-15 é a sabedoria (não personificada) que lhes é dada. (O presente escritor é devedor a R. L. Jeske por várias destas sugestões).

Em suma, encontramos dispersos no pensamento judaico os elementos básicos que aparecem na imagem joanina do Paráclito: uma relação em série pela qual uma segunda figura, que se configura na primeira, continua a obra da primeira; a passagem de seu espírito pela principal figura salvífica; a concessão divina de um espírito que capacitaria o recipiente a entender e interpretar feito e palavra divinos de uma maneira autoritativa; um espírito pessoal (angélico) que guiaria os escolhidos contra as forças do mal; espíritos pessoais (angélicos) que ensinam os homens e os guiam à verdade; a Sabedoria que vem aos homens da parte de Deus, habita neles e os ensina, porém é rejeitada por outros homens. E nas passagens que descrevem estas várias relações e espíritos diversos há abundante vocabulário do testemunhar, ensinar, guiar e acusar que aparecem nas passagens do Paráclito joanino, inclusive o título "Espírito da Verdade".

A compreensão joanina do Paráclito

A combinação destes diversos aspectos em uma imagem consistente e densa do conceito do Espírito Santo em conformidade com esse quadro são o que nos tem dado a apresentação joanina do Paráclito.

Devemos examinar esta apresentação mais detalhadamente. Nossa tese é que João apresenta o Paráclito como sendo o Espírito Santo em uma função especial, a saber, como a presença pessoal de Jesus no cristão enquanto Jesus estiver com o Pai.

Isto significa, antes de tudo, que a imagem joanina do Paráclito não é inconsistente com o que é dito no próprio evangelho e nos outros livros do NT sobre o Espírito Santo. É verdade que o Paráclito é mais claramente pessoal do que é o Espírito Santo em muitas passagens neotestamentárias, pois frequentemente o Espírito Santo, como o espírito de Deus no AT, é descrito como uma força. Todavia, certamente há outras passagens que atribuem características quase pessoais ao Espírito Santo; por exemplo, as passagens triádicas em Paulo, onde o Espírito é posto lado a lado com o Pai e o Filho, e o Espírito realiza ações voluntárias (1Cor 12,11; Rm 8,16). Se o Pai dá o Paráclito ao pedido de Jesus, o Pai dá o Espírito Santo aos que lhe pedem (Lc 11,13; também Jo 3,24; 4,13). Em Tt 3,6 lemos que Deus derramou o Espírito através de Jesus Cristo. Se ambos, o Pai e Jesus, ao enviar o Paráclito, o Espírito Santo é de um modo variado chamado o Espírito de Deus (1Cor 2,11; Rm 8,11.14) e o Espírito de Jesus (2Cor 3,17; Gl 4,6; Fl 1,19). Jo 4,24 lemos que "Deus é Espírito", significando que Deus se revela aos homens no Espírito, e Jo 20,22 tem Jesus dando o Espírito aos homens. Assim, nada se diz sobre a vinda do Paráclito ou sobre a relação do Paráclito com o Pai e o Filho que realmente seja estranho à imagem neotestamentária do Espírito Santo.

Se o Paráclito é chamado o "Espírito da Verdade" e lemos que ele dá testemunho em favor de Jesus, em 1Jo 5,6(7) somos informados: "E o Espírito é o que testifica, porque o Espírito é a verdade". Se o testemunho do Paráclito é dado através dos discípulos, então em Atos a vinda do Espírito Santo é o que move os discípulos a darem testemunho da ressurreição de Jesus. Em termos de conceito, em At 5,32 há um paralelo muito estreito com Jo 15,26-27: "Somos testemunhas destas coisas, e igualmente o Espírito Santo a quem Deus tem dado aos que lhe obedecem" (ver Lofthouse, *art. cit.*). Se o Paráclito há de ensinar os discípulos, Lc 12,12 afirma que o Espírito Santo os ensinará (ver também estudo sobre 1Jo 2,27). Se o Paráclito tem uma função forense ao provar a maldade do mundo, o Espírito em Mt 10,20 e At 6,10 também têm uma função forense, a saber, a de defender os discípulos ante os tribunais.

Apêndice V: O paracleto

Isto não significa que o Paracleto seja identificado simplesmente com o Espírito Santo. Algumas das funções básicas do Espírito Santo, tais como regeneração batismal, nova criação, perdão de pecados (Jo 3,5; 20,22-23), elas nunca são predicados do Paracleto. Aliás, ao enfatizar apenas certos aspectos da obra do Espírito e ao colocá-los no contexto do último discurso e a partida de Jesus, o autor joanino concebeu o Espírito de uma maneira altamente distintiva, tão distintiva que justamente deu ao resultante retrato um título especial: "o Paracleto". Não obstante, devemos enfatizar que a identificação do Paracleto como sendo o Espírito Santo, em 14,26, não constitui um equívoco redacional, pois as similaridades entre o Paracleto e o Espírito se encontram em todas as passagens relativas ao Paracleto.

A peculiaridade do perfil joanino do Paracleto/Espírito, e este é o nosso segundo ponto de nossa análise, se centra em torno da semelhança do Espírito com Jesus. Praticamente, tudo o que tem sido dito acerca do Paracleto, em outros lugares no evangelho tem sido dito acerca de Jesus. Comparemos o Paracleto e Jesus sob os quatro tópicos que usamos para classificação no início deste Apêndice:

(a) A vinda do Paracleto. O Paracleto *virá*; assim também Jesus veio ao mundo (5,43; 16,28; 18,37). O Paracleto veio (*ekporeuesthai*) da parte do Pai; assim também Jesus veio (*exerchesthai*) do Pai. O Pai concederá o Paracleto ao pedido de Jesus; assim também o Pai deu o Filho (3,16. O Pai *enviará* o Paracleto; assim também Jesus foi enviado pelo Pai (3,17 e *passim*). O Paracleto será enviado no *nome de Jesus*; assim também Jesus veio no nome do Pai (5,43 – de muitas maneiras, o Paracleto é para Jesus o que Jesus é para o Pai).

(b) A identificação do Paracleto. Se do Paracleto se diz que é "outro Paracleto", isto implica que Jesus era o primeiro Paracleto (mas em seu ministério terreno, não no céu como em 1Jo 2,1). Se o Paracleto é o Espírito da Verdade, Jesus é a verdade (14,6). Se o Paracleto é o Espírito Santo, Jesus é o Santo de Deus (6,69).

(c) A função que o Paracleto exerce em relação aos discípulos. Aos discípulos se concederá o privilégio de conhecer ou reconhecer o Paracleto; assim também é um privilégio especial conhecer ou reconhecer Jesus (14,7.9). O Paracleto há de estar no interior dos discípulos e permanecerá com eles; assim também Jesus há de permanecer em e com os discípulos (14,20.23; 15,4.5; 17,23.26). Se o Paráclito há de guiar os discípulos no caminho de toda a verdade, Jesus é tanto o caminho como a verdade (14,6). Se o Paráclito há de ensinar os discípulos, Jesus também ensina os que querem escutá-lo (6,59; 7,14.18; 8,20). Se o Paráclito declara aos discípulos as coisas por vir, Jesus se identifica como o Messias por vir que anuncia ou declara todas as coisas (4,25-26). Se o Paráclito dará testemunho, assim também Jesus dá testemunho (8,14). Além do mais, notamos que João enfatiza que todo o testemunho e ensino do Paráclito são acerca de Jesus, de modo que o Paráclito glorifica Jesus. (Jesus tem a mesma função em relação ao Pai: 8,28; 12,27-28; 14,13; 17,4).

(d) A função que o Paráclito exerce em relação ao mundo. O mundo não pode aceitar o Paráclito; assim também os homens maus não podem aceitar Jesus (5,43; 12,48). O mundo não vê o Paráclito; assim também os homens são informados que logo perderão Jesus de vista (16,16). O mundo não conhece ou reconhece o Paráclito; assim também os homens não conhecem Jesus (16,3; cf. 7,28; 8,14.19; 14,7). O Paráclito dará testemunho em meio ao ódio do mundo; assim também Jesus dá testemunho contra o mundo (7,7). O Paráclito convencerá o mundo de seu erro concernente ao julgamento de Jesus, um julgamento que matiza toda a imagem que João traça do ministério de Jesus.

Assim, aquele a quem João chama "outro Paráclito" vem a ser outro Jesus. Visto que o Paráclito só pode vir quando Jesus partir, o Paráclito é a presença de Jesus quando este estiver ausente. As promessas de Jesus de morar em seus discípulos se cumprem no Paráclito. Não é por acidente que a primeira passagem contendo a promessa que Jesus faz do Paráclito (14,16-17) é seguida imediatamente pelo versículo que diz: "Eu virei a vós". Não precisamos seguir E. F. Scott e Ian Simpson afirmando que João está corrigindo o conceito errôneo de que o Espírito Santo é distinto de Jesus. João insiste que Jesus estará no céu com o Pai enquanto o Paráclito está na terra nos discípulos; e assim os dois têm funções distintas. Em contrapartida, o interesse de João não está posto na futura teologia trinitária, na qual o principal problema será mostrar a distinção entre Jesus e o Espírito; João está interessado na similaridade entre os dois.

Apêndice V: O paráclето 1651

O "Sitz im Leben" para os conceitos joaninos do Paráclето

O que levou a tradição joanina a pôr ênfase, no último discurso, sobre o Espírito como o Paráclето, isto é, como a contínua presença pós-ressurreição de Jesus com seus discípulos, ensinando-os e provando-lhes que Jesus havia vencido e o mundo estava equivocado? Sugerimos que a imagem do Paráclето/Espírito respondeu a dois problemas proeminentes no tempo da composição final do Quarto Evangelho. (No comentário, pp. 1092-1095, notamos que pode ter havido promessas do Espírito nas formas primitivas do último discurso, mas que a transformação destas, nas passagens relativas ao Paráclето, foram catalisadas pela introdução ao último discurso do material que agora aparece em 15,18-16,4a. Este material, tratando da perseguição dos discípulos pelo mundo, tem paralelos com Mt 10,17-25, onde [10,20] o Espírito exerce uma função forense. É possível que a reflexão sobre esta função forense pode ter dado origem à formulação do conceito Paráclето/Espírito, conceito este que seria próprio aos últimos estágios redacionais do último discurso).

O primeiro problema foi a confusão causada pela morte das testemunhas oculares apostólicas, que formavam uma cadeia viva entre a Igreja e Jesus de Nazaré. A tese de muitos comentaristas é que um dos propósitos do Quarto Evangelho era mostrar a autêntica conexão existente entre a vida da igreja do final do 1º século e o já distante Jesus de Nazaré (vol. 1, p. 87). Para aquela mentalidade, a morte das testemunhas oculares apostólicas constituiu uma tragédia, visto que o elo visível entre a Igreja e Jesus estava sendo desfeito. Previamente, estes homens tinham sido aptos a interpretar o pensamento de Jesus em face da nova situação em que a Igreja se encontrava. Sem dúvida, o impacto da perda das testemunhas oculares foi sentido exatamente no período após o ano 70, mas, para a comunidade joanina, o impacto completo não veio até a morte do Discípulo Amado, a testemunha ocular *por excelência* (19,35; 21,24), uma morte que, aparentemente, ocorreu justamente quando se estava a ponto de dar ao evangelho sua forma final. Esta morte ou sua notória iminência teria apresentado à comunidade joanina o angustiante problema de sua sobrevivência sem o apoio de seu principal nexo vivo com Jesus.

O conceito do Paráclето/Espírito é uma resposta a este problema. Se a testemunha ocular havia guiado a Igreja e se o Discípulo Amado havia dado testemunho de Jesus na comunidade joanina, não foi primariamente por causa da memória que pessoalmente conservavam de Jesus. Depois de tudo, eles haviam visto Jesus, porém não o compreenderam (14,9). Somente o dom do Espírito Santo os ensinou o significado de tudo que tinham visto (2,22; 12,16). Seu testemunho foi o testemunho do Paráclito que falava através deles; a profunda reinterpretação do ministério e das palavras de Jesus efetuadas sob a diretriz do Discípulo Amado e agora encontradas no Quarto Evangelho era obra do Paráclito. (Aqui concordamos, ao menos em princípio, com os muitos estudiosos, como Loisy, Sasse, Kragerud e Hoeferkamp, que veem no Discípulo Amado a "encarnação" do Paráclito). E o Paráclito por outro lado, não cessa de atuar quando estas testemunhas oculares se vão, pois ele habita o interior de todos os cristãos que amam Jesus e guardam seus mandamentos (14,17). (Mussner, pp. 67-70, não está muito certo em sugerir que a habitação do Paráclito é o privilégio dos doze e cessou juntamente com o ofício apostólico). Os cristãos de última hora não estão mais longe do ministério de Jesus do que os mais antigos, pois o Paráclito habita neles como habitou nas testemunhas oculares. E ao evocar e dar novo significado ao que Jesus disse, o Paráclito guia cada geração para enfrentar novas situações; ele declara as coisas que estão por vir (16,13).

O segundo problema era a angústia causada pela demora da segunda vinda. No período após 70 d.C., a expectativa do retorno de Jesus começou a enfraquecer. Seu retorno fora associado com o terrível juízo de Deus sobre Jerusalém (Mc 13), agora, porém, Jerusalém estava destruída pelos exércitos romanos e Jesus ainda não retornara. Em particular, o retorno de Jesus fora esperado nos limites da vida terrena de alguns dos que foram seus companheiros (Mc 13,30; Mt 10,23). Certamente, a comunidade joanina tinha esperado seu retorno antes da morte do Discípulo Amado (Jo 21,23); mas esta morte acabara de acontecer ou estava acontecendo e Jesus ainda não havia retornado. Que esta demora causou certo ceticismo é visto em 2Pd 3,3-8, onde se dá a resposta um tanto ingênua: não importa quão longo seja o intervalo, a vinda ocorrerá logo, pois para o Senhor um dia é como mil anos. A resposta joanina é mais profunda. O evangelista não perde a fé na segunda vinda, mas enfatiza que muitos dos aspectos associados à segunda vinda já são realidades da vida cristã (juízo, filiação divina, vida eterna). E de uma maneira bem real, Jesus tem voltado durante a vida terrena de seus companheiros, pois ele tem vindo em e através do Paracleto. (BORNKAMM, p. 26, salienta que o conceito do Paracleto demitologiza vários temas apocalípticos, inclusive o julgamento do mundo, p. ex., 16,11). Os cristãos não vivem com seus olhos constantemente fitos para o céu donde o Filho do Homem há de vir; pois, como o Paracleto, Jesus está presente no interior de todos os crentes.

BIBLIOGRAFIA

BARRETT, C. K., *"The Holy Spirit in the Fourth Gospel"*, JTS N.S. 1 (1950), 1-15.
BEHM, J., *"paraklētos"*, TWNTE, V, 800-14.
BERROUARD, M.-F., *"Le Paraclet, défenseur du Christ devant la conscience du croyant (Jean xvi 8-11)"*, RSPT 33 (1949), 361-89.
BETZ, O., *Der Paraklet* (Leiden: Brill, 1963).
BORNKAMM, G., *"Der Paraklet im Johannesevangelium"*, Festschrift für R. Bultmann (Stuttgart: Kohlhammer, 1949), pp. 12-35. Updated in *Geschichte und Glaube I* (Gesammelte Aufsätze III; Munique: Kaiser, 1968), pp. 68-89.
BROWN, R. E., *"The Paraclete in the Fourth Gospel"*, NTS 13 (1966-67), 113-32. Uma forma mais breve, *"The 'Paraclete' in the Light of Modern Research"*, StEv, IV, 157-65.
DAVIES, J. G., *"The Primary Meaning of PARAKLETOS"*, JTS N.S. 4 (1953), 35-38.
DE HAES, P., *"Doctrina S. Joannis de Spiritu Sancto"*, ColctMech 29 (1959), 521-26.
DE LA POTTERIE, I., *"Le Paraclet"*, Assemblées du Seigneur 47 (1963), 37-55. Reimpresso em De la Potterie, I, e Lyonnet, S., *La vie selon l'Esprit* (Paris: Cerf, 1965), pp. 85-105.
GIBLET, J., *"De missione Spiritus Paracliti secundum Jo. Xvi 5-15"*, ColctMech 22 (1952), 253-54.
HOEFERKAMP, R., *"The Holy Spirit in the Fourth Gospel from the Viewpoint of Christ's Glorification"*, ConcTM 33 (1962), 517-29.
HOWERDA, D. E., *The Holy Spirit and Eschatology in the Gospel of John* (Kampen: Dok, 1959).
JOHANNSON, N., *Parakletoi* (Lund: Gleerup, 1940).

JOHNSTON, G., *"The Spirit-Paraclete in the Gospel of John"*, Perspective 9 (1968), 29-37.
LEMMONYER, A., *"L'Esprit-Saint Paraclet"*, RSPT 16 (1927), 293-307.
LOCHER, G. W., *"Der Geist als Paraklet"*, EvTh 26 (1966), 565-79.
LOFTHOUSE, W. F., *"The Holy Spirit in the Acts and in the Fourth Gospel"*, ET 52 (1940-41), 334-36.
MICHAELIS, W., *"Zur Herkunft des johanneischen Paraklet-Titels"*, Coniectanea Neotestamentica 11 (1947: Fridrichsen Festschrift), 147-62.
MIGUENS, M., *El Paráclito* (Jerusalem: Studii Biblici Franciscani Analecta, 1963).
MOWINCKEL, S., *"Die Vorstellungen des Spätjudentums vom heiligen Geist als Fürsprecher und der johanneische Paraklet"*, ZNW 32 (1933), 97-130.
MUSSNER, F., *"Di johanneischen Parakletsprüche und die apostolische Tradition"*, BZ 5 (1961), 56-70.
SASSE, H., *"Der Paraklet im Johannesevangelium"*, ZNW 24 (1925), 260-77.
SCHLIER, H., *"Zum Begriff des Geistes nach dem Johannsevangelium"*, Besinnung auf das Neue Testament (Freiburg: Herder, 1964), pp. 264-71.
SCHULZ, S., *"Die Paraklet-Thematradition"*, Unterrsuchungen zur Menschensohn-Christologie im Johannsevangelium (Göttingen: Vandenhoeck, 1957), pp. 142-58.
SIMPSON, I., *"The Holy Spirit in the Fourth Gospel"*, The Expositor, 9th series, 4 (1925), 292-99.
STOCKTON, E., *"The Paraclete"*, Australasian Catholic Record 16 (1962), 255-62.
SWETE, H. B., *The Holy Spirit in the New Testament* (Londres: Macmillan, 1931 reimpressão). Especialmente pp. 147-68.
WINDISCH, H., *The Spirit-Paraclete in the Fourth Gospel* (Filadélfia: Fortress 1968). Tradução de dois artigos alemães *"Die fünf johanneischen Parakletsprüche"* (1927) e *"Jesus und der Geist im Johannesevangelium"* (1933).

ÍNDICES

ÍNDICE DOS PRINCIPAIS AUTORES CITADOS

(Este é primariamente um índice que cataloga a primeira ocorrência do livro ou artigo de um autor. Em uns poucos exemplos, faz-se referência a mais de uma afirmação das ideias de particulares do autor).

Abbott, E. A.   1047, 1181, 1235, 1247, 1394, 1612
Abrahams, I.   1209, 1214, 1390
Ackroyd, P. R.   1567, 1568
Agostinho   907, 917, 994, 995, 1002, 1019, 1028, 1037, 1044, 1063, 1066, 1094, 1109, 1110, 1112, 1125, 1130, 1163, 1249, 1282, 1285, 1337, 1360, 1392, 1458, 1504, 1566, 1597, 1603, 1612, 1619
Agourides, S.   1154, 1570, 1576, 1594, 1625
Aland, K.   1168, 1545, 1605
Albright, W. F.   1231, 1397, 1464
Alfrink   1584
Allen, W. C.   1478
Ambrósio   908, 994, 1037, 1378, 1463, 1618
Ameisenowa, Z.   1058
Aquino, T. de   994, 1109, 1121, 1154, 1227, 1408, 1413
Arvedson, N.   1616
Atanásio   1036, 1377
Auer, E. G.   1456, 1457, 1484

Bacon, B. W. 992, 1202, 1207, 1625, 1634
Bajsić, A.   1291, 1296, 1310, 1316, 1331, 1334
Balagué, M.   1455, 1456, 1457, 1484
Baldensperger, G.   926, 1420
Ballard, J. M.   1146
Bammel, E.   1210, 1320, 1436
Bampfylde, G.   1358, 1385
Barbet, P.   1407
Barrett, C. K.   906, 909, 910, 928, 951, 978, 993, 1019, 1031, 1035, 1044, 1050, 1069, 1078, 1084, 1085, 1092, 1100, 1102, 1103, 1106, 1107, 1115, 1121, 1126, 1129, 1144, 1148, 1168, 1173, 1183, 1239, 1247, 1282, 1295, 1315, 1316, 1337, 1349, 1352, 1354, 1356, 1367, 1375, 1381, 1391, 1400, 1409, 1453, 1456, 1466, 1486, 1499, 1508, 1530, 1534, 1538, 1545, 1549, 1561-1563, 1567, 1569, 1573, 1574, 1603, 1605, 1610, 1644,
Bartina, S.   1233, 1242, 1324
Bauer, W.   904, 906, 917, 919, 926, 936, 965, 994, 1045, 1055, 1188, 1209, 1573, 1579, 1609, 1616, 1644
Beare, F. W.   1529
Behler, G.-M.   976, 1188

Índice dos Principais Autores Citados 1657

Behm, J. 1055, 1645
Belser 1282, 1465
Bengel 994, 1017, 1523
Benoit, P. 913, 1206, 1212, 1228, 1235, 1240, 1249, 1253, 1260, 1261, 1267, 1276, 1281, 1287, 1305, 1323, 1331, 1421, 1422, 1439, 1472, 1475, 1476, 1489, 1490, 1502, 1581, 1584, 1621
Bernard, J. H. 908, 916, 947, 976, 1016, 1018, 1019, 1031, 1044, 1045, 1078, 1079, 1081, 1103, 1114, 1118, 1121, 1122, 1124, 1126, 1144, 1149, 1183, 1188, 1232, 1255, 1284, 1285, 1316, 1320, 1350, 1360, 1392, 1396, 1399, 1414, 1436, 1449, 1450, 1458, 1461, 1466, 1470, 1481, 1494, 1449, 1450, 1458, 1461, 1466, 1506-1508, 1546, 1559, 1561, 1562, 1564, 1569, 1570, 1574, 1603, 1605, 1606, 1609, 1623, 1627, 1628,
Berrouard, M.-F. 1094, 1109
Berry, T. S. 991
Betti, V. 1620
Betz, O. 1641, 1645
Bewer, J. A. 1604
Bickermann 1212
Billerbeck 914, 1209
Bishop, E. F. 911, 1355
Black, M. 1124, 1231, 1356, 1463, 1464
Blank, J. 1292, 1299, 1302, 1306
Blinzler, J. 913, 1209, 1210, 1214, 1228, 1249, 1254, 1281, 1282, 1288, 1290, 1322, 1339, 1383, 1401
Boismard, M.-E. 908, 918-920, 923, 936, 939, 963, 992, 997, 998, 1001, 1020-1022, 1033, 1051, 1146, 1147, 1181, 1207, 1292, 1393, 1453, 1463, 1516, 1544, 1556, 1573, 1574
Boman, T. 1238

Bonner, C. 1314
Bonsirven, J. 1163, 1321, 1326, 1603
Borgen, P. 1008, 1037, 1206, 1240, 1330
Borig, R. 1043, 1051, 1053, 1055, 1057, 1064, 1066, 1069
Boris 1069
Bornkamm, G. 1645, 1652
Bouttier, M. 1191, 1495
Bover 1545
Boyd, W. J. P. 948
Brandon, S. G. F. 1219
Braun, F.-M. 994, 1103, 1360, 1378, 1394, 1401, 1411
Braun, H.-Th. 1351, 1401
Bream, H. N. 1126
Brown, R. E. 913, 1186, 1501, 1645
Brownlee, W. H. 1134
Bruns, J. E. 1140, 1325
Büchler, A. 1209, 1279, 1276
Buchsel, A. 1106
Büchsel, F. 1055, 1281, 1526
Bultmann, R. 904, 906, 916, 918, 919, 938, 940, 941, 948, 976, 981, 986, 987, 994, 996, 997, 998, 1007, 1018, 1020, 1021, 1026, 1032, 1038, 1050, 1051, 1054, 1055, 1059, 1064, 1071, 1079, 1086, 1101, 1102, 1103, 1106, 1114, 1121, 1125, 1126, 1129, 1134, 1143, 1144, 1147, 1148, 1149, 1150, 1151, 1156, 1158, 1161, 1163, 1166, 1168, 1170, 1181, 1188, 1204-1206, 1232, 1234, 1237, 1239, 1246, 1247, 1249, 1251, 1252, 1256, 1261-1263, 1266, 1267, 1271, 1286, 1293, 1297, 1298, 1300, 1302, 1305, 1310, 1316, 1318-1320, 1328, 1333, 1345, 1350, 1366, 1372, 1375, 1378, 1381, 1382, 1389, 1392, 1394, 1395, 1398, 1404-1406, 1412, 1413, 1418, 1420, 1421, 1423, 1425, 1442, 1445,

1453, 1454, 1459, 1463, 1471, 1472, 1480, 1482, 1488, 1489, 1500, 1505, 1507, 1508, 1511, 1513, 1514, 1534, 1537, 1538, 1544, 1547, 1561, 1565-1567, 1570, 1573-1575, 1579, 1580, 1587, 1595, 1603-1605, 1610, 1613, 1615, 1616, 1621-1623, 1625, 1631, 1633
Burkitt, F. C.   1206, 1281, 1508, 1580, 1605
Burney, C. F.   997, 1168
Buse, I.   1205, 1206, 1240, 1251, 1330
Bushill, P. N.   1267
Bussche, H. van den   916, 994, 1053, 1060, 1064, 1086

Cadbury, H. J.   1505
Caird, G. B.   975, 976
Calmes   1245
Cambe, M.   1487
Camerarius, J.   1360
Carmignac, J.   1530
Cassiano   1574
Cassien, A.   1499, 1504, 1524
Catharinet, F.-M.   1494
Cerfaux, L.   979, 980
Ceroke, C. P.   1356, 1379
Charlesworth, J. H.   1055
Chavel, C. B.   1289
Chyträus, D.   1152
Cipriano   927, 1374, 1609
Colson, F. H.   1567
Colwell, E. C.   1350
Conzelmann, H.   1238
Costa, M.   1414
Cotter, W. E. P.   1466
Crehan, J. H.   1581
Crisóstomo, J.   916, 936, 995, 1121, 1126, 1151, 1369, 1465, 1484, 1523, 1561, 1602, 1629, 1631
Cross, F. M.   1189, 1190, 1645

Cullmann, O.   917, 1060, 1151, 1239, 1413, 1481, 1578, 1584, 1599, 1608, 1616, 1620, 1623, 1625
Cumont, F.   1453

Dalman, G.   1062, 1249, 1454
Damasceno, J.   1037
Danby, H.   1214, 1280
Daniélou, J.   1568
Daniels, B. L.   1019
Daube, D.   1410
Dauer, A.   1352, 1356, 1375, 1376
Davies, P. E.   1220, 1643
de la Potterie, I.   994, 998, 1003, 1006, 1100, 1103, 1105, 1226, 1321-1323
Deeks, D.   944
Deissmann, A.   1289, 1320
Delafosse   1470, 1641
Delling, G.   1443
Descamps, A.   1439
Deutz, R. de   1194, 1567
Dibelius, M.   1069, 1071, 1128, 1206, 1209, 1261, 1485, 1557, 1574
Dodd, C. H.   910, 926, 930, 932, 933, 938, 949, 951, 961, 963, 969, 988, 993, 994, 1012, 1039, 1044, 1056, 1078, 1085, 1086, 1106, 1127, 1139, 1150, 1153, 1154, 1248, 1266, 1271, 1286, 1292, 1296, 1297, 1298, 1318, 1345, 1351, 1356, 1357, 1367, 1370-1372, 1395, 1400, 1409, 1416, 1422, 1439, 1440, 1445, 1458, 1465, 1466, 1478, 1479, 1480, 1485, 1494, 1498, 1508, 1510, 1511, 1513, 1515, 1522, 1524, 1526, 1530, 1537, 1545, 1573, 1574, 1583, 1588, 1591, 1593, 1627, 1629,
Doeve, J. W.   1326
Döllinger   1283
Dombrowski, B. W.   1190

Índice dos Principais Autores Citados

Dreyfus, P. 925
Drum, W. 1248
Drumwright, H. L. 1575, 1624
Dupont-Sommer, A. 1529
Durand, A. 1245

Earwaker, J. C. 1181, 1182
Easton, B. S. 1206
Edersheim, A. 1253, 1350, 1351
Eisler, R. 1567
Eltester, W. 937
Emerton, J. A. 1525, 1567, 1568
Engel, F. G. 1062
Ephraem 1450
Epifânio 1037, 1231, 1377
Erdozáin, L. 1516, 1537
Eusébio 1103, 1212, 1242, 1285, 1355, 1397, 1609
Evans, T. E. 1602
Evdokimov, P. 1176

Fascher, E. 1140
Feldman, L. H. 1210
Feuillet, A. 1058, 1120, 1121, 1133, 1134, 1156, 1378, 1380, 1393, 1487, 1495
Field 1124
Filo 1000, 1020, 1044, 1049, 1120, 1276, 1278, 1291, 1295, 1320, 1321, 1332, 1335, 1374, 1390, 1503, 1595, 1605, 1637
Filson, F. V. 1085
Fitzmyer, J. A. XII, 911, 1464, 1501
Flourney, P. P. 1318
Ford, L. S. K. 1413, 1633
Foster, J. 1045
Freed, E. D. 932, 981, 1080, 1170, 1233, 1383, 1395, 1459, 1602
Fridrichsen, A. 927, 1603
Fuller, R. H. 1220, 1443, 1444, 1580, 1584

Gächter, P. 913, 1352, 1378, 1398, 1399, 1401, 1607, 1615
Gärtner, B. 1007, 1232
George, A. 1153
Giblet, J. 1156
Gils, F. 1581
Glasson, T. F. 1369
Glombiza, O. 1614
Goedt, D. 1377
Goguel, M. 917, 1212, 1239, 1267, 1281, 1483, 1570, 1574, 1587, 1613, 1623, 1631
Goldstein, M. 1210
Goodenough, E. R. 1314
Grant, R. 1566
Grass, H. 1453, 1474, 1483, 1489, 1503, 1530, 1531, 1578, 1582, 1587, 1613
Gray, A. 1597, 1599
Grelot, P. 917
Grintz, J. M. 1449
Grobel, K. 1105
Grosheide, F. W. 1635
Grossouw, W. 904, 918, 919, 925, 927
Grundmann, W. 964, 1103, 1250, 1495
Guilding, A. 1226, 1234
Gundry, R. H. 1002

Haenchen, E. 1230, 1233, 1264, 1285, 1292, 1294, 1300, 1303, 1330, 1339
Hamman, A. 1188
Hammer, J. 948, 949
Hamrick, E. W. 1346
Ha-Reubeni, E. 1314
Häring, B. 908, 927, 1187
Harris, J. R. 905
Hartmann, G. 1454, 1458, 1471, 1472, 1474, 1500, 1502, 1511, 1515
Haupt, P. 1409
Hebert, G. 1449

Heinz, D.	1077	Jeske, R. L.	1647
Hewtt, J. W.	1503	Jocz, J.	1080
Hilário	1036, 1377	Johansson, N.	1645
Hingston, J. H.	1232	Jones, A. M.	1278

Hirsch, E. 918, 1128, 1470
Hirschfeld, D. 1278
Hoeferkamp, R. 1652
Holtzmann 1188, 1206
Hoskyns 917, 921, 964, 1065, 1081, 1082, 1082, 1085, 1085, 1106, 1111, 1121, 1129, 1134, 1140, 1151, 1184, 1283, 1353, 1357, 1359, 1360, 1375, 1379, 1385, 1386, 1394, 1399, 1411, 1419, 1458, 1462, 1464, 1488, 1494, 1530, 1544, 1546, 1566, 1569, 1571, 1572, 1594, 1596, 1623, 1627, 1630
Howard, W. F. 1573, 1632
However 912
Huby, J. 1168, 1611
Huffmon, H. B. 1107
Hultkvist, G. 1407
Humphries, A. L. 993
Husband, R. W. 1280, 1289
Hutton, W. R. 1017
Inácio 906, 1058, 1069, 1077, 1180, 1499, 1533
Irineu 992, 1000, 1045, 1160, 1369, 1410, 1412, 1609

Jacobs, L. 1071
James, J. C. 991
Jaubert, A. 913, 1055, 1056, 1058
Jellicoe, S. 1396
Jensen, E. E. 1216, 1326
Jeremias, J. 904, 907, 908, 909, 912, 913, 927, 929, 938, 940, 941, 985, 1008, 1204, 1205, 1206, 1215, 1231, 1255, 1262, 1263, 1278, 1281, 1282, 1346, 1347, 1432, 1452, 1475, 1505
Jerônimo 977, 1181, 1291, 1566, 1567, 1591, 1644

Josefo 905, 936, 965, 1061, 1083, 1126, 1210, 1216, 1229, 1234, 1244, 1245, 1252, 1276-1278, 1280-1284, 1291, 1295, 1319, 1320, 1322-1324, 1331, 1335, 1346-1348, 1374, 1390, 1394, 1403, 1424
Joüon, P. 908, 1104, 1245, 1356
Juster, J. 1281
Justino 1049, 1083, 1210, 1321, 1327, 1351, 1372, 1417, 1502, 1609

Käsemann, E. 965, 1147, 1153, 1158, 1159, 1186, 1188, 1190, 1193, 1574
Kastner, K. 1461, 1463, 1466, 1507
Kennicott 1396
Kenyon, K. 1346
Kerrigan, A. 1134, 1352, 1357, 1379
Kilpatrick, G. D. 1315, 1631
Klein, G. 1267, 1582, 1588, 1589, 1595
Knox, W. 928, 1445
Koehler, T. 1378, 1379, 1501
Koester, H. 1020
Koffmahn, E. 1190
Kopp, C. 1249, 1276, 1324, 1452
Kosmala, H. 1255
Kraft, H. 1465, 1492
Kragerud, A. 1574, 1652
Krieger, N. 1234
Kruse, H. 1566, 1567
Kuhn, K. G. 935, 1238
Kümmel 1261, 1574

Lagrange, M.-J. 914, 916, 951, 960, 976, 978, 994, 996, 997, 1020, 1043, 1045, 1046, 1050, 1062, 1078, 1079, 1080, 1086, 1103, 1107, 1108, 1119,

1121, 1123, 1126-1129, 1144, 1152,
1154, 1212, 1226, 1233, 1234, 1245,
1249, 1250, 1254, 1287, 1356, 1360,
1393, 1394, 1399, 1400, 1408, 1417,
1421, 1459, 1463, 1466, 1467, 1507,
1508, 1532, 1546, 1547, 1557-1560,
1563-1565, 1569, 1571, 1574, 1587,
1603, 1605, 1607, 1611, 1633,
Lagrange, P. 1255
Langkammer, H. 1378, 1379
Lattey, C. 1255
Laurentin, A. 1146, 1155, 1170, 1222
Lauterbach 1209
Lavergne, C. 1401, 1457, 1484
Le Déaut, R. 1369
Leal, J. 1066, 1103
Lee, G. M. 1623
Lemmonyer, A. 1644
Léon-Dufour, X. 1204, 1206, 1210, 1466
Levonian, L. 1504
Lietzmann, H. 1206, 1212, 1281, 1327
Lightfoot, R. H. 1126, 1461, 1462, 1494, 1549, 1565, 1574, 1601
Lindars, B. 1469, 1470, 1471
Linnemann, E. 1267
Linton, O. 1221
Lipinski, E. 1325
Lisy 1360
Lofthouse, W. F. 1648
Lohfink, N. 1023
Lohmeyer, E. 917, 918, 926, 1581
Lohse, E. 1239, 1276, 1305, 1316
Loisy, A. 917, 936, 938, 977, 979,
1013, 1036, 1081, 1085, 1106, 1109,
1111, 1113, 1114, 1120, 1121, 1134,
1138, 1151, 1154, 1206, 1226, 1239,
1267, 1291, 1321, 1349, 1376, 1381,
1383, 1385, 1386, 1397, 1402, 1406,
1411, 1417, 1420, 1450, 1466, 1467,

1473, 1482, 1494, 1499, 1507, 1508,
1511, 1545, 1551, 1557, 1559, 1563,
1565, 1566, 1575, 1579, 1605, 1606,
1607, 1610, 1616, 1617, 1624, 1625
Lutero 1126, 1245, 1643

Macgregor, G. H. C. 917, 1321, 1587
Macler, F. 1606
Mahoney, A. 1254, 1313, 1325,
Maier, J. 1190
Maier, P. L. 1278, 1335
Maiworm, J. 1465
Maldonatus 994, 1085, 1092, 1109
Mánek, J. 1445, 1596
Mantey, J. R. 1504, 1505
Marcozzi, V. 1408
Marrow, S. B. 1563, 1566, 1572, 1576, 1593, 1608, 1611
Martinez Pastor, M. 976
Martyn, J. L. 1083
Massaux, E. 1101
Masson, C. 1267, 1635, 1636
McCasland, S. V. 1004
McClellan, W. 1484
McDowell, E. A. 1558, 1602, 1603
McL. Wilson, R. 1162
Meeks, W. A. 1263, 1288, 1322, 1323, 1341, 1361, 1550
Mein, P. 1232, 1233
Menoud, P.-H. 1490
Mercurio, R. 1423
Merk 1462, 1545, 1605
Merlier, O. 1287
Merx 919
Meyer, E. 1267, 1377, 1634
Michaelis, W. 994, 1003, 1103, 1574, 1645
Michaels, J. R. 1392, 1393, 1405
Michel, O. 965
Michl, J. 916, 924, 925, 1401
Miguens, M. 1370, 1413, 1465

Milligan, G.	1561	Plínio	1566
Milne, H. J. M.	1631	Plummer, A.	1249, 1478, 1574, 1587
Moffatt	947, 1266, 1603	Poelman, R.	1151
Mollat, D.	1103, 1147	Pollard, T. E.	1180, 1187
Mommsen, T.	1209, 1280	Pölzl, F. X.	1466
Montgomery Hitchcock, F. R.	1348, 1628,	Porter, C. L.	1019
		Potin, J.	1597
Moor, J. C. de	1190	Prat, F.	935
Moore, G. F.	1231	Prete, B.	1537
Morris, W. D.	1466		
Morrison, C. D.	1154, 1175	Quispel, G.	1020, 1162
Moule, C. F. D.	911, 1358, 1443, 1446, 1504, 1508, 1602		
		Ramsey, A. M.	1490
Moulton, J. H.	1315, 1561	Randall, J. F.	1180, 1188, 1190
Moulton, W. J.	1481	Rau, G.	1308
Mowinckel, S.	1109, 1419, 1645	Reid, J.	1172
Munck, J.	965	Reinach, S.	1368
Murmelstein, B.	1375	Rengstorf, K. H.	1291, 1548
Murphy, R. E.	1160, 1169	Reynen, H.	1228
Mussner, F.	1644, 1652	Ricca, P.	1358
		Richter, G.	917, 919-921, 926, 927, 931, 933, 953, 1241
Nauck, W.	1443, 1452, 1458		
Neher, A.	1190	Rieger, J.	1017, 1018
Neirynck, F.	1478, 1479	Riesenfeld, H.	1181, 1499, 1545
Nestle, E.	1397, 1462, 1545, 1605	Riggs, H. A.	1289, 1291
Nineham, D. E.	1634	Robinson, B. P.	1227
Norlie, O. M.	1358	Robinson, J. A.	929
		Roloff, J.	1635
O'Rourke, J. J.	911, 1323, 1419	Rossi, D.	1396
Oepke	1458	Ruckstuhl, E.	913, 1573, 1632
Olivi, P. J.	1411	Runes, D.	1208
Orígenes	907, 916, 936, 976, 991, 1027, 1036, 1180, 1210, 1241, 1291, 1317, 1347, 1378, 1408, 1409, 1412, 1601, 1602, 1606, 1609, 1638		
		Sanday	1394
		Sandvik, B.	1060
		Sasse, H.	1641, 1652
Osty, E.	1206, 1207	Sava, A. F.	1407, 1408
		Schaeder, H. H.	1232
Perles, F.	1465	Schaefer, O.	1002
Perry, A. M.	1206	Schlatter, A.	926, 994, 1044, 1118, 1138, 1170, 1188, 1247, 1394, 1396, 1417, 1574, 1608
Phillips, C. A.	905		
Platão	1048, 1252		

Índice dos Principais Autores Citados

Schlier, H.   1284, 1285, 1286, 1288, 1300, 1317, 1320
Schmitt, J.   1529
Schnackenburg, R.   926, 1574
Schneider, J.   951, 963, 964, 978, 1151, 1245
Schniewind   1267
Scholem, G.   1162
Scholte, F.   1522
Schrenk, G.   1629
Schulz, S.   1055
Schürer, E.   1209, 1230, 1276
Schwank, B.   917, 924, 985, 1018, 1033, 1085, 1107, 1138, 1166, 1173, 1184, 1194, 1363, 1455, 1462, 1492, 1545, 1601, 1623, 1625, 1626
Schwartz, E.   1579, 1608, 1611, 1612, 1624
Schweizer, E.   1055, 1231, 1409, 1627
Schwitzer, A.   1470
Scott, E. F.   1650
Seidensticker, P.   1431
Sheehan, J. F.   1617
Sherwin-White, A. N.   1275, 1280, 1286, 1294, 1297, 1303, 1320, 1327, 1331, 1336
Sickenberger, J.   1466
Sidebottom, E. M.   1057
Simonis, A. J.   1123
Simpson, I.   1650
Skeat, T. C.   1631
Smalley, S. S.   981
Smith, C. W. F.   948, 1298, 1406, 1459, 1471, 1574, 1627, 1633
Smith, J.   1584
Smith, R. H.   1346
Spicq, C.   905, 1047, 1048, 1183, 1374, 1465, 1602, 1606, 1618
Spitta   919, 998, 1126, 1206, 1266, 1454, 1470, 1613, 1641
Spurrell, J. M.   1386

Stand, K. A.   914
Stanley, D. M.   1048, 1060, 1227, 1584
Stanton, A. H.   1100
Stauffer, E.   965, 1283, 1352
Steele, J. A.   1323
Stendahl, K.   935, 1526
Strachan, R. H.   1050, 1085, 1126, 1188, 1377, 1394, 1603
Strathmann, H.   994, 1086, 1106, 1188, 1574
Strauss, D. F.   928, 1253
Strecker, G.   1211
Streeter   1206, 1245
Stroud, J. C.   1407
Suetônio   1327, 1339, 1348, 1534
Suggs, M. J.   1019
Sutcliffe   1245, 1584
Swanson, D. C.   1559
Swete, H. B.   1504, 1523

Tabachovitz, D.   1345
Taciano   1077, 1103, 1124, 1168, 1171, 1249-1251, 1289, 1353, 1398, 1403, 1450, 1454, 1463
Talmon, S.   1190
Tasker   1462, 1545
Taylor, V.   994, 1204-1206, 1234, 1256, 1261, 1266, 1267, 1328, 1345, 1359, 1366, 1382, 1392, 1437, 1445, 1449,
Temple, S.   1205
Tertuliano   908, 927, 1036, 1212, 1327, 1372, 1413, 1462, 1502, 1546, 1570, 1596, 1609, 1612
Thibaut, R.   1319
Tholuck   1522
Thomas, W. H. G.   1551
Thurian, M.   1379
Thüsing, W.   976, 981
Tillmann   994, 1379, 1508, 1623
Tindall, E. A.   1247

Tischendorf	1631	Weiss, B.	994, 1126, 1188, 1206, 1395, 1532, 1587, 1626
Tödt, H. E.	1210		
Tomoi, K.	1015	Weiss, J.	1267
Torrey, C. C.	1324, 1394, 1395	Welles, C. B.	1314
Trench, R. C.	1602	Wellhausen, J.	919, 1107, 1128, 1246, 1406, 1454, 1470, 1490, 1579, 1587, 1598
Tromp, S.	1413		
Twomey, J. J.	1291		
Tzaferis, V.	1502	Wenger, E. J.	1187
		Wenz, H.	1507, 1532, 1537
Ubach, B.	1401	Westcott, B. F.	991, 994, 1046, 1103, 1104, 1121, 1126, 1151, 1175, 1250, 1544, 1545, 1559, 1560, 1574, 1602, 1606, 1610, 1611, 1623
Unger, D.	1379		
Vaccari, A.	1401		
Vaganay, L.	1546, 1633	Westcott-Hort	1287, 1508
van Unmik, W. C.	1501	Wikenhauser, A.	1021, 1114, 1379, 1417, 1574
Vanhoye, A.	1146, 1222		
Varebeke, J. de	1222, 1236, 1292, 1293, 1362	Wilckens, U.	1443
		Wilcox, M.	935, 938, 939
Vaux, R. de	1356	Wilkens, W.	1151, 1445, 1574, 1632
Vawter, B.	1057	Wilkinson, J.	1359
Verdam, P. J.	1215, 1279, 1282	William, F. M.	1480, 1484
Vermes, G.	1369, 1370	Windisch, H.	1092, 1114, 1641, 1644
Vincent, L.-H.	1324	Winter, P.	1206, 1209, 1210, 1212, 1214, 1228, 1230, 1232, 1235, 1239, 1244, 1246, 1251, 1281, 1282, 1283, 1288, 1291, 1298, 1308, 1332
Vincent, P.	1276		
Violet, B.	1465		
Vogel, C.	1597		
Vogels, H.	1545	Wood, J. E.	1369
Vogt, E.	1448	Woodhouse, H. F.	1643
von Campenhausen, H.	1300, 1319, 1337, 1437, 1443, 1462	Worden, T.	1528
		Wuellner, W.	1248
von Dobschütz	1209, 1458		
von Harnack	1321, 1587, 1616	Yadin, Y.	1277
von Soden	1545	Young, F. W.	1105, 1161
Vosté	1245		
		Zahn	1249, 1507, 1565, 1605, 1623
Walsh, J.	1401	Zeitlin, S.	1209, 1324
Wansbrough, H.	1216	Zerwick, M.	1127, 1288
Weir, T. H.	908	Zimmermann, H.	953, 1039
Weiser, A.	918	Zulueta, F. de	1453

ÍNDICE DE CITAÇÕES BÍBLICAS

Gênesis

1,10	1450
2-3	1227
2-4	1380
2,7	1503, 1518, 1521
2,15	1403
2,21-22	1393
3,15	911, 1380
3,15-16	1133
3,16	1120
4,1	1120, 1380
22,6	1369
22,12	1369
32,27	1037
37,3.23	1375
47,29-49,33	965
49,24	1617

Êxodo

3,13-15	1163
4,9	1411
12,6	1325
12,10	1395, 1415
12,13	1370
12,16	1390
12,22	1385
12,46	1395, 1402, 1415
19,5	1146
20,1	1020
21,2	924
22,2-21	1162
22,28	1253
24,16	1195
25,8	1028
28,4	1373
28,41	1175
29,5	1374
29,45	1195
33,11	1072
33,13.18	1027
33,18	1008
34,6	1145
36,35	1374
39,27	1374
40,13	1176
40,33	1358

Levítico

8,30	1176
11,44	1175
14,2	1175
13,2ss.	1408
14,4-7	1359
15,19-24	1276
16,4	1373
16,11-17	1156
19,18	984, 985
20,26	1175
21,10	1351
23,5	912
23,6-14	1389
24,16	1284, 1317
26,12	1495

Números

2-7	961
8,10	1050
9,6-12	1277
9,12	1395, 1415
11,20	1195
15,35	1345
18,20	925
19,7	1277
19,11	1277, 1398
19,16	1277
19,18	1359
19,19	927
20,11	1411
22,24	1348
24,17	1316
25,13	1084
27,18	1050
31,19	1277
35,25	1245
35,31	1292

Deuterômio

1,29	1000
1,33	1000
5,5.22	1020
6,5	1023, 1618
7,21	1195
7,5.21	1162
7,6-8	985
10,12-13	1618
12,12	925
13,2-6	1263
13,5	1220
14,27	925
15,19	1176
16,3	1507
16,4	1277
16,7	1226
18,15	1288
18,18	1009, 1164
18,18-19	1091
18,20	1220, 1263
21,22-23	1390, 1415
21,23	1283
23,14	1195
23,19[18]	1169
25,1	1102
30,16	967
31,8	1036
31,23	968
31,24	905
34,9	1645
34,10-12	1009

Juízes

6,23	1501
8,23	1340
13,4	1146
13,5	1231

Rute

1,16	1494
2,14	940

1 Samuel

1,1	1397
8,7	1340
12,22	1078
18,21	1356

2 Samuel

4,6	1249
5,2	1617
7,7	1605
7,11-16	1340
7,13	1316
7,25	1146
15,12	910
15,23	1226

1 Reis

1,17	1032
2,37	1227
4,33	1359
8,27ss	1028
11,29-31	1375
15,13	1226
22,19-22	1440

2 Reis

2,9.15	1645
3,11	907
21,18.26	1425

1 Crônicas

17,6	1617
28-29	965

2 Crônicas

5,11	1176
6,32	1078
7,3	1323
16,14	1400

Neemias

3,16	1425

Ester

5,10	1127, 1357

Jó

1,6-12	1646
16,19	1646
19,25-27	1646
33,23	1646

Salmos

7,1	1080
2,2	1299
2,7	1340, 1356
2,9	1133, 1605
9,11[10]	1161
13[12]	1056
16,10	1458
16,11	1004
22	1352, 1386
22,2	1233
22,16(15)	1384
22,17(16)	1348, 1502
22,19(18)	1351, 1373
22,23(22)	1161, 1495
25,5	1032
25,11	996
27,12	1213
28,6	909
29,11	1035
31,6[5]	1360
34,21(20)	1395, 1416
35,4	1233
35,19	1080
35,23	1534
38,12(11)	1352
41,10(9)	910, 911, 932, 1169
42,3[2]	1385
42,6(5)	939
56,10(9)	1242
63,2[1]	1385
69	1091, 1384
69,5(4)	1080, 1091
69,10[9]	1091
69,22	1384
69,22(21)	1091, 1382, 1384
69,26(25)	1169
80	1057
80,2[1]	1617
80,9(8)ss	1056
80,9[8]	1056
86,11	1003

88,9[8]		1352	22,22	1525, 1584
96,10		1372	26,13	1340
109,8		1169	26,17	1118
110,1		935	26,17-18	1133, 1380
113,10		1113	26,20	1118
116,5		1184	27,2-6	1055
119,4.25.28		1020	28,13b	1232
119,30		1003	32,5	1285
119,137		1184	34,13	1314
119,142		1171	37,20	1145
119,161		1080	40,8	1066
			40,11	1617
Provérbios			41,8	1049
			42,6	1232
5,6		1005	42,10	1105
6,23		1005	43,1	1487
8,2-3		1251	43,10	933
8,23		1161	44,7	1105
9,3		1251	44,28	1618
10,17		1005	45,19	1105
14,35		1285	48,5	911
15,24		1004	49,6	1232
18,10		1174	49,20-22	1380
24,22a		1170	50,6	1265, 1314
31,6-7		1382	52,6	1163, 1498
			52,7	1035
Eclesiastes			52,13	980, 981
			52-53	1352
3,20		1457	53	1114, 1370
12,9-12		1637	53,3	1265, 1316
			53,5.10	1419
Isaías			53,7	1265, 1319, 1416
			53,9	1397
5,1-7		1055, 1062	53,12	1347, 1360, 1410
5,15-16		1111	54,1	1380
6,1-13		1440	55,10-11	1138
7,14		1023	55,13	1161
9,5[6]		1133	57,4	1170
9,6		1035	57,19	1035
10,25		977	62,2	1161
11,1		1232	63,3	1127
11,3		1004	63,14	1113
14,19		1252	65,15-16	1161

66,14	1121, 1133	34	1618
66,7-10	1133	34,2	1605
66,7-11	1380	34,10	1605
		36,28	1495
Jeremias		37,3-5	1522
		37,26	1035
1,4ss	1440	42	1385
1,5	1176	42,1-12	1418
2,21	1062	47,6-12	1566
3,15	1618	47,10	1567
5,10	1055, 1063		
6,9	1056	**Daniel**	
10,10	1175		
12,1	1184	2,2.4.7.9	1105
12,10-11	1055	2,46	1242
14,21	1078	3,46	1285
16,16	1596	8,18	1242
21,8	1004	10,13	1646
22,10	1120	10,19	1501
24,7	1008, 1160	10,5	1460
26,6.11.20-23	1219	12,1	1134
31,10	1617	12,11 e 12	1637
31,31-34	985		
31,33	1495	**Oseias**	
31,33-34	1160		
31,34	1008	2,18(16)	1381
32,6-15	1169	2,25(23)	1535
34,5	1424	4,16	1617
51 [28] 33)	977	6,2	1458
		10,1	1056
Ezequiel		13,13	1133
		13,14	1008
3,7	1089	14,8(7)	1056
5,13.15	1031		
9,2	1460	**Joel**	
9,6	1507		
15,1-6	1056	3,2.12	1109
15,4-6	1066		
17,5-10	1056	**Amós**	
17,7ss	1063		
19,1-14	1056	3,7	1072
19,12	1066	6,10	1107
24,24	933		

Miqueias

4,9-10	1133
5,2(3)	1133

Naum

1,10	1314

Habacuque

2,14	1160
3,16	1135

Sofonias

1,14-15	1134

Zacarias

2,12-13(8-9)	1182
2,14 [10]	1028
3,1-5	1646
6,12	1316
9,9	1416
9,10	1035
11,6	1234
11,12	1416
11,12-13	1169
12,10	1396, 1416-1419
13,1 e 14	1418
13,7	987, 1127, 1139, 1416
14,4	1227
14,8	1385, 1418

NOVO TESTAMENTO

Mateus

2,6	1605
2,13	1016
2,22	911
2,23	1231, 1232
3,1	1636
3,8	1063
3,10	1046
3,11	970
4,18-22	1585
5,3-11	1509
5,11	1175
5,16	1068
5,22-24	1612
5,44	984, 1173
5,44-45	1071
6,8	1126
6,13	1170
6,24	1076
7,7	1011
7,8	1011
7,13	1169
7,24	931
7,28	1031
8,12	1067
8,15	1465
8,25-26	999
9,22	1119
10	920, 931
10,2	930
10,3	1019
10,5	1088, 1172
10,5.16.40	930
10,14	1089
10,17	1096
10,17-25	946, 952, 961, 1085, 1086, 1651
10,19-20	1093
10,20	961, 970, 1093, 1094, 1643, 1648, 1651
10,23	1622, 1652
10,24-25	930, 933
10,37	1023

Índice de Citações Bíblicas

10,40	933, 1089	21,22	1012, 1052
11,1	1031	21,28-32	1055
11,27	1007, 1160	21,39	1345
12,25	1119	21,43	1061
13,1-2	1585	22,2	1254
13,10	1067	22,34-40	984
13,16	1537	24,9-10	1086, 1141
13,30	1067	24,10	1449
13,41	1067	24,13-32	1435
13,47	1566	24,25	911, 970
13,53	1031	24,27.30.37.39	970
13,55	1019, 1354	24,45-51	969
14,27	1501	24,46	931
14,28-32	1584	24-25	969, 1086
14,28-33	1583	25,31-46	969
14,30-31	1589, 1614	25,33	1562
14,31	1270, 1515	25,41	1067
14,32	1565	26,1	1213
16,16	1545	26,2	1031
16,16-19	1620	26,6	1218
16,16b-19	1584, 1617, 1619, 1620	26,6.48	1228
16,18	1589, 1621	26,15	1416
16,18-19a	1584	26,17	1278
16,19	1525, 1618	26,20	907
16,19b	1584	26,21	939
16,27-28	970	26,22	939
16,28	1622	26,23	915, 937, 940
18,1	1525	26,25	937
18,3	976	26,26-27	937
18,12-14	1619	26,29	1000, 1059
18,15	1612	26,29.64	912
18,19	1012, 1013	26,30	1226
19,1	1031	26,30-35	986, 1140
19,14	976	26,31	915, 1082, 1085, 1095, 1139
19,17	1015	26,31-35	978
20,1-16	1055	26,33	915, 1604
20,18	1212	26,36	1227, 1228
20,20	1355	26,45	1229
20,20-28	1248	26,46	1231
21,2-5	1373	26,47	1229, 1230
21,11	1231	26,50	937, 1235
21,19	1052	26,51	1217, 1234, 1235
21,21	1010	26,52-54	1240

26,53	1285	27,29	1315
26,54	1233	27,31	1345
26,55	1236	27,33	1346
26,56	1139, 1356	27,34	1382
26,57	1244, 1246	27,36	1351
26,58	1248, 1250, 1265	27,37	1348, 1349
26,63	1317	27,38	1351
26,63	1319	27,42	1371
26,63	1545	27,45	1325
26,64	1262	27,46	1140
26,64	1287	27,47-48	1359
26,66	1212	27,48	1382
26,66	1279	27,49	1392, 1393
26,67	1253	27,50	1360
26,68	1332	27,54	1404
26,69-75	1265	27,56	1354
26,71	1231	27,57	1397
26,71	1249	27,59	1400, 1457
26,72.74	1315	27,60	1403, 1451
27,1	1256, 1274	27,62	1230, 1324, 1390
27,2	1278	28,1	1449, 1479
27,3-4	1247	28,2	1451
27,3-10	1169	28,3	1460
27,4	1611	28,4.5.8	1499
27,11	1239, 1279	28,5.7	1461
27,14	1319	28,7	1435, 1438, 1467
27,15	1288	28,8	1467
27,15-21	1308	28,8.10	1468
27,16	1291	28,8-10	1439
27,17	1290	28,9	1464, 1465, 1479, 1489
27,19	1275, 1277, 1318, 1322	28,9-10	1435, 1461, 1470, 1477
27,19.24-25	1211	28,10	1493, 1500, 1589
27,22	1317	28,13	1500
27,23	1326	28,16	1517
27,24	1335	28,16-20	1435, 1439, 1491, 1511, 1590
27,24-25	1338	28,17	1038, 1486, 1515
27,25	1208, 1340	28,18	1159, 1525
27,26	1314, 1345	28,18-19	923
27,26-31	1327	28,19	1512, 1513, 1527, 1596
27,27	1275, 1279, 1314	28,20	1026
27,27-31	1329	28,20	1500
27,28	1314	28,20	1571

Índice de Citações Bíblicas

Marcos

		9,43	1067
		10,19-20	1647
1,4	1636	10,29-30	1381
1,9	1231	10,32	1279
1,16-20	1558, 1585	10,32-45	929
1,18	1616	10,33	1212, 1256
1,20	1248	10,33-34	1211, 1239
1,28	1612	10,34	961, 970
1,31	1465	10,35	980, 981, 1355
2,14	1616	10,35-45	1248
3,14	1081	10,37	935
3,18	1019	10,40	1000
3,21	1436	10,42-44	1604
3,31-35	1381	10,42-45	929, 946
4,1-2	1585	10,45	961
4,1.36	1559	10,51	1464
4,6	1067	11,12-14	1063
4,11	1123	11,22-24	991
4,17	1135	11,24	1012
4,34	1123	12,1ss	1043
4,35	1498	12,1-11	1053, 1055, 1061
4,40	1515	12,14	1004
5,12	937	12,25	1464
5,30	1119	12,28-31	984
5,35-36	999	13	952, 1086
6,3	1019, 1354	13,3-4	1227
6,7	1520	13,9	1096
6,50	1501	13,9-11	961
6,51	1565	13,9-13	961, 1086
7,1-5	926	13,11	1093
7,8	1505	13,19.24	1135
8,27-29	1584	13,23	970
8,29	962	13,26	1115, 1131
8,29-31	1218	13,26-27	969
8,31	961, 970, 1211, 1239, 1256	13,30	1622, 1652
8,31-33	925	13,31	1431
8,32-33	1270	13,32	1018
8,34	1368, 1616	13,43	1229
9,3	1460	14,8	911
9,31	961, 970, 1211, 1239	14,10-11	906, 922, 941
9,34-35	1604	14,12	912, 1278
9,37	933	14,12-16	914, 938
9,41	1013	14,14-15	906

14,17	907	14,65	1220, 1253, 1265
14,17-21	922	14,66	1248
14,18	915, 932, 939, 1352	14,66-72	1265
14,19	915, 939	14,67	1231, 1250
14,20	915, 937, 940	14,68	1249
14,21	932	14,72	1607
14,23-25	914	15,1	1213, 1230, 1254, 1256, 1274, 1275, 1399
14,24	915, 983, 1049		
14,25	915, 1059	15,2	1239, 1279, 1302, 1305
14,26	1150, 1226, 1349	15,2-5	1302
14,26-31	986, 1140	15,3	1305
14,27	915, 1095, 1127, 1139, 1270, 1376, 1416	15,3-5	1302, 1305
		15,5	1319
14,27-31	978	15,6	1288
14,29	1604	15,6-11	1308
14,29-31	915, 1267	15,6-15	1211
14,32	1227, 1228	15,7	1217, 1229, 1289, 1291, 1347
14,32-42.43a.44-46	1205	15,8	1275, 1279
14,34	939	15,9	1290
14,34-36	1153	15,13	1316
14,35	1139	15,14	1306, 1326
14,35-36	952	15,15	1314, 1328, 1335
14,36	961, 1183, 1235	15,15-20	1327
14,41	1229	15,16	1228, 1275, 1276, 1279, 1314
14,42	961, 1039, 1231	15,16-20	1329
14,42.44	1228	15,17	1315
14,43	1230	15,21	1345, 1368
14,44	1232	15,22	1346
14,47	1234, 1235	15,23	1383
14,48	1218, 1236, 1279	15,24	1350
14,48-49	1251	15,25	1324
14,49	910, 1240, 1264	15,26	1348
14,49-51	1240	15,27	1348, 1351
14,50	1139, 1270, 1356	15,32	1370, 1371
14,51	1401	15,33	1325
14,53	1244, 1275	15,34	1140
14,54 e 67	1251	15,36	1091, 1359, 1382
14,54	1248, 1250, 1251, 1265	15,38-39	1404
14,55	1214	15,39	1158, 1351, 1392
14,58	1218, 1261	15,40	1352, 1353
14,61	1317, 1318, 1319	15,40-41	907
14,62	971, 1131, 1262, 1287, 1622	15,42	912, 1324, 1389, 1404
14,64	1212, 1279	15,43	1397

15,44-45	1398	5,5	1559, 1562
15,46	1235, 1391, 1400, 1451	5,6	1568, 1569
15,47	1353, 1398	5,6-7	1562
16,1	1353, 1421	5,7	1564, 1568
16,1-2	1449	5,7.9	1582
16,1-8	1433, 1443, 1445	5,8	1586, 1587-1589
16,2	1448	5,10	1588, 1589, 1595
16,10	1120, 1467, 1468	5,10a	1586
16,11	1025	6,13	1073
16,12	1486	6,15	1216
16,14	1498, 1515, 1517	6,16	1019
16,15	1512, 1527	6,40	930
16,16	1513, 1527	7,14	1465
16,17-18	1010	7,39-40	1119
16,20	1571	7,42-47	1604
16,3	1451	8,2	1449, 1477, 1478
16,5	1456, 1460	8,30	937
16,7	1435, 1438, 1452, 1473, 1581	9,32	1158
16,8	1433, 1499	9,51	922, 1438
16,9	1448	10,1	1172
16,9-11	1477, 1478	10,3	1050
16,9-20	1433	10,16	933
18,28	1448	10,17	1073
19,7	1279	10,21-22	1154
27,2	1278	10,22	1007, 1160
		10,23	1537
Lucas		10,25-28	984
		10,29-37	984
1,2	1082	10,41	1511
1,45	1509	10,48	933
3,1	1278	11,9	1011
3,2	1244	11,9-13	1023
3,3	1636	11,10	1011
3,18	1544, 1636	11,13	970, 1648
4,21	910	11,17	1119
4,29-30	1232	11,28	931
4,38	1124	11,37	1569
4,48-49	1516	12,4	1049
5,1-11	1558, 1559, 1570, 1585, 1603, 1613, 1616	12,12	1648
		12,37	907, 924
5,3	1566	12,42-48	1508
5,4	1562	12,50	941
5,4-9.10b.11a	1588	12,7	1082

13,1	1216, 1278	22,31-34	915, 986, 1614
13,6-9	1056	22,32.36	1172
13,33	1438	22,33	1609
14,26	1023	22,34	1601
14,27	1370	22,37	1347, 1358
16,9	1000	22,38	1217, 1235
17,1	1319	22,39	1226
17,7	1605	22,42	1039
17,8	907	22,44	1227
17,10	1072	22,47	1308
18,31	1358	22,48	1228
18,31-33	1213	22,49	1240
19,20	1456	22,50	1234, 1235
19,47-20,1	1308	22,51	1235
20,29	1516	22,52	1229, 1230, 1260
20,6.19.26.45	1308	22,53	942, 1039, 1084
21,12-17	1086	22,54	1236, 1244, 1260, 1275
21,14-15	1647	22,54.66	1249
21,15	1093	22,54-55	1248
21,22	910	22,55	1250
21,37	1228	22,56	1250
21,38	1308	22,61	1032, 1266
22,3	923, 941	22,63	1253, 1265
22,12	1093, 1500	22,63-64	1253
22,14	907	22,63-65	1260
22,15	1278	22,66	1275
22,19	1598	22,66-70	1213
22,19a	932	22,67.70	1262
22,20	983, 985, 1049	22,71	1213
22,21-23	937	22.54-62	1265
22,21-38	950	23,1	1275
22,22-23	914	23,2	1263, 1279, 1302, 1305
22,23	939	23,3	1305
22,24	1027	23,4	1308
22,24-26	929, 946	23,4.14.22	1211, 1288
22,24-27	915	23,6	1319
22,24-29	930	23,6-12	1292
22,24-34	969	23,9	1319
22,27	915, 928, 929	23,11	1328, 1329
22,28-29	929	23,13	1285, 1308
22,29-30	1000	23,13.35	1230
22,30	915, 925, 1184	23,13-16	1334
22,31-32	1267, 1270, 1584, 1585, 1619	23,14	1315

23,16.22	1314	24,12	993, 1455, 1456, 1459, 1469, 1472, 1475, 1476, 1485
23,17	1288		
23,18	1326	24,12a	1455
23,18-19	1308	24,13-35	1440, 1593
23,19	1217, 1229, 1289, 1291	24,18	1354
23,20	1320	24,19-20	1308
23,21	1317	24,20	1230
23,22	1306, 1317	24,20-21	1038
23,23	1317, 1326, 1335	24,23	1460, 1517
23,24	1327	24,24	1459, 1469, 1475, 1476
23,25	1327	24,25-27	1384, 1458
23,26	1345	24,26	1491
23,27	1120	24,27	1135
23,27.35.48	1308	24,30-31	1591
23,27-31	1368	24,30-31.35	1537, 1599
23,34	1090, 1173	24,31.35	1485
23,36	1327, 1359, 1382	24,31.36	1500
23,38	1348, 1349	24,33	1500, 1517
23,39-43	1347, 1371	24,33-49	1498
23,43	925	24,33-53	1511
23,44	1325	24,34	1580
23,45	1404	24,36	1501, 1510, 1511, 1515
23,46	1360	24,36-49	1440
23,47	1392	24,37	1466, 1486, 1500
23,48	1417	24,37-38	1589
23,49	1352, 1355	24,37-39	1510, 1515
23,49.55	1354	24,38-43	1489
23,50	1396, 1397	24,39	1406, 1442, 1502, 1507, 1513, 1515
23,50-51	1397		
23,51	1397	24,40	1501
23,53	1391, 1400, 1403, 1457	24,41	1515
23,54	1324, 1404	24,41-42	1511
23,55-56	1421	24,41-43	1442, 1515, 1562, 1591
23,56	1399	24,44	910, 1511
24,1	1400, 1421, 1448, 1449	24,44-47	1511
24,2	1451	24,46	1459
24,3	1460	24,47	1438, 1511-1513, 1527
24,4	1460	24,48	1081
24,5	1025, 1499	24,49	1016
24,9	1468	24,51	1490, 1539
24,10	1354	28,10	1466
24,11	1478		

João

1,1	896, 1124, 1146, 1161, 1285, 1358, 1508
1,1.18	1145
1,3	1045
1,4	1185
1,5	942, 1302
1,9	1120
1,9,20	1156
1,10	896, 1182, 1185
1,11	1357
1,11-13	1474
1,12	1158, 1319, 1494, 1546
1,12-13	1108
1,13	1170
1,13-14	1184
1,14	896, 1158, 1192, 1195
1,17	1145, 1233, 1458
1,18	896, 940, 1006, 1146, 1323
1,19	1414
1,19-12,50	896
1,23.31	1005
1,26.31	1461
1,29	1303, 1341, 1415, 1416, 1527
1,30	1076, 1255
1,31	1412
1,33	1529
1,34	1405
1,35	940, 1558
1,35-51	1336
1,37	1627
1,37.43	1616
1,38	1242, 1464, 1487
1,39	1324, 1566
1,40	1247
1,41-42	962
1,41.45.49	1139
1,42	1601
1,43	995
1,45	1231, 1556
1,45-50	1557
1,46	1557
1,47	1056, 1594
1,48	1507
1,50	1010, 1509, 1594
1,51	1262, 1607
2,1	1355, 1458
2,1.2	1557
2,1-2	1184
2,2	909, 1613
2,4	1134, 1356, 1379, 1461, 1611
2,6	1400, 1568
2,9,24	1156
2,11	1139, 1158, 1167, 1192, 1548, 1593
2,12	908, 1354, 1357, 1530, 1556
2,13-14	1112
2,14	1252
2,16	1002
2,17	1091, 1384
2,19	1261, 1609
2,19-22	1002
2,21	1060, 1405, 1418, 1113, 1135
2,22	924, 1458, 1570, 1612, 1652
2,23	1017
2,23-3,1	1247
2,23-24	1034
2,23-25	937, 1337, 1532
2,24-25	1119
2,25	1607
2,28	1533
2,29	1535
2,30	1255, 1255
3,1	1398
3,2-3	1337
3,3	1193, 1306, 1319
3,3.5	897
3,3-6	1170
3,3-6,31-32	1137
3,5	1027, 1108, 1412, 1417, 1424, 1494, 1522, 1529, 1649
3,5-6	1521
3,6	1010
3,8	1513
3,10.17.18	907

3,11-12	985	4,24		1006, 1648
3,12	1145	4,25		1105, 1114
3,13	896, 1288	4,25-26		1114, 1650
3,13-24	1538	4,27		1569
3,14	1609	4,27-28		1519
3,14-15	1211, 1418	4,29		1250
3,15-16	1546	4,34	1033, 1145, 1183, 1195
3,16	1047, 1168, 1173, 1183, 1384, 1649	4,35		1127, 1509
		4,35-38		1064
3,16.21	941	4,36		1070
3,17	1102, 1341, 1649	4,38		1172
3,17-21	1528	4,45-48		1337
3,18	1418	4,46-54		1091
3,18-19	1173	4,48		1532
3,18-21	1418	4,48		1548
3,19	896, 942, 1110, 1145	4,49.51		1560
3,19-20	1090	4,50		1612
3,19-21	1306	4,54		1570, 1606
3,20	1109	5,1-11		1010
3,21	1186, 1551	5,2		1324, 1463
3,24	1648	5,4-5		1112
3,27	1319	5,11.21		1156
3,28.30	1394	5,17		1358
3,29	1070	5,18		1110, 1317
3,31	905, 1145	5,19	906, 1104, 1288, 1394
3,31-36	920	5,19-25		960
3,34	1530	5,19-30		1024
3,35	906, 923, 1047, 1184, 1357	5,20		1010, 1047
3,36	1110	5,21		1183
4,1	1454, 1603, 1604	5,23		1534
4,4	1112	5,24	905, 1007, 1157, 1418
4,6	936, 1359	5,25		1127, 1146
4,7	1558	5,26		1007, 1026
4,9.22	1284	5,27		1144, 1158
4,10	1211	5,27-29		1627
4,11	1462	5,28-29		971, 1193
4,13	1027, 1648	5,29		1067
4,14	927, 1431	5,30		1183, 1211
4,17-18	1119	5,31		1631
4,18	1562	5,31-32		1636
4,21.23	1127	5,32		1076
4,21-24	1028	5,33		1287
4,23	1146	5,36		1091, 1146

5,37	1090	6,59	1252, 1650
5,38	1044	6,60	1556
5,42	1048	6,61	1082
5,43	1649, 1649, 1650	6,63	1007, 1065, 1144, 1187
5,44	1145	6,64	906, 1099
6,1	1557	6,64.71	1228, 1319
6,1-13	1579	6,66-67	1518
6,6	1231	6,67	1517
6,7-8	1558	6,68	924
6,8	1505	6,68-69	962
6,9	1561, 1564	6,69	1125, 1175
6,9,11	1573	6,70	907, 910, 1073, 1169
6,10	1566	6,70-71	1170
6,11	1570, 1573, 1591	6,71	906, 1397
6,12-13	1045	7,1	1397
6,15	1264, 1287	7,4	1027
6,17	1559	7,5	1355, 1378, 1436
6,19	1557	7,7	1088, 1109, 1307, 1650
6,19-20	1431	7,8	1467
6,20	1501	7,11	1394
6,22	1559	7,12	1110
6,23	1454	7,14.18	1650
6,26	1151, 1157	7,14.28	1252
6,29	1394	7,15	1264
6,32	1061	7,15-19	1220
6,33	1183	7,16	1021, 1147
6,35	1046, 1058	7,17	1104
6,35-50	921, 960	7,19	1080, 1208
6,37	1077	7,26	1251
6,37.39	1090	7,28	1090, 1650
6,38	1520	7,30.44	1232
6,39	923, 1168, 1234	7,31	1603
6,39.40.44.54	1018	7,32	1229
6,39-40.57	1521	7,32.45	1229
6,44	1595	7,33	976, 977, 982, 1100, 1118, 1467
6,51	932, 1060, 1599		
6,51-58	910, 920, 931, 932, 1060, 1152	7,33-34	982, 983, 1112
		7,34	982, 1183, 1184
6,53-56	1414	7,35	1003
6,54.56	971	7,37	1385, 1416, 1567
6,56	1044, 1060	7,38	1385
6,57	945, 1026, 1043, 1060, 1069, 1171, 1183, 1189, 1511	7,38-38	1411
		7,38-39	1144, 1364, 1418

7,39	1018, 1100, 1108, 1111,	8,51	1020, 1147
	1387, 1412, 1458	8,53	1317
7,39	1492	8,54-55	1090
7,41	1349	8,54-58	1090
7,41.52	1231	8,55	1033, 1185
7,43	1375, 1595	8,56	1070
7,50	1398, 1399	8,58	1147
7,53-8,11	1573	9,3	1033, 1080, 1593
7,58-60	1083	9,4	942
8,3	1354	9,7.11	908
8,3-5	1282	9b,12-13	1591
8,5	1284	9,16	1375, 1595
8,14	1157, 1650	9,18	1091
8,14.19	1650	9,20	1157
8,15	1144	9,22	1082
8,16	1128	9,24	1110, 1606
8,17	1080	9,28	1394
8,18	1094	9,29	1629
8,19	995, 1007, 1090	9,31	1204, 1629, 1629
8,20	1252, 1650	9,34.40	1010
8,20.59	1232	9,39	1287
8,21	977, 982, 983, 1112, 1184	9,39-41	1528
8,22	1003	9,41	1091, 1110, 1527
8,23	1088, 1288	9,47-53	1217
8,24	1550	10,1	1122, 1607
8,25	1569	10,1-5	1051, 1054
8,26	1104, 1288	10,1-10	1310
8,27-28	1211	10,1-18	1054
8,28	932, 1009, 1163, 1534, 1650	10,1-21	1051
8,29	1048, 1114, 1128	10,2	1151
8,30	1161	10,3	1186, 1288, 1486
8,31	1204	10,6	1123
8,31-32	1114	10,7-18	1051
8,32	1159, 1171, 1336	10,8	1054
8,35	1002	10,9	1006
8,38	1006	10,10	1007
8,42	1022, 1124, 1149, 1394	10,11	978, 987, 1048, 1177
8,43	1288	10,11.14-15	1363
8,44	1208	10,11.15.18	907
8,45-46	1100	10,14	1486
8,46	1100, 1253	10,14-15	1171, 1185
8,47	1125, 1288	10,15-16	1375
8,50	1157	10,16	1016, 1064, 1186, 1189, 1619

10,17	1047	11,27	1545, 1550
10,17-18	976, 1177, 1304, 1337, 1386	11,31	1450
10,17-25	1086	11,33	934, 991
10,18	897, 922, 941, 1038, 1071, 1140, 1241, 1369, 1370	11,38	1451
		11,41	1143
10,19	1375, 1595	11,41-42	1154
10,23	1252	11,42	1181, 1550
10,24	1137, 1252	11,43	1316
10,24-25.33.36	1262	11,44	1400, 1456, 1485
10,27	1616	11,47-53	1261, 1336
10,27-28	1145	11,47.57	1229
10,28	1007, 1035, 1168	11,48	1305
10,29	923	11,49	1245, 1246
10,30	1037, 1081, 1090, 1180, 1534	11,49-52	1284
10,33	1110, 1284	11,50	1100, 1246, 1303, 1609
10,33-34	1204	11,51	1177, 1338, 1370
10,34	1080	11,51-52	1375
10,36	1172, 1175, 1176, 1317	11,52	1045, 1186, 1190
10,37-38	995	11,53	1304
10,38	1009	11,54	1251
10,39	1232	11,55	905, 1226, 1325
10,42	922	12,1	905, 1399
11,1	968, 1226, 1381	12,1-8	921
11,2	1399, 1454	12,2-3	1083
11,3	1049	12,3.7	1423
11,2-5	1126	12,3-7	1450
11,4	1263	12,4	1399, 1505
11,4.40	1158	12,6	935, 938
11,5	1049, 1126, 1506	12,9-12	1637
11,7	1125	12,12-16	1287
11,10	942, 1241	12,12.36	905
11,11	1049	12,13	1314, 1334
11,12	1145, 1151	12,14	1264, 1373
11-12	1399	12,14-15	1169
11,12,21-23	1177	12,15	1416
11,14	1137	12,16	908, 924, 1113, 1135, 1458, 1612, 1652
11,14-16	1531		
11,15	1070	12,19	1263, 1417
11,16	993, 1020, 1506, 1516, 1557	12,20-22	980, 981
11,18	1564	12,21	1399
11,21-23	1157	12,22	1558
11,25	1194	12,23	1099, 1127, 1143, 1158, 1238
11,25-26	1007	12,23.27-29	939

12,23.28-29	980, 981	13,2-5	941
12,23.31	1380	13,2-10	953
12,24	1060, 1064, 1120	13,2.11.21	1228
12,24-26	1099	13,2.27	911, 1039, 1150
12,26	1184, 1370, 1616	13,2.27.30	1063, 1169
12,27	939, 1143, 1338	13,3	1150, 1357
12,27-28	1154, 1650	13,4	1351
12,28	1068, 1158	13,4-5	1563
12,30	1255	13,5	1111, 1166, 1518
12,31	999, 1033, 1112, 1173	13,7	1113, 1135
12,32	897, 980, 981, 1193, 1283, 1364, 1372, 1386, 1411, 1417, 1424, 1595	13,8	929
		13,8-11	1123
		13,9-11	1594
12,32-33	1304, 1491	13,10	1064, 1065
12,33	1283, 1610	13,10a	927
12,34	1080	13,12	907
12,35	976, 1118, 1241	13,12-17	915
12,36	1232	13,12-20	920, 932
12,37	896, 1110, 1544, 1545, 1548	13,13	1072
12,38	910, 911	13,14	927
12,38-13-1	1539	13,15	930, 1545
12,38-39	1091	13,16	920, 930, 1037, 1052, 1072, 1077, 1086, 1123
12,38ss.	932		
12,40	1100	13,16.20	920
12,42	1214, 1397	13,17	1148, 1509
12,43	1157	13-17	898
12,44	999, 1090	13,18	907, 915, 920, 932, 939, 1033, 1052, 1073, 1080, 1150, 1169, 1170, 1352
12,44-50	920		
12,45	1017, 1520		
12,47	931	13,18-19, 21-30	914
12,48	1065, 1187, 1650	13,19	1033, 1034, 1169, 1550
12,48-49	1028	13,20	933, 1089, 1520
12,49	1104, 1104	13-20	944
12,49-50	1009	13,21	939, 991, 1226, 1610
12,50	1076	13,22	915, 939
13,1	896, 905, 922, 945, 977, 983, 1069, 1127, 1143, 1144, 1146, 1149, 1150, 1231, 1357, 1363, 1381, 1383, 1418, 1490, 1496	13,23	1505, 1563
		13,23.25	898
		13,23-25	1483
		13,23-26	1247, 1453
13,1-20	903, 914	13,25	1563, 1610
13,1-20,31	896	13,26-27	915
13,1.34	1051	13,27	941, 980, 981, 1034, 1038, 1241, 1369
13,2	937, 941, 1610		

13,27.30	1241	14,4	1032
13,30	1019, 1302	14,4b-33	978
13,31	944, 953, 980, 981	14,5	960, 1107, 1506, 1516
13,31a	948	14,6	1004-1006, 1056, 1058, 1103, 1114, 1176, 1288, 1636, 1650
13,31-14,31	946, 951-953, 960-964, 1086, 1094, 1106, 1106	14,6ss	950
13,31-17,26	914, 950	14,6-11	963, 1138
13,31-32	1051, 1068, 1143, 1149	14,7	1007, 1034, 1108, 1185, 1627, 1650
13,31-38	950, 951, 974, 978, 979, 996	14,7.9	1148, 1649
13,33	966, 982, 983, 1018, 1025, 1032, 1118, 1560	14,7.10	978
13,33.36	992, 1100	14,9	1008, 1037, 1079, 1081, 1090, 1652
13,34	915, 967, 983, 985, 1016, 1052, 1069, 1070, 1144, 1195, 1602	14,10	1079, 1091, 1104
13,34-35	1189	14,11	1550
13,35	1183	14,11-12	1188
13,36	946, 947, 960, 978, 986, 987, 993, 1107, 1113	14,12	966
		14,12.28	1467, 1491
13,36-37	1001	14,13	975, 1010, 1051, 1068, 1123, 1650
13,36-38	978		
13,37	983, 1052, 1234, 1604	14,13.14	968
13,38	915, 978, 990, 1127, 1607	14,13.14.26	964
14,1	978, 990, 1032, 1034, 1100, 1107, 1121	14,13-14	960, 1012, 1013, 1051, 1136
		14,14	1010, 1122
14,1-3	978	14,15 e 21	963
14,1-4	950	14,15.21	967
14,1-10	997	14,15	1047, 1048
14,1.11	1021	14,15-17	1132
14,1-13	990	14,15-17.26	1641
14,1-14	989	14,15.21.23-24	1048, 1052
14,1.27	966, 1064	14,15.23-24	1069
14,1-31	960, 978, 979	14,15-23	963
14,2	1002, 1034, 1100, 1167, 1558	14,15-24	1014, 1021
14,2.3.12.28	1100	14,16 e 26	960
14,2-3	915, 963, 966, 1000, 1001, 1025, 1111, 1132, 1193, 1194, 1285, 1488	14,16	966, 1034, 1054, 1093, 1138, 1166, 1641
		14,16-17	1023, 1034, 1650
14,2-4	962	14,16-18,26	963
14,3	925, 961, 971, 1001, 1032, 1034, 1079, 1184, 1627	14,17	971, 1031, 1092, 1094, 1103, 1104, 1109, 1111, 1521, 1529, 1538, 1641, 1647, 1652
14,3-4	1032		
14,3.18	966	14,18	945, 1032
14,3.20-22	1051	14,18ss	963

14,18-19	1489	15,4.5	1650
14,18.28	1501	15,4.5(7)	971
14,19	976, 1017, 1022, 1102, 1132, 1461	15,5	1060, 1594
		15,5-6	1189
14,19-20	963	15,6	947, 1191
14,20	971, 1046, 1121, 1498	15,6.7	971
14,20.23	1650	15,7	1010, 1011, 1052, 1136
14,21	1015, 1051, 1175, 1602	15,7.16	951
14,21.23	1124	15,7-17	951, 1051, 1059
14,21-23	1380	15,9	1069, 1171, 1183, 1283, 1511, 1518
14,22	1118		
14,23	967, 968, 971, 982, 991, 1002, 1046, 1053, 1147, 1148	15,10 e 12	1016
		15,10	1015, 1070
14,25	1034, 1052, 1070, 1082	15,10.14	967
14,25-26	1137	15,11	966, 970, 1031, 1035, 1136, 1170
14,26	966, 1016, 1038, 1080, 1092, 1093, 1095, 1097, 1100, 1104, 1105, 1112, 1114, 1121, 1122, 1148, 1176, 1194, 1520, 1521, 1563, 1641, 1642, 1649	15,12 e 17	983
		15,12	967, 983
		15,12.17	915, 1189
		15,12-13	930, 1064
		15,13	905, 923, 945, 961, 977, 1048, 1060, 1177, 1621
14,27	966, 968, 990, 1048, 1141		
14,27.50	1270	15,15	1072, 1077, 1113, 1148, 1286, 1357
14,28	1037, 1070, 1108, 1319, 1496		
14,29	911, 969, 1141	15,15.20	920
14,30	1112, 1140, 1173	15,16 e 19	952
14,30 e 31	947	15,16	920, 968, 996, 983, 1010, 1089, 1122
14,30-31	946-948, 960, 1174		
14,31	948, 951, 952, 953, 961, 1048, 1070, 1071, 1150, 1226, 1236	15,16-20	1328
		15,17	1314
14,34	1418	15,17-17	1024
14,49	1351	15,18 e 25	1085
14,53.55-64	1205	15,18	999, 1075, 1085
14,62	1232	15,18.20	968
15,1	1060, 1256	15,18-16,2	920
15,1-6	915, 947, 949, 951, 1051-1054, 1150	15,18-16,11	1085
		15,18-16,15	1085
15,1-16,4a	962	15,18-16,4a	946, 949, 951, 961, 969, 1086, 1092, 1094, 1099, 1150, 1173, 1651
15,1-17	897, 951, 1041, 1050, 1060, 1072, 1085, 1095		
		15,18-19	1170
15,2	1066	15,18-21	1088, 1095
15,3	917, 927, 1064, 1065, 1067, 1171, 1176	15,18-25	1085, 1642
15,4	1052	15,18-27	1085

15,19	905, 1052, 1147, 1170, 1183	16,6	1107, 1120, 1170
15,20	1020, 1052, 1072, 1086	16,6.22	990
15,21	1084, 1088, 1090, 1091, 1096	16,6-7	1644
15,21,23	1021	16,6-7.22	966
15,21,23-24	1022	16,7	960, 1001, 1016, 1018, 1031, 1036, 1108, 1364, 1412, 1494, 1521, 1641
15,22	1102		
15,22-24	1110		
15,22-25	1088	16,7-8	971
15,25	911, 1085, 1091, 1092, 1233, 1253, 1283, 1384	16,7.8.13	1641
		16,7.8.13.14	1017
15,26	1016, 1017, 1031, 1093, 1094, 1100, 1103, 1124, 1520, 1521, 1636, 1641, 1642	16,7-11.12-14	1641
		16,8	1101, 1104, 1529
		16,8.11	1010
15,26-27	961, 1085, 1088, 1092, 1093, 1097, 1115, 1186, 1414, 1521, 1627, 1641, 1642-1644, 1647, 1648	16,8-11	999, 1038, 1092, 1173, 1417, 1642
		16,8.15	1132
15,27	1073, 1085, 1099, 1109	16,9	1079, 1435, 1448
15,28	910	16,10	971
15,44	1392	16,11	1173, 1653
16,1	1085, 1092	16,12	1034, 1049
16,1-17	1123	16,12.14	1556
16,1.25	1031	16,12-13	1148, 1252
16,1.33	970	16,12-28	1106
16,1-4a	1088, 1092, 1095	16,13	967, 1006, 1016, 1031, 1032, 1104, 1105, 1121, 1194, 1641, 1642, 1645, 1647, 1652
16,1.4a	1084		
16,1.4a.6.25.33	1031, 1052		
16,2	1127, 1317	16,13-14	1034, 1095, 1645
16,2-3	968	16,13-15	1022, 1123, 1135
16,3	1078, 1088, 1091, 1096, 1128, 1185, 1650	16,14	1487, 1591, 1642
		16,14-15	966
16,4	911, 1086	16,15	1106, 1167
16,4a	1075, 1081, 1086	16,15.15	964
16,4a.33	1031	16,15-17	1587
16,4b-15	1098, 1106	16,16	1018, 1132, 1650
16,4b-33	946, 952, 953, 960-963, 978, 979, 997, 1023, 1086, 1094, 1106, 1106	16,16ss	1130
		16,16-33	1116
		16,17-19	1132
16,5	946, 947, 960, 978, 992, 1107, 1113, 1125, 1167	16,19	1539
		16,20	921, 968
16,5.10	1467	16,20-22.24.33	1130
16,5.18	1148	16,20-24	1070
16,5.28	1491	16,21	1123, 1133, 1134, 1379, 1380, 1561
16,5-33	1106		

Índice de Citações Bíblicas

16,21-22	1519	17,6	968, 1161, 1163, 1593
16,22	961, 966, 968, 971, 1051, 1328, 1489, 1536	17,6.14	1176
		17,8	1124, 1233, 1550
16,23	996, 1010, 1013, 1166, 1546, 1569	17,9	1173
		17,9-19	1165, 1363
16,23.24.26	964	17,10	1176, 1306
16,23.26	1018, 1499	17,10.22	1192
16,23-24	960, 1012	17,11	945, 949, 1019, 1163, 1234
16,23-24.26	1051	17,11-2	1090
16,23b-24	1136	17,11-12	968, 1158, 1163, 1546
16,24	970, 1010, 1011, 1170	17,11.12	1035
16,24.26	968	17,11.15	1150
16,25	995, 1127, 1137	17,11.16	1285
16,26	1011, 1115, 1138, 1166	17,11.21-23	967, 1375
16,27	1022, 1023, 1026	17,12	897, 911, 1150, 1150, 1169, 1233, 1234, 1242
16,27-28	1080		
16,27.30	1148, 1550	17,13	1035
16,28	905, 986, 1080, 1149, 1467, 1649	17,14	999, 1089, 1100, 1528
16,29	962	17,14.16	1159
16,29-32	987	17,15	905, 1152, 1153, 1174
16,30	962, 1147, 1148, 1607	17,15-16	1089
16,31	1148	17,17	1176
16,31-32	1509	17,17.19	1152
16,32	915, 978, 987, 1095, 1140, 1270, 1271, 1357, 1416, 1453, 1594, 1597	17,17-19	1520
		17,18	1503, 1512, 1528
		17,18.22	1511
16,33	961, 968, 999, 1035, 1038, 1086	17,19	1151, 1176, 1177, 1357, 1363, 1370
17	1177, 1182, 1187, 1190		
17,1	961, 1143, 1149, 1151	17,20	1176, 1518, 1528, 1536
17,1.4	1051	17,20-26	1178
17,1.4-5	1149	17,21	971, 1047, 1187
17,1.5	1010	17,21-23	1138, 1187, 1189, 1190
17,1-5	953, 1226	17,22	1068, 1115, 1171
17,1-8	1142	17,23	940, 986, 1051, 1152, 1171
17,1.11-12	1153	17,23.26	971, 1650
17,2	1037, 1150, 1158	17,23-26	1138
17,3	1150, 1159	17,24	925, 971, 1001, 1047, 1111, 1152, 1174, 1193, 1194, 1285
17,4	975, 1009, 1013, 1046, 1115, 1150, 1153, 1358, 1650		
		17,26	944
17,4-5	1037	17,32	1610
17,4.23	1358	18,1	906, 946, 947, 1150, 1236, 1236, 1236, 1403
17,5	896, 976, 1115, 1150, 1161, 1184, 1412, 1496, 1533		
		18,1-12	1225

18,1-27	1222, 1236	18,37	1006, 1007, 1297, 1300, 1649
18,2	1319	18,38	1297, 1315, 1317, 1321
18,4	922	18,38a-40	1308
18,5	1349	18,38b-40	1307
18,5-8	1174	18,39	1336
18,6	1369	18,39-19,6	1298
18,7	1231	18,39-40	1301
18,9	911, 1283, 1351	18,40	1294, 1310, 1332
18,10	924, 1217	18-19	898, 961
18,10-11	1286	18-21	1027
18,11	1385	19,1	1310, 1331, 1348
18,12,24	1608	19,1-3	1265, 1328, 1329, 1333
18,12-27	1244	19,1-6	1301
18,13-27	1243	19,1-7	1293
18,13.28	1275	19,1-16a	1312
18,14	1370	19,4	1317, 1333
18,15	1453, 1558	19,4.6	1288, 1297
18,15-16	1483	19,4.9.12	1293
18,15-18	1266	19,4-8	1333
18,17-18.25-27	978	19,5	1293, 1336, 1356
18,18	1526, 1564	19,6	1275, 1290
18,18-21	994	19,7	1111, 1328, 1336
18,19	1218	19,7-8	1212
18,20	1240, 1264, 1298	19,8	1294
18,20-23	1369	19,8-16	1293
18,22	1260	19,9	1296, 1302, 1333
18,24	1256	19,9-11	1336, 1369
18,26	1235	19,10-11	1299
18,27	1452	19,11	1038, 1242
18,28	912, 941, 1257, 1323, 1325, 1398	19,12-13	1162
18,28-19,7	1293	19,12-15	1317
18,28-19,16	1212	19,12-16a	1338
18,28-19,16a	1222	19,13	1276, 1296, 1332, 1372
18,28-32	1302	19,13.17	1463
18,28-40	1273	19,14	912, 914, 941, 1274, 1277, 1293, 1359, 1385, 1389
18,30	1320		
18,31	1215, 1294, 1302, 1317	19,14-15	1301
18,32	1233, 1317	19,15	1290
18,33	1333	19,16a	1350
18,33-38a	1305	19,16b-18	1368
18,35	1319	19,16b-30	1343
18,35-36	1319	19,16b-42	1222
18,36	1173, 1295, 1300	19,16b-42	1387

19,17	1403, 1452	20,1-18	1447, 1450, 1468, 1469,
19,17-18	1419		1471, 1472, 1480, 1509, 1510
19,17-22	1361	20,1-28	1548
19,19	1231, 1314, 1628	20,1-29	898, 1430
19,19-20	897	20,2	1247, 1563
19,19-22	1371	20,2.4.8	1558
19,21	134119	20,2-10	1247
19,22	1419	20,3-4	1594
19,23	1327, 1370	20,3-10	1475, 1480, 1483
19,23-24	1373	20,5-7	1483
19,24	1544, 1595	20,7	1400, 1568
19,25	1367	20,9	1476, 1570
19,25-27	1134, 1134, 1247,	20,9.24-28	1135
	1375, 1450	20,10	993
19,26-27	1139, 1452, 1453	20,11a	1472
19,27	1127	20,11-17	1440
19,28	922, 1146, 1377, 1380,	20,11-18	1471
	1385, 1458	20,13-18	1478
19,28-30	1381	20,14-18	1435, 1477, 1479, 1480
19,29	914, 1091, 1415	20,15	1403, 1487
19,30	905, 1380, 1385, 1413, 1493	20,15-16	1485
19,31	912, 1358	20,16	1354
19,31-32	1350	20,17	897, 1006, 1108, 1442, 1488,
19,31-37	1404		1490, 1491, 1494, 1495, 1522,
19,31-42	1388, 1472		1535, 1612
19,32	1371, 1419	20,18	1492
19,34	984, 1385, 1405, 1502	20,18.25	1563
19,34b	1410, 1414, 1418	20,19 e 26	1570
19,35	898, 940, 1186, 1353, 1369,	20,19	1139, 1417, 1484, 1501, 1511,
	1393, 1406, 1414, 1415, 1418,		1515, 1516, 1556, 1557, 1560
	1476, 1545, 1563, 1568, 1630,	20,19-20	1516
	1631, 1633, 1651	20,19-21	1048, 1439
19,36	914, 1386, 1415, 1416	20,19-23	1509, 1510, 1511, 1599
19,37	1311	20,19-28	1490
19,38	1417	20,19-29	1470, 1497, 1499
19,38-42	1419, 1423	20,19ss	1467, 1534, 1590
19,39	1247, 1421, 1610	20,20	1135, 1226, 1391, 1442, 1515
19,40	1455, 1484	20,20.21.26	1130
19,41	1345, 1347, 1462	20,21	1177, 1494, 1511, 1512,
19,41-42	1227, 1454		1528, 1536
20,1	942, 1422, 1507	20,21	1571
20,1-5	924	20,21-22	1172, 1520
20,1-10	1472	20,21-23	1010, 1511, 1513

20,22	897, 971, 1108, 1158, 1177, 1387, 1413, 1471, 1492, 1493, 1504, 1506, 1521, 1523, 1526, 1529, 1648	21,15-19	987, 1001
		21,15-23	1577, 1600
		21,17	1023
		21,18	1609
20,22-23	1529, 1530, 1649	21,18-19	1621
20,23	1494, 1511, 1513, 1526, 1528, 1531, 1584	21,19.22	1586
		21,19b.12-13	1597
20,24	993	21,20	1399
20,24-27	1531	21,22	1000, 1573, 1627
20,24-29	1471, 1514, 1516	21,23	984, 1187, 1467, 1546, 1571, 1576, 1652
20,24-31	1516		
20,25	1038, 1492, 1548, 1571	21,23-24a	1019
20,26	1491, 1556, 1557	21,24 e 25	1636
20,26-29	1440	21,24	898, 940, 1393, 1393, 1394, 1406, 1546, 1568, 1633, 1634, 1651
20,27	1026, 1489, 1565		
20,28	1008, 1145, 1195, 1548		
20,29	910, 1111, 1132, 1442, 1509, 1530, 1571	21,24-25	1547, 1577, 1628, 1633
		21,25	897, 1547, 1638
20,29b	1481, 1516, 1537	21,28.30	1358
20,30	1631, 1637	22,19	931
20,30-31	898, 1538, 1544, 1546, 1547, 1548, 1556, 1571, 1632, 1633	22,23(?),24	1559
		22,24	1145
20,31	921, 953, 1186, 1395, 1419, 1550, 1551	22,32	1270
		22,66	1260
21	1399	23,14	1309
21,11	1400, 1595	23,16.22	1212
21,1-14	1440, 1555, 1577, 1578, 1591, 1592, 1596, 1597, 1633	23,26	1132
		23b-24,26	1130, 1136
21,2	1399, 1516, 1586, 1599	24,12	1581
21,3	1438	25,4-5	1113
21,4.7	1481	27,3-10	1356
21,4-7	1135	27,52-53	1356
21,5	976	28,9-10	1467
21,7	924, 1483, 1586, 1611	31,38	1275
21,7.20-23	1247	34,35	1415
21,8	1566	43,17-18	1105
21,13	1591	48,14	1105
21,15ss	1616		
21,15.16	1022	**Atos**	
21,15-17	1191, 1272, 1483, 1578, 1583, 1585, 1589, 1617, 1617, 1619, 1620		
		1,2	1073
		1,3	1025, 1435, 1490
21,15-18	1575	1,4-5	1513

1,8	1081, 1438	7,58-60	1282
1,9	1539	8,1	1083
1,10	1460	8,20	1016
1,13	1019, 1500	8,31	1114
1,14	1467	9,2	1005
1,16-20	1169	9,4	1077
1,21	1082	9,7	1582
2,1	971	9,31	1644
2,4	1504	10,1	1229
2,23	1301	10,28	1276
2,23-24	1431	10,38	1231
2,29	1123, 1425	10,39	1283, 1327
2,29-32	1445	10,39-40	1431
2,32-33	1491	10,40-41	1025, 1027
2,33	1016, 1147	10,41	1442, 1591
2,34-36	1134	10,43	1546
2,36	1158, 1327	10,45	1016
2,38	1016	11,17	1016
2,40	1644	11,19	1135
2,46	1499	11,26	1228
3,13	1278, 1301, 1320	12,4	1351
3,13-14	1238	12,13	1249
3,15	1327	13,15	1644
3,17	1091	13,28	1213, 1238, 1278, 1301
4,6	1244	13,29	1357, 1384
4,10	1431	13,36-37	1445
4,13	1248	13,39	1420
4,13.29.31	1123	13,47	1049
4,25-26	1299	15,9	1065
4,27	1238, 1278	15,28	1094
4,27-28	1319	17,7	1339
5,22-24.26	1229	18,14-15	1304
5,30	1283	19,9.23	1005
5,30-31	1431, 1491	19,12	1456
5,31	1158	20,7	1499
5,32	1094, 1648	20,17-38	965
5,33-39	1217	20,27	1105
5,40	1331	20,28	1605
5,41	1090	20,28-29	1619
6,10	1094, 1643, 1648	21,6	1357
7,55	1111, 1147	21,11-12	1608
7,57-58	1284	21,36	1326
7,58	1345	22,4	1005

22,9		1582	11,26		1096
22,16		926	12,8		1644
22,30	1254,	1282	13,1		1337
23,20		1282	15,6		1467
23,28-29		1304	16,13		1368
23,33-35		1275			
24,14.22		1005	**1 Coríntios**		
25,6.17		1323			
25,7		1544	1,3		1032
25,9-11		1282	2,11		1648
26,9		1083	2,14		1017
26,13		1582	6,11	926, 1184,	1546
28,31		1123	7,19		1015
			9,7		1051
Romanos			10,16-17		1060
			11,20		906
1,1		1072	11,20-22		917
1,4		1431	11,23	932,	938
1,7		1032	11,23-26		1059
2,9		1135	11,25	983,	1598
3,3		1077	11,29		936
3,26		1184	12,3	1523,	1535
4,17		1049	12,4-6		1021
5,3		1069	12,11	1457,	1648
5,5	1016,	1195	12,13		1413
5,8		1048	12,28-29		1518
5,10		1026	12,29		1114
6,4		1445	13,12		1160
6,9		1485	14,21-33		1114
8,11.14		1648	15,3		1384
8,16		1648	15,4		1458
8,17		1184	15,6	948,	1611
8,18		1192	15,5	1270, 1436, 1580,	1590
8,29	1445,	1495	15,3-5	1444,	1445
8,30		1182	15,3-7	1431,	1432
8,32	1177,	1369	15,5		1517
8,33		1072	15,5-8	1436, 1570,	1634
8,34	1152,	1491	15,5-9		1490
8,39		1185	15,7	1467,	1591
9,1		1100	15,8		1582
9,4		1083	15,8-9		1512
10,14		1179	15,20ss		1444
11,17		1063	15,22		1026

15,42ss	1432, 1486	**Filipenses**	
15,51-57	1194		
15,57	1128	1,19	1648
16,2	993, 1499	1,23	1193
16,22	1023	2,7	1158
		2,8-9	1491
2 Coríntios		2,9	1158, 1164
		3,12	1182
1,3	1467		
3,5	1045	**Colossenses**	
3,17	1648		
3,18	1192	2,3	1638
5,1	1001	3,4	1594
5,8	1193	3,12	1072
13,13	1021	3,15	1032
Gálatas		**1 Tessalonicenses**	
1,4	1174	1,6	1175
1,13-14	1083	1,9	1145
1,16	1512	2,14-15	1211
3,13	1283, 1390	2,14-16	1208
4,6	1648	3,2	1644
4,7	1072	4,13-17	1194
		4,15	1622
Efésios		4,16-17	1001
		5,19-20	1114
1,4	1184		
1,20	1491	**2 Tessalonicenses**	
2,2	1102		
2,4	1185	2,3	1169
2,18	1136, 1495	2,13	1176
2,19-21	1005		
4,3-6	1191	**1 Timóteo**	
4,3.13	1168		
4,4-6	1021	1,3	1191
4,11	1114	1,3-7.18-20	1191
5,1	1180	1,10	1191
5,2	1048	1,11	910
5,26	926	2,1	1173
6,22	1102	2,7	1100
6,24	1022	3,15	1191
		3,16	1111

6,3	1191	**1 Pedro**	
6,3-5	1191		
6,13	1296	1,3-4	926
6,15	910	1,8	1023, 1537
		1,20	1184
2 Timóteo		1,23	1065
		2,3	1395
1,13	1191	2,4	1072
2,11	1184	2,5	1005
3,1-4,8	965	2,6-8	1233
4,3	1191	2,21	1005
4,3-5	1191	2,21-23	1608, 1319
		2,25	1619
Tito		3,10-12	1395
		3,21-22	1491
2,14	926	4,3-4	1089
3,5	926	4,12	1096
3,7	926	4,14	1090
		4,16	1610
Hebreus		4,17	1005
		5,1-4	1613
2,3-4	1179	5,1-5	1619
2,9-10	1495	5,2	1605
2,10	1006	5,2-3	1619
2,10-11	1177	5,2-4	1619
2,12	1161	5,4	1594
2,14	1102	5,15	1578
6,20	993, 1006		
7,26	1465	**2 Pedro**	
9,1.6	1083		
9,12-14	1177	2,2	1004
9,18-20	1385	3,3-8	1652
9,22	926		
10,10	1177	**1 João**	
10,22	926		
11,17-19	1369	1,1	1533
13,12	1345	1,1-3	1537
13,22	1644	1,2	1095, 1593
		1,2.3	1105, 1123
Tiago		1,3	971, 1159
		1,3.6.7	1189
2,23	1049	1,4	1135
4,4	1174	1,5	1105

1,7	926, 1189, 1341, 1414, 1415	3,16	1071
1,7-9	1530	3,18	1172
1,9	1184	3,18-19	1288
2,1	1016, 1023, 1138, 11530, 1641, 1643, 1649	3,21-22	1011, 1137
		3,22	1544
2,1-2	1529	3,22-23	1048
2,1.29	1102	3,22-24	1015
2,2	1370	3,23	983
2,3-4	1015	3,24	1022
2,5	1020, 1182	4,2	1145
2,7-8	985	4,2-3	1186
2,7-9	983	4,2-3.15	1191
2,10	1082	4,5-6	1089
2,12	1078, 1560	4,6	1078, 1191
2,12-13	1109	4,8	1159
2,12-14	1606	4,9	1593
2,13	1007, 1102	4,12.17.18	1182
2,13.14	1140	4,12-16	1022
2,13-14	1170, 1171	4,13-14	1081
2,13.14.24	1082	4,14	1095
2,14(13)	1185	4,19	1071
2,15-17	1167, 1174	4,20-21	1022
2,17	1102, 1173	4,21	983, 985
2,18	1561	5,2-3	983, 1022
2,18-19	1063	5,3	1015, 1159
2,18.20	1169	5,4	999, 1140, 1306
2,19	1067, 1191	5,4-5	1141, 1173
2,22-23	1159	5,6(7)	1016, 1648
2,22-24	1191	5,6.8	1393
2,23	999, 1090	5,6-8	1109, 1412, 1414
2,23-25	1145	5,10	1191
2,24	1044	5,13	1545, 1546, 1547
2,27	1032, 1121, 1648	5,14-15	1011, 1137
2,28	1594	5,16	928
3,1	1495	5,16-17	1530
3,2	1192, 1594	5,18-19	1170
3,7	1102, 1561	5,19	1102, 1170, 1173
3,11	1105	5,20	971
3,11-12	985	6,69	1649
3,12	1170	13,1	953
3,13	1088	14,6	1649
3,14	905, 984	17,6-26	953

2 João

1,3	1172
5	983
10	1187

Apocalipse

1,5	984, 1134, 1370
1,7	1396, 1417
1,10	1499
1,13	1374
1,17	1242
1,18	1025, 1380
2,3	1078
2,7	1114, 1227
2,9	1082, 1096
2,17	1162, 1605
3,5	1091
3,9	1082, 1096
3,10	1171
3,12	1162
3,20	1001
3,21	1141
4,11	1534
5,5	1128
6,2	1128
6,10	1145
6,16	1606
7,4	1568
7,14	926, 1135, 1414
7,17	1103, 1605
12,2-5	1133
12,5	1134
12,5.17	1380
12,8	993
12,10	1159
13,8	1091
13,18	1567
14,4	1616
14,13	1114
14,20	1564
16,1	1091
16,5	1184
16,16	1174
16,17	1386
17,4	1314
17,8	1091, 1169
17,11	1174
17,14	1128, 1606
17,17	1358
18,16	1314
19,7	1520
19,10	1114
19,12-13	1164
19,20	1559
20,2	1112
20,2-3	1102
20,6	925
20,10	1112
21,1	1193
21,1-4	1520
21,8	925, 1032
21,14	1073, 1518
22,1-2	1567
22,2	1058
22,5	1241
22,5.7-12	1112
22,17	1114
22,19	925
22,53	1241

OUTRAS FONTES CITADAS

1 Macabeus			87,2	1460
			91ss	965
2,18		1320	91,1	967
3,38		1320	92,2	966
9,22		1547	94,5	967
10,65		1320	95,7	967
11,34		1397	98,13	968
13,38		1350	100,7	968
			103,3	968, 970

2 Macabeus			2 Enoque	
3,26		1460		
14,36		1167	41,2	991

3 Macabeus			Josué	
2,2		1167	8,29	1390
6,23		1320	9,6	1146
6,27		1127, 1357	22-24	965
			24,14	1146

4 Macabeus			Jubileus	
9,20		1408		
			20,2	967
2 Baruque			21,5	967
			21,25	968
39,7ss		1057	22,23	966
78,4		967	22,24	968
			22,28-30	968
2 Esdras			35,27	966
			36,1	966
5,23		1056	36,3-4	967
7,80		1000	36,17	966, 967
14,28-36		965		
			Pedro	
1 Enoque				
			4,19-20	1627
39,4		1000	6,69	1139
41,2		1000	7,39	1626
42,2		1647	10,16	1616
45,3		1000	12,23	1626

13,36-38	1140	**Tobias**	
13,37	1614		
16,5	986	1,3	1003
17,4-5	1626	7,12	1356
18,18	1614	14,3-11	965
20,3-10	1626		
20,21	1617	**Didaquê**	
21,12	1614		
21,15-17	1616	9,2	1059
21,18-19	1617	9,3	1152
21,19.22	1614	9,5	1151
21,7	1624	9-10	1151, 1152
21,9	1614	10,2	1151, 1152, 1167
		10,5	1152
Sabedoria		16,5	1082
1,2	1027	**Eclesiástico**	
1,7-9	1646		
3,1.3	1036	24,17-21	1058
5,6	1003	28,1	1505
6,4	1285	39,3	1123
6,12	1026	45,4	1175
6,14.16	1251	49,7	1176
6,18	1026		
7,25	1161	**1 Clemente**	
7,27	1072		
9,11	1113	5,4	1609
10,5	1168		
10,10	1113		
15,11	1521		
15,3	1160		